Ein peruanischer Fischer verschwindet auf offener See. Heerscharen hochgiftiger Quallen belagern die Küste Australiens.

Vor Kanada bleiben die Wale aus. Erst mit wochenlanger Verspätung treffen sie ein, doch die Tiere verhalten sich ungewohnt aggressiv. Unterdessen findet ein Ölbohrteam am Grund der norwegischen See seltsame Würmer mit gewaltigen Zangenkiefern, die sich zu Millionen in den Meeresboden graben. Wie hingezaubert scheinen sie dem Biologen Sigur Johanson, der die Tiere untersucht, um herauszufinden, ob von ihnen eine Gefahr für die Offshore-Industrie ausgeht.

Johanson ahnt, dass hinter den Anomalien mehr steckt als eine Reihe kurioser Zufälle: Etwas wendet das Leben im Meer gegen den Menschen. Zu ähnlichen Schlüssen gelangt auch der indianische Walforscher Leon Anawak, der sich über Nacht mit dem Zusammenbruch des Waltourismus, fanatischen Umweltschützern und dem amerikanischen Militär herumschlagen muss, das plötzlich einen Mantel des Schweigens über die Vorfälle zieht. Offenbar wissen die Regierungen der USA und Kanadas mehr über die Bedrohung aus den Ozeanen: Eine Katastrophe dämmert herauf, die den Fortbestand der menschlichen Rasse in Frage stellen könnte. Doch wer oder was löst sie aus? Die Wissenschaftler müssen erkennen, dass der Mensch über den Planeten, den er vermeintlich beherrscht, weniger weiß als über den Weltraum.

Frank Schätzing, Jahrgang 1957, lebt gleich mehrere Leben. Als Kreativchef einer Werbeagentur, Musiker und Musikproduzent, begeisterter Hobbykoch und seit Mitte der Neunziger als Schriftsteller.
Mit ›Der Schwarm‹ hat sich der Autor, selber ausgebildeter Taucher, einen Traum erfüllt, nachdem er die Idee der Geschichte tatsächlich Jahre zuvor geträumt hatte. Frank Schätzing lebt und arbeitet in Köln.

Unsere Adresse im Internet: www.fischerverlage.de

FRANK SCHÄTZING
Der Schwarm

roman

FISCHER
TASCHENBUCH
VERLAG

18. Auflage: November 2008

Veröffentlicht im Fischer Taschenbuch Verlag,
einem Unternehmen der S. Fischer Verlag GmbH,
Frankfurt am Main, November 2005

© S. Fischer Verlag GmbH, Frankfurt am Main
Lizenzausgabe mit freundlicher Genehmigung des
Kiepenheuer & Witsch Verlages, Köln
© 2004 by Verlag Kiepenheuer & Witsch, Köln
Satz: H & G Herstellung, Hamburg
Druck und Bindung: GGP Media GmbH, Pößneck
Printed in Germany
ISBN 978-3-596-16453-0

FSC

Mix
Produktgruppe aus vorbildlich
bewirtschafteten Wäldern und
anderen kontrollierten Herkünften

Zert.-Nr. SGS-COC-1940
www.fsc.org
© 1996 Forest Stewardship Council

Dieses Buch wurde auf FSC-zertifiziertem Papier gedruckt.

FSC (Forest Stewardship Council) ist eine nichtstaatliche, gemeinnützige
Organisation, die sich für eine ökologische, sozialgerechte und
ökonomisch tragfähige Nutzung der Wälder unserer Erde einsetzt.

Liebe, tiefer als der Ozean.
Für Sabina

HISHUK ISH TS'AWALK
Stamm der Nuu-Chah-Nulth, Vancouver Island

PROLOG

14. januar

An jenem Mittwoch erfüllte sich das Schicksal von Juan Narciso Ucañan, ohne dass die Welt Notiz davon nahm.

In einem höheren Kontext tat sie es durchaus, nur wenige Wochen später, ohne dass jemals Ucañans Name fiel. Er war einfach einer von zu vielen. Hätte man ihn unmittelbar befragen können, was am frühen Morgen jenes Tages geschah, wären wohl Parallelen zu ganz ähnlichen Geschehnissen offenbar geworden, die sich zeitgleich rund um den Globus ereigneten. Und möglicherweise hätte die Einschätzung des Fischers, eben weil sie seiner unbedarften Weltsicht entsprang, eine Reihe komplexer Zusammenhänge enthüllt, die so erst später augenscheinlich wurden. Aber weder Juan Narciso Ucañan noch der Pazifische Ozean vor der Küste Huanchacos im peruanischen Norden gab etwas preis. Ucañan blieb stumm wie die Fische, die er sein Lebtag gefangen hatte. Als man ihm schließlich in einer Statistik wiederbegegnete, waren die Ereignisse bereits in ein anderes Stadium getreten und etwaige Aussagen über Ucañans persönlichen Verbleib von untergeordnetem Interesse.

Zumal es schon vor dem 14. Januar niemanden gegeben hatte, der sich sonderlich für ihn und seine Belange interessierte.

So wenigstens sah es Ucañan, der wenig Freude daran fand, dass Huanchaco über die Jahre zu einem international gefragten Badeparadies avanciert war. Er hatte nichts davon, wenn Wildfremde glaubten, die Welt sei in Ordnung, wo Einheimische mit archaisch anmutenden Binsenbooten aufs Meer hinausfuhren. Archaisch war eher, dass sie überhaupt noch rausfuhren. Der Großteil seiner Landsleute verdiente sein Geld auf den Fabriktrawlern und in den Fischmehl- und Fischölfabriken, dank derer Peru trotz schwindender Fangmengen unverändert die Weltspitze der Fischereinationen bildete, zusammen mit Chile, Russland, den USA und den führenden Nationen Asiens. El Niño zum Trotz wucherte Huanchaco nach allen Seiten, reihte sich Hotel an Hotel, wurden bedenkenlos die letzten Reservate der Natur geopfert. Am Ende machten alle irgendwie noch ihr Geschäft. Alle bis auf Ucañan, dem kaum mehr geblieben war als sein malerisches Bötchen, ein Caballito, ›Pferdchen‹, wie entzückte Conquistadores die eigentümlichen Konstruktionen einst genannt hatten. Aber wie es aussah, würde es auch die Caballitos nicht mehr lange geben.

Das beginnende Jahrtausend hatte offenbar beschlossen, Ucañan auszusondern.

Inzwischen wurde er seiner Empfindungen nicht mehr Herr. Einerseits fühlte er sich bestraft. Von El Niño, der Peru seit Menschengedenken heimsuchte und für den er nichts konnte. Von den Umweltschützern, die auf Kongressen von Überfischung und Kahlschlag sprachen, dass man förmlich die Köpfe der Politiker sah, wie sie sich langsam drehten und auf die Betreiber der Fischereiflotten starrten, bis ihnen plötzlich auffiel, dass sie in einen Spiegel schauten. Dann wanderten ihre Blicke weiter auf Ucañan, der auch für das ökologische Desaster nichts konnte. Weder hatte er um die Anwesenheit der schwimmenden Fabriken gebeten, noch um die japanischen und koreanischen Trawler, die an der 200-Seemeilen-Zone nur darauf warteten, sich am hiesigen Fisch gütlich zu tun. An nichts trug Ucañan die Schuld, aber mittlerweile konnte er es selber kaum noch glauben. Das war die andere Empfindung, dass er sich schäbig zu fühlen begann. Als sei er es, der Millionen Tonnen Thunfisch und Makrele aus dem Meer zog.

Er war 28 Jahre alt und einer der Letzten seiner Art.

Seine fünf älteren Brüder arbeiteten sämtlich in Lima. Sie hielten ihn für einen Schwachkopf, weil er bereit war, mit einem Boot hinauszufahren, das wenig mehr war als der Vorläufer des Surfboards, um in den verödeten Weiten der Küstengewässer auf Bonitos und Makrelen zu warten, die nicht kamen. Sie pflegten ihn darauf hinzuweisen, dass man Toten keinen Atem einhauchen könne. Aber es war der Atem seines Vaters, um den es ging, der trotz seiner bald siebzig Jahre jeden Tag hinausgefahren war. Bis vor wenigen Wochen jedenfalls. Jetzt ging der alte Ucañan nicht mehr fischen. Er lag mit einem merkwürdigen Husten und Flecken im Gesicht zu Hause und schien allmählich den Verstand zu verlieren, und Juan Narciso hatte sich an dem Gedanken festgebissen, den alten Mann am Leben halten zu können, solange er die Tradition am Leben hielt.

Seit über tausend Jahren hatten Ucañans Vorfahren, die Yunga und Moche, Schilfboote benutzt, noch bevor die Spanier ins Land kamen. Sie hatten die Küstenregion vom hohen Norden bis hinunter in die Gegend der heutigen Stadt Pisco besiedelt und die mächtige Metropole von Chan Chan mit Fisch beliefert. Damals war die Gegend reich gewesen an Wachaques, küstennahen Sümpfen, die von unterirdischen Süßwasserquellen gespeist wurden. In rauen Mengen war dort das Rietgras gesprossen, aus dem Ucañan und die Verbliebenen seines Standes immer noch ihre caballitos schnürten, nicht anders als es die Alten getan hatten. Ein caballito zu bauen erforderte Geschicklichkeit und innere Ruhe. Die Konstruktion war einzigartig. Drei bis vier Meter lang, mit spitzem, hoch gebogenem Bug und federleicht, war das Binsenbündel praktisch unsinkbar. In früheren Zeiten hatten Tausende die Wellen durchschnitten vor der Küstenregion, die ›Goldener Fisch‹ geheißen hatte, weil man selbst an schlechten Tagen mit reicherer Beute heimkehrte, als Männer wie Ucañan jetzt in ihren kühnsten Träumen fingen.

Aber auch die Sümpfe verschwanden und mit ihnen das Schilfgras.

El Niño wenigstens war kalkulierbar. Alle paar Jahre um die Weihnachtszeit erwärmte sich der ansonsten kalte Humboldtstrom infolge ausbleibender Passatwinde und verarmte an Nährstoffen, und Makrelen, Bonitos und Sardellen ließen sich nicht blicken, weil sie nichts zu fressen fanden. Darum hatten Ucañans Vorfahren dem Phänomen den Namen El Niño gegeben, frei übersetzt ›das Christkind‹. Manchmal beließ es das Christkind dabei, einfach ein wenig die Natur durcheinander zu bringen, aber alle vier bis fünf Jahre schickte es die Strafe des Himmels über die Menschen, als wolle es sie vom Angesicht der Erde tilgen. Wirbelstürme, verdreißigfachte Regengüsse und tödliche Schlammlawinen – jedesmal verloren Hunderte ihr Leben. El Niño kam und ging, so war es immer gewesen. Man konnte sich nicht unbedingt mit ihm anfreunden, aber irgendwie arrangieren..Seit jedoch der pazifische Reichtum in Schleppnetzen verendete, deren Öffnungen groß genug waren, dass zwölf Jumbo Jets nebeneinander reingepasst hätten, halfen nicht mal mehr Gebete.

Vielleicht, ging es Ucañan durch den Kopf, während die Dünung sein Caballito schaukelte, bin ich ja wirklich dumm. Dumm und schuldig. Wir alle sind schuldig, weil wir uns mit einem christlichen Schutzheiligen eingelassen haben, der weder etwas gegen El Niño tut noch gegen die Fischereiverbände und staatliche Absprachen.

Früher, dachte er, hatten wir Schamanen in Peru. Ucañan wusste aus Erzählungen, was Archäologen in den alten präkolumbianischen Tempeln nahe der Stadt Trujillo gefunden hatten, gleich hinter der Pyramide des Mondes. Neunzig Skelette hatten da gelegen, Männer, Frauen und Kinder, erschlagen oder erdolcht. In einem verzweifelten Versuch, den hereinbrechenden Fluten des Jahres 560 Einhalt zu gebieten, hatten die Hohepriester das Leben von neunzig Menschen geopfert, und El Niño war gegangen.

Wen musste man opfern, um die Überfischung zu stoppen?

Ucañan erschauerte vor seinen eigenen Gedanken. Er war ein guter Christ. Er liebte Jesus Christus, und er liebte San Pedro, den Schutzheiligen der Fischer. Kein San Pedro Day, wenn der hölzerne Heilige per Boot von Dorf zu Dorf gefahren wurde, an dem er nicht mit ganzem Herzen dabei war. Und dennoch! Vormittags liefen alle zur Kirche, aber nachts brannten die wahren Feuer. Schamanismus stand in voller Blüte. Doch welcher Gott konnte helfen, wo selbst das Christkind beteuerte, es habe mit dem neuen Elend der Fischer nichts zu tun, sein Einfluss erschöpfe sich im Durcheinander der Naturgewalten, und alles andere sei bitte schön Sache der Politiker und Lobbyisten?

Ucañan schaute in den Himmel und blinzelte.

Es versprach ein schöner Tag zu werden.

Augenblicklich präsentierte sich Perus Nordwesten als perfekte Idylle. Seit Tagen gab es keine Wolke am Himmel zu sehen. Die Surfer lagen zu so früher Uhrzeit noch in ihren Betten. Ucañan hatte sein Caballito vor gut einer halben Stunde durch die sanft heranrollenden Wellen hinaus aufs Meer gepaddelt, zusammen mit einem Dutzend weiterer Fischer, noch bevor sich die Sonne gezeigt hatte. Jetzt kam sie langsam hinter den dunstigen Bergen zum Vorschein und tauchte das Meer in pastellenes Licht. Die endlose Weite, eben noch silbern, nahm einen zartblauen Ton an. Am Horizont erahnte man die Silhouetten mächtiger Frachter, die Lima ansteuerten.

Ucañan, unbeeindruckt von der Schönheit des heraufdämmernden Morgens, griff hinter sich und förderte das *Calcal* zutage, das traditionelle rote Netz der Caballito-Fischer, einige Meter lang und rundum mit Haken unterschiedlicher Größe bestückt. Kritisch beäugte er die fein gewobenen Maschen. Er hockte aufrecht auf dem Rietschiffchen. Caballitos besaßen keinen Innenraum zum Sitzen, dafür einen großzügig bemessenen Stauraum im Heck für Ausrüstung und Netz. Das Paddel hatte er quer vor sich liegen, ein halbiertes Guayaquil-Rohr, wie es sonst nirgendwo mehr in Peru benutzt wurde. Es gehörte seinem Vater. Er hatte es mitgenommen, damit der alte Mann die Kraft spüren konnte, mit der Juan Narciso es niederstieß ins Wasser. Jeden Abend, seitdem sein Vater krank war, legte Juan ihm das Paddel an die Seite und die Rechte darauf, damit er es fühlte – das Weiterbestehen der Tradition, den Sinn seines Lebens.

Er hoffte, dass sein Vater erkannte, was er da berührte. Seinen Sohn erkannte er nicht mehr.

Ucañan beendete die Inspektion des *Calcal*. Er hatte es bereits an Land in Augenschein genommen, aber Netze waren kostbar und jede Aufmerksamkeit wert. Der Verlust eines Netzes bedeutete das Aus. Ucañan mochte auf der Seite der Verlierer stehen im Poker um die verbliebenen Ressourcen des Pazifiks, aber er hatte nicht vor, sich auch nur die geringste Nachlässigkeit durchgehen zu lassen oder sich gar der Flasche anzuvertrauen. Nichts konnte er weniger ertragen als den Blick der Hoffnungslosen, die ihre Boote und Netze verrotten ließen. Ucañan wusste, dass es ihn umbringen würde, sollte er diesem Blick je in einem Spiegel begegnen.

Er schaute sich um. Zu beiden Seiten, weit auseinander gezogen, erstreckte sich das Feld der kleinen Caballito-Flotte, die an diesem Morgen mit ihm unterwegs war, gut einen Kilometer vom Strand entfernt. Heute tanzten die Pferdchen nicht auf und nieder wie sonst. Es herrschte kaum Wellengang. Die nächsten Stunden würden die Fischer hier draußen verharren, geduldig bis fatalistisch. Mittlerweile hatten sich größere Boote hinzugesellt, solche aus Holz und ein Trawler, der an ihnen vorbeizog und das offene Meer ansteuerte.

Unentschlossen sah Ucañan zu, wie die Männer und Frauen nacheinander ihre *Calcals* ins Wasser gleiten ließen, sorgsam darauf bedacht, sie über ein Tau fest mit dem Boot zu verbinden. Runde, rote Bojen trieben leuchtend auf der Wasseroberfläche. Ucañan wusste, dass es auch für ihn Zeit wurde, aber er dachte an die vergangenen Tage und tat nichts, als weiter rüberzustarren.

Ein paar Sardinen. Das war alles gewesen.

Sein Blick folgte dem Trawler, der allmählich kleiner wurde. Auch dieses Jahr gab es einen El Niño, allerdings einen vergleichsweise harmlosen. Solange er sich in Grenzen hielt, zeigte El Niño mitunter ein zweites Gesicht, ein lächelndes, wohlwollendes. Angelockt von den gemütlicheren Temperaturen, verirrten sich große Gelbflossenthuns und Hammerhaie in den Humboldtstrom, denen es dort normalerweise zu ungemütlich war. Dann kamen zur Weihnachtszeit stattliche Portionen auf den Tisch. Zwar landeten vorher die wenigen kleinen Fische in den Mägen der großen statt in den Netzen der Fischer, doch man konnte nicht alles haben. Wer an einem Tag wie diesem weiter rausfuhr, hatte durchaus Chancen, einen der dicken Brocken mit nach Hause zu bringen.

Müßige Gedanken. Caballitos fuhren nicht so weit hinaus. Im Schutz der Gruppe wagten sie sich schon mal zehn Kilometer weit vom Festland weg. Die Pferdchen trotzten auch starkem Seegang, sie ritten einfach auf den Wellenkämmen dahin. Das Problem dort draußen war die Strömung. Wenn es außerdem noch rau war und der Wind landabwärts blies, musste man einiges an Muskelkraft aufbringen, um sein Caballito wieder an Land zu paddeln.

Einige waren nicht zurückgekehrt.

Kerzengerade und reglos hockte Ucañan auf den geflochtenen Binsen. Im frühen Licht hatte das Warten auf die Schwärme begonnen, die auch heute nicht kommen würden. Er suchte die pazifische Weite nach dem Trawler ab. Es hatte Zeiten gegeben, da hätte er mühelos Arbeit auf einem der großen Schiffe bekommen oder in den Fischmehlfabriken, aber das war nun auch vorbei. Nach den verheerenden El Niños Ende der Neunziger hatten sogar die Fabrikarbeiter ihre Jobs verloren. Die großen Sardellenschwärme waren nie zurückgekehrt.

Was sollte er tun? Er konnte sich einfach keinen weiteren Tag ohne Fang mehr leisten.

Du könntest den Señoritas das Surfen beibringen.

Das war die Alternative. Ein Job in einem der zahllosen Hotels, unter deren Übermacht sich das alte Huanchaco zusammenkauerte. Touristen fischen. Ein lächerliches Jäckchen tragen, Cocktails mixen. Oder verwöhnten Amerikanerinnen Lustschreie entlocken. Beim Surfen, beim Wasserskilaufen, spätabends auf dem Zimmer.

Aber sein Vater würde sterben an dem Tag, da Juan das Band zur Vergangenheit durchtrennte. Auch wenn der Alte nicht mehr bei Verstand war, musste er doch spüren, dass sein Jüngster den Glauben verloren hatte.

Ucañans Fäuste ballten sich, bis die Knöchel weiß hervortraten. Dann zog er das Paddel hervor und begann entschlossen und mit aller Kraft dem entschwundenen Trawler zu folgen. Seine Bewegungen waren heftig, ruckartig vor Wut. Mit jedem Eintauchen des Paddels vergrößerte sich der Abstand zum Feld der anderen. Er kam schnell voran. Heute, das wusste er, würden keine plötzlichen, steilen Brecher, keine tückische Strömung, kein heftiger Nordwestwind seinen Rückweg behindern. Wenn er es heute nicht riskierte, dann nie. Es gab immer noch Thunfische, Bonitos und Makrelen in den tieferen Gewässern, aber sie waren nicht allein für die Trawler da. Sie gehörten ebenso ihm.

Nach einer ganzen Weile hielt er inne und schaute zurück. Huanchaco mit seinen eng gesetzten Häusern war kleiner geworden. Um sich herum sah er nur noch Wasser. Keine Caballitos, deren Besitzer seinem Beispiel folgten. Die kleine Flotte war weit zurückgeblieben.

Früher lebten wir mit einer Wüste in Peru, hatte sein Vater einmal gesagt, mit der im Landesinneren. Inzwischen haben wir zwei Wüsten, und die zweite ist das Meer vor unserer Haustür. Wir sind zu Wüstenbewohnern geworden, die den Regen fürchten.

Er war noch zu nah.

Während Ucañán mit kraftvollen Schlägen weiterpaddelte, fühlte er die alte Zuversicht zurückkehren. Fast überkam ihn Hochstimmung, und er stellte sich vor, endlos über das Wasser zu reiten auf seinem Pferdchen, dorthin, wo unter der Oberfläche silberglänzende Rücken zu Tausenden dahinschossen, funkelnde Kaskaden im Sonnenlicht, wo sich die grauen Buckel der Wale aus den Fluten hoben und die Schwertfische sprangen. Ein ums andere Mal stieß sein Paddel zu und brachte ihn weiter weg vom Gestank des Verrats. Wie von selbst bewegten sich Ucañáns Arme, und als er endlich das Paddel sinken ließ und erneut zurückblickte, war das Fischerdorf nur noch eine würfelige Silhouette mit weißen Tupfen drumherum – dem in der Sonne leuchtenden, sich stetig ausbreitenden Schimmel der Neuzeit, den Hotels.

Ucañán fühlte Scheu in sich aufsteigen. So weit raus hatte er sich nie zuvor gewagt. Nicht mit dem Caballito. Es war weiß Gott etwas anderes, Planken unter den Füßen zu haben als ein schmales, spitzschnabeliges Binsenbündel unter dem Hintern. Der Morgendunst über dem fernen Ort mochte ihn täuschen, aber ganz sicher lagen zwischen ihm und Huanchaco nun zwölf Kilometer oder mehr.

Er war allein.

Einen Moment lang verharrte Ucañán. Er schickte ein kurzes Gebet an San Pedro, ihn glücklich und wohlbehalten nach Hause zu bringen, das Boot voller Fische. Dann nahm er einen tiefen Zug von der salzigen Morgenluft, holte das *Calcal* hervor und ließ es ohne Hast ins Wasser gleiten. Die hakenbesetzten Maschen verschwanden nach und nach im gläsernen Dunkel, bis nur noch die rote Boje neben dem Caballito trieb.

Was sollte passieren? Das Wetter war schön, und außerdem wusste Ucañán sehr genau, wo er sich befand. In unmittelbarer Nähe hob sich vom Meeresboden ein Massiv aus erstarrter Lava empor, ein kleiner, zerklüfteter Gebirgszug. Seine Spitzen reichten bis dicht unter die Wasseroberfläche. Seeanemonen siedelten darauf, Muscheln und Krebse. Eine Vielzahl kleiner Fische hauste in den Spalten und Höhlen. Aber auch große Vertreter wie Thuns, Bonitos und Schwertfische kamen, um zu jagen. Für die Trawler war es zu gefährlich, hier zu fischen, sie liefen Gefahr, von den scharfen Felskanten aufgeschlitzt zu werden, und außerdem gab das Gebiet nicht genug her für einen größeren Fang.

Für den mutigen Reiter eines Caballito würde es mehr als reichen.

Ucañan lächelte zum ersten Mal an diesem Tag. Er schaukelte auf und nieder. Ein wenig höher als in unmittelbarer Küstennähe waren die Wellen hier schon, aber es war immer noch sehr komfortabel auf seinem Binsenfloß. Er reckte die Glieder und blinzelte in die Sonne, die fahlgelb über den Bergen aufgestiegen war. Dann ergriff er wieder das Paddel und lenkte sein Caballito mit wenigen Stößen in die Strömung. Er ging in die Hocke und richtete sich darauf ein, während der nächsten Stunde die Boje zu beobachten, die ein Stück weit vom Boot über das Wasser tanzte.

Nach einer knappen Stunde hatte er drei Bonitos gefangen. Fett und glänzend lagen sie im offenen Stauraum des Caballito.

Ucañan geriet in Hochstimmung. Das war besser als die Ausbeute der letzten vier Wochen … Im Grunde hätte er jetzt zurückkehren können, aber da er schon mal hier war, konnte er ebenso gut noch warten. Der Tag hatte erfreulich begonnen. Möglich, dass er noch besser endete.

Außerdem hatte er alle Zeit der Welt.

Während das Caballito gemächlich entlang den Klippen dahintrieb, ließ er dem *Calcal* mehr Leine und sah zu, wie sich die Boje hüpfend entfernte. Immer wieder suchte sein Blick die Wasseroberfläche nach Aufhellungen ab, wo die Felsen in die Höhe wuchsen. Es war wichtig, dass er ausreichend Abstand hielt, um das Netz nicht zu gefährden. Er gähnte.

Am Seil war ein leichtes Ruckeln zu spüren.

Im nächsten Moment verschwand die Boje im Gezack der Wellen. Dann tauchte sie wieder auf, schoss empor, tanzte einige Sekunden wild hin und her und wurde erneut hinabgerissen.

Ucañan packte das Seil. Es spannte sich in seinem Griff und fetzte ihm die Haut von den Handflächen. Er fluchte. Im nächsten Moment legte sich das Caballito auf die Seite. Ucañan ließ los, um das Gleichgewicht nicht zu verlieren. Tief im Wasser blitzte die Boje rötlich auf. Das Seil stand steil nach unten, straff wie eine Sehne, und zog das Heck des kleinen Schilfboots langsam hinab.

Was zum Teufel war da los?

Irgendetwas musste ins Netz gegangen sein, etwas Großes und Schweres. Ein Schwertfisch vielleicht. Aber ein Schwertfisch hätte mehr Tempo vorgelegt und das Caballito mit sich fortgerissen. Was immer sich in den Maschen verfangen hatte, wollte nach unten.

Hastig versuchte Ucañan das Seil wieder in die Finger zu bekommen. Ein erneuter Ruck ging durch das Boot. Er wurde nach vorne gerissen und landete in den Wellen. Beim Untertauchen bekam er Wasser in die Lungen. Hustend und spuckend tauchte er auf und sah das Caballito halb überflutet. Der spitze Bug stand steil in die Höhe. Aus dem offenen Stauraum im Heck trieben die gefangenen Bonitos zurück ins Meer. Beim Anblick der versinkenden Fische packten ihn Wut und Erbitterung. Sie waren verloren. Er konnte ihnen nicht nachtauchen, weil er alle Hände voll zu tun hatte, das Caballito zu retten und damit sich selber.

Der Fang eines Vormittags. Alles umsonst!

Ein Stück weiter trieb das Paddel. Ucañan schenkte ihm keine Beachtung. Er konnte es später holen. Mit aller Kraft warf er sich der Länge nach über den Bug und versuchte ihn hinabzudrücken. Damit geriet er vollends unter Wasser, mitsamt dem Caballito, das weiterhin erbarmungslos hinabgezogen wurde. In fieberhafter Hast robbte er über die glatten Binsen zum Heck. Seine Rechte tastete im Innern des Stauraums umher, bis er gefunden hatte, was er suchte. San Pedro sei Dank! Sein Messer war nicht herausgeschwemmt worden, und auch nicht die Tauchermaske, neben dem *Calcal* sein kostbarster Besitz.

Mit einem Hieb durchtrennte er das Seil.

Sofort schnellte das Caballito nach oben und wirbelte Ucañans Körper um seine Achse. Er sah den Himmel über sich kreisen, geriet erneut mit dem Kopf unter Wasser und fand sich endlich keuchend auf dem Binsenboot liegend, das wieder gemächlich dahinschaukelte, als sei nichts geschehen.

Verwirrt richtete er sich auf. Von der Boje war nichts zu sehen. Sein Blick suchte die Oberfläche nach dem Paddel ab. Es trieb nicht weit von ihm in den Wellen. Mit den Händen steuerte Ucañan das Caballito darauf zu, bis er das Paddel zu sich heranziehen konnte, legte es vor sich hin und musterte die nähere Umgebung.

Das waren sie, die hellen Flecken im kristallklaren Wasser.

Ucañan fluchte lang anhaltend und lautstark. Er war den unterseeischen Formationen zu nah gekommen, und das *Calcal* hatte sich darin verfangen. Kein Wunder, dass es ihn nach unten gezogen hatte. Idiotische Tagträumereien, denen er sich hingegeben hatte. Und wo das Netz war, dort war natürlich auch die Boje. Solange es in den Felsen hing, konnte sie nicht aufsteigen, sie war ja fest damit verbunden.

Ucañan überlegte.

Ja, das war die Antwort, so musste es sein. Dennoch erstaunte ihn die Heftigkeit, mit der es ihn um ein Haar ins Verderben gerissen hätte. Es schien die einzig plausible Erklärung, dass er das Netz an die Felsen verloren hatte, aber Reste von Zweifel blieben.

Das Netz verloren!

Er durfte das Netz nicht verlieren.

Mit schnellen Paddelschlägen brachte Ucañan das Caballito dorthin zurück, wo sich das kurze Drama abgespielt hatte. Er spähte nach unten und versuchte im klaren Wasser etwas zu erkennen, aber außer einigen konturlosen Aufhellungen sah er nichts. Von Netz und Boje keine Spur.

War es wirklich hier gewesen?

Er war Seemann. Er hatte sein Leben auf dem Meer verbracht. Auch ohne technische Gerätschaften wusste Ucañan, dass er an der richtigen Stelle war. Hier hatte er das Seil kappen müssen, damit sein Binsenschiff nicht auseinander gerissen wurde. Irgendwo dort unten war sein Netz.

Er würde es holen müssen.

Der Gedanke hinabzutauchen war Ucañan alles andere als angenehm. Wie die meisten Fischer war er – obschon ein ausgezeichneter Schwimmer – im Grunde wasserscheu. Kaum ein Fischer liebte das Meer wirklich. Es rief ihn hinaus, jeden Tag aufs Neue, und viele, die ihr Lebtag gefischt hatten, konnten ohne seine Allgegenwart nicht leben, aber mit ihr lebten sie auch nicht sonderlich gut. Das Meer verbrauchte ihre Lebenskraft, behielt nach jedem Fischzug etwas davon ein und hinterließ verdorrte, schweigsame Gestalten in Hafenkneipen, die nichts mehr erwarteten.

Aber Ucañan besaß ja seinen Schatz! Das Geschenk eines Touristen, den er im Vorjahr mit rausgenommen hatte. Er holte die Tauchermaske aus dem Stauraum, spuckte hinein und verrieb den Speichel sorgfältig, damit sie unter Wasser nicht beschlug. Dann spülte er die Maske im Meerwasser aus, presste sie auf sein Gesicht und zog den Riemen über den Hinterkopf. Es war sogar eine ziemlich teure Maske, mit Rändern aus weichem, anschmiegsamem Latex. Ein Atemgerät oder einen Schnorchel besaß er nicht, aber das war auch nicht nötig. Er konnte die Luft lange genug anhalten, um ein ordentliches Stück hinabzutauchen und ein Netz von den Felsen zu zerren.

Ucañan überlegte, wie groß die Gefahr war, von einem Hai attackiert zu werden. Im Allgemeinen traf man in diesen Breiten keine Exemplare an, die Menschen gefährlich wurden. In seltenen Fällen waren Hammer-, Mako- und Heringshaie gesichtet worden, die Fischernetze plünderten, allerdings weiter draußen. Die großen Weißen ließen sich vor Peru so gut wie gar nicht blicken. Außerdem war es ein Unterschied, im freien Wasser zu tauchen oder in unmittelbarer Nähe von Felsen und Riffstrukturen wie hier, die eine gewisse Sicherheit boten. Ein Hai, schätzte Ucañán, war es ohnehin nicht gewesen, der sein Netz auf dem Gewissen hatte.

Seine eigene Unachtsamkeit war schuld. Das war alles.

Er pumpte seine Lungen auf und sprang kopfüber in die Wellen. Es war wichtig, dass er schnell nach unten gelangte, ansonsten würde ihn die eingeatmete Luft wie einen Ballon an der Oberfläche halten. Den Körper senkrecht gestellt, Kopf voran, legte er Abstand zwischen sich und die Oberfläche. War das Wasser vom Boot aus dunkel und undurchdringlich erschienen, tat sich um ihn herum nun eine helle, freundliche Welt auf, mit klarer Sicht auf das vulkanische Riff, das sich auf einer Länge von einigen hundert Metern dahinzog. Die Felsen waren gesprenkelt von Sonnenlicht. Ucañán sah kaum Fische, aber er achtete auch nicht darauf. Sein Blick suchte die Formation nach dem *Calcal* ab. Allzu lange konnte er nicht hier unten verweilen, wenn er nicht riskieren wollte, dass das Caballito zu weit abtrieb. Falls er in den nächsten Sekunden nichts erblickte, würde er wieder auftauchen und einen zweiten Versuch unternehmen müssen.

Und wenn es zehn Versuche kostete! Wenn es den halben Tag dauerte. Er konnte unmöglich ohne das Netz zurückkehren.

Dann sah er die Boje.

In etwa zehn bis fünfzehn Metern Tiefe schwebte sie über einem zerklüfteten Vorsprung. Das Netz hing direkt darunter. Es schien sich an mehreren Stellen verhakt zu haben. Winzige Rifffische umschwärmten die Maschen und stoben, als Ucañán näher kam, auseinander. Er stellte sich im Wasser aufrecht, trat mit den Füßen und machte sich daran, das *Calcal* zu lösen. Die Strömung blähte sein offenes Hemd.

Dabei fiel ihm auf, dass das Netz völlig zerfetzt war.

Fassungslos starrte er auf das Zerstörungswerk. Das hatten nicht allein die Felsen verursacht.

Was um alles in der Welt hatte hier gewütet?

Und wo war dieses Etwas gerade?

Von Unruhe ergriffen begann Ucañán an dem *Calcal* herumzunesteln. Wie es aussah, stand ihm tagelanges Flicken bevor. Allmählich wurde ihm die Luft knapp. Er würde es vielleicht im ersten Anlauf nicht schaffen, aber selbst ein ruiniertes *Calcal* besaß noch einen Wert.

Schließlich hielt er inne.

Es hatte keinen Zweck. Er würde aufsteigen, nach dem Caballito sehen und noch einmal hinabtauchen müssen.

Während er darüber nachdachte, ging um ihn herum eine Veränderung vor. Zuerst glaubte er, eine Wolke sei vor die Sonne gezogen. Die tanzenden Lichtflecken waren von den Felsen gewichen, die Strukturen und Pflanzen warfen keine Schatten mehr...

Er stutzte.

Seine Hände, das Netz, alles verlor an Farbe und wurde fahl. Selbst Wolken konnten diesen plötzlichen Übergang nicht erklären. Innerhalb von Sekunden hatte sich der Himmel über Ucañan verdunkelt.

Er ließ das *Calcal* los und sah nach oben.

So weit das Auge reichte, zog sich dicht unter der Wasseroberfläche ein Schwarm armlanger, schimmernder Fische zusammen. Vor lauter Verblüffung ließ Ucañan einen Teil der Luft in seinen Lungen entweichen. Perlend trieb sie nach oben. Er fragte sich, wo der riesige Schwarm so plötzlich hergekommen war. Nie zuvor hatte er etwas Derartiges gesehen. Die Leiber schienen beinahe stillzustehen, nur hin und wieder gewahrte er das Zucken einer Schwanzflosse oder das Vorschnellen eines einzelnen Tieres. Dann plötzlich vollzog der Schwarm eine Korrektur seiner Position um wenige Grad, die alle Tiere kollektiv vollführten, und die Leiber schmiegten sich noch enger aneinander.

Eigentlich das typische Verhalten eines Schwarms. Dennoch stimmte etwas nicht damit. Es war weniger das Verhalten der Fische, das ihn irritierte. Es waren die Fische selber.

Sie waren einfach zu viele.

Ucañan drehte sich um seine eigene Achse. Wohin er auch schaute, verlor sich die gewaltige Menge der Fische im Unendlichen. Er legte den Kopf in den Nacken und sah durch eine Lücke zwischen den Leibern den Schatten seines Caballito, das sich gegen die kristallen funkelnde, leicht bewegte Oberfläche abzeichnete. Dann schloss sich auch dieser letzte Ausblick. Es wurde noch dunkler, und die verbliebene Luft in seinen Lungen begann schmerzhaft zu brennen.

Goldmakrelen, dachte er fassungslos.

Auf ihre Rückkehr hatte kaum noch jemand zu hoffen gewagt. Im Grunde hätte er sich freuen müssen. Goldmakrelen brachten einen leidlich guten Preis auf dem Markt, und ein randvolles Netz davon ernährte einen Fischer samt Familie eine ganze Weile.

Aber Ucañan spürte keine Freude.

Stattdessen überkam ihn schleichende Furcht.

Dieser Schwarm war unglaublich. Er reichte von Horizont zu Horizont. Hatten die Makrelen das *Calcal* zerstört? Ein Schwarm Goldmakrelen? Aber wie sollte das möglich sein?

Du musst hier weg, sagte er sich.

Er stieß sich von den Felsen ab. Um Ruhe bemüht, stieg er langsam und kontrolliert auf, weiterhin Reste von Luft ausstoßend. Sein Körper trieb den dicht gedrängten Leibern entgegen, die ihn von der Wasseroberfläche, vom Sonnenlicht und von seinem Boot trennten. Jede Bewegung in dem Schwarm war mittlerweile zum Stillstand gekommen, eine endlose, glotzäugige Ansammlung von Gleichgültigkeit. Und doch war ihm, als ob die Tiere nur seinetwegen so unvermittelt aus dem Nichts erschienen wären, als ob sie auf ihn warteten.

Sie wollen mich abhalten, durchfuhr es ihn. Sie wollen mich daran hindern, wieder aufs Boot zu gelangen.

Plötzlich erfasste ihn kaltes Grauen. Sein Herz raste. Er achtete nicht mehr auf seine Geschwindigkeit, dachte nicht mehr an das zerfetzte *Calcal* und die Boje, nicht einmal an das Caballito verschwendete er noch einen Gedanken, nur noch daran, die schreckliche Dichte über sich zu durchstoßen und zurück an die Oberfläche zu gelangen, zurück ins Licht, in sein Element, in Sicherheit.

Einige der Fische zuckten zur Seite.

Aus ihrer Mitte schlängelte sich etwas auf Ucañan zu.

Nach einer ganzen Weile frischte der Wind auf.

Immer noch war keine Wolke am Himmel zu sehen. Es war und blieb ein schöner Tag. Der Wellengang hatte in kaum nennenswerter Weise zugenommen, ohne dass es für einen Mann in einem kleinen Boot ungemütlich geworden wäre.

Aber es war kein Mann zu sehen.

Niemand weit und breit.

Nur das Caballito, eines der letzten seiner Art, trieb langsam hinaus auf den offenen Ozean.

anomalien

Der zweite Engel goss seine Schale über das Meer.
Da wurde es zu Blut, das aussah wie das Blut eines
Toten; und alle Lebewesen im Meer starben. Der
dritte goss seine Schale über die Flüsse und
Quellen. Da wurde alles zu Blut. Und ich hörte den
Engel, der die Macht über das Wasser hat, sagen:
Gerecht bist du ...
Offenbarung des Johannes, Kapitel 16

An der chilenischen Küste wurde vergangene Woche
ein riesiger, unidentifizierter Kadaver angeschwemmt, der sich an der Luft rasch zersetzte.
Nach Angaben der chilenischen Küstenwache
handelt es sich bei der formlosen Masse nur um
einen kleinen Teil einer größeren Masse, die zuvor im
Wasser treibend beobachtet wurde. Die chilenischen
Experten fanden keinerlei Knochen, die ein Wirbeltier
selbst in einem derartigen Zustand noch hätte. Die
Masse sei zu groß für Walhaut und würde auch nicht
danach riechen. Die bisherigen Erkenntnisse weisen
erstaunliche Parallelen zu den sogenannten Globsters
auf. Diese gallertartigen Massen werden immer
wieder an Küstenabschnitten angeschwemmt.
Von welcher Art Tier sie stammen, kann allenfalls
vermutet werden.
CNN, 17. April 2003

4. märz

Im Grunde war die Stadt viel zu gemütlich für Hochschulen und Forschungszentren. Besonders in Bakklandet oder auf dem Mollenberg wollte sich das Bild einer Technologiemetropole partout nicht einstellen. Inmitten der bunten Idylle aus modernisierten Holzhäusern, Parks und dörflich anmutenden Kirchen, Stelzenbauten am Fluss und pittoresken Hinterhöfen kam jedes Gefühl für Fortschritt abhanden, obschon die NTNU, Norwegens große technische Universität, gleich um die Ecke lag.

Kaum eine Stadt wob Vergangenes und Kommendes so kongenial ineinander wie Trondheim. Und eben darum schätzte sich Sigur Johanson glücklich, in Mollenbergs zeitentrückter Kirkegata zu wohnen, im Erdgeschoss eines ockerfarbenen Giebeldachhäuschens mit weiß gestrichener Vortreppe und Türsturz, dass es jedem Hollywood-Regisseur die Tränen in die Augen getrieben hätte. Wenngleich er dem Schicksal dafür dankte, ihn der Meeresbiologie verpflichtet zu haben und damit einem der gegenwärtigsten Forschungszweige überhaupt, interessierte ihn das Hier und Jetzt nur sehr bedingt. Johanson war Visionär und wie alle Visionäre dem völlig Neuartigen ebenso zugetan wie vergangenen Idealen. Sein Leben war getragen vom Geiste Jules Vernes. Niemand hatte den heißen Atem des Maschinenzeitalters, erzkonservative Ritterlichkeit und die Lust am Unmöglichen so treffend zu vereinen gewusst wie der große Franzose. Einzig die Gegenwart war eine Schnecke, die auf ihrem Buckel Sachzwänge und Profanitäten mit sich schleppte. Sie fand keinen rechten Platz im Kosmos Sigur Johansons. Er diente ihr, erkannte, was sie von ihm verlangte, bereicherte ihren Fundus und verachtete sie für das, was sie daraus machte.

Als er den Jeep an diesem Spätvormittag über die winterliche Ovre Bakklandet zum Forschungsgelände der NTNU steuerte, den glitzernden Lauf der Nidelva zur Rechten, hatte die Vergangenheit ein ausgedehntes Wochenende lang ihr Recht beansprucht. Er war in den Wäldern gewesen und hatte weit abgelegene Dörfer besucht, an denen die Zeit vorübergegangen war. Im Sommer hätte er dafür den Jaguar genommen, im Kofferraum einen Picknickkorb mit frisch gebackenem Brot, stanniolverpackter Gänseleberpastete vom Feinkosthändler und einer kleinen Flasche Gewürztraminer, bevorzugter Jahrgang 1985.

Seit Johanson von Oslo hergezogen war, hatte er sich eine ganze Reihe Plätze zu Eigen gemacht, die nicht von erholungsbedürftigen Trondheimern und Touristen überlaufen wurden. Vor zwei Jahren war er durch Zufall ans Ufer eines versteckten Sees gelangt und dort zu seinem Entzücken auf ein kleines, arg renovierungsbedürftiges Landhaus gestoßen. Den Besitzer ausfindig zu machen, hatte Zeit gekostet – er arbeitete in leitender Position für Norwegens staatliche Erdölförderungsgesellschaft Statoil und lebte mittlerweile in Stavanger –, dafür vollzog sich der Erwerb des Hauses umso schneller. Der Mann war froh, jemanden gefunden zu haben, der es übernahm, und verkaufte es für einen Spottpreis. In den Wochen darauf ließ Johanson die marode Hütte von ein paar illegal eingereisten Russen günstig instand setzen, bis sie seiner Vorstellung jener Refugien entsprach, die Bonvivants des ausgehenden 19. Jahrhunderts als Land- und Lustsitz gedient haben mochten.

Dort, mit Blick auf den See, saß er an langen Sommerabenden auf der Veranda, las die Visionäre unter den Klassikern von Thomas More bis Jonathan Swift und H. G. Wells, hörte Mahler und Sibelius, lauschte dem Klavierspiel Glenn Goulds und Celibidaces Einspielungen der Sinfonien von Bruckner. Er hatte sich eine umfangreiche Bibliothek zugelegt. Ebenso wie seine CDs besaß Johanson auch seine Lieblingsbücher fast sämtlich doppelt. Weder auf das eine noch das andere gedachte er zu verzichten, egal, wo er sich gerade aufhielt.

Johanson steuerte den Wagen das sanft ansteigende Gelände hoch. Vor ihm lag das Hauptgebäude der NTNU, ein gewaltiger, schlossähnlicher Bau aus dem beginnenden 20. Jahrhundert, überzuckert von Schnee. Dahinter erstreckte sich das eigentliche Universitätsgelände mit seinen Unterrichtsgebäuden und Laboratorien. 10 000 Studenten bevölkerten ein Areal, das eine kleine Stadt für sich war. Überall wogte lärmende Geschäftigkeit. Johanson gestattete sich einen Seufzer des Wohlbehagens. Es war wunderbar gewesen am See, einsam und außerordentlich inspirierend. Im vergangenen Sommer hatte er einige Male die Assistentin des Departmentleiters für Kardiologie mitgenommen, eine Bekanntschaft aus gemeinsamen Vortragsreisen. Sie waren ziemlich schnell zur Sache gekommen, aber am Ende des Sommers hatte Johanson die Liaison für beendet erklärt. Er wollte sich nicht binden, zumal er die Realität durchaus einzuschätzen wusste. Er war 56 Jahre alt, sie 30 Jahre jünger. Schön für ein paar Wochen. Indiskutabel für ein Leben, über dessen Schwelle Johanson ohnehin nur wenige ließ und je gelassen hatte.

Er parkte auf dem für ihn reservierten Platz und ging hinüber zum Gebäude der naturwissenschaftlichen Fakultät. Auf dem Weg zum Büro umrundete er in Gedanken ein letztes Mal den See und übersah beinahe Tina Lund, die am Fenster stand und sich bei seinem Eintreten umdrehte.

»Du bist ein bisschen spät«, frotzelte sie. »War's der Rotwein, oder wollte dich irgendwer nicht gehen lassen?«

Johanson grinste. Lund arbeitete für Statoil und trieb sich derzeit vorzugsweise in den Forschungsstätten von Sintef herum. Die Stiftung gehörte zu den größten unabhängigen Forschungseinrichtungen Europas. Speziell die norwegische Offshore-Industrie verdankte ihr einige bahnbrechende Entwicklungen. Es war nicht zuletzt die enge Zusammenarbeit zwischen Sintef und der NTNU, die Trondheims Ruf als Zentrum der Technologieforschung mitbegründet hatte. Sintef-Einrichtungen verteilten sich über die ganze Umgebung. Lund, die es im Verlauf einer kurzen und steilen Karriere zur stellvertretenden Projektleiterin für die Erschließung neuer Erdölvorkommen gebracht hatte, hatte erst vor wenigen Wochen ihr Lager im marinetechnischen Institut Marintek aufgeschlagen, ebenfalls ein Sintef-Ableger.

Johanson betrachtete ihre hoch gewachsene, schlanke Gestalt, während er sich aus seinem Mantel schälte. Er mochte Tina Lund. Um ein Haar hätten sie was miteinander angefangen vor einigen Jahren, aber irgendwie waren sie dann auf halber Strecke übereingekommen, es besser bei einer guten Freundschaft zu belassen. Seitdem tauschten sie sich über ihre Arbeit aus und gingen manchmal zusammen essen.

»Alte Männer müssen ausschlafen«, erwiderte Johanson. »Willst du einen Kaffee?«

»Wenn einer da ist.«

Er schaute ins Sekretariat und fand eine volle Kanne vor. Seine Sekretärin war nirgendwo zu sehen.

»Nur Milch«, rief Lund.

»Ich weiß.« Johanson verteilte den Kaffee auf zwei große Becher, gab Milch in ihren und ging zurück in sein Büro. »Ich weiß alles über dich. Schon vergessen?«

»So weit bist du nie gekommen.«

»Nein, dem Himmel sei Dank. Setz dich. Was führt dich her?«

Lund nahm ihren Kaffee, nippte daran, machte jedoch keine Anstalten, Platz zu nehmen.

»Ich schätze, ein Wurm.«

Johanson hob die Brauen und musterte sie. Lund erwiderte seinen Blick, als erwarte sie eine Stellungnahme, bevor sie die Frage dazu gestellt hatte. Das war typisch. Sie war von ungeduldigem Temperament.

Er trank einen Schluck.

»Du schätzt?«

Statt einer Antwort nahm sie einen Behälter aus mattem Stahl von der Fensterbank und stellte ihn vor Johanson auf den Schreibtisch. Er war verschlossen. »Schau mal da rein.«

Johanson entriegelte den Deckel und klappte ihn auf. Der Behälter war bis zur Hälfte mit Wasser gefüllt. Etwas Haariges, Langes wand sich darin. Johanson betrachtete es aufmerksam.

»Hast du eine Ahnung, was es ist?«, fragte Lund.

Er zuckte die Achseln.

»Würmer. Zwei Stück. Recht stattliche Exemplare.«

»Der Ansicht sind wir auch. Nur die Art macht uns Kopfzerbrechen.«

»Ihr seid eben keine Biologen. Es sind Polychäten. Borstenwürmer, wenn dir das was sagt.«

»Ich weiß, was Polychäten sind.« Sie zögerte. »Kannst du sie untersuchen und klassifizieren? Wir brauchen das Gutachten allerdings ziemlich schnell.«

»Na ja.« Johanson beugte sich tiefer über den kleinen Tank. »Wie ich schon sagte, es sind definitiv Borstenwürmer. Sehr hübsch übrigens. Schön bunt. Der Meeresboden ist bevölkert von den Viechern, keine Ahnung, welche Art es ist. Worüber macht ihr euch Gedanken?«

»Wenn wir das wüssten.«

»Nicht mal das wisst ihr?«

»Sie stammen vom Kontinentalrand. Aus 700 Metern Tiefe.«

Johanson kratzte sich das Kinn. Die Tiere im Behälter zuckten und wanden sich. Sie wollen fressen, dachte er, nur dass nichts da ist, was sie fressen könnten. Er fand es bemerkenswert, dass sie überhaupt lebten. Den meisten Organismen bekam es nicht sonderlich gut, wenn man sie aus so großer Tiefe nach oben brachte.

Er blickte auf.

»Ich kann sie mir ja mal ansehen. Morgen vielleicht?«

»Das wäre gut.« Sie machte eine Pause. »Dir ist was daran aufgefallen, stimmt's? Es war in deinen Augen zu sehen.«

»Möglicherweise.«

»Was ist es?«

»Kann ich nicht mit Bestimmtheit sagen. Ich bin kein Artenkundler, kein Taxonom. Es gibt Borstenwürmer in allen möglichen Farben und Formen. Nicht mal ich kenne das komplette Angebot, und ich weiß schon eine ganze Menge. Die hier scheinen mir ... na ja, ich weiß es eben noch nicht.«

»Schade.« Lunds Gesichtsausdruck verdüsterte sich. Dann lächelte sie unvermittelt. »Warum begibst du dich nicht sofort an die Untersuchungen und teilst mir deine Einsichten bei einem Mittagessen mit?«

»So schnell? Was glaubst du eigentlich, was ich hier mache?«

»Wenn ich bedenke, um welche Uhrzeit du aufgekreuzt bist, kannst du jedenfalls nicht in Arbeit ersaufen.«

Dummerweise hatte sie Recht.

»Na gut«, seufzte Johanson. »Treffen wir uns meinethalben um eins in der Cafeteria. Darf ich kleine Stückchen aus ihnen rausschneiden, oder hattest du vor, dich näher mit ihnen zu befreunden?«

»Mach, was du für richtig hältst. Bis später, Sigur.«

Sie eilte hinaus. Johanson sah ihr nach und fragte sich, ob es nicht doch ganz lustig hätte werden können mit ihr. Aber Tina Lund verbrachte ihr Leben im Laufschritt. Zu hektisch für jemanden wie ihn, der es beschaulich liebte und anderen ungern hinterherlief.

Er sah die Post durch, führte eine Reihe überfälliger Telefonate und verfrachtete den Behälter mit den Würmern schließlich ins Laboratorium. Es gab keinen Zweifel daran, dass es sich um Polychäten handelte. Sie zählten ebenso wie Egel zum Stamm der Anneliden, der Ringelwürmer, und stellten im Grunde keine wirklich komplizierte Lebensform dar. Dass sie die Zoologen dennoch faszinierten, hatte andere Gründe. Polychäten gehörten zu den ältesten bekannten Lebewesen überhaupt. Fossile Funde belegten, dass sie seit dem Mittleren Kambrium in nahezu unveränderter Form existierten, und das lag immerhin rund 500 Millionen Jahre zurück. Während man sie in Süßwasser oder feuchten Böden selten antraf, bewohnten sie sämtliche Meere und Tiefen in großer Zahl. Sie lockerten das Sediment auf und dienten Fischen und Krebsen als Nahrung. Die meisten Menschen ekelten sich vor ihnen, schon weil die Exponate durch die Konservierung in Alkohol ihre prächtigen Farben verloren. Johanson hingegen erblickte die Überlebenden einer versunkenen Welt, und was er sah, erschien ihm von ausnehmender Schönheit.

Einige Minuten betrachtete er die rosa Körper mit den tentakelartigen Auswüchsen und weißen Borstenbüscheln in dem Behälter. Dann beträufelte er die Würmer nacheinander mit Magnesiumchlorid-

Lösung, um sie zu relaxieren. Es gab verschiedene Möglichkeiten, einen Wurm zu töten. Die gängige war, ihn in Alkohol zu legen, in Wodka oder klaren Aquavit. Aus menschlicher Sicht versprach das einen Tod im Vollrausch, also nicht die schlechteste Art des Ablebens. Die Würmer sahen das anders und zogen sich im Todeskampf zu einem harten Klumpen zusammen, wenn man sie nicht vorher entspannte. Dazu diente das Magnesiumchlorid. Die Muskeln der Tiere erschlafften, und im Folgenden konnte man mit ihnen anstellen, was man wollte.

Vorsichtshalber fror er einen der beiden Würmer ein. Es war immer gut, ein Exemplar in Reserve zu haben, wenn man zu einem späteren Zeitpunkt genetische Analysen durchführen oder stabile Isotope untersuchen wollte. Den zweiten Wurm fixierte er in Alkohol, betrachtete ihn wieder eine Weile, legte ihn auf eine der Arbeitsflächen und vermaß ihn. Er notierte knapp siebzehn Zentimeter. Dann schnitt er ihn der Länge nach auf und stieß einen leisen Pfiff aus.

»Junge, Junge«, sagte er. »Du hast aber schöne Beißerchen.«

Auch innerlich wiesen die charakteristischen Baupläne das Wesen eindeutig als Ringelwurm aus. Der Rüssel, den der Polychät beim Beutefang blitzschnell ausfahren konnte, lag eingestülpt in der Körperhülle. Er war bestückt mit Chitinkiefern und mehreren Reihen winziger Zähne. Johanson hatte schon eine ganze Reihe dieser Kreaturen von innen und außen gesehen, aber die Größe dieser Kiefer übertraf alles, was er kannte. Je länger er den Wurm betrachtete, desto mehr beschlich ihn der Verdacht, dass diese Art noch nicht erfasst war.

Wie praktisch, dachte er. Ruhm und Ehre! Wann entdeckt man schon mal eine neue Art?

Noch war er sich nicht sicher, also zog er das Intranet zu Rate und stöberte eine Weile im Dateiendschungel herum. Es war in der Tat verblüffend. Es gab diesen Wurm, und es gab ihn wiederum nicht. Allmählich wurde Johanson wirklich neugierig. So fasziniert war er von seiner Arbeit, dass er beinahe vergaß, weswegen er das Tier überhaupt untersuchte. Als er schließlich unter den Glasdächern der Universitätsstraßen zur Cafeteria hastete, war er bereits eine Viertelstunde zu spät dran. Er stürmte ins Innere, erspähte Lund an einem Ecktisch und ging zu ihr hinüber. Sie saß im Schatten einer Palme und winkte ihm zu.

»Tut mir Leid«, sagte er. »Hast du lange gewartet?«

»Stunden. Ich sterbe vor Hunger.«

»Wir können das Putengeschnetzelte nehmen«, schlug Johanson vor. »Es war letzte Woche ausgezeichnet.«

Lund nickte. Wer Johanson kannte, wusste, dass man sich in geschmacklichen Dingen auf ihn verlassen konnte. Sie bestellte Cola zum Essen. Er genehmigte sich ein Glas Chardonnay. Während er die Nase ins Glas hielt, um etwaige Spuren von Kork zu erschnüffeln, rutschte Lund unruhig auf ihrem Sitz hin und her.

»Und?«

Johanson trank einen kleinen Schluck und schmatzte mit den Lippen.

»Anständig. Frisch und ausdrucksstark.«

Lund sah ihn verständnislos an. Dann verdrehte sie die Augen.

»Schon gut.« Er stellte das Glas zurück und schlug die Beine übereinander. Irgendwie fand er Spaß daran, ihre Geduld zu strapazieren. Zumal, wenn sie an einem Montagmorgen mit Arbeit aufwartete, verdiente sie es, auf die Folter gespannt zu werden. »Anneliden, Klasse der Polychäten, so weit waren wir ja schon. Du erwartest hoffentlich keinen umfassenden Bericht, das wird Wochen und Monate dauern. Vorläufig würde ich deine beiden Exemplare entweder als Mutation einstufen oder als neue Art. Oder auch beides, um genau zu sein.«

»Du bist alles andere als genau.«

»Verzeihung. Wo exakt habt ihr die Dinger raufgeholt?«

Lund beschrieb ihm die Stelle. Sie lag ein erhebliches Stück vor dem Festland, dort, wo der Norwegische Schelf in die Tiefsee abfiel. Johanson hörte nachdenklich zu.

»Darf man fragen, was ihr da treibt?«

»Wir untersuchen Kabeljau.«

»Oh. Es gibt noch welchen? Wie erfreulich.«

»Lass die Witze. Du kennst doch die Probleme, wenn man ans Öl will. Wir wollen uns hinterher nicht vorwerfen lassen, irgendetwas außer Acht gelassen zu haben.«

»Ihr baut eine Plattform? Ich denke, die Förderung geht zurück.«

»Das ist im Augenblick nicht mein Problem«, sagte Lund leicht gereizt. »Mein Problem ist, ob da überhaupt gebaut werden kann. So weit draußen haben wir noch nie gebohrt. Wir müssen die technischen Voraussetzungen prüfen. Wir müssen unter Beweis stellen, dass wir umweltverträglich arbeiten. Also gehen wir nachschauen, was da alles rumschwimmt und wie die Umwelt beschaffen ist, damit wir ihr nicht auf die Füße treten.«

Johanson nickte. Lund schlug sich mit den Ergebnissen der Nordseekonferenz herum, nachdem das norwegische Fischereiministerium bemäkelt hatte, täglich würden Millionen Tonnen verseuchten Produktionswassers ins Meer gepumpt. Produktionswasser wurde von den unzähligen Offshore-Anlagen in der Nordsee und vor Norwegens Küste zusammen mit Öl aus dem Meeresboden gefördert, dem es Millionen Jahre lang beigemischt gewesen war, gesättigt mit Chemikalien. Gemeinhin wurde es bei der Förderung nur mechanisch von Ölklumpen getrennt und direkt ins Meer geleitet. Jahrzehntelang hatte niemand diese Praxis infrage gestellt. Bis die Regierung beim norwegischen Institut für Meereswissenschaften eine Studie in Auftrag gegeben hatte, deren Quintessenz Umweltschützer wie Ölkonzerne gleichermaßen aufschreckte. Gewisse Substanzen im Produktionswasser beeinträchtigten die Fortpflanzungszyklen des Kabeljaus. Sie wirkten wie weibliche Hormone. Männliche Fische wurden unfruchtbar oder wechselten das Geschlecht. Inzwischen schienen auch andere Arten bedroht. Die Forderung nach einem sofortigen Einleitungsstopp kam auf, was die Ölproduzenten zwang, nach Alternativen zu forschen.

»Es ist ganz richtig, dass sie euch auf die Finger gucken«, sagte Johanson. »Je genauer, desto besser.«

»Du hilfst mir wirklich weiter.« Lund seufzte. »Jedenfalls, beim Rumstochern am Hang sind wir ziemlich tief runtergegangen. Wir haben seismische Messungen durchgeführt und den Roboter auf 700 Meter geschickt, um Bilder zu machen.«

»Von Würmern.«

»Wir waren völlig überrascht. Wir hätten nicht erwartet, sie da unten vorzufinden.«

»Unsinn. Würmer kommen überall vor. Und oberhalb 700 Meter? Habt ihr sie da auch gefunden?«

»Nein.« Sie rutschte ungeduldig auf ihrem Stuhl hin und her. »Was ist jetzt mit den verdammten Biestern? Ich würde die Sache gerne zu den Akten legen, wir haben noch einen Riesenhaufen Arbeit vor uns.«

Johanson stützte das Kinn in die Hände.

»Das Problem mit deinem Wurm ist«, sagte er, »dass es eigentlich zwei Würmer sind.«

Sie sah ihn verständnislos an.

»Natürlich. Es *sind* zwei Würmer.«

»Das meine ich nicht. Ich meine die Gattung. Wenn ich mich nicht irre, gehört er zu einer kürzlich entdeckten Art, von der man bis dato gar nichts wusste. Man hat sie im Golf von Mexiko entdeckt, wo sie sich auf dem Meeresboden rumtreibt und offenbar von Bakterien profitiert, die wiederum Methan als Energie- und Wachstumsquelle nutzen.«

»Methan, sagst du?«

»Ja. Und da beginnt es spannend zu werden. Deine Würmer sind zu groß für ihre Spezies. Ich meine, es gibt Borstenwürmer, die werden zwei Meter lang und mehr. Übrigens auch ziemlich alt. Aber das sind andere Kaliber, und sie kommen ganz woanders vor. Wenn deine identisch sind mit denen aus dem Mexikanischen Golf, müssen sie seit ihrer Entdeckung ordentlich gewachsen sein. Die vom Golf messen maximal fünf Zentimeter, deine sind dreimal so lang. Außerdem wurden sie am Norwegischen Kontinentalhang bislang nicht beschrieben.«

»Interessant. Wie erklärst du dir das?«

»Du machst mir Spaß! Ich kann es nicht erklären. Die einzige Antwort, die ich im Moment parat habe, ist, dass ihr auf eine neue Art gestoßen seid. Herzlichen Glückwunsch. Sie ähnelt äußerlich dem mexikanischen Eiswurm, in der Größe und bestimmten Merkmalen jedoch einem ganz anderen Wurm. Besser gesagt einem Wurmahnen, von dem wir glaubten, dass er längst ausgestorben sei. Einem kleinen kambrischen Ungeheuer. Es wundert mich nur …«

Er zögerte. Die Region war von den Ölgesellschaften derart unter die Lupe genommen worden, dass ein Wurm dieser Größe längst hätte auffallen müssen.

»Nur?«, drängte Lund.

»Na ja, entweder sind wir alle blind gewesen, oder es hat deine neuen Freunde dort vorher nicht gegeben. Vielleicht stammen sie aus noch größerer Tiefe.«

»Was uns zu der Frage bringt, wie sie so hoch nach oben gelangen konnten.« Lund schwieg eine Weile. Dann sagte sie: »Wann kannst du den Bericht fertig haben?«

»Ich sehe schon, du machst mal wieder Stress.«

»Ich kann jedenfalls keinen Monat darauf warten!«

»Ist ja gut«, Johanson hob beschwichtigend die Hände. »Ich werde deine Würmer in der Welt herumschicken müssen, aber wozu hat man seine Leute. Gib mir zwei Wochen. Und versuch nicht, mich noch weiter runterzuhandeln. Schneller geht's beim besten Willen nicht.«

Lund erwiderte nichts. Während sie vor sich hinstarrte, kam das Essen, aber sie rührte es nicht an.

»Und sie ernähren sich von Methan?«

»Von Methan fressenden Bakterien«, korrigierte sie Johanson. »Ein ziemlich verzwicktes symbiotisches System, über das schlauere Leute mehr erzählen können. Aber das gilt für den Wurm, von dem ich *glaube*, dass er mit deinem verwandt ist. Noch ist nichts bewiesen.«

»Wenn er größer ist als der vom Mexikanischen Golf, hat er auch mehr Appetit«, sinnierte Lund.

»Mehr jedenfalls als du«, sagte Johanson mit Blick auf ihren unangetasteten Teller. »Übrigens wäre es hilfreich, wenn du weitere Exemplare deiner Monsterspezies auftreiben könntest.«

»Daran soll's nicht mangeln.«

»Ihr habt noch welche?«

Lund nickte mit einem seltsamen Ausdruck in den Augen. Dann begann sie zu essen.

»Ein rundes Dutzend«, sagte sie. »Aber unten sind noch mehr.«

»Viele?«

»Ich müsste schätzen.« Sie machte eine Pause. »Aber ich würde sagen, ein paar Millionen.«

12. märz

Die Tage kamen und gingen, aber der Regen blieb. Leon Anawak konnte sich nicht erinnern, wann es in den letzten Jahren so lange am Stück geregnet hatte. Er schaute hinaus auf den einförmig glatten Ozean. Der Horizont erschien als quecksilbrige Linie zwischen der Wasseroberfläche und den tief hängenden Wolkenmassen. Dort hinten begann sich eine Pause abzuzeichnen vom tagelangen Geprassel. Genau ließ sich das nicht sagen. Ebenso gut konnte Nebel heranziehen. Der Pazifische Ozean schickte, was er wollte, im Allgemeinen ohne Vorankündigung.

Ohne die Linie aus den Augen zu lassen, beschleunigte Anawak die *Blue Shark* und fuhr ein Stück weiter hinaus. Das Zodiac, wie die stark motorisierten, großen Schlauchboote genannt wurden, war voll besetzt. Zwölf Menschen in regenfesten Overalls, bewaffnet mit Feldstechern und Kameras, verloren gerade die Lust an der Sache. Weit über anderthalb Stunden hatten sie ausgeharrt in Erwartung von Grau- und Buckelwalen, die im Februar die warmen Buchten von Baja California und die Gewässer um Hawaii verlassen hatten, um ihren Treck in die sommerlichen Futtergründe der Arktis anzutreten. Sechzehntausend Kilometer legten sie jedes Mal zurück. Ihre Reise führte sie vom Pazifik durch das Beringmeer in die Tschuktschensee bis an die Packeisgrenze und mitten hinein ins Schlaraffenland, wo sie sich die Bäuche voll schlugen mit Flohkrebsen und Garnelen. Wenn die Tage wieder kürzer wurden, traten sie erneut den langen Weg an, zurück nach Mexiko. Dort, geschützt vor ihren schlimmsten Feinden, den Orcas, brachten sie ihre Jungen zur Welt. Zweimal im Jahr passierten die Herden der riesigen Meeressäuger British Columbia und die Gewässer vor Vancouver Island – Monate, in denen Orte wie Tofino, Ucluelet und Victoria mit ihren Whale-Watching-Stationen ausgebucht waren.

Nicht so in diesem Jahr.

Längst hätten Vertreter der einen oder anderen Spezies Kopf oder Fluke für das obligatorische Foto herhalten müssen. Die Wahrscheinlichkeit, den Säugern zu begegnen, war um diese Zeit so hoch, dass *Davies Whaling Station* Walsichtungen garantierte und für den gegenteiligen Fall kostenlose Wiederholungsfahrten anbot. Ein paar Stunden ohne Sichtungen mochten vorkommen, ein Tag galt schon als ausgesprochenes Pech. Eine ganz Woche bot Anlass, sich Sorgen zu machen, aber eigentlich kam es nicht vor.

Doch diesmal schienen die Tiere irgendwo zwischen Kalifornien und Kanada verloren gegangen zu sein. Auch heute fand das Abenteuer nicht statt. Kameras wurden weggepackt. Zu Hause würde es nichts zu erzählen geben, außer dass man an einer möglicherweise reizvollen Felsenküste vorbeigefahren war, die sich den Blicken hinter Vorhängen aus Regen entzog.

Anawak, gewohnt, zu allen Sichtungen Erklärungen und Kommentare abzugeben, spürte seine Zunge am Gaumen kleben. Im Verlauf der letzten anderthalb Stunden hatte er die Geschichte der Region heruntergebetet und Anekdoten zum Besten gegeben, um die Stimmung nicht gänzlich absaufen zu lassen. Inzwischen schien ihm, dass niemand mehr etwas über Wale und Schwarzbären hören wollte. Sein Vorrat an Ablenkungsmanövern war erschöpft. In seinem Schädel zirkulierte die Frage nach dem Verbleib der Wale. Wahrscheinlich hätte er sich eher um den Verbleib der zahlenden Touristen sorgen sollen, aber er konnte nicht aus seiner Haut.

»Wir fahren zurück«, beschied er.

Enttäuschtes Schweigen. Für die Rückfahrt durch den Clayoquot Sound würden sie eine gute Dreiviertelstunde brauchen. Er beschloss, den Nachmittag wenigstens rasant zu beenden. Ohnehin waren sie alle nass bis auf die Knochen. Das Zodiac verfügte über zwei PS-starke Motoren, die eine adrenalinfördernde Fahrt garantierten, wenn man sie voll aufdrehte. Alles, was er den Leuten jetzt noch bieten konnte, war Geschwindigkeit.

Als die Stelzenhäuser von Tofino mit dem Pier der Station in Sicht kamen, hörte es unvermittelt auf zu regnen. Die Hügel und Bergrücken erschienen wie aus grauem Karton geschnitten, die Gipfel in Dunst und Wolken gehüllt. Anawak half den Passagieren heraus, bevor er das Zodiac festmachte. Die Stiege zum Pier war glitschig. Auf der Terrasse des Stationsgebäudes versammelten sich bereits die nächsten Abenteurer, die das Abenteuer vergeblich suchen würden. Anawak verschwendete keinen Gedanken an sie. Er war es leid, sich die Sorgen anderer zu machen.

»Wenn das so weitergeht, müssen wir umsatteln«, sagte Susan Stringer, als er den Verkaufs- und Ticketraum betrat. Sie stand hinter der Theke und schichtete Prospekte in dafür vorgesehene Ständer. »Wir könnten Waldeichhörnchen beobachten, was meinst du?«

Die *Whaling Station* war ein gemütlicher Bazar, voll gepackt mit Kunsthandwerk, Andenkenkitsch, Kleidung und Büchern. Susan Stringer arbeitete als *Office Manager* bei *Davies*. Wie einst Anawak, nutzte auch sie den Job, um ihr Studium zu finanzieren. Anawak, seit vier Jahren promoviert, war *Davies* als Skipper treu geblieben. Er hatte die Sommermonate der vergangenen Jahre genutzt, um ein viel beachtetes Buch über Intelligenz und Sozialstruktur von Meeressäugern zu veröffentlichen und sich mit spektakulären Experimenten die Hochachtung der Fachwelt zu erwerben. Mittlerweile, da er als aufsteigender Stern gehandelt wurde, trudelten wohlklingende Angebote ein, verlockend dotierte Posten, neben denen das Bild vom anspruchslosen Leben inmitten der Natur Vancouver Islands zunehmend an Schärfe verlor. Anawak wusste, dass er früher oder später nachgeben und in eine dieser Städte umsiedeln würde, aus denen die Offerten kamen. Die Entwicklung schien vorgezeichnet. Er war 31 Jahre alt. Bald würde er eine Dozentur übernehmen oder einen Forschungsposten in einem der großen Institute, er würde Artikel in Fachzeitschriften veröffentlichen und zu Kongressen reisen und das kostspielige Obergeschoss eines Hauses bewohnen, gegen dessen Fundamente die Wogen des Berufsverkehrs brandeten.

Er begann, seine Regenmontur aufzuknöpfen.

»Wenn man wenigstens was tun könnte«, sagte er düster.

»Was denn tun?«

»Suchen.«

»Wolltest du nicht mit Rod Palm über die Auswertungen der telemetrischen Untersuchungen sprechen?«

»Hab ich gemacht.«

»Und?«

»Da ist nicht viel passiert, wie es aussieht. Sie haben ein paar Tümmler und Seelöwen im Januar mit Fahrtenschreibern ausgerüstet, und das war's. Die Daten liegen vor, aber sämtliche Aufzeichnungen enden kurz nach Migrationsbeginn. Danach: Funkstille.«

Stringer zuckte die Achseln. »Mach dir keine Gedanken. Sie werden schon kommen. Ein paar Tausend Wale gehen nicht so mir nichts dir nichts verloren.«

»Offenbar doch.«

Sie grinste. »Vielleicht stehen sie bei Seattle im Stau. Bei Seattle ist immer Stau.«

»Sehr komisch.«

»Komm, mach dich locker! In früheren Jahren haben sie sich auch schon mal verspätet. Was meinst du, sehen wir uns heute Abend bei *Schooners*?«

»Ich ... nein. Ich muss das Experiment mit dem Beluga vorbereiten.«

Sie musterte ihn streng. »Wenn du mich fragst, übertreibst du es ein bisschen mit der Arbeit.«

Anawak schüttelte den Kopf.

»Ich muss das machen, Susan. Es ist mir wichtig, und außerdem versteh ich nichts von Börsenkursen.«

Der Seitenhieb galt Roddy Walker, Stringers Freund. Er war Broker in Vancouver und verbrachte ein paar Tage in Tofino. Seine Vorstellung von Urlaub schien im Wesentlichen darin zu bestehen, jedermann abwechselnd mit seinem Handy und irgendwelchen Finanztipps auf die Nerven zu gehen, beides in gehobener Lautstärke. Stringer hatte längst begriffen, dass da keine Freundschaft heranwuchs, insbesondere seitdem Walker Anawak einen quälenden Abend lang mit Fragen nach seiner Herkunft gelöchert hatte.

»Du wirst es vielleicht nicht glauben«, sagte sie, »aber Roddy kann auch über was ganz anderes sprechen.«

»Tatsächlich?«

»Wenn man ihn nett bittet.«

Es klang ein bisschen spitz.

»Schon gut«, sagte Anawak. »Ich komme später nach.«

»Quatsch. Du kommst ohnehin nicht nach.«

Anawak grinste.

»Wenn du mich nett bittest.«

Natürlich würde er nicht kommen. Er wusste es, und Stringer wusste es auch. Dennoch sagte sie: »Wir treffen uns gegen acht, falls du's dir überlegst. Vielleicht solltest du deinen muschelbewachsenen Arsch ja doch noch rüberwuchten. Toms Schwester ist da, und sie steht auf dich.«

Toms Schwester war nicht das schlechteste Argument. Aber Tom Shoemaker war kaufmännischer Geschäftsführer von *Davies*, und Anawak missfiel der Gedanke, sich allzu eng an einen Ort zu binden, den er sich gerade auszureden versuchte.

»Ich werd's mir überlegen.«

Stringer lachte, schüttelte den Kopf und ging hinaus.

Anawak bediente eine Weile hereinkommende Kunden, bis Tom erschien und ihn für den Rest des Tages ablöste. Er trat hinaus auf Tofinos Hauptstraße. *Davies Whaling Station* lag gleich am Ortseingang. Das Gebäude war hübsch, ein typisches Holzhaus mit rotem Giebel, überdachter Terrasse und einer vorgelagerten Rasenfläche, aus der als Wahrzeichen eine sieben Meter hohe Walfluke aus Zedernholz wuchs. In unmittelbarer Nachbarschaft begann dichter Tannenwald. Es sah hier exakt so aus, wie sich Europäer Kanada gemeinhin vorstellten. Die Einheimischen trugen das ihre dazu bei, indem sie abends im Schein der Windlichter ausführlich von Begegnungen mit Bären im eigenen Vorgarten oder Ausritten auf Walbuckeln erzählten. Nicht alles davon stimmte, aber doch das meiste. Vancouver Island pflegte seinen Mythos als Kanada-Konzentrat mit großem Eifer. Der westliche Küstenstreifen zwischen Tofino und Port Renfrew mit seinen sanft abfallenden Stränden, den einsamen, von jahrhundertealten Tannen und Zedern umstandenen Buchten, Sümpfen, Flüssen und zerklüfteten Landschaften lockte jedes Jahr Scharen von Besuchern an. Vom Ufer aus waren mit etwas Glück Grauwale zu beobachten, Otter und Seelöwen, die sich in Küstennähe sonnten. Auch wenn das Meer Regen im Überschwang schickte, kam die Insel dem Paradies nach Meinung vieler hier am nächsten.

Anawak hatte keinen Blick dafür.

Er ging ein Stück in den Ort hinein und bog zu einem Pier ab. Ein zwölf Meter langes Segelschiff lag dort vor Anker, alt und baufällig. Es gehörte Davie. Der Stationschef scheute die Kosten, um es wieder seetüchtig zu machen. Stattdessen hatte er es für einen lächerlichen Betrag an Anawak vermietet, der nun dort lebte und sein eigentliches Zuhause, ein winziges Appartement in Vancouver City, kaum noch aufsuchte. Nur wenn er längere Zeit in der Stadt zu tun hatte, kam es zu vorübergehenden Ehren.

Er ging unter Deck, nahm einen Packen Unterlagen an sich und lief zurück zur Station. In Vancouver besaß er ein Auto, einen rostigen Ford. Für die Insel reichte es, sich hin und wieder Shoemakers alten Land Cruiser auszuleihen. Er stieg ein, startete den Motor und fuhr zum *Wickaninnish Inn*, einem Hotel der Spitzenkategorie, das wenige Kilometer entfernt auf einem Felsvorsprung lag und einen phantastischen Blick auf den Ozean bot. Inzwischen war der Himmel weiter aufgerissen und ließ blaue Stellen sehen. Die gut ausgebaute Straße führte durch dichten Wald. Nach zehn Minuten stellte er den Wagen auf einem kleinen Parkplatz ab und ging zu Fuß weiter, vorbei an umgestürzten, langsam verrottenden Riesenbäumen. Der ansteigende Pfad wand sich durch grünes Dämmerlicht. Es roch nach feuchter Erde. Wasser tropfte. Von den Ästen der Tannen wucherten Farne und Moose herab. Alles schien belebt.

Als das *Wickaninnish Inn* vor ihm auftauchte, hatte die kurze Pause abseits menschlicher Gesellschaft ihre Wirkung getan. Jetzt, wo es einigermaßen aufgeklart hatte, konnte er sich mit seinen Unterlagen in aller Ruhe an den Strand setzen. Eine Weile würde das Licht noch reichen. Vielleicht, dachte er, während er die hölzernen Treppen hinabstieg, die vom Hotel in steilem Zickzack zum Meer hinunterführten, würde er sich anschließend ein Abendessen im *Wickaninnish* gönnen. Die Küche war ausgezeichnet, und die Vorstellung, unerreichbar für Walker und sein dämliches Getue hier zu sitzen und den Sonnenuntergang zu sehen, besserte seine Laune um ein Weiteres.

Etwa zehn Minuten nachdem er mitsamt Kladde und Laptop einen umgestürzten Baum in Beschlag genommen hatte, sah er eine Gestalt über die Treppen herunterkommen und den Strand entlangschlendern. Sie hielt sich nah am silberblauen Wasser. Es war Ebbe, der Sand im späten Sonnenlicht gesprenkelt von Treibholz. Die Person legte keine besondere Eile an den Tag, aber es war offensichtlich, dass sie in weitem Bogen Anawaks Baum ansteuerte. Er runzelte die Stirn und versuchte, so beschäftigt wie möglich auszusehen. Nach einer Weile hörte er das weiche, knirschende Geräusch näher kommender Schritte. Angestrengt starrte er auf seine Unterlagen, aber mit der Konzentration war es vorbei.

»Hallo«, sagte eine dunkle Stimme.

Anawak schaute auf.

Vor ihm stand eine zierliche, attraktive Frau mit einer Zigarette und lächelte ihn freundlich an. Sie mochte Ende fünfzig sein. Das kurz geschnittene Haar war eisgrau, das Gesicht gebräunt und von unzähligen Falten und Fältchen durchzogen. Sie ging barfuß, trug Jeans und eine dunkle Windjacke.

»Hallo.« Es klang weniger schroff, als er beabsichtigt hatte. Im Moment, da er den Blick zu ihr hob, empfand er ihre Anwesenheit plötzlich nicht mehr als störend. Ihre Augen, von tiefem Blau, funkelten vor Neugierde. In ihrer Jugend musste sie sehr begehrt gewesen sein. Immer noch strahlte sie etwas unbestimmt Erotisches aus.

»Was tun Sie hier?«, fragte sie.

Unter anderen Umständen hätte er es bei einer nichts sagenden Antwort belassen und wäre einfach weitergezogen. Es gab viele Wege, Menschen klarzumachen, dass sie sich zum Teufel scheren sollten.

Stattdessen hörte er sich folgsam antworten: »Ich arbeite an einem Bericht über Belugawale. Und Sie?«

Die Frau zog an ihrer Zigarette. Dann setzte sie sich neben ihn auf den Baumstamm, als habe er sie dazu eingeladen. Er musterte ihr Profil, die schmale Nase und die hohen Wangenknochen, und plötzlich dachte er, dass sie gar keine Fremde war. Er hatte sie schon irgendwo gesehen.

»Ich arbeite auch an einem Bericht«, sagte sie. »Aber ich fürchte, keiner wird ihn lesen wollen, wenn es so weit ist, ihn zu veröffentlichen.« Sie machte eine Pause und sah ihn an. »Ich war heute auf Ihrem Boot.«

Daher kannte er sie also. Eine kleine Frau mit Sonnenbrille und über den Kopf gezogener Kapuze.

»Was ist los mit den Walen?«, fragte sie. »Wir haben keinen einzigen zu Gesicht bekommen.«

»Es sind keine da.«

»Warum nicht?«

»Darüber mache ich mir pausenlos Gedanken.«

»Sie wissen es nicht?«

»Nein.«

Die Frau nickte, als sei ihr das Phänomen bekannt.

»Ich kann nachempfinden, was Ihnen durch den Kopf geht. Meine kommen auch nicht, aber im Gegensatz zu Ihnen kenne ich den Grund.«

»Ihre *was* kommen nicht?«

»Vielleicht sollten Sie nicht länger warten, sondern suchen«, schlug sie vor, ohne auf seine Frage einzugehen.

»Wir suchen ja.« Er legte die Kladde beiseite und wunderte sich über seine Offenheit. Es war, als spräche er mit einer alten Bekannten. »Wir suchen auf jede erdenkliche Weise.«

»Und wie machen Sie das?«

»Über Satellit. Fernbeobachtung. Wir sind außerdem in der Lage, die Bewegungen der Gruppen via Echoortung zu lokalisieren. Es gibt jede Menge Möglichkeiten.«

»Und trotzdem gehen die Ihnen so einfach durch die Lappen?«

»Niemand hat damit gerechnet, dass sie ausbleiben. Anfang März gab es noch Sichtungen in der Höhe von Los Angeles, und das war's.«

»Vielleicht hätten Sie besser hingucken sollen.«

»Ja, vielleicht.«

»Und alle sind verschwunden?«

»Nein, nicht alle.« Anawak seufzte. »Das ist ein bisschen komplizierter. Wollen Sie's hören?«

»Sonst hätte ich nicht gefragt.«

»Es sind Wale hier. Residents.«

»Residents?«

»Vor Vancouver Island beobachten wir dreiundzwanzig verschiedene Arten von Walen. Manche ziehen periodisch durch, Grauwale, Buckelwale, Minkwale, andere leben in der Region. Wir haben alleine drei Arten von Schwertwalen.«

»Schwertwale?«

»Orcas.«

»Ah! Killerwale.«

»Die Bezeichnung ist blanker Unsinn«, sagte Anawak ärgerlich. »Orcas sind freundlich, es gibt keine verbrieften Angriffe auf Menschen in freier Natur. Killerwal, Mörderwal, diesen Quatsch haben Hysteriker wie Cousteau in die Welt gesetzt, der sich nicht entblödete, Orcas als Volksfeind Nummer eins zu bezeichnen. Oder Plinius in seiner Geschichte der Natur! Wissen Sie, was der schreibt? *Eine ungeheure Masse Fleisch, bewaffnet mit barbarischen Zähnen.* So ein Schwachsinn! Können Zähne barbarisch sein?«

»Zahnärzte können barbarisch sein.« Sie nahm einen Zug von ihrer Zigarette. »Okay, begriffen. Was heißt eigentlich Orca?«

Anawak war überrascht. Diese Frage hatte ihm noch keiner gestellt.

»Es ist die wissenschaftliche Bezeichnung.«

»Und was bedeutet sie?«

»*Orcinus Orca.* Der dem Totenreich angehört. Fragen Sie mich jetzt um Himmels willen nicht, wer auf so was gekommen ist.«

Sie schmunzelte in sich hinein.

»Sie sagten, es gäbe drei Arten von Orcas.«

Anawak zeigte hinaus auf den Ozean. »Offshore Orcas, über die wissen wir sehr wenig. Sie kommen und gehen, meist in großen Verbänden. Im Allgemeinen leben sie weit draußen. Transient Orcas wiederum leben nomadisch und in kleinen Gruppen. Vielleicht entsprechen sie am ehesten Ihrem Bild des Killers. Sie fressen alles Mögliche, Seehunde, Seelöwen, Delphine, auch Vögel, sie greifen selbst Blauwale an. Hier, wo die Küste felsig ist, bleiben sie ausschließlich im Wasser, aber in Südamerika finden Sie Transients, die am Strand jagen. Sie kommen aufs Trockene und greifen sich Robben und anderes Getier. Faszinierend!«

Er hielt inne in Erwartung einer neuen Frage, aber die Frau schwieg und blies nur etwas Rauch in die Abendluft.

»Die dritte Art lebt in unmittelbarer Umgebung der Insel«, fuhr Anawak fort. »Residents. Großfamilien. Kennen Sie die Insel?«

»Einigermaßen.«

»Im Osten, zum Festland hin, gibt es eine Meerenge, die Johnstone Strait. Die Residents sind dort das ganze Jahr über. Sie fressen ausschließlich Lachs. Seit Anfang der siebziger Jahre erforschen wir ihre Sozialstruktur.« Er machte eine Pause und sah sie verwirrt an. »Wie kommen wir jetzt darauf? Was wollte ich überhaupt erzählen?«

Sie lachte. »Tut mir Leid. Meine Schuld. Ich habe Sie aus dem Konzept gebracht, aber ich muss immerzu alles ganz genau wissen. Wahrscheinlich gehe ich Ihnen furchtbar auf die Nerven mit meiner Fragerei.«

»Berufsbedingt?«

»Angeboren. Sie wollten mir übrigens erklären, welche Wale verschwunden sind und welche nicht.«

»Ja, das wollte ich tun, aber...«

»Sie haben keine Zeit.«

Anawak zögerte. Er warf einen Blick auf die Kladde und den Laptop. Im Verlauf des Abends würde er den Bericht fertig stellen müssen. Aber der Abend war lang. Außerdem verspürte er Hunger.

»Wohnen Sie im *Wickaninnish Inn*?«, fragte er.

»Ja.«

»Was machen Sie heute Abend?«

»Oh!« Sie hob die Augenbrauen und grinste ihn an. »Das hat mich zuletzt vor zehn Jahren einer gefragt. Wie aufregend.«

Er grinste zurück. »Um der Wahrheit die Ehre zu geben, mich treibt der Hunger. Ich dachte, wir setzen unser Gespräch beim Essen fort.«

»Gute Idee.« Sie ließ sich vom Baumstamm rutschen, drückte die Zigarette aus und verstaute die Kippe in ihrer Windjacke. »Aber ich warne Sie. Ich spreche mit vollem Mund. Ich rede und frage eigentlich fortgesetzt, wenn man mich nicht auf eine Weise unterhält, dass es mir die Sprache verschlägt. Also geben Sie Ihr Bestes. Übrigens«, sie streckte ihm die Rechte hin, »Samantha Crowe. Sagen Sie Sam, das tut jeder.«

Sie ergatterten einen Fensterplatz im rundum verglasten Restaurant. Es war dem Hotel vorgelagert und thronte auf seinem Felsen, als wolle es in See stechen. Von der erhöhten Warte bot sich ein phantastischer Panoramablick auf den Clayoquot Sound mit seinen Inseln, auf die Bucht und die dahinter liegenden Wälder. Der Platz eignete sich in idealer Weise, um Wale zu beobachten. Dieses Jahr allerdings musste man sich selbst an so exponierter Stelle mit den Meeresbewohnern zufrieden geben, die aus der Küche kamen.

»Das Problem ist, dass die Transients und die Offshore Orcas fortgeblieben sind«, erläuterte Anawak. »Darum sehen wir an der Westküste momentan so gut wie keine Orcas. Die Residents sind so zahlreich wie immer vertreten, aber sie kommen nicht gern auf diese Seite, auch wenn die Johnstone Strait allmählich ungemütlich für sie wird.«

»Warum das?«

»Wie würden Sie sich fühlen, wenn Sie Ihr Zuhause immer mehr mit Fähren, Frachtern, Luxuslinern und Sportfischern teilen müssten? Unzählige Motorboote knattern da rum. Außerdem lebt die Region von der Holzindustrie. Die Cargoliner fahren ganze Wälder rüber nach Asien. Wenn die Bäume verschwinden, versanden die Flüsse, und die Lachse verlieren ihre Laichplätze. Und Residents fressen nun mal nichts anderes als Lachs.«

»Verstehe. Aber Sie sorgen sich nicht einzig um die Orcas, richtig?«

»Grau- und Buckelwale bereiten uns das meiste Kopfzerbrechen. Vielleicht haben sie einen Umweg gemacht oder sind es leid, von Booten aus angestarrt zu werden.« Er schüttelte den Kopf. »Aber so einfach ist das eben nicht. Wenn die großen Herden Anfang März vor Vancouver Island eintreffen, haben sie seit Monaten nichts im Magen. Während des Winters in Baja California leben sie vom angefressenen Speck. Nur, der ist irgendwann aufgezehrt. Hier nehmen sie erstmals wieder Nahrung auf.«

»Vielleicht sind sie weiter draußen vorbeigezogen.«

»Da gibt es nicht genug zu fressen. Den Grauwalen zum Beispiel liefert die *Wickaninnish Bay* einen Hauptbestandteil ihrer Nahrung, der im offenen Ozean gar nicht zu finden ist, *Onuphis elegans*.«

»*Elegans*? Klingt schick.«

Anawak lächelte.

»Es ist ein Wurm. Lang und dünn. Die Bay ist sandig, er kommt in ungeheuren Massen vor, und die Grauwale fressen ihn mit Vorliebe. Ohne die Zwischenmahlzeit würden sie es kaum bis in die Arktis schaffen.« Er nippte an seinem Wasser. »Mitte der Achtziger war es schon mal so weit, dass keine mehr kamen. Aber man kannte den Grund. Grauwale waren damals so gut wie ausgerottet. Zu Tode gejagt. Seitdem haben wir sie wieder einigermaßen hochgepäppelt. Ich schätze, an die zwanzigtausend Exemplare weltweit dürften Sie mittlerweile finden, die meisten in hiesigen Gewässern.«

»Und die sind alle nicht gekommen?«

»Es gibt auch unter den Grauwalen ein paar Residents. Die sind hier. Aber das sind nur wenige.«

»Und die Buckelwale?«

»Dieselbe Geschichte. Verschwunden.«

»Sagten Sie nicht, Sie schreiben an einem Bericht über Belugawale?«

Anawak musterte sie.

»Wie wäre es, wenn Sie mal was von sich erzählen?«, sagte er. »Andere Leute sind nämlich auch neugierig.«

Crowe warf ihm einen amüsierten Blick zu.

»Tatsächlich? Sie wissen doch schon das Wichtigste. Ich bin eine alte Nervensäge und stelle Fragen.«

Ein Kellner erschien und servierte gegrillte Riesengarnelen auf Safranrisotto. Eigentlich, dachte Anawak, wolltest du heute Abend alleine hier sitzen. Ohne dass dich jemand voll quasselt. Aber Crowe gefiel ihm.

»*Was* fragen Sie? *Wen* und *warum*?«

Crowe schälte eine knoblauchduftende Garnele aus ihrem Panzer.

»Ganz einfach. Ich frage: Ist da jemand?«

»Ist da jemand?«

»Korrekt.«

»Und wie lautet die Antwort?«

Das Garnelenfleisch verschwand zwischen zwei Reihen ebenmäßiger weißer Zähne.

»Ich habe noch keine bekommen.«

»Vielleicht sollten Sie lauter fragen«, sagte Anawak in Anspielung auf ihren Kommentar am Strand.

»Das würde ich gerne«, sagte Crowe kauend. »Aber die Mittel und Möglichkeiten beschränken mich im Augenblick auf einen Umkreis von rund zweihundert Lichtjahren. Immerhin hatten wir Mitte der Neunziger sechzig Billionen Messungen ausgewertet, und bei siebenunddreißig sind wir uns bis heute nicht schlüssig, ob sie natürlichen Ursprungs sind oder ob jemand tatsächlich Hallo gesagt hat.«

Anawak starrte sie an.

»SETI?«, fragte er. »Sie sind bei SETI?«

»Ganz recht. *Search for Extra Terrestrial Intelligence*. Suchprojekt PHOENIX, um genau zu sein.«

»Sie horchen den Weltraum ab?«

»Etwa eintausend sonnenähnliche Sterne, die älter sind als drei Milliarden Jahre. Ja. Es ist nur ein Projekt von mehreren, aber vielleicht das wichtigste, wenn Sie mir die Eitelkeit gestatten.«

»Donnerwetter!«

»Kriegen Sie den Mund wieder zu, Leon, so was Besonderes ist das auch wieder nicht. Sie analysieren Walgesänge und versuchen rauszufinden, ob die da unten was zu erzählen haben. Wir lauschen in den Weltraum, weil wir überzeugt sind, dass es dort von intelligenten Zivilisationen nur so wimmelt. Wahrscheinlich sind Sie mit Ihren Walen sehr viel weiter als wir.«

»Ich habe nur ein paar Ozeane, Sie das komplette Universum.«

»Zugegeben, wir stochern in anderen Maßstäben rum. Dafür höre ich ständig, dass man über die Tiefsee noch weniger weiß als über den Weltraum.«

Anawak war fasziniert.

»Und Sie haben tatsächlich Signale empfangen, die auf intelligentes Leben schließen lassen?«

Sie schüttelte den Kopf.

»Nein. Wir haben Signale empfangen, die wir nicht einordnen können. Die Chance, einen Kontakt herzustellen, ist überaus gering. Vielleicht sogar außerhalb jeder Wahrscheinlichkeit. Genau genommen müsste ich mich von der nächsten Brücke stürzen vor lauter Frust, aber ich esse zu gerne diese Dinger hier, und außerdem bin ich nun mal besessen von der Sache. Etwa so wie Sie von Ihren Walen.«

»Von denen ich wenigstens weiß, dass es sie gibt.«

»Derzeit wohl eher nicht«, lächelte Crowe.

Anawak fühlte, wie sich tausend Fragen bereitmachten, gestellt zu werden. SETI hatte ihn seit jeher interessiert. Das Projekt zur Suche nach außerirdischen Intelligenzen war Anfang der Neunziger von der NASA gestartet worden, sinnigerweise am Jahrestag der Ankunft Kolumbus'. Im puertoricanischen Arecibo hatte man das größte Radioteleskop der Erde auf ein völlig neuartiges Programm eingestellt. Inzwischen hatte SETI dank großzügiger Sponsoren weitere Projekte geboren, die sich rund um den Globus der Suche nach außerirdischem Leben widmeten. PHOENIX gehörte zu den bekanntesten.

»Sind Sie die Frau, die Jodie Foster in *Contact* dargestellt hat?«

»Ich bin die Frau, die gerne in dieses Gefährt steigen würde, das Jodie Foster im Film zu den Außerirdischen bringt. Wissen Sie, ich mache eine Ausnahme für Sie, Leon. Normalerweise bekomme ich Schreikrämpfe, wenn mich die Leute nach meiner Arbeit fragen. Ich muss jedes Mal stundenlang erklären, was ich tue.«

»Ich auch.«

»Eben. Sie haben mir was erzählt, also bin ich Ihnen was schuldig. Was wollen Sie noch wissen?«

Anawak brauchte nicht lange zu überlegen.

»Warum hatten Sie bis jetzt keinen Erfolg?«

Crowe wirkte belustigt. Sie schaufelte Riesengarnelen auf ihren Teller und ließ ihn eine Weile auf die Antwort warten.

47

»Wer sagt denn, dass wir keinen hatten? Außerdem, unsere Milch-straße enthält etwa einhundert Milliarden Sterne. Erdähnliche Plane-ten nachzuweisen stellt uns vor gewisse Schwierigkeiten, weil ihr Licht zu schwach ist. Wir können sie nur über wissenschaftliche Tricks er-fassen, aber theoretisch wimmelt es von ihnen. Bloß, hören Sie mal hundert Milliarden Sterne ab!«

»Stimmt«, grinste Anawak. »Mit zwanzigtausend Buckelwalen tut man sich vergleichsweise leichter.«

»Sie sehen ja, man wird alt und grau über der Aufgabe. Es ist, als ob Sie die Existenz eines winzigen Fisches nachweisen sollen und dafür nacheinander jeden Liter Wasser, der in den Ozeanen fließt, einer ge-nauen Betrachtung unterziehen. Aber der Fisch ist beweglich. Sie können die Prozedur bis zum Jüngsten Tag wiederholen und vielleicht zu der Ansicht gelangen, dass es besagten Fisch gar nicht gibt. Stattdessen kommt er in rauen Mengen vor, nur dass er immer gerade in einem an-deren Liter schwimmt, als Sie vor sich haben. PHOENIX nun nimmt mehrere Liter gleichzeitig unter die Lupe, dafür aber beschränken wir uns – sagen wir mal – auf die Strait of Georgia. Verstehen Sie? Es *gibt* da draußen Zivilisationen. Ich kann es nicht beweisen, aber ich bin der fes-ten Überzeugung, dass die Anzahl unendlich groß ist. Dummerweise ist das Universum noch unendlich viel größer. Es verdünnt unsere Chancen schlimmer als der Kaffeeautomat in Arecibo den Espresso.«

Anawak überlegte.

»Hat die NASA nicht irgendwann mal eine Botschaft ins All ge-funkt?«

»Ach so.« Ihre Augen blitzten. »Sie meinen, wir sollten nicht faul rumsitzen und horchen, sondern selber Laut geben. Ja, hat sie. 1974 haben wir eine Botschaft von Arecibo nach M 13 geballert, das ist ein Kugelsternhaufen um die Ecke. Aber das löst nicht wirklich unser Pro-blem. Jede Nachricht irrt verloren durch den interstellaren Raum, ob sie nun von uns kommt oder von anderen. Es wäre ein unglaublicher Zufall, wenn jemand sie empfangen würde. Außerdem ist Horchen preiswerter als Senden.«

»Trotzdem. Es würde die Chancen erhöhen.«

»Vielleicht wollen wir das ja gar nicht.«

»Warum nicht?«, fragte Anawak verblüfft. »Ich denke …«

»*Wir* wollen es schon. Aber eine Menge Leute sähe so was mit Skep-sis. Man ist vielerorts der Meinung, es wäre besser, andere gar nicht erst auf sich aufmerksam zu machen. Sie könnten kommen und uns die schöne Erde wegnehmen. Huh! Sie könnten uns verspeisen.«

»Das ist doch Blödsinn.«

»Ich weiß nicht, ob es Blödsinn ist. Ich persönlich glaube ja auch, dass eine Intelligenz, die es zu interstellarer Raumfahrt gebracht hat, über das Krawallstadium hinweg sein müsste. Andererseits – ich denke, ganz lässt sich das Argument nicht vom Tisch wischen. Menschen sollten besser darüber nachdenken, *wie* sie sich bemerkbar machen. Ansonsten bestünde die Gefahr, missverstanden zu werden.«

Anawak schwieg. Plötzlich hatten ihn die Wale wieder.

»Sind Sie nicht manchmal entmutigt?«, fragte er.

»Wer ist das nicht. Aber dafür gibt's Zigaretten und Videofilme.«

»Und wenn Sie Ihr Ziel erreichen?«

»Gute Frage, Leon.« Crowe machte eine Pause und strich mit den Fingern gedankenverloren über die Tischdecke. »Im Grunde frage ich mich seit Jahren, was eigentlich unser wirkliches Ziel ist. Ich glaube, wenn ich die Antwort wüsste, würde ich aufhören zu forschen. Eine Antwort ist immer das Ende der Suche. Vielleicht quält uns die Einsamkeit unserer Existenz. Die Vorstellung, ein Zufall zu sein, der sich nirgendwo wiederholt hat. Vielleicht wollen wir aber auch den Gegenbeweis erbringen, dass es niemanden außer uns gibt und wir den besonderen Platz in der Schöpfung einnehmen, der uns angeblich gebührt. Ich weiß es nicht. Warum erforschen Sie Wale und Delphine?«

»Ich bin ... neugierig.«

Nein, das stimmt nicht ganz, dachte er im selben Moment. Es ist mehr als bloße Neugierde. Also, wonach suche ich?

Crowe hatte Recht. Im Grunde taten sie das Gleiche. Jeder horchte in seinen Kosmos und hoffte, Antworten zu erlangen. Jeder trug eine tiefe Sehnsucht nach Gesellschaft in sich, nach der Gesellschaft intelligenter Wesen, die keine Menschen waren.

Verrückt, das Ganze.

Crowe schien seine Gedanken zu erraten.

»Am Ende steht nicht die andere Intelligenz«, sagte sie. »Machen wir uns nichts vor. Am Ende steht die Frage, was die andere Intelligenz von uns übrig lässt. Wer wir dann sind. Und was wir nicht mehr sind.« Sie lehnte sich zurück und lächelte ihr freundliches, attraktives Lächeln. »Wissen Sie, Leon, ich glaube, am Ende steht ganz einfach die Frage nach dem Sinn.«

Im Folgenden redeten sie über alles Mögliche, aber nicht mehr von Walen oder fremden Zivilisationen. Gegen halb elf, nachdem sie vor dem Kamin im Salon noch einen Drink genommen hatten – Crowe Bourbon, Anawak wie üblich Wasser –, verabschiedeten sie sich.

Crowe hatte ihm erzählt, dass sie am übernächsten Morgen abreisen werde. Sie begleitete ihn nach draußen. Die Wolken hatten sich endgültig verzogen. Über ihnen spannte sich ein Sternenhimmel, der sie in sich hineinzusaugen schien. Eine Weile sahen sie einfach nur hinauf.

»Bekommen Sie nicht manchmal genug von Ihren Sternen?«, fragte Anawak.

»Bekommen Sie genug von Ihren Walen?«

Er lachte. »Nein. Bestimmt nicht.«

»Ich hoffe sehr, Sie finden die Tiere wieder.«

»Ich werd's Ihnen erzählen, Sam.«

»Ich werde es auch so erfahren. Bekanntschaften sind flüchtig. Es war ein schöner Abend, Leon. Wenn wir uns mal wieder über den Weg laufen, sollte es mich freuen, aber Sie wissen ja, wie das geht. Achten Sie auf Ihre Schützlinge. Ich glaube, die Tiere haben in Ihnen einen guten Freund. Sie sind ein guter Mensch.«

»Woher wollen Sie das wissen?«

»In meiner Lage liegen Glauben und Wissen zwangsläufig auf einer Wellenlänge. Passen Sie auf sich auf.«

Sie schüttelten einander die Hände.

»Vielleicht sehen wir uns ja als Orcas wieder«, scherzte Anawak.

»Wieso gerade als Orcas?«

»Die Kwakiutl-Indianer glauben, dass jeder, der im Leben ein guter Mensch war, als Orca wiedergeboren wird.«

»So? Das gefällt mir!« Crowe grinste übers ganze Gesicht. Die meisten ihrer vielen Falten, stellte Anawak fest, kamen offenbar vom Lachen.

»Und glauben Sie es auch?«

»Natürlich nicht.«

»Warum nicht? Sind Sie nicht selber einer?«

»Ein was?«, fragte er, obwohl ihm klar war, was sie meinte.

»Ein Indianer.«

Anawak spürte, wie er sich innerlich versteifte. Er sah sich durch ihre Augen. Einen mittelgroßen Mann von gedrungener Statur, mit breiten Wangenknochen und kupferfarbener Haut, die Augen leicht geschlitzt, das dichte, in die Stirn fallende Haar tiefschwarz und glatt.

»So etwas in der Art«, sagte er nach einer zu langen Pause.

Samantha Crowe musterte ihn. Dann brachte sie das Päckchen mit den Zigaretten aus ihrer Windjacke zum Vorschein, zündete sich eine an und nahm einen tiefen Zug.

»Tja. Davon bin ich leider auch besessen. Alles Gute, Leon.«

»Alles Gute, Sam.«

13. märz

Sigur Johanson sah und hörte eine Woche nichts von Tina Lund. In der Zwischenzeit sprang er für einen erkrankten Professor ein und hielt ein paar Vorlesungen mehr als geplant. Er war zudem beschäftigt mit der Abfassung eines Artikels für *National Geographic* und der Aufstockung seines Weinkellers, weshalb er die eingeschlafene Korrespondenz mit einem Bekannten im elsässischen Riquewihr wieder aufnahm, der als Repräsentant der renommierten Kelterei Hugel & Fils im Besitz gewisser Raritäten war. Einige davon beabsichtigte sich Johanson zum Geburtstag zu schenken. Nebenher hatte er eine 1959er Vinyl-Einspielung des *Nibelungenrings* von Sir Georg Solti aufgetrieben und begonnen, sich damit die Abende zu verkürzen. Lunds Würmer verkrochen sich unter der vereinten Übermacht von Hugel und Solti in die zweite Reihe, zumal bislang keine weiteren Ergebnisse über sie vorlagen.

Am neunten Tag nach ihrem Zusammentreffen rief Lund ihn schließlich an, offenbar bester Laune.

»Du klingst so verdammt ausgelassen«, konstatierte Johanson. »Muss ich mir Sorgen um deine wissenschaftliche Objektivität machen?«

»Vielleicht«, orakelte sie fröhlich.

»Erklär dich.«

»Später. Hör zu, die *Thorvaldson* wird morgen am Kontinentalrand sein und einen Roboter runterlassen. Hast du Lust, dabei zu sein?«

Johanson überschlug im Geist seine Termine.

»Ich bin vormittags beschäftigt«, sagte er. »Muss Studenten mit dem Sexappeal von Schwefelbakterien vertraut machen.«

»Das ist blöde. Das Schiff legt in aller Herrgottsfrühe ab.«

»Wo?«

»In Kristiansund.«

Kristiansund lag eine gute Autostunde südwestlich von Trondheim an einer von Wind und Wellen umtosten Felsenküste. Vom nahe gelegenen Flughafen gingen Helikopterflüge hinaus zu den Bohrinseln, die sich auf dem Nordseeschelf und entlang der norwegischen Rinne aneinander reihten. Rund siebenhundert Plattformen zur Förderung von Öl und Gas lagen allein vor Norwegen.

»Kann ich nicht nachkommen?«, schlug Johanson vor.

»Ja, vielleicht«, sagte Lund nach kurzem Schweigen. »Gar keine schlechte Idee. Wenn ich so darüber nachdenke, könnten wir eigentlich beide nachkommen. Was machst du übermorgen?«

»Nichts, was sich nicht verschieben ließe.«

»Dann ist alles geritzt. Wir kommen beide nach, bleiben über Nacht auf der *Thorvaldson* und haben jede Menge Zeit für Beobachtungen und Auswertungen.«

»Habe ich das richtig verstanden? Du willst auch nachkommen?«

»Na ja. Ich habe ... also, mir kam gerade die Idee, dass ich den halben Tag an der Küste verbringen könnte, und du stößt am frühen Nachmittag dazu. Wir fliegen dann zusammen nach Gullfaks und nehmen von dort den Transfer auf die *Thorvaldson*.«

»Ich liebe es, dich improvisieren zu hören. Darf ich auch erfahren, warum du es so kompliziert machst?«

»Wieso? Ich mache es dir einfach.«

»Ja, mir. Aber du könntest morgen früh an Bord gehen.«

»Ich leiste dir eben gern Gesellschaft.«

»Charmant gelogen«, sagte Johanson. »Sei's drum. Du bist also an der Küste. Wo genau soll ich dich aufgabeln?«

»Fahr nach Sveggesundet.«

»Oh Gott! Das Kaff? Warum denn gerade Sveggesundet?«

»Es ist ein sehr hübsches Kaff«, sagte Lund mit Nachdruck. »Wir treffen uns im *Fiskehuset*. Weißt du, wo das ist?«

»Ich habe die zivilisatorischen Errungenschaften von Sveggesundet hinreichend erkundet. Ist es das Restaurant an der Küste neben der alten Holzkirche?«

»Genau das.«

»Um drei?«

»Drei ist prima. Ich sorge für den Helikopter. Er wird uns dort abholen.« Sie machte eine Pause. »Hast du schon irgendwelche Ergebnisse bekommen?«

»Leider nein. Aber möglicherweise morgen.«

»Das wäre gut.«

»Wird schon. Mach dir keine Sorgen.«

Sie beendeten das Gespräch. Johanson runzelte die Stirn. Da war er wieder, der Wurm. Er drängelte sich zurück an die vorderste Front und beanspruchte seine ungeteilte Aufmerksamkeit.

Es war in der Tat verblüffend, wenn eine neue Spezies wie aus dem Nichts in einem weitgehend bekannten Ökosystem auftauchte. An sich hatten Würmer nichts Beunruhigendes an sich. Sie mochten nicht jedermanns Sache sein, und grundsätzlich missfiel Menschen die Vorstellung von organischen Kollektiven, was vornehmlich psychologische Gründe hatte. Ansonsten waren Würmer eher nützlich.

Es macht sogar Sinn, dass sie da sind, dachte Johanson. Wenn sie wirklich Verwandte des Eiswurms sind, leben sie indirekt von Methan. Und Methanvorkommen fanden sich an allen Kontinentalabhängen, auch vor Norwegen.

Kurios war es dennoch.

Die Ergebnisse der Taxonomen und Biochemiker würden alle Fragen beantworten. Solange sie nicht vorlagen, konnte er sich ebenso gut wieder den Gewürztraminern von Hugel widmen. Im Gegensatz zu Würmern kamen letztere nämlich recht selten vor. Zumindest bestimmte Jahrgänge.

Als er tags darauf sein Büro betrat, fand Johanson zwei persönlich an ihn adressierte Briefe vor. Sie enthielten die taxonomischen Gutachten. Hochbefriedigt überflog er die Resultate und wollte sie schon aus der Hand legen. Dann las er sie nochmal genauer.

Merkwürdige Tiere. In der Tat.

Er stopfte alles zusammen in seine Aktentasche und ging zu seiner Vorlesung. Zwei Stunden später saß er im Jeep und fuhr über die hügelige Fjordlandschaft Richtung Kristiansund. Es hatte getaut. Große Teile des Schnees waren verschwunden und hatten schwarzbraune Landschaft freigelegt. Das Wetter machte es einem in diesen Tagen schwer, sich richtig anzuziehen. An der Uni war die Hälfte der Belegschaft erkältet. Johanson hatte entsprechend vorgesorgt und einen Koffer gepackt, dessen Gewicht eben noch für den Helikopterflug durchging. Weder verspürte er Lust, sich auf der *Thorvaldson* einen Schnupfen zu holen, noch seine Kleidung an Sachzwängen auszurichten. Lund würde sich wie üblich darüber lustig machen, wenn er dermaßen bepackt erschien, aber es war ihm gleich. Wäre es nach Johanson gegangen, hätte er auch noch eine transportable Sauna eingepackt. Außerdem enthielt sein Gepäck ein paar Dinge, die man gut zu zweit genießen konnte, wenn man gemeinsam eine Nacht auf einem Schiff verbrachte. Sie waren zwar Freunde, aber man musste ja deswegen nicht gleich auf Distanz gehen.

Johanson fuhr langsam. Er hätte Kristiansund binnen einer Stunde erreichen können, aber Hast war nicht seine Sache. Auf halber Strecke führte die Straße am Wasser entlang und über eine Reihe von Brücken.

Er genoss den Ausblick auf das wilde Panorama. Bei Halsa nahm er die Autofähre über den Fjord und fuhr weiter nach Kristiansund. Wieder führten Brücken über schiefergraues Meer. Kristiansund selber war über mehrere kleine Inseln verteilt. Er durchquerte die Stadt und setzte auf die geschichtsträchtige Insel Averoy über, einen der ersten Orte, die unmittelbar nach der letzten Eiszeit besiedelt worden waren. Sveggesundet lag am äußersten Zipfel der Insel, ein hübsches Fischerdorf. Während der Hochsaison fielen hier Heerscharen von Touristen ein. Unablässig fuhren Boote zu den umliegenden Inseln hinaus. Jetzt war der Ort weniger stark frequentiert und dämmerte in Erwartung eines lukrativen Sommers vor sich hin.

Kaum jemand war zu sehen, als Johanson den Jeep nach fast zwei Stunden Fahrt auf den Schotterparkplatz des *Fiskehuset* lenkte, eines Restaurants mit Terrasse und Blick aufs Meer. Es hatte geschlossen. Lund saß ungeachtet der Kälte an einem der Holztische im Freien. Sie war in Begleitung eines jungen Mannes, den Johanson nicht kannte. Etwas an der Art, wie sie da nebeneinander auf der hölzernen Bank hockten, ließ einen gewissen Verdacht in ihm keimen. Er trat näher heran und räusperte sich.

»Bin ich zu früh?«

Sie schaute auf. In ihren Augen stand ein merkwürdiger Glanz. Sein Blick wanderte zu dem Mann neben ihr, einem athletisch gebauten Endzwanziger mit dunkelblonden Haaren und einem gut geschnittenen Gesicht, und der Verdacht wurde zur Gewissheit.

»Ich könnte nochmal wiederkommen«, sagte er gedehnt.

»Kare Sverdrup«, stellte sie vor. »Sigur Johanson.«

Der Blonde grinste Johanson an und streckte die Rechte aus.

»Tina hat mir eine Menge von Ihnen erzählt.«

»Ich hoffe, nichts, was Sie beunruhigen müsste.«

Sverdrup lachte.

»Doch, eigentlich schon. Sie wären ein äußerst attraktiver Vertreter der vorlesenden Zunft.«

»Ein äußerst attraktiver alter Sack«, verbesserte ihn Lund.

»Geiler alter Sack«, ergänzte Johanson. Er setzte sich auf die gegenüberliegende Bank, zog den Kragen seines Anoraks hoch und legte die Aktenmappe mit den Gutachten neben sich. »Der taxonomische Teil. Sehr ausführlich. Ich kann dir eine Zusammenfassung geben.« Er sah Sverdrup an. »Wir möchten Sie ungerne langweilen, Kare. Hat Tina Ihnen erzählt, worum es geht, oder hat sie nur verliebt geseufzt?«

Lund warf ihm einen bösen Blick zu.

»Verstehe.« Er öffnete die Mappe und zog den Umschlag mit den Gutachten hervor. »Also, ich habe einen deiner Würmer ans Frankfurter Senckenberg-Museum geschickt und einen weiteren ans Smithsonian Institute. Da wie dort sitzen die besten Taxonomen, die ich kenne. Beide sind Spezialisten für jegliches Gewürm. Ein weiterer Wurm ist nach Kiel gegangen zur Rasterelektronenmikroskopie, der Bericht steht noch aus, ebenso der aus der Massenspektrometeranalyse. Vorab kann ich dir sagen, worin sich die Experten einig sind.«

»Nämlich?«

Johanson lehnte sich zurück und schlug die Beine übereinander. »Darin, dass sie sich nicht einig sind.«

»Wie aufschlussreich.«

»Im Wesentlichen haben sie meinen ersten Eindruck bestätigt. Es handelt sich mit an Gewissheit grenzender Wahrscheinlichkeit um die Art *Hesiocaeca methanicola*, auch bekannt als Eiswurm.«

»Der Methanfresser?«

»Unkorrekt ausgedrückt, mein Schatz, aber egal. So weit Teil eins. Teil zwei ist, dass ihnen die enorm ausgeprägten Kiefer und Zahnreihen zu denken geben. Solche Merkmale deuten auf ein räuberisches Tier hin oder auf ein bohrendes oder mahlendes. Und das ist seltsam.«

»Warum?«

»Weil Eiswürmer solche Riesenapparate eigentlich nicht brauchen. Sie haben zwar Kiefer, aber erheblich kleinere.«

Sverdrup lächelte verlegen.

»Entschuldigen Sie, Dr. Johanson, ich verstehe nicht viel von diesen Tieren, aber es interessiert mich. Warum brauchen sie keine Kiefer?«

»Weil sie symbiotisch leben«, erklärte Johanson. »Sie nehmen Bakterien in sich auf, die wiederum im Methanhydrat leben …«

»Hydrat?«

Johanson warf Lund einen kurzen Blick zu. Sie zuckte die Achseln.

»Erklär's ihm.«

»Es ist ganz einfach«, sagte Johanson. »Sie haben vielleicht gehört, dass die Ozeane voller Methan sind.«

»Ja. Man liest es im Augenblick ständig.«

»Methan ist ein Gas. Es lagert in großen Vorkommen im Meeresboden und in den Kontinentalabhängen. Einiges davon gefriert an der Bodenoberfläche. Wasser und Methan verbinden sich zu einer Art Eis, das nur unter hohem Druck und niedrigen Temperaturen bestehen kann. Darum findet man es erst ab einer gewissen Tiefe. Dieses Eis nennt man Methanhydrat. Alles klar bis hierher?«

Sverdrup nickte.

»Gut. Nun gibt es überall im Ozean Bakterien. Einige davon verwerten Methan. Sie fressen es und scheiden Schwefelwasserstoff aus. Bakterien sind zwar mikroskopisch klein, treten aber in solch gewaltigen Mengen auf, dass sie den Meeresboden wie Matten überziehen. Wir sprechen vom Bakterienrasen. Solche Rasen finden Sie bevorzugt dort, wo Methanhydrate lagern. Fragen?«

»Noch nicht«, sagte Sverdrup. »Ich vermute, jetzt kommen Ihre Würmer ins Spiel.«

»Ganz richtig. Es gibt Würmer, die leben von den Ausscheidungen der Bakterien. Sie gehen eine symbiotische Beziehung mit ihnen ein. In manchen Fällen frisst der Wurm die Bakterien und trägt sie im Innern, in anderen Fällen leben sie auf seiner Außenhaut. So oder so versorgen sie ihn mit Nahrung. Den Wurm zieht es darum auf die Hydrate. Er macht es sich darauf gemütlich, genehmigt sich einen ordentlichen Haps Bakterien und tut ansonsten nicht sehr viel. Er muss sich zum Beispiel nirgendwo eingraben, denn er frisst ja nicht das Eis, sondern die Bakterien darauf. Alles, was geschieht, ist, dass er durch sein Strudeln eine flache Mulde ins Eis schmilzt, wo er zufrieden verbleibt.«

»Ich verstehe«, sagte Sverdrup langsam. »Tiefer vorzudringen, dazu hat der Wurm keine Veranlassung. Aber andere Würmer tun das?«

»Es gibt die unterschiedlichsten Arten. Manche fressen Sediment oder Stoffe, die im Sediment vorhanden sind, oder sie verarbeiten Detritus.«

»Detritus?«

»Alles, was von der Meeresoberfläche in die Tiefsee sinkt. Kadaver, Partikel, Reste aller Art. Eine ganze Reihe von Würmern, die nicht in Symbiosen mit Bakterien leben, verfügen über kräftige Kiefer, um Beute zu packen oder um sich irgendwo einzugraben.«

»Jedenfalls braucht der Eiswurm keine Kiefer.«

»Vielleicht doch, um winzige Mengen Hydrat zu zermahlen und Bakterien herauszufiltern. Ich sagte ja, er hat welche. Aber keine Hauer wie Tinas Exemplare.«

Sverdrup schien zunehmend Spaß an der Sache zu finden.

»Wenn die Würmer, die Tina entdeckt hat, also mit Methan fressenden Bakterien in Symbiose leben …«

»Müssen wir uns fragen, wozu dieses Waffenarsenal aus Kiefern und Zähnen dient.« Johanson nickte. »Jetzt wird's nochmal spannend. Die Taxonomen haben nämlich einen zweiten Wurm gefunden, auf den die

Struktur des Kieferapparats zu passen scheint. Er heißt *Nereis*, ein Räuber, der in allen möglichen Tiefen vorkommt. Tinas kleiner Liebling hat also Kiefer und Zähne von *Nereis*, allerdings in einer Ausprägung, dass man eher an einen prähistorischen Vorfahren von *Nereis* denken möchte. Sozusagen an *Tyrannereis rex*.«

»Klingt unheimlich.«

»Es klingt nach Bastard. Wir müssen die Mikroskopie und die genetische Analyse abwarten.«

»Am Kontinentalhang gibt es Methanhydrate ohne Ende«, sagte Lund. Sie zupfte nachdenklich an ihrer Unterlippe. »Es würde also passen.«

»Warten wir's ab.« Johanson räusperte sich und musterte Sverdrup. »Und was treiben Sie so, Kare? Auch im Ölgeschäft?«

Sverdrup schüttelte den Kopf.

»Nein«, sagte er fröhlich. »Mich interessiert einfach nur alles, was man essen kann. Ich bin Koch.«

»Überaus angenehm! Sie ahnen nicht, wie ermüdend es ist, sich tagein, tagaus mit Akademikern abzugeben.«

»Er kocht phantastisch!«, sagte Lund.

Wahrscheinlich nicht nur das, dachte Johanson. Ein Jammer. Er würde die mitgebrachten Leckereien trotzdem mit Lund teilen. Im Grunde war er erleichtert. Tina Lund verlockte ihn ein ums andere Mal, aber kaum war sie aus dem Zimmer, dankte er dem Schicksal jedes Mal aufs Neue. Sie war ihm einfach zu anstrengend.

»Und wie habt ihr euch kennen gelernt?«, fragte er, ohne dass es ihn sonderlich interessierte.

»Ich habe das *Fiskehuset* letztes Jahr übernommen«, sagte Sverdrup. »Tina war einige Male hier, aber wir haben uns eigentlich immer nur gegrüßt.« Er legte den Arm um ihre Schulter, und sie rückte näher zu ihm heran. »Bis letzte Woche.«

»Es war ungefähr so, als ob der Blitz einschlägt«, sagte Lund.

»Ja«, meinte Johanson, während er zum Himmel sah. Aus der Ferne näherte sich ein Knattern. »Das sieht man.«

Eine halbe Stunde später saßen sie im Helikopter, zusammen mit einem Dutzend Ölarbeitern. Johanson sah schweigend hinaus. Unter ihnen zog die eintönig graue, zerklüftete Oberfläche der See dahin. Immer wieder überflogen sie Gas- und Öltanker, Frachter und Fähren. Dann gerieten die Plattformen in Sicht. Seit eine amerikanische Ölgesellschaft in einer stürmischen Winternacht des Jahres 1969

Öl in der Nordsee entdeckt hatte, hatte sich das Nordmeer zu einer bizarr anmutenden Industrielandschaft gewandelt, die auf Pfählen ruhte und sich von Holland bis zur Haltenbank vor Trondheim erstreckte. An klaren Tagen sah man von einem Boot aus Dutzende der gigantischen Plattformen auf einen Blick. Aus der Perspektive des Helikopters wirkten sie wie Spielzeug für Riesen.

Böen schüttelten die Maschine kräftig durch. Es ging auf und ab. Johanson rückte seinen Kopfhörer zurecht. Sie alle trugen Ohrenschützer und dicke Schutzanzüge. Es herrschte eine solche Enge, dass ihre Knie einander, berührten und jede Bewegung koordiniert werden musste. Unterhaltungen fanden bei dem Lärm nicht statt. Lund hatte die Augen geschlossen. Sie flog zu oft hinaus, als dass ihr das Gerumpel etwas ausgemacht hätte.

Der Hubschrauber legte sich in die Kurve und drosch weiter nach Südwesten. Ihr Ziel, Gullfaks, war eine Ansammlung von Plattformen im Besitz der staatlichen Ölgesellschaft Statoil. Die Förderanlage Gullfaks C gehörte zu den größten Plattformen am oberen Nordseerand. Mit 280 Menschen bildete sie fast eine kleine Gemeinde. Genau genommen hätte Johanson dort nicht einmal aussteigen dürfen. Vor Jahren hatte er den vorgeschriebenen Kurs absolviert, den man nachweisen musste, um Zugang zu einer Plattform zu erhalten. Inzwischen hatten sich die Sicherheitsbestimmungen verschärft, aber Lund hatte ihre Kontakte spielen lassen. Ohnehin würden sie nur zwischenlanden, um gleich darauf an Bord der *Thorvaldson* zu gehen, die seit einer guten Stunde vor Gullfaks lag.

Eine heftige Turbulenz ließ den Helikopter plötzlich absacken. Johanson umklammerte die Sessellehnen. Niemand sonst reagierte. Die Passagiere, vorwiegend Männer, waren Stürme anderen Kalibers gewohnt. Lund drehte den Kopf, öffnete kurz die Augen und zwinkerte ihm zu.

Kare Sverdrup war schon irgendwie ein Glückspilz.

Ob der Glückspilz mit Lunds Lebenstempo Schritt halten konnte, würde sich erweisen.

Nach einer Weile ging der Helikopter runter und flog eine neuerliche Kurve. Das Meer kippte Johanson entgegen. Ein weißes Hochhaus kam in Sicht, das über dem Wasser zu schweben schien. Sie begannen mit dem Landeanflug. Einen Moment lang war Gullfaks C vollständig im Seitenfenster zu sehen. Ein Koloss auf vier Stahlbetonsäulen, einein- halb Millionen Tonnen schwer, mit einer Gesamthöhe von fast vier- hundert Metern. Über die Hälfte davon lag unter Wasser, wo die Säulen einem Wald von Tanks entwuchsen. Das weiße Hochhaus, der Wohntrakt, machte nur einen kleinen Bereich des Giganten aus. Der Hauptteil präsentierte sich dem Laien als Gewirr übereinander geschichteter Decks, voll gestopft mit Technik und rätselhaften Maschinen, verbunden durch Bündel meterdicker Rohrleitungen, flankiert von Versorgungskränen und gekrönt von der Kathedrale der Ölarbeiter, dem Förderturm. Aus der Spitze eines riesigen stählernen Auslegers, weit draußen über dem Meer, schoss eine nie erlöschende Flamme – Gas, das vom Öl getrennt und abgefackelt wurde.

Der Helikopter sank der Landeplattform über dem Wohntrakt entgegen. Überraschend sanft setzte der Pilot auf. Lund gähnte, streckte die Glieder, soweit es die Enge zuließ, und wartete, bis die Rotoren zum Stillstand gekommen waren.

»Das war doch ganz angenehm«, sagte sie.

Jemand lachte. Die Ausstiegsluke wurde geöffnet, und sie kletterten ins Freie. Johanson trat an den Rand der Landefläche und sah hinunter. Knapp hundertfünfzig Meter unter ihm schäumten die Wellen. Ein schneidender Wind blähte seinen Overall.

»Gibt es eigentlich irgendwas, das so ein Ding umwerfen kann?«

»Es gibt nichts, was man nicht umwerfen kann. Komm. Schlag keine Wurzeln.« Lund packte ihn am Arm und zog ihn den anderen Passagieren des Helikopters hinterher, die jenseits der Landefläche verschwanden. Ein kleiner, stämmiger Mann mit gewaltigem weißem Schnurrbart stand am Absatz der Stahltreppe und winkte ihnen zu.

»Tina«, rief er. »Sehnsucht nach Öl?«

»Das ist Lars Jörensen«, sagte Lund. »Er hat die Verantwortung für die Überwachung des Hubschrauber- und Schiffverkehrs auf Gullfaks C. Du wirst ihn mögen, er ist ein ausgezeichneter Schachspieler.«

Jörensen kam ihnen entgegen. Er trug ein Statoil-T-Shirt und wirkte auf Johanson eher wie ein Tankwart.

»Ich hatte Sehnsucht nach *dir*«, lachte Lund.

Jörensen grinste. Er drückte sie an seine Brust, was dazu führte, dass sein weißer Haarschopf unter ihrem Kinn verschwand. Dann schüttelte er Johanson die Hand.

»Ihr habt euch einen ungemütlichen Tag ausgesucht«, sagte er. »Bei schönem Wetter sieht man den ganzen Stolz der norwegischen Ölindustrie. Insel an Insel.«

»Ist viel los im Moment?«, fragte Johanson, während sie die gewundene Treppe nach unten stiegen.

Jörensen schüttelte den Kopf.

»Nicht mehr als sonst. Warst du schon mal auf einer Plattform?« Wie die meisten Skandinavier ging auch Jörensen schnell zum Du über.

»Ist was her. Wie viel holt ihr raus?«

»Immer weniger, fürchte ich. Auf Gullfaks ist die Menge seit geraumer Zeit stabil, rund 200 000 Barrels aus einundzwanzig Bohrlöchern. Eigentlich könnten wir zufrieden sein. Sind's aber nicht. Das Ende ist absehbar.« Er zeigte hinaus aufs Meer. In einigen hundert Metern Entfernung sah Johanson einen Tanker angedockt an einer Boje liegen. »Wir machen ihn gerade voll. Einer kommt noch, das war's für heute. Irgendwann werden es immer weniger sein. Das Zeug geht langsam aus, da macht keiner was dran.«

Die Förderstellen lagen nicht direkt unter der Plattform, sondern in weitem Umkreis drum herum. Wenn das Öl hochkam, wurde es von Salz und Wasser gereinigt, vom Gas getrennt und in die Tanks rund um die Beine der Plattform gelagert. Von dort pumpte man es durch Pipelines in die Bojen. Rund um die Plattform herrschte eine Sicherheitszone von 500 Metern, die kein Fahrzeug passieren durfte, ausgenommen plattformeigene Reparaturschiffe.

Johanson spähte über das eiserne Geländer.

»Sollte hier nicht irgendwo die *Thorvaldson* liegen?«, fragte er.

»Andere Boje. Ihr könnt sie von hier nicht sehen.«

»Nicht mal Forschungsschiffe dürfen näher ran?«

»Nein, sie gehört nicht zu Gullfaks und ist zu groß für unseren Geschmack. Basta! Es reicht, den Fischern ständig erklären zu müssen, dass sie ihren verdammten Arsch woanders hinpacken sollen.«

»Habt ihr viel Ärger mit den Fischern?«

»Geht so. Letzte Woche haben wir ein paar hopsgenommen, die einem Schwarm bis unter die Plattform gefolgt waren. Kommt immer mal wieder vor. Auf Gullfaks A war's neulich kritischer. Kleiner Tanker mit Maschinenschaden. Trieb drauf zu. Wir haben ein paar von unseren Leuten rübergeschickt, um ihn wegzudrängen, aber dann haben sie das Ding von selber wieder unter Kontrolle gebracht.«

Was Jörensen da so gleichmütig erzählte, beschrieb in Wirklichkeit die potenzielle Katastrophe, vor der jeder Angst hatte. Dass sich ein randvoller Tanker losriss und auf die Plattform zutrieb. Eine Kollision konnte kleinere Inseln ins Wanken bringen, viel größer aber war die Explosionsgefahr. Auch wenn die gesamte Plattform mit einem Sprinklersystem ausgestattet war, das beim kleinsten Anzeichen eines Feuers Tonnen von Wasser freisetzte, bedeutete eine Tankerexplosion das Ende. Allerdings geschahen solche Unglücke selten und eher vor Südamerika, wo die Sicherheitsbestimmungen laxer gehandhabt wurden. Im Nordmeer hielt man die Vorschriften ein. Wenn der Wind zu sehr blies, wurden Tanker gar nicht erst beladen.

»Schlank bist du geworden«, meinte Lund, während ihr Jörensen eine Tür aufhielt. Sie traten ins Innere der Wohneinheit und durchschritten einen Gang, von dessen Seiten identisch aussehende Türen in die Quartiere führten. »Bekochen sie euch nicht gut?«

»Zu gut«, kicherte Jörensen. »Der Koch ist wirklich toll. Du solltest unseren Speisesaal sehen«, fuhr er zu Johanson gewandt fort. »Das Ritz ist 'ne Strandbude dagegen. Nein, unser Plattformchef hat was gegen Nordseebäuche, er hat Order gegeben, alle überflüssigen Kilos runterzutrainieren, ansonsten gibt's Sperre.«

»Im Ernst?«

»Direktive von Statoil. Weiß nicht, ob die wirklich so weit gehen würden. Aber die Drohung wirkt. Keiner hier will den Job verlieren.«

Sie erreichten ein enges Treppenhaus und stiegen nach unten. Ölarbeiter kamen ihnen entgegen. Jörensen grüßte sie, während sie dem Boden der Plattform zustrebten. Ihre Schritte hallten in dem stählernen Schacht wider.

»So, Endstation. Ihr habt die Wahl. Nach links heißt, noch ein halbes Stündchen quatschen und zusammen einen Kaffee trinken. Nach rechts geht's zum Boot.«

»Ich würde gerne einen Kaffee …«, begann Johanson.

»Danke«, fuhr ihm Lund dazwischen. »Das wird zu knapp.«

»Die *Thorvaldson* legt schon nicht ohne euch ab«, maulte Jörensen. »Du könntest ruhig …«

»Ich will nicht auf den letzten Drücker an Bord. Nächstes Mal nehme ich mir Zeit, versprochen. Und ich bringe Sigur wieder mit. Es wird Zeit, dass dich mal einer an die Wand spielt.«

Jörensen lachte und trat achselzuckend nach draußen. Lund und Johanson folgten ihm. Der Wind fegte ihnen ins Gesicht. Sie befanden sich am unteren seitlichen Rand des Wohnblocks. Der Boden des Laufgangs, über den sie weitergingen, war aus dicken Stahlgittern geschweißt. Durch die Maschen sah man auf die wogende See. Hier war es um einiges lauter als auf der Landefläche des Helikopters. Beständiges Zischen und Dröhnen erfüllte die Luft. Jörensen brachte sie zu einer kurzen Gangway. Ein orangefarbenes, geschlossenes Kunststoffboot hing dort an einem Kran.

»Was macht ihr denn auf der *Thorvaldson*?«, fragte er beiläufig. »Hab gehört, Statoil will weiter draußen bauen.«

»Möglich«, erwiderte Lund.

»Eine Plattform?«

»Ist nicht gesagt. Vielleicht auch ein SWOP.«

SWOP war die Abkürzung für *Single Well Offshore Production System*. Ab einer Bohrtiefe von 350 Metern wurden solche SWOPs eingesetzt, riesigen Öltankern ähnliche Schiffe mit eigenem Fördersystem. Sie waren über einen flexiblen Bohrstrang mit dem Bohrlochkopf verbunden. Damit pumpten sie das Rohöl aus dem Meeresboden und dienten zugleich als Zwischenlager.

Jörensen tätschelte Lund die Wange.

»Dann werd mir mal nicht seekrank, Kleines.«

Sie bestiegen das Boot. Es war groß und geräumig, mit Hartschalenwänden und Reihen von Sitzbänken. Außer ihnen war nur der Steuermann an Bord. Ein leichtes Ruckeln ging durch den Rumpf, als sich die Kranwinde in Bewegung setzte und das Boot absenkte. In den Seitenfenstern zog die rissig graue Fläche von Beton vorbei. Dann schaukelten sie plötzlich auf den Wellen. Die Haken der Winde entkoppelten sich, und sie fuhren unter der Plattform hervor.

Johanson trat hinter den Steuermann. Er hatte einige Mühe, auf den Füßen zu bleiben. Jetzt konnte er die *Thorvaldson* sehen. Das Heck des Forschungsschiffs war durch den charakteristischen Ausleger gekennzeichnet, mit dem Tauchboote und Forschungsgerät ins Meer abgelassen wurden. Der Steuermann drehte bei. Sie legten an und erstiegen eine stählerne, rundum gesicherte Sprossenleiter. Kurz, während er sich mit seinem Gepäck abquälte, dachte Johanson, dass es vielleicht doch keine so gute Idee gewesen war, den halben Kleiderschrank einzupacken. Lund, die vor ihm kletterte, drehte sich zu ihm um.

»Dein Koffer kommt mir vor, als wolltest du hier Ferien machen«, sagte sie mit ausdrucksloser Miene.

Johanson seufzte ergeben.

»Ich dachte schon, es fällt dir überhaupt nicht mehr auf.«

Jede größere Küste auf der Welt umgab eine Zone relativ flachen Wassers, die Schelfregion, maximal bis zu zweihundert Meter tief. Im Grunde war der Schelf nichts anderes als die unterseeische Fortsetzung der Kontinentalplatte. In manchen Teilen der Welt reichte er lediglich ein kurzes Stück hinaus, in anderen erstreckten sich Schelfmeere über Hunderte von Kilometern, bis der Boden in die Tiefsee abfiel, vielerorts plötzlich und steil, anderswo in Terrassen und eher sanft. Jenseits der Schelfmeere begann das unbekannte Universum, über das die Wissenschaft tatsächlich weniger wusste als über den Weltraum.

Anders als die Tiefsee hatten die Menschen den Schelf nahezu vollständig unter ihre Kontrolle gebracht. Obwohl die Flachmeere nur etwa acht Prozent der globalen Meeresoberfläche ausmachten, stammte fast der gesamte Weltfischertrag von dort. Das Landtier Mensch lebte vom Wasser, weshalb zwei Drittel seiner Vertreter auf einem sechzig Kilometer schmalen Küstenstreifen siedelten.

Vor Portugal und im Norden Spaniens erschien die Schelfregion auf ozeanographischen Karten als schmaler Streifen. Die Britischen Inseln und Skandinavien hingegen umgab er so großräumig, dass beide Regionen ineinander übergingen und die Nordsee bildeten, durchschnittlich zwanzig bis einhundertfünfzig Meter tief und damit ziemlich flach. Auf den ersten Blick war nichts Besonderes an dem kleinen Meer im europäischen Norden mit seinen komplizierten Strömungs- und Temperaturverhältnissen, das in seiner gegenwärtigen Form eben mal zehntausend Jahre existierte. Dennoch nahm es für die Weltwirtschaft eine zentrale Bedeutung ein. Es gehörte zu den verkehrsreichsten Zonen der Erde, mit hoch entwickelten Industrienationen als Anrainerstaaten und dem größten Hafen aller Zeiten, Rotterdam. Die dreißig Kilometer breite Meerenge des Ärmelkanals hatte sich zu einer der meistbefahrenen Straßen der Welt entwickelt. Frachter, Tanker und Fähren manövrierten hier auf engstem Raum.

Dreihundert Millionen Jahre war es her, dass mächtige Sümpfe den Kontinent mit England verbunden hatten. Abwechselnd war der Ozean vorgedrungen und wieder zurückgewichen. Gewaltige Flüsse hatten Schlamm, Pflanzen und Reste von Tieren in das nördliche Becken geschwemmt, die sich mit der Zeit zu einer kilometerdicken Sedimentdecke aufschichteten. Kohleflöze entstanden, während sich das Gelände weiter absenkte. Immer neue Lagen schoben sich übereinander und pressten die zuunterst liegenden Sedimente zu Sand- und Kalkstein. Gleichzeitig wurde es in den Tiefen wärmer. Die organischen Reste im Gestein durchliefen komplexe chemische Prozesse und verwandelten sich unter Einwirkung von Druck und Hitze in Öl und Gas. Einiges davon sickerte durch poröses Gestein zum Meeresboden hoch und ging im Wasser verloren. Das meiste verblieb in unterirdischen Lagerstätten.

Jahrmillionen hatte der Schelf geruht.

Das Öl brachte den Wandel. Norwegen, als Fischereination im Niedergang begriffen, stürzte sich ebenso auf die neu entdeckten Bodenschätze wie England, Holland und Dänemark und entwickelte sich innerhalb von dreißig Jahren zum zweitgrößten Erdölexporteur der Welt. Das Gros der Vorkommen und damit rund die Hälfte aller europäischen Ressourcen lagerte unter dem norwegischen Schelf. Als ebenso gewaltig erwiesen sich die norwegischen Gasvorräte. Man reihte Plattform an Plattform. Technische Probleme wurden ohne Rücksicht auf Kosten der Umwelt gelöst. Auf diese Weise bohrte man immer tiefer, wichen die simplen Gerüstkonstruktionen der ersten Tage Bohrtürmen von der Höhe des Empire State Building. Pläne für unterseeische und komplett ferngesteuerte Plattformen schickten sich an, Wirklichkeit zu werden. Im Grunde hätte der Jubel kein Ende finden dürfen.

Aber er endete schneller als erwartet. Die Fischereierträge gingen zurück wie überall auf der Welt, und ebenso die Erdölförderung. Was in Jahrmillionen entstanden war, würde in weniger als vierzig Jahren versiegt sein. Viele Vorkommen der Schelfmeere waren so gut wie erschöpft. Das Gespenst eines riesigen Schrottplatzes dämmerte herauf, stillgelegte Plattformen, die man schlicht und einfach nicht entsorgen konnte, weil keine Kraft der Welt ausreichte, sie je wieder von der Stelle zu bewegen. Nur ein Weg versprach aus der Misere zu führen, in die sich die Ölnationen hineinmanövriert hatten. Jenseits des Schelfs, an Kontinentalabhängen und in ausgedehnten Tiefseebecken, lagerten unangetastete Vorkommen. Herkömmliche Plattformen schieden hier aus. Was Lunds Gruppe plante, um solche Vorkommen nutzbar zu machen, war darum eine Anlage anderer Art. Der Hang war nicht überall abschüssig. Er staffelte sich in Terrassen und bot ideales Terrain für unterseeische Fabriken. Angesichts der Risiken, die mit einem Projekt so weit jenseits des Schelfrandes einhergingen, waren menschliche Arbeitskräfte auf ein Minimum reduziert worden. Mit den sinkenden Fördermengen sank auch der Stern der Ölarbeiter, die in den Siebzigern und Achtzigern begehrt und hoch bezahlt gewesen waren. Für Gullfaks C lagen Pläne vor, das Personal bis auf zwei Dutzend Leute abzubauen. Plattformen wie der »Mann im Mond«, ein Jahrhundertprojekt über dem Troll-Gasfeld in der norwegischen Rinne, arbeiteten fast vollautomatisch.

Im Grunde war das Nordsee-Ölgeschäft defizitär geworden. Allein, es einzustellen hätte noch größere Probleme mit sich gebracht.

Als Johanson aus seiner Kabine trat, herrschte an Bord der *Thorvaldson* ruhige Routinestimmung. Das Schiff war nicht besonders groß. Auf einem Forschungsgiganten wie der Bremerhavener *Polarstern* hätten sie mit dem Helikopter landen können, aber die *Thorvaldson* brauchte den Platz für Gerätschaften. Johanson schlenderte zur Reling und sah hinaus. In den vergangenen zwei Stunden hatten sie ganze Plattformsiedlungen hinter sich gelassen, deren Inseln durch luftige Übergänge miteinander verbunden waren. Nun lagen sie oberhalb der Shetland-Inseln, jenseits der Schelfkante. So weit draußen endete jede Bebauung. In der Ferne waren vereinzelt die Silhouetten von Bohrtürmen zu erkennen, aber insgesamt sah es hier wieder nach Meer aus und weniger nach überflutetem Industriegebiet. Annähernd 700 Meter Wassertiefe erstreckten sich unter dem Kiel. Der Kontinentalhang war vermessen und kartiert, aber Eindrücke aus der Zone ewiger Finsternis gab es kaum. Im Licht starker Scheinwerfer hatte man den Blick auf die eine oder andere Stelle werfen können, was in etwa so viel Aufschluss über das Ganze gab wie eine einzelne Straßenlaterne über Norwegen bei Nacht.

Johanson dachte an seinen Bordeaux und die kleine Sammlung französischer und italienischer Käse in seinem Koffer. Er ging auf die Suche nach Lund und fand sie beim Check des Roboters. Der Automat hing in den Halterungen des Auslegers, ein rechteckiger Kasten aus Rohrgestänge von gut drei Metern Höhe, voll gestopft mit Technik. Auf der geschlossenen Oberseite stand der Name *Victor*. Im vorderen Bereich erkannte Johanson Kameras und einen zusammengeklappten Greifarm.

Lund strahlte ihn an.

»Beeindruckt?«

Johanson ging einmal pflichtschuldigst um den *Victor* herum.

»Ein großer gelber Staubsauger«, sagte er.

»Defätist.«

»Schon gut. Tatsächlich bin ich fasziniert davon. Was wiegt das Ding?«

»Vier Tonnen. He, Jean!«

Ein magerer Mann mit roten Haaren schaute hinter einer Kabeltrommel hervor. Lund winkte ihn heran.

»Jean-Jacques Alban ist Erster Offizier auf diesem schwimmenden Schrotthaufen«, stellte Lund den Rothaarigen vor. »Hör zu, Jean, ich muss noch einiges regeln. Sigur hier ist furchtbar neugierig, er will alles über den *Victor* wissen. Sei so gut und kümmere dich um ihn.«

Sie entschwand im Laufschritt. Alban sah ihr mit einem Ausdruck amüsierter Hilflosigkeit hinterher.

»Ich schätze, Sie haben Besseres zu tun, als mir den *Victor* zu erklären«, mutmaßte Johanson.

»Kein Problem.« Alban grinste. »Tina wird sich eines Tages nochmal selber überholen. Sie sind der Mann von der NTNU, richtig? Sie haben die Würmer untersucht.«

»Ich habe meine Meinung dazu abgegeben. Warum bereiten Ihnen die Tiere so viel Kopfzerbrechen?«

Alban winkte ab.

»Wir machen uns eher Sorgen um die Beschaffenheit des Bodens hier am Hang. Die Würmer haben wir zufällig entdeckt, sie beschäftigen vornehmlich Tinas Phantasie.«

»Ich dachte, Sie lassen den Roboter wegen der Würmer runter«, wunderte sich Johanson.

»Hat Tina Ihnen das erzählt?« Alban sah zu dem Automaten rüber und schüttelte den Kopf. »Nein, das ist nur ein Teil der Mission. Natürlich nehmen wir hier nichts auf die leichte Schulter, aber hauptsächlich bereiten wir den Einsatz einer Langzeitmessstation vor. Wir platzieren sie direkt über dem detektierten Ölvorkommen. Wenn wir zu dem Schluss gelangen, dass der Platz sicher ist, kommt eine unterseeische Förderstation dahin.«

»Tina sagte etwas von einem SWOP.«

Alban warf ihm einen Blick zu, als sei er nicht sicher, wie er darauf antworten solle.

»Eigentlich nicht. Die Unterwasserfabrik ist so gut wie unter Dach und Fach. Sollte sich was geändert haben, ist es mir entgangen.«

Aha. Es würde keine schwimmende Plattform geben.

Vielleicht war es besser, das Thema nicht zu vertiefen. Johanson fragte Alban weiter über den Tauchroboter aus.

»Es ist ein *Victor 6 000*, ein *Remotely Operated Vehicle,* kurz ROV«, erklärte Alban. »Er kann bis in Tiefen von 6 000 Metern vorstoßen und dort einige Tage arbeiten. Wir steuern ihn von hier oben und empfangen sämtliche Daten in Echtzeit, alles über Kabel. Diesmal bleibt er 48 Stunden unten. Nebenbei soll er natürlich auch einen Arm voll Würmer einsacken. Statoil will sich nicht vorwerfen lassen, die Biodiversität zu gefährden.« Er machte eine Pause. »Was ist denn Ihre Meinung zu den Viechern?«

»Keine«, sagte Johanson ausweichend. »Vorläufig.«

Maschinenlärm klang auf. Johanson sah, wie sich der Ausleger in Bewegung setzte und den *Victor* in die Höhe hievte.

»Kommen Sie«, sagte Alban. Weiter mittschiffs waren fünf mannshohe Container installiert, zu denen sie hinübergingen. »Die meisten Schiffe sind gar nicht für den Einsatz des *Victor* eingerichtet. Wir haben ihn von der *Polarstern* ausgeliehen, weil er bei uns gerade noch draufpasst.«

»Was ist in den Containern?«

»Die Hydraulikeinheit für die Winde, Aggregate, aller mögliche Krempel. Im vorderen befindet sich der ROV–Kontrollraum. Stoßen Sie sich nicht den Kopf.«

Sie traten durch eine niedrige Tür. Es war eng in dem Container. Johanson sah sich um. Über die Hälfte des Raumes nahm das Steuerpult mit den beiden Bildschirmreihen ein. Einige der Monitore waren ausgeschaltet, andere stellten die Betriebsdaten des ROVs und Navigationsinformationen dar. Vor den Bildschirmen saßen mehrere Männer. Auch Lund war anwesend.

»Der da in der Mitte im Fahrstand, das ist der Pilot«, erklärte Alban leise. »Rechts daneben der Copilot, der auch den Greifarm bedient. *Victor* arbeitet sensibel und präzise, aber entsprechend geschickt muss man sein, um mit ihm klarzukommen. Der nächste Sitz gehört dem Koordinator. Er unterhält den Kontakt zum Wachoffizier auf der Brücke, damit das Schiff und der Roboter optimal zusammenwirken. Zur anderen Seite hin sitzen die Wissenschaftler. Das da ist Tinas Platz. Sie wird die Kameras bedienen und die Bilder speichern. – Sind wir so weit?«

»Ihr könnt ihn runterlassen«, sagte Lund.

Nacheinander sprangen die restlichen Monitore an. Johanson erkannte Teile des Hecks und des Auslegers, Himmel und Meer.

»Sie sehen jetzt, was *Victor* sieht«, erläuterte Alban. »Er verfügt über acht Kameras. Eine Hauptkamera mit Zoom, zwei Pilotobjektive zur Navigation und fünf Zusatzkameras. Die Bildqualität ist außerordentlich gut, selbst in mehreren tausend Metern Tiefe bekommen wir filmreife Szenen zu sehen, gestochen scharf und in brillanten Farben.«

Die Kameraperspektiven veränderten sich. Der Roboter wurde abgesenkt. Das Meer kam näher, dann schwappte Wasser über die Objektive. *Victor* sank weiter. Die Monitore zeigten eine blaugrüne Welt, die langsam trüber wurde.

Der Container füllte sich. Männer und Frauen, die zuvor am Ausleger gearbeitet hatten. Es wurde noch enger.

»Scheinwerfer an«, sagte der Koordinator.

Mit einem Mal erhellte sich der Raum um *Victor*. Es blieb diffus. Das Blaugrün verblasste und wich erleuchtetem Schwarz. Einige kleine Fische gerieten ins Bild, dann schien alles erfüllt von winzigen Luftblasen. Johanson wusste, dass es sich in Wirklichkeit um Plankton handelte, Milliarden von Kleinstlebewesen. Rote Medusen und transparente Rippenquallen zogen vorbei.

Nach einer Weile wurde der Partikelschwarm dünner. Die Tiefenanzeige wies fünfhundert Meter aus.

»Was genau macht *Victor*, wenn er unten angekommen ist?«, fragte Johanson.

»Er entnimmt Wasser- und Sedimentproben, außerdem sammelt er Lebewesen ein«, antwortete Lund, ohne sich umzudrehen. »Vor allem liefert er Videomaterial.«

Etwas Zerklüftetes schob sich ins Bild. *Victor* sank entlang einer Steilwand abwärts. Rote und orangefarbene Langusten winkten ihnen mit langen Fühlern zu. Hier unten war es bereits stockdunkel, aber die Scheinwerfer und Kameras brachten die natürlichen Farben der Lebewesen verblüffend intensiv zur Geltung. *Victor* zog weiter an Schwämmen und Seegurken vorbei, dann wurde das Terrain allmählich flacher.

»Wir sind so weit«, sagte Lund. »680 Meter.«

»Okay.« Der Pilot beugte sich nach vorne. »Fliegen wir eine Kurve.«

Der Hang verschwand von den Bildschirmen. Eine Zeit lang sahen sie wieder freies Wasser, dann zeichnete sich in der blauschwarzen Tiefe plötzlich Meeresboden ab.

»*Victor* kann millimetergenau navigieren«, sagte Alban sichtlich stolz zu Johanson. »Sie könnten ihn Garn einfädeln lassen, wenn Sie wollten.«

»Danke, das besorgt mein Schneider. Wo genau ist er jetzt?«

»Direkt über einem Plateau. Im Untergrund lagert eine gewaltige Menge Öl.«

»Auch Methanhydrat?«

Alban sah ihn nachdenklich an. »Ja, sicher. Warum fragen Sie?«

»Nur so. Und hier will Statoil die Fabrik installieren?«

»Es ist unsere Wunschposition. Sofern nichts dagegen spricht.«

»Zum Beispiel Würmer.«

Alban zuckte die Achseln. Johanson merkte, dass der Franzose das Thema nicht mochte. Sie sahen zu, wie der Roboter die fremde Welt überflog, dahinstaksende Meerspinnen überholte und Fische, die im Sediment wühlten. Die Kameras erfassten Ansiedlungen von Schwämmen, Leuchtquallen und kleine Tintenfische. Besonders reich besiedelt war das Meer hier nicht, aber es gab eine Vielfalt unterschiedlichster Bodenbewohner. Nach einer Weile wurde die Landschaft pockennarbig und rau. Streifige Strukturen zogen sich über den Grund dahin.

»Übersedimentierte Rutschungen«, sagte Lund. »Am norwegischen Hang ist schon einiges ins Rutschen gekommen.«

»Was ist mit diesen riffeligen Strukturen?«, fragte Johanson. Der Boden hatte sich wieder verändert.

»So was bringen die Strömungen mit sich. Wir steuern auf den Rand des Plateaus zu.« Sie machte eine Pause. »Nicht weit von hier haben wir die Würmer gefunden.«

Sie starrten auf die Bildschirme. Etwas anderes war im Licht der Scheinwerfer aufgetaucht. Helle, großflächige Verfärbungen.

»Bakterienmatten«, bemerkte Johanson.

»Ja. Anzeichen von Methanhydrat.«

»Da«, sagte der Pilot.

Rissige, weiße Flächen kamen ins Bild. Hier lagerte gefrorenes Methan direkt am Boden. Plötzlich erkannte Johanson noch etwas. Auch die anderen sahen es. Mit einem Mal wurde es totenstill im Kontrollraum.

Teile des Hydrats waren unter rosafarbenem Gewimmel verschwunden. Zuerst waren noch einzelne Leiber auszumachen. Dann wurde die Menge der sich windenden Körper unüberschaubar. Rosa Röhren mit weißen Büscheln krochen über- und untereinander her.

Einer der Männer am Pult stieß einen Laut des Widerwillens aus. Menschen sind so konditioniert, dachte Johanson. Wir gruseln uns vor allem, was kriecht, krabbelt und wimmelt, dabei ist es normal. Wir würden uns am meisten vor uns selber gruseln, wenn wir sehen könnten, wie sich Horden von Milben in unseren Poren bewegen und vom Talg ernähren, wie sich Millionen winziger Spinnentiere in unseren Matratzen breit machen und Milliarden Bakterien in unseren Gedärmen.

Trotzdem gefiel ihm nicht, was er sah. Die Bilder aus dem Mexikanischen Golf hatten ähnlich große Populationen gezeigt, aber die Tiere waren kleiner gewesen und hatten untätig in ihren Kuhlen gelebt. Diese hier wanden und schlängelten sich über das Eis, eine gewaltige zuckende Masse, die den Boden vollständig bedeckte.

»Zickzackkurs«, sagte Lund.

Das ROV begann, in einer Art ausladendem Slalom zu schwimmen. Das Bild veränderte sich nicht. Würmer, wohin man sah.

Plötzlich senkte sich der Boden ab. Der Pilot steuerte den Roboter weiter auf die Plateaukante zu. Selbst die acht starken Flutlichtspots erlaubten hier nur eine Sicht von wenigen Metern. Dennoch hatte es den Anschein, als bedeckten die Kreaturen den ganzen Hang. Johanson kam es vor, als seien sie noch größer als die Exemplare, die Lund ihm zur Untersuchung überlassen hatte.

Im nächsten Moment wurde alles schwarz. *Victor* war über die Kante gestoßen. Hier ging es rund einhundert Meter senkrecht in die Tiefe. Der Roboter fuhr mit voller Geschwindigkeit weiter.

»Drehen«, sagte Lund. »Wir schauen uns die Hangwand an.«

Der Pilot manövrierte den *Victor* in eine Kurve. Im Scheinwerferlicht wirbelten Partikel.

Etwas Großes, Helles wölbte sich vor die Kameraobjektive, füllte sie eine Sekunde lang aus und zog sich blitzschnell zurück.

»Was war das?«, rief Lund.

»Position zurück.«

Das ROV flog eine Gegenkurve.

»Es ist weg.«

»Kreisbewegung!«

Victor stoppte und begann, sich um seine eigene Achse zu drehen. Nichts war zu sehen außer undurchdringlicher Finsternis und dem beleuchteten Plankton im Lichtkegel.

»Da war irgendwas«, bestätigte der Koordinator. »Vielleicht ein Fisch.«

»Muss ein verdammt großer Fisch gewesen sein«, knurrte der Pilot. »Er hat das Bild komplett ausgefüllt.«

Lund wandte den Kopf und sah Johanson an. Er schüttelte den Kopf.

»Keine Ahnung, was es war.«

»Okay. Schauen wir uns weiter unten um.«

Das ROV hielt auf den Abhang zu. Nach wenigen Sekunden kam abschüssiges Gelände in Sicht. Einige Sedimentbrocken ragten daraus hervor, der Rest war bedeckt von rosa Leibern.

»Sie sind überall«, sagte Lund.

Johanson trat neben sie.

»Habt ihr eine Übersicht über die hiesigen Hydratvorkommen?«

»Hier ist alles voller Methan. Hydrate, Gasblasen im Erdinnern, Gas, das austritt …«

»Ich meine speziell das Eis an der Oberfläche.«

Lund tippte etwas in die Tastatur ihres Terminals. Eine Karte des Meeresbodens erschien auf einem der Monitore. »Da, die hellen Flecken. Diese Vorkommen haben wir kartiert.«

»Kannst du mir *Victors* augenblickliche Position zeigen?«

»Etwa hier.« Sie zeigte auf einen Bereich, der großflächige Verfärbungen aufwies.

»Gut. Steuert mal dorthin, schräg rüber.«

Lund gab dem Piloten Anweisungen. Die Scheinwerfer erfassten wieder Meeresboden, der frei von Würmern war. Nach einer Weile stieg das Gelände an, dann tauchte unmittelbar die Steilwand aus dem Dunkel auf.

»Höher«, sagte Lund. »Hübsch langsam.«

Schon nach wenigen Metern bot sich ihnen das gleiche Bild wie zuvor. Schlauchförmige rosa Körper mit weißen Borsten.

»Klassisch«, sagte Johanson.

»Was meinst du?«

»Wenn eure Karte stimmt, sind genau hier große Hydratausdehnungen. Sprich, Bakterien lagern auf dem Eis und setzen das Methan um, und die Würmer fressen die Bakterien.«

»Ist es auch klassisch, dass sie gleich zu Millionen anrücken?«

Er schüttelte den Kopf. Lund lehnte sich zurück.

»Na schön«, sagte sie zu dem Mann, der den Greifarm unter Kontrolle hatte. »Setzen wir *Victor* ab. Er soll einen Schwung von den Viechern einsacken und sich weiter die Gegend angucken – falls bei dem Gedränge von Gegend noch die Rede sein kann.«

Es war zehn Uhr durch, als es an Johansons Kammer klopfte. Er öffnete. Lund kam herein und ließ sich in den kleinen Sessel fallen, der zusammen mit einem winzigen Tisch den besonderen Kabinenluxus darstellte.

»Meine Augen brennen«, sagte sie. »Alban hat für eine Weile übernommen.«

Ihr Blick fiel auf die Käseplatte und die geöffnete Flasche Bordeaux.

»Das hätte ich mir ja denken können.« Sie lachte. »Darum bist du eben abgehauen.«

Johanson hatte den Monitorraum vor einer halben Stunde verlassen, um alles vorzubereiten.

»Brie des Meaux, Taleggio, Munster, ein alter Ziegenkäse und etwas Fontina aus den piemontesischen Bergen«, stellte er die Käse der Reihe nach vor. »Baguette und Butter.«

»Du Wahnsinniger.«

»Willst du ein Glas?«

»Natürlich will ich ein Glas. Was ist es denn?«

»Ein Pauillac. Du musst mir nachsehen, dass ich ihn nicht dekantieren konnte, die *Thorvaldson* weist Mängel an gesellschaftsfähigem Kristall auf. Habt ihr noch was Interessantes gesehen?«

Lund nahm das Glas entgegen und trank es zur Hälfte leer.

»Die Scheißviecher lagern auf den Hydraten. Überall.«

Johanson ließ sich ihr gegenüber auf der Bettkante nieder und strich nachdenklich Butter auf ein Stück Baguette.

»Wirklich bemerkenswert.«

Lund bediente sich am Käse. »Die anderen sind jetzt auch der Meinung, dass wir uns Gedanken machen sollten. Allen voran Alban.«

»Bei eurem ersten Besuch habt ihr nicht so viele gesehen?«

»Nein. Ich meine, mehr als genug für meinen Geschmack, nur stand ich mit meinem Geschmack bis eben noch alleine.«

Johanson lächelte sie an.

»Du weißt doch. Wer Geschmack hat, befindet sich immer in der Minderheit.«

»Na, jedenfalls, morgen früh kommt *Victor* hoch und bringt weitere Würmer mit. Dann kannst du mit ihnen spielen, falls du Lust hast.« Kauend stand sie auf und schaute aus dem Kabinenfenster. Inzwischen hatte es aufgeklart. Ein Streifen Mondlicht ergoss sich über die Wellen, die ihn funkelnd verteilten. »Wohl hundertmal habe ich mir die verdammte Videosequenz angesehen. Dieses helle Ding. Alban meint auch, es sei ein Fisch gewesen, aber wenn das stimmt, dann hatte er die Ausmaße eines Mantas oder von noch was Größerem. Außerdem war keinerlei Körperform erkennbar.«

»Vielleicht ein Lichtreflex«, schlug Johanson vor.

Sie drehte sich zu ihm um.

»Nein. Es war einige Meter entfernt, genau an der Lichtgrenze. Es war riesig und flächig, und es hat sich blitzschnell zurückgezogen, als könne es das Licht nicht vertragen oder habe Angst, entdeckt zu werden.«

»Das kann alles Mögliche gewesen sein.«

»Nein, nicht alles Mögliche.«

»Ein Fischschwarm kann auch zurückzucken. Wenn sie dicht genug schwimmen, entsteht der Eindruck eines …«

»Das war kein Fischschwarm, Sigur! Es war flächig. Eine durchgehende Fläche, irgendwie … glasig. Wie eine große Qualle.«

»Eine große Qualle. Da hast du's.«

»Nein. Nein!« Sie machte eine Pause und setzte sich wieder. »Schau es dir selber an. Es war keine Qualle.«

Sie aßen eine Weile schweigend weiter.

»Du hast Jörensen belogen«, sagte Johanson unvermittelt. »Es wird kein SWOP geben. Jedenfalls nichts, worauf man Ölarbeiter beschäftigen könnte.«

Lund schaute auf. Sie führte ihr Glas zu den Lippen, trank und stellte es bedächtig zurück. »Stimmt.«

»Warum? Hast du befürchtet, es könnte ihm das Herz brechen?«

»Vielleicht.«

Johanson schüttelte den Kopf.

»Ihr werdet ihm ohnehin das Herz brechen. Es gibt keine Jobs mehr für die Ölarbeiter, richtig?«

»Hör zu, Sigur, ich wollte ihn nicht belügen, aber ... ach verdammt, diese ganze Industrie macht gerade eine Veränderung durch, und menschliche Arbeitskräfte werden dabei auf der Strecke bleiben. Was soll ich denn machen? Jörensen weiß, dass es so ist. Er weiß auch, dass die Mannschaft der Gullfaks C auf ein Zehntel reduziert wird. Es kostet weniger, die ganze Plattform umzurüsten, als weiterhin zweihundertsiebzig Leute zu beschäftigen. Statoil trägt sich mit dem Gedanken, die Mannschaft auf Gullfaks B ganz aufzulösen. Wir können sie von einer anderen Plattform aus steuern, und selbst das rechnet sich nur mit gutem Willen.«

»Du willst mir weismachen, dass sich euer Business nicht mehr lohnt?«

»Das Offshore-Geschäft hat sich erst gelohnt, als die OPEC den Preis in die Höhe trieb, Anfang der Siebziger. Aber seit Mitte der Achtziger fällt er wieder. Und entsprechend tief wird Nordeuropa fallen, wenn die Quellen versiegen, also müssen wir weiter draußen bohren, wo es tief ist, unter Zuhilfenahme von ROVs und AUVs.«

AUV war eine weitere Abkürzung aus dem Vokabular der Tiefsee-exploration und derzeit in aller Munde. Die *Autonomous Underwater Vehicles* funktionierten im Wesentlichen wie der *Victor*, waren jedoch nicht mehr auf die künstliche Nabelschnur zum Mutterschiff angewiesen. Die Offshore-Industrie sah mit großem Interesse auf die Entwicklung dieser neuartigen Tauchroboter, die wie planetare Späher in die unwirtlichsten Regionen vorstießen, äußerst flexibel und beweglich waren und innerhalb eines gewissen Rahmens sogar eigene Entscheidungen treffen konnten. Mit Hilfe von AUVs rückte die Möglichkeit in greifbare Nähe, Ölförderungsstationen selbst in fünf- oder sechstausend Metern Tiefe zu installieren und zu überwachen.

»Du brauchst dich nicht zu entschuldigen«, sagte Johanson, während er Wein nachgoss. »Du kannst nicht wirklich was dafür.«

»Ich entschuldige mich nicht«, entgegnete Lund mürrisch. »Außerdem können wir alle was dafür. Würde die Menschheit nicht so rumaasen mit dem Brennstoff, hätten wir die Probleme nicht.«

»Doch. Wir hätten sie nur später. Aber dein Umweltbewusstsein ehrt dich.«

»Na und?«, versetzte sie giftig. Der spöttische Unterton in seiner Stimme war ihr nicht entgangen. »Ölfirmen lernen auch dazu, du wirst es kaum für möglich halten.«

»Ja, aber was?«

»Wir dürfen uns in den nächsten Jahrzehnten mit der Entsorgung von über sechshundert Plattformen rumschlagen, weil sie unwirtschaftlich sind und die Technik nichts mehr taugt! Weißt du, was das kostet? Milliarden! Bis dahin ist der Schelf leer gepumpt! Also tu nicht so, als wären wir irgendwelches Lumpenpack.«

»Schon gut.«

»Natürlich stürzt sich jetzt alles auf unbemannte Unterwasserfabriken. Wenn wir es nicht tun, hängt Europa morgen komplett an den Pipelines des Nahen Ostens und Südamerikas, und uns bleibt ein Friedhof im Meer.«

»Dagegen sage ich ja gar nichts. Ich frage mich nur, ob ihr immer so genau wisst, was ihr da tut.«

»Was meinst du damit?«

»Ihr müsst massive technische Probleme lösen, um autonome Fabriken zu betreiben.«

»Ja. Sicher.«

»Ihr plant den Durchsatz gewaltiger Mengen unter extremen Druckverhältnissen und mit hochkorrosiven Beimischungen, und dann noch möglichst wartungsfrei.« Johanson zögerte. »Aber ihr wisst nicht wirklich, wie es da unten aussieht.«

»Wir finden es eben heraus.«

»So wie heute? Das bezweifle ich. Mir kommt es vor, als ob Oma im Urlaub Schnappschüsse macht und hinterher denkt, sie wüsste etwas über das Land, in dem sie war. Ihr neigt dazu, euch eine Stelle zu suchen, euch einen Claim abzustecken und ihn so weit in Augenschein zu nehmen, dass er euch Erfolg versprechend erscheint. Deswegen werdet ihr noch lange nicht verstehen, in welches System ihr eingreift.«

»Jetzt kommt das schon wieder«, stöhnte Lund.

»Habe ich etwa Unrecht?«

»Ich kann das Wort Ökosystem singen und rückwärts herbeten. Ich kann's im Schlaf. Bist du jetzt neuerdings gegen die Ölförderung?«

»Nein. Ich bin nur dafür, sich mit der Welt vertraut zu machen, die man betritt.«

»Was denkst du, was wir hier tun?«

»Ich bin sicher, ihr wiederholt eure Fehler. Ende der Sechziger hattet ihr euren Goldrausch, und ihr habt die Nordsee zugebaut. Jetzt steht euch das Zeug im Weg herum. Ihr solltet ähnliche Hastigkeiten in der Tiefsee vermeiden.«

»Wenn wir so hastig sind, warum habe ich dir dann die verdammten Würmer geschickt?«

»Du hast ja Recht. *Ego te absolvo.*«

Sie kaute auf ihrer Unterlippe. Johanson beschloss, das Thema zu wechseln: »Kare Sverdrup ist übrigens ein netter Kerl. – Um auch mal was Positives zu sagen an diesem Abend.«

Lund warf die Stirn in Falten. Dann entspannte sie sich und lachte.

»Findest du?«

»Absolut.« Er breitete die Hände aus. »Ich meine, es ist alles andere als nett, dass er mich vorher nicht gefragt hat, aber ich kann ihn gut verstehen.«

Lund ließ den Wein in ihrem Glas kreisen.

»Das ist alles noch so frisch«, sagte sie leise.

Sie schwiegen eine Weile.

»Sehr verliebt?«, fragte Johanson in die Stille hinein.

»Wer? Er oder ich?«

»Du.«

»Hm.« Sie lächelte. »Ich glaube schon.«

»Du glaubst?«

»Ich bin Forscherin. Ich muss es eben erst erforschen.«

Es war Mitternacht, als sie schließlich ging. An der Tür warf sie einen Blick zurück auf die leeren Gläser und die Käserinden.

»Vor wenigen Wochen hättest du mich damit gekriegt«, sagte sie. Es klang beinahe bedauernd.

Johanson schob sie sanft hinaus auf den Flur.

»In meinem Alter kommt man auch darüber weg«, sagte er. »Los jetzt! Geh forschen.«

Sie trat nach draußen. Dann beugte sie sich vor und gab ihm einen Kuss auf die Wange.

»Danke für den Wein.«

Das Leben besteht aus Kompromissen zwischen verpassten Gelegenheiten, dachte Johanson, als er die Türe schloss. Dann grinste er und schickte den Gedanken in die Verbannung. Er hatte schon zu viele Gelegenheiten genutzt, um sich beklagen zu können.

18. märz

Leon Anawak hielt den Atem an.

Komm schon, dachte er. Mach uns die Freude.

Es war das sechste Mal, dass der Beluga auf den Spiegel zuschwamm. Die kleine Gruppe Journalisten und Studenten, die sich im unterirdischen Beobachtungsraum des Vancouver Aquariums zusammengefunden hatte, verharrte in andächtiger Stille. Durch die riesige Scheibe konnten sie das Innere des Pools in seiner Gesamtheit überblicken. Schräg einfallende Sonnenstrahlen tanzten über Wände und Boden. Der Beobachtungsraum selber lag im Dunkeln, sodass die Wasseroberfläche Licht und Schatten in unstetem Spiel auf die Gesichter der Umstehenden zauberte.

Anawak hatte den Beluga mit ungiftiger Tinte markiert. Ein farbiger Kreis zierte jetzt seinen Unterkiefer. Die Stelle war so gewählt, dass der Wal sie nur sehen konnte, wenn er sein Spiegelbild betrachtete. Zwei Spiegel waren in die reflektierenden Glaswände des Pools eingelassen, und zu einem davon schwamm der Beluga jetzt in mäßigem Tempo. Er tat es mit einer Zielstrebigkeit, dass Anawak keinen Zweifel am Ausgang des Experiments hegte. Der weiße Körper drehte sich im Vorüberschwimmen leicht, als wolle der Wal den Betrachtern seine markierte Kinnlade präsentieren. Dann stoppte er vor der Glaswand und ließ sich ein Stück nach unten sinken, bis er auf gleicher Höhe mit dem Spiegel war. Er verharrte, stellte sich auf, bewegte den Kopf in die eine, dann in die andere Richtung. Offenbar versuchte er herauszufinden, aus welchem Blickwinkel er den Kreis am besten sehen konnte. Eine ganze Weile schwebte er auf diese Weise vor dem Spiegel, bewegte die Flossen und drehte den kleinen Kopf mit der charakteristischen Stirnwölbung hin und her.

So wenig menschenähnlich der Beluga war, erinnerte er in diesen Sekunden auf geradezu unheimliche Weise an einen Menschen. Im Gegensatz zu Delphinen waren Belugas verschiedener Gesichtsausdrücke fähig. Augenblicklich schien der Wal sich zuzulächeln. Vieles von dem, was Menschen gerne in Delphine und Belugas hineininterpretierten, resultierte aus diesem vermeintlichen Lächeln. Tatsächlich entsprangen die hoch gezogenen Mundwinkel einer Reihe physiognomischer Eigentümlichkeiten, die der Kommunikation dienten. Belugas konnten die Mundwinkel ebenso herabziehen, ohne Missmut auszudrücken. Sie konnten sogar die Lippen spitzen und aussehen, als ob sie gut gelaunt vor sich hinpfiffen.

Im nächsten Moment verlor der Beluga das Interesse. Vielleicht war er zu dem Schluss gelangt, sein Spiegelbild hinreichend erforscht zu haben, jedenfalls stieg er in einer eleganten Kurve auf und entfernte sich von der Glasscheibe.

»Das war's«, sagte Anawak leise.

»Und was heißt das jetzt?«, fragte eine Journalistin enttäuscht, nachdem der Wal nicht wiederkam.

»Er weiß, wer er ist. Gehen wir nach oben.«

Sie stiegen aus dem Untergrund zurück ins Sonnenlicht. Zu ihrer Linken lag der Pool, auf dessen Oberfläche sie nun blickten. Dicht unter den kräuseligen Wellen sahen sie die Körper der beiden Belugas dahingleiten. Anawak hatte bewusst darauf verzichtet, die Beobachter im Vorhinein über den exakten Ablauf des Experiments aufzuklären. Er ließ sich die Eindrücke der Teilnehmer schildern, um sicherzugehen, dass er nichts in das Verhalten des Wals hineininterpretierte, was ihn sein Wunschdenken hatte sehen lassen.

Seine Beobachtungen wurden ausnahmslos bestätigt.

»Gratuliere«, sagte er schließlich. »Sie haben soeben einem Experiment beigewohnt, das als Spiegel-Selbsterkennung in die Geschichte der Verhaltensforschung eingegangen ist. Ist jeder von Ihnen hinreichend damit vertraut?«

Die Studenten waren es, die Journalisten weniger.

»Macht nichts«, sagte Anawak. »Ich gebe Ihnen einen kurzen Abriss. Die Spiegel-Selbsterkennung datiert aus den Siebzigern. Jahrzehntelang beschränkten sich die Tests vornehmlich auf Primaten. Ich weiß nicht, ob Ihnen der Name Gordon Gallup etwas sagt ...« Etwa die Hälfte der Umstehenden nickte, die anderen schüttelten den Kopf. »Nun, Gallup ist Psychologe an der State University von New York. Eines Tages kam er auf eine ziemlich verrückte Idee: Er konfrontierte verschiedene Affenarten mit ihrem Spiegelbild. Die meisten ignorierten es, andere versuchten es anzugreifen, weil sie dachten, es handle sich um einen fremden Eindringling. Einige Schimpansen erkannten sich schließlich im Spiegel und benutzten ihn, um sich selber zu erforschen. Das war bemerkenswert, denn die überwiegende Mehrheit im Tierreich ist nicht in der Lage, sich selber im Spiegel zu erkennen. Tiere existieren. Sie fühlen, agieren und reagieren. Aber sie sind sich ihrer selbst nicht bewusst. Sie können sich nicht als eigenständige

Individuen wahrnehmen, die sich von ihren Artgenossen unterscheiden.«

Anawak erklärte weiter, wie Gallup die Stirn der Affen mit Farbe markiert und die Tiere dann vor den Spiegel gesetzt hatte. Die Schimpansen begriffen schnell, *wen* sie da im Spiegel sahen. Sie inspizierten die Markierung, betasteten die Stelle mit den Fingern und rochen daran. Gallup führte die Tests mit anderen Affen, Papageien und Elefanten durch. Doch die einzigen Tiere, die den Spiegeltest durchweg bestanden, waren Schimpansen und Orang-Utans, was Gallup zu der Schlussfolgerung brachte, dass sie über Selbstwahrnehmung und damit über ein gewisses Selbstbewusstsein verfügten.

»Gallup ging aber noch weiter«, erklärte Anawak. »Er hatte lange Zeit die Auffassung vertreten, Tiere könnten die Psyche anderer Spezies nicht nachempfinden. Aber die Spiegeltests änderten seine Meinung. Er glaubt heute nicht nur, dass sich bestimmte Tiere ihrer selbst bewusst sind, sondern auch, dass sie dieser Umstand in die Lage versetzt, sich in andere hineinzudenken. Schimpansen und Orang-Utans messen anderen Individuen Absichten bei und entwickeln Mitgefühl. Sie können von ihrem eigenen psychischen Befinden auf das anderer schließen. Das ist Gallups These, die mittlerweile eine große Anhängerschaft gefunden hat.«

Er machte eine Pause. Ihm war klar, dass er die Journalisten später würde einbremsen müssen. Er wollte nicht in wenigen Tagen lesen, Belugas seien bessere Psychiater, Tümmler hätten einen Club zur Rettung Schiffbrüchiger und Schimpansen einen Schachverein gegründet.

»Jedenfalls«, fuhr er fort, »ist es bezeichnend, dass bis in die Neunziger fast ausschließlich Landtiere für Spiegeltests herangezogen wurden. Dabei war über die Intelligenz von Walen und Delphinen zwar schon spekuliert worden, aber der Nachweis fand nicht unbedingt das Interesse der Nahrungsmittelindustrie. Affenfleisch und Affenfell sind nur für einen sehr geringen Teil der Weltbevölkerung von Interesse. Die Jagd auf Wale und Delphine vereinbart sich hingegen schlecht mit Intelligenz und Selbstbewusstsein der Gejagten. Eine ganze Reihe von Leuten war nicht sonderlich begeistert, als wir vor wenigen Jahren begannen, Spiegeltests mit Tümmlern durchzuführen. Wir kleideten den Pool teils mit reflektierenden Glasscheiben aus, teils mit richtigen Spiegeln. Dann markierten wir die Tümmler mit einem schwarzen Stift. Es war erstaunlich genug, dass unsere Probanden so lange die Wände absuchten, bis sie die Spiegel gefunden hatten. Offenbar war ihnen klar, dass sie die Markierung umso deutlicher sehen konnten, je besser die

Fläche ihr Spiegelbild reflektierte. Aber wir gingen noch weiter, indem wir die Tiere abwechselnd mit einem echten Farbstift kennzeichneten und mit einem, der nur Wasser enthielt. Es hätte ja sein können, dass die Tümmler einzig auf den taktilen Reiz des Stifts reagierten, aber tatsächlich verharrten sie länger und prüfender vor den Spiegeln, wenn die Markierung sichtbar war.«

»Erhielten die Tümmler Belohnungen?«, fragte einer der Studenten.

»Nein, und wir haben sie auch nicht für den Test trainiert. Wir haben während der Experimente sogar unterschiedliche Körperpartien markiert, um Lern- oder Gewöhnungseffekte auszuschließen. Seit wenigen Wochen führen wir nun den gleichen Testaufbau mit Belugas durch. Sechsmal haben wir den Wal markiert, zweimal mit dem Placebo-Stift. Sie haben gesehen, was geschah. Jedes Mal schwamm er zu dem Spiegel und suchte nach dem Symbol. Zweimal fand er keines vor und brach die Überprüfung vorzeitig ab. Meines Erachtens haben wir den Beweis erbracht, dass Belugas über den gleichen Grad der Selbsterkenntnis verfügen wie Schimpansen. Wale und Menschen könnten einander in einigen Punkten ähnlicher sein, als wir bisher dachten.«

Eine Studentin hob die Hand. »Sie wollen sagen ...« Sie zögerte. »Die *Ergebnisse* wollen sagen, dass Delphine und Belugas über Geist und Bewusstsein verfügen, richtig?«

»So ist es.«

»Worin soll das begründet liegen?«

Anawak war verblüfft.

»Haben Sie gerade nicht zugehört? Waren Sie vorhin nicht unten?«

»Doch, schon. Ich habe gesehen, dass ein Tier sein Spiegelbild registriert hat. Es weiß also, das bin ich. Schließen Sie daraus zwangsläufig auf Selbstbewusstsein?«

»Sie haben die Frage soeben selber beantwortet. *Es weiß, das bin ich.* Es hat ein Ich-Bewusstsein.«

»Das meine ich nicht.« Sie trat einen Schritt nach vorne. Anawak betrachtete sie unter gerunzelten Brauen. Sie hatte rotes Haar, eine kleine spitze Nase und leicht überdimensionierte Schneidezähne. »Ihr Versuch unterstellt Aufmerksamkeitsbewusstsein und Körperidentität. Wie es aussieht, mit Erfolg. Das muss noch lange nicht heißen, dass diese Tiere ein Bewusstsein *permanenter* Identität aufweisen und daraus irgendwelche Konsequenzen im Umgang mit anderen Lebewesen ableiten.«

»Das habe ich auch nicht gesagt.«

»Doch. Sie haben Gallups These vertreten, dass bestimmte Tiere von sich selbst auf andere schließen können.«

»Affen.«

»Was nebenbei gesagt umstritten ist. Jedenfalls haben Sie keinerlei Einschränkungen gemacht, als Sie später über Tümmler und Belugas sprachen. Oder habe ich irgendwas nicht mitbekommen?«

»Man muss in diesem Fall nichts einschränken«, erwiderte Anawak verdrossen. »Dass die Tiere sich erkennen, ist bewiesen.«

»Einige Versuche lassen das vermuten, ja.«

»Worauf wollen Sie hinaus?«

Sie hob die Schultern und sah ihn aus runden Augen an.

»Na, ist das nicht offensichtlich? Sie können *sehen*, wie sich ein Beluga benimmt. Aber woher wollen Sie *wissen*, was er denkt? Ich kenne die Arbeit von Gallup. Er meint, bewiesen zu haben, dass sich ein Tier in ein anderes hineinversetzen kann. Das setzt voraus, dass Tiere ähnlich denken und empfinden wie wir. Was Sie uns heute gezeigt haben, ist der Versuch einer Vermenschlichung.«

Anawak war sprachlos. Ausgerechnet damit wollte sie ihm kommen. Mit seinem eigenen Argument.

»Hatten Sie wirklich diesen Eindruck?«

»Sie haben gesagt, Wale könnten uns möglicherweise ähnlicher sein, als wir bisher dachten.«

»Warum hören Sie nicht besser hin, Miss ...«

»Delaware. Alicia Delaware.«

»Miss Delaware.« Anawak sammelte sich. »Ich sagte, Wale und Menschen könnten *einander* ähnlicher sein, als wir dachten.«

»Wo ist der Unterschied?«

»Im Standpunkt. Wir wollen nicht beweisen, dass Wale den Menschen umso ähnlicher werden, je mehr Parallelen wir herausarbeiten. Es geht nicht darum, den Menschen als Idealbild hinzustellen, sondern grundsätzliche Verwandtschaften ...«

»Ich glaube aber nicht, dass das Selbstbewusstsein eines Tiers mit dem des Menschen vergleichbar ist. Die Grundvoraussetzungen liegen einfach zu weit auseinander. Es fängt damit an, dass Menschen ein permanentes Ich-Bewusstsein haben, durch das sie ...«

»Falsch«, unterbrach sie Anawak. »Auch Menschen entwickeln ein ständiges Bewusstsein von sich selber nur unter bestimmten Bedingungen. Das ist nachgewiesen. Im Alter von 18 bis 24 Monaten beginnen Kleinkinder, ihr Abbild im Spiegel zu erkennen. Bis dahin sind sie außerstande, über ihr Ich-Sein zu reflektieren. Sie sind sich ihres eigenen Geisteszustands nicht bewusst, weniger als dieser Wal, den wir eben gesehen haben. Und hören Sie auf, sich ständig nur auf Gallup zu beziehen. Wir bemühen uns hier, die Tiere zu verstehen. Worum bemühen Sie sich eigentlich?«

»Ich wollte doch nur…«

»Sie wollten? Wissen Sie, wie es auf einen Beluga wirken würde, wenn Sie sich im Spiegel betrachten? Sie bemalen sich das Gesicht, was soll er davon halten? Er wird schlussfolgern, dass Sie die Person im Spiegel identifizieren können. Alles andere wird ihm idiotisch vorkommen. Je nachdem, wie Ihr Geschmack in Sachen Kleidung und Make-up beschaffen ist, wird er sogar *bezweifeln*, dass Sie Ihr Spiegelbild erkennen können. Er wird Ihren Geisteszustand in Frage stellen.«

Alicia Delaware errötete. Sie setzte zu einer Antwort an, aber Anawak ließ sie nicht zu Wort kommen.

»Natürlich sind diese Tests nur ein Anfang«, sagte er. »Niemand, der Wale und Delphine ernsthaft erforscht, will den Mythos vom feucht-fröhlichen Menschenfreund wiederbeleben. Wahrscheinlich haben Wale und Delphine an Menschen nicht mal ein sonderliches Interesse, eben *weil* sie in einem anderen Lebensraum existieren, andere Bedürfnisse haben und aus einer anderen Evolution hervorgegangen sind als wir. Aber wenn unsere Arbeit dazu beiträgt, ihnen mehr Respekt einzuhandeln und sie auf diese Weise besser schützen zu können, ist sie jede Anstrengung wert.«

Er beantwortete noch einige Fragen und tat es so knapp wie möglich. Alicia Delaware hielt sich mit betretener Miene im Hintergrund. Schließlich verabschiedete sich Anawak von der Gruppe und wartete, bis alle außer Sichtweite waren. Danach besprach er sich mit seinem wissenschaftlichen Team, legte die nächsten Termine fest und die weitere Vorgehensweise. Endlich allein, trat er an den Rand des Bassins, atmete tief durch und entspannte sich.

Öffentlichkeitsarbeit lag ihm nicht besonders. Aber er würde in Zukunft nicht drum herumkommen. Seine Karriere verlief allzu planmäßig. Sein Ruf als Erneuerer der Intelligenzforschung eilte ihm voraus. Also würde er sich weiterhin mit den Alicia Delawares dieser Welt herumstreiten müssen, die frisch von der Uni kamen und vor lauter Büchern keinen Liter Meerwasser von innen gesehen hatten.

Er ging in die Hocke und strich mit den Fingern durch das kühle Wasser des Beluga-Beckens. Es war früh am Morgen. Sie führten die Tests und wissenschaftlichen Führungen vorzugsweise durch, bevor das Aquarium öffnete oder nachdem es schloss. Nach den wochenlangen Regenfällen prunkte der März mit einer Reihe ausnehmend schöner Tage, und die frühe Sonne legte sich angenehm warm auf Anawaks Haut.

Was hatte diese Studentin gesagt? Er versuche, die Tiere zu vermenschlichen?

Der Vorwurf nagte an ihm. Anawak hielt sich zugute, Wissenschaft nüchtern zu betreiben. Sein ganzes Leben betrachtete er mit größtmöglicher Nüchternheit. Er trank nicht, ging nicht auf Partys und drängte sich nicht in den Vordergrund, um mit spekulativen Thesen um sich zu werfen. Weder glaubte er an Gott noch akzeptierte er irgendeine Form religiös geprägten Verhaltens. Jede Art von Esoterik war ihm zuwider. Er vermied es, menschliche Wertvorstellungen auf Tiere zu projizieren, wo er nur konnte. Insbesondere Delphine wurden zunehmend Opfer einer romantischen Vorstellung, die nicht minder gefährlich war als Hass und Arroganz: dass sie sich als die besseren Menschen erweisen und die Menschen sich bessern könnten, indem sie versuchten, Walen und Delphinen nachzueifern. Derselbe Chauvinismus, der sich in beispielloser Brutalität ausdrückte, brachte die rückhaltlose Vergötterung hervor, der sich Delphine ausgesetzt sahen. Sie wurden entweder zu Tode gequält oder zu Tode geliebt.

Ausgerechnet seinen eigenen Standpunkt hatte ihm diese hasenzähnige Miss Delaware beibiegen wollen.

Anawak plätscherte weiterhin mit der Hand im Wasser. Nach einer Weile kam der markierte Beluga zu ihm geschwommen. Das Tier war ein vier Meter langes Weibchen. Es streckte den Kopf heraus und ließ sich tätscheln. Dabei stieß es leise Pfeiflaute aus. Anawak fragte sich, ob der Beluga irgendeine menschliche Empfindung teilte und nachvollziehen konnte. Tatsächlich gab es dafür nicht den geringsten Beweis. Insofern hatte Alicia Delaware erst einmal Recht.

Aber ebenso wenig existierte ein Beweis dafür, dass es *nicht* konnte.

Der Beluga stieß ein Zwitschern aus und zog sich unter die Wasseroberfläche zurück. Ein Schatten war auf Anawak gefallen. Er wandte den Kopf und sah ein paar bestickte Cowboystiefel neben sich.

Oh nein, dachte er. Nicht auch das noch!

»Na, Leon«, sagte der Mann, der zu ihm an den Beckenrand getreten war. »Wen malträtieren wir denn heute?«

Anawak richtete sich auf und musterte den Neuankömmling. Jack Greywolf sah aus, als sei er einem Neowestern entsprungen. Seine hünenhafte, muskelbepackte Gestalt steckte in einem speckigen Lederanzug. Indianerschmuck baumelte über der schrankbreiten Brust. Unter dem federgeschmückten Hut fiel schwarzes, seidig schimmerndes Haar über Schultern und Rücken. Es war das Einzige, was an Jack Greywolf gepflegt wirkte, der ansonsten wie üblich den Anschein erweckte, als habe er sich wochenlang ohne Wasser und Seife durch die Prärie geschlagen. Anawak sah in das braun gebrannte Gesicht mit dem spöttischen Grinsen und lächelte dünn zurück.

»Wer hat dich denn reingelassen, Jack? Der große Manitou?«

Greywolf grinste noch breiter.

»Sondergenehmigung«, sagte er.

»Ach ja? Seit wann?«

»Seit wir die päpstliche Erlaubnis haben, euch auf die Finger zu hauen. Quatsch, Leon, ich bin vorne reingegangen wie alle anderen auch. Sie haben vor fünf Minuten aufgemacht.«

Anawak sah verwirrt auf die Uhr. Greywolf hatte Recht. Er hatte am Belugabecken die Zeit vergessen.

»Ich hoffe, es ist ein zufälliges Zusammentreffen«, sagte er.

Greywolf spitzte die Lippen. »Nicht ganz.«

»Also wolltest du zu mir?« Anawak setzte sich langsam in Bewegung und zwang Greywolf, ihm zu folgen. Die ersten Besucher schlenderten durch die Anlage. »Was kann ich für dich tun?«

»Du weißt genau, was du für mich tun kannst.«

»Dieselbe alte Leier?«

»Schließ dich uns an.«

»Vergiss es.«

»Komm schon, Leon, du bist doch einer von uns. Du kannst kein Interesse daran haben, dass ein Haufen reicher Arschlöcher Wale zu Tode fotografiert.«

»Habe ich auch nicht.«

»Die Leute hören auf dich. Wenn du dich offiziell gegen das *Whale Watching* aussprichst, wird die Diskussion ein anderes Gewicht erhalten. Jemand wie du könnte uns sehr nützen.«

Anawak blieb stehen und sah Greywolf herausfordernd in die Augen.

»Ganz recht. Euch könnte ich nützen. Ich will aber niemandem nützen außer denen, die es nötig haben.«

»Da!« Greywolf zeigte mit ausgestrecktem Arm zum Belugabecken. »Die haben es nötig! Ich könnte kotzen, wenn ich dich hier sehe. In trauter Eintracht mit *Gefangenen*! Ihr sperrt sie ein oder hetzt sie, das ist Mord auf Raten. Jedes Mal, wenn ihr rausfahrt mit euren Booten, tötet ihr die Tiere ein bisschen mehr.«

»Bist du eigentlich Vegetarier?«

»Was?« Greywolf blinzelte verwirrt.

»Ich frage mich außerdem gerade, wem sie für deine Jacke die Haut abgezogen haben.«

Er ging weiter. Greywolf blieb einen Moment verblüfft stehen, dann kam er Anawak mit großen Schritten hinterher.

»Das ist etwas anderes. Die Indianer haben immer in Einklang mit der Natur gelebt. Sie haben aus den Häuten der Tiere …«

»Erspar's mir.«

»Es ist aber so.«

»Soll ich dir sagen, was dein Problem ist, Jack? Genau genommen hast du zwei. Erstens, du hängst dir das Mäntelchen des Umweltschutzes um, aber stattdessen führst du einen Stellvertreterkrieg für Indianer, die ihre Angelegenheiten längst schon anders geregelt haben. Dein zweites Problem ist, dass du gar kein richtiger Indianer bist.«

Greywolf erbleichte. Anawak wusste, dass sein Gegenüber schon verschiedene Male wegen Körperverletzung vor Gericht gestanden hatte. Er fragte sich, wie weit er den Riesen würde reizen können. Ein Schlag von Greywolf mit der flachen Hand war geeignet, jede Auseinandersetzung nachhaltig zu beenden.

»Warum erzählst du eine solche Scheiße, Leon?«

»Du bist Halbindianer«, sagte Anawak. Er blieb vor dem Becken der Seeotter stehen und sah zu, wie die dunklen Körper torpedogleich durchs Wasser flitzten. Ihr Fell glänzte im frühen Sonnenlicht. »Nein, nicht mal das. Du bist in etwa so indianisch wie ein sibirischer Eisbär. Das ist dein Problem, weil du nicht weißt, wo du hingehörst, weil du nichts auf die Reihe kriegst, weil du glaubst, mit deinem Umweltgetue ein paar Leuten ans Bein pissen zu können, die du dafür verantwortlich machst. Lass mich da raus.«

Greywolf blinzelte in die Sonne.

»Ich kann dich nicht hören, Leon«, sagte er. »Warum höre ich keine Worte? Ich höre immer nur Mist. Geräusche. Geprassel, als wenn einer eine Schubkarre voller Kieselsteine auf ein Wellblechdach entleert.«

»Hugh!«

»Zum Teufel, wir sollten uns nicht streiten. Was will ich denn von dir? Nur ein bisschen Unterstützung!«

»Ich kann dich nicht unterstützen.«

»Schau, ich bin sogar so freundlich und komme, um unsere nächste Aktion anzukündigen. Ich müsste das nicht tun.«

Anawak horchte auf. »Was habt ihr denn vor?«

»*Tourist Watching*.« Greywolf lachte schallend. Seine weißen Zähne blitzten wie Elfenbein.

»Und was soll das sein?«

»Na ja, wir kommen raus und fotografieren deine Touristen. Wir bestaunen sie. Wir fahren ganz dicht ran und versuchen sie anzufassen. Sie sollen sich eine Vorstellung davon machen, wie es ist, begafft und betatscht zu werden.«

»Das kann ich verbieten lassen.«

»Das kannst du nämlich nicht, weil dies ein freies Land ist. Wir lassen uns von niemandem vorschreiben, wann und wohin wir mit unseren Booten fahren. Verstehst du? Die Aktion ist vorbereitet und beschlossen, aber wenn du uns ein bisschen entgegenkommst, könnte ich darüber nachdenken, sie abzublasen.«

Anawak starrte ihn an. Dann wandte er sich ab und ging weiter.

»Es kommen ohnehin keine Wale«, sagte er.

»Weil ihr sie vertrieben habt.«

»Nichts haben wir.«

»Ach richtig, der Mensch ist niemals schuld. Es liegt an den blöden Tieren. Ständig schwimmen sie in herumfliegende Harpunen oder stellen sich in Positur, weil sie Fotos fürs Familienalbum wollen. Aber ich hörte, sie kommen wieder. Sind nicht in den letzten Tagen ein paar Buckelwale aufgekreuzt?«

»Ein paar.«

»Euer Geschäft dürfte bald auf der Nase liegen. Willst du riskieren, dass wir die Umsatzkurve noch weiter runterfahren?«

»Leck mich, Jack.«

»He, das ist mein letztes Angebot.«

»Wie beruhigend.«

»Verdammt nochmal! Leon! Dann leg wenigstens irgendwo ein gutes Wort für uns ein! Wir brauchen Geld. Wir finanzieren uns aus Spenden. – Leon! Bleib doch mal stehen. Es geht um eine gute Sache, willst du das denn nicht begreifen? Wir wollen doch beide dasselbe.«

»Wir wollen nicht dasselbe. Guten Tag, Jack.«

Anawak beschleunigte seinen Schritt. Am liebsten wäre er gerannt, aber er wollte Greywolf nicht das Gefühl geben, als laufe er vor ihm davon. Der Umweltschützer blieb stehen.

»Du stures Aas!«, rief er ihm hinterher.

Anawak gab keine Antwort. Zielstrebig passierte er das Delphinarium und hielt auf den Ausgang zu.

»Leon, weißt du, was *dein* Problem ist? Ich bin vielleicht kein richtiger Indianer, aber *deines* ist, dass du einer *bist*!«

»Ich bin kein Indianer«, murmelte Anawak.

»Ach, Verzeihung!«, schrie Greywolf, als hätte er ihn gehört. »Du bist ja was ganz Besonderes. Warum bist du dann nicht da, wo du herkommst und wo man dich braucht?«

»Arschloch«, zischte Anawak. Er kochte vor Wut. Erst diese renitente Ziege und dann Jack Greywolf. Es hätte ein schöner Tag werden können, begonnen mit einem erfolgreich durchgeführten Test. Stattdessen fühlte er sich ausgehöhlt und unglücklich.

Wo du herkommst ...

Was maßte sich der hirnlose Muskelberg an? Woher nahm er die Frechheit, ihm seine Herkunft vorzuhalten?

Wo man dich braucht!

»Ich bin da, wo man mich braucht«, schnaubte Anawak.

Eine Frau ging an ihm vorbei und starrte ihn irritiert an. Anawak sah sich um. Er stand draußen auf der Straße. Immer noch zitternd vor Wut ging er zu seinem Wagen, fuhr zur Anlegestelle nach Tsawwassen und nahm die Fähre zurück nach Vancouver Island.

Tags darauf war er früh auf den Beinen. Um sechs hatte er nicht mehr schlafen können, einige Minuten gegen die niedrige Decke der Koje gestarrt und beschlossen, zur Station zu gehen.

Rosa Wolken waren über den Horizont gesponnen. Der Himmel begann sich langsam aufzuhellen. Im spiegelglatten Wasser zeichneten sich die umliegenden Berge, Stelzenhäuser und Boote dunkel ab. In wenigen Stunden würden sich die ersten Touristen einfinden. Anawak ging ans Ende des Stegs zu den Zodiacs, stützte sich auf das hölzerne Geländer und sah eine Weile hinaus. Er liebte die friedliche Stimmung, wenn die Natur vor den Menschen erwachte. Niemand ging einem auf die Nerven. Leute wie Stringers unerträglicher Freund lagen im Bett und hielten die Klappe. Wahrscheinlich schlief auch Alicia Delaware den Schlaf der Ignoranz.

Und Jack Greywolf.

Dessen Worte allerdings hallten in Anawak nach. Greywolf mochte ein ausgemachter Idiot sein, aber leider hatte er es wieder mal geschafft, den Finger in die Wunde zu legen.

Zwei kleine Kutter zogen vorbei. Anawak überlegte, ob er Stringer anrufen und überreden sollte, mit ihm rauszufahren. Es waren tatsächlich die ersten Buckelwale gesichtet worden. Offenbar trudelten sie mit enormer Verspätung ein, was einerseits erfreulich war, andererseits nicht erklärte, wo sie die ganze Zeit über gesteckt hatten. Vielleicht gelang es, ein paar zu identifizieren. Stringer hatte ein gutes Auge, und außerdem mochte er ihre Gesellschaft. Sie gehörte zu den wenigen

Menschen, die Anawak nicht in den Ohren lagen mit seiner Herkunft: ob er Indianer sei. Oder doch eher Asiate. Oder sonst was.

Samantha Crowe hatte ihn danach gefragt. Seltsam, ihr hätte er möglicherweise mehr von sich erzählt. Aber die SETI-Forscherin trat wohl in diesen Stunden den Rückweg nach Hause an.

Du denkst zu viel nach, Leon.

Anawak beschloss, Stringer schlafen zu lassen und auf eigene Faust loszufahren. Er ging in die Station und verstaute einen akkubetriebenen Laptop zusammen mit Kamera und Feldstecher, Rekorder, Hydrophon und Kopfhörern sowie eine Stoppuhr in einer wasserfesten Tasche. Dann packte er einen Müsliriegel und zwei Dosen Eistee mit hinein und brachte alles hinaus zur *Blue Shark*. Gemächlich ließ er das Boot durch die Lagune tuckern und beschleunigte erst, als die Häuser des Orts zurückblieben. Der Bug des Zodiacs stellte sich hoch. Wind schlug ihm ins Gesicht und fegte die trüben Gedanken aus seinem Kopf.

Ohne Passagiere und Zwischenstopps ging alles schneller. Nach knapp zwanzig Minuten steuerte er zwischen einer Gruppe winziger Inselchen hinaus aufs anthrazitsilbrige Meer. Weit auseinander gezogene Wogen rollten träge herein. Er drosselte den Motor und fuhr mit verminderter Geschwindigkeit weiter. Während sich das Zodiac im heraufdämmernden Morgen von der Küste entfernte, hielt er Ausschau und versuchte, der zur Gewohnheit gewordenen Mutlosigkeit keinen Raum zu geben. Definitiv waren Wale gesichtet worden. Keine Residents. Migranten aus Kalifornien und Hawaii.

Weiter draußen stellte er den Motor ab. Sofort umfing ihn perfekte Stille. Er öffnete eine Dose Eistee, trank sie aus und setzte sich mit dem Feldstecher in den Bug.

Es dauerte eine halbe Ewigkeit, bis er etwas zu sehen glaubte, aber die dunkle Wölbung war sofort wieder verschwunden.

»Zeig dich«, flüsterte er. »Ich weiß, dass du da bist.«

Angestrengt suchte er den Ozean ab. Minutenlang tat sich nichts. Dann hoben sich in einiger Entfernung nacheinander zwei flache Silhouetten aus dem Wasser. Geräusche wie von Flintenschüssen hallten herüber. Über den Buckeln stiegen weiße Dampfwolken auf wie Mündungsqualm. Anawak starrte mit runden Augen hinaus.

Buckelwale.

Er begann zu lachen. Er lachte vor Glück. Wie alle erfahrenen Cetologen konnte er die Art eines Wals an seinem Blas erkennen. Bei Großwalen umfasste der Gaswechsel jedes Mal einige Kubikmeter. Die alte Lungenfüllung wurde komprimiert und aus den engen Blaslöchern regelrecht herausgeschossen. Im Freien dehnte sie sich aus, kühlte zugleich ab und kondensierte zu einem sprayartigen Tröpfchennebel. Form und Höhe des Blas konnten innerhalb einer Art differieren, je nach Tauchzeit und Größe des Tiers, und auch der Wind spielte eine Rolle. – Aber das hier waren eindeutig die charakteristischen buschigen Kondenswolken von Buckelwalen.

Anawak klappte den Laptop auf und startete das Programm. Er hatte die Steckbriefe hunderter Wale gespeichert, die regelmäßig hier vorbeizogen. Das wenige, was sie an der Oberfläche zeigten, lieferte dem ungeübten Auge kaum Hinweise auf die Art, geschweige denn auf einzelne Individuen. Hinzu kam, dass die Sicht oft durch raue See, Dunst, Regen oder gleißendes Sonnenlicht erschwert wurde. Dennoch besaß jedes Tier seine Kennung. Der einfachste Weg, es zu identifizieren, war die Fluke. Beim Abtauchen reckte es sie oft weit aus dem Wasser. Keine Unterseite glich der anderen. Jede war mit einem charakteristischen Muster versehen und wich in Form und Struktur der Kante leicht bis deutlich ab. Viele der Fluken hatte Anawak im Kopf gespeichert, aber der Laptop mit seinem Fotoarchiv machte die Arbeit natürlich leichter.

Er war beinahe sicher, in den beiden Walen dort draußen alte Bekannte gefunden zu haben.

Nach einer Weile tauchten die schwarzen Rücken wieder auf. Zuerst, kaum sichtbar, erschienen die kleinen Erhebungen mit den Blaslöchern. Wieder das knallende Zischen, fast synchron hervorschießende Atemwolken. Diesmal ließen sich die Tiere nicht gleich wieder unter Wasser sinken, sondern hoben ihre Buckel weit hinaus. Flache, abgestumpfte Rückenfinnen wurden sichtbar, neigten sich träge nach vorn und schnitten wieder ins Wasser. Deutlich erkannte Anawak den vom Rückgrat gezackten Hinterleib. Die Wale begannen abzutauchen, und jetzt endlich hoben sie gemächlich ihre Fluken aus dem Wasser.

Rasch setzte er den Feldstecher an die Augen und versuchte, einen Blick auf die Unterseiten zu erhaschen, aber es gelang ihm nicht. Egal. Sie waren dort. Die erste Tugend eines Walbeobachters hieß Geduld, und bis zum Eintreffen der Touristen blieb noch reichlich Zeit. Er öffnete die zweite Dose Eistee und biss in seinen Riegel.

Schon nach kurzer Zeit wurde seine Geduld belohnt, als nicht weit vom Boot plötzlich fünf Buckel durchs Wasser pflügten. Anawak fühlte sein Herz schneller schlagen. Die Tiere waren nun sehr nahe. Voller Spannung wartete er auf die Fluken. So sehr nahm ihn das Schauspiel gefangen, dass er die monumentale Silhouette neben dem Boot zuerst nicht wahrnahm. Aber die Silhouette wuchs über ihn hinaus, bis er schließlich den Kopf wandte – und zusammenzuckte.

Er vergaß die fünf Buckel und sperrte den Mund auf.

Der Schädel des Wals hatte sich nahezu lautlos aus den Fluten gehoben. Er war so nahe, dass er den Gummiwulst des Bootes fast berührte. Mehr als dreieinhalb Meter ragte er in die Höhe, das geschlossene, furchige Maul bewachsen mit Seepocken und knotigen Verdickungen. Über dem herabgezogenen Mundwinkel starrte ein faustgroßes Auge den Insassen des Zodiacs an, beinahe auf Gesichtshöhe. Die Ansätze der mächtigen Brustflossen waren über den Wellen zu sehen.

Reglos wie ein Felsen stach der Kopf heraus.

Es war das beeindruckendste Willkommen, das Anawak je widerfahren war. Mehr als einmal hatte er die Tiere aus unmittelbarer Nähe gesehen. Er hatte sich ihnen auf Tauchgängen genähert, sie berührt und sich an ihnen festgehalten. Er war auf ihnen geritten. Oft genug steckten Grauwale, Buckelwale oder Orcas den Kopf in unmittelbarer Nähe eines Bootes aus dem Wasser, um nach Landmarken Ausschau zu halten und Zodiacs zu begutachten.

Aber das hier war anders.

Fast kam es Anawak so vor, als beobachte nicht er den Wal, sondern der Wal ihn. Das Boot schien den Riesen nicht zu interessieren. Sein Auge, eingebettet in runzlige Lider wie das eines Elefanten, musterte ausschließlich die Person im Innern. So scharf der Wal unter Wasser sah, verdammte ihn die starke Wölbung seiner Linse zur Kurzsichtigkeit, sobald er sein angestammtes Element verließ. Auf diese nahe Distanz jedoch musste er Anawak ebenso klar wahrnehmen wie dieser ihn.

Langsam, um das Tier nicht zu erschrecken, streckte er die Hand aus und strich über die glatte, feuchte Haut. Der Wal machte keine Anstalten, wieder abzutauchen. Sein Auge rollte leicht hin und her und heftete sich dann wieder auf Anawak. Es war eine Szene von beinahe grotesker Intimität. So glücklich ihn der Augenblick machte, fragte sich Anawak, was das Tier mit einer derart langen Observierung bezweckte. Im Allgemeinen dauerten die Rundumblicke der Säuger nur wenige Sekunden. Es kostete sie Kraft, so lange senkrecht zu verharren.

»Wo warst du denn die ganze Zeit?«, fragte er leise.

Ein kaum hörbares Plätschern erklang von der anderen Seite des Zodiacs. Anawak drehte sich um, gerade rechtzeitig, um einen weiteren Kopf in die Höhe wachsen zu sehen. Der zweite Wal war etwas kleiner, aber ebenso nahe. Auch er nahm Anawak mit seinem dunklen Auge ins Visier.

Er vergaß, das andere Tier zu streicheln.

Was wollten sie?

Allmählich begann er sich unwohl zu fühlen. Diese starre Inaugenscheinnahme war ganz und gar ungewöhnlich, um nicht zu sagen bizarr. Nie zuvor hatte Anawak etwas Gleichartiges erlebt. Dennoch bückte er sich zu seiner Tasche, zog schnell die kleine Digitalkamera hervor, hielt sie hoch und sagte:

»Schön so bleiben.«

Vielleicht hatte er einen Fehler begangen. Wenn ja, war es das erste Mal in der Geschichte des *Whale Watching*, dass Buckelwale eine offensichtliche Aversion gegen Kameras an den Tag legten. Wie auf Kommando tauchten die beiden riesigen Köpfe ab. Zwei Inseln gleich versanken sie im Meer. Ein leises Gurgeln und Schmatzen, ein paar Blasen, und Anawak war wieder allein auf der schimmernden Weite.

Er sah sich um.

Eben ging die Sonne auf. Dunst hing zwischen den Bergen. Die flache Dünung des Meeres tönte sich blau.

Keine Wale.

Stoßartig ließ Anawak den Atem entweichen. Erst jetzt wurde ihm bewusst, dass sein Herz wie wild pochte. Er legte die Kamera zurück in die geöffnete Tasche, nahm erneut den Feldstecher zur Hand und überlegte es sich anders. Seine beiden neuen Freunde konnten nicht weit sein. Er holte den Rekorder hervor, setzte die Kopfhörer auf und ließ das Hydrophon langsam ins Wasser gleiten. Unterwassermikrophone waren so empfindlich, dass sie noch die Geräusche aufsteigender Luftblasen erfassten. Im Kopfhörer rauschte, pluckerte und dröhnte es, aber nichts ließ auf Wale schließen. Anawak verharrte in Erwartung ihrer charakteristischen Laute, doch alles blieb ruhig.

Schließlich zog er das Hydrophon wieder an Bord.

Nach einer Weile sah er weit draußen einige Atemwolken. Dabei blieb es. Ob es ihm passte oder nicht, es wurde Zeit, umzukehren.

Auf halbem Wege nach Tofino stellte er sich vor, wie wohl Touristen auf das Schauspiel reagiert hätten. Wie sie reagieren würden, wenn es sich wiederholte. Es würde sich herumsprechen. *Davies* und seine dressierten Wale. Sie würden sich vor Anfragen kaum retten können.

Phantastisch!

Während das Zodiac eine Schneise ins glatte Wasser der Bucht riss, durchwanderte sein Blick die umliegenden Wälder.

Irgendwie ein bisschen zu phantastisch.

23. märz

Sigur Johanson wurde aus dem Schlaf gerissen. Es schellte. Er tastete irrtümlich nach dem Wecker, bis ihm klar wurde, dass es das Telefon war. Fluchend und augenreibend richtete er sich auf. Sein Orientierungssinn wollte sich nicht recht einstellen, und er kippte wieder nach hinten. In seinem Schädel drehte sich alles.

Was war los gewesen gestern Abend? Sie waren versackt, er und ein paar Kollegen. Studenten waren auch dabei gewesen. Dabei hatten sie nur zu Abend essen wollen im *Havfruen*, einem umgebauten Speicher nahe der *Gamle Bybru*, der alten Stadtbrücke. Im *Havfruen* gab es köstliche Fischgerichte und einige gute Weine. Einige sehr gute Weine, wie er sich plötzlich erinnerte. Sie hatten am Fenster gesessen und auf den Fluss hinausgesehen mit seinen stromaufwärts gelegenen Piers und kleinen Privatbooten, hatten den Lauf der Nidelva verfolgt, wie sie gemächlich in den nahen Trondheimfjord floss, und auch in ihre Kehlen war einiges geflossen. Jemand hatte angefangen, Witze zu erzählen. Danach war Johanson mit dem Patron in einen feuchten Keller hinabgestiegen und hatte sich gut gelagerte Schätze zeigen lassen, die der Chef gemeinhin nicht rausrückte.

Das Problem dieses frühen Morgens schien unter anderem darin zu bestehen, dass er sie am Ende doch rausgerückt hatte.

Johanson seufzte.

Ich bin sechsundfünfzig, dachte er, während er sich hochstemmte und diesmal aufrecht sitzen blieb. Ich sollte so was nicht mehr tun. Nein, falsch, ich sollte es tun, aber niemand sollte mich so früh anrufen, nachdem ich es getan habe.

Es schellte weiter. Hartnäckig. Unter übertriebenem Ächzen, wie er zugeben musste – zumal niemand anwesend war, es zu hören –, stellte er sich auf die Beine und gelangte taumelig ins Wohnzimmer. Hatte er heute Vorlesung? Der Gedanke traf ihn wie eine Faust. Schrecklich! Grauenhafte Vorstellung, da vorne zu stehen und exakt so alt auszusehen, wie er war, kaum fähig, das Kinn von der Brust zu heben. Er würde sich mit seinem Hemdkragen und seiner Krawatte unterhalten, sofern seine Zunge es überhaupt gestattete. Augenblicklich lag sie pelzig in seinem Mund und schien allem abgeneigt, was mit Bewegung und Artikulation einherging.

Als er endlich den Hörer abnahm, fiel ihm plötzlich ein, dass Samstag war. Seine Laune besserte sich schlagartig.

»Johanson«, meldete er sich überraschend klar.

»Mein Gott, brauchst du lange«, sagte Tina Lund.

Johanson verdrehte die Augen und sank in den Fernsehsessel.

»Wie viel Uhr ist es?«

»Halb sieben. Warum?«

»Es ist Samstag.«

»Ich weiß, dass Samstag ist. Hast du irgendwas? Du klingst nicht besonders gut.«

»Ich bin auch nicht besonders gut drauf. Was willst du um diese nebenbei gesagt völlig indiskutable Uhrzeit?«

Lund kicherte.

»Ich wollte dich überreden, raus nach Tyholt zu kommen.«

»Ins Institut? Wozu, um alles in der Welt?«

»Ich dachte, es wäre nett, zusammen frühstücken zu gehen. Kare ist für ein paar Tage in Trondheim, er würde sich bestimmt freuen, dich zu sehen.« Sie machte eine kleine Pause. »Außerdem wollte ich dich was fragen.«

»War mir schon klar. Es sieht dir nicht ähnlich, einfach mit mir frühstücken zu gehen.«

»Nein, du verstehst mich falsch. Ich wollte deine Meinung zu etwas hören.«

»Zu was?«

»Nicht am Telefon. Kommst du?«

»Gib mir eine Stunde«, sagte Johanson und gähnte, bis er fürchtete, seine Kiefer überdehnt zu haben. »Nein, gib mir zwei. Ich will nochmal zur Uni. Möglicherweise sind weitere Befunde über deine Würmer eingetroffen.«

»Das wäre gut. Ist das nicht irre? Erst war ich es, die alle verrückt gemacht hat, jetzt ist es umgekehrt. Okay, lass dir Zeit, aber mach schnell.«

»Zu Befehl«, murmelte Johanson.

Er schlich, immer noch von Schwindelanfällen gepackt, unter die Dusche. Nach einer halben Stunde ausgiebigen Plantschens und Prustens fühlte er sich allmählich frischer. Einen wirklichen Kater hatten die Weine nicht hinterlassen. Es war mehr, als hätten sie seiner Sensorik zugesetzt. Vor dem Spiegel schien er sich kurzfristig zu verdoppeln. Es war fraglich, ob er in diesem Zustand Auto fahren konnte.

Er würde es eben ausprobieren.

Draußen war es sonnig und warm. Die Kirkegata präsentierte sich nahezu menschenleer. Im frühen Licht erstrahlten die Farben der Häuser und das erste Grün der Bäume ungewöhnlich intensiv. Trondheim schien sich einer Generalprobe für den Frühling zu unterziehen. Im ungewöhnlich schönen Wetter war der restliche Schnee geschmolzen. Johanson stellte fest, dass ihm dieser Tag ausnehmend gut gefiel. Plötzlich gefiel ihm sogar der Umstand, dass Lund ihn geweckt hatte. Er begann Vivaldi zu pfeifen, weil das die unvermittelt hereingebrochene gute Laune noch verbesserte und keine großen Ansprüche an Geist und Physis stellte, während er den Jeep den *Gloshaugen* hinaufsteuerte. An Wochenenden war die NTNU offiziell geschlossen, aber daran hielt sich so gut wie niemand. Genau genommen war es die beste Zeit, seine Post und E-Mails zu sichten und ungestört zu arbeiten.

Johanson betrat die Poststelle, durchstöberte sein Fach und zog ein dickes Kuvert hervor. Der Brief kam vom Frankfurter Senckenberg-Museum. Mit einiger Sicherheit enthielt er den labortechnischen Befund, auf den Lund so sehnsüchtig wartete. Er steckte ihn ein, ohne ihn zu öffnen, verließ die Uni wieder und fuhr nach Tyholt.

Marintek, das Marinetechnische Institut, war eng verwoben mit der NTNU, Sintef und dem Statoil-Forschungszentrum. Neben diversen Simulationstanks und Wellentunneln lag hier das größte zu Forschungszwecken genutzte Meerwasserbecken der Welt. Wind und Wellen wurden in Modellskalen simuliert. So ziemlich jede größere schwimmende Produktionseinrichtung auf dem norwegischen Sockel war in dem achtzig Meter langen und zehn Meter tiefen Becken erprobt worden. Zwei Wellenerzeugungssysteme schufen Strömungen und Stürme im Miniaturformat mit bis zu ein Meter hohen Wogen, die aus dem Sichtwinkel einer Modellplattform verheerende Ausmaße annahmen. Johanson schätzte, dass Lund hier auch die Unterwasserfabrik testete, die am Kontinentalhang entstehen sollte.

Tatsächlich fand er sie in der Bassinhalle, wo sie mit einer Gruppe Wissenschaftler zusammenstand und debattierte. Die Szenerie mutete skurril an. Im grünen Wasser schwammen Taucher zwischen Bohrplattformen im Spielzeugformat hindurch. Minitanker kreuzten zwischen Fachpersonal in Ruderbooten. Das Ganze war augenscheinlich eine Mischung aus Labor, Spielzeuggeschäft und sommerlicher Kahnpartie, aber der Eindruck täuschte. Ohne den Segen Marinteks fand im Offshore-Bereich so gut wie gar nichts statt.

Lund sah ihn und brach ihre Unterhaltung ab. Sie kam zu ihm herüber, wobei sie das Becken umrunden musste. Wie üblich erledigte sie den Gang im Laufschritt.

»Warum hast du nicht einen der Kähne genommen?«, fragte Johanson.

»Wir sind hier nicht auf dem Weiher«, erwiderte sie. »Das muss alles koordiniert sein. Wenn ich da durchrausche, verlieren hunderte Ölarbeiter ihr Leben durch Flutwellen, und ich bin schuld.«

Sie gab ihm einen Kuss auf die Wange. »Du kratzt.«

»Alle Männer, die Bärte haben, kratzen«, sagte Johanson. »Sei froh, dass Kare sich rasiert, sonst hättest du keinen Grund, ihn mir vorzuziehen. Woran arbeitet ihr? An eurer Unterwasserlösung?«

»So gut es eben geht. Eintausend Meter Meerestiefe können wir im Bassin realistisch darstellen, danach wird's ungenau.«

»Das reicht doch für euer Projekt.«

»Trotzdem lassen wir den Rechner unabhängige Szenarien erstellen. Manchmal weichen sie von den Bassinergebnissen ab, dann verändern wir die Parameter so lange, bis wir eine zufrieden stellende Angleichung erhalten.«

»Shell peilt eine Fabrik in zweitausend Metern Tiefe an. Stand gestern in der Zeitung. Ihr bekommt Konkurrenz.«

»Ich weiß. Shell hat Marintek beauftragt. Die Nuss ist noch schwerer zu knacken. Komm mit, wir gehen frühstücken.«

Draußen im Gang sagte Johanson: »Ich verstehe immer noch nicht, warum ihr keine SWOPs einsetzen wollt. Ist es nicht leichter, von einer schwimmenden Konstruktion aus zu arbeiten, solange ihr flexible Leitungen nach unten legt?«

Sie schüttelte den Kopf. »Zu riskant. Schwimmende Konstruktionen musst du verankern ...«

»Das weiß ich alles ...«

»... und sie können sich losreißen.«

»Aber jede Menge Stationen sind auf dem Schelf verankert!«

»Ja, bei geringer Wassertiefe. Weiter unten herrschen ganz andere Wellen- und Strömungszustände. Übrigens ist es nicht nur wegen der Verankerung. Je höher du eine Steigleitung legst, desto instabiler wird sie, und wir wollen ja kein ökologisches Desaster. Außerdem kann kein Mensch ein Interesse daran haben, so weit draußen auf einem schwimmenden Deck zu arbeiten. Selbst die Hartgesottensten würden sich die Seele aus dem Leib kotzen. Hier rauf.«

Sie erstiegen eine Treppe.

»Ich dachte, wir gehen frühstücken«, sagte Johanson verwundert.

»Tun wir auch, aber vorher wollte ich dir etwas zeigen.«

Lund stieß eine Tür auf. Sie befanden sich in einem Büro oberhalb der Bassinhalle. Die breite Fensterfront bot Ausblick auf Reihen sonnenbeschienener Giebelhäuschen und Grünanlagen, die sich zum Fjord hin erstreckten.

»Was für ein gesegneter Morgen«, summte Johanson.

Lund trat zu einem Arbeitstisch. Sie zog zwei Resopalstühle heran und öffnete einen Laptop mit großem Bildschirm. Ihre Finger trommelten auf die Tischplatte, während der Computer das Programm hochlud. Eine Seite mit Fotos erschien, die Johanson irgendwie bekannt vorkamen. Sie zeigten eine helle, milchige Fläche, die sich an den Rändern in Schwärze verlor. Plötzlich erkannte er die Szene.

»Die Aufnahmen, die *Victor* gemacht hat«, sagte er. »Das Ding am Hang.«

»Das Ding, das mir keine Ruhe gelassen hat«, nickte Lund.

»Wisst ihr inzwischen, was es ist?«

»Nein. Dafür wissen wir, was es *nicht* ist. Keine Qualle, kein Fischschwarm. Wir haben die Sequenz durch tausend Filter gejagt. Das ist das Beste, was wir rausholen konnten.« Sie vergrößerte das erste Foto. »Als wir das Wesen vor die Linse bekamen, war es starker Scheinwerferbestrahlung ausgesetzt. Wir sahen einen Teil von ihm, aber natürlich völlig anders, als wir es ohne Kunstlicht wahrgenommen hätten.«

»Ohne Licht hättet ihr in dieser Tiefe überhaupt nichts wahrgenommen.«

»Ach was!«

»Es sei denn, wir hätten hier einen Fall von Biolumineszenz und ...«

Er stockte. Lund wirkte hochbefriedigt. Ihre Finger tanzten über die Tastatur, und das Bild veränderte sich erneut. Diesmal sah man einen Ausschnitt vom rechten oberen Rand. Wo die beleuchtete Fläche ins Dunkle überging, zeichnete sich schwach etwas ab. Ein Leuchten anderer Art, von tiefem Blau und durchzogen von helleren Linien.

»Wenn du ein lumineszierendes Objekt bestrahlst, siehst du von seinem Eigenleuchten nichts mehr. Und die Scheinwerfer des *Victor* überstrahlen alles. Bis auf den Randbereich, wo sie an Kraft verlieren. Da ist was zu erkennen. Meines Erachtens der Beweis, dass wir es mit einem Leuchtwesen zu tun haben. Und zwar mit einem ziemlich großen.«

Die Fähigkeit zu leuchten war einer ganzen Reihe von Tiefseebewohnern zu Eigen. Sie benutzten dafür Bakterien, mit denen sie in Symbiose lebten. Es gab auch Organismen an der Meeresoberfläche, die leuchteten, etwa Algen oder kleine Tintenfische. Aber das eigentliche

Lichtermeer begann dort, wo das Sonnenlicht verschwand. In der stockfinsteren Tiefsee.

Johanson starrte auf den Bildschirm. Das Blau war mehr zu ahnen als zu sehen. Dem ungeübten Auge entging es. Aber die Kamera des Roboters lieferte bekanntlich Bilder von extrem hoher Auflösung. Möglicherweise hatte Lund Recht.

Er rieb sich den Bart. »Was schätzt du, wie groß das Ding ist?«

»Schwer zu sagen. So schnell, wie es verschwunden ist, wird es wohl am Rande des Lichthorizonts geschwommen sein. Einige Meter entfernt. Trotzdem nimmt seine Oberfläche beinahe das ganze Bild ein. Was folgt daraus?«

»Der Teil, den wir sehen, wird um die zehn bis zwölf Quadratmeter groß sein.«

»Den wir *sehen*!« Sie machte eine Pause. »Das Licht in den Randbereichen deutet darauf hin, dass wir das meiste wahrscheinlich nicht gesehen haben.«

Johanson kam eine Idee.

»Es könnte planktonischer Natur sein«, sagte er. »Mikroorganismen. Da gibt es einiges, was leuchtet.«

»Und wie erklärst du dir das Muster?«

»Die hellen Linien? Zufall. Wir glauben, dass es ein Muster ist. Wir haben auch gedacht, die Marskanäle bilden ein Muster.«

»Ich glaube nicht, dass es Plankton ist.«

»So genau kann man das nicht sehen.«

»Doch, kann man. Schau dir das mal an.«

Lund rief die folgenden Bilder auf. Das Objekt zog sich darauf mehr und mehr ins Dunkle zurück. Tatsächlich war es weniger als eine Sekunde lang zu sehen gewesen. Die zweite und dritte Vergrößerung zeigten immer noch die schwach lumineszierende Fläche mit den Linien, die ihre Position im Verlauf der Sequenz zu verändern schienen. Auf der vierten war alles verschwunden.

»Es hat das Licht ausgemacht«, sagte Johanson verblüfft.

Er überlegte. Bestimmte Krakenarten kommunizierten über den Weg der Biolumineszenz. Es war gar nicht so ungewöhnlich, wenn ein Tier angesichts einer plötzlichen Bedrohung sozusagen den Schalter umlegte und sich in die Finsternis verabschiedete. Aber dieses Tier war überaus groß. Größer als jede bekannte Krakenart.

Eine Schlussfolgerung drängte sich auf, die ihm nicht gefiel. Sie gehörte nicht an den norwegischen Kontinentalrand.

»*Architheutis*«, sagte er.

»Riesenkalmare.« Lund nickte. »Der Gedanke kommt einem zwangsläufig. Aber es wäre das erste Mal, dass so was in diesen Gewässern auftaucht.«

»Es wäre das erste Mal, dass so was überhaupt lebend auftaucht.«

Aber das stimmte nicht ganz. Lange Zeit waren Geschichten um *Architheutis* als Seemannsgarn verschrien gewesen. Dann hatten angespülte Kadaver den Beweis für seine Existenz erbracht – beinahe erbracht, weil Kalmarfleisch wie Gummi war. Je mehr man daran zog, desto länger wurde es, zumal im Zustand der Zersetzung. Vor wenigen Jahren endlich waren Forschern östlich von Neuseeland winzige Jungtiere ins Netz gegangen, deren genetisches Profil keinen Zweifel daran ließ, dass sie sich binnen achtzehn Monaten in bis zu zwanzig Meter lange, zwanzig Zentner schwere Riesenkalmare verwandeln würden. Der einzige Schönheitsfehler blieb, dass nie ein Mensch ein solches Tier lebend gesehen hatte. *Architheutis* hauste in der Tiefsee, und ob er leuchtete, war mehr als fraglich.

Johanson furchte die Stirn. Dann schüttelte er den Kopf.

»Nein.«

»Was nein?«

»Es spricht zu vieles dagegen. Das ist einfach nicht die Gegend für Riesenkalmare.«

»Schon, aber…« Lunds Hände zerteilten die Luft. »Wir wissen nicht wirklich, wo sie sich rumtreiben. Wir wissen nichts.«

»Sie gehören hier nicht hin.«

»Diese Würmer gehören hier auch nicht hin.«

Schweigen breitete sich aus.

»Und wenn schon«, sagte Johanson schließlich. »Architheuten sind scheu. Was kümmert es euch? Bis heute ist kein Mensch je von einem Riesenkraken angegriffen worden.«

»Augenzeugen sagen was anderes.«

»Mein Gott, Tina! Sie mögen ein bisschen an dem einen oder anderen Boot gezogen haben. Aber wir unterhalten uns doch hier nicht ernsthaft über die Bedrohung der Erdölförderung durch Riesenkraken. Du musst zugeben, das ist lächerlich.«

Lund betrachtete skeptisch die Vergrößerungen der Bilder. Dann schloss sie die Datei.

»Okay. Hast du was für mich? Irgendwelche Resultate?«

Johanson zog den Umschlag hervor und öffnete ihn. Ein dicker Packen eng bedruckten Papiers steckte darin.

»Du lieber Himmel!«, entfuhr es Lund.

»Warte. Es muss eine Zusammenfassung geben. – Ah, hier!«

»Lass sehen.«

»Gleich.« Er überflog den Kurzbericht. Lund stand auf und ging zum Fenster. Dann begann sie im Raum herumzuwandern.

»Sag schon.«

Johanson zog die Brauen zusammen und blätterte in dem Packen.

»Hm. Interessant.«

»Spuck's aus.«

»Sie bestätigen, dass es sich um Polychäten handelt. Sie schreiben außerdem, sie seien zwar keine Taxonomen, gelangen aber zu dem Resultat, dass der Wurm verblüffende Ähnlichkeit mit *Hesiocaeca methanicola* aufweist. In diesem Zusammenhang wundern sie sich über die extrem ausgeprägten Kiefer und schreiben weiter ... das ist jetzt Detailkram ... ah, hier steht's. Sie haben die Kiefer untersucht. Sehr kräftig und eindeutig zum Bohren und Graben gedacht.«

»So weit waren wir doch schon«, rief Lund ungeduldig.

»Warte. Sie haben noch mehr mit ihm angestellt. Untersuchung der stabilen Isotopenzusammensetzung, und da ist auch die Analyse aus dem Massenspektrometer. – Oha! Unser Wurm ist minus 90 Promille leicht.«

»Kannst du dich verständlich ausdrücken?«

»Er ist tatsächlich methanotroph. Er lebt in Symbiose mit Bakterien, die Methan abbauen. Augenblick, wie soll ich's dir erklären? Also, Isotope ... du weißt, was Isotope sind?«

»Atome eines chemischen Elements mit gleicher Kernladung, aber unterschiedlichem Gewicht.«

»Sehr gut, setzen. Kohlenstoff zum Beispiel gibt es in unterschiedlicher Schwere. Es gibt Kohlenstoff 12 und Kohlenstoff 13. Wenn du was frisst, worin vorwiegend leichter Kohlenstoff ist, also ein leichteres Isotop, wirst du auch leichter. Klar?«

»Wenn ich was fresse. Ja. Logisch.«

»Und in Methan ist sehr leichter Kohlenstoff. Wenn der Wurm in Symbiose mit Bakterien lebt, die dieses Methan fressen, dann werden dadurch erst mal die Bakterien leicht, und wenn der Wurm dann die Bakterien frisst, wird er auch leicht. Und unserer ist sehr leicht.«

»Ihr Biologen seid komische Leute. Wie kriegt ihr so was raus?«

»Wir tun schreckliche Dinge. Wir trocknen den Wurm und zermahlen ihn zu Wurmpulver, und das kommt dann in die Messmaschine. So, schauen wir weiter. Rasterelektronenmikroskopie ... sie haben die DNA angefärbt ... sehr gründliche Vorgehensweise ...«

»Reiß dich los!« Lund kam zu ihm herüber und zupfte an dem Papier. »Ich will keine akademische Abhandlung, ich will begreifen, ob wir da unten bohren können.«

»Ihr könnt …« Johanson zog das Blatt aus ihren Fingern und las die letzten Zeilen. »Na, wunderbar!«

»Was?«

Er hob den Kopf. »Die Biester stecken randvoll mit Bakterien. Innen und außen. Endosymbionten und Exosymbionten. Deine Würmer scheinen die reinsten Omnibusse für Bakterien zu sein.«

Lund sah unsicher zurück. »Und was heißt das?«

»Es ist widersinnig. Dein Wurm lebt ganz eindeutig im Methanhydrat. Er platzt fast vor Bakterien. Er geht nicht auf Beute und bohrt keine Löcher. Stattdessen liegt er faul und fett im Eis. Trotzdem hat er Riesenkiefer zum Bohren, und die Horden am Hang kamen mir alles andere als fett und faul vor. Ich fand sie ausgesprochen agil.«

Wieder schwiegen sie eine Weile. Schließlich sagte Lund:

»Was tun sie da unten, Sigur? Was sind das für Tiere?«

Johanson zuckte die Achseln.

»Ich weiß es nicht. Vielleicht sind sie tatsächlich geradewegs aus dem Kambrium zu uns heraufgekrochen. Keine Ahnung, was sie da machen.« Er zögerte. »Ich habe ebenso wenig eine Ahnung, ob es eine Rolle spielt. Was sollen sie schon groß tun? Sie wälzen sich durch die Gegend, aber sie werden kaum Pipelines anknabbern.«

»Was knabbern sie dann an?«

Johanson starrte auf die Zusammenfassung des Berichts.

»Es gibt noch eine Adresse, die uns darüber Auskunft geben könnte«, sagte er. »Wenn die es nicht rausfinden, werden wir wohl warten müssen, bis wir von selber drauf kommen.«

»Darauf würde ich ungerne warten.«

»Gut. Ich schicke ein paar Exemplare hin.« Johanson reckte die Glieder und gähnte. »Vielleicht haben wir ja Glück, und sie kommen mit dem Forschungsschiff, um selber einen Blick darauf zu werfen. So oder so wirst du dich gedulden müssen. Einstweilen können wir nichts tun. Darum, wenn du gestattest, würde ich jetzt gerne frühstücken und Kare Sverdrup gute Ratschläge zuteil werden lassen.«

Lund lächelte. Besonders zufrieden sah sie nicht aus.

5. april

Das Geschäft kam wieder in Schwung.

Unter anderen Umständen hätte Anawak Shoemakers Freude vorbehaltlos geteilt. Die Wale kehrten zurück. Der Geschäftsführer sprach von nichts anderem mehr. Und tatsächlich fanden sie sich der Reihe nach wieder ein, Grauwale und Buckelwale, Orcas und sogar einige Minkwale. Natürlich war auch Anawak glücklich über den Umstand ihrer Wiederkehr. Nichts hatte er mehr herbeigesehnt. Nur hätte er es vorgezogen, ihre Rückkehr mit ein paar Antworten verbunden zu wissen, etwa auf die Frage, wo sie sich die ganze Zeit über rumgetrieben hatten, dass kein Satellit und keine Messsonde sie hatten aufspüren können. Zudem ging ihm seine denkwürdige Begegnung nicht mehr aus dem Kopf. Er war sich vorgekommen wie eine Laborratte. Die beiden Wale hatten ihn mit einer Ruhe und Gründlichkeit unter die Lupe genommen, als liege er auf dem Seziertisch.

Waren es Kundschafter?

Um was auszukundschaften?

Abwegig!

Er schloss die Kasse und trat nach draußen. Die Touristen hatten sich am Ende des Piers versammelt. Sie sahen aus wie ein Spezialkommando in ihren orangefarbenen Ganzkörperanzügen. Anawak sog die frische Morgenluft in sich hinein und folgte ihnen.

Hinter sich hörte er jemanden im Laufschritt näher kommen.

»Dr. Anawak!«

Er blieb stehen und wandte den Kopf. Alicia Delaware tauchte neben ihm auf. Sie hatte die roten Haare zu einem Pferdeschwanz gebunden und trug eine modische blaue Sonnenbrille.

»Nehmen Sie mich mit?«

Anawak betrachtete sie. Dann sah er hinüber zum blauen Rumpf der *Blue Shark*.

»Wir sind voll besetzt.«

»Ich bin den ganzen Weg gerannt.«

»Tut mir Leid. In einer halben Stunde fährt die *Lady Wexham*. Die ist viel komfortabler. Groß, beheizte Innenkabinen, Snackbar...«

»Will ich nicht. Sie haben doch sicher noch irgendwo einen Platz. Hinten vielleicht!«

»Wir sind schon zu zweit in der Kabine, Susan und ich.«

»Ich brauche keinen Sitzplatz.« Sie lächelte. Mit ihren großen Zähnen sah sie aus wie ein sommersprossiges Kaninchen. »Bitte! Sie haben doch keinen Grund, sauer zu sein, oder? Ich möchte wirklich gerne mit Ihnen rausfahren. – Eigentlich *nur* mit Ihnen, um ehrlich zu sein.«

Anawak runzelte die Stirn.

»Gucken Sie nicht so!« Delaware verdrehte die Augen. »Ich habe Ihre Bücher gelesen und bewundere Ihre Arbeit, das ist alles.«

»Den Eindruck hatte ich nicht.«

»Kürzlich im Aquarium?« Sie machte eine wegwerfende Handbewegung. »Schwamm drüber. Bitte, Dr. Anawak, ich bin nur noch einen Tag hier. Sie würden mir eine Riesenfreude machen.«

»Wir haben unsere Bestimmungen.« Es klang lahm und kleinkariert.

»Hören Sie mal, Sie sturer Hund«, sagte sie. »Ich bin nah am Wasser gebaut. Ich warne Sie. Wenn Sie mich nicht mitnehmen, werde ich den ganzen Flug zurück nach Chicago in Tränen aufgelöst sein. Wollen Sie das verantworten?«

Sie strahlte ihn an. Anawak konnte nicht anders. Er musste lachen.

»Schon gut. Kommen Sie meinethalben mit.«

»Wirklich?«

»Ja. Aber gehen Sie mir nicht auf die Nerven. Behalten Sie vor allem Ihre abstrusen Theorien für sich.«

»Es war nicht meine Theorie. Es war die Theorie von …«

»Am besten halten Sie einfach möglichst lange den Mund.«

Sie setzte zu einer Antwort an, überlegte es sich anders und nickte.

»Warten Sie hier«, sagte Anawak. »Ich hole Ihnen einen Overall.«

Alicia Delaware hielt ihr Versprechen ganze zehn Minuten. Die Häuser von Tofino waren kaum hinter dem ersten bewaldeten Berghang verschwunden, als sie neben Leon trat und ihm die Hand hinhielt.

»Nennen Sie mich Licia«, sagte sie.

»Licia?«

»Von Alicia, aber Alicia ist ein dämlicher Name. Finde ich. Meine Eltern fanden das natürlich nicht, aber man wird ja nicht gefragt, wenn sie einem Namen geben, es ist immer so peinlich hinterher, zum Kotzen. Sie heißen Leon, stimmt's?«

Er ergriff die ausgestreckte Rechte. »Freut mich, Licia.«

»Gut. Und jetzt sollten wir kurz noch was klären.«

Anawak blickte Hilfe suchend zu Stringer, die das Zodiac steuerte. Sie sah zurück, zuckte die Achseln und widmete sich wieder dem Kurs.

»Was denn?«, fragte er vorsichtig.

»Wegen neulich. Ich war doof und besserwisserisch am Aquarium. Es tut mir Leid.«

»Schon vergessen.«

»Aber *du* musst dich auch entschuldigen.«

»Was? Wieso denn ich?«

Sie senkte den Blick. »Es war okay, mir vor anderen Leuten die Meinung zu geigen, aber nicht, etwas über mein Aussehen zu sagen.«

»Ich habe nicht …« Zum Teufel.

»Du hast gesagt, ein Beluga, der mir beim Schminken zusieht, müsse an meinem Verstand zweifeln.«

»Das war nicht meine Absicht. Es war ein abstrakter Vergleich.«

»Es war ein blöder Vergleich.«

Anawak kratzte seinen schwarzen Schopf. Er hatte sich über Delaware geärgert, weil sie seiner Meinung nach mit vorgefassten Argumenten ins Aquarium gekommen und sich durch Ignoranz ausgewiesen hatte. Aber vermutlich war er nicht weniger ignorant gewesen. Und ganz sicher hatte er sie in seiner Wut beleidigt.

»Gut. Ich entschuldige mich.«

»Angenommen.«

»Du berufst dich auf Povinelli«, stellte er fest.

Sie lächelte. Mit diesen Worten hatte er ihr signalisiert, dass er sie ernst nahm. Daniel Povinelli war Gordon Gallups prominentester Widersacher in der Frage, wie intelligent und selbstbewusst Primaten und andere Tiere tatsächlich waren. Er pflichtete Gallup bei, dass Schimpansen, die sich im Spiegel erkannten, eine Vorstellung ihrer selbst hatten. Umso entschiedener leugnete er, dieser Umstand befähige sie, ihre eigenen mentalen Zustände zu begreifen und damit die anderer Lebewesen. Für Povinelli war längst noch nicht erwiesen, dass überhaupt irgendein Tier das psychologische Verständnis aufbrachte, wie es Menschen eigentümlich war.

»Povinelli geht einen mutigen Weg«, sagte Delaware. »Seine Ansichten erscheinen ewig gestrig, aber das nimmt er in Kauf. Gallup hat es viel leichter, weil es schick ist, Schimpansen und Delphine und wer weiß wen als gleichberechtigte Partner des Menschen hinzustellen.«

»Sie *sind* gleichberechtigte Partner«, sagte Anawak.

»Im ethischen Sinne.«

»Unabhängig davon. Ethik ist eine Erfindung der Menschen.«

»Das bezweifelt niemand. Auch nicht Povinelli.«

Anawak ließ den Blick über die Bucht wandern. Kleinere Inseln kamen ins Blickfeld.

»Ich weiß, worauf du hinauswillst«, sagte er nach kurzer Pause. »Du findest, es kann nicht der Weg sein, möglichst viel Menschliches in Tieren nachzuweisen, um sie menschlicher zu behandeln.«

»Es ist arrogant«, rief Delaware heftig.

»Ich gebe dir Recht. Es löst kein einziges Problem. Aber die meisten Menschen brauchen die Vorstellung, dass Leben umso schützenswerter ist, je mehr es nach dem Menschen schlägt. Es ist und bleibt leichter, ein Tier zu töten als einen Menschen. Es wird erst dann schwieriger, wenn wir das Tier als nahen Verwandten betrachten. Die meisten Menschen sind mittlerweile dazu bereit, aber die wenigsten wollen sich mit dem Gedanken anfreunden, dass wir vielleicht nicht die Krone der Schöpfung sind und dass wir auf der Werteskala des Lebens nicht vor allen anderen, sondern neben ihnen stehen. Das führt zu einem Dilemma: Wie soll ich einem Tier oder einer Pflanze die gleiche Achtung entgegenbringen wie einem Menschen, wenn ich zugleich den Wert menschlichen Lebens höher einschätze als den Lebenswert einer Ameise oder eines Affen oder Delphins?«

»He!« Sie klatschte in die Hände. »Wir sind ja doch einer Meinung.«

»Fast. Ich glaube, du bist ein wenig … messianisch in deiner Auffassung. Ich persönlich vertrete die Meinung, dass die Psyche eines Schimpansen oder Belugas gewisse Schnittmengen mit der menschlichen aufweist.« Delaware setzte zu einer Antwort an. Anawak hob die Hand. »Gut, formulieren wir es andersrum: Auf der Werteskala eines Belugas – falls sich Wale je solche Gedanken machen – rücken wir vielleicht umso höher, je mehr Vertrautes *er* in *uns* entdeckt.« Er grinste. »Vielleicht halten uns einige Belugas sogar für intelligent. Gefällt es dir so rum besser?«

Delaware krauste die Nase. »Ich weiß nicht, Leon. Warum werde ich das Gefühl nicht los, dass du mich in die Falle lockst?«

»Seelöwen«, rief Stringer. »Da vorne.«

Anawak legte die Hand über die Augen. Sie näherten sich einer Insel mit spärlichem Baumbewuchs. Auf den Klippen döste eine Gruppe Stellar-Seelöwen in der Sonne. Einige reckten träge die Köpfe und sahen zu dem Boot herüber.

»Es geht nicht um Gallup oder Povinelli, habe ich Recht?« Er hob die Kamera ans Auge, zoomte und schoss Fotos von den Tieren. »Ich schlage dir also eine andere Diskussion vor. Wir einigen uns darauf, dass es keine Werteskala gibt, sondern nur eine menschliche Vorstellung davon, und die haken wir hiermit ab. Jeder von uns beiden ist leidenschaftlich dagegen, Tiere zu vermenschlichen. Ich bin der Überzeugung, dass es innerhalb gewisser Grenzen dennoch möglich sein wird, die Innenwelt von Tieren zu begreifen. Sagen wir, intellektuell zu erfassen. Ich glaube außerdem, dass wir mit manchen Tieren mehr gemeinsam haben als mit anderen und dass wir einen Weg finden werden, mit einigen von ihnen zu kommunizieren. – Du hingegen glaubst, alles Nichtmenschliche wird uns auf ewig fremd bleiben. Wir haben keinen Zugang zum Kopf eines Tieres. Es wird ergo keine Kommunikation geben, sondern immer nur das Trennende, und wir sollen uns gefälligst damit zufrieden geben, sie in Ruhe zu lassen.«

Delaware schwieg eine Weile. Das Zodiac passierte mit verringerter Geschwindigkeit die Insel mit den Seelöwen. Stringer erzählte Wissenswertes über die Tiere, und die Insassen taten es Anawak gleich und schossen Fotos.

»Ich muss darüber nachdenken«, sagte Delaware schließlich.

Und das tat sie wirklich. Zumindest sagte sie im Verlauf der weiteren Fahrt kaum noch etwas, bis das Zodiac die offene See erreicht hatte. Anawak war zufrieden. Es war gut, dass die Tour mit den Seelöwen begonnen hatte. Immer noch hatten die Populationen der Wale nicht ihre gewohnten Bestände erreicht. Ein Felsen voller Seelöwen stimmte die Expedition positiv ein und half vielleicht darüber hinweg, wenn hinterher nicht mehr so viel passierte.

Aber seine Befürchtungen erwiesen sich als grundlos.

Gleich vor der Küste trafen sie auf eine Herde Grauwale. Sie waren etwas kleiner als Buckelwale, aber immer noch von imposanter Größe. Einige kamen ziemlich nah heran und lugten für kurze Zeit aus dem Wasser, zum absoluten Entzücken der Passagiere. Sie sahen aus wie lebendig gewordene Steine, schieferfarben, fleckig gesprenkelt, die mächtigen Kiefer überwuchert von Seepocken und Ruderfußkrebsen, festgewachsenen Parasiten. Die meisten Passagiere filmten und fotografierten wie besessen. Andere sahen einfach nur ergriffen zu. Anawak hatte erwachsene Männer erlebt, denen beim Anblick eines auftauchenden Wals die Tränen gekommen waren.

In einiger Entfernung trieben drei weitere Zodiacs und ein größeres Schiff mit festem Rumpf. Alle hatten die Motoren abgestellt. Stringer gab über Funk die Sichtungen durch. Es war *Whale Watching* der verträglichen Art, das sie hier betrieben, aber ein Jack Greywolf würde auch dagegen zu Felde ziehen.

Jack Greywolf war ein Idiot.

Ein gefährlicher Idiot obendrein. Anawak missfiel, was er plante. *Tourist Watching*. Lächerlich! Aber wenn es hart auf hart kam, hätte

Greywolf die Medien fürs Erste auf seiner Seite. Es würde *Davies* in Misskredit bringen, egal, wie gewissenhaft und verantwortungsbewusst sie dort vorgingen. Störmanöver von Tierschützern, auch wenn sie ein dubioser Haufen waren wie Greywolfs *Seaguards*, würden Vorurteile bestätigen. Kaum jemand machte sich wirklich die Mühe, zwischen den Anliegen seriöser Organisationen und Fanatikern vom Schlage eines Jack Greywolf zu unterscheiden. Das kam erst später, wenn die Presse die Fakten aufarbeitete und der Schaden angerichtet war.

Und Greywolf war weiß Gott nicht Anawaks einzige Sorge.

Aufmerksam beobachtete er den Ozean, die Kamera einsatzbereit. Er fragte sich, ob er neuerdings unter Paranoia litt, ausgelöst durch seine Begegnung mit den beiden Buckelwalen. Sah er Gespenster, oder zeichnete sich im Verhalten der Tiere tatsächlich eine Veränderung ab?

»Rechts!«, rief Stringer.

Die Köpfe der Menschen im Zodiac folgten ihrer ausgestreckten Hand. Mehrere Grauwale hatten sich dem Boot genähert und vollführten anschauliche Tauchmanöver. Ihre Fluken schienen den Insassen zuzuwinken. Anawak schoss Fotos fürs Archiv. Shoemaker hätte vor Freude in die Hände geklatscht bei dem Anblick. Es war ein Bilderbuchtrip, als seien die Tiere übereingekommen, die *Whale Watchers* für die lange Zeit des Wartens mit einer großzügigen Revue zu entschädigen. Weiter draußen steckten drei große Graue die Köpfe aus dem Wasser.

»Das sind keine Grauwale, oder?«, fragte Delaware. Sie sah Anawak Kaugummi kauend an, als erwarte sie eine Belohnung.

»Nein. Es sind Buckelwale.«

»Sag' ich doch. Woher kommt bloß diese dämliche Bezeichnung? Ich sehe keinen Buckel.«

»Sie haben auch keinen. Aber sie machen einen beim Abtauchen. Schätze, es ist diese charakteristische Körperkrümmung, die ihnen den Namen eingetragen hat.«

Delaware hob die Brauen. »Ich dachte eigentlich, der Name bezieht sich auf die kleinen Buckel am Maul. Auf diese Wucherungen.«

Anawak seufzte.

»Mal wieder in der Opposition, Licia?«

»'tschuldigung.« Sie ruderte aufgeregt mit den Armen. »He, was machen die denn da? Was tun die?«

Die Köpfe der drei Buckelwale hatten zeitgleich die Wasseroberfläche durchstoßen. Sie hatten die riesigen Mäuler weit geöffnet, sodass man den rosafarbenen Gaumenstrang in der Mitte des schmalen Oberkiefers sehen konnte. Deutlich waren die herabhängenden Barten zu erkennen. Die gewaltigen Kehlsäcke schienen wie aufgebläht. Gischt wirbelte zwischen den Walen hoch – und noch etwas, glitzernd wie Flitter. Winzige, wild zappelnde Fische. Wie aus dem Nichts hatten sich Scharen von Möwen und Seetauchern eingefunden, die über dem Schauspiel kreisten und herabstießen, um an dem Gelage teilzuhaben.

»Sie fressen«, sagte Anawak, während er fotografierte.

»Irre! Sie sehen aus, als wollten sie *uns* fressen.«

»Licia! Mach dich nicht dümmer, als du bist.«

Delaware verschob den Kaugummi von einer Backe in die andere. »Du verstehst keinen Spaß«, sagte sie gelangweilt. »Ich weiß natürlich, dass sie sich von Krill ernähren und von all dem kleinen Viehzeug. Ich habe nur noch nie gesehen, wie sie es machen. Ich dachte immer, sie gleiten einfach mit offenem Maul dahin.«

»Glattwale tun das«, sagte Stringer über die Schulter. »Buckelwale haben ihre eigene Methode. Sie schwimmen unter einen Schwarm kleiner Fische oder Ruderfußkrebse und kreisen ihn mit einem Ring aus Luftblasen ein. Kleintiere meiden turbulentes Wasser, sie versuchen sich von dem Blasenvorhang fern zu halten und bleiben dicht beieinander. Die Wale tauchen auf, entfalten ihre Kehlfurchen und machen Gulp.«

»Erklär ihr nichts«, sagte Anawak. »Sie weiß ohnehin alles besser.«

»Gulp?«, echote Delaware.

»So nennt man es bei Furchenwalen. Das Gulp-Verfahren. Sie können ihren Kehlsack spreizen, darum sehen sie aus wie aufgepumpt. Durch dieses plötzliche Auseinanderfalten verwandeln sie ihre Kehle in ein riesiges Reservoir zur Nahrungsaufnahme. Krill und Fische werden mit einem Riesenschluck eingesaugt und bleiben in den Barten hängen, wenn die Wale das Wasser wieder rauspressen.«

Anawak gesellte sich an Stringers Seite. Delaware schien zu verstehen, dass er allein mit ihr sprechen wollte. Sie balancierte am Steuerhaus vorbei nach vorn zu den Passagieren und begann, ihnen das Gulp-Verfahren zu erklären.

Nach einer Weile sagte Anawak leise: »Wie kommen sie dir vor?«

Stringer wandte den Kopf.

»Die Wale?«

»Ja.«

»Komische Frage.« Sie überlegte einen Moment. »Wie immer, glaube ich. Wie kommen sie *dir* denn vor?«

»Du findest sie normal?«

»Klar. Sie sind regelrecht im Showfieber, wenn du das meinst. Ja, doch, sie sind verdammt gut drauf.«

»Nicht irgendwie ... verändert?«

Sie kniff die Augen zusammen. Die Sonne lag gleißend auf dem Wasser. Nah am Boot tauchte ein grauscheckiger Rücken auf und verschwand. Die Buckelwale hatten sich wieder unter die Wasseroberfläche zurückgezogen.

»Verändert?«, sagte sie gedehnt. »Was meinst du damit?«

»Ich habe dir doch von den beiden *Megapterae* erzählt, die plötzlich neben dem Boot auftauchten.« Spontan benutzte er den wissenschaftlichen Namen für Buckelwale. Es war verrückt genug, was ihm im Kopf umherging. So klang es wenigstens halbwegs seriös.

»Ja. Und?«

»Na ja. Es war komisch.«

»Hast du schon erzählt. Einer auf jeder Seite. Du bist zu beneiden. Total abgefahren, und ich war mal wieder nicht dabei.«

»Ich weiß nicht, ob es abgefahren war. Es kam mir eher vor, als versuchten sie, die Lage abzuschätzen ... als führten sie irgendwas im Schilde ...«

»Du sprichst in Rätseln.«

»Es war nicht sehr angenehm.«

»Nicht sehr angenehm?« Stringer schüttelte entgeistert den Kopf. »Bist du bei Trost? Das ist genau die Sorte Begegnung, von der ich träume. Ich wünschte, ich wäre an deiner Stelle gewesen.«

»Nein, das tust du nicht. Du hättest keinen Spaß daran gehabt. Ich frage mich die ganze Zeit, wer da wen beobachtet hat, und zu welchem Zweck ...«

»Leon. Es waren Wale. Keine Geheimagenten.«

Er fuhr sich über die Augen und zuckte die Achseln. »Okay, vergiss es. Wahrscheinlich Unsinn. Ich muss mich geirrt haben.«

Stringers Walkie-Talkie knackte. Quäkig meldete sich Tom Shoemakers Stimme.

»Susan? Geh mal auf 99.«

Sämtliche *Whaling Stations* sendeten und empfingen auf Frequenz 98. Es war praktisch, weil so alle über die Sichtungen im Bilde waren. Auch die Küstenwache und Tofino Air benutzten die 98er Frequenz, und leider verschiedene Sportfischer, deren Vorstellung von *Whale Watching* wesentlich rüder war. Für private Gespräche hatte jede Station ihren eigenen Kanal. Stringer schaltete um.

»Ist Leon in der Nähe?«, fragte Shoemaker.

»Ja, er ist hier.«

Sie reichte Anawak das Funkgerät. Er nahm es und sprach eine Weile mit Shoemaker. Dann sagte er: »Gut, ich komme hin. – Ja, das geht auch kurzfristig. – Sag ihnen, ich fliege los, sobald wir zurück sind. – Bis gleich.«

»Um was ging's denn?«, wollte Stringer wissen, als er ihr das Funkgerät zurückgab.

»Um eine Anfrage. Von *Inglewood*.«

»*Inglewood*? Die Reederei?«

»Ja. Der Anruf kam aus dem Direktorium. Sie haben Tom nicht gerade mit Details überschüttet. Nur, dass sie meinen Rat brauchen. Und dass es ein bisschen eilt. – Merkwürdig. Tom hatte den Eindruck, dass sie mich am liebsten rüberbeamen würden.«

Inglewood hatte einen Helikopter geschickt. Keine zwei Stunden nach seinem Funkgespräch mit Shoemaker sah Anawak die spektakuläre Landschaft Vancouver Islands unter sich hinwegziehen. Hügel wechselten mit schroffen Gebirgskuppen, dazwischen glitzerten Flüsse und lockten blaugrüne Seen. Die Schönheit der Insel konnte nicht darüber hinwegtäuschen, dass die Holzwirtschaft den Wäldern arg zugesetzt hatte. Während der vergangenen hundert Jahre hatte sie sich zum bedeutendsten Industriezweig der Region entwickelt. Über weite Flächen war der Kahlschlag nicht zu übersehen.

Sie ließen Vancouver Island hinter sich und überflogen die viel befahrene Strait of Georgia, Luxusliner, Fähren, Frachter und Privatyachten. In weiter Ferne erstreckten sich die imposanten Gebirgsketten der Rocky Mountains mit ihren schneegefleckten Gipfeln. Türme aus blauem und rosafarbenem Glas säumten eine weitläufige Bucht, in der Wasserflugzeuge aufstiegen und landeten wie Vögel, ebenso bunt und zahlreich.

Der Pilot sprach mit der Bodenstation. Der Helikopter ging tiefer, drehte eine Kurve und hielt auf die Dockanlagen zu. Kurz darauf landeten sie auf einer freien Fläche von den Ausmaßen eines riesigen Parkplatzes. Zu beiden Seiten türmten sich Stapel geschichteten Zedernholzes, das auf seinen Abtransport wartete. Etwas weiter lagerten Schwefel und Kohle in kubistischen Haufen. Ein gewaltiger Cargoliner ankerte am Pier. Anawak sah eine Gruppe von Menschen, aus der sich ein Mann löste und zu ihnen herüberkam. Sein Haar flatterte im Wirbelwind der Motoren. Er trug einen Mantel und hatte die Schultern hochgezogen gegen die kühle Witterung. Anawak löste den Sicherheitsgurt und machte sich bereit zum Ausstieg.

Der Mann zog die Tür auf. Er war groß und stattlich, Anfang sechzig, mit einem runden, freundlichen Gesicht und wachen Augen. Er lächelte, als er Anawak die Hand reichte.

»Clive Roberts«, sagte er. »Managing Director.«

Sie schüttelten einander die Hände. Anawak folgte Roberts zu der Gruppe, die augenscheinlich mit der Inspektion des Frachters befasst war. Er sah Seeleute und Personen in Zivilkleidung. Immer wieder schauten sie an der Steuerbordseite des Schiffs empor, schritten daran entlang, blieben stehen und gestikulierten.

»Sehr freundlich, dass Sie so schnell kommen konnten«, sagte Roberts. »Sie müssen entschuldigen. Normalerweise fallen wir nicht derart mit der Tür ins Haus, aber die Sache brennt uns unter den Nägeln.«

»Keine Ursache«, erwiderte Anawak. »Worum geht's?«

»Um einen Unfall. Möglicherweise.«

»Das Schiff dort?«

»Ja, die *Barrier Queen*. Genauer gesagt hatten wir ein Problem mit den Schleppern, die sie nach Hause bringen sollten.«

»Sie wissen, dass ich Experte für Cetaceen bin? Verhaltensforscher. Wale und Delphine.«

»Genau darum geht es. Um Verhaltensforschung.«

Roberts stellte ihm die Personen vor. Drei gehörten zum Management der Reederei, die anderen vertraten den Technischen Vertragspartner. Ein Stück weiter luden zwei Männer Tauchequipment aus einem Transporter. Anawak sah in besorgte Gesichter, dann nahm ihn Roberts beiseite.

»Augenblicklich können wir leider nicht mit der Besatzung sprechen«, sagte er. »Aber ich lasse Ihnen eine vertrauliche Kopie des Berichts zukommen, sobald er vorliegt. Wir möchten die Sache nicht unnötig breittreten. Kann ich mich auf Sie verlassen?«

»Natürlich.«

»Gut. Ich gebe Ihnen eine Zusammenfassung der Ereignisse. Danach entscheiden Sie, ob Sie bleiben oder wieder abfliegen wollen. So oder so kommen wir für sämtliche Ausfälle und Unannehmlichkeiten auf, die wir Ihnen verursacht haben.«

»Sie verursachen keine Umstände.«

Roberts sah ihn dankbar an. »Sie müssen wissen, die *Barrier Queen* ist ein ziemlich neues Schiff. Erst kürzlich auf Herz und Nieren geprüft, vorbildlich in allen Disziplinen, ordnungsgemäß zertifiziert. Ein

60 000-Tonnen-Frachter, mit dem wir bislang ohne Probleme Schwerlaster verschifft haben, vorwiegend nach Japan und zurück. Wir stecken eine Menge Geld in die Sicherheit, mehr, als wir müssten. Jedenfalls, die *Barrier Queen* war auf dem Rückweg, voll beladen.«

Anawak nickte wortlos.

»Vor sechs Tagen erreichte sie die 200-Seemeilen-Zone vor Vancouver. Gegen drei Uhr morgens. Der Steuermann legte 5° Ruder, eine Routinekorrektur. Er hielt es nicht für nötig, einen Blick auf die Anzeige zu werfen. Weit vorne waren die Lichter eines anderen Schiffs zu sehen, an denen man sich mit bloßem Auge orientieren konnte, und eigentlich hätten sich diese Lichter nun nach rechts verschieben müssen. Aber sie blieben, wo sie waren. Die *Barrier Queen* fuhr immer noch geradeaus. Der Steuermann gab Ruder zu, ohne dass eine sichtbare Kursänderung erfolgte, also ging er bis zum Anschlag, und plötzlich klappte es. – Leider klappte es etwas zu gut.«

»Er fuhr jemandem rein?«

»Nein. Das andere Schiff war zu weit weg. Aber anscheinend hatte das Ruder geklemmt. Jetzt lag es am Anschlag und klemmte wieder. Es ließ sich nicht mehr zurückbewegen. Ein Ruder am Anschlag bei 20 Knoten Fahrt … ich meine, ein Schiff dieser Größe stoppen Sie nicht eben mal so ab! Die *Barrier Queen* geriet bei hoher Geschwindigkeit in einen extrem engen Drehkreis. Sie legte sich auf die Seite, samt Ladung. 10° Krängung, haben Sie eine Vorstellung, was das heißt?«

»Ich kann's mir denken.«

»Knapp über dem Wasserspiegel befinden sich die Öffnungen für die Fahrzeugdeckentwässerung. Bei hoher See werden sie unablässig geflutet, und ebenso schnell läuft das Wasser jedes Mal wieder ab. Bei einer derartigen Schieflage kann es aber passieren, dass sie permanent unter Wasser geraten. Dann läuft Ihnen das Schiff im Handumdrehen voll. Gott sei Dank hatten wir ruhige See, aber kritisch war es dennoch. Das Ruder ließ sich nicht zurücklegen.«

»Und was war der Grund?«

Roberts schwieg einen Moment.

»Wir wissen es nicht. Wir wissen nur, dass der Schlamassel jetzt erst richtig losging. Die *Barrier Queen* stoppte die Maschinen, funkte ›Mayday‹ und wartete. Sie war eindeutig manövrierunfähig. Verschiedene Schiffe im Umkreis änderten vorsorglich ihren Kurs und hielten auf die Stelle zu, und in Vancouver setzten sich zwei Bergungsschlepper in Bewegung. Sie trafen zweieinhalb Tage später ein, am frühen Nachmittag. Ein 60-Meter-Hochseeschlepper und ein 25-Meter-Boot. Das

Schwierigste ist immer, die Leine vom Schlepper so auszuwerfen, dass sie an Bord aufgefangen wird. Bei Sturm kann das Stunden dauern, ein endloses Procedere, erst die dünne Leine, dann die nächstdickere, dann die schwere Trosse. Aber in diesem Fall ... Es hätte kein Problem darstellen sollen, das Wetter war unverändert gut und die See ruhig. Aber die Schlepper wurden gehindert.«

»Gehindert? Von wem?«

»Na ja ...« Roberts verzog das Gesicht, als sei es ihm peinlich weiterzusprechen. »Es sieht ganz so aus, als hätten ... Mein Gott! Haben Sie je von Angriffen durch Wale gehört?«

Anawak stutzte.

»Auf Schiffe?«

»Ja. – Auf große Schiffe.«

»Das ist äußerst selten.«

»Selten?« Roberts horchte auf. »Aber es hat so was gegeben.«

»Es gibt einen verbrieften Fall. Er stammt aus dem neunzehnten Jahrhundert. Melville hat ihn zu einem Roman verarbeitet.«

»Sie meinen Moby Dick? Ich dachte, das sei nur ein Buch.«

Anawak schüttelte den Kopf.

»Moby Dick ist die Geschichte des Walfängers Essex. Er wurde tatsächlich von einem Pottwal versenkt. Ein 42-Meter-Schiff, aber aus Holz und wahrscheinlich schon ein bisschen morsch. Aber immerhin. Der Wal rammte das Schiff, und es lief innerhalb weniger Minuten voll. Die Mannschaft soll anschließend Wochen auf See getrieben sein in ihren Rettungsbooten ... Ach ja, und es gibt zwei Fälle, die sich vergangenes Jahr vor der australischen Küste ereignet haben! In beiden Fällen wurden Fischerboote zum Kentern gebracht.«

»Wie geschah das?«

»Mit der Fluke zerschmettert. Die meiste Kraft steckt im Schwanz.« Anawak überlegte. »Ein Mann kam dabei ums Leben. Aber er starb an Herzschwäche, glaube ich. Als er ins Wasser stürzte.«

»Was waren das für Wale?«

»Keiner weiß es. Die Tiere waren zu schnell verschwunden. Außerdem, wenn so was passiert, beobachtet jeder etwas anderes.« Anawak sah hinüber zu der mächtigen *Barrier Queen*. Sie lag scheinbar unversehrt da. »Ich kann mir jedenfalls keinen Walangriff auf *dieses* Schiff vorstellen.«

Roberts folgte seinem Blick.

»Die Schlepper wurden angegriffen«, sagte er. »Nicht die *Barrier Queen*. Sie wurden seitlich gerammt. Offenbar geschah es, um die

Schiffe umzuwerfen, aber das hat nicht hingehauen. Dann, um sie davon abzuhalten, die Leine zu werfen, und dann ...«

»Angegriffen?«

»Ja.«

»Vergessen Sie's.« Anawak winkte ab. »Ein Wal kann etwas umwerfen, das kleiner oder genauso groß ist wie er selber. Nichts Größeres. Und er wird nichts Größeres angreifen, wenn er nicht dazu gezwungen ist.«

»Die Mannschaft schwört Stein und Bein, dass es so gewesen ist. Die Wale haben ...«

»Was für Wale?«

»Gott, was für Wale? Wie sagten Sie eben noch auf dieselbe Frage? Jeder sieht was anderes.«

Anawak furchte die Stirn. »Gut, spielen wir's durch. Unterstellen wir das Maximum. Dass die Schlepper von Blauwalen attackiert wurden. *Balaenoptera musculus* wird bis zu 33 Meter lang und 120 Tonnen schwer. Immerhin das größte Tier, das je auf Erden gelebt hat. Nehmen wir an, ein Blauwal versucht, ein Boot zu versenken, das genauso lang ist wie er selber. Er muss mindestens ebenso schnell sein, besser noch schneller. Aber gut, 50 bis 60 Stundenkilometer schafft er auf kurzen Strecken spielend. Er ist stromlinienförmig gebaut und muss kaum Reibungswiderstände überwinden. Aber welchen Impuls kann er entwickeln? Und wie viel Gegenimpuls entwickelt das Boot? Einfach gesagt, wer drängt wen ab, wenn die Leute an Bord gegensteuern?«

»120 Tonnen sind eine Menge Gewicht.«

Anawak wies mit einer Kopfbewegung auf den Lieferwagen. »Können Sie den hochheben?«

»Was? Den Wagen? Natürlich nicht.«

»Und das, obwohl Sie sich dabei abstützen könnten. Ein schwimmender Körper kann das nicht. Sie heben nun mal nichts, was schwerer ist als Sie selber, ganz gleich, ob Sie ein Wal sind oder ein Mensch. An den Massegleichungen kommen Sie nicht vorbei. Aber vor allem müssen Sie das Gewicht des Wals gegen das des verdrängten Wassers aufrechnen. Da bleibt nicht viel. Nur Vortriebskraft aus der Fluke. Möglich, dass er das Schiff damit in eine neue Bahn lenkt. Vielleicht gleitet er aber im Stoßwinkel sofort wieder ab. Es ist ein bisschen wie beim Billard, verstehen Sie?«

Roberts rieb sich das Kinn. »Einige meinen, es seien Buckelwale gewesen. Andere sprachen von Finnwalen, und die an Bord der *Barrier Queen* glauben Pottwale gesehen zu haben ...«

»Drei Spezies, die unterschiedlicher nicht sein könnten.«

Roberts zögerte.

»Mister Anawak, ich bin ein nüchtern denkender Mann. Mir drängt sich die Idee auf, dass die Schlepper einfach in eine Herde gerieten. Vielleicht haben nicht die Wale die Schiffe gerammt, sondern umgekehrt. Vielleicht hat sich die Besatzung dumm angestellt. Aber fest steht, dass die Tiere den kleinen Schlepper versenkt haben.«

Anawak starrte Roberts fassungslos an.

»Als die Trosse gespannt war«, fuhr Roberts fort, »zwischen dem Bug der *Barrier Queen* und dem Heck des Schleppers. Eine straff gespannte Eisenkette. Mehrere Tiere kamen aus dem Wasser gesprungen und warfen sich darauf. In diesem Fall gab es kein verdrängtes Volumen abzuziehen, und die Seeleute sagen, es hätte sich um recht große Exemplare gehandelt.« Er machte eine Pause. »Der Schlepper wurde herumgerissen und kenterte. Er hat sich überschlagen.«

»Um Himmels willen. Und die Besatzung?«

»Zwei Vermisste. Die anderen konnten gerettet werden. – Können Sie sich vorstellen, warum die Tiere so etwas getan haben?«

Gute Frage, dachte Anawak. Tümmler und Belugas erkennen sich im Spiegel. Denken sie? Planen sie? Auf eine Weise, die wir auch nur ansatzweise nachvollziehen können? Was bewegt sie? Kennen Wale ein Gestern oder Morgen? Welches Interesse sollten sie haben, einen Bergungsschlepper abzudrängen oder zu versenken?

Es sei denn, die Schlepper hätten sie bedroht. Oder ihre Jungen.

Aber wie und womit?

»Das alles passt nicht zu Walen«, sagte er.

Roberts wirkte hilflos. »Das sehe ich auch so. Die Besatzungen sehen es anders. Nun, der große Schlepper wurde auf ähnliche Weise attackiert. Schließlich gelang es, die Trosse zu befestigen. Diesmal erfolgte kein weiterer Angriff.«

Anawak starrte grübelnd auf seine Füße.

»Ein Zufall«, sagte er. »Ein schrecklicher Zufall.«

»Meinen Sie?«

»Wir wären vermutlich schlauer, wenn wir wüssten, was mit dem Ruder geschehen ist.«

»Dazu haben wir die Taucher angefordert«, antwortete Roberts. »Sie werden in wenigen Minuten so weit sein.«

»Haben die noch eine Reserveausrüstung im Wagen?«

»Ich denke schon.«

Anawak nickte.

»Gut. Ich gehe mit runter.«

Hafenwasser war ein Alptraum. Überall auf der Welt. Eine schmuddelige Brühe, in der mindestens so viele Schwebstoffe wie Wassermoleküle unterwegs zu sein schienen. Der Boden war zumeist bedeckt mit einer meterdicken Schlammschicht, aus der beständig Partikel und organisches Material hochgewirbelt wurden. Als die See über Anawak zusammenschlug, fragte er sich einen Moment, wie sie hier überhaupt irgendetwas finden sollten. Er hatte das Gefühl, in braunem Nebel zu versinken. Trübe gewahrte er die Umrisse der beiden Taucher vor sich, dahinter eine diffuse, dunkle Fläche, das Heck der *Barrier Queen*.

Die Taucher sahen zu ihm herüber und bogen Zeigefinger und Daumen zum O. K.-Zeichen. Anawak antwortete in gleicher Weise. Er ließ Luft aus seiner Weste entweichen und schwebte entlang des Hecks nach unten. Nach wenigen Metern schalteten sie die Helmlampen ein. Das Licht streute stark. Es beleuchtete vornehmlich herumtreibendes Zeug. Ausgestoßene Luft blubberte und polterte in Anawaks Ohren, während sie tiefer gingen. Aus dem Halbdunkel schälte sich das Ruder heraus, schartig und gefleckt. Es stand schräg. Anawak tastete nach der Konsole mit dem Tiefenmesser. Acht Meter. Vor ihm verschwanden die beiden Taucher seitlich des Ruderblattes. Nur die Lichtkegel ihrer Lampen irrlichterten dahinter weiter.

Anawak näherte sich von der anderen Seite.

Zuerst sah er nur kantige Ränder und Schalen, die sich zu bizarren Skulpturen übereinander stapelten. Dann wurde ihm klar, dass das Ruder von Unmengen gestreifter Muscheln bewachsen war. Er schwamm näher heran. In den Ritzen und Spalten, dort wo das Blatt gegen den Schacht drehte, waren die Organismen zu einem kompakten, splitterigen Brei zermahlen worden. Kein Wunder, dass sich das Ruder nicht mehr hatte zurückbewegen lassen. Es war festgefressen.

Er ließ sich tiefer sinken. Auch hier war alles voller Muscheln. Vorsichtig griff er in die Masse hinein. Die kleinen, höchstens drei Zentimeter langen Tiere saßen fest aufeinander. Mit äußerster Vorsicht, um sich an den scharfen Schalen nicht zu schneiden, zog er daran, bis sich einige von ihnen widerstrebend lösten. Sie waren halb geöffnet. Aus dem Innern rankten sich zusammengeknäuelte Fäden, mit denen sie Halt gesucht hatten. Anawak verstaute sie in den Sammelbehältern an seinem Gürtel und überlegte.

Er verstand nicht sonderlich viel von Schalentieren. Es gab einige Muschelarten, die einen solchen Byssus besaßen, einen fransigen, klebrigen Fuß. Die bekannteste und berüchtigtste unter ihnen war die

Zebramuschel, eingeschleppt aus dem Mittleren Osten. Sie hatte sich während der vergangenen Jahre in amerikanischen und europäischen Ökosystemen breit gemacht und begonnen, die einheimische Fauna zu vernichten. Wenn es Zebramuscheln waren, die das Ruder der *Barrier Queen* überwucherten, verwunderte es kaum, sie in solch dicken Schichten vorzufinden. Wo immer sie auftraten, breiteten sie sich gleich in unvorstellbaren Massen aus.

Anawak drehte die abgerissenen Muscheln in der Handfläche.

Das Ruder war von Zebramuscheln befallen. Alles sah ganz danach aus. Aber konnte das sein? Zebramuscheln zerstörten vornehmlich Süßwassersysteme. Zwar überlebten und gediehen sie auch in Salzwasser, aber das erklärte nicht, wie sie auf offener See, wo nichts als kilometertiefes Wasser war, ein fahrendes Schiff hätten entern können. Oder hatten sie schon im Hafen angedockt?

Das Schiff war aus Japan gekommen. Hatte Japan Probleme mit Zebramuscheln?

Seitlich unter ihm, zwischen Ruder und Heck, ragten zwei geschwungene Flügel aus dem trüben Nichts, geisterhaft, unwirklich in ihren Ausmaßen. Anawak ließ sich weiter sinken und schlug mit den Flossen, bis er die Ränder eines der Flügel umfassen konnte. Ein Gefühl des Unbehagens überkam ihn. Der gesamte Propeller maß viereinhalb Meter im Durchmesser. Ein Gebilde aus gegossenem Stahl, das über acht Tonnen wog. Kurz stellte er sich vor, wie es sein musste, wenn sich die Schraube auf Hochtouren drehte. Es schien kaum vorstellbar, dass irgendetwas dieses Riesending auch nur ankratzen konnte. Was ihm zu nahe kam, musste unweigerlich zerschreddert werden.

Doch die Muscheln saßen auch am Propeller.

Eine Schlussfolgerung drängte sich Anawak auf, die ihm nicht gefiel. Langsam hangelte er sich an den Rändern zur Mitte des Propellers hin. Seine Finger berührten etwas Glitschiges. Brocken einer hellen Substanz lösten sich und trudelten ihm entgegen. Er griff danach, bekam einen zu fassen und hielt ihn dicht vor seine Maske.

Gallertig. Gummiartig.

Das Zeug sah aus wie Gewebe.

Anawak drehte das zerfaserte Ding hin und her. Er ließ es in der Sammelbox verschwinden und tastete sich weiter vor. Einer der Taucher näherte sich ihm von der gegenüberliegenden Seite. Mit der Lampe über seiner Maske wirkte er wie ein Alien. Er machte das Zeichen für Herkommen. Anawak stieß sich ab und schwamm zwischen Ruderschacht und Schraube zu ihm hinüber. Langsam ließ er sich tiefer sinken, bis seine Flossen gegen die Kurbelwelle stießen, an deren Ende der Propeller saß. Hier war mehr von dem schleimigen Zeug. Es hatte sich wie ein Überzug um die Welle gewickelt. Die Taucher versuchten, die Fetzen davon herunterzuziehen. Anawak half ihnen. Sie mühten sich vergebens. Das meiste war so eng mit der Schraube verbunden, dass es sich mit bloßen Händen nicht ablösen ließ.

Roberts' Worte gingen ihm durch den Kopf. Die Wale hatten versucht, die Schlepper abzudrängen. Absurd.

Was wollte ein Wal, der das Andockmanöver eines Schleppers sabotierte? Dass die *Barrier Queen* sank? Bei stärkerem Seegang hätte die Gefahr bestanden, manövrierunfähig, wie der Frachter war. Irgendwann wären die Wellen wieder höher geworden. Wollten die Tiere verhindern, dass die *Barrier Queen* bis dahin sichere Gewässer aufsuchen konnte?

Er warf einen Blick aufs Finimeter.

Noch reichlich Atemluft. Mit ausgestrecktem Daumen zeigte er den beiden Tauchern an, dass er den Rumpf inspizieren wolle. Sie gaben das O.K.-Zeichen. Gemeinsam ließen sie die Schraube hinter sich und schwammen die Bordwand entlang, Anawak zuunterst, dort, wo sich der Rumpf zum Kiel hin bog. Das Licht seines Helmstrahlers wanderte über die stählerne Außenhaut. Der Anstrich sah ziemlich neu aus, nur an wenigen Stellen waren Kratzer oder Verfärbungen zu erkennen. Er sank weiter dem Grund entgegen, und es wurde noch dämmriger.

Unwillkürlich sah Anawak nach oben. Zwei diffuse Lichtflecken zeigten ihm an, wo die Taucher die Seitenwand absuchten.

Was sollte passieren? Er wusste schließlich, wo er war. Dennoch hatte sich ein quälender Druck auf seine Brust gelegt. Er paddelte mit den Füßen und schwebte entlang des Rumpfs. Nichts war zu sehen, was auf eine Beschädigung hindeutete.

Im nächsten Moment wurde der Schein seiner Helmlampe schwächer. Anawaks Rechte fuhr hoch. Dann erkannte er, dass es nicht an der Lampe lag, sondern an dem, was sie beleuchtete. Der Schiffsanstrich hatte das Licht gleichmäßig zurückgeworfen. Nun wurde es plötzlich verschluckt von der dunklen, schartigen Masse der Muscheln, unter der die Hülle der *Barrier Queen* teilweise verschwunden war.

Wo kamen diese Unmengen von Muscheln her?

Anawak überlegte, zu den Tauchern aufzuschließen. Dann entschied er sich anders und ließ sich noch tiefer unter den Rumpf sinken. Zum Kiel hin nahm der Muschelbewuchs zu. Falls die Unterseite der *Barrier Queen* überall in gleicher Weise bewachsen war, musste hier ein erhebliches Gewicht zusammengekommen sein. Unmöglich, dass niemand den Zustand des Schiffes bemerkt haben sollte. Solche Massen reichten aus, um einen Frachter auf hoher See erheblich zu verlangsamen.

Er war jetzt weit genug unter dem Kiel, dass er sich auf den Rücken legen musste. Wenige Meter unter ihm begann die Schlammwüste des Hafenbeckens. Das Wasser war hier so trübe, dass er kaum noch etwas sah, nur die wuchernden Muschelberge direkt über sich. Mit schnellen Flossenschlägen schwamm er weiter Richtung Vorschiff, als der Bewuchs ebenso plötzlich endete, wie er begonnen hatte. Erst jetzt erkannte Anawak, wie massiv die Wucherungen wirklich waren. Beinahe zwei Meter dick hingen sie unter der *Barrier Queen*.

Was war das?

Am Rand der Wucherungen klaffte ein Spalt.

Anawak hing unentschlossen davor. Dann griff er zum Schienbein, wo in einer Halterung ein Messer steckte, zog es hervor und stach in den Muschelberg hinein.

Die Kruste platzte auf.

Etwas schoss zuckend heran, klatschte gegen sein Gesicht und riss ihm beinahe den Lungenautomaten aus dem Mund. Anawak prallte zurück. Sein Kopf knallte gegen den Schiffsrumpf. Grelles Licht explodierte vor seinen Augen. Er wollte aufsteigen, aber über ihm war immer noch der Kiel. Mit hektischen Flossenschlägen versuchte er wegzukommen von den Muscheln. Er drehte sich um und sah sich einem weiteren Berg aus harten kleinen Schalen gegenüber. Seine Ränder schienen mit etwas Gallertigem an den Rumpf geklebt. Übelkeit stieg in ihm hoch. Er zwang sich zur Ruhe und versuchte, in den umherschwirrenden Partikeln etwas von dem Ding zu erkennen, das ihn attackiert hatte.

Es war verschwunden. Nichts war mehr zu sehen außer den bizarr verklumpten Muschelkrusten.

Erst jetzt fiel ihm auf, dass seine Rechte etwas umklammert hielt. Das Messer. Er hatte es nicht losgelassen. Etwas baumelte von der Klinge, ein Fetzen milchig transparenter Masse. Anawak packte sie zu den Gewebebrocken im Sammelbehälter. Dann sah er zu, dass er wegkam. Sein Bedarf an Abenteuern war fürs Erste gedeckt. Mit kontrollierten Bewegungen, darauf bedacht, seinen pochenden Herzschlag zu verlangsamen, stieg er auf, bis er seitlich der Schiffswand trieb und in der Ferne schwach den Lichtschein der beiden Taucher sah. Er hielt darauf zu. Auch sie waren auf Wucherungen gestoßen. Einer von ihnen löste mit seinem Messer einzelne Tiere aus dem Bewuchs. Anawak schaute gespannt zu. Jeden Augenblick erwartete er, etwas daraus hervorschnellen zu sehen, aber nichts geschah.

Der zweite Taucher reckte den Daumen hoch, und sie stiegen langsam zur Oberfläche. Es wurde heller. Selbst auf dem letzten Meter war das Wasser noch trübe, dann plötzlich hatte alles wieder Farbe und Kontur. Anawak blinzelte ins Sonnenlicht. Er zog die Maske vom Gesicht und atmete dankbar die frische Luft ein.

Am Pier standen Roberts und die anderen.

»Was ist los da unten?« Der Manager beugte sich vor. »Was gefunden?«

Anawak hustete und spuckte Hafenwasser aus.

»Das kann man wohl sagen!«

Sie standen um das Heck des Lieferwagens versammelt. Anawak war mit den Tauchern übereingekommen, die Rolle des Berichterstatters zu übernehmen.

»Muscheln, die ein Ruder blockieren?«, fragte Roberts ungläubig.

»Ja. Zebramuscheln.«

»Wie passiert denn so was, um Himmels willen?«

»Gute Frage.« Anawak öffnete den Probenbehälter an seinem Gürtel und ließ den Gallertfetzen vorsichtig in einen größeren Behälter mit Seewasser gleiten. Der Zustand des Gewebes bereitete ihm Sorgen. Es sah aus, als habe der Zerfall bereits eingesetzt. »Ich kann nur mutmaßen, aber für mich hat es sich so zugetragen: Der Steuermann legt 5° Ruder. Aber das Ruder bewegt sich nicht. Es ist blockiert von den Muscheln, die sich überall festgesetzt haben. Grundsätzlich ist es nicht sonderlich schwer, eine Rudermaschine lahm zu legen, das wissen Sie besser als ich. Nur dass der Fall so gut wie niemals eintritt. Das weiß auch der Steuermann, weshalb er gar nicht auf die Idee kommt, etwas könne das Ruder blockieren. Er denkt, er habe zu wenig Ruder gegeben, also legt er nach, aber immer noch bewegt sich das Ruder nicht. Tatsächlich arbeitet die Rudermaschine auf Hochtouren. Sie versucht, dem Befehl Folge zu leisten. Schließlich geht der Mann am Steuer aufs Ganze, und endlich löst sich das Blatt. Während es sich dreht, werden die Muscheln in den Zwischenräumen zermahlen, aber sie lösen sich nicht. Der Muschelbrei blockiert das Ruder weiter wie Sand im Getriebe. Es frisst sich fest und kann nicht mehr zurück.« Er strich sich das nasse Haar aus der Stirn und sah Roberts an. »Aber das ist nicht das eigentlich Beunruhigende.«

»Sondern?«

»Die Seekästen sind frei, aber der Propeller ist ebenfalls bewachsen. Er ist voller Muscheln. Ich weiß nicht, wie dieses Zeug überhaupt ans

Schiff gelangen konnte, aber eines kann ich mit Sicherheit sagen: An einem rotierenden Propeller hätte sich noch die hartnäckigste Muschel die Schalen ausgebissen. Also entweder sind die Tiere bereits in Japan zugestiegen – was mich wundern würde, denn bis zweihundert Seemeilen vor Kanada hat das Ruder ja reibungslos funktioniert –, oder sie kamen unmittelbar, bevor die Maschinen stoppten.«

»Sie meinen, die haben das Schiff auf hoher See befallen?«

»Geentert wäre treffender. Ich versuche mir vorzustellen, was passiert ist. Ein gigantischer Schwarm Muscheln setzt sich am Ruder fest. Als das Blatt blockiert, gerät das Schiff in Schräglage. Wenige Minuten später stoppt die Maschine. Der Propeller steht. Immer noch kommen Muscheln nach, setzen sich weiterhin ans Ruder, um die Blockade sozusagen zu zementieren, gelangen dabei an die Schraube und den übrigen Rumpf.«

»Wo kommen denn Tonnen ausgewachsener Muscheln her?«, sagte Roberts und sah sich hilflos um. »Mitten auf dem Ozean!«

»Warum drängen Wale Schlepper ab und springen auf Trossen? Sie haben mit den komischen Geschichten angefangen, nicht ich.«

»Ja, schon, aber ...« Roberts nagte an seiner Unterlippe. »All das geschah gleichzeitig. Ich weiß auch nicht, es klingt fast, als wäre da ein Zusammenhang. Aber das ergibt doch keinen Sinn. Muscheln und Wale.«

Anawak zögerte.

»Wann wurde die Unterseite der *Barrier Queen* zuletzt kontrolliert?«

»Es gibt ständig Kontrollen. Und die *Barrier Queen* hat einen Spezialanstrich. Keine Angst, er ist umweltfreundlich! Aber viel kann sich eigentlich nicht darauf absetzen. Vielleicht ein paar Seepocken.«

»Das sind jedenfalls mehr als ein paar Seepocken.« Anawak hielt inne und starrte ins Leere. »Aber Sie haben Recht! Das Zeug dürfte gar nicht dort sein. Man könnte den Eindruck gewinnen, als sei die *Barrier Queen* wochenlang einer Invasion von Muschellarven ausgesetzt gewesen, und außerdem ... da war dieses Ding in den Muscheln ...«

»Welches Ding?«

Anawak berichtete von dem Wesen, das aus dem Muschelberg hervorgebrochen war. Während er davon sprach, erlebte er die Szene wieder. Den Schock und wie er mit dem Kopf gegen den Kiel geschlagen war. Sein Schädel dröhnte jetzt noch davon. Er hatte Sterne gesehen ...

Nein, Lichtblitze.

Einen Lichtblitz, um genau zu sein.

Plötzlich kam ihm der Gedanke, dass es gar nicht in seinem Kopf geblitzt hatte, sondern vor ihm im Wasser.

Dieses Ding hatte geblitzt.

Vorübergehend war er im tatsächlichen Sinne sprachlos. Er vergaß, seinen Bericht fortzusetzen, weil ihm dämmerte, dass dieses Wesen luminesziert hatte. Wenn das zutraf, entstammte es möglicherweise den tieferen Schichten. Aber dann konnte es sich kaum in einem Hafen an den Rumpf der *Barrier Queen* geheftet haben. Es musste zusammen mit den Muscheln an die Hülle gelangt sein, auf offener See. Vielleicht hatten die Muscheln das Wesen angelockt, weil sie ihm als Nahrung dienten. Oder als Schutz. Und wenn es ein Krake war …

»Dr. Anawak?«

Er fokussierte seinen Blick wieder auf Roberts.

Ja, ein Krake, dachte er. Das könnte es am ehesten gewesen sein. Für eine Qualle war es zu schnell. Und zu stark. Es hat die Muscheln regelrecht auseinander gesprengt – so als sei es ein einziger elastischer Muskel. Dann fiel ihm ein, dass dieses Ding exakt in dem Augenblick hervorgeplatzt war, als er in den Spalt geschnitten hatte. Er musste es mit dem Messer verletzt haben. Hatte er ihm Schmerzen zugefügt? Zumindest hatte der Messerstich einen Reflex freigesetzt …

Übertreib's mal nicht, dachte er. Was hast du schon groß gesehen in der Brühe da unten? Hauptsächlich hast du dich erschrocken.

»Sie sollten das Hafenbecken absuchen lassen«, sagte er zu Roberts. »Aber vorher schicken Sie diese Proben« – er deutete auf die verschlossenen Gefäße – »schnellstmöglich ins Forschungsinstitut nach Nanaimo zur Untersuchung. Packen Sie sie in den Helikopter. Ich fliege mit, ich weiß, wem wir sie dort in die Hand drücken.«

Roberts nickte. Dann zog er Anawak ein Stück beiseite.

»Verdammt, Leon! Was halten Sie denn nun *wirklich* von alldem?«, flüsterte er. »Es ist unmöglich, dass sich meterdicker Bewuchs innerhalb von so kurzer Zeit festsetzt. Das Schiff hat schließlich nicht wochenlang vor sich hingegammelt.«

»Diese Muscheln sind eine Pest, Mr. Roberts …«

»Clive.«

»Clive, die Biester treten nicht allmählich auf, sondern immer gleich als Überfallkommando. So viel weiß man.«

»Aber doch nicht *so* schnell.«

»Jede dieser verdammten Muscheln kann pro Jahr bis zu tausend Nachkommen in die Welt setzen. Die Larven treiben mit der Strömung oder als blinde Passagiere zwischen den Schuppen von Fischen und im

Gefieder von Wasservögeln. In amerikanischen Seen hat man Stellen gefunden, wo 900 000 von ihnen einen einzigen Quadratmeter besiedeln, und sie sind tatsächlich beinahe über Nacht da hingekommen. Sie besetzen Trinkwasseranlagen, Kühlkreisläufe flussnaher Industriegebiete, Bewässerungssysteme, verstopfen und zerstören Rohrleitungen, und sie fühlen sich in Salzwasser offenbar ebenso wohl wie in Seen und Flüssen.«

»Na schön, aber Sie reden von Larven.«

»Millionen Larven.«

»Meinetwegen Milliarden, und meinetwegen im Hafen von Osaka oder auf hoher See. Was spielt das für eine Rolle? Wollen Sie mir ernsthaft erzählen, die wären im Verlauf der letzten paar Tage alle erwachsen geworden, komplett mit Schale? – Ich meine, sind Sie denn überhaupt sicher, dass wir es wirklich mit Zebramuscheln zu tun haben?«

Anawak sah über die Schulter zu dem Lieferwagen der Taucher. Sie räumten die Ausrüstung ins Innere. Die Probenbehälter, notdürftig versiegelt, standen in einer Plastikkiste davor.

»Wir haben hier eine Gleichung mit mehreren Unbekannten«, sagte er. »Wenn Wale tatsächlich versucht haben, die Schlepper abzudrängen, müssen wir fragen, warum. Weil an dem Schiff etwas vorgeht, das zu Ende gebracht werden soll? Weil es sinken soll, nachdem es von den Muscheln lahm gelegt wurde? Dann dieser unbekannte Organismus, der die Flucht ergreift, als ich seinem Versteck zu Leibe rücke. – Wie klingt das für Sie?«

»Wie die Fortsetzung von *Independence Day* mit anderen Mitteln. Meinen Sie wirklich ...«

»Warten Sie. Nehmen wir dieselbe Gleichung. Eine etwas nervöse Herde Grau- oder Buckelwale fühlt sich durch die *Barrier Queen* belästigt. Da kommen zu allem Überfluss zwei Schlepper und rempeln sie an. Sie rempeln zurück. Aus purem Zufall ist das Schiff zudem von einer biologischen Plage befallen, die es sich im Ausland geholt hat wie ein Tourist die Pocken, und auf hoher See hat sich ein Kalmar in die Muschelberge verirrt.«

Roberts starrte ihn an.

»Wissen Sie, ich glaube nicht an Science-Fiction«, fuhr Anawak fort. »Alles ist eine Frage der Interpretation. Schicken Sie ein paar Leute da runter. Sie sollen den Bewuchs abkratzen, aufpassen, ob noch weitere Überraschungsgäste darin sitzen, und sie einfangen.«

»Was glauben Sie, wann wir mit den Ergebnissen aus Nanaimo rechnen können?«

»In wenigen Tagen, schätze ich. – Es wäre übrigens hilfreich, wenn ich ein Exemplar des Berichts bekäme.«

»Vertraulich«, betonte Roberts.

»Selbstverständlich. Ebenso vertraulich würde ich mich gerne mit der Mannschaft unterhalten.«

Roberts nickte. »Ich habe nicht das letzte Wort in der Sache. Aber ich sehe, was sich machen lässt.«

Sie gingen zurück zum Lieferwagen, und Anawak schlüpfte in seine Jacke.

»Ist es eigentlich üblich, in solchen Fällen Wissenschaftler hinzuzuziehen?«, fragte er.

»Solche Fälle sind überhaupt nicht üblich.« Roberts schüttelte den Kopf. »Es war meine Idee, ich hatte Ihr Buch gelesen und wusste, dass Sie auf Vancouver Island zu finden sind. Die Untersuchungskommission ist davon nicht rückhaltlos begeistert. – Aber ich denke, es war richtig. Wir verstehen nun mal nicht so viel von Walen.«

»Ich tue mein Bestes. Laden wir die Proben in den Helikopter. Je schneller wir sie nach Nanaimo schaffen, umso besser. Wir geben sie direkt in die Hände von Sue Oliviera. Sie ist Laborleiterin. Molekularbiologin, extrem fähig.«

Anawaks Mobiltelefon klingelte. Es war Stringer.

»Du solltest herkommen, sobald du kannst«, sagte sie.

»Was ist los?«

»Wir haben einen Funkspruch von der *Blue Shark* erhalten. Sie sind draußen auf See und haben Ärger.«

Anawak ahnte Böses.

»Mit Walen?«

»Quatsch, nein.« Stringer sagte es, als sei er nicht recht bei Trost. »Was sollen wir für einen Ärger mit Walen haben? Dieses blöde Arschloch macht wieder Stress, dieser gottverdammte Mistkerl.«

»Welches Arschloch?«

»Na, wer schon! Jack Greywolf.«

6. april

Zwei Wochen, nachdem er Tina Lund die Abschlussberichte der Wurmanalysen übergeben hatte, saß Sigur Johanson in einem Taxi, das ihn zu Europas renommiertester Adresse für marine Geowissenschaften fuhr, zum Forschungszentrum Geomar.

Wann immer es um Aufbau, Entstehung und Geschichte des Meeresbodens ging, wurden die Wissenschaftler aus Kiel konsultiert. Kein Geringerer als James Cameron ging bei den Kielern ein und aus, um sich den letzten Segen für Projekte wie *Titanic* und *The Abyss* zu holen. Der Öffentlichkeit war die Arbeit der Geomar-Forscher eher schwer zu erklären. Das Herumstochern in Sedimenten und das Messen von Salzgehalten schien auf den ersten Blick wenig zur Beantwortung drängender Menschheitsfragen beizusteuern. Ohnehin konnte sich kaum jemand vorstellen, was noch Anfang der Neunziger nicht mal die Mehrzahl der Wissenschaftler hatte glauben wollen: Am Boden der Meere, fernab von Sonnenlicht und Wärme, erstreckte sich keine leere, felsige Wüste. Es wimmelte dort von Leben. Zwar wusste man schon länger von exotischen Artengemeinschaften entlang vulkanischer Tiefseeschlote. Als jedoch 1989 der Geochemiker Erwin Suess von der *Oregon State University* zum Geomar-Forschungszentrum berufen wurde, erzählte er von noch bizarreren Dingen, von Oasen des Lebens an kalten Tiefseequellen, von geheimnisvollen chemischen Energien, die aus dem Erdinnern aufstiegen – und vom massenhaften Vorkommen einer Substanz, die bis dahin als vermeintlich exotisches Zufallsprodukt kaum Beachtung gefunden hatte: Methanhydrat.

Spätestens jetzt traten die Geowissenschaften aus dem Schatten heraus, den sie – wie die meisten Wissenschaften – selber zu lange geworfen hatten. Sie versuchten sich mitzuteilen. Sie nährten die Hoffnung, Naturkatastrophen, Klima- und Umweltentwicklungen zukünftig berechnen und beeinflussen zu können. Methan schien zudem die Antwort auf die Energieprobleme von morgen zu geben. Der Berichterstattungshunger der Presse war geweckt, und die Forscher lernten – anfangs zögerlich, dann zunehmend in der Manier von Popstars –, sich das neu erwachte Interesse zunutze zu machen.

Der Mann, der Johansons Taxi zur Kieler Förde steuerte, schien von alldem nicht viel mitbekommen zu haben. Seit zwanzig Minuten gab er seinem Unverständnis darüber Ausdruck, wie man ein Millionen teures Forschungszentrum in die Hände von Verrückten hatte geben können, die von dort alle paar Monate zu kostspieligen Kreuzfahrten aufbrachen, während seinesgleichen kaum über die Runden kam. Johanson, der ausgezeichnet Deutsch sprach, verspürte wenig Lust, die Dinge gerade zu rücken, aber der Mann redete ununterbrochen auf ihn ein. Dabei fuchtelte er dermaßen mit den Händen, dass der Wagen immer wieder gefährlich abdriftete.

»Kein Mensch weiß, was die da überhaupt tun«, schimpfte der Fahrer.

»Sind Sie von der Zeitung?«, fragte er schließlich, als Johanson keine Antwort gab.

»Nein. Ich bin Biologe.«

Der Fahrer wechselte augenblicklich das Thema und erging sich über die nicht abreißende Folge von Nahrungsmittelskandalen. Offenbar sah er in Johanson einen der Verantwortlichen, jedenfalls schimpfte er nun auf genmanipuliertes Gemüse und übertaeuerte Bioprodukte und funkelte seinen Fahrgast herausfordernd an.

»Sie sind also Biologe. Wissen Sie, was man noch essen kann? Ich meine, bedenkenlos! Ich weiß es jedenfalls nicht. Nichts kann man mehr essen. Man sollte überhaupt nichts mehr essen, was sie einem verkaufen. Man sollte ihnen keinen Cent dafür geben.«

Der Wagen geriet auf die Gegenfahrbahn.

»Wenn Sie nichts essen, werden Sie verhungern«, sagte Johanson.

»Na und? Ist doch egal, woran man stirbt, oder? Wenn man nichts isst, stirbt man, isst man was, stirbt man am Essen.«

»Sie haben ganz sicher Recht. Ich persönlich würde es übrigens vorziehen, an einem gedopten Filetsteak zu sterben, als am Kühler dieses Tanklastwagens da.«

Der Fahrer griff unbeeindruckt ins Lenkrad und zog den Wagen in rasantem Tempo quer über drei Spuren in eine Ausfahrt. Der Tankwagen donnerte an ihnen vorbei. Zur Rechten sah Johanson Wasser. Sie fuhren entlang des Ostufers der Kieler Förde. Gewaltige Krananlagen reckten sich auf der gegenüberliegenden Seite zum Himmel.

Offenbar hatte der Taxifahrer Johansons letzte Bemerkung krumm genommen, denn fortan würdigte er ihn keines Wortes mehr. Sie durchquerten vorstädtische Straßen mit spitzgiebeligen Häusern, bis unvermittelt der lang gestreckte Gebäudekomplex aus Ziegeln, Glas und Stahl daraus auftauchte, seltsam unpassend inmitten der kleinbürgerlichen Beschaulichkeit. Der Fahrer bog scharf auf das Institutsgelände ab und kam mit quietschenden Reifen zum Stehen. Röchelnd erstarb der Motor. Johanson atmete tief durch, bezahlte und stieg aus in der Gewissheit, während der letzten fünfzehn Minuten weit Schlimmeres durchgestanden zu haben als an Bord des Statoil-Helikopters.

»Ich würde wirklich gerne wissen, was die da drinnen treiben«, sagte der Fahrer ein letztes Mal. Er sagte es mehr zu seinem Lenkrad.

Johanson bückte sich und sah ihn durch die Beifahrertür an.

»Wollen Sie's wirklich wissen?«

»Ja.«

»Sie versuchen, das Gewerbe der Taxifahrer zu retten.«

Der Fahrer blinzelte ihn verständnislos an.

»So oft bringen wir nun auch keinen hierher«, sagte er unsicher.

»Nein. Aber um es zu tun, müsst ihr Auto fahren. Wenn kein Benzin mehr da ist, könnt ihr eure Kisten entweder verschrotten oder auf was anderes umsteigen, und das liegt unten im Meer. Methan. Brennstoff. Sie versuchen, ihn nutzbar zu machen.«

Der Fahrer runzelte die Stirn. Dann sagte er:

»Wissen Sie, was das Problem ist? Keiner erklärt einem so was.«

»Es steht in allen Zeitungen.«

»Es steht in Zeitungen, die *Sie* lesen, mein Herr. Keiner bemüht sich, es mir zu erklären.«

Johanson setzte zu einer Antwort an. Dann nickte er nur und schlug die Tür zu. Das Taxi wendete und schoss davon.

»Dr. Johanson.«

Aus einem verglasten Rundbau trat ein braun gebrannter junger Mann und kam zu ihm herüber. Johanson schüttelte die ausgestreckte Hand.

»Gerhard Bohrmann?«

»Nein. Heiko Sahling. Biologe. Dr. Bohrmann wird sich eine Viertelstunde verspäten, er hält einen Vortrag. Ich kann Sie hinbringen, oder wir schauen, ob wir in der Kantine einen Kaffee kriegen.«

»Was wäre Ihnen lieber?«

»Was Ihnen lieber ist. Übrigens sehr interessant, Ihre Würmer.«

»Sie haben sich damit beschäftigt?«

»Wir alle haben uns damit beschäftigt. Kommen Sie, wir heben uns den Kaffee für später auf. Gerhard wird gleich fertig sein, wir spielen so lange Zaungast.«

Sie betraten ein großes, geschmackvoll gestaltetes Foyer. Sahling führte ihn eine Treppe hinauf und über eine frei schwebende Stahlbrücke. Für ein wissenschaftliches Institut, fand Johanson, bewegte sich Geomar verdächtig nahe am Designerpreis.

»Im Allgemeinen werden Vorlesungen im Hörsaal abgehalten«, erklärte Sahling. »Aber wir haben eine Schulklasse zu Besuch.«

»Sehr löblich.«

Sahling grinste. »Für Fünfzehnjährige ist ein Hörsaal von einem Klassenzimmer nicht zu unterscheiden. Also sind wir mit denen durch das Institut gestreift, und sie durften überall reinschauen und fast alles anpacken. Die Lithothek haben wir bis zuletzt aufgespart. Gerhard erzählt ihnen dort die Gutenachtgeschichte.«

»Worüber?«

»Methanhydrate.«

Sahling öffnete eine Schiebetür. Auf der anderen Seite setzte sich die Brücke fort. Sie traten hinaus. Die Lithothek besaß die Größe eines mittleren Flugzeughangars. Zum Quai hin war das Gebäude offen, und Johanson erhaschte einen Blick auf ein ziemlich großes Schiff. Kisten und Gerätschaften stapelten sich entlang der Wände.

»Hier werden Proben zwischengelagert«, erklärte Sahling. »Vornehmlich Sedimentkerne und Seewasserproben. Archivierte Erdgeschichte. Wir sind angemessen stolz drauf.«

Er hob kurz die Hand. Unten grüßte ein hoch gewachsener Mann zurück und widmete sich wieder einer Gruppe Halbwüchsiger, die sich neugierig um ihn scharte. Johanson lehnte sich ans Brückengeländer und lauschte der Stimme, die zu ihnen heraufdrang.

»... einer der aufregendsten Momente, die wir je erlebt haben«, sagte Dr. Gerhard Bohrmann gerade. »Der Greifer hatte in beinahe achthundert Metern Tiefe einige Zentner Sediment herausgebrochen, durchsetzt mit einer weißen Substanz, und schüttete die Brocken aufs Arbeitsdeck. Beziehungsweise das, was oben noch ankam.«

»Das war im Pazifik«, erläuterte Sahling leise. »1996 auf der *Sonne*, etwa hundert Kilometer vor Oregon.«

»Wir mussten schnell sein. Methanhydrat ist nämlich ein ziemlich instabiles und unzuverlässiges Zeug«, fuhr Bohrmann fort. »Ich schätze, ihr wisst nicht sonderlich viel darüber, also werde ich versuchen, es so zu erklären, dass keiner vor Langeweile einschläft. – Was geschieht tief unten im Meer? Unter anderem entsteht Gas. Biogenes Methan zum Beispiel bildet sich seit Jahrmillionen beim Abbau von Tier- und Pflanzenresten, wenn Algen, Plankton und Fische verwesen und jede Menge organischer Kohlenstoff freigesetzt wird. Den Abbau besorgen vorzugsweise Bakterien. Nun ist es so, dass in der Tiefsee niedrige Temperaturen und ein außerordentlicher Druck herrschen. Alle zehn Meter nimmt der Wasserdruck um ein Bar zu. Flaschentaucher kommen 50

Meter tief, maximal 70, aber das war's dann auch. Angeblich liegt der Tieftauchrekord mit Pressluft bei 140 Metern, was ich niemandem empfehlen würde. Solche Versuche enden meist tödlich. Und wir reden hier von Tiefen ab fünfhundert Metern! Da geht die Physik ganz eigene Wege. Wenn zum Beispiel Methan in großen Konzentrationen aus dem Erdinnern zum Meeresboden aufsteigt, geschieht dort unten etwas Außergewöhnliches. Das Gas verbindet sich mit dem kalten Tiefenwasser zu Eis. Ihr werdet in Zeitungen hin und wieder den Begriff Methaneis lesen. Das ist nicht ganz korrekt. Es ist nicht das Methan, das gefriert, sondern das umgebende Wasser. Die Wassermoleküle kristallisieren zu winzigen, käfigartigen Strukturen, in deren Innern sich jeweils ein Methanmolekül befindet. Sie komprimieren das Gas und drücken es auf kleinstem Raum zusammen.«

Einer der Schüler hob zögerlich die Hand.

»Du hast eine Frage?«

Der Junge drückste herum.

»Fünfhundert Meter sind nicht gerade tief, oder?«, sagte er schließlich.

Bohrmann betrachtete ihn einige Sekunden schweigend.

»Du bist nicht sonderlich beeindruckt, was?«

»Doch, schon. Ich dachte nur ... na ja, Jacques Picard war mit einem Tauchboot im Marianengraben, und das war elftausend Meter tief. Ich meine, das ist *wirklich* tief! Warum kommt dieses Eis da unten nicht vor?«

»Hut ab, du hast die Geschichte der bemannten Tauchfahrt studiert. Was glaubst du denn persönlich?«

Der Junge überlegte. Er zog die Schultern hoch.

»Ist doch klar«, antwortete ein Mädchen an seiner statt. »Da unten ist zu wenig Leben. Ab tausend Meter Wassertiefe wird zu wenig organische Materie zersetzt, also entsteht zu wenig Methan.«

»Ich wusste es«, murmelte Johanson oben auf der Brücke. »Frauen sind einfach intelligenter.«

Bohrmann lächelte das Mädchen freundlich an. »Stimmt. Es gibt natürlich immer Ausnahmen. Und tatsächlich findet man auch in tieferen Bereichen Methanhydrat, selbst noch in drei Kilometern Tiefe, wenn Sedimente mit sehr hohem Gehalt an organischem Material dort eingespült werden. Das ist in manchen Randmeeren der Fall. Übrigens kartieren wir Hydratkonzentrationen auch in sehr flachem Wasser, wo der Druck eigentlich nicht ausreicht. Aber solange die Temperatur niedrig genug ist, kommt es trotzdem zur Hydratbildung, zum Beispiel am Polarschelf.« Er wandte sich wieder an alle. »Dennoch – die Hauptvorkommen lagern in den Kontinentalabhängen zwischen 500 und 1 000 Metern. Komprimiertes Methan. Vor der nordamerikanischen Küste haben wir kürzlich ein unterseeisches Gebirge untersucht, einen halben Kilometer hoch und fünfundzwanzig Kilometer lang, und es besteht zum überwiegenden Teil aus Methanhydrat. Manches davon sitzt tief im Gestein, anderes liegt offen am Meeresboden. Inzwischen wissen wir, dass die Ozeane voll davon sind, aber wir wissen noch mehr: Die unterseeischen Kontinentalabhänge werden von Methanhydrat überhaupt erst zusammengehalten! Das Zeug ist wie Mörtel. Würde man sich das ganze Hydrat auf einen Schlag wegdenken, dann wären die Kontinentalabhänge löchrig wie Schweizer Käse. Mit dem Unterschied, dass Schweizer Käse auch mit Löchern seine Form behält. Die Abhänge hingegen würden in sich zusammenstürzen!« Bohrmann ließ die Worte einige Sekunden wirken. »Das ist aber noch nicht alles. Methanhydrate sind, wie gesagt, nur stabil unter sehr hohem Druck in Verbindung mit besonders niedrigen Temperaturen. Das heißt, nicht alles Methangas gefriert, sondern nur die oberen Schichten. Denn zum Erdinnern hin nehmen die Temperaturen ja wieder zu, und tief im Sediment sitzen große Methanblasen, die nicht gefrieren. Sie bleiben gasförmig. Aber weil die gefrorene Schicht wie ein Deckel obendrauf liegt, können sie nicht entweichen.«

»Ich habe etwas darüber gelesen«, sagte das Mädchen. »Die Japaner versuchen es abzubauen, richtig?«

Johanson war belustigt. Er fühlte sich an seine Schulzeit erinnert. In jeder Klasse gab es einen, der exzeptionell gut vorbereitet war und immer schon die Hälfte von dem wusste, was er eigentlich lernen sollte. Er schätzte, dass dieses Mädchen nicht sonderlich beliebt war.

»Nicht nur die Japaner«, erwiderte Bohrmann. »Alle Welt würde es am liebsten abbauen. Aber das gestaltet sich schwierig. Als wir die Hydratbrocken aus knapp achthundert Metern nach oben holten, lösten sich auf halber Höhe Gasblasen aus den Brocken. Was wir schließlich an Deck brachten, war immer noch viel, aber nur noch ein Teil dessen, was wir unten rausgebrochen hatten. Ich sagte ja, Methanhydrat wird schnell instabil. Würde man die Wassertemperatur in fünfhundert Meter Tiefe nur um ein Grad erhöhen, könnte es geschehen, dass alles dortige Hydrat auf einen Schlag instabil würde. Also haben wir schnell zugegriffen und die Brocken in Tanks mit flüssigem Stickstoff gepackt, wo sie stabil bleiben. Kommt mal ein Stück hier rüber.«

»Er macht das gut«, bemerkte Johanson, während Bohrmann mit der Schülergruppe zu einem Regal aus grob geschweißten Stahlrahmen ging. Behältnisse unterschiedlicher Größe stapelten sich darin. Zuunterst standen vier silberfarbene, tankartige Gebilde. Bohrmann wuchtete eines davon hervor, streifte Handschuhe über und öffnete den Deckel. Es zischte. Weißer Dampf trat aus dem Innern. Einige der Schüler traten unwillkürlich einen Schritt zurück.

»Das ist nur der Stickstoff.« Bohrmann griff in den Behälter und förderte ein faustgroßes Stück zutage, das aussah wie ein verschmutzter Eisklumpen. Nach wenigen Sekunden begann der Klumpen leise zu zischen und zu knacken. Er winkte das Mädchen zu sich heran, brach ein Stück von dem Klumpen ab und reichte es ihr.

»Nicht erschrecken«, sagte er. »Es ist kalt, aber du kannst es unbesorgt in die Hand nehmen.«

»Es stinkt«, sagte das Mädchen laut.

Einige der Schüler lachten.

»Richtig. Es stinkt nach faulen Eiern. Das ist das Gas. Es entweicht.« Er zerbrach den Brocken in weitere Stücke und verteilte sie. »Ihr seht, was passiert. Die Schmutzstreifen im Eis sind Sedimentpartikel. In wenigen Sekunden wird nichts mehr übrig sein als diese paar Krümel und eine Wasserpfütze. Das Eis schmilzt, und die Methanmoleküle brechen aus ihren Käfigen hervor und verflüchtigen sich. Man kann es auch so beschreiben: Was eben noch ein stabiles Stück Meeresboden war, verwandelt sich binnen kürzester Zeit in nichts. Das ist es, was ich euch zeigen wollte.«

Er machte eine Pause. Die Schüler hatten ihre ganze Konzentration auf die zischenden, kleiner werdenden Brocken gelenkt. Anzügliche Kommentare über den Gestank gingen hin und her. Bohrmann wartete, bis sich die Brocken aufgelöst hatten, dann fuhr er fort:

»Soeben ist aber noch etwas passiert, das ihr nicht sehen konntet. Und es ist entscheidend für den berechtigten Respekt, den wir vor Hydraten haben. Ich sagte vorhin, dass die Eiskäfige in der Lage sind, Methan zu komprimieren. Aus jedem Kubikzentimeter Hydrat, den ihr in Händen hattet, sind soeben 165 Kubikzentimeter Methan freigesetzt worden. Wenn das Hydrat schmilzt, verhundertfünfundsechzigfacht sich also das Volumen. Und zwar schlagartig. Was bleibt, ist die Pfütze in eurer Hand. Du kannst die Zungenspitze hineinhalten«, sagte Bohrmann zu dem Mädchen. »Sag uns, wie es schmeckt.«

Die Schülerin sah ihn skeptisch an.

»In das stinkende Zeug?«

»Es stinkt nicht mehr. Das Gas hat sich verflüchtigt. Aber wenn du dich nicht traust, werde ich es eben tun.«

Gekicher. Das Mädchen senkte langsam den Kopf und leckte an der Wasserlache.

»Süßwasser«, rief sie überrascht.

»Richtig. Wenn Wasser gefriert, wird das Salz sozusagen ausgesondert. Darum ist die komplette Antarktis das größte Süßwasserreservoir der Welt. Eisberge bestehen aus Süßwasser.« Bohrmann verschloss den Druckbehälter mit dem flüssigen Stickstoff und schob ihn wieder zurück ins Regal. »Was ihr gerade erlebt habt, ist der Grund, warum die Förderung von Methanhydrat sehr zwiespältig gesehen wird. Wenn unser Eingreifen dazu führt, dass die Hydrate instabil werden, sind vielleicht Kettenreaktionen die Folge. Was würde geschehen, wenn der Mörtel verpufft, der die Kontinentalabhänge zusammenhält? Welche Auswirkungen hätte es auf das Weltklima, wenn das Tiefseemethan in die Atmosphäre entweicht? Methan ist ein Treibhausgas, es könnte die Atmosphäre weiter aufheizen, dann werden wiederum die Meere wärmer und so weiter, und so fort. Über alle diese Fragen machen wir uns hier Gedanken.«

»Warum versucht man es denn überhaupt zu fördern?«, fragte ein anderer Schüler. »Warum lässt man es nicht einfach unten?«

»Weil es die Energieprobleme lösen könnte«, rief das Mädchen und schob sich ein weiteres Stück nach vorn. »Das haben sie über die Japaner geschrieben. Die Japaner haben keine eigenen Rohstoffe, sie müssen alles importieren. Methan würde ihre Probleme lösen.«

»Das ist Blödsinn«, erwiderte der Junge. »Wenn es mehr Probleme macht, als welche aus der Welt zu schaffen, löst es gar nichts.«

Johanson begann zu grinsen.

»Ihr habt beide Recht.« Bohrmann hob die Hände. »Es *könnte* die Energieprobleme lösen. Das Ganze ist darum auch kein rein wissenschaftliches Thema mehr. Die Energiekonzerne haben die Forschung mit in die Hand genommen. Wir schätzen, dass in marinen Gashydraten doppelt so viel Methan-Kohlenstoff gebunden ist wie in allen bekannten Erdgas-, Erdöl- und Kohlevorkommen der Erde zusammen. Alleine auf dem Hydratrücken vor Amerika, einem Areal von immerhin 26 000 Quadratkilometern, lagern 35 Gigatonnen davon. Das ist das Hundertfache dessen, was die kompletten Vereinigten Staaten im Jahr an Erdgas verbrauchen!«

»Klingt eindrucksvoll«, sagte Johanson leise zu Sahling. »Ich wusste gar nicht, dass es so viel ist.«

»Es ist noch viel mehr«, antwortete der Biologe. »Ich kann mir die Zahlen nie merken, aber er kennt sie genau.«

Als hätte Bohrmann zugehört, sagte er: »Möglicherweise – wir können nur schätzen – lagern über zehntausend Gigatonnen eingefrorenes Methan im Meer. Hinzu kommen Reservoirs an Land, tief in den Permafrostböden Alaskas und Sibiriens. Nur um euch ein Gefühl für Mengen zu geben: Sämtliche heute verfügbaren Lagerstätten von Kohle, Erdöl und Erdgas machen zusammen gerade mal fünftausend Gigatonnen aus, rund die Hälfte. Kein Wunder, dass sich die Energiewirtschaft den Kopf darüber zerbricht, wie sie das Hydrat abbauen kann. Ein einziges Prozent davon würde auf einen Schlag die Brennstoffreserven der USA verdoppeln, und die verbrauchen weltweit mit Abstand das meiste. Aber es ist wie immer und überall: Die Industrie sieht eine riesige Energiereserve, die Wissenschaft eine Zeitbombe, also versuchen wir uns partnerschaftlich zu einigen, natürlich immer im Interesse der Menschheit. – Tja. Damit sind wir am Ende unserer Expedition angelangt. Danke, dass ihr da wart.« Er schmunzelte. »Will sagen, dass ihr zugehört habt.«

»Und dass ihr was begriffen habt«, murmelte Johanson.

»Hoffentlich«, ergänzte Sahling.

»Ich hatte Sie anders in Erinnerung«, sagte Johanson wenige Minuten später, als er Bohrmann die Hand schüttelte. »Im Internet trugen Sie einen Schnurrbart.«

»Abrasiert.« Bohrmann fasste an seine Oberlippe. »Im Grunde ist es sogar Ihre Schuld.«

»Wie das?«

»Ich habe über Ihre Würmer nachgedacht. Heute morgen noch. Ich stand vor dem Spiegel, und der Wurm kroch vor meinem geistigen Auge dahin und vollzog in der Körpermitte eine Drehung, der meine Hand mit dem Rasierer aus unerfindlichen Gründen folgte. Eine Ecke war ab, da habe ich auch den Rest der Wissenschaft geopfert.«

»Ich habe also Ihren Schnurrbart auf dem Gewissen.« Johanson hob die Brauen. »Mal ganz was Neues.«

»Kein Problem. Er wächst nach, sobald wir wieder auf Expedition gehen. Auf See wachsen alle mehr oder weniger zu. Ich weiß auch nicht, warum. Vielleicht brauchen wir die Vorstellung, wie Abenteurer auszusehen, um nicht seekrank zu werden. Kommen Sie, wir gehen ins Labor. Möchten Sie vorher eine Tasse Kaffee? Wir könnten einen Abstecher in die Kantine machen.«

»Nein, ich bin neugierig. Kaffee kann warten. Sie gehen wieder auf Expedition?«

»Im Herbst«, nickte Bohrmann, während sie gläserne Übergänge und Flure durchquerten. »Wir wollen zu den Subduktionszonen der Aleuten und kalte Quellen untersuchen. Sie haben Glück, mich in Kiel zu erwischen. Ich bin vor vierzehn Tagen aus der Antarktis zurückgekehrt, nach fast acht Monaten auf See. Einen Tag später kam Ihr Anruf.«

»Was haben Sie acht Monate in der Antarktis getrieben, wenn ich fragen darf?«

»Üwis ins Eis gebracht.«

»Üwis?«

Bohrmann lachte.

»Überwinterer. Wissenschaftler und Techniker. Sie haben im Dezember ihre Arbeit in den Stationen aufgenommen. Die Truppe, die augenblicklich unten ist, holt Eisbohrkerne aus vierhundertfünfzig Metern Tiefe. Ist das nicht unglaublich? Dieses alte Eis enthält die Klimageschichte der letzten siebentausend Jahre!«

Johanson dachte an den Taxifahrer.

»Die meisten Menschen werden davon nicht sonderlich beeindruckt sein«, sagte er. »Sie werden nicht begreifen, wie die Klimageschichte helfen soll, Hungersnöte zu überwinden oder die nächste Fußballweltmeisterschaft zu gewinnen.«

»Daran sind wir nicht ganz unschuldig. Die Wissenschaft hat sich die meiste Zeit in ihrem Universum eingekapselt.«

»Finden Sie? Ihr kleiner Vortrag eben war alles andere als eingekapselt.«

»Ich weiß aber nicht, ob das ganze Öffentlichkeitstheater viel nützt«, sagte Bohrmann, während sie eine Treppe hinunterschritten. »Am allgemeinen Desinteresse ändern auch Tage der offenen Tür nicht viel. Kürzlich hatten wir einen. Es war rappelvoll, aber wenn Sie anschließend jemanden gefragt hätten, ob man uns weitere zehn Millionen bewilligen sollte ...«

Johanson schwieg eine Weile. Dann sagte er:

»Ich glaube, das Problem sind eher die Universen, die uns Wissenschaftler voneinander trennen. Was meinen Sie?«

»Weil wir zu wenig miteinander reden?«

»Ja. Oder meinethalben Wissenschaft und Industrie, oder Wissenschaft und Militär. Alle reden zu wenig miteinander.«

»Oder Wissenschaft und Ölkonzerne?« Bohrmann musterte ihn mit einem langen Blick. Johanson lächelte.

»Ich bin hier, weil jemand eine Antwort braucht«, sagte er. »Nicht, um eine zu erzwingen.«

»Industrie und Militär sind auf die Wissenschaftler angewiesen, ob es ihnen passt oder nicht«, meinte Sahling. »Wir reden durchaus miteinander. Das Problem scheint mir eher zu sein, dass wir einander unsere Sichtweisen nicht vermitteln können.«

»Und es im Übrigen nicht wollen!«

»Richtig. Was die Leute im Eis tun, kann helfen, eine Hungersnot zu verhindern. Ebenso gut kann es zum Bau einer neuen Waffe führen. Wir schauen auf das Gleiche, aber jeder sieht etwas anderes.«

»Und übersieht alles Übrige.« Bohrmann nickte. »Diese Tiere, die Sie uns geschickt haben, Dr. Johanson, sind ein gutes Beispiel. Ich weiß nicht, ob man ihretwegen das Vorhaben am Kontinentalhang in Frage stellen sollte. Aber ich bin *in dubio* geneigt, es anzunehmen und vorsorglich abzuraten. Vielleicht ist das der grundlegende Unterschied zwischen Wissenschaft und Industrie. Wir sagen: Solange nicht hinreichend bewiesen ist, welche Rolle dieser Wurm spielt, können wir eine Bohrung nicht empfehlen. Die Industrie geht von derselben Prämisse aus, gelangt aber zu einem anderen Resultat.«

»Solange nicht bewiesen ist, welche Rolle der Wurm spielt, spielt er keine.« Johanson sah ihn an. »Und was glauben Sie? Spielt er eine Rolle?«

»Das kann ich noch nicht sagen. Was Sie uns da geschickt haben, ist ... na ja, gelinde gesagt, es ist recht ungewöhnlich. Ich möchte Sie nicht enttäuschen, was wir bis jetzt herausgefunden haben, hätte ich Ihnen ebenso gut am Telefon erzählen können, aber ... nun ja, ich dachte, Sie würden gerne mehr darüber erfahren. Und wir können Ihnen hier Verschiedenes zeigen.«

Sie erreichten eine schwere Stahltür. Bohrmann betätigte einen Wandschalter, und sie glitt geräuschlos auf. Im Zentrum der dahinter liegenden Halle ruhte ein gewaltiger Kasten, hoch wie ein zweistöckiges Haus. In regelmäßigen Abständen waren Bullaugen eingelassen. Stählerne Steigleitern führten zu Rundläufen und vorbei an Apparaturen, die über Rohrleitungen mit dem Kasten verbunden waren.

Johanson trat näher heran.

Er hatte Bilder von dem Ding im Internet gesehen, aber auf die Ausmaße war er nicht vorbereitet gewesen. Ein eigentümliches Gefühl beschlich ihn beim Gedanken, welch ungeheurer Druck im Innern des wassergefüllten Tanks herrschte. Kein Mensch würde auch nur eine Minute darin überleben. Dieser Kasten war der eigentliche Grund, warum Johanson ein Dutzend Würmer an das Kieler Institut geschickt hatte. Es war ein Tiefseesimulator. Er barg eine künstlich geschaffene Welt mitsamt Meeresboden, Kontinentalhang und Schelf.

Bohrmann ließ die Stahltür hinter ihnen zugleiten.

»Es gibt Leute, die den Sinn und Zweck der Anlage bezweifeln«, sagte er. »Auch der Simulator kann nur ein ungefähres Bild der tatsächlichen Gegebenheiten vermitteln, aber es ist besser, als jedes Mal hinauszufahren. Das Problem meeresgeologischer Forschung ist nach wie vor, dass wir nur winzige Ausschnitte der Wirklichkeit zu sehen bekommen. Zumindest ansatzweise sind wir hier in der Lage, allgemein gültige Thesen aufzustellen. Wir können zum Beispiel die Dynamik von Methanhydraten unter wechselnden Bedingungen besser erforschen.«

»Sie haben Methanhydrate da drin?«

»Etwa fünf Zentner. Neuerdings ist es uns gelungen, welches herzustellen, aber wir reden nicht so gern darüber. Die Industrie hätte gerne, dass wir den Simulator vollständig in ihren Dienst stellen. Und wir hätten zugegebenermaßen gerne das Geld von der Industrie. Aber nicht, um uns die freie Forschung damit abkaufen zu lassen.«

Johanson legte den Kopf in den Nacken und sah an dem Kasten empor. Hoch über ihm hatte sich eine Gruppe Wissenschaftler auf dem obersten Rundlauf versammelt. Die Szenerie mutete seltsam unwirklich an, wie aus einem James-Bond-Film der Achtziger.

»Druck und Temperatur im Tank sind stufenlos regelbar«, fuhr Bohrmann fort. »Augenblicklich entsprechen sie einer Meerestiefe von rund achthundert Metern. Im Boden selber lagert eine Schicht stabiler Hydrate, zwei Meter dick, was dem Zwanzig- bis Dreißigfachen in freier Natur entspricht. Unterhalb der Schicht simulieren wir Wärme aus dem Erdinnern und haben es mit freiem Gas zu tun. Also ein kompletter Meeresboden im Modellformat.«

»Faszinierend«, sagte Johanson. »Aber was genau tun Sie hier? Ich meine, Sie können die Entwicklung Ihrer Hydrate fortgesetzt beobachten, aber …« Er rang nach Worten. Sahling kam ihm zur Hilfe.

»Was genau wir hier tun außer zuschauen?«

»Ja.«

»Aktuell versuchen wir, eine erdgeschichtliche Periode nachzustellen, die 55 Millionen Jahre zurückliegt. Irgendwann an der Grenze von Paläozän zu Eozän scheint es auf der Erde eine Klimakatastrophe größeren Ausmaßes gegeben zu haben. Der Ozean kippte regelrecht um. Siebzig Prozent aller Lebewesen am Meeresboden starben, vornehmlich Einzeller. Ganze Bereiche der Tiefsee verwandelten sich vorübergehend in lebensfeindliche Zonen. Auf den Kontinenten kam es umgekehrt zu einer biologischen Revolution. In der Arktis tauchten Krokodile auf, und aus subtropischen Breiten wanderten Primaten und moderne Säugetiere nach Nordamerika ein. Ein phänomenales Durcheinander.«

»Woher wissen Sie das alles?«

»Bohrkerne. Das ganze Wissen um die Klimakatastrophe verdanken wir einem Bohrkern aus zwei Kilometer Meerestiefe.«

»Verrät der Kern auch etwas über die Ursachen?«

»Methan«, sagte Bohrmann. »Das Meer muss sich zu dieser Zeit erwärmt haben, sodass größere Mengen Methanhydrat instabil wurden. Als Folge rutschten die Kontinentalhänge ab und legten weitere Methanvorkommen frei. Innerhalb weniger Jahrtausende, vielleicht Jahrhunderte entwichen Milliarden Tonnen Gas in Ozean und Atmosphäre. Ein Teufelskreis. Methan fördert den Treibhauseffekt dreißig Mal stärker als CO_2. Es heizte die Atmosphäre auf, dadurch erhitzten sich wiederum die Ozeane, noch mehr Hydrate zerfielen, das Ganze setzte sich endlos fort. Die Erde verwandelte sich in einen Backofen.« Bohrmann sah ihn an. »Fünfzehn Grad warmes Tiefenwasser anstelle unserer heutigen zwei bis vier Grad, das ist schon was.«

»Für die einen desaströs, für die anderen ... na ja, ein Warmstart gewissermaßen. Verstehe. Im nächsten Kapitel unserer gepflegten kleinen Unterhaltung werden wir dann wohl den Untergang der Menschheit verinhaltlichen, richtig?«

Sahling lächelte.

»So schnell steht der nicht bevor. Aber es gibt tatsächlich Anzeichen, dass wir uns in einer Phase empfindlicher Gleichgewichtsschwankungen befinden. Die Hydratreserven in den Ozeanen sind äußerst labil. Das ist der Grund, warum wir Ihrem Wurm so viel Beachtung schenken.«

»Was kann ein Wurm an den Stabilitätsverhältnissen von Methanhydraten ändern?«

»Eigentlich nichts. Der Eiswurm bevölkert die Oberfläche mehrere hundert Meter dicker Eisschichten. Er schmilzt ein paar Zentimeter ein und begnügt sich mit Bakterien.«

»Aber dieser Wurm hat Kiefer.«

»Dieser Wurm ist ein Geschöpf, das keinen Sinn ergibt. Am besten, Sie schauen es sich an.«

Sie traten zu einem halbrunden Steuerpult am Ende der Halle. Es erinnerte Johanson an die Kommandozentrale des *Victor*, nur um einiges größer. Die meisten der rund zwei Dutzend Monitore waren einge-schaltet und zeigten Aufnahmen aus dem Innern des Tanks. Ein dienst-habender Techniker grüßte sie.

»Wir beobachten das Geschehen simultan mit zweiundzwanzig Kameras, außerdem wird jeder Kubikzentimeter pausenlosen Messun-gen unterworfen«, erklärte Bohrmann. »Die weißen Flächen auf den Monitoren der oberen Reihe sind Hydrate. Sehen Sie? Hier links ist das Feld, auf dem wir zwei der Polychäten abgesetzt haben. Das war ges-tern Vormittag.«

Johanson kniff die Augen zusammen.

»Ich sehe nur das Eis«, sagte er.

»Schauen Sie genauer hin.«

Johanson studierte jede Einzelheit des Bildes. Plötzlich fielen ihm zwei dunkle Flecken auf. Er zeigte darauf.

»Was ist das? Vertiefungen?«

Sahling wechselte ein paar Worte mit dem Techniker. Das Bild ver-änderte sich. Plötzlich waren die beiden Würmer zu sehen.

»Die Flecken sind Löcher«, sagte Sahling. »Wir spielen den Film im Zeitraffer ab.«

Johanson sah zu, wie sich die Würmer zuckend über das Eis wanden. Eine Weile krochen sie hin und her, als versuchten sie, die Quelle eines Dufts zu erwittern. In der beschleunigten Darstellung wirkten ihre Bewegungen fremdartig und bizarr. Die borstigen Büschel beiderseits der rosa Körper zitterten wie elektrisiert.

»Jetzt passen Sie auf!«

Einer der Würmer war zum Stillstand gekommen. Pulsierende Wel-len durchliefen seinen Körper.

Dann verschwand er im Eis.

Johanson pfiff leise durch die Zähne.

»Alle Wetter. Er bohrt sich hinein.«

Das zweite Tier lag immer noch ein Stück entfernt. Der Kopf bewegte sich wie im Takt zu einer unhörbaren Musik. Plötzlich schoss der Rüssel mit den Chitinkiefern hervor.

»Sie fressen sich ins Eis«, rief Johanson.

Er starrte wie paralysiert auf das Videobild. Was wunderst du dich, dachte er im selben Moment. Sie leben in Symbiose mit Bakterien, die Methanhydrat abbauen, und dennoch haben sie Kiefer zum Bohren.

Das Ganze ließ nur einen Schluss zu. Die Würmer wollten an Bakte-rien, die tiefer im Eis saßen. Gespannt sah er zu, wie sich die borstigen Körper ins Hydrat wühlten. Im Zeitraffer zitterten ihre Hinterleiber.

Plötzlich waren sie verschwunden. Nur die Löcher blieben als dunkle Flecken im Eis.

Kein Grund zur Beunruhigung, dachte er. Auch andere Würmer bohren. Sie bohren gerne. Manche bohren Schiffe in Grund und Boden.

Aber warum bohren sie Hydrate an?

»Wo sind die Tiere jetzt?«, fragte er.

Sahling sah auf den Monitor.

»Sie sind tot.«

»Tot?«

»Verreckt. Sie sind erstickt. Würmer brauchen Sauerstoff.«

»Ich weiß. Es ist der Sinn der ganzen Symbiose. Die Bakterien ernähren den Wurm, und der Wurm versorgt sie durch sein Strudeln mit Sauerstoff. Aber was ist hier geschehen?«

»Hier ist geschehen, dass die Würmer sich in ihren eigenen Tod gebohrt haben. Sie haben Löcher ins Eis gefressen, als sei es der süße Brei, bis sie in der Gasblase landeten, wo sie erstickten.«

»Kamikaze«, murmelte Johanson.

»Es kommt einem in der Tat wie Selbstmord vor.«

Johanson überlegte.

»Oder aber sie werden von irgendetwas fehlgeleitet.«

»Möglich. Aber von was? Im Innern der Hydrate ist nichts, was ein solches Verhalten auslösen könnte.«

»Vielleicht das freie Gas darunter?«

Bohrmann rieb sich das Kinn.

»Daran dachten wir auch schon. Aber das erklärt immer noch nicht, warum sie Selbstmord begehen.«

Johanson sah vor seinem geistigen Auge das Gewimmel auf dem Meeresgrund. Sein Unbehagen wuchs. Wenn sich Millionen Würmer ins Eis bohrten, was wären die Folgen?

Bohrmann schien seine Gedanken zu erraten.

»Die Tiere können das Eis nicht destabilisieren«, sagte er. »Im Meer sind die Hydratfelder ungleich dicker als hier. Diese verrückten Viecher kratzen allenfalls die Oberfläche an, maximal ein Zehntel der Eisschicht. Dann gehen sie unweigerlich ein.«

»Was nun? Werden Sie weitere Würmer testen?«

»Ja. Wir haben noch ein paar. Vielleicht nutzen wir auch die Gelegenheit, uns vor Ort umzusehen. Ich denke, Statoil wird das begrüßen. Die *Sonne* soll in den nächsten Wochen hoch nach Grönland fahren. Wir könnten den Start der Expedition vorziehen und der Stelle einen Besuch abstatten, wo Sie die Polychäten gefunden haben.« Bohrmann hob die Hände. »Aber diese Entscheidung treffe nicht ich. Das müssen andere bestimmen. Heiko und ich hatten einfach spontan die Idee.«

Johanson sah über die Schulter zu dem riesigen Tank. Er dachte an die toten Würmer im Innern.

»Die Idee ist gut«, sagte er.

Später fuhr Johanson in sein Hotel, um sich umzuziehen. Er versuchte Lund zu erreichen, aber sie ging nicht ran. Vor seinem geistigen Auge sah er sie in Kare Sverdrups Armen liegen, zuckte die Achseln und legte auf.

Bohrmann hatte ihn zum Abendessen in ein Bistro eingeladen, das zu den angesagten Adressen Kiels gehörte. Johanson ging ins Bad und betrachtete sich im Spiegel. Er fand, sein Bart müsse gestutzt werden. Mindestens zwei Millimeter zu lang. Alles andere stimmte. Das immer noch volle Haar, ehemals dunkel und nun zunehmend durchsetzt von grauen Strähnen, fiel üppig nach hinten. Unter den breiten, schwarzen Brauen funkelte der Blick wie eh und je. Mitunter gab es Situationen, da verliebte er sich in sein eigenes Charisma. Dann wieder erkannte er den Charismatiker nicht wieder, besonders in den frühen Morgenstunden. Bis jetzt hatten ein paar Tassen Tee und ein bisschen kosmetische Pflege immer noch ausgereicht, das schnell wieder in Ordnung zu bringen. Eine Studentin hatte ihn unlängst mit dem deutschen Schauspieler Maximilian Schell verglichen, und Johanson hatte sich geschmeichelt gefühlt, bis ihm bewusst wurde, dass Schell über siebzig war. Danach war er auf eine andere Hautcreme umgestiegen.

Er durchstöberte seinen Koffer, wählte einen Pulli mit Reißverschluss, zwängte das Jackett seines Anzugs darüber und wickelte einen Schal um seinen Hals. Gut angezogen war er so nicht, und genau so liebte er es: nicht gut angezogen zu sein. Zu keiner Zeit passte wirklich zusammen, was er trug. Er kultivierte seine Schlampigkeit und genoss es, sich nicht mit Mode abplagen zu müssen. Nur in Momenten großer Einsicht war er bereit zuzugeben, dass sein angegammeltes Outfit eine Mode für sich darstellte, der er ebenso anhing wie andere Menschen dem Diktat der Haute Couture, und dass er mehr Zeit auf den Zustand des Ungekämmtseins verwendete als das Gros der Menschheit auf eine geordnete Frisur.

Er bleckte sein Spiegelbild an, verließ das Hotel und ließ sich mit dem Taxi zu seiner Verabredung fahren.

Bohrmann erwartete ihn. Eine Zeit lang plauderten sie über alles Mögliche, tranken Wein und aßen Seezunge, die hervorragend war.

Nach einer Weile driftete die Unterhaltung wieder in Richtung Tiefsee.

Beim Dessert fragte Bohrmann wie beiläufig:

»Sind Sie eigentlich mit den Plänen von Statoil näher vertraut?«

»Nur im Groben«, erwiderte Johanson. »Ich verstehe nicht übermäßig viel vom Ölgeschäft.«

»Was planen die? Eine Plattform werden sie ja kaum bauen so weit draußen.«

»Nein. Keine Plattform.«

Bohrmann nippte an seinem Espresso.

»Entschuldigen Sie, ich will nicht in Sie dringen. Ich weiß nicht, wie vertraulich diese Dinge sind, aber ...«

»Das geht schon in Ordnung. Ich bin als Plaudertasche bekannt. Wenn mir einer was anvertraut, kann es gar nicht geheim sein.«

Bohrmann lachte.

»Also, was glauben Sie, bauen die da draußen?«

»Sie machen sich Gedanken über eine Unterwasserlösung. Eine vollautomatische Fabrik.«

»So was wie Subsis?«

»Was ist Subsis?«

»*Subsea Separation and Injection System*. Eine Unterwasserfabrik. Sie arbeitet seit wenigen Jahren auf dem Trollfeld in der norwegischen Rinne.«

»Nie davon gehört.«

»Fragen Sie Ihre Auftraggeber. Subsis ist eine Förderstation. Sie steht in 350 Meter Tiefe auf dem Meeresboden und trennt dort Öl und Gas vom Wasser. Augenblicklich findet dieser Prozess noch auf den Plattformen statt, und das Produktionswasser wird ins Meer geleitet.«

»Ach stimmt!« Lund hatte darauf angespielt. »Produktionswasser. Es gibt dieses Problem, dass die Fische unfruchtbar werden.«

»Eben dieses Problem könnte Subsis lösen. Das schmutzige Wasser wird sofort wieder ins Bohrloch gepresst, drückt weiteres Öl nach oben, wird wieder davon getrennt, wieder nach unten gepresst et cetera. Öl und Gas gelangen durch Pipelines direkt zur Küste – an sich eine feine Sache.«

»Aber?«

»Ich weiß nicht, ob's ein Aber gibt. Angeblich arbeitet Subsis problemlos in fünfzehnhundert Meter Tiefe. Der Hersteller meint, zweitausend wären auch kein Problem, und die Ölkonzerne wünschen sich fünftausend.«

»Ist das realistisch?«

»Mittelfristig schon. Ich glaube, alles, was im kleinen Maßstab funktioniert, klappt auch im großen, und die Vorteile liegen auf der Hand. Sehr bald schon werden die automatischen Fabriken die Plattformen abgelöst haben.«

»Sie scheinen die allgemeine Euphorie nicht recht zu teilen«, bemerkte Johanson.

Eine Pause entstand. Bohrmann kratzte sich am Hinterkopf. Er sah aus, als wisse er nicht recht, wie er darauf antworten solle.

»Was mir Sorgen macht, ist weniger die Fabrik. Es ist die Naivität der ganzen Herangehensweise.«

»Die Station ist ferngesteuert?«

»Komplett. Vom Land aus.«

»Das heißt, etwaige Reparaturen und Wartungsarbeiten übernehmen Roboter.«

Bohrmann nickte.

»Verstehe«, sagte Johanson nach einer Weile.

»Die Sache hat ein Für und Wider«, sagte Bohrmann. »Wenn Sie in unbekanntes Gebiet vordringen, ist das immer riskant. Und die Tiefsee ist unbekanntes Gebiet, machen wir uns nichts vor. Insofern ist es richtig, dass wir versuchen, unsere Einsatzmittel zu automatisieren, anstatt Menschenleben zu gefährden. Es ist in Ordnung, wenn wir einen Tauchroboter runterschicken, um Vorgänge zu beobachten oder ein paar Proben zu entnehmen. Aber das hier ist etwas anderes. Wie wollen Sie einen Unfall, bei dem Öl unter Hochdruck aus dem Bohrloch schießt, in fünftausend Meter Tiefe wieder unter Kontrolle bringen? Sie kennen ja nicht mal wirklich das Terrain. Alles, was Sie kennen, sind Messungen. In der Tiefsee sind wir blind. Wir können mit Hilfe von Satelliten, mit Fächersonar oder seismischen Wellen eine Karte der Meeresbodenmorphologie anlegen, die bis auf den halben Meter genau ist. Wir detektieren Gas- und Ölvorkommen mit bodensimulierenden Reflektoren, sodass die Karte hinterher sagt, hier kannst du bohren, hier ist Öl, da sind Hydrate, und da drüben musst du aufpassen … Aber *was* da unten ist – *wirklich* ist! –, wissen wir trotzdem nicht.«

»Meine Rede«, murmelte Johanson.

»Wir *sehen* die Auswirkungen unseres Tuns nicht. Wir können nicht einfach mal runterflitzen, wenn die Fabrik Mist baut. Missverstehen Sie mich nicht, ich bin keinesfalls gegen die Rohstoffförderung. Aber ich bin dagegen, Fehler zu wiederholen. Als der Ölboom losging, hat man sich keine Gedanken darüber gemacht, wie man den ganzen Schrott wieder entsorgt bekommt, den man da so lustig ins Meer gestellt hatte. Man hat Abwässer und Chemikalien in die See und in die Flüsse geleitet nach dem Motto, sie werden's schon schlucken, radioaktives Zeug im Ozean versenkt, Ressourcen und Lebensformen ausgebeutet und vernichtet, ohne einen Gedanken daran zu verschwenden, wie komplex die Zusammenhänge sind.«

»Aber die automatischen Fabriken werden kommen?«

»Zweifellos. Sie sind wirtschaftlich, sie erschließen Vorkommen, an die menschliche Arbeitskräfte nie rankämen. Und als Nächstes stürzt sich dann alles aufs Methan. Weil es sauberer verbrennt als alle anderen fossilen Brennstoffe. – Stimmt! – Weil ein Wechsel von Öl und Kohle zu Methan den Treibhauseffekt verlangsamen wird. – Auch richtig. – Es ist alles richtig, solange es sich unter Idealbedingungen abspielt. Aber die Industrie verwechselt den Idealfall gerne mit der Wirklichkeit. Sie *will* ihn damit verwechseln. Sie wird sich von allen Prognosen immer die sonnigste heraussuchen, damit es schneller losgehen kann, auch wenn man nichts weiß über den Kosmos, in den man da eingreift.«

»Aber wie soll das überhaupt gehen?«, fragte Johanson. »Wie will man Hydrat fördern, wenn es sich auf dem Weg zur Oberfläche zersetzt?«

»Auch da kommen wieder automatische Fabriken ins Spiel. Man schmilzt das Hydrat in großer Tiefe, indem man es zum Beispiel erwärmt, fängt das frei werdende Gas in Trichtern auf und leitet es nach oben. Es klingt prima, aber wer garantiert, dass solche Schmelzaktionen nicht eine Kettenreaktion auslösen und sich die Katastrophe aus dem Paläozän wiederholt?«

»Glauben Sie wirklich, das sei möglich?«

Bohrmann breitete die Hände aus.

»Jeder unüberlegte Eingriff ist ein Selbstmordkommando. Aber es geht schon los. Indien, Japan und China sind sehr rege.« Er lächelte freudlos. »Und die wissen auch nicht, was da unten ist. Sie wissen gar nichts.«

»Würmer«, murmelte Johanson.

Er dachte an die Videoaufnahme, die der *Victor* von dem Gewimmel am Meeresgrund gemacht hatte. Und von dem ominösen Geschöpf, das so schnell im Dunkeln verschwunden war.

Würmer. Monster. Methan. Klimakatastrophe.

Man sollte schnell noch etwas trinken.

11. april

Der Anblick versetzte Anawak in Wut.

Über zehn Meter maß das Tier vom Kopf bis zur Fluke. Es war einer der größten Transient Orcas, die er je gesehen hatte, ein gewaltiges Männchen. In dem halb geöffneten Rachen schimmerten die typischen dicht gepackten Reihen kleiner kegelförmiger Zähne. Wahrscheinlich war das Tier schon ziemlich alt, dennoch schien es vor Kraft zu strotzen. Nur wenn man genauer hinsah, bemerkte man die Stellen, an denen die schwarzweiße Haut nicht mehr glänzte, sondern stumpf und schorfig wirkte. Das eine Auge war geschlossen, das andere verdeckt.

So riesig der Orca war, konnte er keinem Lachs mehr gefährlich werden. Er lag auf der Seite im feuchten Sand, und er war tot.

Anawak hatte das Tier sofort erkannt. In den Registern wurde es unter der Bezeichnung J-19 geführt, aber seine säbelartig gebogene Rückenfinne hatte ihm den Spitznamen Dschinghis eingetragen. Er ging um den Orca herum und fand ein Stück abseits John Ford, den Direktor des Forschungsprogramms für Meeressäuger im Vancouver Aquarium, im Gespräch mit Sue Oliviera, der Laborleiterin in Nanaimo, und einem dritten Mann. Sie standen unter den strandnahen Bäumen. Ford winkte Anawak heran.

»Dr. Ray Fenwick vom Kanadischen Institut für Ozeanische Wissenschaften und Fischerei«, stellte er den Unbekannten vor.

Fenwick war angereist, um die Autopsie vorzunehmen. Nachdem Dschinghis' Tod bekannt geworden war, hatte Ford vorgeschlagen, die Vivisektion zur Abwechslung nicht hinter verschlossenen Türen, sondern direkt am Strand stattfinden zu lassen. Er wollte einer möglichst großen Gruppe von Presseleuten und Studenten Einblick in die Anatomie eines Orcas gewähren.

»Außerdem wirkt es anders am Strand«, hatte er gesagt. »Nicht so antiseptisch und distanziert. Wir haben einen toten Orca und das Meer direkt vor der Nase. Es ist sein Lebensraum, nicht unserer. Er liegt quasi vor seiner Haustür. Wenn wir die Autopsie hier durchführen, erwecken wir mehr Verständnis, mehr Mitleid, mehr Betroffenheit. Es ist ein Trick, aber er funktioniert.«

Sie hatten die Angelegenheit zu viert besprochen, Ford, Fenwick, Anawak und Rod Palm von der marinen Forschungsstation auf *Straw-*

berry Isle, einer winzigen Insel in der Bucht von Tofino. Die *Strawberry*-Leute erforschten von dort aus die Ökosysteme des Clayoquot Sound. Palm selber hatte sich in der Populationskunde von Orcas einen Namen gemacht. Sie waren schnell übereingekommen, die Obduktion öffentlich durchzuführen, weil es für Aufmerksamkeit sorgen würde. Und Aufmerksamkeit hatten die Orcas weiß Gott nötig.

»Dem äußeren Anschein nach ist er an einer bakteriellen Infektion gestorben«, sagte Fenwick auf Anawaks Fragen. »Aber ich will mich nicht zu vorwitzigen Prognosen versteigen.«

»Sie versteigen sich nicht«, sagte Anawak düster. »Erinnert ihr euch, 1999? Sieben tote Orcas, und alle infiziert.«

»*The torture never stops*«, summte Oliviera die Textzeile eines alten Frank-Zappa-Songs. Sie sah ihn an und machte eine konspirative Kopfbewegung. »Komm mal mit.«

Anawak folgte ihr zu dem Kadaver. Zwei große metallene Koffer und ein Container standen bereit, voller Werkzeug für die Autopsie. Einen Orca zu zerlegen war etwas anderes, als einen Menschen aufzuschneiden. Es bedeutete Schwerstarbeit, Unmengen von Blut und gewaltigen Gestank.

»Die Presse wird gleich hier sein mit einem Haufen Doktoranden und Studenten im Schlepptau«, sagte Oliviera mit einem Blick auf die Uhr. »Da es uns schon mal zusammen an diesen traurigen Ort verschlagen hat, sollten wir schnell über die Auswertung deiner Proben sprechen.«

»Seid ihr weitergekommen?«

»Hier und da.«

»Und Ihr habt *Inglewood* ins Bild gesetzt.«

»Nein. Ich dachte, das besprechen wir erst mal unter uns.«

»Klingt, als hättet ihr nichts Rechtes in der Hand.«

»Sagen wir mal so – zum einen sind wir verwundert und zum anderen ratlos«, erwiderte Oliviera. »Was die Muscheln angeht, existiert jedenfalls keinerlei Literatur, die sie beschreibt.«

»Ich hätte schwören können, dass es Zebramuscheln sind.«

»Einerseits ja. Und auch wieder nicht.«

»Klär mich auf.«

»Es gibt zwei Betrachtungsweisen. Entweder haben wir es mit einem Verwandten der Zebramuschel zu tun oder mit einer Mutation. Die Dinger sehen aus wie Zebramuscheln, sie bilden die gleichen Schichtungen, aber etwas an ihrem Byssus ist komisch. Die Fäden, die den Fuß bilden, sind ziemlich dick und lang. – Wir haben uns spaßeshalber angewöhnt, sie Düsenmuscheln zu nennen.«

»Düsenmuscheln?«

Oliviera verzog das Gesicht. »Uns fiel nichts Besseres ein. Wir konnten eine Menge von ihnen lebend beobachten, und sie verfügen ... nun ja, sie lassen sich nicht einfach treiben wie gewöhnliche Zebramuscheln, sondern sind bis zu einem gewissen Grad navigationsfähig. Sie saugen Wasser an und stoßen es aus. Der Rückstoß treibt sie voran. Zugleich benutzen sie die Fäden, um die Richtung zu bestimmen. Wie kleine, drehbare Propeller. Erinnert dich das an irgendwas?«

Anawak überlegte.

»Tintenfische schwimmen mit Raketenantrieb.«

»Einige. Es gibt aber noch eine Parallele. Man kommt nur drauf, wenn man ein echter Eierkopf ist, aber davon haben wir ja genug im Labor. Ich rede von Dinoflagellaten. Manche dieser Einzeller besitzen zwei Geißeln am Körperende. Mit der einen bestimmen sie die Richtung, die andere dreht sich und treibt sie an.«

»Ist das nicht ein bisschen weit hergeholt?«

»Sagen wir, es ist Konvergenz in großzügiger Auslegung. Man klammert sich an alles. Ich kenne jedenfalls keine Muschel, die sich auf ähnliche Weise fortbewegt. Diese hier sind mobil wie ein Schwarm Fische, und irgendwie erhalten sie trotz der Schalen sogar Auftrieb.«

»Es würde jedenfalls erklären, wie sie auf hoher See an den Rumpf der *Barrier Queen* gelangen konnten«, sinnierte Anawak. »Und darüber seid ihr verwundert?«

»Ja.«

»Worüber seid ihr denn ratlos?«

Oliviera trat zur Flanke des toten Wals und strich mit der Hand über die schwarze Haut.

»Über diese Gewebefetzen, die du von unten mitgebracht hast. Wir wissen nicht, was wir damit anfangen sollen, und offen gesagt konnten wir auch nicht mehr viel damit anfangen. Die Substanz war weitgehend zerfallen. Das bisschen, was wir analysiert haben, lässt zumindest den Schluss zu, dass es sich bei dem Zeug an der Schiffsschraube und dem, was an deiner Messerspitze hängen geblieben ist, um ein und dasselbe handelt. Darüber hinaus erinnert es an nichts, was wir kennen.«

»Du meinst, ich habe E. T. vom Rumpf gesäbelt?«

»Die Kontraktionsfähigkeit des Gewebes erscheint überproportional ausgebildet. Von hoher Festigkeit und zugleich enorm flexibel. Wir wissen nicht, was es ist.«

Anawak runzelte die Stirn. »Anzeichen von Biolumineszenz?«

»Möglich. Wieso?«

»Weil ich den Eindruck hatte, dass dieses Ding kurz aufblitzte.«

»Das, was dich über den Haufen geschwommen hat?«

»Es schoss heraus, als ich im Belag rumstocherte.«

»Möglicherweise hast du ein Stück davon abgeschnitten, und das fand es nicht witzig. Obwohl ich bezweifle, dass dieses Gewebe überhaupt so etwas wie Nervenbahnen aufweist. Ich meine, um Schmerz zu empfinden. Eigentlich ist es nur … Zellmasse.«

Stimmen näherten sich. Über den Strand kam eine Gruppe Menschen auf sie zu. Einige trugen Kameras, andere Schreibunterlagen.

»Es geht los«, sagte Anawak.

»Ja.« Oliviera sah ratlos drein. »Was sollen wir jetzt machen? Soll ich die Daten an *Inglewood* schicken? Ich fürchte nur, sie werden nichts damit anfangen können. Offen gestanden wäre es mir lieber, wenn ich noch weitere Proben bekäme. Vor allem von dieser Substanz.«

»Ich setze mich mit Roberts in Verbindung.«

»Gut. Stürzen wir uns ins Gemetzel.«

Anawak betrachtete den reglosen Orca und empfand Wut und Hilflosigkeit. Es war deprimierend. Erst waren die Tiere wochenlang ausgeblieben, und jetzt lag wieder eines tot am Strand.

»So ein verdammter Mist!«

Oliviera zuckte die Achseln. Mittlerweile hatten sich auch Fenwick und Ford in Bewegung gesetzt.

»Spar dir deinen Blues für die Presse«, sagte sie.

Die Autopsie dauerte über eine Stunde, während der Fenwick, assistiert von Ford, den Orca aufschnitt, seine Eingeweide, das Herz, die Leber und die Lungen zutage förderte und den anatomischen Aufbau erläuterte. Der Mageninhalt wurde ausgebreitet und enthielt eine halb verdaute Robbe. Im Gegensatz zu Residents fraßen Transients und Offshore-Orcas Seelöwen, Tümmler und Delphine und rückten im Rudel auch schon mal einem großen Bartenwal zu Leibe.

Unter den Zuschauern waren die Wissenschaftsjournalisten in der Minderheit. Dafür hatten sich Vertreter von Tageszeitungen, Magazinen und Fernsehsendern eingefunden. Im Wesentlichen die Truppe, auf die sie spekuliert hatten, allerdings konnten sie kaum Fachwissen voraussetzen. Fenwick erklärte darum als Erstes die spezifischen Merkmale des Körperbaus.

»Die Form ist die eines Fisches, aber nur, weil die Natur diesen Bauplan für ein Wesen übernommen hat, das vom Land ins Wasser übersiedelte. So etwas geschieht oft. Wir nennen das Konvergenz. Völlig unterschiedliche Spezies bilden konvergente, also in der Wirkung gleichartige Strukturen aus, um bestimmten Umgebungsansprüchen zu begegnen.«

Er entfernte Teile der dicken Außenhaut und legte den darunter liegenden Speck frei.

»Noch ein Unterschied: Fische, Amphibien und Reptilien sind Wechselwarme, also Kaltblüter, was bedeutet, dass ihre Körpertemperatur der jeweiligen Umgebungstemperatur entspricht. Makrelen gibt es zum Beispiel am Nordkap ebenso wie im Mittelmeer, aber am Nordkap würden wir eine Körpertemperatur von 4° Celsius messen, bei einer Mittelmeermakrele hingegen 24° Celsius. Für Wale trifft das nicht zu. Sie sind Warmblüter – Warmblüter wie wir.«

Anawak beobachtete die Umstehenden. Soeben hatte Fenwick eine Kleinigkeit gesagt, die immer wieder funktionierte: »... wie wir« ließ die Leute aufhorchen. Wale sind wie wir. Da war sie wieder, die eng gezogene Grenze, innerhalb derer Menschen begannen, Leben mit Wert zu versehen.

Fenwick fuhr fort: »Ob sie nun gerade in der Arktis weilen oder in der Bucht von Kalifornien, Wale halten immer eine konstante Körpertemperatur von 37° Celsius. Dafür fressen sie sich eine Fettschicht an, die wir Blubber nennen. Sehen Sie diese fette, weiße Masse? Wasser wirkt Wärme entziehend, aber diese Schicht verhindert, dass die Körperwärme verloren geht.«

Er sah in die Runde. Seine behandschuhten Hände waren rot und schleimig vom Blut und Fett des Orca.

»Zugleich kann der Blubber das Todesurteil für einen Wal bedeuten. Das Problem aller strandenden Wale ist ihr Körpergewicht und eben diese an sich wunderbare Speckschicht. Ein 33 Meter langer und 130 Tonnen schwerer Blauwal wiegt das Vierfache des größten Sauriers, der je gelebt hat, aber auch ein Orca bringt es auf neun Tonnen. Nur im Wasser sind solche Wesen möglich, getreu dem Lehrsatz des Archimedes, dass jeder in eine Flüssigkeit getauchte Körper so viel von seinem Gewicht verliert, wie die von ihm verdrängte Flüssigkeitsmenge wiegt. An Land werden Wale darum von ihrem eigenen Gewicht erdrückt, und die isolierende Wirkung der Speckschicht gibt ihnen den Rest, weil die aufgenommene Umgebungswärme nicht wieder abgegeben wird. Viele Wale, die stranden, krepieren an einem Überhitzungsschock.«

»Dieser auch?«, fragte eine Journalistin.

»Nein. In den letzten Jahren hatten wir hier zunehmend Tiere, deren Immunsystem zusammengebrochen war. Sie starben an Infektionen.

J-19 ist 22 Jahre alt geworden. Kein junges Tier mehr, aber im Durchschnitt bringen es gesunde Orcas auf 30 Jahre. Also ein Tod vor der Zeit, und nirgendwo sind Verletzungen eines Kampfes zu sehen. Ich tippe auf eine bakterielle Infektion.«

Anawak trat einen Schritt vor.

»Wenn Sie wissen wollen, woher so was kommt, können wir Ihnen auch das erklären«, sagte er, bemüht um einen sachlichen Tonfall. »Es gibt eine ganze Reihe toxikologischer Untersuchungen, und sie zeigen, dass die Orcas vor British Columbia durchweg verseucht sind mit PCB und anderen Umweltgiften. Dieses Jahr haben wir in Orca-Fettgewebe über 150 Milligramm PCB nachgewiesen. Kein menschliches Immunsystem hätte dagegen den Hauch einer Chance.«

Die Gesichter der Leute wandten sich ihm zu. Er sah die Mischung aus Betroffenheit und Erregtheit in ihren Augen. Soeben hatte er ihnen eine Story geliefert. Er wusste, dass sie die Truppe jetzt im Griff hatten.

»Das Schlimme an diesen Giften ist, dass sie fettlöslich sind«, sagte er. »Das heißt, sie werden mit der Muttermilch an die Kälber weitergegeben. Menschliche Babys kommen auf die Welt und haben AIDS, und wir berichten darüber und sind entsetzt. Weiten Sie Ihr Entsetzen bitte aus und berichten Sie auch über das, was Sie hier vorgefunden haben. Kaum eine Spezies auf der Welt ist so vergiftet wie die Orcas.«

»Dr. Anawak.« Ein Journalist räusperte sich. »Was geschieht, wenn Menschen das Fleisch dieser Wale essen?«

»Sie nehmen einen Teil der Giftstoffe in sich auf.«

»Mit tödlichen Folgen?«

»Auf lange Sicht – möglicherweise.«

»Ist es dann nicht so, dass Unternehmen, die hier bedenkenlos Giftstoffe ins Meer leiten, etwa die Holzindustrie, indirekt auch dafür verantwortlich sind, wenn Menschen erkranken und sterben?«

Ford warf ihm einen schnellen Blick zu. Anawak zögerte. Das war ein heikler Punkt. Natürlich hatte der Mann Recht, aber das Vancouver Aquarium versuchte, jede direkte Konfrontation mit der ansässigen Industrie zu vermeiden und stattdessen den Weg der Diplomatie zu gehen. Die wirtschaftliche und politische Elite von British Columbia als potenzielle Mörderbande hinzustellen würde die Fronten verhärten, und er wollte Ford nicht in die Parade fahren.

»Auf jeden Fall belastet es die menschliche Gesundheit, kontaminiertes Fleisch zu essen«, antwortete er ausweichend.

»Das bewusst kontaminiert wurde von der Industrie.«

»Wir suchen diesbezüglich nach Lösungen. Gemeinsam mit den Verantwortlichen.«

»Verstehe.« Der Journalist notierte etwas. »Ich denke speziell an die Menschen in Ihrer Heimat, Dr. ...«

»Meine Heimat ist hier«, sagte Anawak schroff.

Der Journalist sah ihn verständnislos an. Wie hätte er auch verstehen sollen? Er hatte wahrscheinlich einfach nur gut recherchiert.

»Das meine ich nicht«, sagte er. »Da, wo Sie herkommen ...«

»In British Columbia wird nicht mehr sonderlich viel Walfleisch oder Robbenfleisch gegessen«, fiel ihm Anawak ins Wort. »Hingegen gibt es starke Vergiftungserscheinungen bei den Bewohnern am Polarkreis. In Grönland und Island, in Alaska und weiter im Norden, in Nunavut, aber natürlich auch in Sibirien, Kamchatka und auf den Aleuten, überall dort also, wo Meeressäuger zur täglichen Nahrung beitragen. Das Problem ist weniger, *wo* die Tiere vergiftet werden. Das Problem ist, dass sie wandern.«

»Glauben Sie, die Wale sind sich der Vergiftungen bewusst?«, fragte ein Student.

»Nein.«

»Aber Sie sprechen in Ihren Publikationen von einer gewissen Intelligenz. Wenn die Tiere begreifen würden, dass mit ihrer Nahrung etwas nicht stimmt ...«

»Menschen rauchen, bis man ihnen die Beine amputiert oder sie an Lungenkrebs sterben. Sie sind sich der Vergiftung durchaus bewusst und tun es trotzdem, und Menschen sind eindeutig intelligenter als Wale.«

»Wie können Sie da so sicher sein? Vielleicht ist es genau umgekehrt.«

Anawak seufzte. So freundlich wie möglich sagte er:

»Wir müssen Wale als Wale sehen. Sie sind hoch spezialisiert, aber es ist genau diese Spezialisierung, die sie auch einengt. Ein Orca ist ein lebender Torpedo mit idealer Stromlinienform, aber dafür fehlen ihm Beine, Greifhände, er verfügt über keine Mimik und nicht über bipolares Sehen. Das Gleiche gilt für Delphine, Tümmler, für jede Art von Zahnwal oder Bartenwal. Es sind keine Beinahe-Menschen. Orcas sind vielleicht klüger als Hunde, Belugas so intelligent, dass sie sich ihrer Individualität bewusst sind, und Delphine besitzen ohne Zweifel ein einzigartiges Gehirn. Aber fragen Sie sich bitte, was die Tiere letzten Endes damit vollbringen. Fische bewohnen den gleichen Lebensraum wie Wale und Delphine, ihre Lebensweise ist vielfach ähnlich, und dennoch kommen sie mit einem viertel Fingerhut Neuronen aus.«

Beinahe war Anawak froh, als er den leisen Summton seines Handys hörte. Er gab Fenwick ein Zeichen, mit der Autopsie fortzufahren, ging ein Stück abseits und meldete sich.

»Ah, Leon«, sagte Shoemaker. »Kannst du dich loseisen da, wo du gerade bist?«

»Vielleicht. Was gibt's denn?«

»Er ist wieder da.«

Anawaks Wut stieg ins Maßlose.

Als er wenige Tage zuvor überstürzt nach Vancouver Island zurückgekehrt war, hatten sich Jack Greywolf und seine *Seaguards* schon wieder verzogen und zwei Bootsladungen verärgerter Touristen hinterlassen, die sich lautstark darüber beschwerten, wie Vieh fotografiert und angestarrt worden zu sein. Es war Shoemaker mit Ach und Krach gelungen, die Leute zu beruhigen. Einige hatte er zu einer kostenlosen zweiten Fahrt einladen müssen. Danach schienen die Wogen geglättet. Dennoch hatte Greywolf fürs Erste erreicht, was er wollte. Er hatte für Unruhe gesorgt.

Bei *Davies* waren sie die Möglichkeiten durchgegangen. Sollten sie gegen die Umweltschützer vorgehen oder sie ignorieren? Offizielle Wege zu beschreiten hätte geheißen, ihnen ein Forum zu bereiten. Seriösen Organisationen waren Leute wie Greywolf ebenso ein Dorn im Auge wie den *Whale Watchers*, aber am Ende stand immer ein Prozess, der einer ohnehin uninformierten Öffentlichkeit verzerrte Bilder liefern würde. Im Zweifel waren viele geneigt, mit Greywolfs Parolen zu sympathisieren.

Inoffiziell hätten sie sich auf eine handfeste Auseinandersetzung einlassen können. Wohin Auseinandersetzungen mit Greywolf führten, zeigten seine diversen Vorstrafen, aber es lag an ihnen, sich davon einschüchtern zu lassen oder nicht. Es war nur wenig hilfreich. Sie hatten genug anderes zu tun, und vielleicht beließ es Greywolf ja bei dem einen Zwischenfall.

Also hatten sie beschlossen, ihn zu ignorieren.

Vielleicht, dachte Anawak, während er das kleine Motorboot entlang der Küste über den Clayoquot Sound steuerte, war das der Fehler gewesen. Möglicherweise hätte es Greywolfs Geltungssucht Genüge getan, wenn sie ihm wenigstens einen Brief geschrieben hätten, um ihr Missfallen auszudrücken. Etwas, das ihm signalisierte, dass man ihn zur Kenntnis genommen hatte.

Sein Blick suchte die Meeresoberfläche ab. Das Boot raste dahin, und er wollte nicht riskieren, Wale zu erschrecken oder gar zu verletzen. Mehrmals sah er in der Ferne gewaltige Fluken, und einmal schnitten nicht weit von ihm schwarz glänzende Schwerter durch die Wellen. Während der Fahrt sprach er über Funk mit Susan Stringer auf der *Blue Shark*.

»Was machen die Typen?«, fragte er. »Werden sie handgreiflich?«

Es knackte im Funkgerät.

»Nein«, sagte Stringers Stimme. »Sie machen Fotos, so wie letztes Mal, und sie beschimpfen uns.«

»Wie viele sind es?«

»Zwei Boote. Greywolf und noch jemand in dem einen, drei weitere im anderen. – Himmel! Jetzt fangen sie auch noch an zu singen.«

Ein rhythmisches Geräusch drang schwach durch das Rauschen des Funkgeräts.

»Sie trommeln«, rief Stringer. »Greywolf haut auf die Pauke, und die anderen singen. Indianergesänge! Nicht zu fassen.«

»Verhaltet euch ruhig, hörst du? Lasst euch nicht provozieren. Ich bin in wenigen Minuten bei euch.«

Weit vor ihm tauchten die hellen Flecken der Boote auf.

»Leon? Was ist dieser Arsch eigentlich für ein Indianer? Ich weiß ja nicht, was er da macht, aber wenn er die Geister seiner Ahnen herbei-ruft, will ich wenigstens wissen, wer gleich erscheint.«

»Jack ist ein Hochstapler«, sagte Anawak. »Er ist überhaupt kein Indianer.«

»Nicht? Ich dachte …«

»Seine Mutter ist Halbindianerin. Das war's. Willst du wissen, wie er wirklich heißt? O'Bannon. Jack O'Bannon. Von wegen Greywolf.«

Eine Pause entstand, während Anawak sich den Booten mit hoher Geschwindigkeit näherte. Mittlerweile drang der Lärm der Trommel auch übers Wasser zu ihm herüber.

»Jack O'Bannon«, sagte Stringer gedehnt. »Das ist ja geil. Ich glaube, das werd ich ihm gleich mal …«

»Du wirst gar nichts. Siehst du mich kommen?«

»Ja.«

»Tu gar nichts. Warte einfach.«

Anawak legte das Funkgerät weg und fuhr in einer weiten Kurve vom Ufer weg hinaus aufs Meer. Er konnte die Szenerie jetzt deutlich über-blicken. Die *Blue Shark* und die *Lady Wexham* lagen inmitten einer weit auseinander gezogenen Gruppe von Buckelwalen. Hier und da waren abtauchende Fluken zu sehen und Wolken von Blas. Der weiße

Rumpf der 22 Meter langen *Lady Wexham* schimmerte im Sonnenlicht. Zwei kleine, heruntergekommen aussehende Sportfischerboote, beide knallrot gestrichen, umkreisten die *Blue Shark* so dicht, dass es aussah, als wollten sie das Zodiac entern. Der Trommelschlag wurde lauter, monotoner Gesang mischte sich hinein.

Wenn Greywolf Anawaks Herannahen bemerkte, ließ er es nicht erkennen. Er stand aufrecht in seinem Boot, schlug auf eine Indianertrommel ein und sang. Seine Leute auf der anderen Seite, zwei Männer und eine Frau, sangen mit und stießen zwischendurch Verwünschungen und Flüche aus. Dabei fotografierten sie die Insassen der *Blue Shark* und bewarfen sie mit etwas Glitzerndem. Anawak kniff die Augen zusammen. Es waren Fische. Nein, Fischabfall. Die Leute duckten sich, einige warfen das Zeug zurück. Anawak verspürte große Lust, Greywolfs Boot zu rammen und zuzusehen, wie der Hüne über Bord ging, aber er beherrschte sich. Es war keine gute Idee, den Touristen einen Schaukampf zu liefern.

Er fuhr bis dicht heran und schrie:

»Hör auf damit, Jack! Lass uns reden.«

Greywolf trommelte unermüdlich weiter. Er drehte sich nicht einmal um. Anawak sah in die nervösen und gestressten Gesichter der Touristen. Im Funkgerät erklang die Stimme eines Mannes:

»Hallo, Leon. Nett, dich zu sehen.«

Es war der Skipper der *Lady Wexham*, die in etwa hundert Metern Entfernung dalag. Die Menschen auf dem Oberdeck lehnten am Geländer und sahen zu den belagerten Zodiacs herüber. Einige von ihnen schossen Fotos.

»Alles klar bei euch?«, erkundigte sich Anawak.

»Alles bestens. Was machen wir mit den Scheißkerlen?«

»Weiß noch nicht«, antwortete Anawak. »Ich versuch's mal mit friedlichen Mitteln.«

»Sag mir Bescheid, wenn ich sie über den Haufen fahren soll.«

»Ich komme drauf zurück.«

Die roten Motorboote der *Seaguards* hatten begonnen, die *Blue Shark* anzurempeln. Greywolf schwankte, als sein Boot gegen den Gummirumpf stieß, und schlug weiter auf seine Trommel ein. Die Federn an seinem Hut zitterten im Wind. Hinter den Booten stieg eine Fluke auf und wieder ein, aber augenblicklich hatte niemand einen Blick für die Wale. Stringer starrte feindselig zu Greywolf hinüber.

»He, Leon. Leon!« Anawak sah jemanden zwischen den Passagieren der *Blue Shark* winken und erkannte, dass es Alicia Delaware war. Sie trug ihre blaue Brille und hüpfte auf und nieder. »Was sind das für Typen? Warum sind sie hier?«

Er stutzte. Hatte sie ihm nicht vor wenigen Tagen damit in den Ohren gelegen, es sei ihr letzter Tag auf der Insel?

Unwichtig für den Augenblick.

Er lenkte sein Boot um das von Greywolf, stellte es quer und klatschte in die Hände.

»Okay, Jack. Danke. Ihr habt schön Musik gemacht. Sag jetzt endlich, was du willst.«

Greywolf sang noch lauter. Ein monotones An- und Abschwellen, archaisch klingende Silben, jammervoll und zugleich aggressiv.

»Jack, verdammt nochmal!«

Plötzlich herrschte Stille. Der Hüne ließ die Trommel sinken und wandte Anawak den Kopf zu.

»Ja, bitte?«

»Sag deinen Leuten, sie sollen damit aufhören. Dann können wir reden. Wir reden über alles, aber sag ihnen, sie sollen sich zurückziehen.«

Greywolfs Züge verzerrten sich. »Niemand wird sich zurückziehen«, schrie er.

»Was soll das Theater? Was bezweckst du?«

»Ich wollte es dir neulich im Aquarium erklären, aber du warst dir ja zu fein, um zuzuhören.«

»Ich hatte keine Zeit.«

»Und jetzt hab ich keine.«

Greywolfs Leute lachten und johlten. Anawak versuchte seine Wut im Zaum zu halten.

»Ich mache dir einen Vorschlag, Jack«, sagte er mühsam beherrscht. »Du bläst das hier ab, wir treffen uns heute Abend bei *Davies*, und du erzählst uns allen, was du deiner Ansicht nach tun sollen.«

»Ihr sollt verschwinden. Das sollt ihr tun.«

»Wozu? Was machen wir denn?«

In unmittelbarer Nähe des Bootes erhoben sich zwei dunkle Inseln, furchig und gesprenkelt wie verwittertes Gestein. Grauwale. Ziemlich nahe. Sie hätten phantastische Fotos abgegeben, aber Greywolf ruinierte den ganzen Trip.

»Zieht euch zurück«, rief Greywolf. Er sah direkt zu den Insassen der *Blue Shark* hinüber und hob beschwörend die Arme. »Zieht euch zurück und stört nicht länger die Natur. Lebt in Einklang mit ihr, anstatt sie zu begaffen. Eure Schiffsmotoren verpesten die Luft und das Wasser. Ihr verletzt die Tiere mit euren Schiffsschrauben. Ihr hetzt sie für ein

Foto. Ihr tötet sie mit Lärm. Dies ist die Welt der Wale. Zieht euch zurück. Menschen haben hier keinen Platz.«

Was für eine Sülze, dachte Anawak. Er fragte sich, ob Greywolf selber glaubte, was er da von sich gab, aber seine Leute klatschten begeistert Beifall.

»Jack! Darf ich dich daran erinnern, dass wir das alles zum *Schutz* der Wale unternehmen? Wir betreiben Forschung! *Whale Watching* hat den Menschen einen neuen Blickwinkel eröffnet. Wenn du unsere Arbeit störst, sabotierst du die Interessen der Tiere.«

»Du willst uns erzählen, welche Interessen ein Wal hat?«, höhnte Greywolf. »Kannst du denn in Köpfe gucken, Forscher?«

»Jack, lass diesen Indianermist. Was – willst – du?«

Greywolf schwieg eine Weile. Seine Leute hatten aufgehört, die Insassen der *Blue Shark* zu fotografieren und zu bewerfen. Alle sahen zu ihm herüber.

»Wir wollen an die Öffentlichkeit«, sagte er.

»Wo, um Himmels willen, hast du hier Öffentlichkeit?« Anawak machte eine weit ausholende Handbewegung. »Ein paar Leute in Booten. Bitte, Jack, wir können ja gerne diskutieren, aber dann lass uns wirklich die Öffentlichkeit suchen. Lass uns Argumente austauschen, und wer den Kürzeren zieht, gibt sich geschlagen.«

»Lächerlich«, sagte Greywolf. »So spricht der Weiße Mann.«

»Ach, Scheiße!« Anawak riss die Geduld. »Ich bin weniger ein Weißer als du, O'Bannon, komm endlich auf den Teppich.«

Greywolf starrte ihn an, als habe ihn der Schlag getroffen. Dann spaltete ein breites Grinsen sein Gesicht. Er wies auf die *Lady Wexham*.

»Was glaubst du wohl, warum die Leute drüben auf eurem Schiff so fleißig filmen und fotografieren?«

»Sie filmen dich und deinen albernen Hokuspokus.«

»Gut«, lachte Greywolf. »Sehr gut.«

Mit einem Mal dämmerte es Anawak. Unter den Beobachtern auf der *Lady Wexham* waren Presseleute. Greywolf hatte sie eingeladen, dem Spektakel beizuwohnen.

Dieses verdammte Schwein!

Er legte sich eine treffende Bemerkung zurecht, als ihm auffiel, dass Greywolf immer noch mit ausgestreckter Hand zur *Lady Wexham* hinüberstarrte. Anawak folgte seinem Blick und hielt den Atem an.

Direkt vor dem Schiff hatte sich ein Buckelwal aus dem Wasser katapultiert. Ein ungeheurer Schub war notwendig für das Emporwuchten des massigen Körpers. Einen Moment lang sah es aus, als stütze sich das Tier einzig auf seine Schwanzflosse. Nur die Flukenzipfel lagen noch unter Wasser, der übrige Körper stand steil in der Luft und überragte die Brücke der *Lady Wexham*. Deutlich waren die Längsfurchen an Kiefer und Bauchunterseite zu sehen. Die überproportional langen Seitenflipper standen ab wie Flügel, leuchtend weiß mit schwarzen Maserungen und knotigen Kanten. Es schien, als wolle sich der Wal zur Gänze aus dem Wasser erheben, und ein vielstimmiges Ooh erscholl von der *Lady Wexham*. Dann kippte der gewaltige Körper langsam zur Seite und traf in einer Explosion von Gischt die Wasseroberfläche.

Die Leute auf dem Oberdeck wichen zurück. Ein Teil der *Lady Wexham* verschwand hinter einer Wand aus Schaum. Darin erschien etwas Dunkles, Massiges. Ein zweiter Wal kam aus der Tiefe geschossen. Viel näher am Schiff schnellte er empor, umgeben von glitzerndem Sprühnebel, und Anawak wusste, noch bevor der Entsetzensschrei von den Booten aufbrandete, dass dieser Sprung danebengehen würde.

Mit solcher Wucht krachte der Wal gegen die *Lady Wexham*, dass der Dampfer heftig ins Schwanken geriet. Es krachte und splitterte. Das Tier tauchte ab. Auf dem Oberdeck gingen Menschen zu Boden. Rings um das Schiff schäumte und wirbelte es, dann näherten sich mehrere Buckel von der Seite, und erneut schossen zwei dunkle Körper in die Luft und warfen sich mit ihrem ganzen Gewicht gegen den Rumpf.

»Das ist die Rache«, schrie Greywolf mit überschnappender Stimme. »Die Rache der Natur!«

Die *Lady Wexham* maß 22 Meter und war damit länger als jeder Buckelwal. Sie war vom Transportministerium zugelassen und entsprach den Sicherheitsvorschriften der kanadischen Küstenwache für Passagierboote, was stürmische See, meterhohe Brecher und auch den zufälligen Zusammenstoß mit einem träge dahindümpelnden Wal einschloss. Selbst dafür war die *Lady Wexham* sicherheitshalber konzipiert worden.

Nicht aber für einen Angriff.

Anawak hörte, wie sie drüben die Maschine starteten. Unter der Wucht der aufprallenden Körper hatte sich das Schiff bedrohlich zur Seite geneigt. Unbeschreibliche Panik herrschte auf den beiden Beobachtungsdecks. Deutlich war zu sehen, dass im Unterdeck sämtliche Fenster zu Bruch gegangen waren. Geschrei drang herüber, Menschen stolperten kopflos durcheinander. Die *Lady Wexham* nahm Fahrt auf, aber sie kam nicht weit. Wieder katapultierte sich ein Tier aus der See und krachte gegen die Seitenwand mit der Brücke. Auch diese Attacke reiche nicht aus, das Schiff umzuwerfen, aber es schwankte nun weit heftiger, und Trümmerteile regneten von oben herab.

Anawaks Gedanken rasten. Wahrscheinlich war der Rumpf bereits an einigen Stellen gerissen. Er musste etwas tun. Vielleicht konnte er die Tiere irgendwie ablenken.

Seine Hand fuhr zum Gashebel.

Im selben Moment zerriss ein vielstimmiger Schrei die Luft. Aber er kam nicht von dem weißen Dampfer, sondern erscholl gleich hinter ihm, und Anawak wirbelte herum.

Der Anblick hatte etwas Surreales. Direkt über dem Boot der Tierschützer stand senkrecht der Körper eines riesigen Buckelwals. Beinahe schwerelos wirkte er, ein Wesen von monumentaler Schönheit, das krustige Maul den Wolken zugereckt, und immer noch stieg er weiter empor, zehn, zwölf Meter über ihre Köpfe hinweg. Den Herzschlag einer Ewigkeit lang hing er einfach nur so am Himmel, sich langsam drehend, und die meterlangen Flipper schienen ihnen zuzuwinken.

Anawaks Blick wanderte an dem springenden Koloss entlang. Nie hatte er etwas zugleich so Schreckliches und Großartiges gesehen, nie aus solcher Nähe. Alle, Jack Greywolf, die Menschen in den Zodiacs, er selber, legten den Kopf in den Nacken und starrten auf das, was nun auf sie zukommen würde.

»Oh mein Gott«, flüsterte er.

Wie in Zeitlupe neigte sich der Leib des Wals. Sein Schatten legte sich auf das rote Fischerboot der Umweltschützer, wuchs über den Bug der *Blue Shark* hinaus, wurde länger, als der Körper des Riesen kippte, schneller und immer schneller...

Anawak drückte das Gas durch. Das Zodiac schoss mit einem Ruck davon. Auch Greywolfs Fahrer hatte einen Blitzstart zuwege gebracht, aber seine Richtung stimmte nicht. Das klapprige Sportboot schlingerte auf Anawak zu. Sie prallten zusammen. Anawak wurde nach hinten gerissen, sah den Fahrer über Bord und Greywolf zu Boden gehen, dann raste das Boot in entgegengesetzter Richtung davon, während seines mit voller Fahrt wieder auf die *Blue Shark* zuhielt. Vor seinen Augen begruben die neun Tonnen Körpermasse des Buckelwals das Fischerboot unter sich, drückten es mitsamt seiner Besatzung unter Wasser und schlugen auf den Bug der *Blue Shark*. Gischt spritzte in gewaltigen Fontänen hoch. Das Heck des Zodiacs schoss steil nach oben, Menschen in roten Overalls wirbelten durch die Luft. Kurz balancierte die *Blue Shark* auf ihrer Spitze, pirouettierte um die eigene Achse und kippte seitwärts. Anawak duckte sich. Sein Boot schnellte unter dem umstürzenden Zodiac hindurch, schlug gegen etwas Massives unterhalb der Wasseroberfläche und sprang darüber hinweg. Vorübergehend verlor er den Boden unter den Füßen, dann endlich hielt er das Steuer wieder in Händen, riss es herum und bremste ab.

Ein unbeschreibliches Bild bot sich ihm. Vom Boot der Umweltschützer waren nur noch Trümmer zu sehen. Die *Blue Shark* trieb kieloben in den Wellen. Menschen hingen im Wasser, wild paddelnd und schreiend, andere reglos. Ihre Anzüge hatten sich selbständig aufgepumpt, sodass sie nicht versinken konnten, aber Anawak ahnte, dass einige von ihnen tot sein mussten, erschlagen vom Gewicht des Wals. Ein Stück weiter sah er die *Lady Wexham* mit deutlicher Schlagseite Fahrt aufnehmen, umkreist von Rücken und Fluken. Ein plötzlicher Stoß erschütterte das Schiff, und es legte sich noch mehr auf die Seite.

Vorsichtig, um niemanden zu verletzen, steuerte Anawak das Zodiac zwischen die treibenden Körper, während er einen kurzen Funkspruch auf Frequenz 98 losschickte und seine Position durchgab.

»Probleme«, sagte er atemlos. »Wahrscheinlich Tote.«

Alle Boote im Umkreis würden den Notruf hören. Mehr Zeit blieb ihm nicht. Keine Zeit zu erklären, was geschehen war. Ein Dutzend Passagiere waren an Bord der *Blue Shark* gewesen, außerdem Stringer und ihr Assistent. Hinzu kamen die drei Umweltschützer. Siebzehn Menschen insgesamt, aber im Wasser zählte er deutlich weniger.

»Leon!«

Das war Stringer! Sie schwamm auf ihn zu. Anawak ergriff ihre Hände und zog sie an Bord. Hustend und keuchend fiel sie ins Innere. In einiger Entfernung sah er die Rückenschwerter mehrerer Orcas. Die schwarzen Köpfe und Rücken hoben sich heraus, während sie mit hoher Geschwindigkeit auf den Unglücksort zuhielten.

Sie legten eine Zielstrebigkeit an den Tag, die Anawak nicht gefiel.

Dort trieb Alicia Delaware. Sie hielt den Kopf eines jungen Mannes über Wasser, dessen Anzug nicht wie die anderen von Pressluft gebläht war. Anawak lenkte das Boot näher an die Studentin heran. Neben ihm stemmte sich Stringer hoch. Vereint hievten sie zuerst den bewusstlosen Jungen und dann das Mädchen an Bord. Delaware schüttelte Anawaks Hände ab, hängte sich sofort wieder über den Bootsrand und half Stringer, weitere Menschen ins Innere zu ziehen. Andere näherten sich aus eigener Kraft, reckten die Arme, und sie halfen ihnen hinein. Das Boot füllte sich schnell. Es war viel kleiner als die *Blue Shark* und eigentlich schon zu voll. Hastig griffen sie zu, während Anawak weiter die Wasseroberfläche absuchte.

»Da schwimmt noch einer!«, rief Stringer.

Ein menschlicher Körper hing reglos im Wasser, das Gesicht nach unten, der Statur nach männlich, mit breiten Schultern und Rücken. Kein Overall. Einer der Umweltschützer.

»Schnell!«

Anawak beugte sich über die Reling. Stringer war neben ihm. Sie packten den Mann bei den Oberarmen und zogen ihn hoch.

Es ging einfach.

Zu einfach.

Der Kopf des Mannes fiel nach hinten, und sie sahen in blicklose Augen. Noch während Anawak den Toten anstarrte, wurde ihm bewusst, warum der Körper so leicht war. Er endete dort, wo die Taille gewesen war. Beine und Becken fehlten. Aus dem Torso baumelten tropfend Fleischfetzen, Arterien und Gedärme.

Stringer keuchte und ließ los. Der Tote kippte weg, entglitt Anawaks Fingern und klatschte zurück ins Wasser.

Rechts und links von ihnen durchschnitten die Schwerter der Orcas das Wasser. Es waren mindestens zehn, vielleicht mehr. Ein Schlag erschütterte das Zodiac. Anawak sprang zum Steuer, gab Gas und fuhr los. Vor ihnen wölbten sich drei mächtige Rücken aus den Wellen, und er ging in eine halsbrecherische Kurve. Die Tiere tauchten ab. Zwei weitere kamen von der anderen Seite und hielten auf das Boot zu. Wieder fuhr Anawak eine Kurve. Er hörte Schreie und Weinen. Auch er selber hatte schreckliche Angst. Sie durchfloss ihn wie elektrischer Strom, verursachte ihm Übelkeit, doch ein anderer Teil von ihm steuerte das Zodiac unbeirrt in einem aberwitzigen Slalom zwischen den schwarzweißen Körpern hindurch, die immer aufs Neue versuchten, ihnen den Weg abzuschneiden.

Ein Krachen ertönte von rechts. Anawak wandte reflexartig den Kopf und sah die *Lady Wexham* in einer Wolke aus Gischt erbeben und kippen.

Später erinnerte er sich, dass es dieser Blick war, dieser eine Moment der Unaufmerksamkeit, der ihr Schicksal besiegelte. Er wusste, dass er nicht zu dem großen Schiff hätte hinüberschauen dürfen. Möglicherweise wären sie entkommen. Bestimmt hätte er den grau gesprenkelten Rücken gesehen und wie der Wal abtauchte, wie sich seine Fluke aus dem Wasser hob, direkt in Fahrtrichtung.

So sah er den herabsausenden Schwanz erst, als es zu spät war.

Die Fluke verpasste ihnen einen Schlag gegen die Seite. Im Allgemeinen reichte ein solcher Schlag nicht aus, um ein Schlauchboot aus der

Bahn zu werfen, aber sie waren zu schnell, sie lagen zu schräg in der Kurve, und sie sprangen über die Wellen dahin. Der Schlag erwischte das Boot in dem Moment, da es in einen Zustand fataler Instabilität geriet. Es wurde hoch gerissen, schwebte einen Moment im Nichts, prallte seitlich auf und überschlug sich.

Anawak wurde hinausgeschleudert.

Er flog. Er wirbelte durch die Luft. Dann durch Gischt und grünes Wasser. Im nächsten Moment war er untergetaucht und sank in die Schwärze, ohne Orientierung, ohne Gefühl für Oben und Unten. Stechende Kälte drang in ihn ein. Mit aller Kraft trat er um sich, kämpfte sich zurück zur Oberfläche, rang keuchend nach Luft und geriet wieder mit dem Kopf unter Wasser. Diesmal strömte es eisig in seine Lungen. Panik erfasste ihn, er strampelte noch mehr mit den Beinen, ruderte wie von Sinnen mit den Armen und durchbrach erneut die Wasserfläche, hustend und spuckend. Weder sein Boot noch einer der Insassen waren irgendwo zu sehen. Die Küste geriet in sein Blickfeld. Tanzte auf und nieder. Er drehte sich um, wurde von einer Welle hochgehoben und sah endlich die Köpfe der anderen. Es waren längst nicht alle, vielleicht ein halbes Dutzend. Da war Delaware, dort Stringer. Dazwischen die schwarzen Schwerter der Orcas. Sie pflügten durch die Gruppe der Schwimmenden, tauchten ab, und plötzlich verschwand einer der Köpfe unter Wasser und kam nicht wieder hoch.

Eine ältere Frau sah den Mann untergehen und begann zu schreien. Ihre Arme schlugen wie wild aufs Wasser, in ihren Augen stand das nackte Entsetzen.

»Wo ist das Boot?«, schrie sie.

Wo war das Boot? Schwimmend würden sie es niemals bis ans Ufer schaffen. Wenn sie das Boot erreichten, konnten sie vielleicht Schutz darauf finden. Selbst wenn es gekentert war. Sie konnten hinaufkriechen und hoffen, dort nicht weiter attackiert zu werden. Aber das Boot war nirgendwo zu sehen, und die Frau schrie immer lauter und verzweifelter um Hilfe.

Anawak schwamm auf sie zu. Sie sah ihn herannahen und streckte die Arme nach ihm aus.

»Bitte«, weinte sie. »Helfen Sie mir.«

»Ich helfe Ihnen«, rief Anawak. »Bleiben Sie ruhig.«

»Ich gehe unter. Ich ertrinke!«

»Sie ertrinken nicht.« Er hielt in langen Zügen auf sie zu. »Es kann nichts passieren. Der Overall trägt sie.«

Die Frau schien ihn nicht zu hören.

»So helfen Sie mir doch! Bitte, oh mein Gott, lass mich nicht sterben! Ich will nicht sterben!«

»Haben Sie keine Angst, ich …«

Plötzlich weiteten sich ihre Augen. Ihr Schreien endete in einem Gurgeln, als sie unter Wasser gezogen wurde.

Etwas streifte Anawaks Beine.

Namenlose Angst erfasste ihn. Er stemmte sich aus dem Wasser, warf einen Blick über die Wellen, und da war das Zodiac. Es trieb kieloben. Nur wenige Schwimmstöße lagen zwischen der kleinen Gruppe Schiffbrüchiger und der rettenden Insel. Nur wenige Meter – und drei schwarze, lebende Torpedos, die von dort auf sie zukamen.

Wie paralysiert starrte er auf die heranstürmenden Orcas. Etwas in ihm protestierte: Nie zuvor hatte ein Orca einen Menschen in freier Wildbahn angegriffen. Orcas verhielten sich Menschen gegenüber neugierig, freundlich oder gleichgültig. Wale griffen keine Schiffe an. Sie taten es einfach nicht. Nichts von dem, was hier geschah, hatte Anspruch auf Gültigkeit. So fassungslos war Anawak, dass er das Geräusch zwar hörte, aber nicht sofort begriff: ein Dröhnen und Röhren, das näher kam, lauter wurde, sehr laut. Dann traf ihn ein Wasserschwall, und etwas Rotes schob sich zwischen ihn und die Wale. Er wurde gepackt und über die Reling gezogen.

Greywolf beachtete ihn nicht weiter. Er steuerte das Sportboot näher an den verbliebenen Rest der Schwimmer, beugte sich erneut vor und ergriff die ausgestreckten Hände Alicia Delawares. Mühelos zog er sie aus dem Wasser und beförderte sie auf eine der Sitzbänke. Anawak lehnte sich hinaus, bekam einen keuchenden Mann zu fassen, wuchtete ihn ins Innere. Er suchte die Wasseroberfläche nach den anderen ab. Wo war Stringer?

»Da!«

Sie tauchte zwischen zwei Wellenkämmen auf, zusammen mit einer Frau, die halb bewusstlos im Wasser trieb. Die Orcas hatten das gekenterte Zodiac umrundet und näherten sich von beiden Seiten. Ihre schwarz glänzenden Köpfe zerteilten das Wasser. Hinter den spaltbreit geöffneten Lippen schimmerten elfenbeinfarbene Zahnreihen. Sekunden noch, und sie würden Stringer und die Frau erreicht haben. Aber Greywolf war schon wieder am Steuer und manövrierte das Boot zielsicher heran.

Anawak versuchte Stringer zu erreichen.

»Die Frau zuerst«, rief sie.

Greywolf kam ihm zur Hilfe. Sie brachten die Frau in Sicherheit.

Stringer versuchte sich währenddessen aus eigener Kraft hineinzuziehen, aber sie schaffte es nicht. Hinter ihr tauchten die Wale ab.

Plötzlich schien sie allein. Das Meer leer und verödet. Niemand außer ihr.

»Leon?«

Sie streckte die Hände aus, Furcht im Blick. Anawak langte hinaus und bekam ihren rechten Arm zu fassen.

Im blaugrünen Wasser kam etwas Großes mit unglaublicher Geschwindigkeit nach oben geschossen. Kiefer öffneten sich, helle Zahnreihen vor einem rosafarbenen Gaumen, und schlossen sich knapp unterhalb der Oberfläche. Stringer schrie auf. Sie begann mit der Faust auf das Maul, das sie umklammert hielt, einzuschlagen.

»Hau ab«, schrie sie. »Weg. Du Mistvieh!«

Anawak krallte die Hände in ihre Jacke. Stringer sah zu ihm hoch. Ihr Blick spiegelte Todesangst.

»Susan! Gib mir die andere Hand.«

Er hielt sie fest, entschlossen, nicht nachzugeben. Der Orca hatte Stringer um die Mitte gepackt. Er zerrte mit unglaublicher Kraft an ihr. Ein Heulen kam aus Stringers Kehle, erst dumpf und schmerzvoll, dann überschlagend, schrill. Sie hörte auf, das Maul des Orcas mit Schlägen zu bearbeiten, und schrie nur noch. Dann wurde sie Anawak mit einem fürchterlichen Ruck entrissen. Er sah ihren Kopf unter Wasser verschwinden, ihre Arme, die zuckenden Finger. Der Orca zog sie unerbittlich hinab. Eine Sekunde lang leuchtete noch ihr Overall auf, ein versprengtes Kaleidoskop aus Farbe, das verblasste, sich auflöste, verschwand.

Anawak starrte fassungslos ins Wasser. Aus der Tiefe stieg etwas Glitzerndes nach oben. Ein Schwall Luftblasen. Sie zerplatzten schäumend an der Wasseroberfläche.

Drum herum färbte sich das Wasser rot.

»Nein«, flüsterte er.

Greywolf packte ihn an der Schulter und zog ihn zurück.

»Es ist niemand mehr da«, sagte er. »Wir hauen ab.«

Anawak war wie betäubt. Das Sportboot nahm röhrend Fahrt auf. Er taumelte und fing sich. Die Frau, die Stringer gerettet hatte, lag auf einer der seitlichen Sitzbänke und wimmerte. Delaware redete mit zitternder Stimme auf sie ein. Der Mann, den sie aus dem Wasser gezogen hatte, stierte vor sich hin. In einiger Entfernung hörte er tumultartigen Lärm, wandte den Kopf und sah das weiße Schiff umkreist von Schwertern und Buckeln. Wie es aussah, machte die *Lady Wexham* kaum noch Fahrt, während sie immer dramatischer in Schieflage geriet.

»Wir müssen zurück«, rief er. »Sie schaffen es nicht.«

Greywolf jagte das Boot mit Höchstgeschwindigkeit auf die Küste zu. Ohne sich umzudrehen, sagte er:

»Vergiss es.«

Anawak trat neben ihn, riss das Walkie-Talkie aus der Halterung und rief die *Lady Wexham*. Es rauschte und knisterte. Der Skipper der *Lady* meldete sich nicht.

»Wir müssen denen helfen. Jack! Verdammt, dreh um ...«

»Ich sagte, vergiss es! Mit meinem Boot haben wir nicht die geringste Chance. Wir können von Glück sagen, wenn wir das hier überleben.«

Das Schreckliche war, dass er Recht hatte.

»Victoria?«, schrie Shoemaker ins Telefon. »Was zum Teufel tun die alle in Victoria? – Wieso angefordert? – Die haben ihre eigene Küstenwache in Victoria. Im Clayoquot Sound treiben Passagiere, da sinkt vielleicht gerade ein Schiff, eine Skipperin ist tot, und wir sollen uns gedulden?«

Er hörte zu, während er mit langen Schritten den Verkaufsraum durchmaß. Abrupt blieb er stehen.

»Was heißt das, sobald sie können? – Das ist mir scheißegal! Dann sollen sie jemand anderen schicken. – Was? – Hören Sie mal, Sie ...«

Die Stimme im Hörer schrie so laut zurück, dass es bis zu Anawak drang, obwohl Shoemaker in einigen Metern Entfernung stand. In der Station herrschte Aufruhr. Davie war persönlich anwesend. Er und Shoemaker sprachen pausenlos in irgendwelche Hörer und Geräte, gaben Instruktionen durch oder hörten fassungslos zu. Bei Shoemaker gewann die Fassungslosigkeit gerade Überhand. Er ließ den Hörer sinken und schüttelte den Kopf.

»Was ist los?«, wollte Anawak wissen. Er machte Shoemaker das Zeichen, leiser zur reden, und ging zu ihm hinüber. Während der letzten Viertelstunde, seit Greywolf sein altersschwaches Boot zurück nach Tofino geprügelt hatte, füllte sich der Verkaufsraum stetig mit Menschen. Die Nachricht von den Angriffen war wie ein Lauffeuer durch den kleinen Ort gegangen. Auch die anderen Skipper, die für *Davies* arbeiteten, trafen der Reihe nach ein. Mittlerweile waren die Frequenzen hoffnungslos überlastet. Die Prahlereien von Sportfischern, die in der Nähe waren und Kurs auf die Unglücksstelle nahmen – »Ha, junge Leute, zu blöde, einem Wal auszuweichen!« –, verstummten allmählich. Wer helfen wollte, wurde augenblicklich selber Zielscheibe von Attacken. Die Welle der Angriffe schien sich entlang der kompletten

Küstenlinie fortzusetzen. Überall war die Hölle losgebrochen, ohne dass jemand wirklich zu sagen vermochte, was überhaupt geschah.

»Die Küstenwache hat niemanden, den sie uns schicken kann«, zischte Shoemaker. »Sie sind alle vor Victoria und Ucluelet unterwegs. Sie sagen, es seien mehrere Boote in Seenot geraten.«

»Was? Dort auch?«

»Scheint, als hätte es jede Menge Tote gegeben.«

»Ich bekomme gerade was aus Ucluelet rein«, rief Davie zu ihnen herüber. Er lehnte hinter der Theke und drehte an den Knöpfen seines Kurzwellenempfängers. »Ein Trawler. Sie haben den Notruf eines Zodiacs aufgefangen und wollten zur Hilfe kommen. Jetzt werden sie selber angegriffen. – Sie hauen ab.«

»Wovon werden sie angegriffen?«

»Kein Empfang mehr. Sie sind weg.«

»Und die *Lady Wexham*?«

»Nichts. Tofino Air ist mit zwei Maschinen hochgegangen. Eben hatte ich kurz Verbindung.«

»Und?«, rief Shoemaker atemlos. »Sehen sie die *Lady*?«

»Sie sind *gerade* erst gestartet, Tom.«

»Und warum sind wir nicht mit an Bord?«

»Blöde Frage, weil …«

»Verdammt, das sind unsere Boote! Warum sind wir nicht in diesen beschissenen Flugzeugen?« Shoemaker rannte wie von Sinnen hin und her. »Was ist mit der *Lady Wexham*?«

»Wir müssen eben warten.«

»Warten? Wir können nicht warten! Ich fahre hin.«

»Was soll das heißen, du fährst hin?«

»Na, draußen liegt doch noch ein Zodiac, oder? Wir können die *Devilfish* nehmen und nachsehen.«

»Bist du wahnsinnig?«, rief einer der Skipper. »Hast du nicht gehört, was Leon erzählt? Das ist Sache der Küstenwache.«

»Es ist aber keine beschissene Küstenwache da!«, schrie Shoemaker.

»Vielleicht kann sich die *Lady Wexham* ja aus eigener Kraft retten. Leon hat gesagt …«

»Vielleicht, vielleicht! Ich fahre!«

»Schluss!« Davie hob die Hände. Er warf Shoemaker einen warnenden Blick zu. »Tom, ich will keine weiteren Menschenleben in Gefahr bringen, wenn es nicht unbedingt sein muss.«

»Du willst dein *Boot* nicht in Gefahr bringen«, bellte Shoemaker angriffslustig.

»Wir werden abwarten, was die Piloten zu sagen haben. Danach entscheiden wir, was zu tun ist.«

»Alleine schon diese Entscheidung ist falsch!«

Davie antwortete nicht. Er drehte an den Knöpfen seines Empfängers und versuchte, in Kontakt mit den Piloten der Wasserflugzeuge zu kommen, während Anawak bemüht war, die Leute wieder aus dem Verkaufsraum nach draußen zu komplimentieren. Hin und wieder verspürte er ein Zittern in seinen Knien und einen leichten Schwindel. Wahrscheinlich stand er unter Schock. Er hätte alles darum gegeben, sich einen Moment hinlegen und die Augen schließen zu dürfen, aber dann würde er wahrscheinlich wieder Susan Stringer sehen, wie sie von dem Orca in die Tiefe gerissen wurde.

Die Frau, die Stringer ihr Leben verdankte, lag wie ohnmächtig auf einer Bank neben dem Eingang. Anawak konnte nicht anders, er betrachtete sie voller Hass. Ohne sie hätte Stringer es geschafft. Der gerettete Mann saß daneben und weinte leise. Wie es aussah, hatte er seine Tochter verloren, die mit auf der *Blue Shark* gewesen war. Alicia Delaware kümmerte sich um ihn. Selbst nur knapp dem Tod entronnen, wirkte sie erstaunlich gefasst. Angeblich war ein Hubschrauber unterwegs, um die Geretteten ins nächste Hospital zu bringen, aber derzeit ließ sich mit nichts und niemandem wirklich rechnen.

»He, Leon!«, sagte Shoemaker. »Kommst du mit? Du weißt am besten, worauf wir zu achten haben.«

»Tom, du fährst nicht«, sagte Davie scharf.

»Kein Einziger von euch Idioten sollte jemals wieder da rausfahren«, ließ sich eine tiefe Stimme vernehmen. »*Ich* fahre.«

Anawak drehte sich um. Greywolf hatte die Station betreten. Er schob sich durch die wartenden Menschen und strich sich das lange Haar aus der Stirn. Nachdem er Anawak und die anderen abgeliefert hatte, war er in seinem Boot geblieben, um es auf Schäden zu untersuchen. Schlagartig wurde es ruhiger im Verkaufsraum. Alle starrten den langmähnigen Riesen in der Lederkleidung an.

»Wovon redest du?«, fragte Anawak. »Wohin fährst du?«

»Raus zu eurem Schiff. Eure Leute holen. Ich habe keine Angst vor Walen. Sie tun mir nichts.«

Anawak schüttelte ärgerlich den Kopf. »Edel von dir, Jack, wirklich. Aber vielleicht solltest du dich ab jetzt raushalten.«

»Leon, kleiner Mann.« Greywolf fletschte die Zähne. »Wenn ich mich rausgehalten hätte, wärst du jetzt tot. Vergiss das nicht. Ihr seid es, die sich besser rausgehalten hätten. Von Anfang an.«

»Aus was?«, zischte Shoemaker.

Greywolf sah den Geschäftsführer unter gesenkten Lidern an.

»Aus der Natur, Shoemaker. Ihr seid doch schuld an dem ganzen Desaster. Ihr mit euren Booten und euren verfluchten Kameras. Ihr seid schuld am Tod meiner und eurer Leute und derjenigen, denen ihr das Geld aus der Tasche gezogen habt. Es war nur eine Frage der Zeit, bis so etwas passierte.«

»Du blödes Arschloch!«, schrie Shoemaker.

Delaware blickte von dem schluchzenden Mann auf und erhob sich.

»Er ist kein blödes Arschloch«, sagte sie sehr bestimmt. »Er hat uns gerettet. Und er hat Recht. Ohne ihn wären wir jetzt tot.«

Shoemaker sah aus, als wolle er Greywolf an die Kehle springen. Anawak wusste sehr genau, dass sie dem Riesen zu Dank verpflichtet waren, er selber allen voran, aber Greywolf hatte sie in der Vergangenheit schon zu oft geärgert. Also sagte er nichts. Einige Sekunden herrschte unbehagliches Schweigen. Schließlich drehte sich der Geschäftsführer auf dem Absatz um und stakste hinüber zu Davie.

»Jack«, sagte Anawak leise. »Wenn du jetzt rausfährst, wird *dich* jemand aus dem Wasser fischen müssen. Dein Boot hat allenfalls Museumswert. Nochmal schaffst du das nicht.«

»Du willst die Leute da draußen sterben lassen?«

»Ich will niemanden sterben lassen. – Nicht einmal dich.«

»Oh, du machst dir Sorgen um meine Wenigkeit. Ich könnte kotzen vor Rührung. Aber ich dachte auch gar nicht an mein Boot. Es hat tatsächlich einiges abbekommen. Ich nehme eures.«

»Die *Devilfish*?«

»Ja.«

Anawak verdrehte die Augen. »Ich kann unser Boot nicht einfach so weggeben. Am allerwenigsten an dich.«

»Dann kommst du eben mit.«

»Jack, ich …«

»Shoemaker, die kleine Ratte, kann übrigens auch mitkommen. Vielleicht brauchen wir einen Köder, nachdem die Orcas nun endlich angefangen haben, ihre wahren Feinde zu verspeisen.«

»Du hast sie wirklich nicht alle, Jack.«

Greywolf beugte sich zu ihm herab.

»He, Leon!«, zischte er. »Da draußen sind auch meine Leute gestorben. Glaubst du, das ist mir gleich?«

»Du hättest sie ja nicht mitzubringen brauchen.«

»Es macht kaum Sinn, jetzt darüber zu diskutieren, oder? Jetzt geht es um *eure* Leute. Ich müsste da nicht raus, Leon. Du solltest mir vielleicht ein bisschen mehr Dankbarkeit zollen.«

Anawak stieß einen Fluch aus. Er warf einen Blick in die Runde. Shoemaker telefonierte. Davie sprach in sein Walkie-Talkie. Die anwesenden Skipper und der Office Manager bemühten sich mehr schlecht als recht, die Leute zum Gehen zu überreden, die noch den Verkaufsraum bevölkerten.

Davie sah auf und winkte Anawak heran.

»Was hältst du von Toms Vorschlag?«, fragte er leise. »Können wir da wirklich helfen, oder wäre es Selbstmord?«

Anawak nagte an seiner Unterlippe. »Was sagen die Piloten?«

»Die *Lady* ist gekentert. Sie liegt auf der Seite und läuft voll.«

»Mein Gott.«

»Angeblich kann die Küstenwache von Victoria jetzt doch einen großen Helikopter schicken. Zur Bergung. Aber ich bezweifle, dass sie schnell genug hier sein werden. Sie haben alle Hände voll zu tun, und ständig geschieht irgendwas Neues.«

Anawak überlegte. Der Gedanke, zurückzukehren in die Hölle, der sie gerade erst entronnen waren, jagte ihm Angst ein. Aber er würde sich zeitlebens Vorwürfe machen, nicht alles zur Rettung der Menschen an Bord der *Lady Wexham* unternommen zu haben.

»Greywolf will mit«, sagte er leise.

»Jack und Tom in einem Boot? Ach du lieber Himmel! Ich dachte, wir wollten Probleme lösen, statt welche zu schaffen.«

»Greywolf *könnte* welche lösen. Was in seinem Kopf vorgeht, steht auf einem anderen Blatt, aber wir können ihn brauchen. Er ist stark und unerschrocken.«

Davie nickte düster.

»Halt die beiden auseinander, hörst du?«

»Klar.«

»Und wenn ihr seht, dass es zwecklos ist, kommt ihr zurück. Ich will nicht, dass irgendjemand hier den Helden spielt.«

»Gut.«

Anawak ging zu Shoemaker, wartete, bis er sein Gespräch beendet hatte, und teilte ihm Davies Entschluss mit.

»Wir nehmen diesen Freizeitindianer mit?«, sagte Shoemaker entrüstet. »Bist du wahnsinnig?«

»Ich glaube, es ist eher so, dass er uns mitnimmt.«

»In unserem Boot!«

»Du und Davie, ihr seid die Bosse. Aber ich weiß, was uns erwartet. Ich kann besser einschätzen, was auf uns zukommt. Und ich weiß, dass wir heilfroh sein werden, Greywolf dabeizuhaben.«

Die *Devilfish* war von gleicher Größe und Motorleistung wie die *Blue Shark*, also schnell und wendig. Anawak hoffte, dass sie die Wale damit austricksen konnten. Immer noch hatten die Meeressäuger das Überraschungsmoment auf ihrer Seite. Niemand konnte sagen, wann und wo sie zum Vorschein kamen.

Während das Zodiac über die Lagune brauste, kreisten Anawaks Gedanken um die Frage nach dem Warum. Er hatte immer geglaubt, viel über die Tiere zu wissen. Nun war er völlig ratlos und außerstande, eine halbwegs vernünftige Erklärung zu finden. Einzig die Parallele zu den Vorgängen um die *Barrier Queen* war nicht zu übersehen. Auch dort hatten Wale offenbar gezielt versucht, Schiffe zum Kentern zu bringen. Sie müssen mit etwas infiziert sein, dachte er. Eine Art Tollwut. Es kann nur so sein, dass etwas sie krank macht.

Aber gleich eine artenübergreifende Tollwut? Buckelwale und Orcas – auch Grauwale hatten sich an den Rammstößen beteiligt, wie er sich zu erinnern glaubte. Je mehr er darüber nachdachte, desto sicherer war er, dass kein Buckelwal sein Zodiac umgeworfen hatte, sondern ein Grauwal.

Waren die Tiere vor lauter Chemie verrückt geworden? Hatten die hohen PCB-Konzentrationen im Meerwasser und die vergiftete Nahrung ihre Instinkte durcheinander gebracht? Aber die Orcas vergifteten sich an verseuchten Lachsen und anderen Lebewesen, die Toxine in sich trugen. Grau- und Buckelwale hingegen waren Planktonfresser. Ihr Metabolismus funktionierte anders als der von Fleischfressern.

Tollwut war keine Erklärung.

Er betrachtete die glitzernde Wasseroberfläche. Wie oft war er hier entlanggefahren in Vorfreude auf die Begegnung mit den riesigen Meeressäugern. Zu jeder Zeit war er sich der potenziellen Gefahren bewusst gewesen, ohne jemals Angst verspürt zu haben. Draußen auf See konnte unvermittelt Nebel aufziehen. Der Wind konnte sich drehen und tückische Wellen heranjagen, die einen gegen die Klippen warfen – 1998 waren im Clayoquot Sound auf diese Weise ein Skipper und ein Tourist ums Leben gekommen. Und natürlich blieben die Wale bei all ihrer Freundlichkeit unberechenbare Wesen von gewaltiger Kraft und Größe. Jeder erfahrene Whale Watcher wusste, auf welche Urgewalt er sich einließ.

Aber es war unsinnig, sich vor der Natur zu ängstigen.

Ein Mensch musste befürchten, in seinem Haus von anderen Menschen überfallen oder auf der Straße von einem Auto überfahren zu werden, und es gab so gut wie keine Chance, dem zu entgehen. Einem aggressiven Wal konnte man hingegen sehr wohl entgehen, indem man einfach nicht in seinen Lebensraum eindrang. Tat man es trotzdem, akzeptierte man Gefahr als etwas zutiefst Natürliches und Authentisches. Stürme, haushohe Wellen und wilde Tiere verloren ihren Schrecken, sobald man freiwillig ihr Umfeld suchte. Die Angst wich dem Respekt, und Anawak hatte zu allen Zeiten größtmöglichen Respekt gehabt.

Jetzt erstmals packte ihn Angst hinauszufahren.

Wasserflugzeuge zogen über die dahinrasende *Devilfish* hinweg. Anawak stand mit Shoemaker im Steuerhaus. Der Geschäftsführer hatte es sich nicht nehmen lassen, das Boot selber zu steuern, trotz Greywolfs wiederholter Beteuerungen, er könne das besser. Jetzt hockte Greywolf im Bug und spähte übers Wasser nach verdächtigen Zeichen. Zu ihrer Linken schoben sich die bewaldeten Ausläufer kleinerer Inseln heran. Einige Seelöwen lagen träge auf den Steinen, als könne nichts ihren Seelenfrieden erschüttern. Das Zodiac dröhnte mit unverminderter Geschwindigkeit an ihnen vorbei, Felsen und Bäume blieben zurück, dann lag wieder offene See vor ihnen. Endlos, eintönig, vertraut und fremd zugleich.

Jenseits der geschützten Lagune schlugen die Wellen höher. Das Zodiac setzte knallend auf. Während der letzten halben Stunde war die See rauer geworden. Am Horizont ballten sich Wolken zusammen. Es sah nicht eben nach Sturm aus, aber das Wetter verschlechterte sich rapide, wie es für diese Gegend typisch war. Wahrscheinlich zog eine Regenfront heran. Anawaks Blick suchte die *Lady Wexham*. Im ersten Augenblick fürchtete er, sie sei gesunken. Dafür sah er in einiger Entfernung eines der Kreuzfahrtschiffe liegen, die zu dieser Zeit hinauf nach Alaska fuhren und dabei den kanadischen Westen passierten.

»Was machen die denn hier?«, rief Shoemaker.

»Wahrscheinlich haben sie die Hilferufe gehört.« Anawak legte den Feldstecher an die Augen. »*MS Arktik*. Aus Seattle. Kenne ich. Sie sind in den letzten Jahren mehrfach hier durchgekommen.«

»Leon. Da!«

Klein und schief, kaum auszumachen hinter den auf- und abschwellenden Wellenkämmen, ragten plötzlich die Aufbauten der *Lady Wexham* empor. Der größte Teil des Schiffs lag unter Wasser. Vorn auf der Brücke und der Aussichtsplattform im Heck drängten sich die Menschen. Aufsprühende Gischt vernebelte die Sicht. Mehrere Orcas umschwammen das Wrack. Es sah aus, als warteten sie auf den Untergang der *Lady Wexham*, um sich dann über die Passagiere herzumachen.

»Du lieber Himmel«, stöhnte Shoemaker entsetzt. »Ich kann's nicht glauben.«

Greywolf drehte sich zu ihnen um und machte Zeichen, langsamer zu fahren. Shoemaker drosselte die Geschwindigkeit. Ein grau gefurchter Buckel hob sich unmittelbar vor ihnen aus dem Wasser, zwei weitere folgten. Die Wale blieben einige Sekunden an der Oberfläche, stießen einen buschigen, V-förmigen Blas aus und tauchten ab, ohne ihre Fluken gezeigt zu haben.

Anawak ahnte, dass sie sich unter Wasser näherten. Er konnte den drohenden Angriff regelrecht wittern.

»Und los!«, schrie Greywolf.

Shoemaker gab Vollgas. Die *Devilfish* stellte sich steil auf und raste davon. Hinter ihnen schossen massig und dunkel die Wale empor und stürzten zurück, ohne Schaden anzurichten. Mit Höchstgeschwindigkeit hielt das Zodiac auf die sinkende *Lady Wexham* zu. Jetzt konnten sie auf Deck und Brücke einzelne Personen erkennen, die ihnen zuwinkten. Rufe waren zu hören. Anawak sah mit Erleichterung, dass auch der Skipper unter den Überlebenden war. Die schwarzen Schwerter lösten sich aus ihrer Umlaufbahn und tauchten ab.

»Die werden wir gleich am Hals haben«, sagte Anawak.

»Orcas?« Shoemaker sah ihn mit aufgerissenen Augen an. Erstmals schien er zu begreifen, was hier draußen wirklich stattfand. »Was wollen die denn machen? Das Zodiac umwerfen?«

»Könnten sie locker, aber das Zerdeppern besorgen die Großen. Die Tiere scheinen so etwas wie eine Arbeitsteilung entwickelt zu haben. Die Grauen und die Buckelwale versenken die Boote, und die Orcas erledigen die Insassen.«

Shoemaker wurde weiß im Gesicht und starrte ihn an.

Greywolf zeigte zu dem Kreuzfahrtschiff hinüber.

»Wir erhalten Verstärkung«, rief er.

Tatsächlich lösten sich zwei kleine Motorboote von der *MS Arktik* und kamen langsam näher.

»Sag ihnen, sie sollen Gas geben oder sich verpissen, Leon«, rief Greywolf. »Bei der Geschwindigkeit sind sie leichte Beute.«

Anawak nahm das Funkgerät zur Hand: »*MS Arktik*. Hier *Devilfish*. Sie müssen sich darauf einrichten, angegriffen zu werden.«

Einige Sekunden blieb alles still. Die *Devilfish* hatte die *Lady Wexham* beinahe erreicht. Ihr Rumpf schlug auf die Wellenkämme.

»Hier *MS Arktik*. Was kann passieren, *Devilfish*?«

»Achten Sie auf springende Wale. Die Tiere werden versuchen, Ihre Boote zu versenken.«

»Wale? Wovon reden Sie?«

»Das Beste wäre, Sie kehren um.«

»Wir haben einen Notruf empfangen, dass ein Schiff gekentert ist.«

Anawak schwankte, als das Zodiac hart auf einen Wellenkamm knallte. Er fing sich und schrie ins Funkgerät: »Wir haben keine Zeit für Diskussionen. Sie müssen vor allen Dingen schneller fahren.«

»He, wollen Sie uns verarschen? Wir fahren jetzt zu dem sinkenden Schiff. Ende.«

Im Bug begann Greywolf zu gestikulieren.

»Sie sollen endlich abhauen!«, schrie er.

Die Orcas hatten ihren Kurs geändert. Sie hielten nicht länger auf die *Devilfish* zu, sondern schwammen weiter hinaus aufs offene Meer und geradewegs auf die *MS Arktik* zu.

»So eine Scheiße«, fluchte Anawak.

Unmittelbar vor den herannahenden Booten schoss ein Buckelwal empor, umgeben von einer Korona aus funkelndem Wasser. Er stand einen Augenblick reglos in der Luft und kippte zur Seite weg. Anawak sog scharf die Luft ein. Durch die herabfallende Gischt sah er die beiden Boote unversehrt näher kommen.

»*MS Arktik*! Ziehen Sie Ihre Leute zurück. Sofort! Wir regeln das hier.«

Shoemaker drosselte die Maschine. Die *Devilfish* trieb nun unmittelbar vor der schräg aufragenden Brücke der *Lady Wexham*. Etwa ein Dutzend durchnässter Männer und Frauen drängte sich darauf zusammen. Jeder hielt sich irgendwo fest, verzweifelt bemüht, nicht abzurutschen. Die Wogen zerplatzten schäumend an der Brücke. Eine weitere kleine Gruppe hatte sich auf der Aussichtsplattform im Heck in Sicherheit gebracht. Wie Affen hingen sie in den Sprossen der Reling, durchgeschüttelt von den Wellen.

Tuckernd trieb die *Devilfish* zwischen Brücke und Plattform. Unter dem Zodiac schimmerte grünweiß das mittlere Aussichtsdeck im Wasser. Shoemaker steuerte näher zur Brücke, bis der Gummiwulst dagegen stieß. Eine mächtige Welle erfasste das Boot und drückte es hoch. Wie in einem Fahrstuhl fuhren sie am Brückenaufbau empor. Für einen Moment konnte Anawak die ausgestreckten Hände der Leute beinahe berühren. Er sah in verängstigte Gesichter, Entsetzen gemischt mit Hoffnung, dann sackte die *Devilfish* wieder ab. Ein Aufschrei der Enttäuschung folgte ihr.

»Das wird schwierig«, stieß Shoemaker zwischen zusammengebissenen Zähnen hervor.

Anawak schaute sich nervös um. Die Wale hatten offenbar das Interesse an der *Lady Wexham* verloren. Sie sammelten sich weiter draußen vor den Booten der *MS Arktik*, die unentschlossene Ausweichmanöver fuhren.

Sie mussten sich beeilen. Ewig konnten sie nicht darauf hoffen, dass die Tiere fernblieben, und derweil sank die *Lady Wexham* immer schneller. Greywolf duckte sich. Eine grüne, zerklüftete Woge erfasste die *Devilfish* und trug sie wieder in die Höhe. Anawak sah die abblätternde Farbe des Brückenturms an sich vorbeiziehen. Greywolf sprang aus dem Boot und klammerte sich mit einer Hand an eine Steigleiter. Das Wasser überspülte ihn bis zur Brust, dann rollte die Welle durch, und er hing in der Luft, eine lebende Verbindung zwischen den Menschen über ihm und dem Zodiac. Er streckte die freie Hand nach oben.

»Auf meine Schultern«, schrie er. »Einer nach dem anderen. An mir festhalten, warten, bis das Boot hochkommt, springen!«

Die Menschen zögerten. Greywolf wiederholte seine Anweisungen. Schließlich ergriff eine Frau seinen Arm und ließ sich mit unsicheren Bewegungen abwärts gleiten. Im nächsten Moment hing sie huckepack an dem Hünen und krallte sich an seinen Schultern fest. Das Zodiac schoss hoch. Anawak bekam die Frau zu fassen und zog sie ins Innere.

»Der Nächste!«

Endlich kam Schwung in die Rettungsaktion. Einer nach dem anderen hangelte sich über Greywolfs breiten Rücken an Bord der *Devilfish*. Anawak fragte sich, wie lange der Halbindianer noch die Kraft aufbringen würde, sich an der Leiter festzuhalten. Er trug sein eigenes Gewicht und das der Passagiere, hing nur an einer Hand und geriet ständig halb unter Wasser, das an ihm zog und zerrte, wenn das Meer wegsackte. Die Brücke ächzte und quietschte gotterbärmlich. Hohles Stöhnen drang aus ihrem Innern, als sich das Material verformte. Knallend zersprangen eiserne Nähte. Nur noch der Skipper war auf der Brücke, als plötzlich ein hässliches Kreischen ertönte. Die Brücke erhielt einen Schlag. Greywolfs Oberkörper schlug hart gegen die Wand. Der Skipper verlor den Halt und sauste an Greywolf vorbei. Auf der anderen Seite des Wracks erhob sich der Kopf eines Grauwals aus den Fluten. Greywolf ließ die Sprossen der Steigleiter los und sprang hinterher. Unweit von ihm tauchte der Skipper prustend auf und gelangte mit wenigen kraftvollen Schwimmstößen zum Zodiac. Hände streckten sich ihm entgegen und hievten ihn ins Innere. Auch Greywolf langte nach der Bordwand, verfehlte sie und wurde von einer Woge davongetragen.

Wenige Meter hinter ihm schob sich ein hochgebogenes Schwert aus dem Wasser.

»Jack!« Anawak quetschte sich an den Menschen vorbei und lief ins Heck. Sein Blick suchte die Wellen ab. Greywolfs Kopf erschien in den Fluten. Er spuckte Wasser, tauchte ab und schnellte dicht unter der Oberfläche auf die *Devilfish* zu. Das Schwert des Orca schwenkte augenblicklich auf ihn ein und folgte ihm. Greywolfs muskelbepackte Arme reckten sich empor und schlugen gegen den Gummirumpf. Der Orca hob seinen runden, glänzenden Schädel aus dem Wasser. Er holte auf. Anawak packte zu, andere halfen. Mit vereinten Kräften wuchteten sie den Zweimetermann ins Boot. Das Schwert beschrieb einen Halbkreis und bewegte sich in entgegengesetzte Richtung davon. Greywolf fluchte lang anhaltend, schüttelte die helfenden Hände ab und klatschte sich das lange Haar aus dem Gesicht.

Warum hat ihn der Orca nicht angegriffen?, dachte Anawak.

Ich habe keine Angst vor Walen. Sie tun mir nichts.

Sollte an dem Blödsinn was dran sein?

Dann wurde ihm klar, dass der Orca gar nicht in der Lage gewesen war anzugreifen. Das überflutete Mitteldeck unter dem Zodiac hatte ihm nicht genug Wassertiefe gelassen. In unmittelbarer Nähe der *Devilfish* war man vor Schwertwalen geschützt, solange sie es nicht wie ihre südamerikanischen Verwandten hielten und die Jagd in flachem Wasser oder auf dem Trockenen fortsetzten.

Bis zum Untergang der *Lady Wexham* blieb eine Gnadenfrist, die sie unter allen Umständen nutzen mussten.

Ein kollektiver Aufschrei erklang.

Ein Riesenexemplar von Grauwal war auf eines der herannahenden Boote der *MS Arktik* gekracht. Trümmer wirbelten umher. Das andere Boot ließ den Motor aufheulen, fuhr eine Kurve und ergriff die Flucht. Anawak starrte auf die Stelle, wo der Wal das Boot in die Tiefe gerissen hatte. Entsetzt registrierte er mehrere graue Buckel, die sich von der Unglücksstelle auf die *Devilfish* zubewegten.

Jetzt sind wir wieder dran, dachte er.

Shoemaker wirkte wie paralysiert. Seine Augen drohten aus ihren Höhlen zu treten.

»Tom!«, schrie Anawak. »Wir müssen die Leute im Heck runterholen.«

»Shoemaker!« Greywolf fletschte die Zähne. »Was ist? Geht dir der Arsch auf Grundeis?«

Zitternd griff der Geschäftsführer ins Lenkrad und steuerte die *Devilfish* an die Aussichtsplattform heran. Eine Woge hob das Zodiac an, riss es zurück und schleuderte es unvermittelt auf die Plattform zu. Der Bug der *Devilfish* stieß hart gegen die Reling, in deren Streben sich die Schiffbrüchigen klammerten. Aus der Tiefe erklang das Jammern überstrapazierten Materials. Anawak sah vor seinem geistigen Auge, wie die Bordwand weiter aufriss und die Aufbauten auseinander brachen. Shoemaker keuchte. Es gelang ihm nicht, die *Devilfish* so unter die Reling zu bugsieren, dass die Leute an Bord springen konnten.

Die grauen Buckel wogten der *Lady Wexham* entgegen, geradewegs auf Kollisionskurs. Erneut ging ein fürchterlicher Schlag durch das Wrack. Eine Frau wurde von der Reling geschleudert und landete aufschreiend im Wasser.

»Shoemaker, du verdammter Schwachkopf!«, schrie Greywolf.

Mehrere Insassen sprangen hinzu und zerrten die strampelnde Frau ins Innere. Anawak fragte sich, wie lange der zertrümmerte Ausflugsdampfer dieser neuen Angriffswelle standhalten konnte. Die *Lady Wexham* sank nun deutlich schneller.

Wir schaffen es nicht, dachte er verzweifelt.

Im selben Moment geschah etwas Merkwürdiges.

Zu beiden Seiten des Schiffs hoben sich zwei mächtige Rücken aus den Wellen. Einen davon erkannte Anawak sofort. Eine Reihe weißlich verwachsener, kreuzförmiger Narben verlief über der Wirbelsäule. Sie hatten das Tier, das sich die Verletzungen in frühester Jugend geholt haben musste, *Scarback* genannt. *Scarback* war ein sehr alter Grauwal, der das Durchschnittsalter seiner Spezies längst überschritten hatte. Der Rücken des anderen Wals wies keine signifikanten Merkmale auf. Beide Tiere lagen ruhig im Wasser und ließen sich mit den Wellen hochtragen und niedersinken. Knallend entlud sich der Blas zuerst des einen, dann des anderen Wals. Feinste Sprühwolken wehten herüber.

Seltsam war weniger das Erscheinen der beiden Grauen als vielmehr die Reaktion der anderen Wale. Sie tauchten unvermittelt ab. Als ihre Buckel wieder zum Vorschein kamen, hatten sie sich ein gutes Stück entfernt. Dafür umrundeten wieder Orcas das Schiff, aber auch sie hielten vorsichtigen Abstand.

Irgendetwas sagte Anawak, dass sie von den Neuankömmlingen nichts zu befürchten hatten. Im Gegenteil. Die beiden hatten die Angreifer fürs Erste verjagt. Wie lange der Frieden halten würde, war ungewiss, aber die unerwartete Wendung hatte ihnen eine Atempause eingetragen. Auch Shoemaker war seiner Panik Herr geworden. Diesmal steuerte er das Zodiac zielsicher unter die Reling. Anawak sah eine gewaltige Woge heranrollen und machte sich bereit. Wenn sie es jetzt nicht schafften, hatten sie verloren.

Das Zodiac schoss empor.

»Springt!«, rief er. »Jetzt!«

Die Woge lief unter der *Devilfish* durch. Sie sackte weg. Einige der Leute sprangen dem Zodiac hinterher. Sie stürzten übereinander, Schmerzensschreie erschollen. Wer im Wasser landete, fand mit Hilfe der Insassen schnell ins Boot, bis alle eingesammelt waren.

Jetzt nichts wie weg.

Nein, nicht alle waren gesprungen. Auf der Reling hockte die einsame Gestalt eines Jungen. Er weinte, die Hände ins Geländer gekrallt.

»Spring!«, rief Anawak. Er breitete die Arme aus. »Hab keine Angst.«

Greywolf trat neben ihn. »Mit der nächsten Welle hole ich ihn.«

Anawak sah über die Schulter. Ein mächtiger Wasserberg rollte heran. »Ich glaube«, sagte er, »darauf musst du nicht lange warten.«

Aus der Tiefe dröhnten wieder die Laute der Zerstörung. Die beiden Wale sanken langsam zurück unter die Oberfläche. Immer schneller lief das Schiff jetzt voll. Das Wasser gurgelte und schäumte, dann verschwand die Brücke plötzlich in einem Strudel, und das Heck stellte sich hoch. Bug voran begann die *Lady Wexham* zu sinken.

»Näher ran!«, schrie Greywolf.

Irgendwie schaffte es Shoemaker, der Anweisung Folge zu leisten. Der Bug der *Devilfish* schrammte gegen das abtauchende Deck, an dessen Ende sich der Junge klammerte. Er weinte laut. Greywolf hastete, rempelnd und Knüffe verteilend, ins Heck. Im selben Moment hob die Woge das Zodiac empor. Vorhänge aus Schaum bauschten sich über der Reling. Greywolf lehnte sich hinaus und bekam den Jungen zu packen. Die *Devilfish* schwankte, er verlor das Gleichgewicht und kippte zwischen die Sitzreihen, aber den Jungen hatte er nicht losgelassen. Wie Baumstämme ragten seine Arme in die Höhe. Die prankenartigen Hände waren um die Taille des Jungen geschlossen.

Anawak sah atemlos hinaus.

Wirbel kreisten über der Stelle, wo das Kind noch vor Sekunden in der Reling gegangen hatte. Er sah die *Lady Wexham* in der Tiefe verschwinden, dann stürzte das Zodiac ins nachfolgende Wellental, und es durchfuhr seinen Magen, als säße er in einer Achterbahn.

Shoemaker gab Vollgas. Es waren lange, gleichmäßige Wogen, die vom Pazifik hereinrollten. Sie konnten der *Devilfish*, wenngleich das

Zodiac hoffnungslos überfüllt war, nicht gefährlich werden, sofern der Skipper jetzt keinen Fehler machte. Aber Shoemaker schien sich seiner besten Tage entsonnen zu haben. Die Panik war aus seinen Augen gewichen. Sie schossen einen Wellenkamm hoch und darüber hinaus, fielen und nahmen Kurs auf die Küste.

Anawak sah zurück zur *MS Arktik*. Das zweite Boot war verschwunden. Zwischen den Wellen sah er eine Fluke abtauchen. Es kam ihm vor, als ob sie zum Abschied höhnisch winkte. Die Fluke eines Buckelwals. Nie wieder würde er das Abtauchen einer Walfluke sehen können, ohne das Schlimmste zu denken.

Im Funkgerät war der Teufel los.

Wenige Minuten später hatten sie den Inselstreifen passiert, der das offene Meer von der Lagune trennte.

Einzig der Umstand, dass ihm nicht auch noch die *Devilfish* verloren gegangen war, vermochte Davie in diesen Minuten aufzuheitern, nachdem das Zodiac überfüllt wie ein Flüchtlingsschiff am Pier festgemacht hatte. Sie lasen die Namen der Vermissten vor. Einige Leute brachen zusammen. Dann leerte sich *Davies Whaling Station* ebenso schnell, wie sie sich gefüllt hatte. So ziemlich jeder litt an Unterkühlung, also ließen sich die meisten von Freunden und Angehörigen zur nahe gelegenen Ambulanz bringen. Andere hatten sich ernsthafte Verletzungen zugezogen, aber wann ein Helikopter für den Transport ins Krankenhaus nach Victoria bereitstehen würde, war nicht abzusehen. Unverändert beherrschten Schreckensmeldungen den Funkverkehr.

Davie hatte sich unangenehme Fragen gefallen lassen müssen, Beschuldigungen, Verdächtigungen und schlicht das Androhen von Prügeln, sollten die gebuchten Passagiere nicht unversehrt zurückkehren. Zwischendurch war Roddy Walker, Stringers Freund, aufgetaucht und hatte herumgeschrien, sie würden von seinen Anwälten hören. Niemanden schien sonderlich zu interessieren, wer die Schuld an den Vorgängen trug. Erstaunlicherweise wurde die einfachste Erklärung von kaum jemandem akzeptiert: dass die Wale unmotiviert angegriffen hatten. Wale taten so etwas nicht. Wale waren friedlich. Wale waren die besseren Menschen. Gesunde Halbbildung brach sich Bahn und brachte die Touristen in Tofino gegen die Whale Watcher auf, als hätten sie die Passagiere der *Blue Shark* und der *Lady Wexham* eigenhändig abgemurkst: Idioten, die unnötige Risiken eingegangen und mit altersschwachen Schiffen hinausgefahren waren. Tatsächlich hatte die *Lady Wexham* eine ganze Reihe von Jahren auf dem Buckel gehabt, was ihrer Seetauglichkeit posthum nicht im Mindesten Abbruch tat. Aber davon wollte augenblicklich niemand etwas hören.

Wenigstens hatte man die Besatzung und den größten Teil der Passagiere heimgebracht. Viele Menschen hatten sich spontan bei Shoemaker und Anawak bedankt, aber als eigentlicher Held wurde Greywolf gefeiert. Er war überall gleichzeitig, redete, hörte zu, organisierte und bot an, mit in die Ambulanz zu fahren. Er gerierte sich als Gutmensch, dass Anawak vom Hinsehen schlecht wurde: eine zu zwei Meter Körpergröße mutierte Mutter Teresa.

Anawak fluchte. Er musste sich um andere Dinge kümmern und spürte, wie ihm die Situation entglitt.

Natürlich hatte Greywolf sein Leben riskiert. Natürlich hätten sie ihm danken müssen. Auf Knien sogar. Aber Anawak verspürte nicht die mindeste Lust dazu. Dieser plötzliche Ausbruch von Altruismus war ihm zutiefst suspekt. Greywolfs Einsatz für die Menschen auf der *Lady Wexham*, dessen war Anawak sich sicher, entsprang in weit geringerem Maße menschenfreundlichen Anwandlungen, als es den Anschein hatte. Im Grunde war der Tag für ihn höchst positiv verlaufen. Ihm glaubte und vertraute man. Ihm, der vorausgesagt hatte, es werde ein böses Ende nehmen mit dem Waltourismus, nur dass keiner hören wollte, und jetzt das! Hatte er nicht pausenlos gewarnt? Wie viele Zeugen würden sich bereitwillig einfinden, um Greywolfs luzide Voraussicht zu bestätigen?

Eine bessere Bühne konnte er sich gar nicht wünschen.

Anawak spürte seine Wut ins Unermessliche wachsen. Übellaunig ging er in den leeren Verkaufsraum. Sie *mussten* den Grund für das Verhalten der Tiere herausfinden! Seine Gedanken wanderten zur *Barrier Queen*. Roberts hatte ihm den Bericht schicken wollen. Den brauchte er nun dringender denn je. Er trat ans Telefon, wählte die Auskunft und ließ sich mit der Reederei verbinden.

Roberts' Sekretärin meldete sich. Ihr Chef sei im Meeting und dürfe nicht gestört werden. Anawak erwähnte seine Rolle bei der Inspektion der *Barrier Queen* und ließ eine gewisse Dringlichkeit erkennen. Die Frau bestand darauf, Roberts' Sitzung sei dringender. Ja, vom Desaster der vergangenen Stunden habe sie gehört. Es sei schrecklich. Mitfühlend erkundigte sie sich nach Anawaks Wohlergehen, gab sich mütterlich besorgt und rückte Roberts dennoch nicht raus. Ob sie ihm etwas ausrichten könne?

Anawak zögerte. Roberts hatte ihm den Bericht unter vier Augen versprochen, und er wollte den Manager nicht in Schwierigkeiten bringen. Vielleicht war es besser, die Absprache vor der Frau unerwähnt zu lassen. Dann fiel ihm etwas ein.

»Es geht um die Muscheln, die am Bug der *Barrier Queen* festgewachsen waren«, sagte er. »Muscheln und möglicherweise andere organische Substanzen und Lebensformen. Wir hatten einiges davon ins Institut nach Nanaimo geschickt. Sie benötigen dort Nachschub.«

»Nachschub?«

»Weiteres Probenmaterial. Ich vermute, die *Barrier Queen* ist mittlerweile von hinten bis vorne untersucht worden.«

»Ja, sicher«, sagte sie mit einem merkwürdigen Unterton.

»Wo ist das Schiff jetzt?«

»Im Dock.« Sie ließ eine kurze Pause verstreichen. »Ich werde Mr. Roberts ausrichten, dass es dringend ist. Wohin sollen wir die Proben schicken?«

»Ans Institut. Zu Händen von Dr. Sue Oliviera. Danke. Sie sind sehr freundlich.«

»Mr. Roberts meldet sich, sobald er kann.« Die Leitung war tot. Ganz eindeutig hatte sie ihn abgewimmelt.

Was hatte das schon wieder zu bedeuten?

Plötzlich zitterten seine Knie. Die Anspannung der vergangenen Stunden machte deprimierter Erschöpfung Platz. Er lehnte sich gegen die Theke und schloss einen Moment die Augen. Als er sie wieder öffnete, sah er Alicia Delaware vor sich stehen.

»Was machst du denn hier?«, fragte er unfreundlich.

Sie zuckte die Achseln.

»Mir geht's gut. Ich muss mich nicht behandeln lassen.«

»Doch. Das musst du. Du bist ins Wasser gefallen, und das Wasser hier ist verdammt kalt. Geh in die Ambulanz, bevor sie uns auch noch deine erkältete Blase in die Schuhe schieben.«

»He!« Sie funkelte ihn zornig an. »Ich habe dir nichts getan, klar?«

Anawak stieß sich von der Theke ab. Er wandte ihr den Rücken zu und trat an das rückwärtige Fenster. Draußen am Kai lag die *Devilfish*, als sei nichts gewesen. Es hatte zu nieseln begonnen.

»Was sollte eigentlich dieser Blödsinn von deinem angeblich letzten Tag auf Vancouver Island?«, fragte er. »Ich hätte dich gar nicht mitnehmen dürfen. Ich hab's getan, weil du mir die Ohren voll geheult hast.«

»Ich …« Sie stockte. »Na ja, ich wollte halt unbedingt mit. Sauer deswegen?«

Anawak dreht sich um.

»Ich hasse es, angelogen zu werden.«

»Tut mir Leid.«

»Nein, tut es nicht. Aber egal. Warum verschwindest du nicht und lässt uns unsere Arbeit machen?« Er kräuselte die Oberlippe. »Geh mit Greywolf. Er nimmt euch alle schön ans Händchen.«

»Mein Gott, Leon!« Sie kam näher, und er wich zurück. »Ich wollte nun mal unbedingt mit dir rausfahren. Tut mir Leid, dass ich dich angelogen habe. Okay, ich bin noch ein paar Wochen hier, und ich komme auch nicht aus Chicago, sondern studiere Biologie an der *University of British Columbia*. Was soll's? Ich dachte, du findest die Flunkerei am Ende lustig ...«

»Lustig?«, schrie Anawak. »Hast du sie nicht alle? Was ist lustig daran, verarscht zu werden?«

Er spürte, wie ihm die Nerven durchgingen, aber er konnte nichts dagegen machen, dass er sie anschrie, obwohl sie Recht hatte. Sie hatte ihm nichts getan. Nicht das Geringste.

Delaware zuckte zurück.

»Leon ...«

»Licia, warum lässt du mich nicht einfach in Frieden? Hau ab.«

Er wartete darauf, dass sie ging, aber sie tat es nicht. Sie stand weiter vor ihm. Anawak fühlte sich wie benommen. Alles kreiste vor seinen Augen. Einen Moment lang fürchtete er, seine Beine könnten nachgeben, dann sah er plötzlich wieder klar und erkannte, dass Delaware ihm etwas hinhielt.

»Was ist das?«, brummte er.

»Eine Videokamera.«

»Das sehe ich.«

»Nimm sie.«

Er streckte die Hand aus, ergriff die Kamera und betrachtete sie. Eine ziemlich teure Sony Handycam in wasserfester Umschalung. Touristen, aber auch Wissenschaftler benutzten solche Verschalungen, wenn das Risiko bestand, dass die Kamera nass wurde.

»Na und?«

Delaware breitete die Hände aus. »Ich dachte, ihr wollt rausfinden, warum das alles passiert.«

»Ich wüsste nicht, was dich das angeht.«

»Hör endlich auf, deinen Ärger an mir auszulassen!«, fuhr sie ihn an. »Ich wäre da draußen fast gestorben, und das ist eben mal ein paar Stunden her. Ich könnte heulend in deiner Scheißambulanz sitzen, stattdessen versuche ich zu helfen. Wollt ihr's nun wissen oder nicht?«

Anawak holte tief Luft.

»Okay.«

»Hast du gesehen, *welche* Tiere die *Lady Wexham* angegriffen haben?«

»Ja. Grau- und Buckel ...«

»Nein.« Delaware schüttelte ungeduldig den Kopf. »Nicht welche *Spezies*. Welche *Individuen*! Hast du sie identifizieren können?«

»Es ging alles zu schnell.«

Sie lächelte. Es war kein fröhliches Lächeln, aber immerhin ein Lächeln. »Die Frau, die wir aus dem Wasser gezogen haben, war mit mir auf der *Blue Shark*. Steht unter Schock. Komplett weggetreten. Trotzdem, wenn ich was will, lasse ich nicht locker ...«

»Allerdings.«

»... und ich sah diese Kamera um ihren Hals hängen. Sie war gut befestigt, deshalb ist sie im Wasser nicht verloren gegangen. Jedenfalls, als ihr rausgefahren seid, konnte ich mich kurz mit ihr unterhalten. Sie hat die ganze Zeit über gefilmt! Auch noch, als Greywolf anrückte. Irgendwie war sie schwer von ihm beeindruckt, also hat sie weitergefilmt, ihn natürlich.« Sie machte eine Pause. »Wenn ich mich recht erinnere, lag die *Lady Wexham* aus unserer Sicht *hinter* Greywolf.«

Anawak nickte. Plötzlich wurde ihm klar, worauf Delaware hinauswollte.

»Sie hat den Angriff gefilmt«, sagte er.

»Sie hat vor allem die Wale gefilmt, die das Schiff angegriffen haben. Ich weiß ja nicht, *wie* gut du im Identifizieren von Walen bist – aber du lebst hier und kennst die Tiere. Und ein Video ist geduldig.«

»Du hast vorsorglich vergessen zu fragen, ob du die Kamera behalten darfst?«, vermutete Anawak.

Sie hob das Kinn und sah ihn herausfordernd an.

»Na und?«

Er drehte die Kamera in den Händen. »Gut. Ich schau's mir an.«

»*Wir* schauen es uns an«, sagte Delaware. »Ich will in der ganzen Geschichte mit dabei sein. Und frag mich um Himmels willen nicht, warum. Es steht mir schlicht und einfach zu, okay?«

Anawak starrte sie an.

»Außerdem«, fügte sie hinzu, »bist du ab jetzt nett zu mir.«

Langsam ließ er den Atem entweichen und betrachtete mit geschürzten Lippen die Kamera. Er musste zugeben, dass Delawares Idee bislang das Beste war, das sie hatten.

»Ich bemühe mich«, murmelte er.

12. april

Die Einladung erreichte Johanson, als er Vorbereitungen traf, hinaus zum See zu fahren.

Nach seiner Rückkehr aus Kiel hatte er Tina Lund von dem Experiment im Tiefsee-Simulator erzählt. Es war ein kurzes Gespräch gewesen. Lund steckte bis über beide Ohren in diversen Projekten und verbrachte die verbleibende Zeit mit Kare Sverdrup. Johanson war es so vorgekommen, als sei sie nicht richtig bei der Sache. Etwas schien sie zu beschäftigen, das nicht mit ihrer Arbeit zu tun hatte, aber er gab sich taktvoll und vermied es, sie danach zu fragen.

Einige Tage später rief Bohrmann an, um ihn auf den neuesten Stand zu bringen. Sie hatten in Kiel weiter mit den Würmern experimentiert. Johanson, der bereits gepackt hatte und eben im Begriff stand, das Haus zu verlassen, beschloss, seine Abreise um die Dauer eines weiteren Telefonats zu verschieben und Lund über die Neuigkeiten ins Bild zu setzen, aber sie ließ ihn gar nicht erst zu Wort kommen. Diesmal wirkte sie aufgeräumter.

»Kannst du nicht bald mal zu uns rauskommen?«, schlug sie vor.

»Wohin? Ins Institut?«

»Nein, ins Statoil-Forschungszentrum. Wir haben die Projektleitung zu Besuch. Aus Stavanger.«

»Was soll ich dabei? Denen die Gruselgeschichten erzählen?«

»Das hab ich selber schon getan. Jetzt sind sie scharf auf Einzelheiten. Ich habe vorgeschlagen, dass du sie ihnen lieferst.«

»Warum ausgerechnet ich?«

»Warum denn nicht?«

»Ihr habt doch Gutachten vorliegen«, sagte Johanson. »Stapelweise. Ich kann auch nur das weitergeben, was andere herausfinden.«

»Du kannst mehr«, sagte Lund. »Du kannst ... deinen Gefühlen Ausdruck verleihen.«

Johanson war einen Augenblick sprachlos.

»Sie wissen, dass du kein Experte für Ölbohrungen bist und ebenso wenig ein wirklicher Spezialist für Würmer oder so was«, fuhr sie hastig fort. »Aber du genießt einen ausgezeichneten Ruf an der NTNU, du bist neutral und nicht vorbelastet wie wir. Wir urteilen nun mal aus anderen Blickwinkeln.«

»Ihr urteilt aus dem Blickwinkel der Machbarkeit.«

»Nicht nur! Schau mal, es ist so, dass bei Statoil ein Haufen Leute zusammensitzt, von denen jeder etwas ganz Bestimmtes am besten kann, und ...«

»Fachidioten eben.«

»Überhaupt nicht!« Sie klang verärgert. »Mit Fachidioten ist dieses Geschäft nicht zu machen. Hier steckt nur jeder zu tief drin. Wir hängen alle mit dem Kopf unter Wasser, mein Gott, wie soll ich es ausdrücken ... Wir brauchen eben mehr Meinungen von außen.«

»Ich verstehe nicht viel von eurem Geschäft.«

»Natürlich zwingt dich keiner.« Lund klang allmählich gereizt. »Du kannst es auch bleiben lassen.«

Johanson verdrehte die Augen. »Schon gut. Ich habe nicht vor, dich hängen zu lassen. Es gibt tatsächlich ein paar Neuigkeiten aus Kiel und ...«

»Kann ich das als Ja verbuchen?«

»Ja. In Herrgotts Namen. Wann findet dieses Treffen statt?«

»Es gibt mehrere Treffen in nächster Zeit. Eigentlich hängen wir ständig zusammen.«

»Na schön. Es ist Freitag. Übers Wochenende bin ich weg, und Montag könnte ich ...«

»Das ist ...« Sie stockte. »Das wäre eigentlich ...«

»Ja?«, sagte Johanson gedehnt, von bösen Vorahnungen geplagt.

Sie ließ einige Sekunden verstreichen.

»Was hast du überhaupt vor am Wochenende?«, fragte sie im Plauderton. »Willst du zum See?«

»Klug erkannt. Willst du mit?«

Sie lachte. »Warum nicht?«

»Hoho! Und was sagt Kare dazu?«

»Mir doch egal. Was soll er dazu sagen?« Sie schwieg eine Sekunde. »Ach verdammt!«

»Wärest du doch nur in allem so gut wie in deinem Job«, sagte Johanson so leise, dass er nicht sicher war, ob sie es verstanden hatte.

»Sigur, bitte! Kannst du deinen Ausflug nicht verschieben? Wir treffen uns in zwei Stunden, und ich dachte ... es ist ja nicht weit von hier, und es dauert auch nicht lange. Du bist im Nu wieder draußen. Du kannst heute Abend noch losfahren.«

»Ich ...«

»Wir müssen einfach weiterkommen in der Sache. Wir haben einen Zeitplan, und du weißt, was das alles kostet, und jetzt gibt es schon die ersten Verzögerungen, bloß weil ...«

»Ich mach's ja!«

»Du bist ein Schatz.«

»Soll ich dich abholen?«

»Nein, ich werde dort sein. Oh, ich freue mich. Danke! Das ist wirklich lieb von dir.« Sie legte auf.

Johanson betrachtete wehmütig seinen gepackten Koffer.

Als er den großen Konferenzraum des Statoil-Forschungszentrums betrat, war die angespannte Stimmung mit Händen zu greifen. Lund saß in Begleitung dreier Männer an einem schwarz polierten Tisch von ausladenden Dimensionen. Späte Nachmittagssonne fiel herein und verlieh dem in Glas, Stahl und dunklen Tönen gehaltenen Interieur etwas Wärme. Die Wände waren mit hochkopierten Diagrammen und technischen Zeichnungen regelrecht tapeziert.

»Hier ist er«, sagte die Dame vom Empfang und lieferte Johanson ab, als sei er ein Weihnachtspaket. Einer der Männer stand auf und kam ihm mit ausgestreckter Hand entgegen. Er hatte kurz geschnittenes, schwarzes Haar und trug eine modische Brille.

»Thor Hvistendahl, Stellvertretender Direktor des Statoil-Forschungszentrums«, stellte er sich vor. »Entschuldigen Sie, dass wir so kurzfristig Ihre Zeit beanspruchen, aber Frau Lund versicherte uns, Sie hätten nichts Besseres vor.«

Johanson widmete Lund einen unmissverständlichen Blick und schüttelte die dargebotene Rechte.

»Ich hatte in der Tat nichts vor«, sagte er.

Lund grinste in sich hinein. Sie stellte ihm die Männer nacheinander vor. Wie Johanson es erwartet hatte, war einer davon aus der Statoil-Zentrale in Stavanger angereist, ein vierschrötiger Bursche mit roten Haaren und hellen, freundlichen Augen. Er fungierte als Repräsentant des Management Boards und gehörte dem Exekutivkomitee an.

»Finn Skaugen«, dröhnte er beim Händedruck.

Der dritte Mann, ein ernst dreinblickender Glatzkopf mit scharfen Falten um die Mundwinkel, der als Einziger eine Krawatte trug, erwies sich als Lunds direkter Vorgesetzter. Er hieß Clifford Stone, stammte aus Schottland und war Projektleiter des neuen Explorationsvorhabens. Stone nickte Johanson kühl zu. Er schien nicht besonders erbaut zu sein von der Anwesenheit des Biologen, aber ebenso gut mochte die personifizierte Sorge Teil seiner naturgewollten Physiognomie sein. Nichts ließ vermuten, dass er jemals lächelte.

Johanson ließ einige Artigkeiten hören, lehnte einen Kaffee ab und setzte sich. Hvistendahl zog einen Packen Papier zu sich heran.

»Kommen wir gleich zur Sache. Die Situation ist Ihnen bekannt. Wir wissen nicht recht einzuschätzen, ob wir gerade im Schlamassel stecken oder überreagieren. Sie kennen vielleicht einige der Bestimmungen, mit denen sich die Ölförderung herumzuschlagen hat?«

»Nordseekonferenz«, sagte Johanson aufs Geratewohl.

Hvistendahl nickte.

»Unter anderem. Wir sind einer ganzen Reihe von Einschränkungen unterworfen, Umweltgesetzgebung, technisch Machbares, aber natürlich gibt es auch eine öffentliche Meinung zu nicht reglementierten Punkten. Kurz gesagt nehmen wir Rücksicht auf alles und jeden. Greenpeace und diverse Organisationen sitzen uns im Nacken wie die Zecken, und das ist in Ordnung so. Wir kennen die Risiken einer Bohrung, wir wissen in etwa, was uns erwartet, wenn wir eine Förderung in Betracht ziehen, und wir kalkulieren ein entsprechendes Timing.«

»Soll heißen, wir kommen selber ganz gut zurecht«, sagte Stone.

»Im Allgemeinen«, ergänzte Hvistendahl. »Nun ja, nicht jedes Unterfangen gelangt zur Durchführung, und das hat dann Gründe, die Sie überall nachschlagen können. Die Sedimentbeschaffenheit ist instabil, wir laufen Gefahr, eine Gasblase anzubohren, bestimmte Konstruktionen eignen sich nicht hinsichtlich Wassertiefe und Strömungsverhalten, all das. Grundsätzlich wissen wir aber recht schnell, was geht und was nicht. Tina testet die Anlagen bei Marintek, wir entnehmen die üblichen Proben, schauen uns da unten um, es gibt eine Expertise, und dann wird gebaut.«

Johanson lehnte sich zurück und schlug die Beine übereinander.

»Aber diesmal ist der Wurm drin«, sagte er.

Hvistendahl lächelte etwas verkrampft.

»Sozusagen.«

»*Falls* die Viecher irgendeine Rolle spielen«, sagte Stone. »Meines Erachtens spielen sie keine.«

»Woher wollen Sie das wissen?«

»Weil Würmer nichts Neues sind. Man findet sie überall.«

»Nicht solche.«

»Wieso? Weil sie Hydrate anknabbern?« Er funkelte Johanson angriffslustig an. »Ja, aber Ihre Freunde aus Kiel sagen, da wäre nichts, weswegen wir uns Sorgen machen müssten. Richtig?«

»Das haben sie so nicht gesagt. Sie sagten ...«

»Dass die Würmer das Eis nicht destabilisieren können.«

»Sie fressen es an.«

»Aber sie können es nicht destabilisieren!«

Skaugen räusperte sich. Es klang wie eine Eruption.

»Ich denke, wir haben Dr. Johanson zu uns gebeten, weil wir seine Einschätzung hören wollen«, sagte er mit einem Seitenblick auf Stone. »Und nicht, um ihm mitzuteilen, was wir denken.«

Stone kaute auf seiner Unterlippe und starrte die Tischplatte an.

»Wenn ich Sigur richtig verstehe, liegen inzwischen weitere Ergebnisse vor«, sagte Lund und lächelte aufmunternd in die Runde.

Johanson nickte.

»Ich kann einen kurzen Abriss geben.«

»Scheißviecher«, brummte Stone.

»Möglicherweise. Geomar hat weitere sechs davon aufs Eis gesetzt, und alle haben sich kopfüber hineingebohrt. Zwei andere Exemplare wurden auf eine Sedimentschicht gesetzt, die kein Hydrat enthielt, und sie taten gar nichts. Sie fraßen nichts, und sie bohrten nicht. Weitere zwei setzte man auf Sediment, das zwar kein Hydrat enthielt, aber über einer Gasblase lag. Sie bohrten nicht, verhielten sich jedoch deutlich unruhiger.«

»Was ist mit denen, die sich ins Eis gefressen haben?«

»Sie sind tot.«

»Und wie tief kamen sie?«

»Bis auf einen haben sich alle zur Gasblase durchgeschlagen.« Johanson sah Stone an, der ihn unter zusammengezogenen Brauen musterte. »Aber das lässt nur bedingt Rückschlüsse auf ihr Verhalten in freier Natur zu. Am Kontinentalhang sind die Hydratschichten über den Gasblasen Dutzende bis Hunderte von Metern dick. Die Schichten im Simulator messen eben mal zwei Meter. Bohrmann schätzt, dass keiner der Würmer tiefer als drei bis vier Meter kommen würde, aber das ist unter den gegebenen Umständen kaum zu verifizieren.«

»Warum sterben die Würmer eigentlich?«, fragte Hvistendahl.

»Sie brauchen Sauerstoff, und der wird in dem engen Loch knapp.«

»Aber andere Würmer bohren sich doch auch in Böden«, warf Skaugen ein. Dann fügte er mit einem Grinsen hinzu: »Sie sehen, wir haben uns ein bisschen schlau gemacht, um nicht wie vollkommene Idioten vor Ihnen zu sitzen.«

Johanson grinste zurück. Skaugen war nach seinem Geschmack.

»Solche Tiere wühlen sich ins Sediment«, sagte er. »Und Sediment ist locker. Darin ist reichlich Sauerstoff vorhanden, und außerdem gräbt kaum ein Tier so tief. Methanhydrat dagegen ist, als ob Sie in Beton vorstoßen. Irgendwann werden Sie ersticken.«

»Verstehe. Sind Ihnen sonst Tiere bekannt, die sich so verhalten?«

»Selbstmordkandidaten?«

»Ist es denn Selbstmord?«

Johanson zuckte die Achseln.

»Selbstmord setzt eine Absicht voraus. Würmer tragen sich nicht mit Absichten. Sie sind auf ihr Verhalten konditioniert.«

»Gibt es überhaupt Tiere, die Suizid begehen?«

»Klar gibt es Tiere, die so was tun«, sagte Stone. »Die verdammten Lemminge stürzen sich ins Meer.«

»Tun sie nicht«, sagte Lund.

»Natürlich tun sie das!«

Lund legte ihm die Hand auf den Unterarm.

»Du vergleichst Äpfel mit Birnen, Clifford. Man hat längere Zeit angenommen, Lemminge begingen kollektiven Suizid, weil es schick klang. Dann hat man sich die Sache nochmal näher angesehen und festgestellt, dass sie einfach bescheuert sind.«

»Bescheuert?« Stone sah Johanson an. »Dr. Johanson, halten Sie es für eine gängige wissenschaftliche Erklärung, ein Tier als bescheuert zu bezeichnen?«

»Sie sind bescheuert«, fuhr Lund ungerührt fort. »Wie auch Menschen bescheuert sind, wenn sie im Pulk auftreten. Die vorderen Lemminge sehen durchaus, dass da eine Klippe ist, aber von hinten wird gedrängelt wie bei einem Popkonzert. Sie schubsen einander so lange ins Meer, bis der Zug zur Ruhe gekommen ist.«

Hvistendahl sagte: »Es gibt schon Tiere, die sich opfern. Altruismus ist das wohl.«

»Ja, aber Altruismus ergibt immer einen Sinn«, erwiderte Johanson. »Bienen nehmen in Kauf, nach dem Stich zu sterben, weil der Stich dem Schutz des Volkes dient, beziehungsweise der Königin.«

»Es lässt sich also keine irgend geartete Absicht im Verhalten der Würmer erkennen?«

»Nein.«

»Biologieunterricht«, seufzte Stone. »Du lieber Himmel! Ihr versucht aus diesen Würmern irgendwelche Monster zu machen, derentwegen man keine Fabrik auf den Meeresboden stellen kann. Das ist albern!«

»Noch was«, sagte Johanson, ohne den Projektleiter zu beachten. »Geomar würde im Explorationsgebiet gern eigene Forschungen zu dem Thema betreiben. Natürlich im Schulterschluss mit Statoil.«

»Interessant.« Skaugen beugte sich vor. »Wollen sie jemanden schicken?«

»Ein Forschungsschiff. Die *Sonne*.«

»Das ist nobel von ihnen, aber sie können ihre Forschungen von der *Thorvaldson* aus betreiben.«

»Sie planen ohnehin eine Expedition. Außerdem ist die *Sonne* der *Thorvaldson* technisch voraus. Es geht ihnen hauptsächlich darum, einige Messergebnisse aus dem Tiefseesimulator zu überprüfen.«

»Was für Messungen?«

»Erhöhte Methankonzentrationen. Die Würmer haben durch ihre Bohrungen Gas freigesetzt, das ins Wasser gelangt ist. Außerdem möchten sie ein paar Zentner Hydrat ausbaggern. Samt Würmern. Sie wollen sich alles im größeren Maßstab ansehen.«

Skaugen nickte und verschränkte die Finger.

»Wir haben bis jetzt nur über Würmer gesprochen«, sagte er. »Haben Sie diese ominöse Videoaufnahme gesehen?«

»Das Ding im Meer?«

Skaugen lächelte dünn. »Das Ding? Klingt mir offen gestanden zu sehr nach Horrorstreifen. Was halten Sie davon?«

»Ich weiß nicht, ob die Würmer und dieses ... Wesen in Zusammenhang gebracht werden sollten.«

»Und was denken Sie, was es ist?«

»Keine Ahnung.«

»Sie sind Biologe. Gibt es nicht irgendeine Antwort, die sich aufdrängt?«

»Biolumineszenz. Tinas Nachbearbeitung des Materials lässt darauf schließen. Jedes größere bekannte Lebewesen fällt damit aus. *Per se* jedes Säugetier.«

»Frau Lund erwähnte die Möglichkeit, wir hätten es mit einem Tiefseekalmar zu tun.«

»Ja, das haben wir diskutiert«, sagte Johanson. »Aber es ist unwahrscheinlich. Körperfläche und Struktur lassen keinen derartigen Schluss zu. Außerdem vermuten wir die Architheuten in ganz anderen Regionen.«

»Also was ist es dann?«

»Ich weiß es nicht.«

Schweigen breitete sich aus. Stone spielte nervös mit einem Kugelschreiber.

»Darf ich fragen«, nahm Johanson die Unterhaltung in bedächtigem Tonfall wieder auf, »welche Art von Fabrik Sie eigentlich planen?«

Skaugen warf Lund einen Blick zu. Sie zuckte die Achseln.

»Ich habe Sigur erzählt, dass wir eine Unterwasseranlage ins Auge fassen. Und dass wir noch nicht definitiv wissen, ob es wirklich eine werden wird.«

»Kennen Sie sich mit so was aus?«, fragte Skaugen an Johanson gewandt.

»Ich kenne Subsis«, sagte Johanson. »Seit neuestem.«

Hvistendahl hob die Brauen.

»Das ist ja schon mal eine ganze Menge. Sie entwickeln sich zum Fachmann, Dr. Johanson. Wenn Sie noch zwei-, dreimal mit uns zusammensitzen ...«

»Subsis ist eine Vorstufe«, blaffte Stone. »Wir sind viel weiter als Subsis. Wir kommen tiefer, und die Sicherheitssysteme sind über jeden Zweifel erhaben.«

»Das neue System stammt von FMC Kongsberg, das ist ein technischer Entwickler für Tiefseelösungen«, erläuterte Skaugen. »Es ist eine Weiterentwicklung von Subsis. Dass wir so etwas installieren wollen, ist eigentlich keine Frage. Unschlüssig sind wir, ob die Pipelines zu einer der bestehenden Plattformen oder direkt an Land führen werden. Immerhin hätten wir enorme Entfernungen und Höhenunterschiede zu überwinden.«

»Gibt es nicht auch eine dritte Möglichkeit?«, fragte Johanson. »Direkt über der Fabrik schwimmt ein Produktionsschiff?«

»Ja, aber so oder so ruht die Förderstation auf dem Grund«, sagte Hvistendahl.

»Wie gesagt, wir wissen die Risiken einzuschätzen«, fuhr Skaugen fort, »solange es *definierte* Risiken sind. Mit den Würmern kommen Faktoren ins Spiel, die wir nicht kennen und nicht erklären können. Es mag, wie Clifford meint, übertrieben sein, wenn wir unseren Zeitplan aufs Spiel setzen, bloß weil wir eine neue Spezies nicht einordnen können oder irgendwas Unbekanntes durchs Bild schwimmt. Aber solange es keine Gewissheit gibt, müssen wir alles daransetzen, welche zu erlangen. – Sie sollen uns diese Entscheidung nicht abnehmen, Dr. Johanson, dennoch: Was würden Sie an unserer Stelle tun?«

Johanson fühlte sich unbehaglich. Stone starrte ihn mit unverhohlener Feindseligkeit an. Hvistendahl und Skaugen wirkten interessiert, und Lunds Gesichtsausdruck war bar jeder Regung.

Wir hätten uns vorher abstimmen sollen, dachte er.

Aber Lund hatte nicht auf eine Abstimmung gedrängt. Vielleicht war es ihr lieber so. Vielleicht wollte sie, dass er dem Projekt fürs Erste den Riegel vorschob.

Oder auch nicht.

Johanson legte die Hände vor sich auf den Tisch.

»Ich würde die Station grundsätzlich bauen«, sagte er.

Skaugen und Lund starrten ihn verblüfft an. Hvistendahl runzelte die Stirn, während sich Stone mit triumphierendem Gesichtsausdruck zurücklehnte.

Johanson ließ einen Moment verstreichen, dann fügte er hinzu:

»Ich würde sie bauen, aber erst, nachdem Geomar weitere Untersuchungen durchgeführt und grünes Licht gegeben hat. Über die Kreatur auf dem Video werden wir kaum Aufschluss erlangen. Nessie lässt grüßen. Ich bin auch nicht sicher, ob sie uns beschäftigen sollte. Entscheidend ist, welche Auswirkungen das massenhafte Auftreten einer unbekannten, Hydrat fressenden Spezies auf die Stabilität der Kontinentalhänge und etwaige Bohrungen hat. Solange das nicht geklärt ist, empfehle ich, das Projekt auf Eis zu legen.«

Stone kniff die Lippen zusammen. Lund lächelte. Skaugen wechselte einen Blick mit Hvistendahl. Dann sah er Johanson in die Augen und nickte.

»Ich danke Ihnen, Dr. Johanson. Danke für Ihre Zeit.«

Später, als er den Koffer im Geländewagen verstaut hatte und einen letzten Rundgang durchs Haus machte, schellte es an seiner Tür.

Er öffnete. Draußen stand Lund. Es hatte zu regnen begonnen, und die Haare klebten ihr am Kopf.

»Das war gut«, sagte sie.

»War es das?« Johanson trat zur Seite, um sie ins Innere zu lassen. Sie kam herein, strich sich die nassen Strähnen aus der Stirn und nickte.

»Skaugen hatte seine Entscheidung im Grunde schon gefällt. Er wollte deinen Segen.«

»Wer bin ich, die Projekte Statoils abzusegnen?«

»Ich sagte schon, du genießt einen ausgezeichneten Ruf. Aber Skaugen geht es um mehr. Er wird sich verantworten müssen, und jeder, der für Statoil arbeitet oder sonst wie mit dem Konzern verknüpft ist, muss als parteiisch gelten. Er wollte jemanden, der keine Karten in der Sache hat, und du bist nun mal Herr über jegliches Gewürm und denkbar uninteressiert am Bau irgendwelcher Fabriken.«

»Skaugen hat also das Projekt auf Eis gelegt?«

»Bis zur Klärung der Situation durch Geomar.«

»Donnerwetter!«

»Er mag dich übrigens.«

»Ich ihn auch.«

»Ja, Statoil kann sich glücklich schätzen, Leute wie ihn in der Spitze zu haben.« Sie stand in seiner Diele und ließ die Arme hängen. Für jemanden, der normalerweise ständig in Bewegung und voller Zielstrebigkeit war, wirkte sie seltsam unentschlossen. Ihre Augen suchten den Raum ab. »Wo ist eigentlich dein Gepäck?«

»Wieso?«

»Wolltest du nicht zum See?«

»Das Gepäck ist im Wagen. Du hattest Glück, ich stand im Begriff, das Haus zu verlassen.« Er musterte sie. »Kann ich noch was für dich tun, bevor ich mich der Einsamkeit ergebe? Und ich *werde* fahren! Keine weiteren Aufschübe.«

»Ich wollte dich nicht aufhalten. Ich wollte dir erzählen, was Skaugen entschieden hat, und …«

»Das ist nett von dir.«

»Und dich fragen, ob dein Angebot noch gilt.«

»Welches?«, fragte er, obschon ihm klar war, was sie meinte.

»Du hast vorgeschlagen, dass ich mitfahre.«

Johanson lehnte sich gegen die Wand neben der Garderobe. Plötzlich sah er einen gewaltigen Berg Probleme auf sich zukommen.

»Ich habe auch gefragt, was Kare dazu sagt.«

Sie schüttelte unwirsch den Kopf.

»Ich muss niemanden um Erlaubnis fragen, wenn du das meinst.«

»Nein, das meine ich nicht. Ich möchte nur nicht zu Missverständnissen beitragen.«

»Du trägst zu gar nichts bei«, sagte sie trotzig. »Wenn ich mit zum See will, ist das einzig meine Entscheidung.«

»Du weichst mir aus.«

Wasser tropfte aus ihren Haaren und lief ihr übers Gesicht.

»Warum hast du es dann überhaupt vorgeschlagen?«, fragte sie.

Ja, warum, dachte Johanson.

Weil ich es gerne hätte. Nur möglichst so, dass es nichts kaputtmacht. Er fühlte sich Kare Sverdrup gegenüber nicht im Mindesten verpflichtet. Aber Lunds plötzliche Bereitschaft, mit ihm zum See zu fahren, irritierte ihn. Vor Wochen noch hätte er sich keine Gedanken darüber gemacht. Sporadische Unternehmungen, Verabredungen zum Essen, all das war Teil ihres selbstironisch inszenierten Dauerflirts, ohne dass jemals etwas folgte. Das hier gehörte nicht zum Flirt.

Mit einem Mal wusste er, was ihn störte. Im selben Moment wurde ihm auch klar, was Lund in den letzten Tagen so sehr beschäftigt haben musste.

»Wenn ihr beide Ärger habt«, sagte er, »lass mich aus dem Spiel. Einverstanden? Du kannst mitkommen, aber ich bin nicht da, um Kare unter Druck zu setzen.«

»Du interpretierst ein bisschen viel rein in die Sache.« Lund zuckte die Achseln. »Also gut. Vielleicht hast du Recht. Lassen wir's.«

»Ja.«

»Besser so. Ich muss einfach ein bisschen nachdenken.«

»Mach das.«

Sie standen weiterhin unentschlossen in der Diele herum.

»Also dann«, sagte Johanson. Er beugte sich vor, gab ihr einen flüchtigen Kuss auf die Wange und schob sie sanft nach draußen auf die Straße. Dann schloss er die Haustüre hinter ihnen ab. Allmählich wurde es dämmrig. Es nieselte beständig. Er würde den größten Teil der Strecke im Dunkeln zurücklegen, aber es war ihm beinahe recht so. Er würde Sibelius' Finlandia-Symphonie hören. Sibelius und die Dunkelheit. Das war gut.

»Montag bist du wieder da?«, fragte Lund, während sie mit ihm zum Wagen ging.

»Ich schätze, schon Sonntag Nachmittag.«

»Wir können ja telefonieren.«

»Sicher. Was hast du so vor?«

Sie zuckte die Achseln.

»Arbeit hätte ich genug.«

Er verkniff sich eine weitere Frage nach Kare Sverdrup. Im selben Moment sagte Lund: »Kare ist übers Wochenende verreist. Zu seinen Eltern.«

Johanson öffnete die Fahrertür und verharrte.

»Du musst ja nicht immer nur arbeiten«, sagte er.

Sie lächelte.

»Nein. Natürlich nicht.«

»Außerdem … könntest du gar nicht mitfahren. Du hast nichts dabei für ein Wochenende am See.«

»Was braucht man denn?«

»Gutes Schuhwerk vor allen Dingen. Und was Warmes zum Anziehen.«

Lund sah an sich herunter. Sie trug Schnürstiefel mit dicken Sohlen.

»Was braucht man noch?«, fragte sie.

»Na ja. Wie gesagt, einen Pullover …« Johanson fuhr sich über den Bart. »Einiges habe ich auch im Haus.«

»Mhm. Weil man ja nie weiß.«

»Richtig. Man weiß ja nie.«

Er sah sie an. Dann musste er lachen.

»Okay, Frau Kompliziert. Letzte Mitfahrgelegenheit.«

»Ich und kompliziert?« Lund riss die Beifahrertür auf und grinste. »Das werden wir auf der Fahrt ausdiskutieren.«

Als sie den unbefestigten Weg zur Hütte erreichten, war es bereits dunkel, und der Jeep rumpelte unter den Scherenschnitten der Bäume hindurch zum Ufer. Vor ihnen lag der See wie ein zweiter, in Wälder gebetteter Himmel. Die Oberfläche war voller Sterne, wo die Wolken sich auseinander geschoben hatten, während es unten in Trondheim wahrscheinlich immer noch regnete.

Johanson brachte den Koffer ins Haus und trat neben Lund auf die Veranda. Die Bohlen knarrten leise. Jedes Mal aufs Neue fühlte er sich ergriffen von der Stille, die umso offenbarer wurde, weil sie voller Geräusche war: Rascheln, Zirpen und leises Knacken, der ferne Schrei eines Vogels, Bewegungen im Unterholz, Undeutbares. Eine kurze Verandatreppe führte auf eine Wiese, die zum Wasser hin sanft abfiel. Von dort erstreckte sich ein windschiefer Landungssteg. Das Boot am Ende, mit dem er manchmal zum Angeln hinausfuhr, lag reglos da.

Lund sah hinaus.

»Und das hast du alles für dich alleine?«, fragte sie.

»Meistens.«

Sie schwieg eine Weile.

»Du musst ziemlich gut mit dir selber klarkommen, schätze ich.«

Johanson lachte leise. »Wieso glaubst du das?«

»Wenn du hier niemanden findest außer dich selber … ich meine, deine Gesellschaft muss dir angenehm sein.«

»Oh ja. Ich kann hier draußen mit mir umspringen, wie ich will. Mich mögen, mich verabscheuen …«

Sie wandte ihm den Kopf zu.

»So was kommt vor? Dass du dich verabscheust?«

»Selten. Und wenn, verabscheue ich mich dafür. Komm rein. Ich mache uns einen Risotto.«

Sie gingen hinein.

Johanson schnitt Zwiebeln in der kleinen Küche, dünstete sie in Olivenöl an und gab Riso di Carnaroli dazu, den venezianischen Risottoreis. Er wendete die Reiskörner mit einem Holzlöffel, bis sie sämtlich von Öl überzogen waren, goss kochenden Geflügelfond an und rührte weiter, damit die Masse nicht anbrannte. Zwischendurch schnitt er Steinpilze in Streifen, erhitzte sie in Butter und ließ sie auf kleiner Flamme brutzeln.

Lund sah fasziniert zu. Johanson wusste, dass sie nicht kochen konnte. Sie brachte die Geduld nicht auf. Er entkorkte eine Flasche Rotwein, dekantierte ihn und füllte zwei Gläser. Das übliche Procedere. Es funktionierte immer. Es wurde gegessen, getrunken, geredet, zusammengerückt. Es folgte, was eben folgte, wenn ein alternder Bohemien und eine junge Frau an einen einsamen, romantischen Ort fuhren.

Verdammte Automatismen!

Warum zum Teufel hatte sie mitkommen wollen?

Er hätte einiges darum gegeben, den Dingen an diesem Abend einfach ihren Lauf zu lassen. Lund saß am Küchenblock, trug einen seiner Pullover und wirkte so entspannt wie seit langem nicht mehr. Ihre Gesichtszüge hatten etwas ungewohnt Weiches angenommen. Johanson war irritiert. Er hatte sich oft einzureden versucht, dass sie eigentlich nicht sein Typ war, zu hektisch, zu nordisch mit ihren glatten, weißblonden Haaren und Augenbrauen. Jetzt musste er sich eingestehen, dass nichts von alledem zutraf.

Du hättest ein schönes, ruhiges Wochenende verbringen können, dachte er. Aber du wolltest es ja unbedingt kompliziert haben, Idiot.

Sie aßen in der Küche. Lund wurde mit jedem Glas ausgelassener. Sie alberten herum und öffneten eine weitere Flasche.

Um Mitternacht sagte Johanson:

»Es ist nicht wirklich kalt draußen. Lust auf eine Bootstour?«

Sie stützte das Kinn in die Hände und grinste ihn an.

»Mit Schwimmen?«

»Würde ich an deiner Stelle bleiben lassen. Vielleicht in ein bis zwei Monaten. Dann ist es hier wärmer. Nein, wir fahren in die Mitte des Sees, nehmen die Flasche mit und …«

Er machte eine Pause.

»Und?«

»Gucken uns die Sterne an.«

Ihre Blicke blieben aneinander hängen. Jeder auf seiner Seite des Küchenblocks, die Arme aufgestützt, sahen sie einander an, und Johanson fühlte, wie sein innerer Widerstand zusammenbrach. Er hörte sich Dinge sagen, die er nicht hatte sagen wollen, sah sich sämtliche Register ziehen und die notwendigen Hebel und Schalter betätigen, um die Maschinerie in Gang zu setzen. Er weckte Erwartungen, bestärkte sich und Lund darin, zu tun, weswegen man nun mal gemeinsam an einen verlassenen See fuhr, wünschte sie zurück nach Trondheim und zugleich in seine Arme, rückte ihr näher, bis er ihren Atem auf seinem Gesicht spüren konnte, verfluchte den Lauf des Geschicks und konnte es zugleich kaum erwarten.

»Gut. Dann mal los.«

Draußen war es windstill. Sie liefen den Steg entlang und sprangen ins Boot. Es geriet ins Schaukeln, und Johanson ergriff ihren Arm. Er hätte laut auflachen können! Wie im Film, schoss es ihm durch den Kopf. Wie in einem gottverdammten Kitschfilm mit Meg Ryan. Beim Stolpern kommt man sich näher. Du liebe Güte.

Es war ein kleines Holzboot, das ihm der ehemalige Besitzer des Hauses mitverkauft hatte. Der Bug war überplankt, um Stauraum zu schaffen. Lund setzte sich im Schneidersitz darauf, während Johanson den Außenborder startete. Das Motorengeräusch störte den Frieden keineswegs. Es fügte sich harmonisch ein in die wundersam belebte Nacht der Wälder, ein Tuckern und tiefes Brummen wie von einer überdimensionalen Hummel.

Während der kurzen Fahrt fiel kein Wort. Schließlich drosselte Johanson den Motor und stellte ihn aus. Sie trieben ein gutes Stück vom Haus entfernt. Er hatte die Verandabeleuchtung angelassen, und sie spiegelte sich im ufernahen Wasser als kräuseliger Streifen. Hier und da erklang leises Plätschern, wenn ein Fisch an die Oberfläche schoss, um nach Insekten zu schnappen. Johanson balancierte zu Lund hinüber, in der Rechten die halb volle Flasche. Das Boot schaukelte sacht.

»Wenn du dich auf den Rücken legst«, sagte er, »gehört das Universum dir. Mit allem, was drin ist. Versuch's.«

Sie sah ihn an. Im Dunkeln leuchteten ihre Augen.

»Hast du schon mal Sternschnuppen hier gesehen?«

»Ja. Mehrfach.«

»Und? Hast du dir was gewünscht?«

»Dafür mangelt es mir an romantischer Substanz.« Er ließ sich neben ihr auf den Planken nieder. »Ich habe es einfach genossen.«

Lund kicherte. »Du glaubst an gar nichts, was?«

»Und du?«

»Ich bin die Letzte, die an so was glaubt.«

»Ich weiß. Dir macht man keine Freude mit Blumen oder Sternschnuppen. Kare wird seine liebe Not haben. Das Romantischste, was man dir schenken kann, ist wahrscheinlich eine Stabilitätsanalyse für meerestechnische Konstruktionen.«

Lund sah ihn weiter an. Dann legte sie den Kopf in den Nacken und ließ sich langsam nach hinten sinken. Ihr Pullover rutschte hoch und gab ihren Bauchnabel frei.

»Glaubst du das wirklich?«

Johanson stützte sich auf den Ellenbogen und betrachtete sie.

»Nein. Nicht wirklich.«

»Du glaubst, ich bin unromantisch.«

»Ich glaube, du hast dir noch keine Gedanken darüber gemacht, wie Romantik funktioniert.«

Wieder hefteten sich ihre Blicke aneinander.

Lange.

Zu lange.

Er fand seine Finger in ihrem Haar wieder, fuhr langsam durch die Strähnen. Sie sah zu ihm hoch.

»Vielleicht zeigst du es mir«, flüsterte sie.

Johanson beugte sich hinab, bis zwischen ihren Lippen nur noch eine dünne Schicht erhitzter Luft vibrierte. Sie schlang einen Arm um seinen Nacken. Ihre Augen waren geschlossen.

Küssen. Jetzt.

Tausend Geräusche und Gedanken flatterten durch Johansons Hirn, verdichteten sich zu einem Wirbel und zerrten an seiner Konzentration. Immer noch verharrten sie beide in angespannter Stellung, als müsse erst jemand ein Zeichen geben, ein Signal, eine Genehmigung, hier bitte, in doppelter Ausfertigung, eine für Sie, eine für Sie. Sie dürfen die Braut jetzt küssen, Sie dürfen jetzt leidenschaftlich werden, *wirklich* leidenschaftlich. Das sah schon nicht schlecht aus, aber jetzt *glauben* Sie bitte dran!

Seien Sie *leidenschaftlich*, Mann!

Was ist los?, dachte Johanson. Was stimmt hier nicht?

Er spürte Lunds Körperwärme, nahm ihren Duft in sich auf, und es war ein köstlicher, wunderbarer, einladender Duft.

Aber es war, als sei er im falschen Haus. Nicht an ihn erging diese Einladung.

»Es funktioniert nicht«, sagte Lund im selben Moment.

Einen Atemzug lang, auf der Kippe zwischen Kapitulation und trotzigem Beharren, fühlte sich Johanson, als sei er in eiskaltes Wasser gefallen. Dann verging der kurze Schmerz. Etwas erlosch. Der Rest von Glut verflüchtigte sich in der klaren Luft über dem See und machte ungeheurer Erleichterung Platz.

»Du hast Recht«, sagte er.

Sie lösten sich voneinander, langsam, widerstrebend, als hätten ihre Körper noch nicht begriffen, was die Köpfe längst ausgehandelt hatten. Johanson sah die Frage in ihren Augen, die sie wahrscheinlich auch in seinen las: Wie viel haben wir vermasselt? Kaputtgemacht? Für immer versaut?

»Alles okay?«, fragte er.

Lund antwortete nicht. Er setzte sich vor sie hin, mit dem Rücken zur Bootswand. Dann fiel ihm auf, dass er die Flasche noch umklammert hielt, und er reichte sie ihr.

»Offenbar«, sagte er, »ist unsere Freundschaft zu stark für die Liebe.«

Er wusste, dass es platt und pathetisch klang, aber es verfehlte seine Wirkung nicht. Sie begann zu kichern, nervös zuerst, dann offensichtlich erleichtert. Griff nach der Flasche, nahm einen langen Schluck und lachte laut auf. Fuhr sich durchs Gesicht, als wollte sie dieses laute, unpassende Lachen wegwischen, aber es drang weiterhin dumpf zwischen ihren Fingern hindurch, und Johanson lachte schließlich mit.

»Puh«, machte sie.

Dann schwiegen sie eine ganze Weile.

»Bist du sauer?«, fragte sie schließlich leise.

»Nein. Du?«

»Ich … nein, ich bin nicht sauer. Überhaupt nicht. Es ist nur …« Sie stockte. »Es ist alles so wirr. Auf der *Thorvaldson*, weißt du, der Abend in deiner Kabine. Eine Minute länger, und … ich meine, es hätte passieren können, aber heute …«

Er nahm ihr die Flasche aus der Hand und trank.

»Nein«, sagte er. »Seien wir ehrlich, es wäre ebenso ausgegangen. Ganz genauso wie gerade.«

»Woran liegt's?«

»Du liebst ihn.«

Lund schlang die Arme um ihre Knie. »Kare?«

»Wen sonst?«

Sie starrte vor sich hin, eine ganze Zeit lang, und Johanson formte die Lippen wieder um den Flaschenhals, weil es nicht seine Aufgabe war, Tina Lund ihre Gefühle zu erklären.

»Ich dachte, ich kann dem entkommen, Sigur.«

Pause. Wenn sie eine Antwort erwartet, dachte er, wird sie lange warten müssen. Sie wird es von selber kapieren müssen.

»Wir waren immer mal wieder so weit, du und ich«, sagte sie nach einer Weile. »Keiner von uns wollte sich binden, eigentlich ideale

Voraussetzungen. – Aber wir haben die Option nie eingelöst. – Ich hatte zu keiner Zeit das Gefühl, es muss jetzt unbedingt sein, ich … ich war nie in dich verliebt. Ich wollte nie verliebt sein. Aber die Vorstellung, dass es irgendwann passiert, hatte ihren Reiz. Jeder lebt weiter sein Leben, keine Verpflichtung, keine Bindung. Ich war sogar überzeugt, dass es bald passieren würde, ich fand, dass es fällig war! – Und plötzlich kommt Kare daher, und ich denke: Mein Gott, das ist verbindlich! Alles oder nichts. Liebe ist verbindlich, und das hier ist …«

»Das ist Liebe.«

»Ich dachte eher, es ist was anderes. Wie Grippe. Ich konnte mich nicht mehr vernünftig auf meinen Job konzentrieren, ich war in Gedanken ständig woanders, ich hatte einfach das Gefühl, mir wird der Boden unter den Füßen weggezogen, und das passt nicht in mein Leben, das bin nicht ich.«

»Und da hast du gedacht, bevor du die Kontrolle verlierst, löst du endlich die Option ein.«

»Du bist ja doch sauer!«

»Ich bin nicht sauer. Ich verstehe dich. Ich war auch nie in dich verliebt.« Er überlegte. »Begehrt habe ich dich. Übrigens erst richtig, seit du mit Kare zusammen bist. Aber ich bin ein alter Jäger, ich glaube, es war einfach ärgerlich, dass mir da einer die Beute streitig machte, es hat mich gefuchst und in meiner Eitelkeit gekränkt …« Er lachte leise. »Kennst du diesen wunderbaren Film mit Cher und Nicolas Cage? *Mondsüchtig.* Jemand fragt, warum wollen Männer mit Frauen schlafen? Und die Antwort ist: Weil sie Angst vor dem Tod haben. Mhm. Wie komme ich jetzt darauf?«

»Weil alles mit Angst zu tun hat. Angst vor dem Alleinsein, Angst davor, nicht gefragt zu sein – aber schlimmer ist die Angst, wählen zu können und dich falsch zu entscheiden. So, dass du aus der Nummer nicht mehr rauskommst. Du und ich, wir würden nie etwas anderes als ein Verhältnis haben, und mit Kare … mit Kare könnte ich nie etwas anderes haben als eine Beziehung. Es brauchte nicht viel, dass mir das klar wurde. Du willst jemanden, den du eigentlich gar nicht kennst, du willst ihn um jeden Preis. Du bekommst ihn aber nur, wenn du sein Leben mitkaufst. Und plötzlich wirst du misstrauisch.«

»Es könnte sich als Fehler herausstellen.«

Sie nickte.

»Warst du eigentlich je mit einem zusammen?«, fragte er. »So richtig, meine ich.«

»Einmal«, erwiderte sie. »Ist schon was her.«

»Dein Erster?«

»Mhm.«

»Was ist passiert?«

»Es ist unoriginell, was passierte. Wirklich. Ich würde gerne mit was Wuchtigem aufwarten, aber Tatsache ist, dass er irgendwann Schluss machte und ich das heulende Elend bekam.«

»Und danach?«

Sie stützte das Kinn auf. Wie sie dort im Mondlicht saß, eine kleine, steile Falte zwischen den Brauen, sah sie wunderbar aus. Dennoch empfand Johanson nicht die Spur des Bedauerns. Weder, dass sie es versucht hatten, noch, wie es ausgegangen war.

»Danach war ich jedes Mal diejenige, die es beendet hat.«

»Racheengel.«

»Quatsch. Nein, manchmal gingen mir die Kerle einfach auf die Nerven. Zu langsam, zu lieb, zu begriffsstutzig. Manchmal bin ich auch einfach weggelaufen, um mich in Sicherheit zu bringen, bevor … Du weißt ja, ich bin schnell.«

»Lass uns kein schönes Haus bauen, denn es könnte ein Sturm kommen und es zerstören.«

Lund verzog die Mundwinkel. »Ist mir zu elegisch.«

»Mag sein. Aber es passt.«

»Ja, passen tut's schon.« Sie runzelte die Stirn. »Es gibt auch noch die andere Möglichkeit. Du baust das Haus, und bevor es jemand zerstören kann, zerstörst du es selber.«

»Kare, das Haus.«

»Ja. Kare, das Haus.«

Irgendwo begann eine Grille zu zirpen. Ein ganzes Stück entfernt antwortete eine zweite.

»Beinahe wäre es dir gelungen«, sagte Johanson. »Wenn wir heute miteinander geschlafen hätten, hättest du Grund genug gehabt, Kare den Laufpass zu geben.«

Sie erwiderte nichts.

»Glaubst du, du hättest dich selber dermaßen übertölpeln können?«

»Ich hätte mir halt gesagt, dass es weit mehr meinem Lebensstil entspricht, mit dir ein Verhältnis zu haben, als eine Beziehung einzugehen, die mich auf Dauer lahm legt. Mit dir ins Bett zu gehen hätte das irgendwie … bestätigt.«

»Du hättest dir die Bestätigung sozusagen ervögelt.«

»Nein.« Sie funkelte ihn zornig an. »Ich war scharf auf dich, ob du's glaubst oder nicht.«

»Schon gut.«

»Du bist kein Fluchthelfer, wenn du das meinst. Ich habe dich nicht einfach so ...«

»Schon gut, schon gut!« Johanson hob die Hände. »Du bist eben verliebt.«

»Ja«, sagte sie mürrisch.

»Nicht so widerwillig. Sag's nochmal.«

»Ja. Jaha!«

»Schon besser.« Er grinste. »Und jetzt, wo wir dich von innen nach außen gekrempelt und gesehen haben, was du für ein Angsthase bist, sollten wir vielleicht den Rest der Flasche auf Kare leeren.«

Sie grinste schiefmäulig zurück. »Ich weiß es nicht.«

»Du bist dir immer noch nicht sicher?«

»Mal mehr, mal weniger. Ich bin ... durcheinander.«

Johanson ließ die Flasche abwechselnd von einer Hand in die andere wandern. Dann sagte er:

»Ich habe auch mal ein Haus niedergerissen, Tina. Ist Jahre her. Die Bewohner waren noch drin. Sie haben einigen Schaden genommen, aber später sind sie drüber weggekommen. – Einer von beiden jedenfalls. Ich weiß bis heute nicht, ob es richtig war.«

»Wer war der andere Bewohner?«, fragte Lund.

»Meine Frau.«

Sie zog die Brauen hoch. »Du warst verheiratet?«

»Ja.«

»Davon hast du nie was erzählt.«

»Ich habe manches nicht erzählt. Ich finde es ganz erquicklich, Dinge nicht zu erzählen.«

»Was ist passiert?«

»Was halt passiert.« Er zuckte die Achseln. »Du lässt dich wieder scheiden.«

»Warum?«

»Das ist es ja. Es gab keinen besonderen Grund. Keine bühnenreifen Dramen, keine fliegenden Teller. Nur das Gefühl, es könnte zu eng werden. Und in Wahrheit die Angst, es könnte ... mich abhängig machen. Ich sah eine Familie auf mich zukommen, Kinder und einen sabbernden Köter im Vorgarten, ich sah mich Verantwortung übernehmen, und die Kinder und der Hund und die Verantwortung machten die Liebe Stück für Stück zunichte ... Ich hielt es damals für sehr vernünftig, mich zu trennen.«

»Und heute?«

»Heute denke ich manchmal, dass es der vielleicht einzige Fehler war, den ich in meinem Leben gemacht habe.« Er sah versonnen aufs Wasser hinaus. Dann straffte er sich und hob die Flasche. »In diesem Sinne: Cheerio! Was immer du tun willst, tu es.«

»Ich weiß nicht, was ich tun soll«, flüsterte sie.

»Lass dich nicht von der Angst einholen. Du hast Recht, du bist schnell. Sei schneller als die Angst.« Er sah sie an. »Ich war es damals nicht. Alles, was du ohne Angst entscheidest, entscheidest du richtig.«

Lund lächelte. Dann beugte sie sich vor und griff nach der Flasche.

Erstaunlicherweise, wie Johanson fand, blieben sie dann doch das ganze Wochenende zusammen am See. In der Nacht ihrer verpatzten Romanze hatte er vermutet, sie werde tags drauf zurück nach Trondheim fahren wollen, aber so war es nicht. Etwas hatte sich geklärt. Dem ewigen Flirt war die Grundlage entzogen. Sie unternahmen Spaziergänge, schwatzten und lachten, verbannten die Welt samt allen Universitäten, Bohrinseln und Würmern aus ihren Köpfen, und Johanson kochte die besten Spaghetti Bolognese seines Lebens.

Es war eines der schönsten Wochenenden am See, an die er sich erinnern konnte.

Am Sonntagabend fuhren sie zurück. Johanson setzte Lund vor ihrer Haustür ab. Sie gaben sich einen Kuss im Schutz der Stadt, flüchtig und freundschaftlich. Für die Dauer einiger Herzschläge, als Johanson wenig später sein Haus in der Kirkegata betrat, empfand er zum ersten Mal seit Jahren wieder den Unterschied zwischen allein und einsam. Er ließ das Gefühl in der Diele zurück. Bis dorthin durften Selbstzweifel und Schwermut mitkommen. Keinen Schritt weiter.

Er brachte den Koffer ins Schlafzimmer. Auch hier stand ein Fernseher, ebenso wie im Wohnraum. Johanson schaltete ihn ein und zappte so lange durch alle Kanäle, bis er die Aufzeichnung eines Konzerts aus der Royal Albert Hall erwischte. Kiri Te Kanawa sang Arien aus *La Traviata*. Johanson begann auszupacken, summte leise mit und machte sich unentschlossene Gedanken über die Natur seines obligatorischen Gutenachtdrinks.

Nach einer Weile erklang keine Musik mehr.

Über einigen Schwierigkeiten beim Falten eines Hemdes registrierte er nicht gleich, dass das Konzert zu Ende gegangen war. Er kämpfte mit einem widerspenstigen Ärmel, während im Hintergrund Nachrichten liefen.

»... aus Chile bekannt geworden. Ob das Verschwinden der norwegischen Familie in Zusammenhang mit ähnlichen Vorfällen steht, die sich offenbar zur gleichen Zeit an den Küsten Perus und Argentiniens ereignet haben, wurde nicht bestätigt. Auch dort waren in den vergangenen Wochen mehrfach Fischerboote verschwunden oder später treibend gesichtet worden. Von den Besatzungen fehlt bis zur Stunde jede Spur. Die fünfköpfige Familie war bei ruhiger See und schönem Wetter an Bord eines Fischtrawlers zum Hochseeangeln hinausgefahren.«

Ärmel rechts falten, nach innen klappen. Was war das da gerade gewesen im Fernsehen?

»Costa Rica verzeichnet derweil eine Quälleninvasion ungewohnten Ausmaßes. Tausende sogenannter Staatsquallen der Gattung Portugiesische Galeere sind unter anderem dicht in Küstennähe aufgetaucht. Wie verlautet, kamen inzwischen vierzehn Menschen durch Begegnungen mit den hochgiftigen Tieren ums Leben, zahlreiche wurden verletzt, darunter auch zwei Engländer und ein Deutscher. Eine nicht bekannte Anzahl von Personen wird noch vermisst. Das costaricanische Fremdenverkehrsamt kündigte Krisensitzungen an, wies jedoch Meldungen, wonach die Strände für Touristen geschlossen werden sollen, zurück. Im Augenblick bestehe keine unmittelbare Gefahr für den Badebetrieb.«

Johanson stand reglos da, den Ärmel in der Hand.

»Diese Arschlöcher«, murmelte er. »Vierzehn Tote. Sie hätten längst alles abriegeln müssen.«

»Auch vor der australischen Küste haben Schwärme von Quallen für Beunruhigung gesorgt. Insbesondere soll es sich dabei um Seewespen handeln, die ebenfalls als hochgiftig gelten. Die örtlichen Behörden warnen eindringlich davor, schwimmen zu gehen. In den letzten einhundert Jahren starben in Australien siebzig Menschen an den Folgen von Seewespengift, das sind mehr Tote als durch Haiattacken. – Schwere Unglücksfälle auf See mit Todesfolge sind unterdessen aus Westkanada bekannt geworden. Die genaue Ursache für den Untergang mehrerer Touristenschiffe ist bislang nicht bekannt. Möglicherweise fuhren die Schiffe aufgrund eines Navigationsversagens ineinander.«

Johanson drehte sich um. Die Nachrichtensprecherin legte soeben ein Blatt aus der Hand und sah mit leerem Lächeln auf.

»Und jetzt weitere Nachrichten vom Tage in unserem Überblick.«

Portugiesische Galeeren, dachte Johanson.

Er erinnerte sich an eine Frau auf Bali, die keuchend im Sand gelegen hatte, von Krämpfen geschüttelt. Er selber war mit dem Ding nicht in

Berührung gekommen. Auch die Frau hatte die Galeere nicht berührt. Sie hatte beim Strandspaziergang etwas aus dem seichten Uferwasser gefischt mit einem Stock. Etwas, das ihr seltsam und von eigentümlicher Schönheit erschienen war, ein ätherisches, dahintreibendes Segel. Weil sie vorsichtig war, hatte sie darauf geachtet, Abstand zu wahren. Einige Male hatte sie es hin- und hergewendet, bis es mit Sand paniert seine Attraktivität und seinen Reiz verloren hatte, und dann war ihr dieser dumme Fehler unterlaufen ...

Portugiesische Galeeren gehörten zu den Staatsquallen, einer Spezies, die der Wissenschaft immer noch Rätsel aufgab. Genau genommen war die Galeere nicht einmal eine klassische Qualle, sondern eine schwimmende Kolonie aus einer Vielzahl winziger Einzeltiere, Hunderte und Tausende Polypen mit unterschiedlichsten Aufgaben. Ihr blau oder purpurn schillerndes Gallertsegel, das gasgefüllt aus dem Wasser ragte, ermöglichte es der Kolonie, wie eine Yacht vor dem Wind zu segeln. Was unterhalb des Segels lag, sah man nicht.

Aber man spürte es, sobald man hineingeriet.

Denn Galeeren zogen einen Vorhang aus Tentakeln hinter sich her, die bis zu fünfzig Meter lang wurden, bestückt mit Hunderttausenden winziger, fühlerbesetzter Nesselzellen. Aufbau und Funktion dieser Zellen stellten eine Meisterleistung der Evolution dar, ein hocheffizientes Waffenarsenal. Jede Zelle barg in ihrem Innern eine Kapsel mit einem zusammengerollten Schlauch, der in einer harpunengleichen Spitze mündete, nach innen gestülpt wie der Finger eines Handschuhs. Die leichteste Berührung setzte einen Vorgang von atemberaubender Präzision in Gang. Im Moment, da der Fühler den Kontakt registrierte, entrollte sich der Schlauch und schoss mit einem Druck von siebzig platzenden Autoreifen hervor. Tausende der widerhakenbesetzten Harpunen durchschlugen die Körperwand des Opfers wie subkutane Spritzen und injizierten ein Gemisch aus verschiedenen Eiweißen und Proteinen, das gleichzeitig Blutkörperchen und Nervenzellen angriff. Die Folge war eine sofortige Kontraktion der Muskulatur. Schmerzen wie von glühendem Metall, das sich ins Fleisch bohrte, Schockzustand, Atemstillstand, dann Herzversagen. Sofern man das Glück hatte, sich in Ufernähe zu befinden und sofort geborgen zu werden, überlebte man den Kontakt. Taucher und Schwimmer, die weiter draußen ins Gewirr der treibenden Tentakel gerieten, hatten kaum eine Chance.

Der Frau auf Bali war nichts weiter geschehen, als dass ihr Zeh den Stock berührt hatte, an dem etwas von dem Nesselgift haftete. Selbst diese geringe Menge hatte ausgereicht, um sie die Begegnung nie wieder vergessen zu lassen.

Dennoch war die Portugiesische Galeere harmlos, verglichen mit der Würfelqualle *Chironex fleckeri*, der australischen Seewespe.

Die Natur hatte sich in der Evolutionsgeschichte zu beeindruckenden Leistungen der Giftmischerei aufgeschwungen. Im Falle der Seewespe hatte sie ihr Meisterstück abgeliefert. Das Gift eines einzigen Tiers reichte aus, um zweihundertfünfzig Menschen zu töten. Der hochwirksame Nervenblocker rief augenblickliche Bewusstlosigkeit hervor. Die meisten Opfer starben gleichzeitig durch Herzversagen und Ertrinken, innerhalb von Minuten und oft nur Sekunden.

All das schoss Johanson durch den Kopf, als er den Fernseher anstarrte.

Da verkaufte jemand die Leute für dumm. Vierzehn Todesopfer zuzüglich Verletzte in wenigen Wochen, hatte es das je vor einer Küste gegeben? Durch eine einzige Quallenart? Und was hatte diese andere Geschichte zu bedeuten, das Verschwinden von Schiffen?

Portugiesische Galeeren vor Südamerika. Seewespen vor Australien.

Borstenwurminvasionen vor Norwegen.

Das muss nichts heißen, dachte er. Quallen traten häufig in Schwärmen auf, überall auf der Welt. Kein Hochsommer ohne Quallenplage. Würmer waren etwas völlig anderes.

Er verräumte die letzten Kleidungsstücke, schaltete den Fernseher aus und ging ins Wohnzimmer, um eine CD einzulegen oder zu lesen.

Aber Johanson legte keine CD ein, und er griff auch nach keinem Buch. Vielmehr ging er eine Weile hin und her, trat ans Fenster und sah hinaus auf die von Laternen erleuchtete Straße.

Es war so friedlich gewesen am See.

Es war friedlich in der Kirkegata.

Wenn es zu friedlich wurde, war im Allgemeinen irgendetwas nicht in Ordnung.

Blödsinn, dachte Johanson. Was hat die Kirkegata mit alldem zu tun?

Er schüttete sich einen Grappa ein, nippte daran und versuchte, an etwas anderes zu denken als an die Nachrichtensendung.

Jemand fiel ihm ein, den man anrufen könnte.

Knut Olsen. Er arbeitete wie Johanson als Biologe an der NTNU. Johanson erinnerte sich, dass er eine Menge von Quallen, Korallen und Seeanemonen verstand. Außerdem konnte er Olsen fragen, was es mit den verschwundenen Booten auf sich hatte.

Olsen meldete sich nach dem dritten Schellen.

»Hast du schon geschlafen?«, fragte Johanson.

»Die Kinder haben mich wach gehalten«, sagte Olsen. »Marie hatte Geburtstag, sie ist fünf geworden. Wie war's am See?«

Olsen war ein stets gut gelaunter Familienmensch, der ein bürgerlich dermaßen korrektes Leben führte, dass es Johanson grauste. Sie unternahmen privat nie etwas zusammen, sah man von Mittagspausen ab. Aber Olsen war ein guter Kerl und hatte Humor. Er musste Humor haben. Anders konnte es Johansons Ansicht nach kaum zu ertragen sein mit fünf Kindern und Dutzenden omnipräsenter Verwandter.

»Du solltest endlich mal mitkommen«, schlug er vor. Es war eine Floskel. Ebenso gut hätte er sagen können, du solltest endlich mal deinen Wagen in die Luft sprengen oder zwei deiner Kinder verkaufen.

»Klar«, sagte Olsen. »Irgendwann gerne.«

»Hast du die Nachrichten gesehen?«

Eine kurze Pause entstand.

»Du meinst wegen der Quallen?«

»Bingo! Ich dachte mir, dass es dich beschäftigt. Was ist da los?«

»Was soll los sein? Invasionen kommen immer vor. Frösche, Heuschrecken, Quallen…«

»Ich meine speziell Portugiesische Galeeren und Seewespen.«

»Das ist ungewöhnlich.«

»Bist du sicher?«

»Es ist ungewöhnlich, dass es die beiden gefährlichsten Quallenarten der Welt betrifft. Und das, was sie in den Nachrichten erzählen, klingt einfach sonderbar.«

»Siebzig Tote in einhundert Jahren«, warf Johanson ein.

»Blödsinn.« Olsen schnaubte geringschätzig.

»Weniger?«

»Mehr! Viel mehr, an die neunzig, wenn du den Golf von Bengalen und die Philippinen hinzurechnest, und von der Dunkelziffer wollen wir gar nicht erst reden. Natürlich hat Australien seit ewigen Zeiten Probleme mit dem Schleimzeug, gerade mit Seewespen. Sie laichen nördlich von Rockhampton in Flussmündungen. Fast alle Unfälle passieren im seichten Wasser. Innerhalb von drei Minuten bist du tot.«

»Stimmt die Jahreszeit?«

»Für Australien, ja. Oktober bis Mai. In Europa gehen einem die Biester immer dann auf den Sack, wenn es so heiß wird, dass du am Strand verreckst. Wir waren im vergangenen Jahr auf Menorca, und die Kinder kriegten sich kaum ein, weil tonnenweise *Velella* rumlag…«

»Was lag rum?«

»*Velella velella*. Segelquallen. Ganz hübsch, wenn sie nicht gerade in der Sonne vor sich hinstinken. Violette kleine Dinger. Der ganze Strand war lila, die haben sie mit Schaufeln und Harken in Hunderte von Säcken gepackt, du machst dir keine Vorstellung, und im Meer schwammen ständig neue. Du weißt, ich bin ein Quallenfan, aber selbst mir war's irgendwann zu viel. Ich hatte von morgens bis abends das Geplärre in den Ohren. Jedenfalls, in Europa haben wir die Quallenplage im August oder September, aber *down under* ist es natürlich umgekehrt. Was da vor Australien passiert, ist schon seltsam.«

»Was genau ist seltsam?«

»Seewespen kommen in Strandnähe vor, da, wo es flach ist. Weit draußen vor der Küste findest du sie kaum. Schon gar nicht an den vorgelagerten Inseln des Great Barrier Reef. Ich hörte aber, da sind sie auch. Bei *Velella* ist es genau andersrum. Sie gehören normalerweise auf hohe See. Wir wissen bis heute nicht, was sie alle paar Jahrzehnte an die Strände treibt, wir wissen ohnehin wenig über Quallen.«

»Werden die Strände nicht durch Netze geschützt?«

Olsen lachte laut auf. »Ja, darauf bilden sie sich mächtig was ein, aber es bringt nichts. Die Quallen bleiben in den Netzen hängen, aber die Tentakel lösen sich ab und treiben durch die Maschen. Dann siehst du sie überhaupt nicht mehr.« Er machte eine Pause. »Warum bist du eigentlich so scharf darauf, das alles zu erfahren? Du weißt doch selber schon eine Menge.«

»Ja, aber du weißt mehr darüber. Mich interessiert, ob wir es tatsächlich mit Anomalien zu tun haben.«

»Darauf kannst du wetten«, knurrte Olsen. »Schau mal, das Auftreten von Quallen ist immer an hohe Wassertemperaturen und die Entwicklung des Planktons gebunden. Du weißt ja, wenn es hübsch warm wird, gedeiht Plankton umso besser, und Quallen fressen Plankton, also da hast du dein Einmaleins. Darum treten die Viecher im Spätsommer scharenweise auf und verschwinden ein paar Wochen später wieder. Das ist der Lauf der Dinge. – Warte mal eben.«

Im Hintergrund war lautes Gebrüll zu hören. Johanson fragte sich, wann Olsens Kinder ins Bett gingen und ob sie es überhaupt jemals taten. Wann immer er in der Vergangenheit mit Olsen telefoniert hatte, war es dort hoch hergegangen.

Olsen rief etwas von Streit beilegen und vertragen. Es wurde kurzzeitig noch lauter, dann war er wieder am Telefon.

»Entschuldige. Geschenke. Sie streiten sich drum. Also, wenn du meine Meinung hören willst, entstehen solche Quallenplagen durch die Überdüngung der Meere. Wir sind schuld. Die Überdüngung fördert das Planktonwachstum, und so weiter, und so fort. Wenn dann die Winde westlich oder nordwestlich stehen, haben wir sie hier oben vor der Haustür.«

»Ja, aber das sind die normalen Invasionen. Wir reden hier von …«

»Warte. Du wolltest wissen, ob wir es mit einer Anomalie zu tun haben. Die Antwort lautet: ja! Und zwar mit einer, die wir wahrscheinlich nicht als solche erkennen. Hast du Pflanzen zu Hause?«

»Was? Äh, ja.«

»Eine Yuccapalme?«

»Ja. Zwei.«

»Anomalien. Verstehst du? Die Yuccapalme wurde eingeschleppt, und rate mal, von wem.«

Johanson verdrehte die Augen.

»Du fängst jetzt hoffentlich nicht an, von einer Yuccapalmeninvasion zu sprechen. Meine Palmen verhalten sich gemeinhin friedlich.«

»Das meine ich nicht. Ich meine, wir sind einfach nicht mehr in der Lage zu beurteilen, was natürlich ist und was nicht. 2000 war ich im Golf von Mexiko zu Untersuchungen über Quallenplagen. Riesige Schwärme von dem Gewabbel bedrohten die lokalen Fischbestände. Sie waren in die Laichgründe von Louisiana, Mississippi und Alabama eingefallen und fraßen die Eier und Larven der Fische, und das Plankton fraßen sie ihnen sowieso weg. Den meisten Schaden hat eine Spezies angerichtet, die da überhaupt nichts zu suchen hat: eine australische Qualle aus dem Pazifik. Eingeschleppt.«

»Invasionsbiologie.«

»Genau. Sie zerstörten die Nahrungskette und beeinträchtigten den Fischfang. Eine Katastrophe. Ein paar Jahre zuvor drohte im Schwarzen Meer ein ökologisches Desaster, weil während der Achtziger irgendein Handelsschiff in seinem Ballastwasser Lappenrippenquallen eingeschleppt hatte. Auch die gehörten da nicht hin, und das Schwarze Meer war ziemlich konserniert und wenig später im Arsch. Von jetzt auf gleich tummelten sich da über achttausend Quallen pro Quadratmeter, weißt du, was das heißt?«

Olsen redete sich in Rage.

»So, und jetzt die Sache mit den Portugiesischen Galeeren. Sie sind vor Argentinien aufgekreuzt, das ist nicht ihr Gebiet. Mittelamerika ja, auch Peru, vielleicht noch Chile, aber weiter unten? Vierzehn Tote auf einen Schlag! Das klingt nach Attacke. Als seien die Leute überrascht worden. Dann Seewespen. So weit draußen vor der Küste, was tun die da? Als hätte sie jemand da hingezaubert.«

»Was mich stutzig macht«, sagte Johanson, »ist, dass es sich ausgerechnet um die zwei gefährlichsten Arten handelt.«

»Ganz recht«, sagte Olsen gedehnt. »Aber jetzt warte mal, wir sind nicht in Amerika, bastel dir keine Verschwörungstheorie zusammen. Es gibt noch eine weitere Erklärung für die Zunahme der Plagen. Einige meinen, El Niño sei schuld, andere sagen, die Erwärmung des Erdklimas. In Malibu haben sie Quallenplagen wie seit Jahrzehnten nicht mehr, vor Tel Aviv sind Riesenapparate aufgetaucht. Erderwärmung, Einschleppung, alles macht Sinn.«

Johanson hörte kaum noch zu. Olsen hatte etwas gesagt, das ihm nicht mehr aus dem Kopf ging.

Als hätte sie jemand dort hingezaubert.

Und die Würmer?

Als hätte sie jemand dort hingezaubert.

»… kommen zur Paarung in seichte Gewässer«, sagte Olsen gerade. »Und noch was: Wenn die von ungewöhnlich hohen Aufkommen sprechen, meinen sie nicht Tausende, dann reden sie von Abermillionen. Und sie haben gar nichts unter Kontrolle. Da sind nicht vierzehn Menschen gestorben, sondern weit mehr, das garantiere ich dir.«

»Mhm.«

»Hörst du mir überhaupt noch zu?«

»Natürlich. Weit mehr. Ich glaube, jetzt versteigst *du* dich in Verschwörungstheorien.«

Olson lachte. »Quatsch. Aber es sind Anomalien, ja. Oberflächlich betrachtet hat es den Anschein eines zyklisch auftretenden Phänomens, aber ich halte es für etwas anderes.«

»Das sagt dir dein Bauch?«

»Mein Bauch sagt, ich hätte heute Abend Rinderroulade gegessen. Er ist zu nichts anderem mehr in der Lage. Nein, das sagt mein Kopf.«

»Gut. Danke. Ich wollte nur deine Meinung hören.«

Er überlegte. Sollte er Olsen von den Würmern erzählen? Aber das ging ihn nichts an. Wahrscheinlich war Statoil nicht sonderlich erpicht darauf, das Thema zu diesem Zeitpunkt in der Öffentlichkeit wiederzufinden, und Olsen redete ein bisschen viel.

»Sehen wir uns morgen zum Mittagessen?«, fragte Olsen.

»Ja. Gerne.«

»Ich werde mal schauen, ob ich noch mehr über die Sache rauskriegen kann. Man hat so seine Quellen über Quallen.« Er lachte laut, entzückt von seinem eigenen Kalauer.

»Gut«, sagte Johanson. »Bis morgen.«

Er legte auf. Erst jetzt fiel ihm ein, dass er Olsen auch nach den verschwundenen Schiffen hatte fragen wollen. Aber er mochte kein weiteres Mal anrufen. Morgen würde er genug erfahren.

Er fragte sich, ob ihn die Quallenplagen ebenso elektrisiert hätten ohne das Wissen um diese Würmer.

Nein. Wahrscheinlich nicht. Es waren nicht die Quallen.

Es waren die Zusammenhänge. Falls es welche gab.

Am nächsten Morgen schaute Olsen in seinem Büro vorbei, kaum dass Johanson eingetroffen war. Auf der Fahrt zur NTNU hatte er Nachrichten gehört und nicht mehr erfahren, als er schon wusste: In verschiedenen Teilen der Welt wurden Menschen und Boote vermisst. Spekulationen gab es zur Genüge, eine echte Erklärung lieferte niemand.

Johansons erste Vorlesung war um zehn. Reichlich Zeit, neu hereingekommene E-Mails abzufragen und die Post zu sichten. Draußen goss es in Strömen. Der Himmel überzog Trondheim mit bleiernem Grau. Er schaltete die Deckenbeleuchtung ein und verzog sich mit einem Becher Kaffee hinter seinen Schreibtisch, um in Ruhe wach zu werden, als Olsen den Kopf zur Tür reinsteckte.

»Irre, was?«, sagte er. »Es reißt nicht ab.«

»Was reißt nicht ab?«

»Na, eine Hiobsbotschaft nach der anderen. Hörst du denn überhaupt keine Nachrichten?«

Johanson musste sich kurz sammeln.

»Du meinst die verschwundenen Boote? Deswegen wollte ich dich ohnehin fragen. Ich hab's nur gestern vor lauter Quallen vergessen.«

Olsen schüttelte den Kopf und kam ganz herein. »Ich gehe recht in der Annahme, dass du mir einen Kaffee anbieten willst«, sagte er, während er sich interessiert umsah. Zu Olsens gleichermaßen nützlichen wie anstrengenden Eigenschaften gehörte seine Neugier.

»Nebenan«, sagte Johanson.

Olsen lehnte sich durch die offene Verbindungstür ins Nebenbüro und orderte lautstark einen Kaffee. Dann setzte er sich und ließ weiterhin seine Blicke schweifen. Die Sekretärin kam herein, stellte knallend einen Becher auf den Schreibtisch und bedachte Olsen mit einem vernichtenden Blick, bevor sie wieder nach nebenan ging.

»Was hat sie denn?«, wunderte sich Olsen.

»Ich hole mir den Kaffee immer selber«, sagte Johanson. »Die Kanne steht gleich nebenan, Milch, Zucker, Tassen.«

»Empfindlich, die Dame, was? Tut mir Leid. Ich bringe ihr kommende Woche selbst gebackene Kekse mit. Meine Frau backt tolle Kekse.« Olsen schlürfte vernehmlich. »Du hast tatsächlich keine Nachrichten gehört, was?«

»Doch, im Auto auf der Hinfahrt.«

»Vor zehn Minuten kam eine Sondermeldung auf CNN. Du weißt ja, ich hab den kleinen Fernseher im Büro, er läuft den ganzen Tag.« Olsen beugte sich vor. Das Licht der Deckenbeleuchtung spiegelte sich in seiner beginnenden Glatze. »Vor Japan ist ein Gastanker in die Luft geflogen und gesunken. Zur gleichen Zeit sind in der Malakkastraße zwei Containerschiffe und eine Fregatte kollidiert. Eines der Containerschiffe sinkt, das andere ist manövrierunfähig, und auf der Fregatte brennt es. Eine Militärfregatte. Es hat eine Explosion gegeben.«

»Meine Güte.«

»Und das am frühen Morgen, was?«

Johanson wärmte die Hände an seinem Becher.

»Was die Malakkastraße angeht, wundert mich nichts«, sagte er. »Erstaunlich, dass da nicht noch mehr passiert.«

»Ja, aber es ist doch ein irrer Zufall, oder?«

Drei Meerengen konkurrierten um den Titel der meistbefahrenen Wasserstraße der Welt, der Ärmelkanal, die Straße von Gibraltar und die Malakkastraße, die Teil des Seewegs von Europa nach Südostasien und Japan war. Das Problem der Welthandelsschifffahrt bestand unter anderem in der Bedeutung solcher Meerengen. Allein in der Malakkastraße verkehrten an einem einzigen Tag rund 600 große Tanker und Frachtschiffe. An manchen Tagen konnte es geschehen, dass bis zu 2 000 Schiffe das Gewässer zwischen Malaysia und Sumatra passierten, das zwar 400 Kilometer lang, an seiner schmalsten Stelle aber nur siebenundzwanzig Kilometer breit war. Indien und Malaysia insistierten darauf, die Tankerkapitäne sollten auf die weiter südlich gelegene Straße von Lombok ausweichen, stießen indes auf taube Ohren. Der Umweg verringerte den Profit. So blieb es dabei, dass sich rund fünfzehn Prozent des gesamten Welthandels durch die Malakkastraße und die benachbarten Meerengen drängten.

»Weiß man denn, was da passiert ist?«

»Nein. Kam ja erst vor wenigen Minuten.«

»Schrecklich.« Johanson trank einen Schluck. »Was ist das überhaupt für eine Geschichte mit den verschwundenen Booten?«

»Was? Das weißt du auch nicht?«

»Ich würde sonst kaum fragen«, sagte Johanson etwas gereizt.

Olsen beugte sich vor und senkte die Stimme.

»Offenbar verschwinden seit längerem Schwimmer und kleine Fischerboote vor Südamerika. Pazifikseite. Es ist kaum darüber berichtet worden, jedenfalls nicht in Europa. Angefangen hat das Ganze wohl in Peru. Erst verschwand ein Fischer, und sie fanden das Boot Tage später. Es trieb auf hoher See, ein Binsenboot, nichts Großes. Sie dachten, er sei vielleicht von einer Welle ins Meer gespült worden, aber seit Wochen ist das Wetter in der Region ganz manierlich. Danach passierten solche Dinge am laufenden Band. Schließlich verschwand ein kleiner Trawler.«

»Warum hat man nichts davon gehört, um Himmels willen?«

Olsen breitete die Hände aus. »Weil man so was da nicht gerne an die große Glocke hängt. Der Tourismus ist zu wichtig. Außerdem findet es weit weg in Gegenden statt, wo viele braune Menschen mit schwarzen Haaren leben, die für uns alle gleich aussehen.«

»Über die Quallen haben sie auch berichtet. Das ist auch weit weg.«

»Ich bitte dich! Das ist ja wohl ein Unterschied. Da sind aufrechte amerikanische Touristen gestorben und ein Deutscher und was weiß ich. Jetzt ist vor Chile eine norwegische Familie verschwunden. Sie sind mit einem Fischerboot rausgeschippert unter Leitung des ortsansässigen Veranstalters. Hochseeangeln. Zack, weg! Norweger, Herrgott, wertvolle blonde Menschen, darüber muss man doch berichten.«

»Schon gut, ich hab's kapiert.« Johanson lehnte sich zurück. »Und es sind keine Funksprüche durchgegeben worden?«

»Nein, Sherlock Holmes. Einige Male SOS. Das war's. Bei den meisten der verschwundenen Boote erschöpfte sich die bordeigene Hightech im Außenborder.«

»Kein Sturm?«

»Herrgott, nein! Nichts, was Boote kentern lässt.«

»Und was passiert da vor Westkanada?«

»Diese Schiffe, die angeblich kollidiert sind? Keine Ahnung. Irgendwer meinte, sie seien mit einem übellaunigen Wal zusammengerasselt. Was weiß ich? Die Welt ist mysteriös und grausam, und du bist auch ein bisschen rätselhaft mit deinen Fragen. Gib mir noch einen Kaffee … nein, warte, ich hole mir selber einen.«

Olsen setzte sich in Johansons Büro fest wie Hausschwamm. Als er endlich genug Kaffee getrunken hatte und ging, sah Johanson auf die Uhr. Bis zur Vorlesung blieben ihm noch wenige Minuten.

Er rief Lund an.

»Skaugen hat Kontakt zu anderen Explorationsgesellschaften aufgenommen«, sagte sie. »Weltweit. Er will wissen, ob sie mit ähnlichen Phänomenen konfrontiert werden.«

»Mit Würmern?«

»Genau. Er vermutet übrigens, dass die Asiaten mindestens so viel über die Viecher wissen wie wir.«

»Wieso das?«

»Erinnere dich deiner Worte. Asien versucht sich im Abbau von Methanhydraten. Hat dir das nicht dein Mann in Kiel erzählt? Skaugen hat diesen Firmen auf den Zahn gefühlt.«

An sich keine schlechte Idee, dachte Johanson. Skaugen hatte eins und eins zusammengezählt. Wenn die Polychäten tatsächlich so wild auf Hydrat waren, mussten sie vor allem dort aufgefallen sein, wo der Mensch seinerseits wild auf Methan war. Andererseits …

»Die Asiaten werden es Skaugen kaum auf die Nase binden«, sagte er. »Sie werden es ebenso halten wie er.«

Lund schwieg einen Moment.

»Du meinst, Skaugen würde es denen auch nicht sagen?«

»Vielleicht nicht in der Tragweite. Und nicht im Augenblick.«

»Was wäre die Alternative?«

»Na ja.« Johanson suchte nach den geeigneten Worten. »Ich will euch nichts unterstellen, aber nehmen wir mal an, jemand kommt auf die Idee, den Bau einer Unterwasserfabrik zu forcieren, obwohl da irgendwelches unbekanntes Zeugs rumkrabbelt.«

»Tun wir nicht.«

»Nur angenommen.«

»Du hast doch gehört, Skaugen ist deinem Rat gefolgt.«

»Das ehrt ihn. Aber hier geht es um Geld, oder? Man könnte sich auf den Standpunkt stellen und sagen: Würmer? Wissen wir nichts von. Haben wir nie gesehen.«

»Und trotzdem bauen?«

»Es muss ja nichts passieren. Und wenn doch – ich meine, man kann jemanden für technische Mängel haftbar machen, aber doch nicht für Methan fressendes Viehzeug. Wer will hinterher nachweisen, dass man im Vorfeld je auf Würmer gestoßen ist?«

»Statoil würde so was nicht vertuschen.«

»Lassen wir euch mal beiseite. Für die Japaner beispielsweise wäre ein funktionierender Methanexport einem Ölboom gleichzusetzen. Mehr als das! Sie würden unermesslich reich werden. Glaubst du, die Asiaten spielen in der Sache mit offenen Karten?«

Lund zögerte. »Nein.«

»Und ihr?«

»Das hilft uns jetzt nicht weiter. Wir müssen es von denen erfahren, bevor sie es von uns erfahren. Wir brauchen unabhängige Beobachter. Leute, die man nicht mit Statoil in Verbindung bringt. Zum Beispiel ...« Sie schien zu überlegen. Dann sagte sie: »Könntest du dich nicht ein bisschen umhören?«

»Was, ich? Bei Ölgesellschaften?«

»Nein, bei Instituten, Universitäten, bei Leuten wie bei deinen Kielern. Wird nicht weltweit in Sachen Methanhydrate geforscht?«

»Schon, aber ...«

»Und bei Biologen. Meeresbiologen! Hobbytauchern! Weißt du was?«, rief sie begeistert. »Vielleicht übernimmst du einfach diesen ganzen Part. Vielleicht richten wir ein Ressort für dich ein. Ja, das ist gut, ich rufe Skaugen an und bitte ihn um ein Budget! Wir könnten ...«

»He. Mal langsam.«

»Es würde sicher gut bezahlt, abgesehen davon, dass du damit nicht viel Arbeit hättest.«

»So was bedeutet eine Scheißarbeit. Ihr könnt das genauso gut machen.«

»Es wäre besser, wenn du es übernimmst. Du bist neutral.«

»Ach, Tina.«

»In der Zeit, die wir hier diskutieren, hättest du schon dreimal mit dem *Smithsonian Institute* telefonieren können. Bitte, Sigur, es wäre einfach ... Versteh doch, wenn wir da als Konzern mit vitalen Interessen auftreten, hängen uns gleich tausend Umweltschutzorganisationen im Nacken. Die warten doch nur drauf.«

»Aha! Ihr habt nämlich wohl ein Interesse daran, es unterm Teppich zu kehren.«

»Du bist ein blöder Arsch.«

»Mitunter.«

Lund seufzte. »Was sollen wir denn deiner Ansicht nach tun? Meinst du, alle Welt würde uns nicht sofort das Schlimmste unterstellen? Ich schwöre dir, Statoil wird nichts unternehmen, bevor wir nicht Klarheit über die Rolle dieser Würmer haben. Aber wenn wir offiziell an zu viele Türen klopfen, macht das die Runde. Dann geraten wir dermaßen in den Fokus, dass wir keinen Finger mehr rühren können.«

Johanson rieb sich die Augen. Dann sah er auf die Uhr. Zehn durch. Seine Vorlesung.

»Tina, ich muss Schluss machen. Ich rufe dich später an.«

»Kann ich Skaugen sagen, du machst mit?«

»Nein.«

Schweigen.

»Okay«, sagte sie schließlich mit kleiner Stimme.

Es klang, als werde sie zur Schlachtbank geführt. Johanson atmete tief durch.

»Darf ich's mir wenigstens durch den Kopf gehen lassen?«

»Ja. Natürlich. Du bist ein Schatz.«

»Ich weiß. Genau das ist mein Problem. Ich rufe dich an.«

Er packte seine Unterlagen zusammen und hastete zum Hörsaal.

ROANNE, FRANKREICH

Zur gleichen Zeit, als Johanson in Trondheim seine Vorlesung begann, begutachtete Jean Jérôme rund zweitausend Kilometer weiter mit kritischem Blick zwölf bretonische Hummer.

Jérôme schaute grundsätzlich kritisch. Die permanente Skepsis war er der Adresse schuldig, für die er arbeitete. Das *Troisgros* erfreute sich als einziges Restaurant Frankreichs seit über 30 Jahren in ungebrochener Folge dreier Michelin-Sterne, und Jérôme wollte nicht in die Geschichte eingehen als derjenige, der daran etwas änderte. Sein Verantwortungsbereich umfasste alles, was aus dem Meer kam. Er war sozusagen der Herr der Fische und seit dem frühen Morgen auf den Beinen.

Der Tag des Zwischenhändlers, über den Jérôme die Ware bezog, hatte noch weit früher begonnen als seiner, nämlich um 3.00 Uhr in Rungis, einem bis vor wenigen Jahren unbedeutenden Vorort 14 Kilometer außerhalb von Paris, der über Nacht zum Mekka der gehobenen Küche avanciert war. Auf einem Gebiet von vier Quadratkilometern, bis in den letzten Winkel ausgeleuchtet, versorgte Rungis nun diese und andere Großstädte, Händler, Köche und alle, die wahnsinnig genug waren, ihr Leben in einer Küche zu verbringen, mit Nahrung. In Rungis war das ganze Land vertreten. Milch, Sahne, Butter und Käse aus der Normandie, exquisites bretonisches Gemüse, aromatische Früchte aus dem Süden. Austernlieferanten von der Belon, aus Marennes und vom Bassin d'Arcachon und Thunfisch-Fischer von St-Jean-de-Luz waren mit ihrer Fracht in rasender Fahrt über die Autobahn hergedonnert.

Thermoswagen mit Schalen- und Krustentieren bahnten sich ihren Weg zwischen Kleinlastern und Privatfahrzeugen. Nirgendwo in Frankreich gelangte man früher an die Köstlichkeiten als hier.

Qualität war allerdings ein endlicher Faktor. Hummer kamen selbstverständlich aus der Bretagne, aber auch darunter gab es wiederum attraktive und wenig verlockende Exemplare. Kurz, es hatte einiges zu geschehen und zu stimmen, um beispielsweise Jean Jérôme in Roanne zufrieden zu stellen.

Er nahm die Hummer der Reihe nach auf und drehte sie, um sie von allen Seiten zu betrachten. Je sechs Tiere teilten sich eine große Styroporkiste, ausgekleidet mit einer Art Farn. Sie regten sich kaum, aber natürlich lebten sie, wie es sich gehörte. Ihre Scheren waren zusammengebunden.

»Gut«, sagte Jérôme.

Es war das höchste Lob, das er zu vergeben hatte. Tatsächlich gefielen ihm die Hummer sogar ausnehmend gut. Sie waren eher klein, aber schwer für ihre Größe, mit glänzend dunkelblauem Panzer.

Bis auf die letzten beiden.

»Zu leicht«, sagte er.

Der Fischhändler runzelte die Stirn, nahm einen der Hummer, die Jérômes Beifall gefunden hatten, und einen der beanstandeten und wog sie in beiden Händen gegeneinander ab.

»Sie haben Recht, Monsieur«, sagte er bestürzt. »Ich muss mich entschuldigen.« Er stand da wie eine Justitia des Fischmarkts, die Unterarme abgewinkelt, die Hände ausgestreckt. »Aber viel ist es nicht. Eine Kleinigkeit, nicht wahr?«

»Nein, viel ist es nicht«, sagte Jérôme. »Für eine Fischpinte. Aber wir sind keine Fischpinte.«

»Es tut mir Leid. Ich kann zurückfahren und …«

»Machen Sie sich keine Mühe. Dann müssen wir eben erspüren, welcher der Gäste einen kleineren Magen hat.«

Der Händler entschuldigte sich erneut. Er entschuldigte sich im Hinausgehen, und wahrscheinlich entschuldigte er sich noch auf der Rückfahrt bei sich selber, während Jérôme schon wieder in der prachtvollen Küche des *Troigros* stand und sich mit den Anforderungen der Abendkarte auseinander setzte. Die Hummer hatte er vorübergehend in einer Wanne mit frischem Wasser zwischengelagert, wo sie apathisch verharrten.

Eine Stunde verging, dann beschloss Jérôme, die Tiere anzublanchieren. Er hatte einen großen Kessel Wasser aufsetzen lassen. Es empfahl sich, lebende Hummer schnell zu verarbeiten. Die Tiere neigten dazu, sich in Gefangenschaft selber innerlich aufzuzehren. Anblanchieren hieß, sie nicht gar zu kochen, sondern nur in siedendem Wasser zu töten. Später, unmittelbar vor dem Servieren, wurden sie dann fertig gegart. Jérôme wartete, bis das Wasser kochte, entnahm die Hummer der Wanne und ließ sie schnell kopfüber hineingleiten. Mit vernehmlichem Quietschen entwich Luft aus den Hohlräumen der Panzerungen. Einen nach dem anderen beförderte er auf diese Weise in den Kessel und sofort wieder heraus. Der neunte, der zehnte Hummer gab sein Leben auf. Jérômes Hand bekam den elften zu fassen – ach, richtig, der war ja leichter! – und entließ ihn ins kochende Wasser. Zehn Sekunden würden reichen. Ohne richtig hinzuschauen hebelte er das Tier mit seiner großen Schaumkelle wieder nach draußen …

Ein unterdrückter Fluch entfuhr ihm.

Was um alles in der Welt war mit dem Tier geschehen? Der Panzer war regelrecht auseinander gerissen, eine der Scheren abgesprengt. Nicht zu fassen. Jérôme schnaubte vor Wut. Er legte den Hummer, genauer gesagt dessen derangierte Reste, vor sich auf die Arbeitsplatte und drehte ihn auf den Rücken. Auch die Unterseite war demoliert, und im Innern, wo sich kräftiges Fleisch hätte verbergen müssen, zeigte sich nur ein schmieriger, weißlicher Belag. Fassungslos sah er in den Kessel. Im blubbernden Wasser trieben Stücke und Fäden von etwas, das nicht mal mit viel Phantasie als Hummerfleisch durchging.

Nun gut. Sie würden nur zehn der Tiere wirklich brauchen. Jérôme kaufte nie zu knapp ein, er war dafür bekannt, die Waage zu halten. Man musste sehr genau wissen, welche Mengen tatsächlich benötigt wurden, sowohl im Interesse der Wirtschaftlichkeit als auch im Hinblick auf Sicherheitsreserven, und soeben ging das Konzept mal wieder auf.

Ärgerlich war die Sache dennoch.

Er fragte sich, ob das Tier krank gewesen war. Sein Blick fiel auf die Wanne. Ein Hummer war noch übrig. Der Zweite von den beiden, mit denen er unzufrieden war. Egal. Ab mit ihm in den Topf.

Ach nein, darin schwamm ja das weiße Zeug.

Plötzlich kam ihm ein Gedanke. Das kranke Tier war zu leicht gewesen. Der noch lebende Hummer war ebenfalls zu leicht. Hatte es damit etwas zu tun? Vielleicht, dass die Tiere begonnen hatten, sich selber aufzuzehren, oder dass ein Virus oder Parasit sie innerlich auflöste. Jérôme zögerte. Dann nahm er den zwölften Hummer aus der Wanne und legte ihn vor sich auf die Arbeitsplatte, um ihn zu betrachten.

Die langen, rückwärts gerichteten Antennen zuckten. Schwach bewegten sich die zusammengebundenen Scheren. Sobald sie ihrem natürlichen Lebensraum entrissen wurden, neigten Hummer zu großer Trägheit. Jérôme stupste das Tier leicht an und beugte sich tiefer darüber. Es bewegte die Beine, als wolle es davonkriechen, verharrte aber auf der Platte. Wo der segmentierte Schwanz in den Rückenpanzer überging, quoll etwas Transparentes hervor.

Was war das schon wieder?

Jérôme ging in die Hocke. Er war nun ganz dicht an dem Tier, auf Augenhöhe sozusagen.

Der Hummer richtete leicht den Oberkörper auf. Eine Sekunde schien er Jérôme aus seinen schwarzen Augen anzusehen.

Dann platzte er.

Der Auszubildende, den Jérôme mit dem Schuppen von Fischen beauftragt hatte, war nur drei Meter entfernt, allerdings verstellte ihm ein schmales, deckenhohes Regal mit Arbeitsutensilien und Gewürzen die Sicht auf den Herd. Darum hörte er zuerst Jérômes markerschütternden Schrei. Zu Tode erschrocken ließ er sein Messer fallen. Er sah Jérôme vom Herd wegtaumeln, die Hände vors Gesicht gepresst, und sprang hinzu. Gemeinsam polterten sie gegen die dahinter liegende Arbeitsfläche. Töpfe schepperten, etwas fiel zu Boden und zerbrach geräuschvoll.

»Was ist passiert?«, schrie der Lehrling voller Panik. »Was ist geschehen?«

Andere Köche kamen hinzu. Die Küche war in bestem Sinne eine Fabrik, in der jeder seine Aufgabe hatte. Einer war nur für Wild zuständig, ein weiterer für Saucen, ein dritter für Farcen, wieder einer für Salate und ein anderer für die Pâtisserie, und so fort. Im Nu herrschte rund um den Herd das größte Durcheinander, bis Jérôme die Hände herunternahm und zitternd auf die Arbeitsplatte neben dem Herd zeigte. Aus seinen Haaren tropfte klumpiges, durchsichtiges Zeug. Es hing brockenweise in seinem Gesicht und rann schmelzend in seinen Kragen.

»Er ... er ist explodiert«, keuchte Jérôme.

Der Lehrling trat näher an die Platte und starrte angewidert auf den zerborstenen Hummer. Nie zuvor hatte er etwas Derartiges gesehen. Intakt waren einzig die Beine. Die Scheren lagen auf dem Fußboden, der Schwanz sah aus, als sei er mit Hochdruck abgesprengt worden, und der Rückenpanzer klaffte in scharfkantigen Stücken auseinander.

»Was haben Sie denn mit dem gemacht?«, flüsterte er.

»Gemacht? Gemacht?«, schrie Jérôme, die Hände mit gespreizten Fingern erhoben, das Gesicht eine Fratze des Ekels. »Ich habe überhaupt nichts gemacht! Er ist geplatzt, das ist er. Geplatzt!«

Sie brachten ihm Tücher, um sich zu reinigen, während der Lehrling mit spitzen Fingern das Zeug berührte, das überall verteilt war. Was er anfasste, war von enorm zäher, gummiartiger Konsistenz, aber es löste sich schnell auf und floss über die Arbeitsplatte davon. Einem Impuls folgend nahm er ein fest verschraubbares Glas von einem Bord und schaufelte mit einem Esslöffel Brocken der Gallerte hinein, strich noch etwas Flüssigkeit zusammen und ließ sie dazutropfen. Dann verschloss er das Glas, so fest es ging.

Jérôme zu beruhigen war gar nicht so einfach. Jemand brachte ihm schließlich ein Glas Champagner, und erst danach kriegte sich der Meister halbwegs wieder ein.

»Räumt das da weg«, befahl er mit erstickter Stimme. »Räumt um Gottes willen diese Sauerei weg. Ich gehe mich waschen.«

Und er ging. Die Küchenhilfen machten sich unverzüglich daran, Jérômes Arbeitsplatz wiederherzustellen, sie putzten den Herd und alles drum herum, entsorgten die Überreste, reinigten den Kessel, und natürlich kippten sie auch das Wasser in den Ausguss, in dem das Dutzend Hummer die Stunde vor seinem Ableben verbracht hatte. Es trat den Weg jeglichen Wassers in den Untergrund an, gluckerte in die Kanalisation und mischte sich dort mit allem, was eine Stadt abfließen lässt, um es in recycelter Form wieder in sich aufzunehmen.

Das Glas mit der Gallerte nahm der Lehrling an sich. Er wusste noch nicht, was genau er damit anfangen sollte, also fragte er Jérôme, als dieser mit gewaschenen Haaren und sauberer Kluft wieder in der Küche auftauchte.

»Es war vielleicht gut, dass du was von dem Zeug aufbewahrt hast«, sagte Jérôme düster. »Der Himmel weiß, was das ist.«

»Wollen Sie es sehen?«

»Bewahre, nein! Aber man sollte es untersuchen lassen. Wir schicken es irgendwohin, wo man so was macht. Aber bitte unter Auslassung der Begleitumstände, hörst du? Das alles ist nie geschehen. So etwas geschieht nicht im *Troisgros*.«

Die Geschichte verließ tatsächlich nicht die Küche des Restaurants. Und das war gut so, denn es hätte ein falsches Licht auf das *Troisgros* geworfen. Auch wenn man hier nicht die geringste Schuld an dem Vorfall trug, hätte manch einer genüsslich kolportiert, dass im *Troisgros* die Hummer in die Luft flogen und mit ominösem Gelee um sich spritzten. Nichts war schlimmer für den Ruf eines Spitzenrestaurants als Zweifel an der Hygiene.

Der Lehrling beobachtete das Zeug im Glas sehr genau. Nachdem es sich ebenfalls aufzulösen begann, ließ er etwas Wasser hineinlaufen, weil er dachte, es könne nicht schaden. Die Substanz erinnerte ihn – falls überhaupt an irgendetwas – an Quallen, und die überdauerten ja nur im Wasser, weil sie selber aus nichts anderem bestanden. Offenbar war es eine gute Idee. Die Brocken blieben fürs Erste stabil. Das *Troisgros* führte einige höchst diskrete Telefonate, an deren Ende man das Glas zur Universität ins nahe gelegene Lyon schickte, um den Inhalt untersuchen zu lassen.

Dort landete es auf dem Schreibtisch von Professor Bernard Roche in der Molekularbiologie. Inzwischen war der Zersetzungsprozess der Gallerte trotz Wasserzusatz weiter fortgeschritten, und kaum noch feste Substanz trieb in dem Glas. Das bisschen, was übrig war, unterzog Roche augenblicklich verschiedenen Tests, jedoch zerflossen die allerletzten Klümpchen, bevor er sie eingehender untersuchen konnte. Roche gelang es lediglich, einige molekulare Verbindungen nachzuweisen, die ihn verblüfften und irritierten. Unter anderem stieß er auf ein hochwirksames Neurotoxin, von dem er allerdings nicht wusste, ob es der Gallerte entstammte oder dem Wasser in dem Glas.

Dieses Wasser, so viel stand fest, war gesättigt mit organischer Materie und diversen Stoffen. Weil er vorläufig nicht die Zeit hatte, es zu untersuchen, beschloss Roche, den verbliebenen Inhalt des Glases zu konservieren und in den nächsten Tagen einer eingehenderen Analyse zu unterziehen, und das Wasser wanderte in den Kühlschrank.

Am selben Abend wurde Jérôme krank. Es begann damit, dass er leichte Übelkeit verspürte. Das Restaurant war voll besetzt. Er achtete nicht weiter darauf und folgte der Choreographie der Küche wie gewohnt. Die zehn nicht geplatzten Hummer waren von einwandfreier Qualität, und kein weiterer wurde benötigt. Trotz des unerfreulichen Vorfalls vom Vormittag lief alles wie am Schnürchen, eben wie man es vom *Troisgros* gewohnt war.

Gegen zehn nahm Jérômes Übelkeit zu, und außerdem stellte sich leichter Kopfschmerz ein. Kurz darauf bemerkte er an sich Konzentrationsschwächen. Er vergaß, ein Gericht fertig zu stellen und einige Anweisungen zu geben, und der elegante, perfekte Ablauf geriet unmerklich ins Stocken.

Jean Jérôme war Profi genug, um augenblicklich die Reißleine zu ziehen. Er fühlte sich nun wirklich elend, also legte er die Verantwortung für alles Weitere in die Hände seiner Stellvertreterin, einer aufstrebenden, hoch talentierten Köchin, die ihre Lehrjahre in Paris beim ehrwürdigen *Ducasse* verbracht hatte, ließ sie wissen, dass er einen kleinen Spaziergang im Restaurantgarten machen wolle, und ging hinaus. Der Garten war direkt der Küche angeschlossen. Er war von ausnehmender Schönheit. Bei mildem Wetter wurden die Gäste dort willkommen geheißen, nahmen ihren Aperitif und die ersten Hors d'œuvres ein, um dann mitten durch die Küche ins Restaurant geführt zu werden, nicht ohne interessante Einblicke zu erhalten und hin und wieder eine kleine Demonstration. Jetzt lag der Garten verlassen da, dezent illuminiert.

Jérôme ging einige Minuten auf und ab. Von hier konnte er durch die breite Glasfront das rege Treiben in der Küche weiterverfolgen, aber er merkte, dass es ihm schwer fiel, seinen Blick länger als einige Sekunden zu fokussieren. Er atmete schwer und spürte einen lastenden Druck auf der Brust, trotz der frischen Luft. Seine Beine kamen ihm vor wie aus Gummi. Sicherheitshalber ließ er sich an einem der Holztische nieder und dachte über das Geschehnis vom Vormittag nach. Er hatte das Innenleben des Hummers in den Haaren und im Gesicht gehabt. Ganz sicher hatte er irgendetwas eingeatmet, wahrscheinlich war Flüssigkeit in seinen Mund gelaufen, oder er hatte irgendetwas mit der Zunge aufgenommen, als er sich die Lippen leckte.

Ob es nun der Gedanke an das zerplatzte Tier war oder einfach die Folge seiner plötzlichen Erkrankung, jedenfalls erbrach sich Jérôme mit plötzlicher Heftigkeit in die Zierpflanzen. Noch während er da hing, würgend und keuchend, dachte er, dass es jetzt wohl draußen war, das Zeug. Gut so. Er würde einen Schluck Wasser trinken, und dann würde es ihm bestimmt sehr schnell besser gehen.

Er stemmte sich hoch. Alles um ihn herum drehte sich. Sein Kopf fühlte sich glühend heiß an, sein Blickfeld verengte sich, und er schaute in eine Spirale. Du musst aufstehen, dachte er. Aufstehen und in der Küche nach dem Rechten sehen. Nichts darf schief gehen. Nicht im *Troisgros*.

Mühsam kam er auf die Beine und schlurfte davon, aber er ging in die verkehrte Richtung. Nach zwei Schritten wusste er nicht mehr, dass er in die Küche hatte gehen wollen. Er wusste eigentlich überhaupt nichts mehr, und er sah auch nichts mehr.

Unter den Bäumen, die den Garten umstanden, brach er zusammen.

18. april

Es nahm kein Ende.

Anawak fühlte seine Augen kleiner und kleiner werden. Er spürte, wie sie sich röteten, wie die Lider aufquollen und sich drum herum Fältchen bildeten, für die er zu jung war. Kurz davor, mit dem Kinn auf die Tischplatte zu knallen, starrte er weiter auf den Bildschirm. Seit der Wahnsinn über die Westküste gekommen war, hatte er kaum etwas anderes getan, als Bildschirme anzustarren, ohne bislang mehr als einen Bruchteil des Materials gesichtet zu haben – Aufzeichnungen, deren Existenz sich einer der bahnbrechendsten Erfindungen in der Verhaltensforschung verdankte:

Der Tiertelemetrie.

Ende der siebziger Jahre hatten Forscher eine Methode entwickelt, Tiere auf völlig neuartige Weise zu beobachten. Bis dahin waren nur sehr ungenaue Aussagen über Verbreitungsgebiet und Wanderungsverhalten der Arten möglich gewesen. Wie ein Tier lebte, wie es jagte und sich paarte, welche individuellen Ansprüche und Bedürfnisse es hatte, blieb der Spekulation überlassen. Natürlich unterlagen Tausende von Tieren ständiger Beobachtung. Aber fast immer fand sie unter Bedingungen statt, die keine wirklichen Rückschlüsse auf ihr natürliches Verhalten ermöglichten. Ein Tier in Gefangenschaft tat nun mal nicht, was es in freier Wildbahn tat, ebenso wenig wie ein Häftling in einer Zelle repräsentative Daten über sein Leben als freier Mensch geliefert hätte.

Selbst dort, wo man Tieren in ihrem angestammten Lebensraum begegnete, blieben die Erkenntnisse unzureichend. Entweder suchten sie augenblicklich das Weite oder kamen gar nicht erst zum Vorschein. Tatsächlich wurde so ziemlich jeder Forscher länger vom Objekt seiner Neugier in Augenschein genommen, als er selber es beobachtete. Andere Spezies, die weniger scheu waren – wie etwa Schimpansen oder Delphine –, richteten ihr Verhalten auf den Beobachter aus, reagierten aggressiv oder neugierig, wurden mitunter kokett und setzten sich in Pose, kurz, sie taten alles, um jeder objektiven Erkenntnis entgegenzuwirken. Hatten sie genug, verschwanden sie im Dickicht, erhoben sich in die Lüfte oder tauchten unter die Wasseroberfläche, wo sie sich endlich so verhielten, wie es ihrer Natur entsprach – nur dass man ihnen dorthin nicht folgen konnte.

Doch genau diesen Traum hatten die Biologen seit Darwin geträumt: Wie überlebte man als Robbe oder Fisch in den dunklen und kalten Gewässern der Antarktis? Wie erhielt man Einblick in ein Biotop, das von einer geschlossenen Eisdecke überzogen war? Wie sah man die Welt während des Flugs über das Mittelmeer nach Afrika, wenn man nicht in einem Flugzeug saß, sondern auf dem Rücken einer Wildgans? Was widerfuhr einer einzelnen Biene innerhalb von vierundzwanzig Stunden? Wie erhielt man Daten über die Frequenz von Flügelschlägen, über Herzrhythmus, Blutdruck, Fressverhalten, tauchphysiologische Leistungen, Sauerstoffspeicherung und die Folgen anthropogener Einflüsse auf Meeressäuger wie Schiffslärm oder Unterwasserdetonationen?

Wie folgte man Tieren dorthin, wohin kein Mensch folgen konnte?

Die Antwort fand sich in einer Technologie, mit deren Hilfe Spediteure die Position ihrer Schwerlaster bestimmen konnten, ohne ihr Büro zu verlassen, und die Autofahrern half, eine Straße in einer völlig fremden Stadt zu finden. Jeder moderne Mensch war mit dieser Technologie vertraut, ohne zu ahnen, dass sie zugleich die Zoologie revolutionierte.

Telemetrie.

Schon Ende der Fünfziger hatten amerikanische Wissenschaftler Konzepte entwickelt, um Tiere mit Sonden auszurüsten. Die US Navy begann wenig später mit dressierten Delphinen zu arbeiten, allerdings scheiterten die ersten dieser Programme an der Größe der Sender. Sie waren einfach zu schwer. Was nützte ein Fahrtenschreiber auf dem Rücken eines Delphins, der Aufschluss über dessen natürliches Verhalten liefern sollte, wenn er eben dieses Verhalten beeinflusste? Man drehte sich eine Weile im Kreis, bis die Mikroelektronik den Umschwung brachte. Plötzlich lieferten schokoriegelgroße Fahrtenschreiber und ultraleichte Kameras alle gewünschten Daten direkt aus freier Wildbahn – unbemerkt von ihren Trägern, die mit knapp 15 Gramm Hightech durch Regenwälder spazierten oder unter den Eisschollen des McMurdo Sounds hindurchtauchten. Endlich gaben Grizzlybären, Wildhunde, Füchse und Karibus Aufschluss über ihre Lebensweise, über Paarung, Jagdverhalten und Wanderrouten. Man flog mit Seeadlern und Albatrossen, Schwänen, Gänsen und Kranichen um die halbe Welt. Am vorläufigen Ende der Entwicklung wurden Insekten mit Minisendern ausgerüstet, die gerade mal ein tausendstel Gramm wogen, ihre Betriebsenergie aus Radarwellen bezogen und die Strahlen in doppelter Frequenz zurückwarfen, sodass die Daten noch in über 700 Metern Entfernung klar zu empfangen waren.

Den Großteil der Messungen bewältigte die satellitengestützte Telemetrie. Das System war ebenso einfach wie genial. Die Signale des Tiersenders wurden in den Orbit entsandt und dort von ARGOS, einem Satellitensystem der französischen Raumfahrtorganisation CNES, aufgenommen. Sie fanden ihren Weg zurück zur Betreiberzentrale in Toulouse und zu einer Bodenstation in Fairbanks, USA, von wo sie innerhalb von 90 Minuten an eine Reihe weltweit angeschlossener Institute weitergeleitet wurden – fast so gut wie Echtzeitübertragung.

Die Erforschung von Walen, Robben, Pinguinen und Meeresschildkröten entwickelte sich schnell zu einem eigenen Bereich der Telemetrie. Sie gewährte Einblick in den faszinierendsten, weil unerforschtesten Lebensraum der Erde. Ultraleichte Fahrtenschreiber speicherten Daten aus beträchtlicher Tiefe, registrierten Temperatur, Tauchtiefe und -dauer, Standort, Schwimmrichtung und Geschwindigkeit. Dummerweise durchdrangen ihre Signale kein Wasser, was die ARGOS-Satelliten gegenüber der Tiefsee zur Blindheit verdammte. Buckelwale etwa, die einen Großteil ihres Lebens vor der Küste Kaliforniens verbrachten, hielten sich höchstens eine Stunde pro Tag an der Wasseroberfläche auf. Während Ornithologen ziehende Störche zugleich beobachten und Daten empfangen konnten, waren die Meeresforscher wie abgeschnitten, sobald die Wale abtauchten. Um sie wirklich zu erforschen, hätte man ihnen mit laufender Kamera zum Grund des Pazifik folgen müssen, aber das schaffte kein Taucher, und U-Boote waren zu langsam und zu unbeweglich.

Wissenschaftler der *University of California* in Santa Cruz fanden schließlich die Lösung in Form wenige Gramm schwerer, druckfester Unterwasserkameras. Sie befestigten die Geräte nacheinander an einem Blauwal, einem See-Elefanten, einigen Weddellrobben und schließlich auch an einem Delphin. Innerhalb kürzester Zeit wurden erstaunliche Phänomene offenbar. Wenige Wochen reichten, um das Wissen über Meeressäuger enorm zu erweitern. Alles wäre wunderbar gewesen, hätte man Wale und Delphine so einfach besonden können wie andere Tiere, doch eben dies gestaltete sich schwierig bis unmöglich. Darum lagen längst nicht so viele Aufzeichnungen über den Lebensraum der Wale vor, wie Anawak sich in diesen Stunden gewünscht hätte, und andererseits mehr als genug. Da niemand zu sagen wusste, *wonach* man Ausschau halten musste, war jede Aufzeichnung wichtig – und damit Tausende Stunden Bild- und Tonmaterial, Messungen, Analysen und Statistiken.

Projekt Sisyphos, wie John Ford es nannte.

Wenigstens über Mangel an Zeit konnte sich Anawak nicht beklagen. *Davies Whaling Station* war rehabilitiert – und geschlossen. Nur noch sehr große Schiffe befuhren das Küstengebiet des kanadischen und nordamerikanischen Westens. Das Desaster vor Vancouver Island hatte sich beinahe zeitgleich von San Francisco bis hinauf nach Alaska abgespielt. Im Verlauf der ersten Angriffswelle waren über hundert kleinere Schiffe und Boote entweder gesunken oder schwer beschädigt worden. Am Wochenende schließlich sank die Zahl der Angriffe, weil sich nun überhaupt niemand mehr hinauswagte, sofern er nicht wenigstens den Kiel einer großen Fähre oder eines Frachters unter sich wusste. Immer noch jagten widersprüchliche Meldungen einander. Auch über die Zahl der Todesopfer gab es kaum verlässliche Angaben. Verschiedene Kommissionen und Krisenstäbe unter nationalem Management hatten ihre Arbeit aufgenommen, was eine geradezu invasive Präsenz von Fluggerät zur Folge hatte – allenthalben knatterten Helikopter die Küste entlang, aus denen Soldaten, zusammengepfercht mit Wissenschaftlern und Politikern, aufs Meer starrten und sich an Ratlosigkeit gegenseitig überboten.

Der Natur solcher Stäbe folgend hatten die Dezernatsleiter des Regierungsteams begonnen, externe Spezialisten hinzuzuziehen. Das Vancouver Aquarium mit Ford an der Spitze wurde als wissenschaftliches Lagezentrum rekrutiert, in dem sämtliche relevanten Daten zusammenliefen. Angeschlossen waren nahezu jedes Institut und jede Forschungseinrichtung, die sich mit marinem Leben befasste. Für Ford eine erdrückende Bürde. Er nahm eine Arbeit auf, von der er nicht wusste, worin sie eigentlich bestand. Vom Jahrhundertbeben bis zur nuklearen Terrorattacke existierten Schubladen voller Szenarien, aber nicht *hierfür*. Ford zögerte nicht lange und schlug seinerseits Anawak als Berater vor, der von allen Wissenschaftlern Nordamerikas und Kanadas vermutlich mehr als jeder andere wusste, was einem Wal im Kopf herumging. Denn nur dort konnte die Antwort liegen: Wenn Wale über Intelligenz verfügten – hatten sie dann noch alle Tassen im Schrank? Und wenn nicht, was war mit ihnen passiert?

Aber auch Anawak, in den man so große Hoffnungen setzte, wusste die Antwort nicht. Er hatte sämtliches verfügbare telemetrische Material angefordert, das seit Jahresbeginn vor der Pazifikküste gesammelt worden war. Seit vierundzwanzig Stunden werteten er und Alicia Delaware nun Videosequenzen aus, unterstützt von Mitarbeitern des Aquariums. Sie studierten Positionsdaten, lauschten von Hydrophonen aufgenommenen Geräuschen, ohne zu brauchbaren Resultaten zu gelangen. Kaum einer der Wale hatte telemetrisches Gerät getragen, als sie ihre Wanderungen von Hawaii und Baja California hinauf zur Arktis begonnen hatten, bis auf zwei Buckelwale, deren Fahrtenschreiber kurz nach Verlassen der Baja abgefallen waren. Tatsächlich entstammte die einzige Erkenntnis nach wie vor dem Video, das die Frau an Bord der *Blue Shark* gemacht hatte. Sie hatten es mehrfach in *Davies Whaling Station* studiert, zusammen mit anderen Skippern, die geübt in der Identifizierung von Walfluken waren. Nach diversen Durchläufen und Bildvergrößerungen hatten sie schließlich zwei Buckelwale, einen Grauwal und einige Orcas wieder erkannt.

Delaware hatte Recht gehabt. Das Video war eine Spur.

Anawaks Wut auf die Studentin war ziemlich rasch verflogen. Sie mochte eine vorlaute Klappe haben und schneller reden, als sie dachte, aber hinter der forschen Art erkannte er einen hochintelligenten, analytischen Verstand. Außerdem hatte sie Zeit. Ihre Eltern lebten in den *British Properties*, Vancouvers elitärem Wohnviertel für die Reichen. Sie boten Alicia ein Leben im Überfluss, ohne sich je blicken zu lassen. Anawak schätzte, dass sie den eklatanten Mangel an Interesse und gemeinsam verbrachter Zeit mit Geld ausglichen, was ihre Tochter nicht sonderlich zu bekümmern schien – versetzte es sie doch in die Lage, einen Haufen davon auszugeben und ansonsten eigene Wege zu gehen. Im Grunde hätte es besser nicht kommen können. Delaware sah die unverhoffte Zusammenarbeit als Chance, ihr Biologiestudium mit Praxis zu unterfüttern, und Anawak brauchte eine Assistentin, nachdem Susan Stringer tot war.

Stringer…

Jedes Mal, wenn er an die Skipperin dachte, überkamen ihn Scham und Schuldgefühle, weil er sie nicht hatte retten können. Regelmäßig sagte er sich, dass nichts und niemand auf der Welt Stringer hätte retten können, nachdem der Orca sie gepackt hatte. Ebenso regelmäßig stellten sich nagende Zweifel ein. Was wusste er, der Elaborate und Traktate über das Selbstbewusstsein von Tümmlern veröffentlicht hatte, denn wirklich über die Gedankengänge eines Wals? Wie überzeugte man einen Orca, von seinem Opfer abzulassen? Welchen Argumenten war ein intelligenter Verstand zugänglich, der anders funktionierte als der menschliche?

Hätte es doch einen Weg gegeben?

Dann wieder sagte er sich, dass Orcas Tiere waren. Hochintelligent zwar, aber Tiere. Und Beute war Beute.

Andererseits gehörten Menschen eindeutig nicht ins Beuteschema von Schwertwalen. Hatten die Orcas die im Wasser treibenden Passagiere also überhaupt gefressen? Oder einfach nur getötet?

Ermordet.

Konnte man einen Orca des Mordes bezichtigen?

Anawak seufzte. Er drehte sich im Kreis. Seine Augen brannten mit jeder Minute schlimmer. Lustlos griff er nach einer weiteren CD mit digitalen Bilddaten, drehte sie unentschlossen hin und her und legte sie wieder weg. Seine Konzentration war am Ende. Den ganzen Tag hatte er im Aquarium verbracht. Ständig hatte er sich mit irgendjemandem besprochen oder in der Gegend herumtelefoniert, ohne dass sich Fortschritte einstellen wollten. Er fühlte sich ausgelaugt und leer. Müde schaltete er den Bildschirm aus und sah auf die Uhr. Sieben durch. Er stand auf und ging John Ford suchen. Der Direktor war in einer Besprechung, also schaute er bei Delaware vorbei. Sie saß in einem umfunktionierten Besprechungsraum über Fernschreiberdaten.

»Lust auf ein saftiges Pottwalsteak?«, fragte er säuerlich.

Sie schaute auf und zwinkerte. Die blaue Brille hatte sie mit Kontaktlinsen vertauscht, die ebenfalls verdächtig blau wirkten. Wenn man versuchte, die Hasenzähne zu ignorieren, sah sie richtig gut aus.

»Klar. Wohin?«

»Es gibt einen ganz manierlichen Imbiss um die Ecke.«

»Quatsch, Imbiss!«, rief sie vergnügt. »Ich lad dich ein.«

»Das ist nicht nötig.«

»Ins *Cardero's*.«

»Ach du meine Güte.«

»Es ist *gut*!«

»Ich weiß, dass es gut ist. Aber erstens musst du mich nicht einladen, und zweitens finde ich *Cardero's* ... na ja, wie soll ich sagen ...«

»Ich find's *klasse*!«

Cardero's Restaurant und Bar lagen inmitten des Yachthafens Coal Harbour, groß und luftig, mit hohen Decken und Fenstern. Ein ziemlich angesagter Ort. Man genoss einen herrlichen Blick auf die Umgebung und bekam ordentliche West-Coast-Küche vorgesetzt. In der angrenzenden Bar flossen reichlich Drinks, die von jungen Menschen in gut sitzender Garderobe hinuntergespült wurden. Anawak wusste, dass er mit seinen ausgefransten Jeans und dem verschossenen Pullover denkbar unpassend gekleidet war, und außerdem fühlte er sich in angesagten Lokalen unbehaglich und fehl am Platze. Delaware hingegen war für *Cardero's*, wie er zugeben musste, nachgerade prädestiniert.

Also *Cardero's*.

Sie fuhren in seinem alten Ford zum Hafen und hatten Glück. *Cardero's* machte im Allgemeinen eine frühzeitige Reservierung erforderlich, aber in einer Ecke war ein Tisch ungebucht geblieben, etwas abseits und damit nach Anawaks Geschmack. Sie nahmen die Spezialität des Hauses, auf Zedernholz gegrillten Lachs mit Soja, braunem Zucker und Limonen.

»Okay«, sagte Anawak, nachdem die Bedienung gegangen war. »Was haben wir?«

»Nichts außer Hunger, soweit es mich betrifft.« Delaware zuckte die Achseln. »Ich bin kein bisschen schlauer als zuvor.«

Anawak massierte sein Kinn.

»Vielleicht hab ich ja was herausgefunden. Das Video dieser Frau hat mich darauf gebracht.«

»*Mein* Video.«

»Schon klar«, sagte er spöttisch. »Wir verdanken dir alles.«

»Ihr verdankt mir zumindest eine Idee. Was hast du denn herausgefunden?«

»Es hängt mit den identifizierten Walen zusammen. Mir ist aufgefallen, dass ausschließlich Transient Orcas an den Attacken beteiligt waren. Kein einziger Resident.«

»Hm.« Sie krauste die Nase. »Stimmt. Von den Residents hat man eigentlich überhaupt nichts Schlechtes gehört.«

»Eben. In der Johnstone Strait gab es keine Angriffe. Und da waren Kajaks unterwegs.«

»Also geht die Gefahr von wandernden Tieren aus.«

»Transients und möglicherweise Offshore Orcas. Die identifizierten Buckelwale und der Grauwal sind ebenfalls Wanderer. Alle drei haben den Winter in der Baja California verbracht, das ist sogar dokumentiert. Wir haben die Bilder ihrer Fluken nach Seattle ins Meeresbiologische Institut gemailt. Sie bestätigen, dass die Tiere mehrfach in den letzten Jahren dort gesichtet wurden.«

Delaware sah ihn irritiert an.

»Dass Grau- und Buckelwale wandern, ist aber doch nichts Neues.«

»Nicht alle.«

»Oh. Ich dachte …«

»An dem Tag, als wir nochmal rausfuhren, Shoemaker, Greywolf und ich, ist was Komisches passiert. Ich hatte es fast schon wieder vergessen. Wir mussten die Leute von der *Lady Wexham* runterkriegen. Das Schiff sank, und außerdem wurden wir von einer Gruppe Grauwale angegriffen. Ich bin sicher, dass wir definitiv keine Chance mehr hatten, selber mit heiler Haut davonzukommen, geschweige denn jemanden zu retten. – Aber dann tauchten plötzlich zwei Grauwale neben uns auf, die uns nichts taten. Sie lagen einfach nur eine Weile im Wasser, und die anderen zogen sich zurück.«

»Und das waren Residents?«

»Etwa ein Dutzend Grauwale sind immer vor der Westküste, das ganze Jahr hindurch. Sie sind zu alt, um noch die strapaziösen Wanderungen anzutreten. Wenn die Herden aus dem Süden eintreffen, werden die Alten wieder aufgenommen, mit Begrüßungsritual und allem Drum und Dran. Einen dieser Residents habe ich erkannt, und er hegte eindeutig keine feindlichen Absichten gegen uns. Im Gegenteil. Ich glaube, wir verdanken den beiden unser Leben.«

»Ich bin sprachlos! Die haben euch beschützt!«

»Tz, tz, Licia.« Anawak hob die Brauen. »So viel Vermenschlichung aus deinem Munde?«

»Seit drei Tagen glaube ich fast alles.«

»Beschützt erscheint mir zu dick aufgetragen. Aber ich denke, sie haben die anderen fern gehalten. Sie mochten die Angreifer nicht. Man könnte mit einiger Vorsicht schlussfolgern, dass nur wandernde Tiere betroffen sind. Residents – gleich welcher Art – verhalten sich friedlich. Sie scheinen zu erkennen, dass die anderen nicht mehr ganz richtig im Kopf sind.«

Delaware kratzte mit grüblerischem Gesichtsausdruck ihre Nase.

»Würde passen. Ich meine, eine große Anzahl von Tieren verschwindet auf dem Weg von Kalifornien hierher. Auf offener See. Die aggressiven Orcas leben ebenfalls im offenen Pazifik.«

»Eben. Was immer sie verändert hat, wird genau dort zu finden sein. Im tiefen blauen Meer. Weit draußen.«

»Aber was?«

»Das finden wir schon raus«, sagte John Ford. Er war unvermittelt neben ihnen aufgetaucht, zog einen Stuhl heran und setzte sich. »Und zwar, bevor mich diese Regierungstypen mit ihren ständigen Anrufen in den Wahnsinn treiben.«

»Mir ist noch was eingefallen«, sagte Delaware beim Nachtisch. »Die Orcas mögen ja ihren Spaß an der Sache haben, aber die Großwale ganz sicher nicht.«

»Wie kommst du darauf?«, fragte Anawak.

»Na ja«, sagte sie mit Backen voller Mousse au Chocolat. »Stell dir vor, du rennst ständig irgendwo gegen, um es umzuwerfen. Oder lässt dich auf was drauffallen, was Ecken und Kanten hat. Wie groß ist die Gefahr, dass du dich selber verletzt?«

»Sie hat Recht«, sagte Ford. »Die Tiere könnten sich verletzt haben. Und kein Tier verletzt sich selber, wenn es nicht der Arterhaltung oder dem Schutz des Nachwuchses dient.« Er nahm seine Brille ab und putzte sie umständlich. »Sollen wir mal ein bisschen rumspinnen? Was wäre denn, wenn die ganze Aktion ein Protest ist?«

»Wogegen?«

»Walfang.«

»Walproteste gegen Walfang?«, rief Delaware ungläubig.

»Früher sind Walfänger hin und wieder angegriffen worden«, sagte Ford. »Speziell, wenn sie auf die Kälber aus waren.«

Anawak schüttelte den Kopf. »Das glaubst du selber nicht.«

»War 'n Versuch.«

»Kein guter. Bis heute ist nicht erwiesen, ob Wale überhaupt begreifen, was Walfang ist.«

»Du meinst, sie erkennen nicht, dass sie gejagt werden?«, fragte Delaware. »Das ist dummes Zeug.«

Anawak verdrehte die Augen.

»Sie erkennen nicht unbedingt eine Systematik darin. Grindwale stranden immer wieder in denselben Buchten. Auf den Färöern treiben Fischer ganze Herden von ihnen zusammen und hauen wahllos mit Eisenstangen auf sie ein. Regelrechte Massaker. Oder schau nach Japan, nach Futo, wo sie Tümmler und Schweinswale abschlachten. Die Tiere wissen seit Generationen, was sie erwartet. Warum kommen die trotzdem immer wieder zurück?«

»Das ist sicher kein Zeichen sonderlicher Intelligenz«, sagte Ford. »Andererseits werden jährlich wider besseres Wissen Treibgase versprüht und Regenwälder abgeholzt. Ebenso wenig ein Zeichen besonderer Intelligenz, findet ihr nicht auch?«

Delaware runzelte die Stirn und kratzte den Rest Mousse au Chocolat aus ihrem Teller.

»Stimmt schon«, sagte Anawak nach einer Weile.

»Was?«

»Licias Hinweis, dass sich die Tiere verletzt haben könnten, als sie auf die Boote sprangen oder dagegen. – Ich meine, wenn du plötzlich auf die Idee kommst, Leute abzuknallen, was tust du? Du setzt dich irgendwo hübsch hin, wo du einen guten Überblick hast, legst an und feuerst. Aber du wirst aufpassen, dass du dir nicht selber dabei in den Fuß ballerst.«

»Es sei denn, du bist beeinflusst.«

»Hypnotisiert.«

»Oder krank. Verwirrt. Sag ich doch. Sie sind verwirrt.«

»Vielleicht Gehirnwäsche?«

»Nun hört mal auf zu spinnen.«

Eine Weile sagte niemand etwas. Jeder am Tisch hing seinen Gedanken nach, während der Lärmpegel im *Cardero's* anstieg. Gesprächsfetzen von Nebentischen drangen herüber. Die Geschehnisse beherrschten die Presse und das öffentliche Leben. Jemand stellte lautstark einen Zusammenhang her zwischen den Vorfällen entlang der Küste und Havarien in asiatischen Gewässern. Vor Japan und in der Malakkastraße war es in rascher Folge zu einigen der schwersten Schiffskatastrophen der letzten Jahrzehnte gekommen. Man fachsimpelte und tauschte Theorien aus, ohne dass es den Anschein hatte, als ließen sich die Gäste von alldem sonderlich den Appetit verderben.

»Und wenn es doch an den Giften liegt?«, meinte Anawak schließlich. »PCB, der ganze Mist. Wenn irgendwas die Tiere rasend macht?«

»Allenfalls rasend vor Wut«, frotzelte Ford. »Ich sage ja, sie protestieren. Weil die Isländer Fangquoten beantragen, die Japaner ihnen zu Leibe rücken, die Norweger sich einen Scheiß um die IWC kümmern. – Weil selbst die Makah sie wieder jagen wollen. Hey! Das ist es!« Er grinste. »Vermutlich haben sie's in der Zeitung gelesen.«

»Für den Leiter des Wissenschaftlichen Beirats bist du irgendwie nicht richtig bei der Sache«, meinte Anawak. »Ganz abgesehen von deinem Ruf als seriöser Wissenschaftler.«

»Makah?«, echote Delaware.

»Ein Stamm der Nuu-Chah-Nulth«, sagte Ford. »Indianer im Westen Vancouver Islands. Sie versuchen seit Jahren schon juristisch durchzusetzen, dass sie den Walfang wieder aufnehmen dürfen.«

»Was? Wo leben die? Sind die wahnsinnig?«

»Der Herr erhalte dir deine zivilisierte Empörung, aber die Makah haben das letzte Mal 1928 Wale gejagt«, gähnte Anawak. Er konnte seine Augen kaum noch offen halten. »Sie waren es nicht, die Grauwale, Blauwale, Buckelwale und so weiter an den Rand des Aussterbens gebracht haben. Den Makah geht es um die Tradition und die Erhaltung ihrer Kultur. Sie argumentieren damit, dass kaum noch ein Makah den traditionellen Walfang beherrscht.«

»Na und? Wer essen will, soll in den Supermarkt gehen.«

»Bring Leons edle Fürsprache nicht durcheinander«, sagte Ford und schüttete sich Wein nach.

Delaware starrte Anawak an. Etwas in ihren Augen veränderte sich. Bitte nicht, dachte er.

Dass er wie ein Indianer aussah, war offenkundig, aber nun begann sie die falschen Schlüsse zu ziehen. Er konnte die Frage förmlich heranrauschen hören. Er würde sich erklären müssen. Nichts hasste er mehr als den Gedanken daran. Er hasste ihn und wünschte, Ford hätte niemals von den Makah angefangen.

Schnell wechselte er einen Blick mit dem Direktor.

Ford verstand.

»Reden wir ein andermal darüber«, schlug er vor. Und bevor Delaware etwas erwidern konnte, sagte er: »Die Vergiftungstheorie sollten wir mit Oliviera, Fenwick oder Rod Palm besprechen, aber offen gesagt, ich glaube nicht dran. Die Belastung entsteht durch auslaufendes Öl und die Verklappung von Chlorkohlenwasserstoffen. Du weißt ebenso gut wie ich, wozu das führt. Schwächung des Immunsystems, Infektionen, vorzeitiger Tod. Nicht zum Wahnsinn.«

»Hat nicht irgendein Wissenschaftler ausgerechnet, dass die Orcas vor der Westküste in 30 Jahren ausgestorben sein werden?«, brachte sich Delaware wieder ins Gespräch.

Anawak nickte düster.

»In 30 bis 120 Jahren. Wenn es so weitergeht. Übrigens nicht allein wegen der Vergiftungen. Die Orcas verlieren ihre Nahrungsquelle, den Lachs. Wenn sie nicht am Gift zugrunde gehen, wandern sie aus. Sie müssen ihre Nahrung in Gebieten suchen, die sie nicht kennen, verfangen sich in Fischereigeschirr ... Es kommt alles zusammen.«

»Vergiss die Vergiftungstheorie«, meinte Ford. »Wenn es nur die Orcas wären, könnten wir darüber reden. Aber Orcas und Buckelwale in strategischer Eintracht ... Ich weiß nicht, Leon.«

Anawak dachte nach.

»Ihr kennt meine Einstellung«, sagte er leise. »Ich bin weit davon entfernt, Tieren Absichten zu unterstellen oder ihre Intelligenz zu überschätzen, aber ... habt ihr nicht auch mitunter das Gefühl, dass sie uns *loswerden* wollen?«

Sie sahen ihn an. Er hatte erwartet, auf heftige Widerrede zu stoßen. Stattdessen nickte Delaware.

»Ja. Bis auf die Residents.«

»Bis auf die Residents. Weil sie nicht dort gewesen sind, wo die anderen waren. Wo etwas mit den anderen passiert ist. Die Wale, die den Schlepper versenkt haben ... Ich sag's euch! Die Antwort liegt draußen.«

»Mein Gott, Leon.« Ford lehnte sich zurück und ließ einen großzügigen Schluck Wein die Kehle heruntergurgeln. »In welchem Film sind wir denn jetzt gelandet? Gehet hin und bekämpfet die Menschheit?«

Anawak schwieg.

Auf Dauer brachte sie das Video der Frau nicht weiter.

Als er spätabends im Bett seines kleinen Apartments in Vancouver lag, ohne Schlaf zu finden, reifte in Anawak der Gedanke, einen der veränderten Wale selber zu präparieren. Was immer die Tiere überkommen hatte, es beherrschte sie nach wie vor. Mit Kamera und Sender versehen, würde eines davon vielleicht die dringend erforderlichen Antworten liefern.

Die Frage war, wie sie etwas an einem wild gewordenen Buckelwal befestigen sollten, wenn schon die friedlichen kaum stillhielten?

Und dann dieses Problem mit der Haut …

Einen Seehund zu bestücken war etwas völlig anderes, als einen Wal mit einem Sender zu versehen. Seehunde und Robben ließen sich problemlos auf ihren Ruheplätzen fangen. Der biologisch abbaubare Kleber, mit dem die Sender befestigt wurden, haftete im Fell, trocknete schnell und löste sich irgendwann durch einen integrierten Auslösemechanismus. Spätestens beim alljährlichen Fellwechsel verschwanden auch die Klebstoffreste.

Aber Wale und Delphine hatten kein Fell. Es gab kaum etwas Glatteres als die Haut von Orcas und Delphinen, die sich anfühlte wie ein frisch gepelltes Ei und mit einem dünnen Gel überzogen war, um Strömungswiderstände auszuschließen und Bakterien fern zu halten. Ständig wurde die oberste Hautschicht ersetzt. Enzyme lösten sie, sodass sie bei Sprüngen in großen, dünnen Fetzen abfiel – mitsamt allen unerwünschten Bewohnern und Sendern. Und die Haut von Grau- und Buckelwalen bot kaum besseren Halt.

Anawak stand auf, ohne Licht zu machen, und trat zum Fenster. Das Apartment lag in einem der älteren Hochhäuser mit Blick auf Granville Island, und er konnte auf die glitzernde, nächtliche Stadt blicken. Nacheinander ging er die Möglichkeiten durch. Natürlich gab es Tricks. Amerikanische Wissenschaftler griffen zu einer Methode, bei der Sender und Messgeräte mit Saugnäpfen befestigt wurden. Unter Zuhilfenahme langer Stangen setzten sie die Sonde vom Boot auf nahe schwimmende oder in der Bugwelle reitende Tiere. Das ging oft genug daneben. Immerhin ein Weg. Allerdings widerstanden auch die Saugnapf-Sender dem Strömungsdruck nur wenige Stunden. Andere klemmten die Geräte an die Rückenflosse. Hier wie da stellte sich die Frage, wie man in diesen Tagen überhaupt mit einem Boot an einen Wal gelangen sollte, ohne sofort versenkt zu werden.

Man konnte die Tiere betäuben ...

Alles viel zu kompliziert. Außerdem würden Fahrtenschreiber nicht reichen. Sie brauchten Kameras. Satellitentelemetrie *und* Videobilder.

Plötzlich kam ihm eine Idee.

Es gab eine Methode.

Sie erforderte einen guten Schützen. Wale gaben großflächige Ziele ab. Dennoch empfahl sich jemand, der wirklich schießen konnte.

Mit einem Mal war Anawak wie im Fieber. Er hastete zum Schreibtisch, loggte sich ins Internet ein und rief nacheinander verschiedene Adressen auf. Ihm war eine weitere Möglichkeit eingefallen, von der er gelesen hatte. Eine Weile kramte er in einer Schublade mit Zetteln, bis er die Internet-Adresse des *Underwater Robotics & Application Laboratory Teams* in Tokio gefunden hatte.

Nach kurzer Zeit wusste er, wie es funktionieren konnte.

Sie mussten die beiden Wege koppeln. Der Krisenstab würde einen Haufen Geld in die Hand nehmen müssen, aber augenblicklich schien man davor nicht zurückzuschrecken, solange es der Klärung der Probleme diente.

In seinem Schädel kreiste es.

Gegen Morgen fand er endlich Schlaf. Sein letzter Gedanke galt der *Barrier Queen* und Roberts. Auch so eine Sache. Der Manager hatte ihn nicht zurückgerufen, trotz mehrfachen Nachfragens. Er hoffte, dass *Inglewood* wenigstens die Proben nach Nanaimo geschickt hatte.

Und was war überhaupt mit dem Bericht?

Er würde sich nicht damit zufrieden geben, ständig abgewimmelt zu werden.

Was wollte er morgen alles tun?

Ich werde wohl nochmal aufstehen und mir Notizen machen, dachte er. Dass ich als Erstes ...

In derselben Sekunde schlief er ein, zu Tode erschöpft.

20. april

Bernard Roche machte sich Vorwürfe, weil er sich mit der Untersuchung der Wasserproben zu viel Zeit gelassen hatte, aber er konnte es nicht ändern. Wie hatte er ahnen sollen, dass ein Hummer in der Lage war, einen Menschen zu töten? Oder möglicherweise mehrere?

Jean Jérôme, der Fischkoch des *Troisgros* in Roanne, war nicht mehr aus dem Koma erwacht, 24 Stunden, nachdem ihm ein verseuchter bretonischer Hummer um die Ohren geflogen war. Was genau seinen Tod herbeigeführt hatte, ließ sich immer noch nicht sagen. Fest stand, dass sein Immunsystem versagt hatte, offenbar als direkte Folge eines schweren toxischen Schocks. Ebenso wenig ließ sich beweisen, dass der Hummer daran schuld war, beziehungsweise das Zeug in seinem Innern, aber es sah ganz danach aus. Auch andere Mitglieder des Küchenpersonals waren erkrankt, am schwersten der Lehrling, der die merkwürdige Substanz berührt und konserviert hatte. Sie alle litten an Schwindelgefühl, Übelkeit und Kopfweh und klagten über Probleme mit der Konzentration. Das alleine wäre schlimm genug gewesen, zumal für das *Troisgros*, dessen Betrieb mittlerweile in einige Bedrängnis geriet. Was Roche jedoch viel mehr beunruhigte, war die Vielzahl ähnlicher Beschwerden, mit denen Leute aus Roanne ihren Arzt aufsuchten, seit Jérôme gestorben war. Ihre Symptome waren weniger stark ausgeprägt. Dennoch befürchtete Roche das Schlimmste, nachdem er herausgefunden hatte, was mit dem Wasser geschehen war, in dem Jérôme die Hummer zwischengelagert hatte.

Die Presse hielt den Vorfall klein, schon aus Rücksicht auf das Restaurant, aber natürlich wurde darüber berichtet, und auch von anderswoher drangen Gerüchte an Roches Ohr. Offenbar war das *Troisgros* bei weitem nicht allein betroffen. In Paris waren gleich mehrere Menschen gestorben, durch den Genuss verdorbenen Hummerfleischs, wie es hieß, aber Roche ahnte, dass dies nicht ganz den Tatsachen entsprach. Meldungen erreichten ihn aus Le Havre, Cherbourg, Caen, Rennes und Brest. Mittlerweile hatte er einen Assistenten darauf abgestellt, den Dingen hinterherzuforschen. Ein Bild begann sich abzuzeichnen, in dem bretonische Hummer eine unrühmliche Rolle spielten, sodass Roche schließlich alles andere beiseite schob und sich nur noch der Analyse der Wasserprobe widmete.

Wieder stieß er auf ungewöhnliche Verbindungen, die ihm Rätsel aufgaben. Es war dringend erforderlich, an weitere Proben zu gelangen, und er ließ Kontakte herstellen in die betroffenen Städte. Unglücklicherweise war bis dahin niemand auf die Idee gekommen, etwas von dem Zeug aufzubewahren. Es war auch nirgendwo ein Hummer explodiert wie in Roanne, allerdings war die Rede von ungenießbaren Tieren, deren Fleisch man weggeworfen habe, und anderen, die schon vor dem Kochen keinen guten Eindruck gemacht hätten, weil etwas aus ihnen hervorgequollen sei. Roche wünschte sich, jemand anderer wäre so klug gewesen wie der Lehrling, aber Fischer, Großmarkthändler und Küchenpersonal waren nun mal keine Laborarbeiter. So war er fürs Erste auf Spekulationen angewiesen. Ihm schien, dass im Körper des Hummers nicht nur ein Organismus, sondern gleich zwei gelauert haben mussten. Zum einen die Gallerte. Sie hatte sich zersetzt und war offenbar vollständig verschwunden.

Der andere Organismus hingegen lebte, trat in großer Dichte auf und kam Roche auf unheilvolle Weise bekannt vor.

Er starrte durch das Mikroskop.

Tausende transparente Kugeln wirbelten wie Tennisbälle kreuz und quer durcheinander. Falls seine Vermutung zutraf, befand sich in ihrem Innern ein zusammengerollter *Pedunculus*, eine Art Rüssel.

Hatten diese Lebewesen Jean Jérôme getötet?

Roche griff nach einer sterilisierten Glasnadel und stach sich rasch in die Daumenspitze. Ein kleiner Tropfen Blut trat aus. Vorsichtig injizierte er es in die Probe auf dem Objektträger und sah wieder durch die Linsen des Mikroskops. Bei 700-facher Vergrößerung wirkten Roches Blutkörperchen wie rubinrote Blütenblätter. Sie taumelten im Wasser, jedes angefüllt mit Hämoglobin. Sofort wurden die transparenten Kugeln aktiv. Sie stülpten ihre Rüssel aus und fielen blitzartig über die menschlichen Zellen her. Die Pedunkel stachen wie Kanülen hinein. Langsam färbten sich die unheimlichen Mikroben rötlich, während sie die Blutkörperchen aussaugten. Immer mehr von ihnen stürzten sich auf Roches Blut. War ein Blutkörperchen leer gesaugt, wechselten sie zum nächsten. Dabei schwollen sie an, exakt so, wie Roche es befürchtet hatte. Jedes der Wesen würde bis zu zehn Blutkörperchen in sich aufnehmen. In spätestens einer Dreiviertelstunde würden sie ihr Werk vollendet haben. Er sah weiterhin fasziniert zu und stellte fest, dass es sogar noch schneller ging, viel schneller, als er gedacht hatte.

Nach fünfzehn Minuten hatte der Spuk ein Ende.

Roche saß starr vor seinem Mikroskop. Dann notierte er:

Vermutlich *Pfiesteria piscicida.*

Das ›vermutlich‹ stand für letzte Reste von Zweifel, obschon Roche sicher war, soeben den Erreger klassifiziert zu haben, der für die Krankheits- und Todesfälle verantwortlich war. Was ihn störte, war der Eindruck, es mit einer Monsterausgabe von *Pfiesteria piscicida* zu tun zu haben. Das barg den Superlativ im Superlativ, weil *Pfiesteria* vielen an sich schon als Monster galt. Ein Monster von eben mal einem hundertstel Millimeter Durchmesser. Eines der kleinsten Raubtiere der Welt. Und zugleich eines der gefährlichsten.

Pfiesteria piscicida war ein Vampir.

Er hatte viel darüber gelesen. Die erste Begegnung der Wissenschaft mit *Pfiesteria* lag gar nicht so lange zurück. Es hatte in den Achtzigern begonnen, mit dem Tod von 50 Laborfischen an der *North Carolina State University.* An der Qualität des Wassers, in dem sie geschwommen waren, gab es augenscheinlich nichts zu beanstanden, sah man von Wolken winziger Einzeller ab, die sich im Aquarium tummelten. Man wechselte das Wasser und setzte neue Fische aus. Sie überlebten keinen Tag. Irgendetwas mordete sie mit großer Effizienz dahin. Es tötete Goldfische, Streifenbarsche, afrikanische Tilapias, oft binnen Stunden, manchmal in Minuten. Jedes Mal beobachteten die Wissenschaftler, wie sich die Opfer in Zuckungen wanden, bevor sie qualvoll krepierten. Jedes Mal tauchten aus dem Nichts die rätselhaften Mikroben auf, und ebenso schnell verschwanden sie wieder.

Allmählich wurde das Bild klarer. Eine Botanikerin erkannte den unheimlichen Organismus als Geißeltierchen einer bislang unbekannten Spezies. Ein Dinoflagellat, eine Alge. Davon gab es viele. Die meisten waren harmlos, aber einige hatten sich schon lange als regelrechte Giftschleudern geoutet. Sie verseuchten ganze Muschelfarmen. Andere Dinoflagellaten lösten die weit gefährlicheren ›Roten Tiden‹ aus, die das Meer blutrot oder braun färbten. Auch von ihnen wusste man, dass sie Schalentiere befielen. Dennoch nahmen sich solche Vertreter harmlos aus gegen den neu entdeckten Organismus.

Denn *Pfiesteria piscicida* unterschied sich von ihren Artgenossen. Sie griff aktiv an. In gewisser Weise erinnerte sie an Zecken. Nicht der Form halber, sondern weil sie sich durch ebensolche Geduld auswies. Scheinbar leblos lauerte sie auf dem Grund von Gewässern. Jeden einzelnen Organismus umgab eine Kapsel, eine Art Zyste, die ihn schützte. Auf diese Weise konnte *Pfiesteria* jahrelang ohne Nahrung ausharren. Bis ein Schwarm Fische vorbeizog, deren Ausscheidungen zu Boden sanken und den Appetit des scheintoten Einzellers weckten.

Was nun geschah, ließ sich nur als Blitzangriff beschreiben. Zu Milliarden lösten sich die Algen aus ihren Zysten und stiegen empor. Die beiden Geißeln am Körperende dienten dabei als Antriebssystem. Die eine rotierte wie ein Propeller, die andere steuerte den Organismus in die gewünschte Richtung. Heftete sich *Pfiesteria* an den Körper eines Fisches, setzte sie ein Gift frei, das die Nerven lähmte und zugleich münzgroße Löcher in die Haut fraß. Dann schob sie ihren Saugrüssel in die Wunden und nahm die Körpersäfte der sterbenden Beute in sich auf. War sie gesättigt, ließ sie von ihrem Opfer ab und verzog sich wieder auf den Grund, um sich erneut einzukapseln.

An sich galten toxische Algen als normales Phänomen. Etwa so wie Pilze im Wald. Man wusste seit langem um die Giftstoffe mancher Algen, genau genommen seit biblischen Zeiten. Im Zweiten Buch Mose wurde ein Phänomen beschrieben, das mit verblüffender Genauigkeit auf eine ›Rote Tide‹ zu passen schien: *Und alles Wasser wurde in Blut verwandelt. Die Fische starben, und der Strom stank, sodass die Ägypter das Wasser aus dem Nil nicht trinken konnten.* Es war also nichts Besonderes, wenn Einzeller Fische mordeten. Nur wie und mit welcher Brutalität es geschah, war neu. Es schien, als habe eine Krankheit von den Gewässern der Welt Besitz ergriffen, deren spektakulärstes Symptom vorerst den Namen *Pfiesteria piscicida* trug. Giftattacken auf Meerestiere, neuartige Korallenkrankheiten, infizierte Seegraswiesen, all das spiegelte den Zustand wider, in den die Weltmeere insgesamt geraten waren – geschwächt durch Ströme von Schadstoffen, Überfischung, die rücksichtslose Erschließung der Küsten und die Folgen der globalen Klimaerwärmung. Man stritt, ob Invasionen von Killeralgen etwas Neues oder periodisch Auftretendes waren – fest stand, dass sie den Globus auf nie dagewesene Art vereinnahmten und dass sich die Natur als ausgesprochen kreativ erwies, was das Hervorbringen neuer Spezies anging. Während die Europäer noch frohlockten, in ihren Breiten trete *Pfiesteria* nicht auf, starben vor Norwegen Tausende von Fischen, und die norwegischen Lachszüchter gerieten an den Rand des Ruins. Diesmal hieß der Mörder *Chrysochromulina polylepis*, eine Art eifriger kleiner Bruder von *Pfiesteria*, und niemand wagte vorherzusagen, womit man es noch zu tun bekommen würde.

Nun hatte *Pfiesteria piscicida* also bretonische Hummer befallen.

Aber war es wirklich *Pfiesteria piscicida*?

Zweifel nagten an Roche. Das Verhalten der Einzeller sprach dafür, wenngleich sie ihm weit aggressiver erschienen, als in bisherigen Dokumentationen beschrieben. Vor allem aber fragte er sich, wie der Hummer überhaupt so lange hatte überleben können. Stammten die Algen aus seinem Innern? Zusammen mit der Substanz? Die gallertige Masse, die an der Luft zerfiel, schien jedenfalls etwas völlig anderes zu sein als diese Algen, etwas definitiv Unbekanntes. Entstammte überhaupt beides dem Innern des Hummers? Aber was war dann mit dem Hummerfleisch geschehen?

War das überhaupt ein Hummer gewesen?

Roche verfiel in tiefe Ratlosigkeit. Nur eines wusste er mit absoluter Sicherheit. Was immer es gewesen war – Teile davon befanden sich jetzt im Trinkwasser von Roanne.

22. april

Auf See enthielt die Welt nichts als Wasser und einen mehr oder weniger klar abgegrenzten Himmel. Es gab keine Bezugspunkte, sodass einen die Unendlichkeit an schönen Tagen förmlich in den Weltraum zu saugen schien, während man bei Regen mitunter nicht wusste, ob man sich noch an der Wasseroberfläche oder schon halb darunter befand. Selbst hartgesottene Seeleute empfanden eintönig niederfallenden Regen als deprimierend. Der Horizont verwischte, das Schwarz der Wellen verlief im Grau konturloser Wolkenmassen und hinterließ die bedrückende Vorstellung eines Universums ohne Licht, Gestalt und Hoffnung.

Die Nordsee und das norwegische Meer boten dem Auge immerhin auf weiter Strecke Anhaltspunkte in Gestalt von Bohrtürmen. Draußen am Kontinentalhang, über dem das Forschungsschiff *Sonne* nun seit zwei Tagen kreuzte, waren die meisten Plattformen allerdings zu weit entfernt, um mit bloßem Auge wahrgenommen zu werden. Selbst die wenigen Türme in Sichtweite verschwanden heute im feinen Sprühregen. Alles war pitschnass. Klamme Kälte zog unter die wasserdichten Jacken und Overalls der Wissenschaftler und des Schiffspersonals. Anständiger, ehrlicher Regen aus dicken, klatschenden Tropfen wäre allen lieber gewesen als die nieselige Brühe. Nicht nur aus den Himmeln schien das Wasser zu kommen, sondern zugleich aus der See nach oben zu steigen. Es war einer der schäbigsten Tage, an die Johanson sich erinnern konnte. Er zog die Kapuze über die Stirn und ging ins Heck, wo das technische Personal mit dem Einholen der Multisonde befasst war. Auf halbem Weg gesellte sich Bohrmann an seine Seite.

»Träumen Sie nicht allmählich von Würmern?«, fragte Johanson.

»Es geht noch«, erwiderte der Geologe. »Und Sie?«

»Ich flüchte mich in die Vorstellung, in einem Film mitzuspielen.«

»Gute Idee. Welcher Regisseur?«

»Wie wär's mit Hitchcock?«

»*Die Vögel* in der Version für Tiefseegeologen?« Bohrmann grinste säuerlich. »Schöne Vorstellung – ah, es ist so weit!«

Er ließ Johanson stehen und ging rasch weiter ins Heck. Am Kran hängend tauchte ein großes, kreisrundes Gestänge auf, dessen obere Hälfte mit Kunststoffröhren bestückt war. Sie enthielten Wasserproben aus verschiedenen Meerestiefen. Johanson sah eine Weile zu, wie die Multisonde eingeholt und der Probensatz entnommen wurde, dann betraten Stone, Hvistendahl und Lund das Deck. Stone eilte auf ihn zu.

»Was sagt Bohrmann?«, fragte er.

»Houston, wir haben ein Problem.« Johanson zuckte die Achseln. »Viel sagt er nicht.«

Stone nickte. Seine Aggressivität hatte tiefer Niedergeschlagenheit Platz gemacht. Im Verlauf der Messungen war die *Sonne* dem südwestlichen Verlauf des Kontinentalhangs bis oberhalb Schottlands gefolgt, während der Videoschlitten Bilder aus der Tiefe sandte. Der Schlitten, ein klobiges Gestell, das aussah wie ein Stahlregal voll unordentlich hineingestopfter Apparaturen, verfügte über diverse Messinstrumente, starke Scheinwerfer und ein elektronisches Auge, das den Meeresboden filmte und die Eindrücke per Lichtwellenkabel ins Monitorlabor schickte, während er hinter dem Schiff hergezogen wurde.

An Bord der *Thorvaldson* lieferte der modernere *Victor* das Bildmaterial. Das norwegische Forschungsschiff folgte dem Hangverlauf in nordöstliche Richtung und analysierte das Wasser der norwegischen See bis hinauf nach Tromsø. Beide Schiffe hatten ihre Fahrt vom Standort der geplanten Fabrik aus begonnen. Mittlerweile hielten sie wieder aufeinander zu. Mit ihrem Rendezvous in zwei Tagen würden sie zudem den kompletten Hang des norwegischen Sockels und der Nordsee neu vermessen haben. Bohrmann und Skaugen hatten vorgeschlagen, die Region so anzugehen, als habe man es mit unerforschtem Gebiet zu tun, und das war es seit kurzem auch. Nichts erschien mehr in vertrautem Licht, seit Bohrmann die ersten Messwerte präsentiert hatte.

Das war am Vortag gewesen, am frühen Morgen, noch ehe die ersten Bilder vom Videoschlitten auf dem Monitor erschienen waren. Sie hatten in der feuchtkalten Dämmerung die Multisonde hinuntergelassen, und Johanson hatte versucht, das Fahrstuhlgefühl zu ignorieren, wenn die *Sonne* in den Wogen plötzlich wegsackte. Die ersten Wasserproben waren umgehend ins Seismiklabor gewandert und dort analysiert worden. Wenig später hatte Bohrmann das Team in den Konferenzraum aufs Hauptdeck gebeten, wo sie sich um den polierten Holztisch scharten, nun nicht mehr augenreibend und gähnend, sondern stumm vor Neugierde, Becher mit Kaffee umklammernd, dessen Wärme sich langsam in den Fingern auszubreiten begann.

Bohrmann hatte geduldig gewartet, bis alle versammelt waren. Seine Augen waren auf ein Blatt Papier gerichtet.

»Ich kann mit einem ersten Resultat aufwarten«, sagte er. »Es ist nicht repräsentativ, nur eine Momentaufnahme.« Er schaute auf. Sein Blick blieb eine Sekunde an Johanson hängen und wanderte weiter zu Hvistendahl. »Ist jeder mit dem Begriff Methanfahne vertraut?«

Ein junger Mann aus Hvistendahls Stab schüttelte unsicher den Kopf.

»Methanfahnen entstehen, wenn Gas aus dem Meeresboden austritt«, erläuterte Bohrmann. »Es vermischt sich mit Wasser, treibt in der Strömung und steigt auf. Im Allgemeinen messen wir solche Fahnen dort, wo eine Erdplatte sich unter die andere schiebt, sodass der Druck das Sediment zusammenquetscht und aufwirft. Als Folge quellen dort Fluide und Gase hervor. Ein weitgehend bekanntes Phänomen.« Er räusperte sich. »Aber sehen Sie, im Unterschied zum Pazifik gibt es solche Bereiche hohen Drucks nicht im Atlantik, also auch nicht vor Norwegen. Die Kontinentalränder sind weitgehend passiv. Dennoch haben wir heute Morgen in diesem Gebiet eine hoch konzentrierte Methanfahne gemessen. In früheren Messungen taucht sie nicht auf.«

»Wie hoch ist die Konzentration jetzt?«, fragte Stone.

»Bedenklich. Wir haben ähnliche Werte vor Oregon gemessen. In einem Gebiet mit äußerst starken Verwerfungen.«

»Schön.« Stone versuchte, die Falten auf seiner Stirn zu glätten. »Meines Wissens tritt vor Norwegen permanent Methan aus. Wir kennen das von früheren Projekten. Es ist bekannt, dass der Meeresboden immer irgendwo Gase durchlässt, und es ist jedes Mal erklärbar, also wozu machen wir die Pferde scheu?«

»Ihre Darstellung trifft nicht ganz den Kern der Sache.«

»Hören Sie«, seufzte Stone. »Alles, was mich interessiert, ist, ob Ihre Messungen wirklich Anlass zur Besorgnis geben. Bislang kann ich das nicht erkennen. Wir verschwenden unsere Zeit.«

Bohrmann lächelte verbindlich. »Dr. Stone, in diesem Gebiet, insbesondere nördlich von hier, sind ganze Stockwerke des Kontinentalhangs mit Methanhydraten regelrecht zementiert. Jede dieser Hydratschichten ist sechzig bis einhundert Meter dick, das sind gewaltige Deckel aus Eis. Aber wir wissen auch, dass diese Schichten stellenweise von senkrechten Zonen durchbrochen werden. Dort tritt seit Jahren Gas aus, das unseren Stabilitätsberechnungen zufolge eigentlich nicht austreten dürfte. Legt man Druck und Temperatur zugrunde, müsste es am Boden gefrieren, aber das tut es nicht. Da haben Sie Ihre Gasaustritte. Es lässt sich mit ihnen leben, man kann sogar entscheiden, sie zu ignorieren. Aber wir sollten uns nicht in Sicherheit wiegen, bloß weil wir ein paar Diagramme und Kurven entwickelt haben. Ich sage noch einmal, die Konzentration freien Methans in der Wassersäule ist unverhältnismäßig hoch.«

»Sind es denn wirklich Gasaustritte?«, fragte Lund. »Ich meine, steigt Methan aus dem Erdinnern nach oben, oder stammt das Gas vielleicht von ...«

»Schmelzenden Hydraten?« Bohrmann zögerte. »Das ist die entscheidende Frage. Wenn sich Hydrat zu zersetzen beginnt, müsste sich an den lokalen Parametern etwas geändert haben.«

»Und Sie glauben, das ist hier der Fall?«, fragte Lund.

»Es gibt eigentlich nur zwei Parameter. Druck und Temperatur. Wir haben aber weder eine Erwärmung des Wassers gemessen, noch ist der Meeresspiegel gesunken.«

»Das sage ich doch«, rief Stone. »Wir suchen Antworten auf Fragen, die kein Mensch gestellt hat. Ich meine, wir haben *eine* Probentnahme.« Er sah sich nach Zustimmung heischend um. »Eine einzige verdammte Probe!«

Bohrmann nickte. »Sie haben vollkommen Recht, Dr. Stone. Alles ist spekulativ. Aber um die Wahrheit herauszufinden, sind wir hier.«

»Stone geht mir auf die Nerven«, hatte Johanson zu Lund gesagt, als sie kurz darauf in die Messe gegangen waren. »Was hat er eigentlich? Er scheint diese Tests regelrecht verhindern zu wollen? Dabei leitet er das Projekt.«

»Wir können ihn ja über Bord werfen.«

»Es reicht schon, was wir sonst ins Meer kippen.«

Sie holten sich frischen Kaffee und verzogen sich damit auf Deck.

»Und was hältst du von diesem Resultat?«, fragte Lund zwischen zwei Schlucken.

»Es ist kein Resultat. Es ist ein Zwischenwert.«

»Na schön. Was hältst du von dem Zwischenwert?«

»Ich weiß es nicht.«

»Komm schon.«

»Bohrmann ist der Experte.«

»Glaubst du wirklich, es hat was mit diesen Würmern zu tun?«

Johanson dachte an sein zurückliegendes Gespräch mit Olsen.

»Ich glaube erst mal gar nichts«, sagte er vorsichtig. »Es wäre absolut verfrüht, etwas zu glauben.« Er blies in seinen Kaffee und legte den Kopf in den Nacken. Über ihnen spannte sich ein trüber Himmel. »Ich weiß nur eines: dass ich jetzt lieber zu Hause säße als auf diesem Schiff.«

Das war am Vortag gewesen.

Während die letzten Wasserproben analysiert wurden, verzog sich Johanson in den Funkraum hinter der Brücke. Über Satellit konnte er vom Schiff aus mit aller Welt Kontakt aufnehmen. In den vergangenen Tagen hatte er begonnen, eine Datenbank aufzubauen, E-Mails an Institute und Wissenschaftler zu verschicken und das Ganze als persönliches Interesse zu tarnen. Die ersten Antworten fielen enttäuschend aus. Niemand hatte den neuen Wurm beobachtet. Vor wenigen Stunden hatte er außerdem Kontakt zu Expeditionen aufgenommen, die gerade auf See waren. Er zog einen Stuhl heran, platzierte den Laptop zwischen den Funkgeräten und öffnete den E-Mail-Speicher. Auch diesmal war die Ausbeute mager. Die einzig interessante Nachricht stammte von Olsen, der ihm mitteilte, dass die Qualleninvasionen vor Südamerika und Australien offenbar außer Kontrolle geraten waren.

Weiß nicht, ob ihr da draußen Nachrichten hört, schrieb Olsen. *Aber gestern Nacht brachten sie einen Sonderbericht. Die Quallen ziehen in riesigen Schwärmen die Küsten entlang. Es sieht so aus, sagt der Nachrichtenonkel, als steuerten sie gezielt von Menschen besiedelte Gegenden an. Natürlich völliger Blödsinn. Ach ja, und es hat wieder gekracht. Zwei Containerfrachter vor Japan. Außerdem verschwinden weiterhin Boote, aber diesmal wurden Notrufe aufgezeichnet. Die komischen Geschichten aus British Columbia geistern nach wie vor durch die Presse, ohne dass man was Konkretes erfährt. Würde man glauben, was da kolportiert wird, jagen in Kanada die Wale zur Abwechslung Menschen. Aber gottlob muss man ja nicht alles glauben. So weit das kleine Gute-Laune-Programm aus Trondheim. Ersauf mir nicht.*

»Danke«, knurrte Johanson übellaunig.

Sie hörten tatsächlich zu selten Nachrichten. Forschungsschiffe waren wie Löcher in Zeit und Raum. Offiziell hörte man keine Nachrichten, weil man zu viel zu tun hatte. Tatsächlich wollte man einfach in Ruhe gelassen werden von Städten, Politikern und Kriegen, sobald die Wellen unter den Kiel schlugen. Bis man nach ein bis zwei Monaten auf See plötzlich zu verblassen schien und einen die Sehnsucht nach der eigenen Bedeutung überkam, nach dem festen Platz im Gefüge, das dem Menschen eben nur die Zivilisation liefern kann, nach Hierarchien, Hightech, Kinos und McDonald's und nach einem Boden, der nicht ständig auf und nieder schwankte.

Johanson stellte fest, dass er sich nicht konzentrieren konnte. Vor seinem geistigen Auge sah er, was sie nun seit zwei Tagen pausenlos auf den Monitoren sahen.

Würmer.

Mittlerweile hatten sie Gewissheit: Der Kontinentalhang wimmelte von ihnen. Die Flächen und Adern aus gefrorenem Methan waren verschwunden unter Millionen zuckender rosa Leiber, die versuchten, sich ins Eis zu bohren, eine einzige, wahnsinnig gewordene Masse. Das war kein lokales Phänomen mehr. Sie wurden Zeuge einer flächendeckenden Invasion, und sie vollzog sich entlang der gesamten norwegischen Küste.

Als hätte sie jemand da hingezaubert …

Irgendjemand *musste* auf ähnliche Phänomene gestoßen sein.

Warum wurde er das Gefühl nicht los, dass es zwischen den Würmern und den Quallen einen Zusammenhang gab? Und andererseits, welche halbwegs ernsthafte Erklärung sollte dafür herhalten?

Es war Blödsinn!

Blödsinn, ja.

Aber dem Blödsinn haftet der Charakter von etwas Beginnendem an, dachte er plötzlich. Etwas, auf das wir bis jetzt nur einen kurzen, flüchtigen Blick erhascht haben.

Das hier war erst der Anfang.

Noch größerer Blödsinn, schalt er sich.

Er loggte sich ein bei CNN, um Olsens Meldungen zu überprüfen, als Lund hereinkam und einen Becher schwarzen Tee vor ihn hinstellte. Johanson sah zu ihr auf. Sie grinste verschwörerisch. Seit dem Ausflug zum See hatte sich ihrem Verhältnis eine konspirative Note hinzugesellt, ein kumpeliges Dichthalten.

Der Duft frisch gebrühten Earl Greys breitete sich aus.

»So was haben wir an Bord?«, fragte Johanson verwundert.

»So was haben wir nicht an Bord«, erwiderte sie. »So was bringt man mit, wenn man weiß, dass jemand drauf steht.«

Johanson hob die Brauen. »Wie fürsorglich. Welchen Gefallen willst du diesmal rausschinden?«

»Wie wär's mit danke?«

»Danke.«

Sie warf einen Blick auf den Laptop. »Kommst du voran?«

»Fehlanzeige. Was macht die Analyse der letzten Wasserprobe?«

»Keine Ahnung. Ich war mit wichtigeren Dingen beschäftigt.«

»Oh. Was gibt es Wichtigeres?«

»Hvistendahls Assistent das Händchen zu halten.«

»Wieso denn das?«

»Er fütterte die Fische.« Sie zuckte die Achseln. »Frischfleisch halt.«

Johanson musste grinsen. Lund befleißigte sich eines Vokabulars, das eigentlich den Seeleuten vorbehalten war. Auf Forschungsschiffen stießen zwei Welten aufeinander, Crew und Wissenschaftler. Mit den besten Absichten strichen sie umeinander, versuchten sich auf Ausdrucksweise, Lebensart und Macken des jeweils anderen einzustellen, beschnupperten sich eine Weile und fanden irgendwann in vertrauliche Gewässer. Bis dahin herrschte respektvolle Distanz, die man mit Witzeleien kompensierte. Frischfleisch war die Bezeichnung der Matrosen für Neulinge an Bord, denen das seemännische Leben ebenso wenig vertraut war wie das Verhalten ihres Magens nach Verlassen festen Untergrundes.

»Du hast das erste Mal auch gekotzt«, bemerkte Johanson.

»Du nicht?«

»Nein.«

»Pah.«

»Wirklich nicht!« Johanson hob die Hand zum Schwur. »Du kannst es nachprüfen. Ich bin seefest.«

»Okay, du bist seefest.« Lund kramte einen Zettel hervor und legte ihn vor Johanson auf den Tisch. Eine Internetadresse war darauf gekritzelt. »Dann kannst du dich ja umgehend ins grönländische Meer begeben. Ein Bekannter von Bohrmann ist dort unterwegs. Er heißt Bauer.«

»Lukas Bauer?«

»Du kennst ihn?«

Johanson nickte langsam. »Ich erinnere mich an einen Kongress vor einigen Jahren in Oslo. Er hielt einen Vortrag. Ich glaube, er beschäftigt sich mit Meeresströmungen.«

»Er ist Konstrukteur. Er baut alles Mögliche, Tiefseeequipment, Hochdrucktanks – Bohrmann sagte, er hätte den Tiefseesimulator miterfunden.«

»Und Bauer liegt vor Grönland?«

»Schon seit Wochen«, sagte Lund. »Du hast übrigens Recht, was seine Arbeit mit Meeresströmungen angeht. Er führt Messungen durch. Ein weiterer Kandidat auf deiner Suche nach dem Wurm.«

Johanson nahm den Zettel. Von dieser Expedition hatte er tatsächlich noch nichts gehört.

Lagerten vor Grönland nicht auch Methanvorkommen?

»Und wie kommt Skaugen weiter?«, fragte er.

»Mühsam.« Lund schüttelte den Kopf. »Er kann nicht so offensiv vorgehen, wie er möchte. – Sie haben ihm einen Maulkorb verpasst, wenn du weißt, was ich meine.«

»Wer? Seine Vorgesetzten?«

»Statoil ist staatlich. Muss ich deutlicher werden?«

»Also wird er nichts in Erfahrung bringen«, konstatierte Johanson.

Lund seufzte. »Die anderen sind ja nicht blöde. Sie merken, wenn jemand Informationen abpumpen will, ohne ihnen welche zu geben, und sie haben ihren eigenen Schweigekodex.«

»Ich hab's dir prophezeit.«

»Ja, du warst mal wieder ganz besonders schlau.«

Von draußen erklangen Schritte. Einer von Hvistendahls Leuten steckte den Kopf zur Tür herein.

»Konferenzraum«, sagte er.

»Wann?«

»Sofort. Wir haben die Auswertungen.«

Johanson und Lund wechselten einen Blick. In ihren Augen stand die bange Erwartung dessen, was sie im Grunde schon wussten. Johanson klappte den Laptop zu, und sie folgten dem Mann runter aufs Hauptdeck. Draußen an den Scheiben lief der Regen entlang.

Bohrmann stützte sich mit den Knöcheln auf die Tischplatte.

»Bis jetzt haben wir entlang des gesamten Kontinentalrandes dieselbe Situation vorgefunden«, sagte er. »Das Meer ist gesättigt mit Methan. Unsere Ergebnisse und die der *Thorvaldson* stimmen weitgehend überein, Schwankungen hier und da, unterm Strich das gleiche Bild.« Er machte eine Pause. »Ich will nicht drum herum reden. Etwas beginnt die Hydrate auf weiter Strecke zu destabilisieren.«

Niemand rührte sich, niemand sagte etwas. Sie starrten ihn einfach an und warteten.

Dann begannen die Statoil-Leute durcheinander zu reden.

»Was heißt das?«

»Methanhydrat löst sich auf? Sie haben gesagt, die Würmer können das Eis nicht destabilisieren!«

»Haben Sie eine Erwärmung gemessen? Ohne Erwärmung …«

»Welche Konsequenzen …?«

»Bitte!« Bohrmann hob die Hand. »Es ist so. Ich bin nach wie vor der Ansicht, dass diese Würmer keinen ernsthaften Schaden anrichten können. Andererseits müssen wir festhalten, dass die Zersetzungen erst mit ihrem Auftreten begonnen haben.«

»Sehr aufschlussreich«, murmelte Stone.

»Wie lange schreitet der Prozess schon fort?«, fragte Lund.

»Wir haben uns die Ergebnisse der *Thorvaldson*-Exkursionen vor einigen Wochen angesehen«, erwiderte Bohrmann. Er bemühte sich um einen beruhigenden Tonfall. »Als Sie erstmals auf den Wurm stießen. Da waren die Messungen noch normal. Es ist also erst danach zu einem Anstieg gekommen.«

»Was denn nun?«, fragte Stone. »Wird es da unten wärmer oder nicht?«

»Nein.« Bohrmann schüttelte den Kopf. »Das Stabilitätsfenster hat sich nicht verändert. Wenn Methan austritt, kann es nur auf Prozesse tief im Sediment zurückzuführen sein. Auf alle Fälle tiefer, als diese Würmer bohren können.«

»Woher wollen Sie das so genau wissen?«

»Wir haben nachgewiesen …« Bohrmann hielt inne. »Mit Dr. Johansons Hilfe haben wir nachgewiesen, dass die Tiere ohne Sauerstoff eingehen. Sie kommen nur wenige Meter tief.«

»Sie haben Ergebnisse aus einem Tank«, sagte Stone geringschätzig. Er schien Bohrmann zu seinem neuen Lieblingsfeind erkoren zu haben.

»Wenn nicht das Wasser wärmer wird, dann vielleicht der Meeresboden?«, schlug Johanson vor.

»Vulkanismus?«

»Es ist nur eine Idee.«

»Eine plausible Idee. Aber nicht in dieser Gegend.«

»Kann das, was diese Würmer fressen, überhaupt ins Wasser gelangen?«

»Nicht in solchen Mengen. Sie müssten dazu freies Gas erreicht haben oder in der Lage sein, vorhandenes Hydrat zu schmelzen.«

»Sie können aber doch kein freies Gas erreichen«, insistierte Stone störrisch.

»Nein, ich sagte ja …«

»Ich weiß, was Sie sagten. Ich will Ihnen verraten, wie ich es sehe. Der Wurm hat eine Körperwärme. Jedes Lebewesen gibt Wärme ab. Damit schmilzt er die oberste Schicht, nur ein paar Zentimeter, aber die reichen …«

»Die Körperwärme eines Tiefseebewohners ist gleich seiner Umgebungswärme«, sagte Bohrmann kühl.

»Trotzdem, wenn …«

»Clifford.« Hvistendahl legte dem Projektleiter die Hand auf den Unterarm. Es wirkte freundschaftlich, aber Johanson spürte, dass Stone soeben eine deutliche Warnung erhielt. »Warum warten wir nicht einfach die weiteren Untersuchungen ab?«

»Ach, Scheiße.«

»Das bringt nichts, Cliff. Hör auf, Theorien zu bauen.«

Stone sah zu Boden. Wieder herrschte Schweigen.

»Und was wären die Folgen, wenn die Methanaustritte *nicht* aufhören?«, fragte Lund.

»Da gibt es mehrere Szenarien«, sagte Bohrmann. »Die Wissenschaft beschreibt Phänomene, in deren Verlauf ganze Hydratfelder einfach verschwinden. Sie lösen sich auf, binnen eines Jahres. Es kann sein, dass genau dies hier geschieht, und möglicherweise setzen die Würmer diesen Prozess in Gang. In diesem Fall wird vor Norwegen in den nächsten Monaten ziemlich viel Methan in die Atmosphäre gelangen.«

»Ein Methanschock wie vor 55 Millionen Jahren?«

»Nein, dafür ist es immer noch zu wenig. Noch einmal, ich will nicht spekulieren. Aber ich kann mir andererseits nicht vorstellen, dass sich der Prozess endlos fortsetzt ohne Druckabnahme oder Temperaturanstieg, und weder das eine noch das andere verzeichnen wir. In den nächsten Stunden schicken wir den Videogreifer nach unten. Vielleicht sind wir danach klüger. Ich danke Ihnen.«

Damit verließ er den Konferenzraum.

Johanson schickte eine E-Mail an Lukas Bauer auf seinem Schiff. Allmählich kam er sich vor wie ein biologischer Ermittler: Haben Sie diesen Wurm gesehen? Können Sie ihn beschreiben? Würden Sie ihn wiedererkennen, wenn wir ihn mit fünf anderen Würmern zu einer Gegenüberstellung laden? Hat dieser Wurm der alten Frau die Handtasche entrissen? Sachdienliche Hinweise nimmt die nächste Forschungsstelle entgegen.

Nach einigem Zögern schrieb er ein paar verbindliche Worte zu dem damaligen Treffen in Oslo und erkundigte sich, ob Bauer vor Grönland in letzter Zeit außergewöhnlich hohe Methankonzentrationen gemessen habe. Bislang hatte er diesen Punkt in seinen Anfragen ausgespart.

Als er wenig später an Deck ging, sah er den Videoschlitten an der Kranwinde baumeln, begutachtet von Bohrmanns Geologenteam. Sie holten ihn ein. Ein Stück weiter hockten einige Matrosen auf der großen Handfegerkiste vor der Deckswerkstatt und unterhielten sich. Die Kiste hatte sich im Laufe der Jahre den Rang eines Refugiums erworben, angesiedelt zwischen Ausguck und Wohnzimmer. Ein verschlissenes Stofftuch war darüber gebreitet. Manche nannten sie schlicht die Couch. Von hier aus ließ sich herrlich witzeln über die Doktoren und Diplomanden mit ihren tapernden Bewegungen, die den Platz der Spötter vorsorglich mieden. Aber heute wurde nicht gewitzelt. Die angespannte Stimmung hatte sich auch auf die Mannschaft übertragen. Die meisten wussten durchaus, was die Wissenschaftler da taten. Am Kontinentalhang stimmte Verschiedenes nicht, und jeder machte sich Gedanken.

Alles musste jetzt sehr schnell gehen. Bohrmann ließ das Schiff extrem langsam fahren, um eine Stelle zu beproben, die ihm nach Auswertung der Videobilder und Messdaten des Fächerecholots geeignet erschien. Direkt unter der *Sonne* befand sich ein ausgedehntes Hydratfeld. Beproben hieß in diesem Fall, ein Ungetüm hinabzulassen, das dem Jura der Meeresforschung zu entstammen schien. Der Videogreifer, ein tonnenschweres stählernes Maul, repräsentierte nicht unbedingt den letzten Stand der Technik. Es war die rabiateste, aber auch zuverlässigste Art, dem Meeresboden ein Stück seiner Geschichte zu entreißen, und das im wörtlichen Sinne. Der Greifer bohrte sich in den Untergrund, drang tief ein, biss eine klaffende Wunde und riss zentnerweise Schlamm, Eis, Fauna und Gestein heraus, um alles in die Welt der Menschen zu hieven. Einige der Matrosen nannten ihn treffenderweise den T-Rex. Wenn man ihn sah, wie er mit aufgerissenen Kiefern am Heckgalgen hing, bereit, sich ins Meer zu stürzen, drängte sich der Vergleich tatsächlich auf. Ein Ungeheuer im Dienste der Wissenschaft.

Wie alle Ungeheuer jedoch war der Videogreifer zwar mit erstaunlichen Fähigkeiten ausgestattet, zugleich aber plump und dumm. Im Innern waren eine Kamera und starke Scheinwerfer angebracht. Man konnte sehen, was der Greifer sah, und ihn im richtigen Moment von der Kette lassen. Das war erstaunlich. Dumm war die Unfähigkeit des T-Rex, sich anzuschleichen. So vorsichtig man ihn auch absetzte – und dieser Vorsicht waren Grenzen gesetzt, weil es einer gewissen Wucht bedurfte, um ihn ins Sediment eindringen zu lassen! –, man vertrieb die meisten Bodenbewohner schon allein durch die Bugwelle, die das gigantische Maul vor sich herschob. Sobald es herabfuhr auf Fische, Würmer, Krebse und alles, was schneller Bewegungen fähig war, registrierten die empfindlichen Sinne der Tiere die herannahende Gefahr, lange bevor der Greifer aufschlug. Selbst ausgeklügeltere Systeme kündigten sich auf diese Weise an. Ein amerikanischer Tiefseeforscher hatte es schließlich frustriert und gallig auf den Punkt gebracht:

»Es gibt jede Menge Leben da unten. Unser Problem ist, dass es jedes Mal zur Seite geht, wenn wir kommen.«

Jetzt wurde der Greifer vom Heckgalgen abgelassen. Johanson wischte sich den Regen aus den Augen und ging ins Monitorlabor. Der Matrose am Windenfahrstand bediente den Joystick, mit dem der Greifer abgesenkt und angehoben wurde. In den letzten Stunden hatte er bereits den Videoschlitten gesteuert, aber er wirkte konzentriert und aufgeräumt. Das musste er auch sein. Stundenlang das blasstrübe Bild des Meeresbodens zu betrachten, konnte hypnotisierende Wirkung haben. Ein unachtsamer Moment, und Geräte im Kostenrahmen von Ferraris blieben für alle Zeiten unten.

Drinnen herrschte Dämmerlicht. Die Gesichter der Umstehenden und Sitzenden leuchteten fahl im Licht der Bildschirme. Die Welt entrückte vollends. Es gab nur noch den Meeresboden, dessen Oberfläche die Wissenschaftler studierten wie eine chiffrierte Landschaft, in der jede Einzelheit Aussagen über alles traf, multicodierte Botschaften, Gottes verschlungene Sprache.

Draußen am Heckgalgen rauschte der Greifer abwärts.

Das Wasser schien aus den Monitoren spritzen zu wollen, dann sank das stählerne Maul durch Planktonregen. Es wurde blaugrün, grau, schwarz. Helle Punkte schossen seitlich weg wie Kometen, winzige Krabben, Krill, Undefinierbares. Die Reise des Greifers mutete an wie der Vorspann zu alten *Star-Trek*-Folgen, nur fehlte die Musik. Im Labor herrschte Totenstille. Der Tiefenmesser lief rasend schnell durch. Dann plötzlich kam Meeresboden ins Bild, der ebenso gut Mondoberfläche hätte sein können, und die Winde stoppte.

»Minus 714«, sagte der Matrose am Joystick.

Bohrmann beugte sich vor: »Noch nicht.« Muscheln zogen durchs Bild, wie sie mit Vorliebe auf Gashydraten siedelten. Die meisten von ihnen waren unter sich aufbäumenden, zuckenden rosa Leibern verschwunden. Johanson beschlich der Gedanke, dass die Würmer nicht nur ins Eis vordrangen, sondern auch die Muscheln in ihren Schalen fraßen. Er sah deutlich, wie die zangenbewehrten Rüssel hervorschossen, Stücke aus dem Muschelfleisch rissen und ins Innere der schlauchförmigen Körper beförderten. Vom weißen Methaneis war nichts auszumachen unter der kriechenden Belagerung, aber jeder im Raum wusste, dass es dort war, direkt unter ihnen. Überall stiegen Blasen auf und schwemmten kleine schimmernde Brocken nach oben, Hydratsplitter.

»Jetzt«, sagte Bohrmann.

Der Boden raste auf die Kamera zu. Kurz schien es, als bäumten sich die Würmer auf, um den Greifer in Empfang zu nehmen. Dann wurde alles schwarz. Das stählerne Maul presste sich ins Methan und schloss sich langsam.

»Was zum Teufel …?«, zischte der Matrose.

Über die Kontrollanzeige der Winde liefen Zahlen. Blieben stehen, liefen weiter.

»Der Greifer sackt weg. Er bricht durch.«

Hvistendahl drängte sich nach vorn. »Was passiert denn da?«

»Das gibt's doch nicht. Da unten ist überhaupt kein Widerstand mehr.«

»Hoch damit«, schrie Bohrmann. »Schnell.«

Der Matrose zog den Joystick zu sich heran. Die Anzeige stoppte, dann lief sie rückwärts. Der Greifer fuhr hoch, das Maul geschlossen. Die Außenkameras zeigten ein riesiges Loch, das plötzlich entstanden war. Dicke, tanzende Blasen stiegen daraus empor. Dann wölbte sich eine gewaltige Menge Gas hinterher. Es schoss auf den Greifer zu, hüllte ihn ein, und plötzlich verschwand alles in einem kochenden Wirbel.

GRÖNLÄNDISCHE SEE

Einige hundert Kilometer nördlich vom Standort der *Sonne* hatte Karen Weaver eben aufgehört zu zählen.

50 Runden um das Schiff. Jetzt lief sie einfach weiter, deckauf, deckab, darauf bedacht, den wissenschaftlichen Betrieb nicht zu stören. Ausnahmsweise passte es ihr gut, dass Lukas Bauer keine Zeit für sie hatte. Sie brauchte Bewegung. Am liebsten hätte sie Eisberge bestiegen oder sonst was unternommen, um ihren Überschuss an Adrenalin abzubauen. Viel konnte man an Bord eines Forschungsschiffs nicht tun. Im Kraftraum war sie gewesen und hatte sich an den drei läppischen Maschinen zu Tode gelangweilt, also lief sie. Deckauf, deckab. Vorbei an Bauers Assistenten, die den fünften Drifter vorbereiteten, vorbei an den Matrosen, die ihrer Arbeit nachgingen oder zusammenstanden und ihr hinterhersahen, wahrscheinlich mit anzüglichen Kommentaren auf den Lippen.

Vor ihrem halb geöffneten Mund bildeten sich in regelmäßiger Folge weiße Wolken.

Deckauf, deckab.

Sie musste an ihrer Ausdauer arbeiten. Ausdauer war ihr schwacher Punkt. Dafür war sie ungemein kräftig. Nackt sah Karen Weaver aus wie eine Bronzeskulptur, mit schimmernder Haut, unter der sich beeindruckende Muskelstränge entlangzogen. Zwischen ihren Schulterblättern breitete ein kunstvoll tätowierter Falke seine Schwingen aus, eine bizarre Kreatur mit aufgerissenem Schnabel und vorgestreckten Klauen.

Zugleich hatte Karen Weaver nichts gemein mit der Grobschlächtigkeit von Bodybuilderinnen. Im Grunde wäre ihr Körper wie geschaffen gewesen für eine Modelkarriere, nur dass sie zu klein war und ihre Schultern zu breit. Ein kleiner, gut gebauter Panzer, süchtig nach Adrenalin und bevorzugt am Rande irgendeines Abgrunds anzutreffen.

In diesem Fall erstreckte sich der Abgrund dreieinhalb Kilometer tief. Die *Juno* kreuzte über dem Grönländischen Abyssal, einer Tiefseeebene unterhalb der Framstraße, aus der kaltes arktisches Wasser nach Süden strömte. Am Zirkelpunkt zwischen Island, Grönland, Nordnorwegen und Svalbard lag eine der beiden Lungen der Weltmeere. Was hier geschah, interessierte Lukas Bauer. Und es interessierte auch Karen Weaver, beziehungsweise ihre Leser.

Bauer winkte sie heran.

Vollkommen kahl, mit kolossalen Brillengläsern und weißem Spitzbart, kam er dem Prototyp des vergeistigten Professors näher als jeder Wissenschaftler, den Weaver je kennen gelernt hatte. Er war sechzig und hatte einen runden Rücken, aber in dem mageren, gebeugten Körper steckte eine unbändige Energie. Weaver bewunderte Menschen wie Lukas Bauer. Sie bewunderte das Übermenschliche an ihnen, die Kraft des Willens.

»Kommen Sie her, Karen!«, rief Bauer mit heller Stimme. »Ist das nicht unglaublich? In dieser Gegend stürzen rund 17 Millionen Kubikmeter Wasser pro Sekunde nach unten. 17 Millionen!« Er strahlte sie an. »Das ist 20-mal mehr, als sämtliche Flüsse der Erde führen.«

»Doktor.« Weaver legte ihm die Hand auf den Unterarm. »Das haben Sie mir schon dreimal erzählt.«

Bauer blinzelte. »So? Was Sie nicht sagen.«

»Dafür haben Sie versäumt, mir zu erklären, wie Ihr Drifter funktioniert. Wenn ich Pressearbeit für Sie machen soll, müssen Sie sich ein bisschen mehr mit mir beschäftigen.«

»Na ja, der Drifter, der autarke Drifter ... ich dachte, das sei klar, oder nicht? Deswegen sind Sie ja hier.«

»Ich bin hier, um Computersimulationen von Strömungswegen zu erstellen, damit die Leute sehen können, wohin Ihre Drifter unterwegs sind. Schon vergessen?«

»Ach so, Sie können ja auch gar nicht, Sie haben ja kein ... Nun, ich bin leider ein bisschen knapp in der Zeit. Ich muss noch so vieles erledigen. Warum sehen Sie nicht einfach zu und ...«

»Doktor! Nicht schon wieder. Sie wollten mir was über die Funktionsweise erzählen.«

»Ja, sicher. In meinen Publikationen ...«

»Ich *habe* Ihre Publikationen gelesen, Doktor, und etwa die Hälfte begriffen. Und ich bin wissenschaftlich vorgebildet. Populärwissenschaftliche Artikel müssen unterhalten, sie müssen in einer Sprache verfasst sein, die jeder kapiert.«

Bauer sah sie gekränkt an. »Ich finde meine Abhandlungen durchweg verständlich.«

»Ja, Sie. Und zwei Dutzend Kollegen weltweit.«

»Ach was. Wenn man den Text aufmerksam studiert ...«

»Nein, Doktor. *Erklären* Sie's mir.«

Bauer runzelte die Stirn, dann lächelte er nachsichtig. »Keiner meiner Studenten dürfte sich das trauen. Mich so oft zu unterbrechen. Nur ich selber darf mich unterbrechen.« Er zuckte die mageren Schultern. »Aber was soll ich machen? Ich kann Ihnen nun mal nichts abschlagen. Nein, das kann ich nicht. Ich hab Sie gern, Karen. Sie sind eine ... also, eine ... Sie erinnern mich an ... na, egal. Schauen wir uns den Drifter an.«

»Und danach reden wir über die bisherigen Ergebnisse Ihrer Arbeit. Ich bekomme Anfragen.«

»So? Von wem denn?«

»Von Zeitschriften, Fernsehmagazinen und Instituten.«

»Interessant.«

»Nein, nur logisch. Die Konsequenz meiner Arbeit. Manchmal frage ich mich, ob Sie überhaupt verstehen, was Pressearbeit eigentlich ist.«

Bauer grinste verschmitzt. »*Erklären* Sie's mir.«

»Gerne, wenn auch zum zehnten Mal. Aber erst erzählen *Sie mir* was.«

»Nein, das ist schlecht«, rief Bauer aufgeregt. »Wir müssen die Drifter zu Wasser lassen, und gleich danach muss ich dringend ...«

»Danach müssen Sie tun, was Sie mir versprochen haben«, ermahnte ihn Weaver.

»Aber, Kind, ich bekomme ebenfalls Anfragen. Ich korrespondiere mit Wissenschaftlern in aller Welt! Sie glauben ja gar nicht, was die von mir wollen. Vorhin erhielt ich eine E-Mail, da fragt mich jemand nach einem Wurm. Ein Wurm, stellen Sie sich das mal vor! Und ob wir erhöhte Methankonzentrationen gemessen haben. Natürlich haben wir das, aber wie kann er das wissen? Da muss ich doch ...«

»Das kann ich alles übernehmen. Machen Sie mich zur Komplizin.«

»Sobald ich ...«

»Falls Sie mich *wirklich* gern haben.«

Bauer machte runde Augen. »Ach so! Verstehe.« Er begann zu kichern. Die runden Schultern schüttelten sich vor unterdrücktem Lachen. »Sehen Sie, darum habe ich nie geheiratet, man wird ständig nur erpresst. Gut, ich gelobe Besserung. Jetzt kommen Sie, kommen Sie.«

Weaver folgte ihm. Der Drifter hing am Ausleger über der grauen Wasseroberfläche. Er war mehrere Meter lang und steckte in einem Stützgestell. Über die Hälfte der Konstruktion nahm eine schlanke, schimmernde Röhre ein. Den oberen Teil bildeten zwei kugelförmige Glasbehälter.

Bauer rieb sich die Hände. Der Daunen-Anorak war ihm eindeutig zu groß. Er sah darin aus wie ein sonderbarer arktischer Vogel.

»Also, dieses Ding geben wir in die Strömung«, sagte er. »Es wird mittreiben, sozusagen als virtuelle Wasserpartikel. Erst mal steil nach unten, hier nämlich stürzt das Wasser, wie ich vorhin sagte ... also, man sieht natürlich keinen Prozess des Sturzes, verstehen Sie, aber es stürzt ... nun, wie soll ich das erklären?«

»Möglichst ohne Fremdwörter.«

»Gut, gut. Passen Sie auf! Im Grunde ist es ganz einfach. Man muss wissen, dass Wasser nicht immer gleich schwer ist. Das leichteste Wasser ist süß und warm. Salziges Wasser ist schwerer als süßes Wasser, je salziger, je schwerer. Salz hat schließlich ein Gewicht, nicht wahr? Kaltes Wasser ist wiederum schwerer als warmes Wasser, es hat eine höhere Dichte, also wird Wasser umso schwerer, je mehr es abkühlt.«

»Und kaltes, salziges Wasser ist das schwerste Wasser überhaupt«, ergänzte Weaver.

»Richtig, sehr richtig!«, freute sich Bauer. »Darum gibt es nicht einfach nur Meeresströmungen, sondern sie wälzen sich durch verschiedene Etagen. Warme Strömungen an der Oberfläche, die kältesten am Boden, und dazwischen haben wir die Tiefenströmungen. Nun ist es so, dass eine warme Strömung an der Oberfläche über Tausende von Kilometern reisen kann, bis sie in kalte Gebiete vordringt, wo das Wasser dann natürlich abkühlt, nicht wahr? Und wenn das Wasser kälter wird ...«

»Wird es schwerer.«

»Bravo, jawohl. Es wird schwerer und sinkt nach unten. Aus dem Oberflächenstrom wird ein Tiefenstrom oder gar ein Bodenstrom, und das Wasser fließt zurück. Umgekehrt funktioniert das genauso. Von unten nach oben, von kalt nach warm. Auf diese Weise sind alle großen Meeresströmungen auf der Welt ständig in Bewegung. Alle sind miteinander verbunden, es findet ein ständiger Austausch statt.«

Der Drifter wurde zur Meeresoberfläche hinuntergelassen. Bauer hastete zur Reling und beugte sich weit darüber. Dann drehte er sich um und winkte Weaver ungeduldig herbei. »Na, kommen Sie. Kommen Sie schon. Hier sehen Sie es besser.«

Sie trat neben ihn. Bauer sah mit leuchtenden Augen hinaus.

»Ich träume davon, dass solche Drifter in allen Strömungen mittreiben«, sagte er. »Das wäre wirklich phantastisch. Wir würden unglaublich viel erfahren.«

»Wofür sind die beiden Glaskugeln?«

»Wie? Was? Ach so. Auftriebskörper. Damit der Drifter in der Wassersäule schweben kann. Am Fuß hat er Gewichte, aber das Herzstück ist die Stange dazwischen. Darin sitzt alles. Steuerelektronik, Microcontroller, Energieversorgung. Aber auch ein Hydrokompensator. Ist das nicht phantastisch? Ein Hydrokompensator!«

»Es wäre noch phantastischer, wenn Sie mir erzählen, was das ist.«

»Oh, äh … natürlich.« Bauer zupfte an seinem Spitzbart. »Tja, wir haben überlegt, wie wir den Drifter … – Also, es ist ja so: Flüssigkeiten sind so gut wie inkompressibel, man kann sie nicht zusammenstauchen. Wasser bildet eine Ausnahme. Viel ist auch da nicht drin, aber ein bisschen können Sie es durchaus, ähm … quetschen. Und das tun wir. Wir komprimieren es in der Stange, sodass immer die gleiche Wassermenge darin ist, aber mal schwereres und mal leichteres Wasser. Damit verändert der Drifter bei gleichem Volumen sein Gewicht.«

»Genial.«

»In der Tat! Wir können ihn so programmieren, dass er das ganz von alleine macht: Kompression, Dekompression, Kompression, Dekompression, sinken, steigen, sinken, völlig ohne unser Zutun … hübsch, nicht?«

Weaver nickte. Sie sah zu, wie das lange Gebilde in die grauen Wellen tauchte.

»Der Drifter kann auf diese Weise Monate und Jahre autark im Meer treiben und akustische Signale abgeben. So können wir ihn orten und Geschwindigkeit und Verlauf von Strömungen rekonstruieren. – Ah, er taucht ab. Weg ist er.«

Der Drifter war im Meer verschwunden. Bauer nickte befriedigt.

»Und wohin treibt er nun?«, fragte Weaver.

»Das ist die spannende Frage.«

Weaver sah ihn einfach an. Bauers Blick flackerte, dann ließ er ein Seufzen der Resignation hören.

»Ich weiß, Sie wollen über meine Arbeit reden.«

»Und zwar jetzt.«

»Sie sind ein Quälgeist. Meine Güte, sind Sie hartnäckig. Also gut, gehen wir ins Labor. Aber ich muss Sie warnen. Die Ergebnisse meiner Arbeit sind beunruhigend, gelinde ausgedrückt …«

»Die Welt liebt es, sich beunruhigen zu lassen. Haben Sie nicht gehört? Quallenseuchen, Anomalien, Menschen gehen verloren, eine Schiffskatastrophe jagt die nächste. Sie wären in bester Gesellschaft.«

»So?« Bauer schüttelte den Kopf. »Sie haben wahrscheinlich Recht. Ich werde nie genau verstehen, was Pressearbeit ist. Ich bin nur ein einfacher Professor. Es ist mir einfach zu hoch.«

NORWEGISCHE SEE, KONTINENTALRAND

»Scheiße«, stöhnte Stone. »Das ist ein Blowout!«

Im Kontrollraum der *Sonne* starrten alle fasziniert auf den Monitor. Die Hölle schien tief unten ausgebrochen zu sein.

Bohrmann sagte ins Mikrophon: »Wir müssen hier weg. Kommando an Brücke. Volle Fahrt.«

Lund drehte sich um und rannte aus dem Raum. Johanson zögerte, dann lief er ihr hinterher. Andere folgten. Hektik brach aus. Plötzlich schien jeder an Bord auf den Beinen zu sein. Er schlitterte auf das Arbeitsdeck, wo Matrosen und Techniker unter Lunds Kommando Kühltanks heranwuchteten. Das Windenkabel über dem Galgen erzitterte, als die *Sonne* plötzlich Fahrt aufnahm.

Lund sah ihn und kam zu ihm gelaufen.

»Was war das?«, rief Johanson.

»Wir sind auf eine Blase gestoßen. Komm!«

Sie zog ihn zur Reling. Hvistendahl, Stone und Bohrmann gesellten sich zu ihnen. Zwei der Statoil-Techniker waren an den abschüssigen Rand des Hecks getreten, direkt unter den Galgen, und sahen neugierig hinaus. Bohrmann warf einen Blick auf das straff gespannte Kabel.

»Was macht der denn da?«, zischte er. »Warum stoppt der Idiot die Winde nicht?«

Er ließ die Reling los und lief zurück ins Innere.

Im selben Moment begann das Meer wild zu schäumen. Große weiße Brocken brachen durch die Wasseroberfläche. Die *Sonne* fuhr jetzt mit voller Geschwindigkeit. Klirrend spannte sich die Zugleine des Greifers. Jemand lief über das Deck auf den Galgen zu und fuchtelte mit den Armen.

»Weg da«, schrie er die Statoil-Leute unter dem Galgen an. »Haut ab!«

Johanson erkannte ihn. Es war der Schäferhund, wie ihn die Crew nannte, der Erste Offizier. Hvistendahl drehte sich um. Auch er machte den Männern Zeichen. Dann geschah alles gleichzeitig. Mit einem Mal waren sie inmitten eines brausenden und zischenden Geysirs. Johanson sah die Umrisse des Greifers dicht unter der Wasseroberfläche auftauchen. Unerträglicher Schwefelgestank breitete sich aus. Das Heck der *Sonne* sackte abwärts, dann schoss das stählerne Maul schräg aus dem brodelnden Inferno heraus und bewegte sich wie eine überdimensionale Schaukel auf die Bordwand zu. Der hintere der beiden Statoil-Leute sah den Greifer kommen und warf sich zu Boden. Der andere riss entsetzt die Augen auf, machte einen unentschlossenen Schritt zurück – und taumelte.

Mit einem Satz war der Schäferhund heran und versuchte ihn zu Boden zu ziehen, aber er war nicht schnell genug. Das tonnenschwere Maul krachte gegen den Mann und schleuderte ihn in hohem Bogen durch die Luft. Er flog mehrere Meter weit, schlitterte über die Planken und blieb auf dem Rücken liegen.

»Oh nein«, keuchte Lund. »Verdammter Mist!«

Sie und Johanson liefen gleichzeitig zu dem reglosen Körper. Der Erste Offizier und Mitglieder der Crew waren neben dem Mann auf die Knie gegangen. Der Schäferhund blickte kurz auf.

»Keiner fasst ihn an.«

»Ich will …«, begann Lund.

»Arzt holen, los.«

Lund kaute unruhig an ihren Nägeln. Johanson wusste, wie sehr sie es hasste, zur Untätigkeit verdammt zu sein. Sie trat zu dem schlammtriefenden Greifer, der langsam auspendelte.

»Öffnen!«, rief sie. »Alles, was noch übrig ist, in die Tanks.«

Johanson sah aufs Wasser. Immer noch stiegen brodelnd und stinkend Blasen aus dem Meer. Allmählich wurden es weniger. Die *Sonne* gewann rasch Abstand. Die letzten Brocken des hochgeschwemmten Methaneises trieben auf den Wellen und zerfielen.

Quietschend öffnete der Greifer sein Maul und entließ zentnerweise Eis und Schlamm. Bohrmanns Laborleute und die Matrosen hasteten umher und versuchten, so viel Hydrat wie möglich im flüssigen Stickstoff zu versenken. Es dampfte und zischte. Johanson kam sich schrecklich nutzlos vor. Er drehte sich weg, ging hinüber zu Bohrmann und half ihm, die Brocken einzusammeln. Das Deck war übersät mit kleinen, borstigen Körpern. Einige zuckten und wanden sich und stülpten ihre Rüssel mit den Kiefern hervor. Die meisten schienen den raschen Aufstieg nicht überlebt zu haben. Der plötzliche Wechsel von Temperatur und Umgebungsdruck hatte sie getötet.

Johanson hob einen der Brocken auf und betrachtete ihn genauer. Das Eis war von Kanälen durchzogen. Leblose Würmer hingen darin. Er wendete den Brocken hin und her, bis ihn das Knistern und Knacken der zerfallenden Masse daran erinnerte, sie schnellstmöglich unter Verschluss zu bringen. Andere Brocken waren noch stärker durchlöchert, doch richtig begonnen hatte die Zersetzung offenbar erst unterhalb der Wurmkanäle. Kraterartige Zerstörungen klafften im Eis, teilweise bedeckt von schleimigen Fäden.

Was war damit geschehen?

Johanson vergaß die Kühlbehälter. Er zerrieb den Schleim zwischen den Fingern. Das Zeug sah aus wie Reste von Bakterienkolonien. Man fand Bakterienmatten auf der Oberfläche von Hydraten, aber was taten sie so tief im Innern der Eisklumpen?

Sekunden später hatte sich der Brocken zersetzt. Er sah sich um. Das Heck war zu einer schlammigen Pfütze geworden. Der Mann, den der Greifer erwischt hatte, war verschwunden. Auch Lund, Hvistendahl und Stone hatten das Deck verlassen. Johanson sah Bohrmann ein Stück weiter an der Reling lehnen und ging zu ihm hinüber.

»Was ist da eben passiert?«

Bohrmann fuhr sich über die Augen. »Wir hatten einen Blowout. Das ist passiert. Der Greifer ist über zwanzig Meter tief eingebrochen. Von unten kam freies Gas hoch. Haben Sie die riesige Blase auf dem Schirm gesehen?«

»Ja. Wie dick ist das Eis an dieser Stelle?«

»War, muss man wohl sagen. Siebzig bis achtzig Meter. Mindestens.«

»Dann muss da unten alles in Trümmern liegen.«

»Offensichtlich. Wir sollten schleunigst herausfinden, ob das ein Einzelfall war.«

»Sie wollen weitere Proben entnehmen?«

»Natürlich«, knurrte Bohrmann. »Der Unglücksfall vorhin hätte nicht passieren dürfen. Der Mann an der Winde hat den Greifer weiterhin eingeholt, bei voller Fahrt. Er hätte die Winde stoppen müssen.« Er sah Johanson an. »Ist Ihnen was aufgefallen, als das Gas hochkam?«

»Ich hatte den Eindruck, dass wir wegsackten.«

»Schien mir auch so. Das Gas hat die Oberflächenspannung des Wassers herabgesetzt.«

»Sie meinen, wir hätten sinken können?«

»Schwer zu sagen. Schon mal was vom Hexenloch gehört?«

»Nein.«

»Vor zehn Jahren fuhr mal einer hinaus und kehrte nicht zurück. Das Letzte, was man über Funk von ihm hörte, war, dass er sich einen Kaffee kochen wollte. Kürzlich hat ein Forschungsschiff das Wrack gefunden. 50 Seemeilen vor der Küste in einer ungewöhnlich tiefen Senke im Nordseeboden. Die Seeleute nennen die Gegend Hexenloch. Das Wrack weist keinerlei Schäden auf, und es liegt aufrecht auf dem Grund. Als sei es wie ein Stein gesunken – wie etwas, das nicht schwimmen kann.«

»Klingt nach Bermuda-Dreieck.«

»Sie haben den Nagel auf den Kopf getroffen. Genau das ist die Hypothese. Die einzige, die einer näheren Prüfung standhält. Zwischen den Bermudas, Florida und Puerto Rico gibt es immer wieder heftige Blowouts. Wenn das Gas in die Atmosphäre aufsteigt, kann es sogar Flugzeugturbinen entzünden. Ein Methanblowout, um ein Vielfaches größer, als wir ihn eben hatten, und das Wasser wird so dünn, dass Sie einfach wegsacken.« Bohrmann deutete auf die Kühlbehälter. »Wir schicken das Zeug schnellstmöglich nach Kiel. Wir werden es analysieren, und danach werden wir definitiv wissen, was da unten los ist. Und wir *werden* es herausfinden, das verspreche ich Ihnen. Wir haben einen Mann verloren wegen dieser ganzen Scheiße.«

»Ist er…?« Johanson sah zu den Aufbauten des Hauptdecks hinüber.

»Er war sofort tot.«

Johanson schwieg.

»Wir werden die nächsten Proben mit dem Autoklav entnehmen, statt den Greifer einzusetzen. Das ist in jedem Fall sicherer. Wir müssen Klarheit erlangen. Ich habe keine Lust mitanzusehen, wie hier bedenkenlos Fabriken auf Grund gesetzt werden.« Bohrmann schnaubte und stieß sich von der Reling ab. »Aber das sind wir ja schon gewohnt, nicht wahr? Wir versuchen, die Welt zu erklären, und keiner hört richtig zu. Was passiert denn? Die Konzerne sind die neuen Auftraggeber der Forschung. Wir beide schippern hier herum, weil Statoil einen Wurm gefunden hat. Toll. Die Industrie bezahlt die Forscher, nachdem der Staat es nicht mehr kann. Von Grundlagenforschung keine Spur. Dieser Wurm wird nicht als Forschungsobjekt gesehen, sondern als Problem, das es aus der Welt zu schaffen gilt. Angewandte Forschung ist gefragt, und bitte schön so, dass man hinterher einen Freibrief in der Tasche hat. Aber vielleicht ist der Wurm ja gar nicht das Problem. Denkt ein

Mensch darüber nach? Vielleicht ist es etwas völlig anderes, und indem wir das Problem beseitigen, schaffen wir ein viel größeres. – Wissen Sie was? Manchmal könnte ich kotzen.«

Wenige Seemeilen nordöstlich holten sie schließlich ein Dutzend Bohrkerne aus dem Sediment, ohne dass es zu weiteren Zwischenfällen kam. Der Autoklav, eine fünf Meter lange Röhre mit Isoliermantel und Gestänge drum herum, zog den Kern wie eine Spritze aus dem Meeresboden. Noch unten wurde die Röhre durch Ventile hermetisch verschlossen. Im Innern befand sich damit ein kleines, ausgestanztes Universum: Sediment, Eis und Schlamm samt intakter Oberfläche, Meerwasser und siedelnden Lebewesen, die sich weiterhin wohl fühlten, weil die Röhre Temperatur und Druck aufrechterhielt. Bohrmann ließ die verschlossenen Röhren im Kühlraum des Schiffes aufrecht lagern, um das sorgfältig konservierte Innenleben nicht durcheinander zu bringen. An Bord konnten die Kerne nicht untersucht werden. Erst im Tiefseesimulator herrschten die richtigen Bedingungen. Bis dahin mussten sie sich damit zufrieden geben, Wasserproben zu analysieren und Monitore anzustarren.

Ungeachtet der Dramatik bekam selbst das ewig gleiche Bild der wurmübersäten Hydrate etwas Ermüdendes. Niemand verspürte Lust auf Konversation. Im blassen Licht der Bildschirme schienen sie selber zu verblassen, Bohrmanns Team, die Ölleute, die Matrosen. Der tote Statoil-Mann leistete den Bohrkernen im Kühlraum Gesellschaft. Das Rendezvous mit der *Thorvaldson* über dem Standort der geplanten Tiefseefabrik war abgesagt worden, um möglichst schnell Kristiansund zu erreichen, wo sie die Leiche übergeben und die Proben zum nahe gelegenen Flughafen verfrachten wollten. Johanson hockte im Funkraum oder in seiner Kammer und wertete die Rückmeldungen seiner Anfragen aus. Der Wurm war nirgendwo beschrieben, niemand hatte ihn gesehen. Einige der Schreiber gaben ihrer Meinung Ausdruck, es handle sich um den mexikanischen Eiswurm, womit sie dem Erkenntnisstand nichts Wesentliches hinzufügten.

Drei Seemeilen vor Kristiansund erhielt Johanson eine Antwort von Lukas Bauer. Die erste positive Rückmeldung, sofern man den Inhalt als positiv bezeichnen konnte.

Er las den Text und saugte an seiner Unterlippe.

Die Kontaktaufnahme zu den Energiekonzernen oblag Skaugen. Von Johanson erwartete man, Institute und Wissenschaftler zu befragen, die in keinem offensichtlichen Zusammenhang mit Ölexplorationen standen. Aber Bohrmann hatte nach dem Unfall mit dem Greifer etwas gesagt, das die Sache in ein anderes Licht rückte.

Die Industrie bezahlt die Forscher, nachdem der Staat es nicht mehr kann.

Welche Institute konnten überhaupt noch frei forschen?

Wenn es zutraf, dass die Forschung zunehmend an den Tropf der Wirtschaft geriet, arbeiteten fast alle Institute in irgendeiner Weise den Konzernen zu. Sie finanzierten sich aus nichtöffentlichen Mitteln. Sie hatten gar keine andere Wahl, wenn sie nicht riskieren wollten, ihre Arbeit einstellen zu müssen. Selbst Geomar in Kiel sah einem finanziellen Engagement der Deutschen Ruhrgas entgegen, die am Institut eine Stiftungsprofessur für Gashydrate plante. So verführerisch es klang, mit Konzerngeldern forschen zu können, stand am Ende doch das Interesse der Sponsoren, Ergebnisse in buchbare Posten umzuwandeln.

Johanson las noch einmal Bauers Antwort.

Er war die Sache falsch angegangen. Anstatt in alle Welt hinauszurufen, hätte er von vornherein versteckte Verbindungen zwischen Forschung und Industrie unter die Lupe nehmen müssen. Während sich Skaugen dem Thema über die Konzernetagen näherte, konnte er versuchen, kooperierende Wissenschaftler auszufragen. Irgendeiner würde früher oder später den Mund aufmachen.

Das Problem war, derartigen Verbindungen auf die Spur zu kommen.

Nein, kein Problem. Fleißarbeit.

Er stand auf und verließ den Funkraum, um Lund zu suchen.

24. april

Ballen, Ferse.

Anawak wippte ungeduldig auf den Füßen hin und her. Stellte sich auf die Zehen und ließ sich wieder zurückfallen. Abwechselnd. Unablässig. Ballen, Ferse. Ballen, Ferse. Es war früher Morgen. Der Himmel erstrahlte in stechendem Azur, ein Tag wie aus dem Reiseprospekt.

Er war nervös.

Ballen, Ferse. Ballen, Ferse.

Am Ende des hölzernen Piers wartete ein Wasserflugzeug. Sein weißer Rumpf spiegelte sich im Tiefblau der Lagune, gebrochen vom Kräuseln der Wellen. Die Maschine war eine jener legendären Beaver DHC-2, die das kanadische Unternehmen De Havilland erstmals vor über 50 Jahren gebaut hatte und die immer noch im Einsatz waren, weil danach nichts Besseres mehr auf den Markt gekommen war. Bis zu den Polen hatte es die Beaver geschafft. Sie war anspruchslos, robust und sicher.

Genau richtig für das, was Anawak vorhatte.

Er sah hinüber zum rotweiß gestrichenen Abfertigungsgebäude. Tofino Airport, nur wenige Autominuten vom Ort entfernt, hatte mit klassischen Flughäfen wenig gemein. Eher fühlte man sich an eine Fallensteller- oder Fischer-Siedlung erinnert. Ein paar niedrige Holzhäuser, malerisch an einer weitläufigen Bucht gelegen, gesäumt von baumbestandenen Hügeln, hinter denen sich die Berge emporreckten. Anawaks Blick suchte die Zufahrt ab, die von der Hauptstraße unter den Riesenbäumen zur Lagune führte. Die anderen mussten jeden Augenblick eintreffen. Er runzelte die Stirn, während er der Stimme lauschte, die aus seinem Mobiltelefon drang.

»Aber das ist zwei Wochen her«, erwiderte er. »In der ganzen Zeit war Mr. Roberts kein einziges Mal für mich zu sprechen, obwohl er ausdrücklich Wert darauf legte, dass ich ihn auf dem Laufenden halte.«

Die Sekretärin gab zu bedenken, Roberts sei nun mal ein viel beschäftigter Mann.

»Das bin ich auch«, bellte Anawak. Er hörte auf zu wippen und bemühte sich, freundlicher zu klingen. »Hören Sie, wir haben hier inzwischen Zustände, für die der Begriff Eskalation geschmeichelt ist. Es gibt klare Zusammenhänge zwischen unseren Problemen und denen von *Inglewood*. Auch Mr. Roberts wird das so sehen.«

Eine kurze Pause entstand.

»Welche Parallelen sollten das sein?«

»Wale. Das ist doch offenkundig.«

»Die *Barrier Queen* hatte einen Schaden am Ruderblatt.«

»Ja, sicher. Aber die Schlepper sind angegriffen worden.«

»Ein Schlepper ist gesunken, das ist richtig«, sagte die Frau in höflich desinteressiertem Tonfall. »Von Walen ist mir nichts bekannt, aber ich werde Mr. Roberts gerne ausrichten, dass Sie angerufen haben.«

»Sagen Sie ihm, es sei in seinem eigenen Interesse.«

»Er wird sich innerhalb der nächsten Wochen melden.«

Anawak stockte.

»Wochen?«

»Mr. Roberts ist verreist.«

Was ist da bloß los, dachte Anawak. Mühsam beherrscht sagte er:

»Ihr Boss hat außerdem versprochen, weitere Proben vom Bewuchs der *Barrier Queen* ins Institut nach Nanaimo zu schicken. Sagen Sie jetzt bitte nicht, auch davon sei Ihnen nichts bekannt. Ich war selber unten und hab das Zeug vom Rumpf gepflückt. Es sind Muscheln und möglicherweise noch etwas anderes.«

»Mr. Roberts hätte mich darüber informiert, wenn …«

»Die Leute in Nanaimo brauchen diese Proben!«

»Er wird sich nach seiner Rückkehr darum kümmern.«

»Das ist zu spät! Hören Sie? – Ach, egal. Ich rufe wieder an.«

Verärgert steckte er das Telefon weg. Über die Zufahrt kam Shoemakers Land Cruiser herangerumpelt. Kies knirschte unter den Reifen, als der Geländewagen auf den kleinen Parkplatz vor dem Abfertigungsgebäude einbog. Anawak ging ihnen entgegen.

»Ihr seid nicht gerade ein Muster an Pünktlichkeit«, rief er übellaunig.

»Mann, Leon! Zehn Minuten.« Shoemaker kam ihm entgegen, Delaware im Schlepptau und einen jungen, bulligen Schwarzen mit Sonnenbrille und rasiertem Schädel. »Sei nicht so verdammt kleinkariert. Wir mussten auf Danny warten.«

Anawak schüttelte dem Bulligen die Hand. Der Mann grinste freundlich. Er war Armbrustschütze in der Kanadischen Armee und offiziell zu Anawaks Verfügung abkommandiert worden. Seine Waffe, eine mit Hightech voll gestopfte Hochpräzisionsarmbrust, hatte er mitgebracht.

»Sie ham 'ne schöne Insel hier«, sagte Danny gedehnt. Ein Kaugummi wanderte bei jedem seiner Worte im Mund herum und ließ die

Worte klingen, als müssten sie sich ihren Weg durch Sumpfgebiet bahnen. »Was soll ich 'n eigentlich machen?«

»Hat man Ihnen nichts gesagt?«, wunderte sich Anawak.

»Doch, schon. Ich soll mit 'ner Armbrust auf'n Wal schießen. Hab mich nur gewundert. Dachte, so was wär verboten.«

»Ist es auch. Kommen Sie, ich erklär's Ihnen im Flieger.«

»Warte mal.« Shoemaker hielt ihm eine aufgeschlagene Zeitung hin. »Schon gelesen?«

Anawak überflog die Schlagzeile.

»*Der Held von Tofino?*«, sagte er ungläubig.

»Greywolf verkauft sich gut, was? Das Arschloch macht einen auf bescheiden in dem Interview, aber lies mal, was er weiter unten sagt. Du kriegst das Kotzen.«

»*... habe nur meine Pflicht als kanadischer Bürger getan*«, murmelte Anawak. »*Natürlich waren wir in Todesgefahr, aber ich wollte wenigstens ein bisschen von dem wieder gutmachen, was mit verantwortungslosem Whale Watching angerichtet wurde. Unsere Gruppe hat schon vor Jahren darauf hingewiesen, dass die Tiere einem gefährlichen Stress ausgesetzt werden, dessen Auswirkungen unmöglich abzuschätzen sind.* – Spinnt der denn komplett?«

»Lies weiter.«

»*Davies Whaling Station ist sicher nicht der Vorwurf zu machen, dass sie sich falsch verhalten hätten. Aber sie haben sich eben auch nicht richtig verhalten. Profitabler Waltourismus unter dem Deckmäntelchen des Umweltschutzes ist nicht weniger schlimm als die Verlogenheit der Japaner, deren Flotten in arktischen Gewässern bedrohten Walarten nachstellen. Auch hier wird offiziell von wissenschaftlichen Zwecken gesprochen, obwohl 2002 über 400 Tonnen Walfleisch als Delikatesse in Großhandelsmärkten landeten, die nach genetischer Untersuchung eindeutig den so genannten wissenschaftlichen Forschungsobjekten zugeordnet werden konnten.*«

Anawak ließ die Zeitung sinken.

»Dieser Drecksack.«

»Stimmt es denn nicht, was er sagt?«, wollte Delaware wissen. »Soweit ich weiß, verscheißern die Japaner uns tatsächlich mit diesem angeblichen Forschungsprogramm.«

»Natürlich stimmt es«, schnaubte Anawak. »Das ist ja das Perfide. Greywolf bringt uns damit in Zusammenhang.«

»Ich weiß beim besten Willen nicht, was er damit erreichen will«, sagte Shoemaker kopfschüttelnd.

»Was schon? Sich wichtig machen.«

»Na ja, er ...« Delawares Hände vollführten eine sachte Bewegung. »Ein Held ist er schon irgendwie.«

Es klang, als kämen die Worte auf Zehenspitzen daher. Anawak funkelte sie an.

»Ach ja?«

»Doch, schon. Er hat Menschenleben gerettet. Ich find es ja auch nicht fair, dass er jetzt über euch herfällt, aber zumindest war er mutig und ...«

»Greywolf ist nicht mutig«, knurrte Shoemaker. »Alles, was diese Ratte unternimmt, geschieht aus Berechnung. Aber diesmal hat er sich geschnitten. Er wird Ärger mit den Makah bekommen. Sie werden nicht gerade amüsiert sein, dass ihr selbst ernannter Blutsbruder so vehement gegen den Walfang zu Felde zieht. Stimmt's, Leon?«

Anawak schwieg.

Danny bewegte seinen Kaugummi von rechts nach links.

»Wann geht's 'n los?«, fragte er.

Im selben Moment rief der Pilot ihnen aus der offenen Tür des Flugzeugs etwas zu. Anawak wandte den Kopf und sah den Mann winken. Er wusste, was das bedeutete. Ford hatte sich gemeldet. Es war so weit. Ohne auf Shoemakers letzte Äußerung einzugehen, schlug er dem Geschäftsführer auf die Schulter. »Wenn du zurück in die Station fährst, könntest du mir einen Gefallen tun?«

»Klar.« Shoemaker zuckte die Achseln. »Wir haben ja dank gewisser Umstände alle Zeit der Welt.«

»Kannst du rauskriegen, ob in den letzten Wochen was über die Havarie der *Barrier Queen* in den Zeitungen stand? Oder im Internet? Und ob was im Fernsehen kam?«

»Ja, natürlich. Warum denn?«

»Nur so.«

»Nur so gibt's nicht.«

»Weil ich glaube, dass nichts berichtet wurde.«

»Hm.«

»Ich kann mich jedenfalls nicht erinnern. Du?«

Shoemaker legte den Kopf in den Nacken und blinzelte in die Sonne. »Nein. Nur irgendwelches diffuses Zeug über Schiffskatastrophen in Asien. Muss aber nichts heißen. Ich hab aufgehört zu lesen, seitdem uns hier alles um die Ohren fliegt. – Aber du hast Recht. Wenn ich so drüber nachdenke, wird überhaupt wenig berichtet über den ganzen Schlamassel.«

Anawak starrte düster zu dem Flugzeug hinüber.

»Ja«, sagte er. »Gehen wir.«

Als die Maschine abhob, sagte Anawak zu Danny:

»Sie schießen eine Sonde in den Blubber des Wals. Blubber ist der wissenschaftliche Begriff für die Speckschicht. Schmerzunempfindlich. Wir hatten jahrelang das Problem, Sender über längere Zeit auf Walhaut zu befestigen. Vor kurzem kam ein Biologe aus Kiel auf die Idee, eine Armbrust mit speziellen Pfeilen auszurüsten, an deren Schaft ein Sender und ein Messgerät befestigt sind. Die Spitze bohrt sich in den Speck, und der Wal trägt die Geräte ein paar Wochen spazieren, ohne es zu merken.«

Danny sah ihn an.

»'n Biologe aus Kiel? Sehr schön.«

»Sie glauben, es funktioniert nicht?«

»Doch. Ich frag mich nur, ob sich jemand bei dem Wal versichert hat, dass es wirklich nicht wehtut. Das ist 'n verdammter Präzisionsjob. Woher wollen Sie wissen, ob die Spitze nicht doch tiefer eindringt als bis in den Speck?«

»Schweinehälften«, sagte Anawak.

»Schweinehälften?«

»Sie haben die Waffe an Schweinehälften getestet. So lange, bis sie genau wussten, wie tief die Spitze eindringt. Alles eine Frage der Berechnung.«

»Sieh mal an«, sagte Danny und hob die Brauen über den Rand seiner Sonnenbrille. »Biologen.«

»Und was passiert, wenn man damit auf einen Menschen feuert?«, fragte Delaware vom Rücksitz. »Dringt die Spitze dann auch nur ein Stück ein?«

Anawak drehte sich zu ihr um.

»Ja. Ein Stück zu viel. Sie tötet ihn.«

Die DHC-2 flog eine Kurve. Unter ihnen funkelte die Lagune.

»Wir hatten am Ende verschiedene Optionen«, sagte Anawak. »Bei allen stand im Vordergrund, dass wir die Wale eine Zeit lang am Stück beobachten können. Die Armbrustbesondung erwies sich als sicherste Methode. Der Fahrtenschreiber speichert Herzfrequenz, Körper- und Umgebungstemperatur, Tiefe, Schwimmgeschwindigkeit und einiges mehr. Schwieriger ist es, Wale mit Kameras auszurüsten.«

»Warum können wir mit der Armbrust nich' auch Kameras verschießen?«, fragte Danny. »Wär doch einfach.«

»Weil Sie nie wissen, wie die Kamera auftrifft. Außerdem würde ich die Wale gerne *sehen*. Ich möchte sie beobachten, und das geht nur, wenn die Kamera ein Stück weit weg ist statt auf ihnen drauf.«

»Darum setzen wir jetzt den *URA* ein«, erklärte Delaware. »Das ist ein neuartiger Roboter aus Japan.«

Anawak verzog amüsiert die Lippen. Delaware klang, als habe sie das Gerät höchstpersönlich erfunden.

Danny sah sich um.

»Ich seh keinen Roboter.«

»Er ist auch nicht hier.«

Das Flugzeug hatte offenes Meer erreicht und zog dicht über die Dünung hinweg. Normalerweise waren immer kleine Dampfer, Zodiacs oder Kajaks vor Vancouver Island unterwegs gewesen, aber selbst der Mutigste wagte sich nicht mehr nach draußen. Nur noch große Frachter und Fähren, denen die Wale nichts anhaben konnten, zogen weit draußen vorbei. So lag die Wasseroberfläche verödet da bis auf ein einziges bulliges Schiff. Es sah aus, als könne nichts und niemand es versenken, geschweige denn in anderweitige Schwierigkeiten bringen. Das Flugzeug entfernte sich vom Uferfelsen und hielt darauf zu.

»Der *URA* ist auf der *Whistler*. Dem Schlepper dort«, sagte Anawak. »Wenn es so weit ist, dass wir unseren Wal gefunden haben, kommt seine große Stunde.«

John Ford stand im Heck der *Whistler* und schirmte die Augen mit der Hand gegen das harte Sonnenlicht ab. Er sah die DHC-2 schnell näher kommen. Sekunden später zog das Flugzeug dicht über den Schlepper hinweg und flog eine großräumige Kurve.

Er hielt das Funkgerät an den Mund und rief Anawak auf der abhörsicheren Frequenz. Eine ganze Reihe von Frequenzen war für militärische und wissenschaftliche Zwecke gesperrt worden.

»Leon? Alles klar?«

»Ich höre dich, John. Wo hast du sie das letzte Mal gesehen?«

»Nordwestlich. Keine zweihundert Meter von uns. Vor etwa fünf Minuten hatten wir eine Reihe von Sichtungen, aber sie halten sich fern. Es müssen acht bis zehn Tiere sein. Zwei haben wir eindeutig identifiziert. Einer war am Angriff auf die *Lady Wexham* beteiligt, der andere hat letzte Woche einen Fischtrawler vor Ucluelet versenkt.«

»Sie haben nicht versucht, euch anzugreifen?«

»Nein. Wir sind ihnen offenbar zu groß.«

»Und untereinander? Wie verhalten sie sich untereinander?«

»Friedlich.«

»Gut. Wahrscheinlich alle von derselben Bande, aber wir sollten uns auf die Identifizierten konzentrieren.«

Ford schaute der DHC-2 hinterher, wie sie kleiner wurde, sich langsam schräg legte und in großem Bogen zurückkam. Sein Blick wanderte zur Brücke der *Whistler*. Das Schiff war ein Hochsee-Bergungsschlepper aus Vancouver und im Besitz eines privaten Unternehmens, über 63 Meter lang und fast 15 Meter breit. Mit einem Pfahlzug von 160 Tonnen gehörte die *Whistler* zu den stärksten Schleppern der Welt. Eindeutig zu groß und schwer, als dass ein Wal ihr hätte gefährlich werden können. Ford schätzte, dass nicht einmal der Sprung eines Buckelwals geradewegs ins Heck mehr bewirken würde als heftiges Schaukeln.

Dennoch fühlte er sich unwohl. Hatten die Wale anfangs alles angegriffen, was schwamm, so schienen sie mittlerweile sehr genau einzuschätzen zu können, wo sie Schaden anrichten konnten und wo nicht. Bis jetzt waren neben den omnipräsenten Orcas, Grau- und Buckelwalen auch Finnwale und Pottwale auf Schiffe losgegangen. Alle diese Tiere hatten offenbar fleißig dazugelernt. Den Schlepper würden sie nicht attackieren, so viel stand fest. Und genau das war es, was Ford am meisten beunruhigte. Eine Art Tollwut wäre nicht mit dieser wachsenden Fähigkeit zur Differenzierung einhergegangen. Er ahnte die Intelligenz hinter dem Handeln der Säuger, und er fragte sich, wie sie auf den Roboter reagieren würden.

Ford funkte die Brücke an.

»Es geht los«, sagte er.

Über ihm kreiste die DHC-2.

Nach der Identifizierung diverser Angreifer anhand von Videos und Bildern hatten sie begonnen, aktiv nach den Tieren Ausschau zu halten. Seit drei Tagen fuhr der Schlepper die Route vor Vancouver Island ab. Am heutigen Morgen waren sie endlich fündig geworden. In einem Rudel Grauwale erkannten sie zwei Flukenmuster wieder, die sie auf Fotos und Videos von angreifenden Tieren gesehen hatten.

Ford fragte sich, ob sie überhaupt eine Chance bekämen, die Wahrheit rechtzeitig aufzudecken. Mit Schaudern dachte er an die lauter werdenden Stimmen aus den Fischereiverbänden und Reedereien, denen der sanfte Kurs des wissenschaftlichen Beirats nicht weit genug ging. Sie forderten den Einsatz militärischer Gewalt – ein paar tote Wale, und der Rest der Viecher würde schon einsehen, dass es keine gute Idee war, Menschen anzugreifen. Das Ansinnen war ebenso naiv wie gefährlich, weil es auf fruchtbaren Boden fiel. Tatsächlich verspielten die Meeressäuger augenblicklich auf inflationäre Weise den Kredit, um den Tierschützer und Ethiker so lange gerungen hatten. Noch trat der Krisenstab den Forderungen mit dem Argument entgegen, dass Gewalt nichts bewirke, solange man nicht die Ursache für die Verhaltensänderung der Tiere kenne. Allenfalls ließen sich Symptome bekämpfen. Ford wusste nicht, wie die Regierung in letzter Konsequenz entscheiden würde, aber dass Fischer und illegale Walfänger kurz davor standen, auf eigene Faust loszuziehen, zeichnete sich ab. Die allgemeine Ratlosigkeit angesichts der Frage, wie man vorgehen solle, wurde nur noch übertroffen von der Uneinigkeit der streitenden Parteien. Ein idealer Nährboden für Alleingänge.

Krieg auf dem Meer.

Ford betrachtete den Roboter im Heck.

Er war gespannt darauf, was der *URA* leisten würde, den sie so schnell und unbürokratisch aus Japan erhalten hatten. Seine Entwicklung lag nur wenige Jahre zurück. Die Japaner beharrten darauf, das Gerät diene der Forschung und nicht der Jagd. Westliche Umweltschützer vernahmen die Aussage mit Skepsis. Das drei Meter lange zylindrische Gebilde, dicht bestückt mit Messinstrumenten und hoch sensiblen Kameras, galt ihnen als Höllenmaschine, um ganze Walschulen aufzuspüren im Hinblick auf ein mögliches Ende des internationalen Walfangmoratoriums von 1986. Nachdem der *URA* vor den japanischen Kerama-Inseln erfolgreich Buckelwale geortet hatte und ihnen über einen längeren Zeitraum gefolgt war, hatte der Roboter auch auf dem Internationalen Meeressäuger-Symposium in Vancouver Anklang gefunden. Doch das Misstrauen blieb. Es war kein Geheimnis, dass sich Japan systematisch die Unterstützung armer Länder erkaufte mit dem Ziel, das Moratorium aufheben zu lassen. Die japanische Regierung rechtfertigte den konspirativen Kuhhandel als ›Diplomatie‹ – dieselben Regierungsleute, die maßgeblich die Universität von Tokio subventionierten, zu der auch *Ura's Underwater Robotics & Application Laboratory Team* gehörte, die den Roboter entwickelt hatten.

»Vielleicht tust du ja heute was Sinnvolles«, sagte Ford leise zu dem *URA*. »Rette deinen Ruf.«

Das Gerät funkelte in der Sonne. Ford trat an die Reling und spähte hinaus. Aus der Luft waren die Wale besser zu sehen, vom Schiff aus besser zu identifizieren. Nach einer Weile tauchten nacheinander einige Grauwale auf und pflügten durch die Wellen.

Die Stimme des Beobachtungspostens von der Brücke erklang im Funkgerät.

»Rechts hinter uns. Lucy.«

Ford wirbelte herum, hob den Feldstecher und sah gerade noch eine schartige, steingraue Fluke abtauchen.

Lucy!

Einer der Wale hieß so. Ein kapitaler Grauwal von 14 Metern Länge. Lucy hatte sich gegen die *Lady Wexham* geworfen. Vielleicht war es sogar Lucy gewesen, die den dünnwandigen Rumpf aufgerissen hatte, sodass Wasser eingedrungen und das Schiff voll gelaufen war.

»Bestätigt«, sagte Ford. »Leon?«

Über die isolierte Frequenz waren alle miteinander verbunden. Die Insassen der DHC-2 hörten, was an Bord der *Whistler* gesprochen wurde.

»Bestätigt«, sagte Anawak im Funkgerät.

Ford blinzelte in die Sonne und sah das Flugzeug tiefer gehen, wo die Fluken verschwunden waren.

»Na dann«, sagte er mehr zu sich selbst. »Waidmannsheil.«

Aus einhundert Metern Höhe wirkte selbst der wuchtige Schlepper wie ein liebevoll gebasteltes Modell. Dafür erschienen die Meeressäuger umso größer. Anawak sah mehrere Grauwale dicht unter der Wasseroberfläche dahinziehen, ruhig und gemächlich. Gebrochenes Sonnenlicht tanzte auf den kolossalen Körpern. Jedes der Tiere war vollständig zu sehen. Obwohl nur knapp ein Viertel so lang wie die *Whistler*, nahmen sie sich geradezu absurd gewaltig aus.

»Weiter runter«, sagte er.

Die DHC-2 ging tiefer. Sie zogen über das Rudel hinweg und näherten sich der Position, an der Lucy abgetaucht war. Anawak hoffte, dass der Wal nicht auf Fresstour gegangen war. In dem Fall würden sie lange warten müssen. Aber möglicherweise war es hier nicht seicht genug. Ebenso wie Buckelwale ernährten sich auch Grauwale auf ganz eigene Weise. Sie tauchten auf Grund und weideten die Sedimente ab, indem sie sich seitwärts drehten und bodenbewohnende Organismen in sich hineinsaugten, Kleinkrebse, Zooplankton und ihre Leibspeise, Fadenwürmer. Gewaltige Furchen solcher Fressorgien überzogen die Böden vor Vancouver Island, aber dafür verirrten sich die grauen Riesen selten in tiefere Gewässer.

»Gleich wird's ein bisschen zugig«, sagte der Pilot. »Danny?«

Der Schütze grinste einmal in die Runde. Dann öffnete er die Seitentür und klappte sie zurück. Ein Schwall kalter Luft drang herein und wirbelte die Haare der Insassen durcheinander. Von einem Moment zum anderen wurde es brüllend laut im Innenraum. Delaware langte hinter sich und reichte Danny die Armbrust.

»Sie werden nicht viel Zeit haben«, sagte Anawak. Er musste laut sprechen, um gegen das Knattern des Windes und den Motorenlärm anzukommen. »Wenn Lucy auftaucht, bleiben Ihnen nur wenige Sekunden, um die Sonde zu platzieren.«

»Wohl eher euer Problem als meines«, erwiderte Danny. Er schob sich, die Armbrust in der Rechten, aus dem Sitz, bis er halb im Gestänge unter dem Flügel saß. »Bringt mich einfach schön nah ran.«

Delaware schüttelte mit runden Augen den Kopf. »Ich kann nicht hinsehen.«

»Was?«, fragte Anawak.

»Das geht doch nicht. Ich seh ihn schon im Wasser liegen.«

»Keine Bange«, lachte der Pilot. »Die Jungs können noch ganz andere Sachen.«

Das Flugzeug schoss dicht über den Wellen dahin, jetzt knapp auf Augenhöhe mit der Brücke der *Whistler*. Sie überflogen die Stelle, an der Lucy abgetaucht war. Nichts war zu sehen.

»Kreisen«, rief Anawak dem Piloten zu. »Sehr eng. Lucy wird ziemlich genau dort wieder auftauchen, wo sie verschwunden ist.«

Die DHC-2 legte sich abrupt in die Kurve. Plötzlich schien das Meer auf sie zuzukippen. Danny hing wie ein Affe in den Stangen, eine Hand am Türrahmen, in der anderen die gespannte Armbrust. Unter ihnen zeichnete sich die Silhouette eines auftauchenden Wales ab. Dann durchbrach ein grauer, glänzender Buckel die Wasseroberfläche.

»Juchhu!«, brüllte Danny.

»Leon!« Das war Ford über Funk. »Das ist der Falsche. Lucy schwimmt uns steuerbord voraus.«

»Verdammt!«, fluchte Anawak.

Er hatte sich verschätzt. Lucy war offenbar fest entschlossen, sich nicht an die Regel zu halten.

»Danny! Nicht.«

Das Flugzeug hörte auf zu kreisen und sank noch tiefer. Die Wellen jagten unter ihnen dahin. Sie näherten sich dem Heck des Schleppers. Einen Moment lang sah es aus, als flögen sie geradewegs in die aufragenden Bauten der *Whistler* hinein, dann korrigierte der Pilot den Kurs, und sie zogen dicht an dem klobigen Schiff vorbei. Ein Stück voraus tauchte Lucy erneut ab und ließ die Schwanzflosse sehen. Auch Anawak erkannte das Tier jetzt an den charakteristischen Kerben in der Fluke.

»Drosseln«, sagte er.

Der Pilot verringerte die Geschwindigkeit, aber natürlich waren sie immer noch zu schnell. Wir hätten einen Helikopter nehmen sollen, dachte Anawak. Jetzt würden sie übers Ziel hinausschießen und wieder wenden müssen, in der Hoffnung, dass der Wal sich ihren Blicken nicht entzogen hatte.

Aber Lucy war nicht in der Tiefe verschwunden. Ihr gewaltiger Körper glänzte im Sonnenlicht.

»Überholen, wenden, runter!«

Der Pilot nickte. »Und bitte nicht kotzen«, fügte er hinzu.

Er kippte das Flugzeug so plötzlich ab, dass es schien, als habe er es auf die Flügelspitze gestellt. Durch die offene Tür funkelte eine senkrechte Wand aus Wasser, beängstigend nah. Delaware schrie auf, während Danny mit seiner Armbrust vor Vergnügen johlte.

Jede Achterbahn stank dagegen ab.

Anawak erlebte den Moment wie in Zeitlupe. Nie hätte er für möglich gehalten, dass man ein Flugzeug praktisch wie einen Zirkel drehen konnte, wenn man sich die Flügelspitze als Nadel vorstellte. Die Maschine beschrieb einen perfekten Halbkreis und kippte ebenso unvermittelt zurück in die Waagerechte.

Mit dröhnendem Propeller hielt sie auf den Wal und die herannahende *Whistler* zu.

Ford beobachtete mit angehaltenem Atem, wie das Flugzeug nach dem haarsträubenden Wendemanöver zurückkam. Die Kufen berührten fast das Wasser. Schwach erinnerte er sich, dass Tofino Air auch einen ehemaligen Flieger der Canadian Air Force beschäftigte. Nun wusste er jedenfalls, welcher es war.

Der zylindrische Leib des *URA* hing jenseits der Reling am Heckkran des Schleppers. Sie waren bereit, das Gerät auszuklinken, sobald der Schütze den Sender platziert hatte. Deutlich war der graue Rücken des Wals zu erkennen. Er war nicht abgetaucht. Wal und Flugzeug bewegten sich rasch aufeinander zu. Ford sah Danny unter dem Flügel hocken und hoffte inständig, dass er die Sache mit einem Schuss erledigte.

Lucys Buckel schob sich durch die Wellen.

Danny nahm die Armbrust hoch, ein Auge zusammengekniffen, die Hand am kalten Metall. Langsam krümmte sich sein Finger.

Mit voller Konzentration und unbewegter Miene drückte Danny den Abzug durch. Nur er hörte wohl in diesem Moment das leise Zischen, als der präparierte Pfeil dicht an seinem Ohr die Waffe mit über 250 Stundenkilometern verließ. Sekundenbruchteile später bohrten sich metallene Widerhaken in den Speck des Wals und drangen tief ein, ohne dass Lucy etwas davon mitbekam. Das Tier rundete seinen Rücken. Es tauchte. Der Sender stand in schrägem Winkel ab.

»Wir haben ihn!«, schrie Anawak ins Funkgerät.

Ford gab das Zeichen.

Der Kran entließ den Roboter aus seiner Verankerung. Er klatschte auf und versank in den Wellen.

Die Berührung mit dem Wasser löste augenblicklich einen Impuls aus, der die elektrischen Motoren aktivierte. Während das Gerät tiefer ging, bewegte es sich zugleich in Richtung des abgetauchten Wals. Sekunden nach der Wasserung war von dem *URA* nichts mehr zu sehen.

Ford ballte triumphierend die Fäuste.

»Ja!«

Die DHC-2 knatterte an der *Whistler* vorbei. In den Flügelstreben reckte Danny aufheulend die Armbrust.

»Wir haben's geschafft!«

»Klasse!«

»Ein Schuss und … Mann, hast du gesehen? Unglaublich!«

»Wow!«

Im Flugzeug redeten alle wild durcheinander. Danny wandte ihnen den Kopf zu und grinste. Er begann sich wieder ins Innere zu ziehen. Anawak streckte die Hände aus, um ihm zu helfen, als er vor sich etwas aus dem Wasser wachsen sah.

Entsetzt verharrte er.

Ein Grauwal wuchtete sich empor, ein Tier im Sprung. Rasend schnell kam der massige Leib näher.

Mitten in ihrer Flugbahn.

»Hochziehen!«, schrie Anawak.

Die Motoren heulten schmerzvoll auf. Danny kippte zurück, als das Flugzeug steil nach oben schoss. Kurz erhaschte Anawak einen Blick auf einen riesigen, narbigen Kopf, auf ein Auge, auf geschlossene Kiefer. Dann erhielt die Maschine einen fürchterlichen Schlag. Wo der rechte Flügel und Danny gewesen waren, bogen sich die Reste des Gestänges. Anawak versuchte irgendwo Halt zu finden, aber alles drehte sich, Delaware schrie, der Pilot schrie, er selber schrie, das Meer kam auf sie zu.

Etwas schlug ihm ins Gesicht. Eisig.

Dröhnen in seinen Ohren. Hohles Kreischen von brechendem Stahl.

Gischt.

Dunkles Grün.

Nichts mehr.

50 Meter tiefer stabilisierte der Bordcomputer den zylindrischen Leib des *URA*. Der Roboter tarierte sich aus und folgte dem Wal, der ihm am nächsten war. In einiger Entfernung, nur schattenhaft erkennbar im Zwielicht, waren weitere Tiere zu sehen. Das elektronische Auge des *URA* registrierte all dies, ohne dass der Computer den optischen Eindrücken fürs Erste Bedeutung beimaß.

Andere Funktionen traten in Kraft.

Trotz hervorragender optischer Sensorik lag die wahre Stärke des *URA* in der akustischen Erfassung. Hier hatte sein Schöpfer wahres Genie offenbart. Die akustischen Systeme ermöglichten es dem Roboter, den Meeressäugern über einen Zeitraum von zehn bis zwölf Stunden zu folgen, ohne sie zu verlieren, wohin sie sich auch wendeten.

Er folgte ihren Gesängen.

Die vier Hydrophone des *URA*, hochsensible Unterwassermikrofone, erfassten in diesen Augenblicken nicht nur jeden Laut, den die Tiere von sich gaben, sondern auch deren Quellkoordinaten. Sie waren rund um den Leib des Roboters angeordnet. Als einer der Wale einen hohen, feinen Ton ausstieß, empfingen sie das Geräusch nacheinander statt gleichzeitig. Kein menschliches Ohr hätte die winzigen Zeitverzögerungen und damit verbundenen Abschwächungen registrieren können, nur ein Computer war dazu in der Lage. So traf der Schall als Erstes und am lautesten auf das Hydrophon, das der Quelle am nächsten lag, und dann der Reihe nach auf die drei anderen.

Als Folge erstellte der Computer einen virtuellen Raum und wies den Urhebern der Laute Koordinaten darin zu. Nacheinander füllte sich der Raum mit Positionsanzeigen von Walen, die sich in der Weise zueinander verschoben, wie auch die Tiere ihren Standort veränderten. Das Rudel wurde im Innern des Computers sozusagen nachgebaut.

Auch Lucy gab eine Reihe von Tönen von sich, als sie in der Tiefe verschwand. Im Rechner waren umfangreiche Datenmengen gespeichert, spezifische Laute von Walen und bestimmten Fischen bis hin zu den Stimmen einzelner Tiere. Der *URA* durchforstete seinen elektronischen Katalog, aber Lucy als Individuum tauchte dort nicht auf. Automatisch legte er eine Datei für die Laute der Koordinatengruppe an, die Lucy entsprach, verglich sie mit weiteren Koordinatengruppen, klassifizierte alle Tiere vor ihm als Grauwale und beschleunigte auf zwei Knoten, um ihnen ein Stück näher zu kommen.

Ebenso gründlich, wie er die Wale akustisch geortet und angepeilt hatte, ging der Roboter nun zur optischen Erfassung über. In seinen Datenbanken waren Flukenmuster und -silhouetten gespeichert, außerdem Finnen, Flipper und signifikante Körperstellen einzelner Individuen. Diesmal war der Maschine mehr Glück beschieden. Das elektronische Auge scannte die auf und ab schlagenden Fluken der Wale vor ihm und identifizierte schnell einen davon als Lucy. Kurz zuvor hatte man ihm sämtliche Daten der Wale, die an den Angriffen beteiligt gewesen waren, einprogrammiert, und darum wusste der Roboter nun, welchem Tier seine ungeteilte Aufmerksamkeit zu gelten hatte.

Der *URA* korrigierte seinen Kurs um wenige Grade.

Walgesänge erlaubten Stimmkontakte über Distanzen von mehr als einhundert Seemeilen. Die Schallwellen bewegten sich im Wasser fünfmal schneller fort als in der Luft. Lucy mochte schwimmen, wie schnell und wohin sie wollte.

Er würde sie nicht mehr verlieren.

26. april

Die eiserne Tür glitt zur Seite. Bohrmanns Blick erwanderte die gigantische Konstruktion des Simulators.

Der Tiefseesimulator schien die Natur auf ein menschenverträgliches Maß heruntergestutzt zu haben, ohne sie gleich ins Exil der bloßen Theorie zu schicken. Wenngleich im kleinen Maßstab, war das Meer beherrschbar geworden. Sie hatten sich eine Welt aus zweiter Hand geschaffen, eine jener idealisierten Kopien, wie sie den Menschen zunehmend vertrauter wurden als die Wirklichkeit: Wer wollte noch etwas über das wahre Leben im Mittelalter wissen, wenn Hollywood es auf seine Weise zeigte? Wen interessierte, wie ein Fisch starb, wie er blutete, aufgeschnitten und seine Eingeweide entnommen wurden, solange man auf Eis liegende Stücke kaufen konnte? Amerikanische Kinder malten Hühner mit sechs Beinen, weil Hühnerschenkel im Sechserpack angeboten wurden. Man trank Milch aus einem Pappkarton und ekelte sich vor dem Inhalt eines Euters. Das Weltempfinden verkrüppelte, und damit einher ging Arroganz. Bohrmann war begeistert von dem Simulator und seinen Möglichkeiten. Zugleich führte ihm der Tank vor Augen, wie blind Forschung zu werden drohte, wenn sie das Objekt ihrer Untersuchung nachbildete, anstatt es zu betrachten. Immer weniger ging es darum, den Planeten zu verstehen, als ihn sich zurechtzubiegen. Im bunten Disneyland der Missverständnisse erhielt menschliches Eingreifen neue, schreckliche Rechtfertigung.

Jedes Mal, wenn er die Halle betrat, schoss Bohrmann derselbe Gedanke durch den Kopf: Nie werden wir in der Lage sein, Gewissheit über das Machbare zu erlangen, sondern immer nur über das, wovon wir besser die Finger lassen. Und davon wollen wir dann nichts hören.

Zwei Tage nach dem Unfall auf der *Sonne* befand er sich wieder in Kiel. Die Bohrkerne und Kühlbehälter waren mit separater Eilfracht in die Obhut von Erwin Suess gelangt, der sich mit einem Team von Geochemikern und Biologen unverzüglich darangemacht hatte, die Ausbeute der Expedition zu untersuchen. Als Bohrmann im Institut eingetroffen war, hatten die Analysen schon begonnen. Seit vierundzwanzig Stunden versuchten sie unermüdlich, den Ursachen der Zersetzung auf die Spur zu kommen. Wie es aussah, waren sie fündig geworden. Der Simulator mochte die Wirklichkeit idealisieren, aber in diesem Fall hatte er vielleicht die Wahrheit über die Würmer ans Licht gebracht.

Suess wartete am Monitorpult auf ihn. Er war in Begleitung Heiko Sahlings und Yvonne Mirbachs, einer Molekularbiologin, die auf Tiefseebakterien spezialisiert war.

»Wir haben eine Computersimulation angelegt«, sagte Suess. »Weniger für uns, sondern damit es jeder begreift.«

»Es ist also nicht mehr alleine das Problem von Statoil«, sagte Bohrmann.

»Nein.«

Suess bewegte den Cursor auf dem Monitor und klickte ein Symbol an. Eine grafische Darstellung erschien. Sie zeigte einen Querschnitt durch einen einhundert Meter dicken Hydratdeckel und eine darunter liegende Gasblase. Sahling deutete auf eine dünne, dunkle Schicht an der Oberfläche.

»Das sind die Würmer«, sagte er.

»Gehen wir mal in die Vergrößerung«, sagte Suess.

Ein Ausschnitt der Eisoberfläche erschien. Die Würmer waren nun einzeln zu erkennen. Suess zoomte weiter auf, bis ein einzelnes Exemplar den Bildschirm fast ausfüllte. Es war grob stilisiert, einzelne Körperpartien grell eingefärbt.

»Das Rote sind Schwefelbakterien«, erläuterte Yvonne Mirbach. »Das Blaue Archäen.«

»Endo- und Ektosymbionten«, murmelte Bohrmann. »Der Wurm steckt voller Bakterien, und sie siedeln auf ihm.«

»Genau. Es sind Konsortien. Bakterien mehrerer Arten, die zusammenarbeiten.«

»Das war den Leuten, die Johanson hinzugezogen hatten, übrigens auch schon klar geworden«, fügte Suess hinzu. »Sie haben zentimeterdicke Gutachten über die symbiotische Lebensweise des Wurms verfasst. Aber sie haben nicht die richtigen Schlussfolgerungen gezogen. Keiner hat sich die Frage gestellt, was diese Konsortien eigentlich tun. – Wir sind die ganze Zeit davon ausgegangen, dass die Würmer das Eis destabilisieren, obwohl uns klar war, dass sie es gar nicht können. Aber es sind nicht die Würmer.«

»Die Würmer sind nur Transporter«, sagte Bohrmann.

»So ist es.« Suess klickte ein Symbol an. »Hier hast du die Antwort auf euren Blowout.«

Der stilisierte Wurm begann sich zu bewegen. Die Darstellung war sehr grob angelegt worden in der Kürze der Zeit. Es war eher eine Abfolge von Einzelbildern als ein Trickfilm. Die zangenartigen Kiefer klappten aus, und der Wurm begann sich ins Eis zu bohren.

»Jetzt pass auf.«

Bohrmann starrte auf die Bilder. Suess hatte die Darstellung wieder aufgezoomt. Mehrere Tiere waren zu sehen, die ihre Körper ins Hydrat trieben. Dann plötzlich ...

»Mein Gott!«, sagte Bohrmann.

Es herrschte atemlose Stille.

»Wenn das überall am Kontinentalhang so läuft ...«, begann Sahling.

»Tut es«, sagte Bohrmann tonlos. »Wahrscheinlich sogar zeitgleich. Mist, wir hätten schon an Bord der *Sonne* darauf kommen können. Die Hydratbrocken waren von Bakterien regelrecht verschleimt.«

Er hatte ungefähr erwartet, was er nun sah. Er hatte es befürchtet und zugleich gehofft, er möge sich irren. Aber die Wirklichkeit war noch viel schlimmer – *wenn* es die Wirklichkeit war.

»Was hier im Einzelnen geschieht, ist eigentlich bekannt«, sagte Suess. »Jedes der Phänomene ist für sich betrachtet nichts Neues. Das Neue entsteht im Zusammenwirken. Sobald man alle Komponenten in Beziehung zueinander setzt, wird die Zersetzung der Hydrate offenkundig.« Er gähnte. Es wirkte seltsam unpassend angesichts der schrecklichen Bilder, aber keiner von ihnen hatte in den letzten vierundzwanzig Stunden ein Auge zugetan. »Mir ist nur keine Erklärung dafür eingefallen, warum die Würmer *überhaupt* da sind.«

»Mir auch nicht«, sagte Bohrmann. »Und ich denke schon länger darüber nach als du.«

»Und wen informieren wir jetzt?«, fragte Sahling.

»Hm.« Suess legte den Finger an die Oberlippe. »Wie war das noch? Die Angelegenheit ist vertraulich, richtig? Wir müssten also erst mal Johanson ins Bild setzen.«

»Warum nicht gleich Statoil?«, schlug Sahling vor.

»Nein.« Bohrmann schüttelte den Kopf. »Auf gar keinen Fall.«

»Du glaubst, die kehren es unter den Tisch?«

»Johanson ist die bessere Option. Wie ich ihn einschätze, ist er neutraler als die Schweiz. Wir sollten ihm die Entscheidung überlassen, wann ...«

»Es bleibt keine Zeit, jemandem was zu überlassen«, unterbrach ihn Sahling. »Wenn die Simulation auch nur annähernd wiedergibt, was am Hang passiert, müssten wir streng genommen die norwegische Regierung verständigen.«

»Dann gleich auch sämtliche Nordseestaaten!«

»Gute Idee. Nimm Island dazu.«

»Augenblick mal!« Suess hob die Hände. »Wir führen hier doch keinen Kreuzzug.«

»Darum geht's nicht.«

»Darum geht es wohl. Noch ist es *nur* eine Simulation.«

»Schon, aber...«

»Nein, er hat Recht«, unterbrach ihn Bohrmann. »Wir können nicht die Pferde scheu machen, einfach damit es jeder weiß. Wir wissen es ja selber nicht genau. Ich meine, wir wissen, wie es sich abspielt, aber die Resultate sind Hochrechnungen. Augenblicklich können wir lediglich sagen, dass große Mengen Methan in die Atmosphäre gelangen werden.«

»Träumst du?«, rief Sahling. »Wir wissen verdammt genau, was passieren wird.«

Bohrmann betastete unwillkürlich die Stelle, an der sein Schnurrbart nachwuchs. »Na gut. Wir können es veröffentlichen. Es reicht für ein Dutzend Titelseiten. Aber was wären die Folgen?«

»Was sind die Folgen«, sinnierte Suess, »wenn in der Zeitung steht, dass die Erde von einem Meteoriten getroffen wird?«

»Hältst du den Vergleich für treffend?«

»Irgendwie schon.«

»Ich bin der Meinung, wir sollten das nicht alleine entscheiden«, sagte Mirbach. »Gehen wir schrittweise vor. Zuallererst reden wir mit Johanson. Er ist schließlich der Kontaktmann. Außerdem, wenn wir es aus rein wissenschaftlicher Warte betrachten, gebührt ihm die Ehre.«

»Welche Ehre?«

»Er hat die Würmer entdeckt.«

»Nein, Statoil hat sie entdeckt. Aber meinetwegen. Johanson die Ehre. Und dann?«

»Holen wir die Regierungen ins Boot.«

»Und veröffentlichen die Sache?«

»Warum denn nicht? Alles wird veröffentlicht. Wir wissen von koreanischen und iranischen Nuklearprogrammen und dass irgendwelche Idioten Milzbranderreger freisetzen. Wir wissen alles über BSE, über die Schweinepest und über genmanipuliertes Gemüse. In Frankreich erkranken und sterben die Leute gerade zu Dutzenden und Hunderten an irgendwelchen Bakterien aus verseuchten Schalentieren. Herrgott, die rennen ja nicht gleich in die Berge, um sich zu verstecken.«

»Nein«, sagte Bohrmann. »Natürlich nicht. Aber wenn wir öffentlich über einen Storegga-Effekt nachdenken ...«

»Dafür sind die Daten zu oberflächlich«, sagte Suess.

»Die Simulation zeigt, wie schnell die Zersetzung voranschreitet. Damit zeigt sie auch alles Weitere.«

»Aber sie sagt nicht definitiv, was dann passiert.«

Bohrmann setzte zu einer Antwort an, aber Suess hatte Recht. Sie konnten sich *denken*, was passierte, aber sie konnten es nicht *beweisen*. Wenn sie jetzt damit rauskamen, ohne dass ihre Theorie hieb- und stichfest war, würde die Öl-Lobby alles runterreden. Ihre Argumentation würde zusammenbrechen wie ein Kartenhaus. Es war zu früh.

»Also gut«, sagte er. »Wie lange brauchen wir, um ein verbindliches Ergebnis vorzulegen?«

Suess runzelte die Stirn.

»Eine weitere Woche, denke ich.«

»Das ist verdammt lang«, sagte Sahling.

»Na, hör mal!« Mirbach schüttelte entgeistert den Kopf. »Das ist verdammt schnell. Wenn du heute ein taxonomisches Urteil über einen neuen Wurm einholen willst, kannst du dich auf monatelanges Däumchendrehen einrichten, und wir ...«

»Das ist in der *gegebenen Situation* verdammt lang.«

»Trotzdem«, beschied Suess. »Falscher Alarm bringt nichts. Wir machen weiter.«

Bohrmann nickte. Er konnte den Blick nicht vom Monitor lösen. Die Simulation war zu Ende. Dennoch ging sie weiter. Sie setzte sich fort vor seinem geistigen Auge, und was er sah, ließ ihn schaudern.

29. april

Sigur Johanson betrat Olsens Büro. Er machte die Türe hinter sich zu und setzte sich dem Biologen gegenüber. »Hast du Zeit?«

Olsen grinste.

»Ich habe mich für dich krumm gelegt«, sagte er.

»Was hast du rausgefunden?«

Olsen senkte verschwörerisch die Stimme.

»Womit sollen wir anfangen? Monstergeschichten? Naturkatastrophen?«

Er machte es spannend. Auch gut.

»Womit *willst* du denn anfangen?«

»Na ja.« Olsen blinzelte ihn listig an. »Wie wäre es, wenn zur Abwechslung *du* mal anfängst? Warum sagst du mir nicht, wozu ich tagelang den Watson für dich spiele – Holmes!«

Johanson fragte sich erneut, wie viel er Olsen erzählen konnte. Ihm war klar, dass sein Gegenüber vor Neugierde platzte. Ihm selber wäre es nicht anders gegangen. Aber dann würde es binnen weniger Stunden die komplette NTNU wissen.

Plötzlich kam ihm eine Idee. Sie klang abwegig genug, um glaubhaft zu sein. Olsen würde ihn für bescheuert halten, aber damit ließ sich leben. Er senkte die Stimme ebenfalls und sagte:

»Ich habe mir Gedanken darüber gemacht, als Erster mit einer Theorie rauszukommen.«

»Nämlich.«

»Alles ist gesteuert.«

»Was?«

»Ich meine, diese Anomalien. Die Quallen. Das Verschwinden der Boote. Die Todes- und Vermisstenfälle. Mir kam einfach die Idee, dass es zwischen alldem einen höheren Zusammenhang gibt.«

Olsen sah ihn verständnislos an.

»Nennen wir es eine höhere Planung.« Johanson lehnte sich zurück, um zu sehen, wie Olsen den Brocken schluckte.

»Und was willst du damit erreichen? Bist du auf den Nobelpreis aus oder auf einen Platz in der Geschlossenen?«

»Weder noch.«

Olsen starrte ihn weiter an. »Du verarschst mich.«

»Nein.«

»Doch. Du redest von … was weiß ich? Vom Teufel? Finsteren Mächten? Grünen Männchen? Akte X?«

»Es ist nur ein Gedanke. Ich meine, es muss einen Zusammenhang geben, oder? Alle möglichen Phänomene ergeben sich zur gleichen Zeit, hältst du das für einen Zufall?«

»Ich weiß nicht.«

»Siehst du. Du weißt es eben nicht. Ich auch nicht.«

»Welche Art Zusammenhang stellst du dir denn vor?«

Johansons Hände zerteilten sachte die Luft.

»Das kommt nun wieder darauf an, was du zu bieten hast.«

»Ach so.« Olsen verzog die Mundwinkel. »Schön hingedrechselt. Du bist doch kein Idiot, Sigur. Da ist doch noch mehr.«

»Erzähl mir was, dann sehen wir weiter.«

Olsen zuckte die Achseln, öffnete eine Schublade und zog einen Packen Papier hervor. »Die Internet-Ausbeute«, sagte er. »Wenn ich nicht so ein gottverdammter Pragmatiker wäre, könnte ich glatt auf die Idee kommen, den Quatsch zu glauben, den du da verzapfst.«

»Also, was gibt's?«

»Alle Strände Mittel- und Südamerikas sind inzwischen gesperrt. Die Menschen gehen nicht mehr ins Wasser, und die Quallen verstopfen den Fischern die Netze. Costa Rica, Chile und Peru sprechen von einem apokalyptischen Gequabbel. Nach der Portugiesischen Galeere ist eine weitere Art aufgekreuzt, sehr klein, mit extrem langen und giftigen Tentakeln. Anfangs hielt man sie für Seewespen, aber es sieht eher nach ganz was anderem aus. Eine neue Art vielleicht.«

Schon wieder eine neue Art, dachte Johanson. Nie gesehene Würmer, nie gesehene Quallen …

»Und die Seewespen vor Australien?«

»Das gleiche Theater.« Olsen wühlte in seinem Papierstapel. »Werden immer mehr. Katastrophe für die Fischer, und der Tourismus liegt sowieso auf der Schnauze.«

»Was ist mit den Fischen in der Gegend? Gehen ihnen die Quallen nicht zu Leibe?«

»Verschwindibus.«

»Wie bitte?«

»Es sind keine mehr da. Vor den betroffenen Küsten sind die großen Schwärme einfach verschwunden. Die Mannschaften von Trawlern behaupten, sie hätten ihre angestammten Gebiete verlassen und seien aufs offene Meer hinausgeschwommen.«

»Aber da finden sie keine Nahrung.«

»Vielleicht gehen sie auf Diät. Was weiß denn ich?«

»Und niemand hat eine Erklärung?«

»Überall sind Krisenstäbe eingerichtet worden«, sagte Olsen. »Aber du erfährst nichts. Ich hab's versucht.«

»Soll heißen, es ist alles noch viel schlimmer.«

»Vielleicht.« Olsen zog ein Blatt aus dem Stapel. »Wenn du dir diese Liste ansiehst, findest du fett aufgemachte Pressemeldungen, die wenig später einfach nicht mehr thematisiert werden. Quallen vor der west-afrikanischen Küste. Möglicherweise auch vor Japan, ganz sicher auf den Philippinen. Verdacht auf Todesfälle, dann Dementi, dann Schwei-gen im Walde. Aber pass auf. Jetzt wird's erst richtig spannend. Es gibt da eine Alge, sie geistert schon seit einigen Jahren durch die Medien. Eine Killeralge, *Pfiesteria piscicida*. Kaum einzudämmen, wenn du sie am Hals hast. Macht Menschen und Tiere krank. Bis heute wütete sie vorzugsweise jenseits des Atlantiks, aber neuerdings scheint Frankreich betroffen. Und zwar nicht zu knapp.«

»Tote?«

»Durchaus. Die Franzosen sprudeln nicht gerade über, was Stellung-nahmen angeht, aber offenbar ist die Alge mit Hummern ins Land gelangt. Da steht alles drin, ich hab's dir rausgesucht.«

Er schob Johanson einen Teil des Packens hinüber.

»Dann das Verschwinden von Booten. Inzwischen gibt es eine Reihe aufgezeichneter Notrufe, aber die meisten ergeben keinen Sinn. Sie brechen zu früh ab. Was immer passiert ist, muss sehr schnell gegangen sein.« Olsen wedelte mit einem weiteren Blatt. »Aber wer wäre ich, wenn ich nicht mehr wüsste als der Rest der Menschheit? Drei dieser Notrufe gelangten ins Netz.«

»Und?«

»Irgendwas hat die Boote angegriffen.«

»Angegriffen?«

»In der Tat.« Olsen rieb sich die Nase. »Wasser auf die Mühle deiner Verschwörungstheorie. Das Meer erhebt sich gegen den Menschen, wie unanständig von dem lausigen Gewässer. Wo wir doch bloß ein biss-chen Müll versenken und die Fische und die Wale ausrotten. Ach, apro-pos Wale – das Letzte, was ich hörte, war, dass sie im Ostpazifik massiv auf Schiffe losgehen. Angeblich traut sich niemand mehr raus.«

»Weiß man …«

»Frag nicht so blöde. Nein, man weiß nicht. Man weiß gar nichts. Gott, war ich fleißig! Ebenfalls kein Aufschluss über die Ursache der

Kollisionen und Tankerkatastrophen. Totale Nachrichtensperre. Deine Theorie hat insofern was für sich, als fast jedes Mal offen über die Dinge berichtet wird, und mittendrin breitet jemand den Mantel des Schweigens darüber. Vielleicht doch Akte X?« Olsen runzelte die Stirn. »Jedenfalls zu viele Quallen, zu viele Fische, alles tritt irgendwie überdimensioniert auf.«

»Und niemand hat eine Idee, woher es kommt?«

»Niemand versteigt sich offiziell zu der Annahme, es könne miteinander in Zusammenhang stehen, so wie du. Am Ende werden die Krisenstäbe El Niño verantwortlich machen oder die Erderwärmung, und die Invasionsbiologie bekommt Aufwind, und sie veröffentlichen spekulative Artikel.«

»Die üblichen Verdächtigen.«

»Ja, aber es ergibt alles keinen Sinn. Quallen, Algen und ähnliches Viehzeug sind schon vor Jahren im Ballastwasser von Schiffen um die Welt gereist. Wir kennen die Phänomene.«

»Schon klar«, sagte Johanson. »Siehst du, darauf will ich hinaus. Wenn irgendwo Horden von Seewespen einfallen, ist das eine Sache. Wenn rund um den Globus die unwahrscheinlichsten Dinge gleichzeitig passieren, ist das ganz was anderes.«

Olsen legte die Fingerspitzen aufeinander und sah nachdenklich drein.

»Also, wenn du unbedingt Zusammenhänge herstellen willst, würde ich nicht von biologischen Invasionen sprechen. Sondern eher von Verhaltensanomalien. Das sind Angriffsmuster. Und zwar solche, wie man sie bislang nicht kannte.«

»Sonst hast du nichts rausgefunden über irgendwelche neuen Spezies?«

»Du lieber Gott. Reicht das nicht?«

»Ich frage ja nur.«

»Was schwebt dir denn vor?«, fragte Olsen gedehnt.

Wenn ich jetzt nach Würmern frage, dachte Johanson, weiß er Bescheid. Er weiß zwar nicht, was er mit der Information anfangen soll, aber ihm wird augenblicklich klar sein, dass irgendwo auf der Welt Wurminvasionen stattfinden.

»Nichts Konkretes«, sagte er.

Olsen sah ihn scheel an. Dann reichte er ihm den restlichen Packen Papier hinüber. »Erzählst du mir bei Gelegenheit, was du mir ganz offensichtlich nicht erzählen willst?«

Johanson nahm die Ausdrucke und erhob sich.

»Wir trinken einen drauf.«

»Klar doch. Wenn ich mal Zeit habe. Du weißt, mit der Familie ...«

»Danke, Knut.«

Olsen zuckte die Achseln. »Keine Ursache.«

Johanson trat hinaus auf den Flur. Aus einem Hörsaal strömten Studenten an ihm vorbei, einige lachend und schwatzend, andere mit angestrengten Gesichtern.

Er blieb stehen und sah ihnen nach.

Plötzlich kam ihm die Idee, alles sei gesteuert, gar nicht mehr so abwegig vor.

VOR SVALBARD, SPITSBERGEN, GRÖNLÄNDISCHE SEE

Auf dem Wasser lag das Mondlicht.

Es war ein Anblick, der die Mannschaft an Deck trieb, so atemberaubend schön präsentierte sich das Eismeer in dieser Nacht. Selten sah man es so, aber Lukas Bauer bekam nichts davon mit. Er saß in seiner Kammer über seinen Unterlagen und kam sich vor wie jemand, der die sprichwörtliche Nadel im Heuhaufen sucht, nur dass der Heuhaufen die Größe zweier Meere besaß.

Karen Weaver hatte ihre Sache gut gemacht und ihn wirklich entlastet, aber vor zwei Tagen war sie im spitsbergischen Longyearby von Bord gegangen, um dort Recherchen anzustellen. Sie führte ein unruhiges Leben, wie Bauer fand, obschon sein eigenes nicht eben ruhiger verlief. Als Wissenschaftsjournalistin hatte sie sich vor allem auf marine Themen verlegt. Bauer vermutete, dass Weavers Berufswahl einzig dem Umstand zu verdanken war, dass sie auf diese Weise kostenlos in die unwirtlichsten Regionen der Welt reisen konnte. Sie liebte das Extreme. Darin unterschied sie sich von ihm, der das Extreme von Herzen verabscheute, jedoch von solchem Forscherdrang besessen war, dass ihm Erkenntnis über Bequemlichkeit ging. Viele Forscher waren so. Missverstanden als Abenteurer, nahmen sie das Abenteuer in Kauf, um in den Besitz von Wissen zu gelangen.

Bauer vermisste einen bequemen Sessel, Bäume und Vögel und ein frisch gezapftes deutsches Bier. Vor allem aber vermisste er Weavers Gesellschaft. Er hatte das störrische Mädchen ins Herz geschlossen, und außerdem begann er, den Sinn und Zweck von Pressearbeit zu begreifen – dass man sich, wenn man eine breite Öffentlichkeit für die eigene Tätigkeit interessieren wollte, auf ein vielleicht nicht hoch präzises, dafür jedoch verständliches Vokabular verlegen musste. Weaver hatte ihm klargemacht, dass viele Menschen seine Arbeit schon darum nicht verstehen würden, weil sie gar nicht wussten, wie und wo der Golfstrom entsprang, um den sich alles drehte, was er in diesen Tagen unternahm. Er hatte das nicht glauben können. Er hatte auch nicht glauben können, dass keiner wusste, was ein Autarker Drifter war, bis Weaver ihn davon überzeugte, dass es kaum jemand wissen *konnte*, weil Drifter viel zu neu und zu speziell waren. Das hatte er schließlich akzeptiert. Aber der Golfstrom! Was lernten die Kinder bloß in der Schule?

Doch Weaver hatte Recht. Schließlich wollte er die Öffentlichkeit gewinnen, um sie teilhaben zu lassen an seiner Sorge, und um den Verantwortlichen Druck zu machen.

Und Bauer sorgte sich sehr.

Seine Sorge entsprang im Golf von Mexiko. Dorthin strömte entlang der südamerikanischen Küste und vom Süden Afrikas her warmes Oberflächenwasser. In der Karibik wurde es aufgeheizt und floss weiter nach Norden. Einladend warmes Wasser, zwar ziemlich salzig, aber weil es so warm war, blieb es an der Oberfläche.

Dieses Wasser bildete Europas Fernheizung, den Golfstrom. Bis Neufundland wälzte er sich und transportierte dabei eine Milliarde Megawatt Wärme, was der thermischen Leistung von 250 000 Kernkraftwerken entsprach, wo ihm der kalte Labradorstrom in die Seite fiel und ihn auflöste. Dabei wurden sogenannte Eddies abgeschnürt, kreisende, warme Wassermassen, die weiter nach Norden trieben, nun Nordatlantische Drift genannt. Westwinde sorgten dafür, dass reichlich Wasser verdunstete, was Europa ergiebige Regenfälle bescherte und zugleich den Salzgehalt in die Höhe trieb. Die Drift zog weiter die norwegische Küste hoch, firmierte dort als Norwegenstrom und brachte immer noch genug Wärme in den äußersten Nordatlantik, dass Schiffe selbst im Winter Südwestspitsbergen anlaufen konnten. Erst zwischen Grönland und Nordnorwegen endete der Wärmezufluss. Hier stieß der Norwegenstrom alias Nordatlantische Drift alias Golfstrom auf eiskaltes Arktiswasser, das ihn, unterstützt von kalten Winden, rapide abkühlte. Das ohnehin sehr salzige, nun auch sehr kalte Wasser wurde schwer und sackte ab. So schwer wurde es, dass seine Massen steil in die Tiefe stürzten. Das geschah nicht auf ganzer Front, sondern in Kanälen, sogenannten Schloten, die je nach Wellengang ihre Position wechselten und darum nicht auf Anhieb zu finden waren. Sinkschlote hatten einen Durchmesser zwischen 20 und 50 Metern. Etwa zehn von ihnen kamen auf einen Quadratkilometer, aber wo genau sie lagen, hing von der Tagesform des Meeres und der Winde ab. Entscheidend war der ungeheure Sog, den die absinkenden Wassermassen erzeugten. Hierin lag das ganze Geheimnis des Golfstroms und seiner Ausläufer. Er floss nicht wirklich nach Norden, sondern wurde dorthin gezogen, angesaugt von der gewaltigen Pumpe unterhalb der Arktis. In 2 000 bis 3 000 Metern Tiefe trat das eisige Wasser dann seinen Rückweg an, eine Reise, die es einmal um den Erdball führte.

Bauer hatte eine Reihe von Driftern ausgesetzt in der Hoffnung, dass sie dem Verlauf der Schlote folgen würden. Aber inzwischen drohte ihn der Mut zu verlassen, überhaupt auf Schlote zu stoßen. Überall hätten sie sein müssen. Stattdessen schien die große Pumpe ihren Betrieb eingestellt oder in unbekannte Regionen verlegt zu haben.

Bauer war hier, weil er um diese Probleme wusste und um ihre Auswirkungen. Er hatte nicht erwartet, alles in bester Ordnung vorzufinden. Aber gar nichts vorzufinden hatte er noch viel weniger erwartet.

Und es bereitete ihm wirklich sehr, sehr große Sorgen.

Er hatte Weaver seine Sorgen mitgeteilt, bevor sie von Bord gegangen war. Seither mailte er ihr folgsam in regelmäßigen Abständen Statusberichte und ließ sie an seinen geheimsten Befürchtungen teilhaben. Schon vor Tagen hatte sein Team festgestellt, dass die Gaskonzentrationen im Nordmeer sprunghaft angestiegen waren, und er brütete über der Frage, ob es womöglich einen Zusammenhang mit dem Verschwinden der Sinkschlote gab.

Jetzt, allein in seiner Kammer, war er dessen fast sicher.

Er arbeitete ohne Pause, während die Polarnacht hart gesottene Seeleute dazu brachte, einfach an der Reling zu lehnen und hinauszusehen. Mit rundem Rücken saß er über Stapeln von Berechnungen, Ausdrucken mit Diagrammen und Karten. Zwischendurch schickte er eine E-Mail an Karen Weaver, einfach um Hallo zu sagen und sie mit seinen letzten Erkenntnissen vertraut zu machen.

So versunken war er in seine Arbeit, dass er es eine ganze Weile schaffte, das Zittern zu ignorieren – so lange, bis der Becher Tee auf seinem Schreibtisch zur Kante gewandert war und sich im Kippen auf seine Hose ergoss.

»Teufel auch!«, zeterte er. Der Tee lief heiß in seinen Schritt und an den Schenkeln herab. Er schob den Stuhl zurück und stand auf, um das Malheur näher in Augenschein zu nehmen.

Dann verharrte er, die Hände um die Stuhllehne gekrallt, und horchte hinaus.

Täuschte er sich?

Nein, er hörte Schreie. Schwere Stiefel rannten über das Deck. Irgendetwas ging da draußen vor sich. Das Zittern wurde heftiger. Das Schiff verfiel in Vibrationen, und plötzlich hebelte ihn etwas aus dem Gleichgewicht. Ächzend stolperte er gegen seinen Schreibtisch. Im nächsten Moment sackte der Boden unter ihm weg, als ob das komplette Schiff in ein Loch fiele. Bauer wurde rücklings zu Boden geschleudert. Angst nahm Besitz von ihm, tiefe, schreckliche Angst. Er rappelte sich auf und taumelte aus seiner Kammer hinaus auf den Gang. Lautere Schreie drangen an sein Ohr. Die Maschine wurde angeworfen. Jemand brüllte etwas auf Isländisch, das Bauer nicht verstand, weil er nur Englisch sprach, aber er hörte das Entsetzen in der Stimme, und noch größeres Entsetzen in der Stimme, die antwortete.

Ein Seebeben?

Hastig lief er den Gang entlang und die Treppe hinauf zum Deck. Das Schiff schwankte wie wild hin und her. Er hatte Mühe, sich auf den Beinen zu halten. Als er nach draußen wankte, schlug ihm ein entsetzlicher Gestank entgegen, und mit einem Mal wusste Lukas Bauer, was los war.

Er schaffte es zur Reling und sah hinaus. Ringsum brodelte weiß die See. Als säßen sie in einem Kochtopf.

Das waren keine Wellen. Kein Sturm. Es waren Blasen. Riesige, aufsteigende Blasen.

Wieder sackte der Schiffsboden weg. Bauer fiel nach vorn und schlug mit dem Gesicht hart auf die Planken. In seinem Kopf explodierte der Schmerz. Als er wieder aufsah, war seine Brille zu Bruch gegangen. Ohne Brille war er so gut wie blind, aber er sah auch so, dass die See über dem Schiff zusammenschlug.

Oh Gott!, dachte er. Oh Gott, hilf uns.

30. april

Die Nacht erstrahlte in düsterem Grün.

Weder war es kalt noch warm, vielmehr herrschte eine Art wohliger Temperaturlosigkeit. Das Atmen schien zu den Akten verfehlter Entwicklungen gelegt und durch eine übergreifende Funktion ersetzt worden zu sein, die es gestattete, sich frei in den Elementen zu bewegen. Nachdem Anawak nun schon eine ganze Weile durch das tiefdunkelgrüne Universum gefallen war, befiel ihn eine regelrechte Euphorie, und er reckte die Arme wie ein Ikarus, der sich den Abgrund zum Himmel erkoren hat, berauschte sich am Gefühl der Schwerelosigkeit und sank tiefer und tiefer. Am Grund schimmerte ihm etwas entgegen, eine weite, eisige Landschaft, und der dunkle, grüne Ozean verwandelte sich in einen nächtlichen Himmel.

Er stand am Rande eines Eisfeldes und blickte hinaus auf schwarzes, still daliegendes Wasser, über sich eine Fülle von Sternen.

Frieden erfasste ihn.

Wie wunderbar war es, einfach hier zu stehen. Der Eisrand würde sich vom Festland ablösen und als Scholle durch die nördlichen Meere treiben, immer höher hinauf, mit ihm als Passagier, dorthin, wo keine erdrückende Fragenlast mehr auf ihn wartete, sondern ein Zuhause. Sein Zuhause. Er würde zu Hause sein. Sehnsucht legte sich auf Anawaks Brust und trieb ihm Tränen in die Augen, funkelnde, grelle Tränen, die ihn blendeten, sodass er versuchte, sie abzuschütteln – und tatsächlich spritzten sie in die schwarze See und begannen sie zu erleuchten. Etwas stieg aus der Tiefe zu ihm empor. Das Wasser formte sich zu einer Gestalt, die in einiger Entfernung auf ihn zu warten schien, dort, wo er nicht hingehen konnte. Starr und kristallen stand sie da, das Licht der Sterne gefangen in ihrer Oberfläche.

Ich hab sie gefunden, sagte die Gestalt.

Sie hatte kein Gesicht und keinen Mund, doch ihre Stimme kam Anawak bekannt vor. Er trat näher heran, aber da war der Eisrand, und im schwarzen Wasser schwamm etwas Großes, Furcht Einflößendes.

Du hast was gefunden?, fragte er.

Seine eigene Stimme versetzte ihm einen Schrecken. Die Worte kamen zäh über seine Lippen. Sie quälten sich hervor wie grobschlächtige Tiere. Im Gegensatz zu dem, was die Gestalt gesagt oder vielleicht nur gedacht hatte, verwundeten sie die perfekte Stille über der Landschaft aus Eis, und plötzlich griff schneidende Kälte nach Anawak. Sein Blick suchte das Ding im Wasser, aber es war verschwunden.

Na, was schon, sagte jemand neben ihm.

Er wandte den Kopf und erblickte die zierliche Gestalt Samantha Crowes, der SETI-Forscherin.

Du bist ziemlich ungeübt im Reden, sagte sie. Alles andere kannst du besser. Offen gestanden, es klingt schrecklich!

Tut mir Leid, stammelte Anawak.

So? Na ja. Vielleicht solltest du anfangen zu üben. Ich habe meine Außerirdischen gefunden. Weißt du noch? Wir haben endlich Kontakt aufnehmen können. Ist das nicht großartig?

Anawak erzitterte. Er fand es keineswegs großartig, vielmehr verspürte er klamme Angst vor Crowes Außerirdischen, ohne zu wissen, warum.

Und ... wer sind sie? *Was* sind sie?

Die SETI-Forscherin deutete hinaus auf das schwarze Wasser jenseits des Eisrandes.

Sie sind dort draußen, sagte sie. Ich denke, sie würden sich freuen, dich kennen zu lernen, sie lieben es nämlich, Kontakt aufzunehmen, aber dafür müsstest du dich zu ihnen hinbemühen.

Ich kann nicht, sagte Anawak.

Du kannst nicht? Crowe schüttelte verständnislos den Kopf. Warum kannst du nicht?

Anawak starrte auf die dunklen, gewaltigen Rücken, die das Wasser durchpflügten. Es waren Dutzende, Hunderte. Ihm war klar, dass sie nur seinetwegen dort waren, und er wusste plötzlich, dass sie sich von seiner Angst nährten. Sie fraßen Angst.

Ich ... kann einfach nicht.

Du musst doch nur losgehen, Feigling!, spottete Crowe. Das ist doch nun wirklich das Einfachste von der Welt. Du hast es viel einfacher als wir, wir mussten den ganzen verdammten Weltraum abhorchen.

Anawak zitterte noch stärker. Er trat bis dicht an den Rand und schaute hinaus. Am Horizont, wo die schwarze See den sternübersäten Himmel in sich aufnahm, erstrahlte ein fernes Leuchten.

Geh einfach, sagte Crowe.

Ich bin geflogen, dachte Anawak. Durch einen dunkelgrünen Ozean, der voller Leben war, und ich hatte nicht die geringste Angst. Was soll passieren? Das Wasser wird wie fester Boden sein, ich werde in dieses Licht gelangen, getragen von meinem Willen. Sam hat

Recht. Es ist ganz einfach. Es gibt nichts, wovor man sich fürchten müsste.

Vor seinen Augen tauchte eines der Riesentiere ab, und eine kolossale, zweizipfelige Fluke reckte sich den Sternen entgegen.

Nichts, wovor ich mich fürchten müsste.

Aber er hatte zu lange gezögert, und der Anblick der Fluke hatte ihn verunsichert. Weder trug ihn sein Wille noch die Macht des Traumes, Naturgesetze außer Kraft zu setzen. Als er endlich einen Schritt nach vorn machte, versank er augenblicklich in der Eiseskälte der See. Sie schlug über seinem Kopf zusammen, und alles war nur noch schwarz. Er wollte schreien und schluckte Wasser. Es drang schmerzhaft in seine Lungen. Unerbittlich zog es ihn nach unten, wie sehr er auch um sich schlug. Sein Herz pochte wie wild, in seinen Schläfen pochte es, ein Dröhnen wie von Hammerschlägen ...

Anawak fuhr hoch und knallte mit dem Kopf gegen die Bohlen.

»Verdammt«, stöhnte er.

Wieder das Pochen. Keine Spur von Dröhnen. Eher ein gemäßigtes Pochen, Fingerknöchel auf Holz. Er rollte sich auf die Seite und sah Alicia Delaware, die leicht gebückt in seine Koje spähte.

»'tschuldige«, sagte sie. »Ich wusste nicht, dass du gleich hochgehst wie eine Rakete.«

Anawak starrte sie an. Delaware?

Ach ja. Langsam setzte sich die Erinnerung daran zusammen, wo er war. Er hielt sich den Schädel, gab ein gepeinigtes Grunzen von sich und ließ sich zurückfallen.

»Wie viel Uhr ist es?«

»Halb zehn.«

»Mist.«

»Du siehst furchtbar aus. Hast du schlecht geträumt?«

»Irgendeinen Käse.«

»Ich kann Kaffee machen.«

»Kaffee? Ja, gute Idee.« Seine Finger betasteten die Stelle, an der er sich den Schädel gerammt hatte, und zuckten zurück. Das würde eine ansehnliche Beule geben. »Wo ist der blöde Wecker? Ich weiß genau, dass ich ihn gestellt habe. Auf sieben.«

»Du hast ihn überhört. Kein Wunder, nach allem, was passiert ist.« Delaware ging hinüber zu der kleinen Küchenzeile und sah sich prüfend um. »Wo ist ...«

»Hängeschrank, linke Seite. Kaffee, Filter, Milch und Zucker.«

»Hast du Hunger? Ich kann prima Frühstück ...«

»Nein.«

Sie zuckte die Achseln und füllte Wasser in die Kanne der Kaffeemaschine. Anawak sah ihr einige Sekunden zu, dann stemmte er sich aus der Koje.

»Dreh dich um. Ich muss mir was anziehen.«

»Mach nicht so ein Theater. Ich guck dir schon nichts weg.«

Er verzog das Gesicht, während er Ausschau nach seinen Jeans hielt. Sie lagen zusammengeknüllt auf der Sitzbank, die sich um den Kajüttisch bog. Das Anziehen erwies sich als schwierig. Ihm war schwindelig, und sein verletztes Bein schmerzte, als er versuchte, es anzuwinkeln.

»Hat John angerufen?«, fragte er.

»Ja. Vorhin.«

»So eine Scheiße.«

»Was?«

»Jeder Tattergreis kommt schneller in die Hose. – Zum Teufel, warum habe ich den Wecker überhört? Ich wollte unbedingt ...«

»Weißt du was? Du bist bescheuert, Leon. Echt bescheuert! Vor zwei Tagen hast du einen Flugzeugabsturz überlebt. Du hast ein dickes Knie, und bei mir ist das Gehirn ein bisschen verrutscht, na und? Wir hatten irrsinniges Glück. Wir könnten tot sein wie Danny und der Pilot, stattdessen leben wir. Und du maulst rum wegen deinem beschissenen Wecker und weil du gerade mal nicht das Rad schlagen kannst. – Fertig?«

Anawak ließ sich auf die Sitzbank sinken.

»Ist ja gut. Was sagt John?«

»Er hat alle Daten beisammen. Und er hat sich das Video angesehen.«

»Na toll. Und?«

»Nichts und. Du sollst dir deine eigene Meinung bilden.«

»Das ist alles?«

Delaware füllte den Filter mit Kaffeepulver, setzte ihn auf die Kanne und stellte die Maschine an. Nach wenigen Sekunden erfüllte leises Schmatzen und Röcheln den Raum.

»Ich habe ihm gesagt, dass du noch schläfst«, sagte sie. »Er meinte, ich soll dich nicht wecken.«

»Warum denn das?«

»Er sagt, du musst gesund werden. Womit er Recht hat.«

»Ich *bin* gesund«, erwiderte Anawak trotzig.

Tatsächlich war er sich dessen nicht wirklich sicher. Als die DHC-2 mit dem springenden Grauwal kollidiert war, hatte es der Maschine die rechte Tragfläche abgerissen. Danny, der Armbrustschütze, war vermutlich auf der Stelle tot gewesen – die *Whistler* hatte seine Leiche nicht gefunden, aber es konnte keinen Zweifel daran geben. Er war nicht rechtzeitig ins Innere gelangt, mit der Folge, dass die Seitentür des Flugzeugs beim Absturz offen gestanden hatte. Nur diesem Umstand verdankte es sich, dass Anawak überhaupt noch lebte. Beim Aufprall war er hinausgeschleudert worden. Danach konnte er sich an nichts mehr erinnern, auch nicht, was die üble Zerrung in seinem Knie verursacht hatte. Erst an Bord der *Whistler* war er wieder zu sich gekommen, ins Bewusstsein gerufen durch den pochenden Schmerz.

Als Nächstes hatte er Delaware dort liegen sehen, und der Schmerz verlor jegliche Bedeutung. Sie sah aus wie tot. Bevor sein Entsetzen überhand nahm, hatte man ihn aufgeklärt, dass sie nicht tot sei, sondern noch größeres Glück gehabt habe als er. Der Körper des Piloten hatte sie abgefedert. Halb ohnmächtig war es ihr gelungen, sich aus dem sinkenden Wrack zu befreien. Innerhalb einer Minute war die kleine Maschine voll gelaufen. Die Besatzung der *Whistler* hatte Anawak und Delaware aus dem Wasser fischen können, aber der unglückliche Pilot war mit seiner DHC-2 in der Tiefe verschwunden.

Bei aller Tragik ließ sich die Aktion dennoch als Erfolg verbuchen. Danny hatte den Sender platziert. Der *URA* war den Walen gefolgt und hatte 24 Stunden Film auf Magnetband bannen können, ohne dass die Tiere den Roboter angegriffen hatten. Anawak wusste, dass die Aufzeichnungen in den frühen Morgenstunden an John Ford geschickt worden waren, und er hatte sich fest vorgenommen, dann im Aquarium zu sein. Außerdem hatte das *Centre National d'Etudes Spatiales* die bislang eingetroffenen telemetrischen Daten des Fahrtenschreibers freigegeben, den Lucy auf dem Rücken trug. Ohne den Absturz hätten sie allen Grund gehabt, sich auf die Schulter zu klopfen.

Stattdessen wurde alles nur schrecklicher. Immer mehr Menschen starben. Er selber war zweimal knapp dem Tod entgangen. Vielleicht, weil seine Wut auf Greywolf jedes andere Empfinden ausbrannte, hatte er Stringers Tod erstaunlich schnell verkraftet. Jetzt, zwei Tage nach dem Absturz, fühlte er sich elend. Wie befallen von einer Krankheit, die nach Jahren der Unterdrückung ihr Recht beanspruchte, auszubrechen. Sie ging einher mit Unsicherheit, Selbstzweifel und einem beunruhigenden Mangel an Kraft. Möglicherweise hielt ihn nach wie vor der Schock gefangen, aber eigentlich glaubte Anawak nicht recht daran. Da war noch etwas anderes. Ein Schwindel, der ihn von Zeit zu Zeit überkam, seit er aus dem Flugzeugwrack geschleudert worden war, Schmerzen in der Brust und Anflüge von Panik.

Nein, er war nicht wirklich gesund, und die Zerrung in seinem Knie war nicht das eigentliche Problem.

Anawak fühlte sich im Innersten versehrt.

Den Tag zuvor hatte er weitgehend verschlafen. Davie, Shoemaker und die Skipper waren ihn besuchen gekommen. Ford hatte mehrfach angerufen und sich nach ihm erkundigt. Ansonsten zeigte sich niemand sonderlich um ihn besorgt. Während Alicia Delaware von ihren Eltern und einem Haufen Bekannter gedrängt wurde, Vancouver Island zu verlassen – unvermittelt tauchte sogar ein fester Freund auf und machte eine zweijährige Beziehung geltend –, beschränkte sich die Anteilnahme an Anawaks Schicksal auf den Kollegenkreis.

Er war krank und wusste, dass kein Arzt ihm würde helfen können.

Delaware stellte einen Becher frisch gebrühten Kaffee vor ihn hin und musterte ihn durch ihre blauen Brillengläser. Anawak schlürfte, verbrannte sich die Zunge und verlangte nach dem Funktelefon.

»Kann ich dich mal was Persönliches fragen, Leon?«, sagte sie.

Er hielt inne und schüttelte den Kopf. »Später.«

»Wann ist später?«

Anawak zuckte die Achseln und wählte Fords Nummer.

»Wir sind noch nicht durch mit den Sichtungen«, sagte der Direktor. »Lass dir Zeit und ruh dich aus.«

»Du hast Licia gesagt, ich soll mir selber eine Meinung bilden.«

»Ja, nachdem wir alles gesichtet haben. Das meiste ist langweilig. Bevor du extra herkommst deswegen, schauen wir lieber noch den Rest durch. Vielleicht kannst du dir den Weg dann sparen.«

»Na schön. Wann seid ihr fertig?«

»Keine Ahnung. Wir sitzen zu viert an den Bändern. Gib uns zwei Stunden. Nein, drei. Am besten, ich lasse dich am frühen Nachmittag rüberfliegen. Schick, was? Das ist wiederum der Vorteil von Krisenstäben. Man hat immer einen Hubschrauber parat.« Ford lachte. »Nicht, dass wir uns noch dran gewöhnen.« Er machte eine Pause. »Dafür hab ich was anderes für dich. Das heißt, mir fehlt im Augenblick die Zeit, es zu erzählen, aber besser wäre ohnehin, wenn du Rod Palm dazu anrufst.«

»Palm? Wozu?«

»Er hat vor einer Stunde mit Nanaimo und dem Institut für Ozeanische Wissenschaften konferiert. Du kannst auch mit Sue Oliviera sprechen, aber ich dachte, Palm sitzt direkt vor deiner Haustür.«

»Verdammt, John! Warum ruft mich keiner an, wenn es was zu erzählen gibt?«

»Ich wollte warten, bis du ausgeschlafen hast.«

Anawak beendete mürrisch das Gespräch und rief Palm an. Der Leiter der Forschungsstation auf *Strawberry Isle* war sofort am Telefon.

»Ah!«, rief er. »Ford hat mit dir gesprochen.«

»Ja. Hat er. Angeblich seid ihr auf irgendwas Weltbewegendes gestoßen. Warum hast du mich nicht angerufen?«

»Jeder weiß, dass du deine Ruhe brauchst.«

»Ach, Quatsch.«

»Doch, doch. Ich wollte warten, bis du ausgeschlafen hast.«

»Das höre ich jetzt innerhalb einer Minute zum zweiten Mal. Nein, zum dritten Mal, wenn man Licias permanente Sorge dazunimmt. Es geht mir gut, verdammt nochmal.«

»Warum kommst du nicht auf einen Sprung rüber?«, schlug Palm vor.

»Mit dem Boot?«

»Die paar hundert Meter, ich bitte dich. In der Bucht ist außerdem noch nichts passiert.«

»Gut, ich kann in zehn Minuten drüben sein.«

»Prima. Bis gleich.«

Delaware sah ihn über den Rand ihres Kaffeebechers hinweg an und runzelte die Brauen.

»Was Neues?«

»Alle Welt behandelt mich wie einen Pflegefall«, schimpfte Anawak.

»Das meine ich nicht.«

Er stand auf, zog die Schublade unter seiner Koje auf und kramte nach einem frischen Hemd.

»Sie haben offenbar irgendwas entdeckt in Nanaimo«, brummte er.

»Und was?«, wollte Delaware wissen.

»Weiß ich nicht.«

»Ah ja.«

»Ich fahre rüber zu Rod Palm.« Er zögerte, dann sagte er: »Kannst ja mitkommen, wenn du Lust und Zeit hast. Okay?«

»Du willst mich dabeihaben? Welche Ehre.«

»Sei nicht blöde.«

»Bin ich nicht.« Sie krauste die Nase. Die Kanten ihrer Schneidezähne ruhten auf der Unterlippe. Wieder dachte Anawak, dass man dringend etwas an diesen Zähnen machen müsste. Ständig fühlte er sich versucht, nach Mohrrüben Ausschau zu halten. »Du hast eine Scheißlaune seit zwei Tagen, dass man kaum ein manierliches Gespräch mit dir führen kann.«

»Hättest du auch, wenn du …« Er brach ab. Delaware sah ihn an.

»Ich *habe* mit im Flugzeug gesessen«, sagte sie ruhig.

»Tut mir Leid.«

»Ich bin vor Angst fast gestorben. Jeder andere wäre sofort heim zu Mama gefahren. Aber du hast deine Assistentin verloren, also fahre ich nicht zu Mama, sondern bleibe an deiner Seite, du dämlicher Muffel. Was wolltest du mir gerade erzählen?«

Anawak betastete erneut die Beule auf seinem Schädel. Sie schmerzte und wurde dicker. Auch sein Knie schmerzte.

»Nichts. Hast du dich abgeregt?«

Sie hob die Brauen. »Ich rege mich gar nicht erst auf.«

»Gut. Dann komm.«

»Ich würde dich trotzdem gerne was Persönliches fragen.«

»Nein.«

Mit der *Devilfish* zu der kleinen Insel hinauszufahren, hatte etwas Unwirkliches. Fast, als hätte es die Angriffe der letzten Wochen nicht gegeben. *Strawberry Island* war wenig mehr als ein Hügel mit Tannenbewuchs, den man in fünf Minuten zu Fuß umrunden konnte. Heute lag das Wasser spiegelglatt da. Kein Wind blies. Eine fiebrige Sonne verstrahlte weißes Licht. Jeden Augenblick erwartete Anawak eine Fluke oder einen schwarzen Rücken mit hoher Finne auftauchen zu sehen, aber seit dem Beginn der Attacken hatten sich nur zweimal Orcas vor Tofino blicken lassen. Es waren Residents gewesen, die keinerlei Anzeichen von Aggressivität an den Tag legten. Offenbar bewahrheitete sich Anawaks Theorie, wonach nur wandernde Wale von der merkwürdigen Verhaltensänderung betroffen waren.

Fragte sich, wie lange noch.

Das Zodiac legte am Landungspier der Insel an. Palms Station lag direkt gegenüber. Sie war in einem alten, gestrandeten Segelschiff untergebracht, der ersten *British Columbia Ferry*, die sich jetzt malerisch am Ufer breit machte, gestützt auf abgestorbene Bäume und umgeben von Treibholz und verrosteten Ankern. Sie diente Palm als Büro und Zuhause, das er zusammen mit zwei Kindern bewohnte.

Anawak mühte sich verbissen, nicht zu humpeln. Delaware schwieg. Offenbar war sie sauer auf ihn.

Wenig später saßen sie zu dritt auf dem Vorschiff um einen kleinen, geflochtenen Tisch aus Birkenrinde. Delaware nuckelte an einer Cola. Sie sahen hinüber auf die Stelzenhäuser des Orts. Obwohl *Strawberry Island* nur wenige hundert Meter von Tofino entfernt lag, war es hier viel stiller. Kaum drangen Geräusche herüber. Dafür bekam man alles Mögliche zu hören, was die Natur an Lauten hervorbrachte.

»Was macht dein Knie?«, fragte Palm mitfühlend. Er war ein zuvorkommender Mann mit flockigem weißem Bart und Stirnglatze, der mit einer Pfeife im Mund auf die Welt gekommen zu sein schien.

»Reden wir nicht davon.« Anawak reckte die Arme und versuchte das Wummern in seinem Schädel zu ignorieren. »Sag mir lieber, was ihr rausgefunden habt.«

»Leon hat's nicht gerne, wenn man sich nach seinem Wohlbefinden erkundigt«, bemerkte Delaware spitz.

Anawak knurrte etwas Unverständliches. Sie hatte natürlich Recht. Seine Laune fiel wie ein Barometer bei Sturm.

Palm räusperte sich. »Ich habe mich längere Zeit mit Ray Fenwick und Sue Oliviera unterhalten«, sagte er. »Seit der öffentlichen Obduktion von J-19 stehen wir in regem Kontakt. Aber nicht nur deswegen. Am Tag eurer Bruchlandung ist wieder ein Wal angeschwemmt worden. Ein Grauwal, den ich nicht kannte. Er ist nirgendwo verzeichnet. Fenwick hatte keine Zeit herzukommen, also habe ich das Tier selber mit einigen Leuten auseinander gesäbelt, um Nanaimo die üblichen Proben für die Analyse zu schicken. Eine Scheißarbeit, sage ich dir. Irgendwann stand ich aufrecht im Brustkorb, nachdem wir das Herz freigelegt hatten, und rutschte darin aus. Blut und Schleim liefen mir in die Stiefel, es tropfte von oben, wir haben ausgesehen wie Zombies bei der Mahlzeit. So viel zur romantischen Seite des Unterfangens. Natürlich haben wir auch Teile des Hirns entnommen.«

Die Vorstellung, dass wieder ein Wal verendet war, erfüllte Anawak mit bohrender Trauer. Er schaffte es einfach nicht, die Tiere für ihre Taten zu hassen. Für ihn blieben sie, was sie immer gewesen waren – wunderbare Geschöpfe, die es zu verteidigen und zu schützen galt.

»Woran ist er gestorben?«, fragte er.

Palm breitete die Hände aus. »Ich würde sagen, an einer Infektion. Dasselbe hat Fenwick auch bei Dschinghis diagnostiziert. Das Komische ist nur, dass wir etwas bei den Tieren gefunden haben, das da unter keinen Umständen hingehört.« Er zeigte auf seine Schläfe und ließ seinen Zeigefinger kreisen. »Fenwick hat eine Art Gerinnsel im Hirn entdeckt. Am Hirnstamm, um genau zu sein. Mit Ausläufern, die sich zwischen Hirnmasse und Schädeldecke verteilen.«

Anawak horchte auf. »Blutgerinnsel? Bei beiden Tieren?«

»Blut nicht, obwohl wir das anfangs dachten. Fenwick und Oliviera finden nämlich Geschmack an der Theorie, wonach Lärm für die

Anomalien verantwortlich ist. Sie wollten nicht darüber reden, solange keine weiteren Indizien vorliegen, aber Fenwick hatte sich zeitweise regelrecht festgebissen an den Folgen dieser Sonarversuche ...«

»*Surtass LFA*?«

»Genau.«

»Vergiss es. Im Leben nicht.«

»Darf man erfahren, wovon ihr redet?«, hakte sich Delaware ein.

»Die amerikanische Regierung hat der Navy vor ein paar Jahren eine Extrawurst gebraten«, erklärte Palm. »Sie hat ihr die Genehmigung für den Einsatz eines Niederfrequenz-Sonars zur Ortung von U-Booten erteilt. Es heißt *Surtass LFA* und wird fleißig erprobt.«

»Wirklich?«, entsetzte sich Delaware. »Ich denke, die Navy ist an das Abkommen zum Schutz der Meeressäuger gebunden.«

»Alle möglichen Leute sind an alle möglichen Abkommen gebunden«, sagte Anawak mit dünnem Lächeln. »Und es gibt alle möglichen Hintertüren. Die Vereinigten Staaten können der Versuchung offenbar nicht widerstehen, 80 Prozent der Weltmeere zu überwachen, und das ist mit *Surtass LFA* halt möglich. Also hat der amerikanische Präsident die Navy flugs von jeglichen Abkommen entbunden, weil das neue System schon 300 Millionen Dollar gekostet hat und die Verantwortlichen schwören, damit keinem Wal was zuleide zu tun.«

»Aber Sonar ist schädlich für Wale. Das weiß jeder Idiot.«

»Es ist leider nicht hinreichend bewiesen«, sagte Palm. »Die Vergangenheit zeigt, dass Wale und Delphine äußerst sensibel auf Sonar reagieren, aber welchen Einfluss das auf Beutejagd, Fortpflanzung und Wanderungen hat, lässt sich nicht eindeutig sagen.«

»Lächerlich«, schnaubte Anawak. »Ab 180 Dezibel reißen bei einem Wal die Trommelfelle. Jeder einzelne Unterwasserlautsprecher des neuen Systems verursacht aber einen Lärm von 215 Dezibel. Die Gesamtsignalstärke liegt sogar noch höher.«

Delaware sah von einem zum anderen.

»Und ... was passiert mit den Tieren?«

»Das ist es eben, weshalb Fenwick und Oliviera auf die Lärmtheorie kamen«, sagte Palm. »Schon vor Jahren haben Sonarversuche der Navy Delphine und Wale in verschiedenen Teilen der Welt stranden lassen. Mehrere Wale starben. Alle wiesen starke Blutungen im Gehirn und an den Knöchelchen im Innenohr auf – Verletzungen, wie sie typisch sind für den Einfluss starken Lärms. Umweltschützer konnten jedes Mal nachweisen, dass im unmittelbaren Bereich der Todesfälle NATO-Übungen stattgefunden hatten, aber leg dich mal mit der Navy an!«

»Die bestreiten es?«

»Die Navy hat jahrelang jeden Zusammenhang bestritten. Inzwischen musste sie einräumen, zumindest in einigen Fällen die Verantwortung zu tragen. Der Punkt ist, dass wir immer noch zu wenig wissen. Wir kennen nur die Schädigungen bei toten Walen, und jeder entwickelt seine Theorie. Fenwick glaubt beispielsweise, unterseeischer Lärm könne auch zu kollektivem Wahnsinn führen.«

»Unsinn«, knurrte Anawak. »Lärm raubt den Tieren die Orientierung. Sie greifen keine Schiffe an, sondern stranden.«

»Ich finde Fenwicks Theorie erwägenswert«, sagte Delaware.

»Ach ja?«

»Warum denn nicht? Die Tiere drehen durch. Erst einige, dann nach Art einer Massenpsychose immer mehr.«

»Licia, red keinen Mist! Wir wissen von Schnabelwalen, die vor den Kanaren strandeten, nachdem die NATO dort ihr *Pow Wow* durchführte. Kaum ein Tier reagiert auf Lärm so empfindlich wie ein Schnabelwal. Klar sind sie durchgedreht. Vor lauter Panik wussten sie sich nicht anders zu helfen, als ihr angestammtes Element zu verlassen, und schon lagen sie am Strand. Wale *fliehen* vor Lärm.«

»Oder greifen den Urheber an«, hielt ihm Delaware trotzig entgegen.

»Welchen Urheber? Schlauchboote mit Außenbordern? Wo bitte schön sind die denn laut?«

»Dann hat's eben anderen Lärm gegeben. Unterwassersprengungen.«

»Nicht hier.«

»Woher willst du das wissen?«

»Ich weiß es eben.«

»Hauptsache, du hast Recht.«

»Das sagst gerade du!«

»Außerdem hat es Strandungen schon vor Jahrhunderten gegeben. Auch vor British Columbia. Es gibt alte Überlieferungen, die ...«

»Weiß ich. Jeder weiß das.«

»Und? Hatten die Indianer auch Sonar?«

»Was um alles in der Welt hat das mit unserem Thema zu tun?«

»Eine Menge. Walstrandungen lassen sich unreflektiert vor den ideologischen Karren spannen und ...«

»Ich bin also unreflektiert?«

Delaware blitzte ihn zornig an. »Alles, was ich sagen will, ist, dass Massenstrandungen *nicht notwendigerweise* etwas mit künstlich erzeugtem Lärm zu tun haben müssen. Umgekehrt kann Lärm vielleicht auch zu etwas anderem führen als zu Strandungen.«

»He!« Palm hob die Hände. »Ihr streitet euch umsonst. Fenwick findet seine Lärmtheorie mittlerweile selber etwas löchrig. Okay, er hängt am kollektiven Wahnsinn, aber ... hört ihr mir überhaupt zu?«

Sie sahen ihn an.

»Also«, fuhr Palm fort, nachdem er sich ihrer ungeteilten Aufmerksamkeit versichert hatte. »Fenwick und Oliviera fanden diese Gerinnsel und schlossen auf eine Deformation durch äußere Einwirkungen. Oberflächlich sahen sie aus wie Blutungen, also hielten sie sie auch dafür. Dann isolierten sie das Zeug und unterzogen es dem üblichen Procedere, wobei sie feststellten, dass die Substanz nur vom Blut der Wale durchtränkt war. Das Zeug selber ist eine farblose Masse, die sich an der Luft rasch zersetzt. Der Großteil war nicht mehr zu gebrauchen.« Palm beugte sich vor. »Aber einiges konnten sie doch untersuchen. Die Resultate decken sich mit den Ergebnissen einer Probenuntersuchung, die wenige Wochen zurückliegt. Sie hatten die Substanz aus den Köpfen der Wale schon einmal gesehen. In Nanaimo.«

Anawak schwieg eine Sekunde.

»Und was ist es?«, fragte er heiser.

»Dasselbe, was du zwischen den Muscheln am Rumpf der *Barrier Queen* gefunden hast.«

»Das Zeug aus den Walgehirnen und vom Schiffsrumpf ...«

»Ist identisch. Die gleiche Substanz. Organische Materie.«

»Ein Fremdorganismus«, murmelte Anawak.

»Irgendetwas Fremdes. Ja.«

Anawak fühlte sich ausgelaugt, obwohl er nur wenige Stunden auf den Beinen war. Er fuhr mit Delaware zurück nach Tofino. Das Knie behinderte ihn, als sie die Holztreppe vom Anlegeplatz zum Pier emporstiegen. Es behinderte sein Handeln und sein Denken. Er fühlte sich hilflos, deprimiert und allem Unangenehmen ausgeliefert.

Mit zusammengebissenen Kiefern humpelte er in den verlassenen Verkaufsraum von *Davies Whaling Station*, holte eine Flasche Orangensaft aus dem Eisschrank und ließ sich in den Sessel hinter der Theke fallen. In seinem Kopf jagten einander die Gedanken mit derselben Sinnlosigkeit, mit der Hunde versuchen, ihre Schwänze zu fangen.

Delaware kam ihm nach. Sie sah sich unschlüssig um.

»Nimm dir was.« Anawak wies auf den Eisschrank. »Irgendwas.«

»Der Wal, der das Flugzeug zum Absturz gebracht hat ...«, begann sie.

Anawak öffnete die Flasche und nahm einen tiefen Schluck. »Entschuldige. Ich hab dir nichts angeboten. Wie gesagt, bedien dich.«

»Er hat sich verletzt, Leon. Vielleicht ist er gestorben.«

Er dachte darüber nach.

»Ja«, sagte er. »Wahrscheinlich.«

Delaware trat zu einem Regal, auf dem in Plastik gegossene Modelle von Walen angeboten wurden. Es gab sie in allen Größen. Von daumenlang bis zur Länge eines Unterarms. Mehrere Buckelwale stützten sich einträchtig auf ihre Flipper. Sie nahm einen davon hoch und drehte ihn in den Fingern hin und her. Anawak sah ihr lauernd dabei zu.

»Sie tun das nicht freiwillig«, sagte sie.

Er rieb sich das Kinn. Dann beugte er sich vor und schaltete den kleinen tragbaren Fernseher neben dem Funkgerät ein. Vielleicht würde sie ja von selber gehen, ohne dass er sie darum bitten musste. Er hatte nichts gegen ihre Gesellschaft. Im Grunde schämte er sich für seine üble Laune und dafür, dass er grob und abweisend zu ihr war, aber sein Bedürfnis, allein zu sein, wuchs mit jeder Minute.

Delaware stellte den Plastikwal behutsam wieder ins Regal.

»Darf ich dich was Persönliches fragen?«

Schon wieder! Anawak setzte zu einer schroffen Antwort an. Dann zuckte er die Achseln. »Meinetwegen.«

»Bist du ein Makah?«

Vor Überraschung wäre ihm beinahe die Flasche aus der Hand gerutscht. *Das* also hatte sie ihn fragen wollen. Sie wollte wissen, warum er wie ein Indianer aussah.

»Wie kommst du denn gerade darauf?«, stieß er hervor.

»Du hast etwas gesagt, kurz bevor das Flugzeug startete. Etwas zu Shoemaker. Dass Greywolf es sich mit den Makah verderben würde, weil er so vehement gegen den Walfang wettert. Die Makah sind Indianer, richtig?«

»Ja.«

»Deine Leute?«

»Die Makah? Nein. Ich bin kein Makah.«

»Bist du …«

»Hör zu, Licia, sei mir nicht böse, aber ich bin einfach nicht in der Stimmung für Familiengeschichten.«

Sie kniff die Lippen zusammen. »Okay.«

»Ich ruf dich an, wenn Ford sich meldet.« Er grinste schief. »Oder du rufst mich an. Vielleicht meldet er sich ja wieder mal bei dir, um mich nicht zu wecken.«

Delaware schüttelte ihren roten Schopf und ging langsam zur Tür. Dort blieb sie stehen.

»Nur eines noch«, sagte sie, ohne sich umzudrehen. »Bedank dich endlich bei Greywolf dafür, dass er dir das Leben gerettet hat. Ich war jedenfalls dort.«

»Du warst ...«, fuhr er auf.

»Ja, natürlich. Du kannst ihn für alles andere verabscheuen, aber so viel Dank hat er verdient. Ohne ihn wärst du tot.«

Damit ging sie.

Anawak starrte ihr nach. Er knallte die Flasche auf den Tisch und atmete einmal tief durch.

Bedanken. Bei Greywolf.

Er saß noch immer dort, als er beim Zappen auf eine der vielen Sondersendungen stieß, die in diesen Tagen zur Situation vor British Columbia gebracht wurden. Ähnliche Sendungen empfing man aus den USA. Auch dort hatten Angriffe den regionalen Schiffsverkehr weitestgehend lahm gelegt. Im Fernsehstudio wurde eine Frau in Navy-Uniform interviewt. Ihre kurz geschnittenen schwarzen Haare hatte sie glatt zurückgekämmt. Das Gesicht war von strenger Schönheit, asiatisch geschnitten. Vielleicht eine Chinesin. Nein, eher Halbchinesin. Eine entscheidende Kleinigkeit passte nicht zum Rest. Es waren die Augen. Sie waren von einem hellen, völlig unasiatischen Wasserblau.

Ein Balken wurde am unteren Bildrand eingeblendet:

General Commander Judith Li, US Navy

»Müssen wir die Gewässer vor British Columbia denn jetzt abschreiben?«, fragte der Moderator gerade. »Sozusagen zurückgeben an die Natur?«

»Ich glaube nicht, dass wir der Natur etwas zurückzugeben haben«, erwiderte Judith Li. »Wir leben im Einklang mit der Natur, auch wenn es da noch einiges zu verbessern gibt.«

»Augenblicklich lässt sich wohl kaum von Einklang sprechen.«

»Nun, wir stehen mit den angesehensten Wissenschaftlern und Forschungsinstituten diesseits und jenseits der Grenze in engem Kontakt. Es ist Besorgnis erregend, wenn Tiere kollektive Verhaltensänderungen an den Tag legen, aber es wäre ebenso verkehrt, die Situation zu dramatisieren und in Panik zu verfallen.«

»Sie glauben nicht an ein Massenphänomen?«

»Darüber zu spekulieren, welcher Art ein Phänomen ist, setzt voraus, es überhaupt mit einem Phänomen zu tun zu haben. Augenblicklich würde ich von einer Kumulation ähnlicher Ereignisse sprechen ...«

»Die in der Öffentlichkeit so gut wie nicht stattfinden«, fuhr ihr der Moderator dazwischen. »Warum eigentlich nicht?«

»Aber sie finden doch statt.« Li lächelte. »In diesem Augenblick.«

»Was uns ebenso freut wie überrascht. Die Informationspolitik sowohl Ihres wie auch unseres Landes war in den letzten Tagen mehr als dürftig. Es ist kaum möglich, die Meinung von Fachleuten einzuholen, weil Ihre Dienststellen jeden Kontakt abblocken.«

»Doch«, knurrte Anawak. »Greywolf hat seinen Sabber abgesondert. Nicht zugehört?«

Aber hatte jemand Ford um ein Interview gebeten? Oder Ray Fenwick? Rod Palm gehörte zu den führenden Orca-Forschern, aber war er in den letzten Wochen je von einer Zeitung oder einem Fernsehsender angesprochen worden? Ihn selber, Leon Anawak, hatte *Scientific American* erst kürzlich in einem Artikel über Intelligenzforschung bei Meeressäugern gewürdigt, aber niemand war erschienen, um ihm ein Mikrophon unter die Nase zu halten.

Erst jetzt fiel ihm die Absurdität des Ganzen auf. Unter anderen Umständen – Terroranschläge, Flugzeugabstürze, Naturkatastrophen – wurde jeder Experte oder wer sich dafür hielt innerhalb von 24 Stunden nach Bekanntwerden vor die Kameras gezerrt.

Sie hingegen arbeiteten im Stillen.

Dann musste er sich eingestehen, dass auch Greywolf seit seinem letzten Zeitungsinterview nicht mehr öffentlich stattfand. In den Tagen zuvor hatte der radikale Umweltschützer kaum eine Chance ungenutzt verstreichen lassen, sich in Pose zu setzen, aber plötzlich war der Held von Tofino kein Thema mehr.

»Das sehen Sie ein bisschen einseitig«, sagte Li ruhig. »Die Situation ist sicher ungewöhnlich. Es gibt so gut wie keine vergleichbaren Fälle. Natürlich achten wir darauf, dass nicht jeder sogenannte Experte voreilige Schlüsse äußert, alleine schon, weil wir mit den Dementis nicht nachkommen würden. Abgesehen davon sehe ich derzeit keine Bedrohung, der sich nicht entgegenwirken ließe.«

»Wollen Sie damit sagen, Sie haben alles im Griff?«

»Wir arbeiten dran.«

»Einige meinen, Sie versagen.«

»Ich weiß nicht, was die Leute von uns erwarten. Der Staat wird kaum mit Kriegsschiffen und Black Hawks gegen Wale zu Felde ziehen.«

»Wir hören täglich von neuen Opfern. Die kanadische Regierung jedenfalls hat sich bislang darauf beschränkt, die Gewässer vor British Columbia zur Krisenregion zu erklären ...«

»Für Kleinschiffe. Der normale Fracht- und Fährenverkehr ist nicht betroffen.«

»Hat es in jüngster Vergangenheit nicht wiederholt Meldungen über das Verschwinden von Schiffen gegeben?«

»Noch einmal: Das waren Fischerboote, kleine Motorschiffe«, erklärte Li im Tonfall unendlicher Geduld. »Es kommt immer wieder zum Verlust von Schiffen. Wir gehen diesen Berichten nach. Selbstverständlich wird mit allem Aufwand nach Überlebenden gesucht. Ich möchte dennoch davor warnen, jeden ungeklärten Vorfall auf hoher See sofort mit Tierattacken in Verbindung zu setzen.«

Der Moderator rückte seine Brille zurecht.

»Helfen Sie mir, sollte ich mich irren – aber gab es da nicht auch die Havarie eines Großfrachters der *Inglewood*-Reederei in Vancouver, in deren Verlauf ein Hochseeschlepper sank?«

Li legte die Fingerspitzen aufeinander.

»Sie meinen die *Barrier Queen*?«

Der Moderator warf einen Blick auf die Notizen in seiner Rechten.

»Korrekt. Es ist so gut wie nichts darüber bekannt geworden.«

»Natürlich nicht«, entfuhr es Anawak.

Er hatte es gewusst. Er hatte nur vergessen, in den letzten beiden Tagen mit Shoemaker darüber zu sprechen.

»Die *Barrier Queen*«, sagte Li, »hatte einen Schaden am Ruderblatt. Ein Schlepper sank durch ein falsch durchgeführtes Ankopplungsmanöver.«

»Nicht als Folge eines Angriffs? Meine Notizen ...«

»Ihre Notizen sind falsch.«

Anawak erstarrte. Was zum Teufel redete diese Frau da?

»Nun, General, können Sie uns wenigstens etwas über den Absturz eines Wasserflugzeugs der Tofino Air vor zwei Tagen sagen?«

»Ein Flugzeug ist abgestürzt, ja.«

»Es ist angeblich mit einem Wal kollidiert.«

»Wir untersuchen auch diesen Vorfall. Verzeihen Sie, wenn ich nicht zu jedem Ereignis Stellung beziehen kann, aber meine Arbeit ist eher übergeordneter Natur ...«

»Natürlich.« Der Moderator nickte. »Also reden wir über Ihre Position. Was umfasst Ihre Arbeit? Wie muss man sich das vorstellen? Augenblicklich können Sie ja offenbar nur reagieren.«

Ein Anflug von Belustigung zuckte über Lis Gesichtszüge.

»Es liegt nicht in der Natur von Krisenstäben, ausschließlich zu reagieren, wenn ich das sagen darf. Wir nehmen Krisenlagen auf, führen und wickeln sie ab. Das beinhaltet Früherkennung, vollständige und klare Darstellung, Prävention, Evakuierung, all das. – Aber wie ich schon sagte, haben wir es hier mit etwas Neuem zu tun. Vorsorge und Früherkennung waren sicher nicht in dem Maße möglich wie in vertrauteren Szenarien. Alles andere haben wir im Griff. Kein Schiff fährt noch hinaus aufs Meer, dem die Tiere gefährlich werden könnten. Wichtige Transporte gefährdeter Schiffe haben wir auf den küstennahen Flugverkehr umgelegt. Größere Schiffe erhalten militärisches Geleit, wir betreiben eine lückenlose Luftüberwachung und haben umfangreiche Mittel bewilligt zur wissenschaftlichen Erforschung.«

»Sie haben militärische Gewalt ausgeschlossen ...«

»Nicht ausgeschlossen. Relativiert.«

»Umweltschützer meinen, die Verhaltensänderungen seien auf zivilisatorische Einflüsse zurückzuführen. Lärm, Gifte, Seeverkehr ...«

»Wir sind auf dem besten Wege, es herauszufinden.«

»Und wie weit sind Sie?«

»Ich wiederhole: Wir werden uns nicht in Spekulationen ergehen, solange keine konkreten Resultate vorliegen, und wir werden auch niemandem gestatten, es zu tun. Ebenso wenig werden wir aufgebrachten Fischern, der Industrie, Reedereien, Whale-Watching-Firmen oder Anhängern des Walfangs erlauben, die Situation eigenmächtig in die Hand zu nehmen und möglicherweise eskalieren zu lassen. Wenn Tiere angreifen, sind sie entweder in die Enge getrieben oder krank. In beiden Fällen ist es unsinnig, Gewalt gegen sie anzuwenden. Wir müssen zu den Ursachen vorstoßen, dann werden die Symptome verschwinden. Und so lange werden wir halt das Wasser meiden.«

»Danke, General.«

Der Moderator wandte sein Gesicht in die Kamera.

»Das war General Commander Judith Li von der US Navy, die seit wenigen Tagen als Militärische Leiterin der Vereinigten Krisenstäbe und Untersuchungskommissionen von Kanada und den USA amtiert. Und jetzt weitere Nachrichten vom Tage.«

Anawak stellte den Fernseher leiser und rief John Ford an.

»Wer zum Teufel ist diese Judith Li?«, fragte er.

»Oh, ich habe sie noch nicht persönlich kennen gelernt«, erwiderte Ford. »Sie fliegt ständig durch die Gegend.«

»Ich wusste nichts davon, dass Kanada und die USA ihre Krisenstäbe zusammengelegt haben.«

»Du musst ja auch nicht alles wissen. Du bist Biologe.«

»Hat dich jemals einer zu den Walattacken interviewt?«

»Es gab Anfragen, die im Sande verliefen. Dich wollten sie mehrfach im Fernsehen haben.«

»Ach nein! Und warum hat mich niemand …«

»Leon.« Ford klang noch müder als am Vormittag. »Was soll ich sagen? Li hat alles abgeblockt. Vielleicht ist das gut so. Sobald du einen staatlichen oder militärischen Stab unterstützt, wird von dir erwartet, das Maul zu halten. Alles, was du tust, unterliegt der Geheimhaltung.«

»Und warum können wir beide uns dann ungehindert austauschen?«

»Weil wir im selben Boot sitzen.«

»Aber diese Generalin erzählt Mist! Das von der *Barrier Queen* zum Beispiel …«

»Leon.« Ford gähnte. »Warst du *dabei*, als es passierte?«

»Fang jetzt nicht so an.«

»Tue ich gar nicht. Ich zweifle ebenso wenig wie du daran, dass es sich exakt so zugetragen hat, wie dein Mr. Roberts von *Inglewood* sagt. Trotzdem, überleg mal: eine Invasion von Muscheln. Komische Tierchen, wissenschaftlich nicht beschrieben. Ominöser Glibber. Ein Wal springt auf eine Trosse. Das alles zusammen ergibt deinen *Barrier-Queen*-Vorfall – ach ja, nicht zu vergessen, dass dir im Dock irgendwas ins Gesicht geflatscht und abgehauen ist und Fenwick und Oliviera Glibberzeug in Walgehirnen vorfinden. Willst du das *so* in aller Öffentlichkeit breittreten?«

Anawak schwieg.

»Warum ist *Inglewood* nicht für mich erreichbar?«, fragte er schließlich.

»Keine Ahnung.«

»Irgendwas musst du doch wissen. Du bist Wissenschaftlicher Leiter des Kanadischen Stabs.«

»Klar! Und darum legen sie mir stapelweise Dossiers auf den Tisch. Mann, Leon, ich *weiß* es nicht! Sie halten uns kurz.«

»*Inglewood* und der Krisenstab sitzen auch in einem Boot.«

»Prima. Wir können stundenlang darüber diskutieren, aber ich würde gerne fertig werden mit den verdammten Videos, und es wird länger dauern, als ich dachte. Einer unserer Leute hat sich eben mit der Scheißerei ins Bett gelegt. Herzlichen Glückwunsch. Vor heute Nacht können wir uns gar nichts ansehen.«

»Mist«, fluchte Anawak.

»Pass auf, ich ruf dich an, okay? Oder Licia, falls du ein Nickerchen ...«

»Ich bin erreichbar.«

»Sie macht sich übrigens gut, findest du nicht?«

Natürlich machte sie sich gut. Sie war so engagiert, wie man es sich überhaupt nur wünschen konnte.

»Ja«, brummte Anawak. »Nicht übel. Kann ich irgendwas tun?«

»Nachdenken. Vielleicht machst du einen Spaziergang oder fährst ein paar Nootka-Häuptlinge besuchen.« Ford lachte meckernd. »Die Indianer wissen bestimmt was. Wär doch toll, wenn sie dir plötzlich erzählen, das alles sei vor tausend Jahren schon mal passiert.«

Witzbold, dachte Anawak.

Er beendete das Gespräch und starrte in den laufenden Fernseher.

Nach einigen Minuten begann er im Raum auf und ab zu laufen. Sein Knie pochte, aber er lief weiter, als wolle er sich dafür bestrafen, nicht voll einsatzfähig zu sein.

Wenn es so weiterging, würde er in Paranoia verfallen. Jetzt schon beschlich ihn der Verdacht, dass ihn jeder zu umgehen versuchte. Niemand rief ihn an und erzählte ihm etwas, sofern er nicht danach fragte. Sie behandelten ihn wie einen Pflegefall. Dabei konnte er nur nicht richtig laufen. Gut, es war ein bisschen viel gewesen in letzter Zeit. Erst aus einem Boot geschleudert zu werden und ein paar Tage später aus einem abstürzenden Flugzeug, okay, okay...

Das alles war es nicht.

Er blieb vor den Plastikwalen stehen.

Niemand versuchte ihn irgendwo herauszuhalten. Kein Mensch behandelte ihn wie einen Kranken. Ford konnte ihm nichts zeigen, solange er nicht das komplette Material gesichtet hatte, und er wollte Anawak nicht damit belasten, ins Aquarium zu kommen und ihm dabei zu helfen. Delaware tat alles, um ihn zu unterstützen. Sie waren rücksichtsvoll, nicht mehr und nicht weniger. Er selber war es, der sich als Versehrten betrachtete und sich nicht leiden konnte.

Was sollte er tun?

Wenn du dich im Kreis drehst, dachte er, was machst du dann am besten? Durchbrich den Kreis. Tu etwas, das dich wieder auf geraden Kurs bringt. Etwas, bei dem du nicht die anderen forderst, sondern dich selber. Tu etwas Ungewöhnliches.

Was konnte er Außergewöhnliches tun?

Wie hatte Ford gesagt? Er solle ein paar Nootka-Häuptlinge interviewen.

Die Indianer wissen bestimmt was.

Wussten sie wirklich etwas? Die Indianer Kanadas hatten über Generationen ihr Wissen aneinander weitergegeben, bis der *Indian Act* 1885 die Kette der mündlichen Weitergabe durchbrach. Man begann, ihnen ihre Identität abzukaufen, indem man sie dazu brachte, ihre Heimat zu verlassen und ihre Kinder auf die *Residential School* zu schicken, um sie – wie es hieß – in die Gemeinschaft der Weißen zu integrieren. Der *Indian Act* war eine Schlange gewesen, doppelzüngig: Integration in etwas Fremdes, eine großzügig ausgestreckte Hand, obwohl man doch integriert war, nämlich in die eigene Gemeinschaft, aber die war der Schlange unlieb gewesen. Immer noch wirkte der Alptraum des *Indian Act* nach. Seit einigen Jahrzehnten hatten die Indianer zunehmend wieder die Kontrolle über ihr Leben ergriffen. Viele knüpften das Band der Überlieferungen dort an, wo es fast 100 Jahre zuvor zerschnitten worden war, während sich die kanadische Regierung um Wiedergutmachung bemühte, aber von einer Wiederherstellung ihrer Kultur konnte keine Rede sein.

Immer weniger Indianer kannten die alten Überlieferungen.

Wen konnte er fragen?

Die Alten.

Anawak humpelte auf die Veranda und sah die Hauptstraße entlang.

Er pflegte so gut wie keinerlei Kontakt zu den Nootka, den *Nuu-chah-nulth*, wie sie sich selber nannten: *Die entlang der Berge leben.* Neben den Tsimshian, Gitskan, Skeena, Haida, Kwagiulth und Coast Salish waren die Nootka einer der Hauptclans, welche die Westküste British Columbias bewohnten. Die unterschiedlichen Clans, Stämme und Sprachfamilien ins richtige Verhältnis zu setzen war einem Laien so gut wie unmöglich. Schon hier scheiterten die meisten am Einstieg in die sogenannte indianische Kultur, womit sie ins Reich der regionalen Dialekte und Lebensweisen noch gar nicht vorgestoßen waren, die von Bucht zu Bucht differierten.

Man konnte Fords Hinweis nur als Scherz auffassen. Eine nette Idee für einen Spielfilm, in dem geheimnisvolle Überlieferungen zur Lösung des Rätsels führten. Das Problem war, dass es *die* Indianer nicht gab. Um etwas über den Pazifik vor Vancouver Island zu erfahren, machte es grundsätzlich Sinn, sich an die Nootka zu halten, die Indianer des Inselwestens. Vielleicht wurde man fündig. Vielleicht verstrickte man sich aber auch in den Mythen der diversen Stämme, aus denen sich die Nootka zusammensetzten. Jeder dieser Stämme besiedelte sein eigenes Territorium. Dass die Traditionen der Nootka eng mit der Landschaft

Vancouver Islands verbunden waren und die Mythologie tief in der Natur wurzelte, war der Hut, unter den sich alles bringen ließ. Ab da wurde es vertrackt. Grundsätzlich erzählte man sich bei den Nootka Schöpfungsgeschichten, in denen die Figur des Transformers, des Gestaltwandlers, die Hauptrolle spielte. Speziell im Stamm der Dididath kam Wölfen eine große Bedeutung zu, aber es gab natürlich auch Geschichten über Orcas. Wer allerdings im Bemühen, etwas über Orcas zu erfahren, die Wolfsgeschichten außer Acht ließ, beging schon den ersten großen Fehler, weil im Transformer-Zyklus Menschen und Tiere geistig miteinander verbunden waren. Als Folge verfügten nicht nur alle Kreaturen über die Möglichkeit der Transformation in andere Wesen, manche waren zu allem Überfluss auch noch mit einer Doppelnatur ausgestattet: Ging ein Wolf ins Wasser, verwandelte er sich natürlich in einen Killerwal, kam ein Killerwal an Land, wurde er zum Wolf. Orcas und Wölfe waren ein und dieselbe Wesenheit, und Geschichten über Orcas zu erzählen, ohne dabei an Wölfe zu denken, war in den Augen eines Nootka völliger Blödsinn.

Weil die Nootka aus alter Tradition Walfänger waren, hatten sie unzählige Geschichten über Wale in petto. Aber noch lange nicht jeder Stamm erzählte die gleichen Geschichten, und die gleichen wurden etwas anders erzählt, je nachdem, wohin man kam. Zu den Nootka gehörten im Übrigen auch die Makah – oder auch nicht, wie einige meinten, zumindest sprachen beide Wakashan –, die neben den Eskimos als einziger Stamm Nordamerikas ein vertragliches Recht auf Walfang hatten und derzeit für Diskussionsstoff sorgten, weil sie nach fast einem Jahrhundert Fangabstinenz wieder davon Gebrauch machen wollten. Die Makah lebten nicht auf Vancouver Island, sondern auf dem gegenüberliegenden nordwestlichen Zipfel des Staates Washington. In ihren Mythen gab es diverse Geschichten über Wale, die sich auch bei den Nootka auf der Insel fanden. Was hingegen die Beweggründe eines Wals anging, sein Denken und Fühlen, seine Absichten, hatte jeder seine eigene Betrachtungsweise. Wie auch anders bei einem Wesen, das man nicht einfach als Wal kannte, sondern als *iihtuup*, als ›Großes Mysterium‹.

Tu etwas Außergewöhnliches.

Nun, außergewöhnlich war es allemal, die Indianer zu Rate zu ziehen. Ob es außergewöhnlich viel brachte, würde sich zeigen.

Anawak grinste säuerlich. Ausgerechnet er.

Für jemanden, der seit zwei Jahrzehnten in der Gegend von Vancouver lebte, wusste er wenig über die hiesigen Indianer, weil er im Grunde nichts wissen wollte. Nur hin und wieder überkam ihn eine unbestimmte Sehnsucht nach ihrer Welt. Das Gefühl war ihm jedes Mal peinlich, sodass er es niederkämpfte, bevor es an Größe gewinnen konnte. Unterm Strich war er, den Delaware für einen Makah hielt, denkbar ungeeignet, sich in einheimische Mythen zu versenken.

Und Greywolf war es noch viel weniger.

Greywolf ist jämmerlich, dachte er voller Erbitterung. Kein Indianer läuft heute noch mit einem läppischen Wildwest-Nachnamen herum. Die Chiefs der Stämme hießen Norman George oder Walter Michael oder George Frank. Keiner nannte sich John Two Feathers oder Lawrence Swimming Whale. Nur ein hirnloser Angeber wie Jack O'Bannon leistete sich diese Kinderbuchromantik. Ausgerechnet Jack, der das Wort Indianer auf der Stirn stehen hatte, war zu blöde, wenigstens wie ein richtiger Indianer zu heißen.

Greywolf war ein Ignorant!

Und er selber?

Wir schenken uns nichts, dachte er verdrossen. Der eine sieht aus wie ein Indianer und weist alles Indianische von sich. Der andere ist keiner und versucht mit aller Gewalt, einer zu sein. Wir sind beide Ignoranten.

Jeder eine lächerliche Figur. Zwei Versehrte.

Dieses verdammte Knie! Es machte ihn nachdenklich. Er wollte nicht nachdenken! Er brauchte keine Alicia Delaware, die ihn mit altkluger Studentenmiene den Weg zurückstieß, den er gekommen war.

Wen konnte er fragen?

George Frank!

Das war einer der Chiefs, die er kannte. Man war ja nicht aus der Welt. Weder Weiße noch Indianer pflegten außerhalb der offiziellen Zusammenkünfte im Job und bei einem gelegentlichen Bier ausgiebigen Kontakt, aber man hatte auch nichts gegeneinander. Es herrschte Koexistenz. Zwei Welten, die einander in Frieden ließen. Dennoch entstanden hin und wieder Freundschaften. George Frank war weniger als ein Freund, aber immerhin eine Bekanntschaft: ein netter Kerl und außerdem *taayii hawil* der Tla-o-qui-aht, eines Nootka-Stammes auf dem Gebiet um *Wickaninnish*. Ein *hawil* war ein Chief, ein Häuptling, der *taayii hawil* sogar noch etwas mehr, der oberste Chief sozusagen. Mit den *taayii hawiih* war es ein bisschen wie mit dem englischen Königshaus. Ihr Rang war durch die Erbfolge festgelegt. Im Alltag wurden die meisten Stämme mittlerweile von gewählten Chiefs regiert, aber die Erbhäuptlinge erfreuten sich dennoch höchster Achtung.

Anawak überlegte. Im Norden der Insel nannten sie die obersten Chiefs *taayii hawiih*, im Süden *taayii chaachaabat*. Er wollte sich nicht lächerlich machen. Wahrscheinlich war George Frank eher *taayii chaa-chaabat*, aber wer zum Teufel sollte sich das merken?

Besser, indianische Ausdrücke zu meiden.

Er könnte George Frank besuchen. Es war nicht weit. Frank wohnte unweit des *Wickaninnish Inn*. Je länger er darüber nachdachte, desto besser gefiel ihm der Gedanke. Anstatt auf Fords Anruf zu warten, konnte er den Kreis durchbrechen und sehen, wohin es ihn führte. Er blätterte im Telefonbuch nach Franks Nummer und rief ihn an.

Der *taayii hawil* war zu Hause. Er schlug vor, gemeinsam am Fluss spazieren zu gehen.

»Du bist also gekommen, um etwas über die Wale zu erfahren«, sagte Frank, als sie eine halbe Stunde später unter dicht belaubten Riesenbäumen hindurchgingen.

Anawak nickte. Er hatte Frank erklärt, warum er hier war. Der Chief rieb sich das Kinn. Er war ein kleiner Mann mit knittrigem Gesicht und freundlichen dunklen Augen. Sein Haar war ebenso schwarz wie das von Anawak. Unter seiner Windjacke trug er ein T-Shirt mit der Aufschrift *Salmon Coming Home*.

»Du erwartest jetzt hoffentlich keine Indianerweisheiten von mir?«

»Nein.« Anawak war froh über diese Antwort. »John Ford hatte die Idee.«

»Welcher?« Frank lächelte. »Der Regisseur oder der Direktor des Vancouver Aquarium?«

»Der Regisseur ist, glaube ich, tot. Wir versuchen's halt an allen Fronten. Und sei es nur, dass es in irgendeiner eurer Geschichten etwas gibt, das auf ähnliche Vorfälle hindeutet.«

Frank wies auf den Fluss, an dessen Ufer sie entlangwanderten. Das Wasser bahnte sich gurgelnd seinen Weg. Es trieb Geäst und Blätter mit sich. Der Fluss entsprang in den rauen Hochgebirgslandschaften und war teilweise versandet.

»Da hast du deine Antwort«, sagte er.

»Im Fluss?«

Frank grinste. »*Hishuk ish ts'awalk*.«

»Okay. Also doch Indianerweisheiten.«

»Nur eine. Ich dachte, du kennst sie.«

»Ich kann eure Sprache nicht. Hier und da mal ein paar Brocken aufgeschnappt. Das war's.«

Frank musterte ihn einige Sekunden.

»Na ja, es ist der Kerngedanke fast aller indianischen Kulturen. Die Nootka reklamieren ihn für sich, aber ich schätze, anderswo sagen die Menschen dasselbe in anderen Worten: Alles ist eins. Was mit dem Fluss passiert, passiert mit den Menschen, den Tieren, dem Meer. Was einem geschieht, geschieht allen.«

»Stimmt. Andere nennen es Ökologie.«

Frank bückte sich und zog einen losen Ast ans Ufer, der sich im Wurzelgestrüpp entlang des Flusses verfangen hatte.

»Was soll ich dir erzählen, Leon? Wir wissen nichts, was du nicht auch weißt. Ich kann gerne für dich die Ohren spitzen. Ich rufe ein paar Leute an. Es gibt viele Lieder und Legenden. Aber ich kenne keines, das euch weiterhelfen würde. Ich meine, in allen unseren Überlieferungen wirst du exakt das finden, wonach du suchst, und genau da liegt das Problem.«

»Ich verstehe dich nicht.«

»Na ja, wir sehen Tiere etwas anders. Die Nootka haben nie einfach das Leben eines Wals genommen. Der Wal hat sein Leben geschenkt, das ist ein bewusster Akt, verstehst du? Im Glauben der Nootka ist sich die ganze Natur ihrer selbst bewusst, ein großes, miteinander verflochtenes Bewusstsein.« Er ging einen morastigen Pfad entlang. Anawak folgte ihm. Der Wald öffnete sich zu einer großen, kahl geschlagenen Fläche. »Schau dir das an, eine Schande. Der Wald ist abgeholzt, Regen, Sonne und Wind erodieren den Boden, und die Flüsse verkommen zu Kloaken. Sieh es dir an, wenn du wissen willst, was die Wale umtreibt. *Hishuk ish ts'awalk*.«

»Mhm. Habe ich dir eigentlich je erzählt, worin meine Arbeit besteht?«

»Du suchst nach Bewusstsein, glaube ich.«

»Nach Selbstbewusstsein.«

»Ja, ich erinnere mich. Du hast es erzählt im Verlauf eines schönen Abends. Letztes Jahr war das. Ich habe Bier getrunken und du Wasser. Du trinkst immer Wasser, stimmt's?«

»Ich mag keinen Alkohol.«

»Nie welchen getrunken?«

»So gut wie nie.«

Frank blieb stehen. »Tja, der Alkohol. Du bist ein guter Indianer, Leon. Trinkst Wasser und kommst zu mir, weil du denkst, wir sind im Besitz geheimen Wissens.« Er seufzte. »Wann werden Leute endlich aufhören, einander als Klischees zu behandeln. Die Indianer hatten ein Alkoholproblem und manche haben es immer noch, aber es gibt auch welche, die einfach hin und wieder gerne mal was trinken. Wenn heute ein Weißer einen Indianer bei einem Bier sieht, sagt er sofort, wie tragisch, schrecklich, wir haben die Leute an die Flasche gebracht. Entweder sind wir die armen Verführten oder die Hüter höherer Weisheiten. – Was bist du eigentlich, Leon? Christ?«

Anawak war nicht sonderlich überrascht. Die wenigen Male, die er mit George Frank zusammengewesen war, waren immer ähnlich verlaufen. Der *taayii hawil* führte Unterhaltungen scheinbar ziellos, er sprang wie ein Eichhörnchen von einem Thema zum nächsten.

»Ich bin in keiner Kirche«, sagte Anawak.

»Weißt du was? Ich habe mich mal mit der Bibel beschäftigt. Voll höherer Weisheit. Fragst du einen Christen, warum es im Wald brennt, wird er dir antworten, Gott manifestiere sich in den Flammen. Er wird auf die alten Überlieferungen verweisen, und da findest du dann tatsächlich einen brennenden Dornbusch. Was meinst du, würde ein Christ auf diese Weise einen Waldbrand erklären?«

»Natürlich nicht.«

»Trotzdem wird ihm die Geschichte vom brennenden Dornbusch viel bedeuten, wenn er ein gläubiger Christ ist. Auch die Indianer glauben an ihre Überlieferungen, aber sie wissen sehr genau, welche Schnittmenge diese Geschichten mit der Wirklichkeit aufweisen. Es geht nicht darum, ob etwas so oder so *ist*, sondern um die *Idee* davon, wie es ist. In unseren Legenden wirst du alles und gar nichts finden, nichts davon wirst du wörtlich nehmen können, aber alles macht Sinn.«

»Weiß ich, George. Ich habe einfach nur das Gefühl, wir kommen nicht voran. Wir zermartern uns den Kopf darüber, was die Tiere wild gemacht hat.«

»Und du glaubst, ihr seid mit eurer Wissenschaft am Ende?«

»Irgendwie ja.«

Frank schüttelte den Kopf. »Das seid ihr nicht. Die Wissenschaft ist eine großartige Sache. Die Menschen vermögen unglaublich viel damit. Das Problem ist die Sichtweise. Worauf schaust du, wenn du dein Wissen anwendest? Du schaust auf den Wal, der sich verändert hat. Du erkennst ihn nicht wieder, deinen Freund. Warum? Er ist zum Feind geworden. Was hat ihn dazu bewogen? Hast du ihm etwas angetan? Oder seiner Welt? Aber in welcher Welt lebt ein Wal? Du suchst nach Schaden, der ihm unmittelbar zugefügt wurde, und du findest eine Menge. Da gibt es das sinnlose Abschlachten, die Gewässer werden vergiftet, der Waltourismus gerät aus den Fugen, wir zerstören die Nahrungsgrundlage der Tiere und verschmutzen ihre Welt mit Lärm.

Wir nehmen ihnen die Stätten, wo sie ihre Jungen aufziehen – soll nicht in der Baja California eine Salzgewinnungsanlage entstehen?«

Anawak nickte düster. 1993 hatte die UNESCO die Lagune San Ignacio in der Baja California zum Weltnaturerbe erklärt. Sie war die letzte ursprüngliche und unberührte Geburtslagune der Pazifischen Grauwale und beherbergte zudem eine Vielzahl weiterer vom Aussterben bedrohter Pflanzen- und Tierarten. Ungeachtet dessen baute der Mitsubishi-Konzern dort nun eine Salzgewinnungsanlage, die künftig pro Sekunde über 20 000 Liter Salzwasser aus der Lagune pumpen und damit 116 Quadratmeilen Verdunstungspools an Land fluten würde. Das Wasser floss als Abwasser zurück. Kein Mensch wusste, welche Auswirkungen das auf die Wale haben würde. Unzählige Forscher, Aktivisten und ein Konsortium von Nobelpreisträgern protestierten gegen die Anlage, die ein tragischer Präzedenzfall zu werden drohte.

»Siehst du«, fuhr Frank fort, »das ist die Welt der Wale, wie du sie kennst. Sie leben darin, aber ist diese Welt nicht ungleich mehr als eine Kette von Bedingungen, unter denen sich Wale wohl oder unwohl fühlen? Vielleicht sind gar nicht die Wale das Problem, Leon. Vielleicht sind sie nur der Teil des Problems, den wir *sehen*.«

AQUARIUM, VANCOUVER

Während Anawak den Worten des *taayii hawil* lauschte, sah John Ford doppelt.

Er hatte zwei Monitore gleichzeitig zu kontrollieren, und das nun schon seit Stunden. Der eine zeigte die Magnetbandaufnahmen der Kamera, mit denen der *URA* Lucy und die anderen Grauwale gefilmt hatte, der andere einen virtuellen Raum, ein Koordinatengefüge aus Linien, in dem ein Dutzend grüner Lichter hingen wie hineingeworfen. Sie wiesen das Rudel aus und veränderten stetig ihre Position. Ziemlich schnell nach seiner Wasserung hatte der Roboter einen Abgleich von Lucys Flukenmuster mit ihren spezifischen Lauten hergestellt, sodass er das Tier alleine dadurch lokalisieren und seine Position bestimmen konnte, die nun als Punkt im Koordinatenraum erschien. Auf diese Weise hatte er Lucy selbst in tiefer Finsternis nicht verlieren können.

Über den zweiten Monitor liefen die Daten der Sonde, die immer noch im Walspeck steckte: Herzfrequenzen, Tauchtiefen, Positionsdaten, Temperaturerfassung, Druck- und Lichtmessung. Sonde und *URA* zusammen lieferten ein recht komplettes Bild dessen, was Lucy im Verlauf von 24 Stunden widerfahren war. 24 Stunden im Dasein eines verrückt gewordenen Wals.

Das Beobachtungslabor bot vier Leuten Platz zur Datenauswertung. Ford und zwei Helfer saßen im Dämmerlicht, die Gesichter beschienen von den Monitoren. Der vierte Platz war leer. Ein harmloses Magen- und Darmvirus hatte das Team reduziert und ihnen eine Nachtschicht eingebrockt.

Ford langte neben sich, ohne den Blick von den Monitoren zu nehmen, griff in eine Pappschachtel und schob eine Hand voll kalt gewordener Pommes frites in seinen Mund.

Einen verrückten Eindruck machte Lucy eigentlich nicht.

In den vergangenen Stunden hatte sie vorwiegend das getan, was die Weidetiere der Ozeane nun mal taten. Sie hatte gefressen, in Gesellschaft eines halben Dutzends erwachsener Artgenossen und zweier heranwachsender Kälber. Jedes Mal war dabei eine Menge Schlamm aufgewirbelt worden, wenn Lucy zwischen Vorhängen aus Seetang auf Grund ging und den weichsandigen Schlick durchpflügte, um Würmer und Flohkrebse herauszufiltern. Sie hatte sich auf die Seite gedreht und mit ihrem schmalen, bogenförmigen Kopf regelrechte Ackerfurchen in den Boden gegraben. Anfangs hatte er fasziniert vor den Bildschirmen gesessen, obwohl es bei weitem nicht die ersten Aufnahmen waren, die er von fressenden Grauwalen sah. Dennoch lieferte der URA Bilder einer ganz neuen Qualität, weil er den Walen folgte, als sei er Teil des Rudels. Vieles war deutlich zu erkennen. Einem Pottwal in die Fressgründe zu folgen hätte geheißen, sich in die finsterste Tiefsee zu begeben. Aber Grauwale liebten es flach. So erblickte Ford nun seit Stunden ein ständiges Wechselspiel zwischen Helligkeit und Halbdämmer. Einige Minuten dümpelte Lucy an der Oberfläche, presste Schlamm durch ihre Barten, sog die Lungen voller Luft, stieß sie aus und sank auf Grund. Dabei kam sie dem Ufer so nahe, dass ein Großteil der Aufnahmen in nicht mal 30 Metern Tiefe zustande gekommen war.

Ford sah zu, wie die schartigen, marmorierten Körper durchs Sediment robbten, wie sich das Wasser trübte. Der Roboter hatte keinerlei Mühe, den Tieren zu folgen, weil sie eigentlich nirgendwohin schwammen. Sie änderten immer wieder die Richtung, ein paar Meter hierhin, eine kurze Strecke dorthin, aufwärts, abwärts, fressen, aufwärts, abwärts. Ford pflegte zu sagen, Vancouver Island sei die Autobahnraststätte der Wale, an der sie faul rumhingen, und eigentlich traf es das ganz gut.

Aufwärts, abwärts, fressen.

Irgendwann wurde es langweilig.

Einmal tauchten in der Ferne die schwarzweißen Silhouetten einiger Orcas auf, aber sie waren schnell wieder verschwunden. Im Allgemeinen verliefen solche Begegnungen friedlich, obwohl Orcas zu den wenigen ernst zu nehmenden Feinden der Großwale gehörten. Nicht mal vor Blauwalen machten sie Halt. Wenn sie angriffen, dann zu mehreren und immer mit äußerster Brutalität. Sie fraßen Zunge und Lippen der Opfer und ließen sterbende, verstümmelte Kolosse zurück, die langsam dem Meeresboden entgegensanken.

Fressen, tauchen, aufsteigen.

Irgendwann schlief Lucy. Zumindest glaubte Ford, dass sie schlief. Gemeinsam mit seinen beiden Assistenten beobachtete er, wie es dunkler wurde, weil der Abend hereinbrach. Ein Schatten blieb, kaum auszumachen gegen den Hintergrund. Lucys Körper, der aufrecht im Wasser hing, langsam nach unten sank und ebenso langsam wieder stieg. Es gab eine ganze Reihe von Meeressäugern, die auf diese Weise ruhten. Alle paar Minuten kamen sie im Halbschlaf an die Oberfläche, atmeten, sanken wieder hinab und schliefen. Bemerkenswerterweise schliefen die Tiere nie länger als fünf bis sechs Minuten, schafften es jedoch, die kurzen Phasen zu einem erholsamen Schlaf aufzusummieren.

Schließlich wurde es schwarz auf den Monitoren. Nur noch der Koordinatenraum zeigte die Verteilung des Rudels an.

Nacht.

Nichts zu sehen und trotzdem hinschauen zu müssen, war besonders öde. Hin und wieder blitzte etwas auf, eine Qualle oder ein Tintenfisch. Ansonsten herrschte biblische Finsternis, während weiterhin Daten über den zweiten Monitor tickerten, Angaben über Lucys Metabolismus und die physikalische Umgebung. Die grünen Punkte bewegten sich träge im virtuellen Raum. Es war keineswegs so, dass alle Tiere des Rudels über Nacht schliefen. Wale ruhten zu unterschiedlichsten Zeiten. Der Datenmonitor wies Höhen- und Tiefenschwankungen auf, die zeigten, dass Lucy und die anderen auch jetzt ihr Tauch- und Fressverhalten einhielten. Je nach Tiefe schwankte die Temperatur um ein halbes Grad. Mehr tat sich nicht. Stetig schlug das Herz des Grauwals, mal langsamer, mal etwas schneller. Die Hydrophone des *URA* erfassten alle möglichen Unterwassergeräusche, Rauschen und Blubbern, Orcarufe und Buckelwalgesänge, Röhren und Knurren, das ferne Wummern eines Schiffspropellers. Nichts, was man nicht kannte.

So saß Ford vor seinem schwarzen Monitor und gähnte, bis seine Kiefer knackten.

Er klaubte die letzten Pommes frites zusammen.

Seine gekrümmten, fettigen Finger verharrten. Dann ließ er die Fritten wieder los und kniff die Augen zusammen.

Auf dem Datenschirm tat sich etwas.

Während der ganzen Zeit hatte die Sonde Tiefen zwischen 0 und 30 Metern angezeigt. Jetzt wies sie 40, plötzlich 50 Meter aus. Lucy veränderte ihren Standort. Sie schwamm aufs offene Meer hinaus und ging dabei tiefer. Die anderen Wale folgten ihr zügig. Kein Herumhängen mehr. Das war Migrationsgeschwindigkeit!

Wo willst du denn so schnell hin, dachte Ford.

Lucys Herzschlag verlangsamte sich. Sie tauchte, und zwar rapide. Zu diesem Zeitpunkt enthielten ihre Lungen wohl nur noch zehn Prozent ihres Sauerstoffvorrats, vielleicht sogar weniger. Der Rest war in Blut und Muskeln gespeichert. Eine perfekte Vorratshaltung für große Tiefen.

Lucy unterschritt 100 Meter.

Nicht lebenswichtige Körperbereiche hatte der Wal jetzt vom Kreislauf abgekoppelt. Blutdrucküberschüsse wurden in einem Netz fein verknäulter, äußerst dehnbarer Adern verstaut, Muskel- und Stoffwechselvorgänge ohne Sauerstoffverbrauch abgewickelt. Das Zusammenwirken einer Reihe erstaunlicher Prozesse hatte im Verlauf von Jahrmillionen dafür gesorgt, dass die ehemaligen Landbewohner problemlos über Hunderte und Tausende Meter zwischen Oberfläche und Tiefe pendeln konnten, während die meisten Fische schon bei 100 Metern Schichtendifferenz in Lebensgefahr gerieten. Lucy sank weiter, 150 Meter, 200 Meter, und entfernte sich dabei konstant vom Festland.

»Bill? Jackie?«, sagte Ford über die Schulter zu den beiden Assistenten, ohne sich umzudrehen. »Kommt mal rüber und seht euch das an.«

Die Assistenten versammelten sich um die beiden Monitore.

»Sie geht runter.«

»Ja, ziemlich schnell. Schon drei Kilometer vom Festland entfernt. Das ganze Rudel schwimmt ins offene Meer hinaus.«

»Vielleicht wandern sie einfach weiter.«

»Aber warum so tief?«

»Weil nachts das Plankton absinkt, war's nicht so? Und der Krill. Die ganzen Leckereien verziehen sich nach unten.«

»Nein.« Ford schüttelte den Kopf. »Das macht für andere Wale Sinn, aber nicht für Bodenfresser. Sie haben keinen Grund …«

»Seht euch das an! 300 Meter.«

Ford lehnte sich zurück. Grauwale waren nicht besonders schnell. Durchaus fähig zu einem kurzen Spurt, ansonsten mit zehn Stundenkilometern im oberen Bereich. Solange es keinen Grund zur Flucht gab oder sie auf Wanderschaft gingen, dümpelten sie träge dahin.

Was trieb die Tiere an?

Er war nun sicher, anomales Verhalten zu beobachten. Grauwale lebten fast ausschließlich von Bodentieren. Wenn sie wanderten, waren sie nie weiter als zwei Kilometer von der Küste entfernt, meist weit näher dran. Ford wusste nicht, wie ihnen eine Tauchtiefe von 300 Metern bekommen würde. Wahrscheinlich gut. Es war nur einfach ungewöhnlich, dass sich die Grauen tiefer als 120 Meter wagten.

Sie starrten auf die Bildschirme.

Plötzlich erstrahlte etwas am unteren Rand des virtuellen Gitterwerks. Ein grüner Blitz, der kurz aufflammte und wieder erlosch.

Ein Spektrogramm! Die optische Darstellung von Schallwellen.

Dann noch einmal.

»Was ist das?«

»Geräusche! Ein ziemlich starkes Signal.«

Ford hielt die Aufzeichnung an und ließ das Programm zurückfahren. Sie betrachteten die Sequenz ein zweites Mal.

»Es ist sogar ein enorm starkes Signal«, sagte er. »Wie von einer Sprengung.«

»Es gibt hier keine Sprengungen, und außerdem würden wir eine Sprengung hören. Das hier ist Infraschall.«

»Weiß ich auch. Ich sagte ja nur, *wie* von einer ...«

»Da! Da ist es wieder!«

Die grünen Punkte im Koordinatenraum waren zum Stillstand gekommen. Der starke Ausschlag wiederholte sich ein drittes Mal, dann war er verschwunden.

»Sie haben gestoppt.«

»Wie tief sind sie?«

»360 Meter.«

»Unglaublich. Was machen die bloß da unten?«

Fords Blick wanderte hinüber zum linken Monitor mit der Videoaufzeichnung des *URA*. Zu dem schwarzen Monitor. Sein Mund öffnete sich und wollte sich nicht mehr schließen.

»Seht euch das mal an«, flüsterte er.

Der Monitor war nicht mehr schwarz.

Anawak empfand Franks Gesellschaft als höchst entspannend. Sie schlenderten den Strand zum *Wickaninnish Inn* entlang. Eine Weile hatten sie über das Umweltprojekt gesprochen, in dem Frank sich engagierte. Eigentlich war der *taayii hawil* Inhaber eines Restaurants, hineingeboren in eine Familie von Fischern. Aber die Tla-o-qui-aht hatten eine Initiative ins Leben gerufen, um die Folgen des Kahlschlags zu mildern. *Salmon Coming Home* stand für den Versuch, das komplexe Ökosystem des Clayoquot Sound wieder auf seine Ursprünge zurückzuführen. Die Holzindustrie hatte große Teile davon vernichtet. Niemand unter den Tla-o-qui-aht gab sich der Illusion hin, den verschwundenen Regenwald zurückbringen zu können, aber es gab genug anderes zu tun. Dem Kahlschlag war es zuzuschreiben, dass Waldboden nun in der Sonne verdorrte und durch starke Regenfälle abgetragen wurde. Er wurde in Flüsse und Seen gespült, die er zusammen mit Steinen und Resten gefällter Riesenbäume verstopfte, sodass die Lachse keinen Platz mehr zum Laichen fanden und allmählich verschwanden, was wiederum anderen Tieren die Nahrungsgrundlage entzog. Im Restaurationscamp von *Salmon Coming Home* wurden darum Freiwillige ausgebildet, um Flüsse zu säubern und stillgelegte Straßen und Wege zu durchbrechen, die ihren Lauf blockierten. Entlang der Wasserläufe errichtete man Schutzwälle aus organischem Abfall und bepflanzte sie mit schnell wachsenden Erlen. Langsam brachten die Aktivisten so etwas von dem zurück, was einmal das Gleichgewicht zwischen Wald, Tier und Mensch ausgemacht hatte, mit unermüdlicher Tatkraft und ohne Hoffnung auf einen schnellen Erfolg.

»Du weißt, dass euch eine Menge Leute anfeinden, weil ihr wieder Wale jagen wollt«, sagte Anawak nach einer Weile.

»Und du?«, sagte Frank. »Was hältst du davon?«

»Es ist nicht sehr weise.«

Frank nickte versonnen. »Da hast du vielleicht Recht. Die Wale sind geschützt, warum sollte man sie jagen. Es gibt auch unter uns viele, die gegen eine Wiederaufnahme des Walfangs sind. Wer weiß schon noch, wie man einen Wal fängt. Wer geht noch hin und unterwirft sich dem *ʔuusimch*, der spirituellen Vorbereitung? Andererseits haben wir seit beinahe hundert Jahren keinen Wal mehr gefangen, und wenn wir heute davon reden, sprechen wir von fünf oder sechs Tieren. Das ist eine unbedeutende Quote. Wir sind wenige. Unsere Vorfahren haben von den Walen gelebt. Die Walfänger unterzogen sich monate- und jahrelangen Ritualen. Sie haben ihren Geist gereinigt, bevor sie auf Walfang gingen, um würdig zu sein für das Geschenk des Lebens, das der Wal ihnen machte. Sie haben auch nicht den erstbesten Wal harpuniert, sondern den, der für sie und für den sie bestimmt waren vermittels einer geheimnisvollen Kraft, einer Vision, in der Wal und Fänger einander erkannten. Verstehst du? Es ist diese Spiritualität, die wir erhalten wollen.«

»Andererseits bringt ein Wal einen Haufen Geld«, sagte Anawak. »Der Fischerei-Manager der Makah hat den Wert eines Grauwals mit einer halben Million US-Dollar veranschlagt. Er hat unverblümt darauf hingewiesen, dass Fleisch und Öl in Übersee hoch geschätzt würden, und damit hat er natürlich Asien gemeint. Im selben Atemzug betont er die wirtschaftlichen Probleme der Makah und die hohe Arbeitslosigkeit. Das ist nicht sehr geschickt. Plump sogar. Von Spiritualität keine Spur.«

»Auch richtig, Leon. Sieh es, wie du willst, ob die Makah nun aus ehrlicher Liebe zur Tradition oder aus Geldgier wieder jagen wollen – fest steht, dass sie ein verbrieftes Recht nicht wahrnahmen und in dieser Zeit die Weißen die Bestände ausrotteten. Auch nicht gerade aus spirituellen Gründen, oder? Die Weißen waren es, die damit angefangen haben, Leben als Ware zu betrachten. So haben wir nie gedacht. Und jetzt, nachdem sich alle bedient haben, wagt es einer von uns, über Geld zu sprechen, und man fällt über uns her, als würde das Überleben der Natur einzig von uns abhängen. Fällt dir nichts auf? Immer leben die Naturvölker wohl dosiert von etwas, das die Weißen dann verschwenden. Haben sie es verschwendet, reiben sie sich die Augen und wollen es plötzlich schützen. Also schützen sie es vor denen, vor denen es nie geschützt werden musste, und spielen sich auf. Nationen wie Japan und Norwegen sind schuld, wenn weiterhin Wale ausgerottet werden, aber sie dürfen ungehindert hinausfahren und ihre Harpunen verschießen. Wir trugen nie Schuld an der Ausrottung einer Art, aber bestraft werden nun wir. So ist es immer. So ist es auf der ganzen Welt.«

Anawak schwieg.

»Wir sind ein ratloses Volk«, sagte Frank. »Vieles hat sich verbessert. Und doch denke ich oft, dass wir in einem Konflikt gefangen sind, den wir kaum alleine werden meistern können. Hatte ich dir erzählt, dass ich nach jedem Fischzug, nach jedem Geschäft, das ich erfolgreich abschließe, nach jedem Fest eine Kleinigkeit abzweige und dem Raben gebe, weil der Rabe immer hungrig ist?«

»Nein. Das hattest du nicht.«

»Wusstest du es?«

»Nein.«

»Der Rabe ist nicht mal die Hauptfigur der Mythen unserer Insel, da musst du höher hinauf zu den Haida und Tlingit. Bei uns findest du eher die Geschichten von Kánekelak, dem Transformer. Aber auch der Rabe ist uns lieb. Die Tlingit sagen, er spricht für die Armen, so wie es Jesus Christus tat. Also zweige ich ein Stückchen Fleisch oder Fisch ab für den nimmersatten Raben, der einst ein Sohn der Tiermenschen war und von seinem Vater Ashamed in die Rabenhaut gesteckt und Wigyét genannt wurde. Wigyét wurde in die Welt geschickt, nachdem er sein Dorf arm gefressen hatte. Er bekam einen Stein mit auf den Weg, damit er einen Platz habe, um sich auszuruhen, und aus dem Stein wurde das Land, auf dem wir leben. Er stahl durch einen Trick das Sonnenlicht und brachte es auf die Erde. Ich gebe dem Raben, was des Raben ist. Andererseits weiß ich, dass Raben das Resultat eines evolutionsgeschichtlichen Prozesses sind, an dessen Beginn Proteine, Aminosäuren und einzellige Organismen standen. Ich liebe unsere Schöpfungsmythen, aber ich sehe auch fern und lese und weiß, was ein Urknall ist. – Und auch die Christen wissen das und erzählen dennoch in ihren Kirchen von den sieben Tagen der Schöpfung und von den zehn Geboten. Aber sie konnten sich den Luxus eines langsamen Umdenkens leisten und über Jahrhunderte einen Weg finden, Mythologie und moderne Wissenschaft harmonisch zu vereinen. Uns hingegen hat man dies innerhalb kürzester Zeit zugemutet. Wir sind in eine Welt geworfen worden, die nicht unsere war und niemals werden konnte. Nun kehren wir zurück in unsere Welt und stellen fest, dass sie uns fremd geworden ist. Das ist der Fluch der Entwurzelung, Leon. Du bist am Ende nirgendwo mehr heimisch, nicht in der Fremde und nicht in der Heimat. Die Indianer sind entwurzelt worden. Die Weißen tun mittlerweile ihr Bestes, alles wieder gutzumachen, aber wie sollen sie uns helfen, da sie sich selber entwurzelt haben? Sie zerstören die Welt, die sie hervorgebracht hat. Auch sie haben ihre Heimat verspielt. Auf die eine oder andere Weise haben wir das alle.«

Frank sah Anawak lange an. Dann grinste er wieder sein knitteriges Grinsen.

»War das nicht ein schöner, pathetischer Indianervortrag, mein Freund? Komm, lass uns was trinken gehen. Ach, zu dumm – du trinkst ja nicht.«

1. mai

Eigentlich hatten sie sich in der Cafeteria treffen wollen, bevor sie gemeinsam hochgingen zum großen Palaver, aber Lund erschien nicht. Johanson trank einen Kaffee und sah den Zeigern der Uhr hinter der Theke zu, wie sie über das Zifferblatt krochen. Mit ihnen krochen die Würmer, ebenso stoisch und unbeirrbar, ohne innezuhalten. Mit jeder Sekunde bohrten sie sich tiefer ins Eis, jetzt in diesem Moment, ohne dass es eine Möglichkeit gab, sie aufzuhalten.

Johanson fröstelte.

Die Zeit verstreicht nicht, sie läuft ab, flüsterte eine Stimme in ihm.

Der Beginn von etwas.

Ein Plan. Alles ist gesteuert …

Abwegiger Gedanke. Wessen Plan? Was planten Heuschrecken, wenn sie die Ernte eines Sommers wegfraßen? Nichts. Sie kamen, und sie hatten Hunger. Was planten Würmer, was planten Algen oder Quallen?

Was plante Statoil?

Skaugen war aus Stavanger hergeflogen. Er wollte einen detaillierten Bericht. Wie es aussah, war er ein Stück weitergekommen und drängte nun darauf, die Resultate zu vergleichen. Es war Lunds Idee gewesen, Johanson vorher unter vier Augen zu sprechen, um eine gemeinsame Position zu vertreten, aber nun trank er seinen Kaffee allein.

Wahrscheinlich war sie aufgehalten worden. Vielleicht von Kare, dachte er. Sie hatten auf dem Schiff und danach nicht mehr über ihr Privatleben gesprochen, und Johanson hatte es vermieden, sie danach zu fragen. Er hasste Aufdringlichkeit und Indiskretion, und augenblicklich schien sie alle Zeit für sich selbst zu brauchen.

Sein Handy schellte. Es war Lund.

»Wo zum Teufel bist du?«, rief Johanson. »Ich musste deinen Kaffee mittrinken.«

»Tut mir Leid.«

»So viel Kaffee bekommt mir nicht. Im Ernst, was ist los?«

»Ich bin schon oben im Konferenzraum. Ich hatte die ganze Zeit vor, dich anzurufen, aber wir waren außerordentlich beschäftigt.«

Ihre Stimme klang seltsam.

»Ist alles in Ordnung?«, fragte Johanson.

»Klar. Magst du hochkommen? Du kennst ja mittlerweile den Weg.«

»Ich bin gleich da.«

Lund war also schon im Haus. Dann hatten sie wohl etwas besprochen, was nicht für Johansons Ohren bestimmt war.

Wenn schon. Es war ihr verdammtes Bohrprojekt.

Als er den Konferenzraum betrat, standen Lund, Skaugen und Stone vor einer großen Karte, die das Areal der geplanten Bohrung zeigte. Der Projektleiter redete unterdrückt auf Lund ein. Sie wirkte genervt. Auch Skaugen machte kein glückliches Gesicht. Er wandte den Kopf, als Johanson hereinkam, und ließ ein halbherziges Lächeln um seine Mundwinkel spielen. Hvistendahl stand im Hintergrund und telefonierte.

»Bin ich zu früh?«, fragte Johanson vorsichtig.

»Nein, es ist gut, dass Sie kommen.« Skaugen wies auf den schwarz polierten Tisch. »Setzen wir uns.«

Lund hob den Blick. Erst jetzt schien sie Johanson zu bemerken. Sie ließ Stone mitten im Wort stehen, kam zu ihm herüber und küsste ihn auf die Wange.

»Skaugen will Stone abservieren«, flüsterte sie. »Du musst uns dabei helfen, hörst du?«

Johanson ließ sich nichts anmerken. Sie wollte, dass er Stimmung machte. War sie verrückt geworden, ihn in diese Situation zu bringen?

Sie nahmen Platz. Hvistendahl klappte sein Handy zu. Am liebsten wäre Johanson gleich wieder gegangen, um sie mit ihren Problemen allein zu lassen. Unterkühlt sagte er: »Nun, vorweg, ich habe gezielter recherchiert als ursprünglich besprochen. Soll heißen, ich habe speziell Forscher und Institute ausgesucht, die ihrerseits Aufträge von Energieunternehmen erhalten oder von diesen konsultiert werden.«

»War das klug?«, fragte Hvistendahl erschrocken. »Ich dachte, wir wollten möglichst unauffällig in den … ähm, Wald hineinhorchen.«

»Der Wald war zu groß. Ich musste ihn eingrenzen.«

»Sie haben hoffentlich niemandem gesagt, dass wir …«

»Keine Bange. Ich habe einfach nur nachgefragt. Ein neugieriger Biologe der NTNU.«

Skaugen schürzte die Lippen. »Ich schätze, Sie wurden mit Informationen nicht gerade überschüttet.«

»Wie man's nimmt.« Johanson deutete auf die Kladde mit den Ausdrucken. »Zwischen den Zeilen schon. Wissenschaftler sind schlechte Lügner, sie hassen es, Politik zu machen. Was ich hier habe, ist ein Dossier der Zwischentöne. Hier und da kann man den Maulkorb förmlich sehen. Jedenfalls bin ich der unabdingbaren Überzeugung, dass unser Wurm schon anderswo aufgefallen ist.«

»Sie sind überzeugt?«, fragte Stone. »Aber Sie wissen es nicht.«

»Bislang hat es niemand direkt zugegeben. Aber ein paar Leute wurden plötzlich sehr neugierig.« Johanson sah Stone direkt an. »Ausnahmslos Forscher, deren Institute eng mit der Rohstoffindustrie zusammenarbeiten. Einer davon befasst sich sogar explizit mit dem Abbau von Methan.«

»Wer?«, fragte Skaugen scharf.

»Jemand in Tokio. Ein gewisser Ryo Matsumoto. Sein Institut, genauer gesagt. Mit ihm selber habe ich nicht gesprochen.«

»Matsumoto? Wer soll das sein?«, fragte Hvistendahl.

»Nippons führender Hydratforscher«, erwiderte Skaugen. »Er hat schon vor Jahren in den kanadischen Permafrostböden Probebohrungen durchgeführt, um ans Methan zu kommen.«

»Als ich seinen Leuten die Daten über den Wurm schickte, wurden sie ungemein hektisch«, führte Johanson weiter aus. »Sie stellten Gegenfragen. Sie wollten wissen, ob der Wurm in der Lage sei, Hydrat zu destabilisieren. Und ob er in größerer Anzahl aufgetreten ist.«

»Das muss nicht zwangsläufig heißen, dass Matsumoto über den Wurm Bescheid weiß«, sagte Stone.

»Doch. Weil er für die JNOC arbeitet«, knurrte Skaugen.

»Die *Japan National Oil Corporation*? Die sind in Sachen Methan unterwegs?«

»Und wie. Matsumoto hat 2000 angefangen, im Nankai-Trog verschiedene Fördertechniken zu erproben. Über die Testergebnisse wurde Stillschweigen bewahrt, aber seitdem lässt er gerne verlauten, schon in wenigen Jahren mit dem kommerziellen Abbau beginnen zu wollen. Er singt das Hohelied des Methanzeitalters wie kein Zweiter.«

»Na schön«, sagte Stone. »Aber er hat nicht bestätigt, den Wurm gefunden zu haben.«

Johanson schüttelte den Kopf. »Stellen Sie sich unser Detektivspielchen doch mal umgekehrt vor. Wir würden gefragt. Namentlich ich als Repräsentant der sogenannten unabhängigen Forschung. Der Betreffende, ebenfalls ein freier Forscher und zugleich Berater der JNOC, schiebt wissenschaftliche Neugierde vor, irgendwas. Ich werd's ihm natürlich nicht auf die Nase binden, dass wir über die Viecher Bescheid wissen. Aber ich bin aufgeschreckt. Ich will wissen, was *er* herausgefunden hat. Also werde ich ihn ausquetschen, so wie Matsumotos Leute mich gelöchert haben, und dabei mache ich einen Fehler. Ich stelle allzu konkrete Fragen. Zu gezielt. Wenn mein Gesprächspartner nicht blöde ist, wird er schnell dahinter kommen, dass er bei mir ins Schwarze getroffen hat.«

»Wenn das stimmt«, sagte Lund, »haben wir das gleiche Problem vor Japan.«

»Das sind keine Beweise«, beharrte Stone. »Sie haben keinen einzigen Beweis, Dr. Johanson, dass außer uns noch jemand auf den Wurm gestoßen ist.« Er beugte sich vor. Die Ränder seiner Brille blitzten auf. »Mit dieser Art Information kann niemand etwas anfangen. Nein, Dr. Johanson! Die Wahrheit ist, dass kein Mensch das Auftreten des Wurms voraussehen konnte, weil er eben nirgendwo sonst aufgetreten ist. Wer sagt Ihnen, dass Matsumoto nicht einfach interessiert ist?«

»Mein Bauch«, erwiderte Johanson ungerührt.

»Ihr ... Bauch?«

»Er sagt mir auch, dass da noch mehr ist. Auch die Südamerikaner haben den Wurm gefunden.«

»Ach ja?«

»Ja.«

»Also die haben Ihnen auch merkwürdige Fragen gestellt?«

»Genau.«

»Sie enttäuschen mich, Dr. Johanson.« Stone verzog spöttisch die Mundwinkel. »Ich dachte, Sie seien Wissenschaftler. Seit wann geben Sie sich mit Ihrem Bauch zufrieden?«

»Cliff«, sagte Lund, ohne Stone anzusehen. »Du hältst am besten einfach mal die Schnauze.«

Stone riss die Augen auf und schaute Lund empört an.

»Ich bin dein Boss«, bellte er. »Wenn hier einer die Schnauze hält ...«

»Schluss!« Skaugen hob die Hände. »Ich will kein Wort mehr hören.«

Johanson musterte Lund, die ihre Wut nur mühsam unterdrückte. Er fragte sich, was Stone ihr getan hatte. Seine notorische Missgestimmtheit konnte nicht der einzige Grund für ihren Ärger sein.

»Wie auch immer, ich denke, Japan und Südamerika halten Informationen zurück«, sagte er. »Ebenso wie wir. Nun ist es erheblich einfacher, verlässliche Daten über Meerwasseranalysen zu bekommen als über Tiefseewürmer. Allerorten wird aus irgendwelchen Gründen Wasser analysiert. Zu diesem Thema konnte ich also weitere Quellen anzapfen. Und die haben's bestätigt.«

»Was?«

»Ungewöhnlich hohe Methankonzentrationen in der Wassersäule. Es würde passen.« Johanson zögerte. »Was die Japaner betrifft – entschuldigen Sie die häufigen Zuwortmeldungen meines Bauches, Dr. Stone –, hatte ich übrigens noch so ein Gefühl. Mir schien, als wollten mich Matsumotos Leute die Wahrheit wissen lassen. Sie haben sich zur Zurückhaltung verpflichtet. Aber wenn Sie meine ehrliche Meinung hören wollen: Kein freier Forscher, kein Institut käme auf die Idee, mit Informationen zu taktieren, die für viele Menschen überlebenswichtig sein könnten. Es gibt keinen vertretbaren Grund, so etwas zurückzuhalten. Dazu kommt es nur, wenn ...«

Er breitete die Hände aus und ließ den Satz unvollendet. Skaugen sah ihn unter zusammengezogenen Brauen an.

»Wenn wirtschaftliche Interessen auf dem Spiel stehen«, ergänzte er. »Das wollten Sie doch sagen.«

»Ja. Das wollte ich sagen.«

»Gibt es noch etwas, das Sie Ihrem Bericht hinzufügen möchten?«

Johanson nickte und zog einen Ausdruck aus seiner Kladde. »Ungewöhnlich hohe Methanaustritte verzeichnen wir offenbar nur in drei Regionen der Welt. In Norwegen, Japan und im lateinamerikanischen Osten. Dann gibt es aber auch noch Lukas Bauer.«

»Bauer? Wer ist das?«, fragte Skaugen.

»Er untersucht Meeresströmungen vor Grönland. Er lässt Drifter mit der Strömung treiben und zeichnet die Daten auf. Ich habe ihm eine Nachricht auf sein Schiff geschickt. Das hat er geantwortet.« Johanson las vor: »*Lieber Kollege, Ihr Wurm ist mir unbekannt. Aber tatsächlich messen wir vor Grönland exzeptionelle Methanausstöße an unterschiedlichen Stellen. Hohe Konzentrationen gelangen ins Meer. Möglicherweise besteht ein Zusammenwirken mit Diskontinuitäten, die wir hier beobachten. Böse Sache, sollten wir Recht behalten. Sehen Sie mir die mangelnde Detaillierung nach, ich bin außerordentlich beschäftigt. Anbei eine Datei mit einem ausführlichen Bericht von Karen Weaver. Sie ist Journalistin und geht mir hier zur Hand und auf die Nerven. Tüchtiges Mädchen. Bei Rückfragen hilft sie Ihnen gerne weiter. Nehmen Sie Kontakt auf über kweaver@deepbluesea.com.«*

»Was für Diskontinuitäten meint er denn?«, fragte Lund.

»Keine Ahnung. Ich hatte seinerzeit in Oslo den Eindruck, dass Bauer etwas zerstreut ist. Liebenswürdig, aber die Hochpotenz unseres Berufsstandes. Die versprochene Datei hat er folgerichtig vergessen hinzuzufügen. Ich habe zurückgemailt, bis jetzt aber noch keine Antwort erhalten.«

»Wir sollten vielleicht herausfinden, woran Bauer arbeitet«, sagte Lund. »Bohrmann müsste das wissen, oder?«

»Ich schätze, die Journalistin weiß es«, sagte Johanson.

»Karen …?«

»Karen Weaver. Der Name kam mir bekannt vor, aus gutem Grund. Ich hatte schon einiges von ihr gelesen. Interessante Vita, Studium der Informatik, Biologie und Sport. Ihr Schwerpunkt sind marine Themen, ihr Interesse gilt den großen Zusammenhängen. Vermessung der Meere, Plattentektonik, Klimawandel … zuletzt hat sie über Meeresströmungen geschrieben. – Was Bohrmann betrifft, den rufe ich sowieso an, wenn er sich bis Ende der Woche nicht gemeldet hat.«

»Und wohin führt uns das alles?«, fragte Hvistendahl in die Runde.

Skaugens blaue Augen hefteten sich auf Johanson.

»Sie haben ja gehört, was Dr. Johanson gesagt hat. Die Industrie macht sich der Lumperei schuldig, weil sie Informationen für sich behält, die über Wohl und Wehe der Menschheit entscheiden könnten. Dem ist diskussionslos beizupflichten. Gestern Nachmittag hatte ich also ein maßgebliches Gespräch mit unserer obersten Heeresleitung, in dessen Verlauf ich eine klare Empfehlung aussprach. Statoil hat sofort im Anschluss daran die norwegische Regierung informiert.«

Stones Kopf ruckte hoch. »Was? Worüber denn, wir haben doch noch gar kein definitives Ergebnis vorliegen und kein …«

»Über die Würmer, Clifford. Über die Zersetzung der Methanvorkommen. Über die Gefahr eines Methan-GAUs. Über die Möglichkeit einer unterseeischen Rutschung. Stell dir vor, sogar die Begegnung des Tauchroboters mit nichtidentifizierbaren Lebewesen wurde einer Erwähnung für wert befunden. Für meinen Geschmack sind das Ergebnisse genug.« Skaugen blickte finster in die Runde. »Es wird Dr. Johanson freuen zu hören, dass sein Bauch ein sicherer Indikator für die Wirklichkeit ist. Heute Morgen hatte ich das Vergnügen, eine Stunde mit dem Technischen Vorstand der JNOC zu telefonieren. Natürlich ist die JNOC über jeden Zweifel erhaben. Nehmen wir darum nur mal hypothetisch an, Japan sei dermaßen wild auf eine Vormachtstellung in der Methanförderung, dass sie alles daransetzen, es als Erste zu schaffen. Geben wir zweitens der weltfremden Vorstellung Raum, sie würden dafür gewisse Risiken in Kauf nehmen und fachlicherseits geäußerte Bedenken unter den Tisch kehren.« Skaugens Blick wanderte zu Stone. »Attestieren wir zudem den unwahrscheinlichen und geradezu absurden Fall, dass es tatsächlich Menschen gibt, die aus purem Ehrgeiz Gutachten verschweigen und Warnungen ignorieren. Träfe all das zu, wie schrecklich! Dann müssten wir der JNOC unterstellen, in skandalöser Weise Stillschweigen über einen Wurm gewahrt zu haben, der ihren Traum von der Methannation Nummer eins über Nacht platzen lassen könnte. Dann hätten sie wochenlang geschwiegen.«

Niemand sagte etwas. Skaugen bleckte die Zähne. »Aber wir wollen nicht so streng sein. Wie hätte es schließlich ausgesehen, wenn Neil Armstrong in der Kapsel geblieben wäre bloß wegen eines blöden Wurms? Und wie gesagt, das sind ohnehin nur Unterstellungen. So hat mir die JNOC glaubhaft versichert, dass man in der Tat ähnliche Tiere aus der japanischen See gezogen habe, aber entdeckt hat man sie sage und schreibe erst vor drei Tagen. Ist das nicht allerhand?«

»So eine Scheiße«, sagte Hvistendahl leise.

»Und was gedenkt die JNOC zu unternehmen?«, fragte Lund.

»Oh, ich schätze, sie werden ihre Regierung informieren. Sie sind ja staatlich, genau wie wir. Nachdem sie jetzt wissen, was wir alles wissen, können sie es sich kaum leisten, damit hinterm Berg zu halten. Was – pardon! – natürlich niemand will, weder hier noch da. Und ich bin sicher, würde man heute die Südamerikaner auf das nämliche Thema ansprechen, könnte es glatt geschehen, dass denen morgen auch so ein Wurm ins Netz geht. Was werden die staunen! Sie werden sofort anrufen und es uns mitteilen. – Und damit niemand auf die Idee kommt, ich würde hier nur die anderen anpinkeln: Wir sind nicht besser.«

»Na ja«, sagte Hvistendahl.

»Anderer Meinung?«

»Wie kritisch die Situation ist, wissen wir erst seit kurzem.« Hvistendahl wirkte verärgert. »Außerdem habe ich selber empfohlen, die Regierung zu verständigen.«

»Dir mache ich auch gar keinen Vorwurf«, sagte Skaugen gedehnt.

Johanson begann sich zu fühlen wie in einem Schauspiel. Skaugen inszenierte Stones Hinrichtung, so viel hatte er verstanden. Auf Lunds Gesicht breitete sich grimmige Zufriedenheit aus.

Aber war es nicht Stone gewesen, der den Wurm gefunden hatte?

»Clifford«, sagte Lund in die plötzlich entstandene Stille hinein. »Wann genau ist dir der Wurm das erste Mal begegnet?«

Stones Gesichtsfarbe wurde eine Spur fahler.

»Das weißt du doch«, sagte er. »Du warst dabei.«

»Und vorher nie?«

Stone sah sie an. »Vorher?«

»Vorher. Im letzten Jahr. Als du in Eigenregie den Kongsberg-Prototyp auf Grund gesetzt hast. In eintausend Metern Tiefe.«

»Was soll das?«, zischte Stone. Er sah zu Skaugen hinüber. »Das war kein Alleingang. Ich hatte Rückendeckung. He, Finn, verdammt nochmal, was soll mir hier eigentlich unterstellt werden?«

»Sicher hattest du Rückendeckung«, sagte Skaugen. »Du hast vorgeschlagen, eine neuartige Unterwasserfabrik zu testen, die für eine maximale Tiefe von tausend Metern konzipiert war.«

»Genau.«

»Theoretisch konzipiert war.«

»Natürlich theoretisch. Bis zum ersten Versuch ist immer alles theoretisch. Ihr habt aber praktisch grünes Licht gegeben.« Stone sah Hvistendahl an. »Du auch, Thor. Ihr habt das Ding im Becken getestet und euer Okay gegeben.«

»Das stimmt«, sagte Hvistendahl. »Das haben wir.«

»Na also.«

»Wir hatten dich beauftragt«, fuhr Skaugen fort, »das Gebiet zu untersuchen und eine Expertise zu erstellen, ob es wirklich ratsam sei, eine nicht hinreichend erprobte Anlage …«

»Das ist eine Schweinerei!«, fuhr Stone auf. »Ihr habt die Anlage genehmigt.«

»… testweise in Betrieb zu nehmen. Ja, das Risiko haben wir verantwortet. Unter der Voraussetzung, dass alle Gutachten eindeutig dafür sprechen.«

Stone sprang auf.

»Das haben sie ja auch«, schrie er, zitternd vor Erregung.

»Setz dich wieder hin«, sagte Skaugen kühl. »Es wird dich interessieren zu hören, dass gestern Abend jeder Kontakt zum Kongsberg-Prototyp abgerissen ist.«

»Das …« Stone erstarrte. »Ich bin nicht direkt mit der Überwachung vertraut. Ich habe die Fabrik nicht konstruiert, nur vorangetrieben. Was wirfst du mir eigentlich vor? Dass ich es noch nicht weiß?«

»Nein. Aber wir haben unter dem Druck der Ereignisse auch die damalige Installation des Kongsberg-Prototyps genauestens rekonstruiert. Und dabei stießen wir auf zwei Gutachten, die du seinerzeit … tja, wie soll ich sagen? Vergessen hast?«

Stones Finger krallten sich um die Tischplatte. Einen Moment lang glaubte Johanson tatsächlich, den Mann stürzen zu sehen. Stone wankte. Dann fing er sich, setzte eine ausdruckslose Miene auf und ließ sich langsam zurück auf den Stuhl sinken.

»Davon weiß ich nichts.«

»Eines besagt, dass die Verteilung der Hydrate und Gasfelder in diesem Gebiet schwer zu kartographieren ist. Es heißt in dem Bericht, das

Risiko, im Verlauf einer Ölbohrung auf freies Gas zu stoßen, sei zwar verschwindend gering, aber nicht hundertprozentig auszuschließen.«

»Es war so gut wie auszuschließen«, sagte Stone heiser. »Und das Ergebnis übertrifft seit einem Jahr alle Erwartungen.«

»*So gut wie* ist nicht hundertprozentig.«

»Aber wir haben kein Gas angebohrt! Wir fördern Öl. Die Fabrik funktioniert, das Kongsberg-Projekt ist ein voller Erfolg. So erfolgreich, dass ihr beschlossen habt, den Nachfolger zu bauen, und diesmal offiziell.«

»Aus dem zweiten Gutachten«, sagte Lund, »geht hervor, dass ihr auf einen bis dahin unbekannten Wurm gestoßen seid, der sich im Hydrat eingenistet hatte.«

»Ja, zum Teufel. Es war der Eiswurm.«

»Hast du ihn untersucht?«

»Wieso denn ich?«

»Habt *ihr* ihn untersucht?«

»Es war … sicher haben wir ihn untersucht.«

»Das Gutachten sagt, der Wurm sei nicht eindeutig als Eiswurm identifiziert worden. Er sei in großer Anzahl angetroffen worden. Sein Einfluss auf die lokalen Gegebenheiten könne nicht eindeutig festgestellt werden, allerdings sei in seinem unmittelbaren Umfeld Methan ins Wasser entwichen.«

Stone war wachsweiß geworden. »Das ist so nicht … nicht ganz richtig. Die Tiere kamen in einem sehr begrenzten Gebiet vor.«

»Dort aber massenweise.«

»Wir haben abseits davon gebaut. Ich habe diesem Gutachten … es hatte keine echte Relevanz.«

»Habt ihr den Wurm klassifizieren können?«, fragte Skaugen ruhig.

»Wir waren uns sicher, dass es …«

»Habt ihr ihn *klassifizieren* können?«

Stones Kiefer mahlten. Er kam Johanson vor, als ob er Skaugen im nächsten Moment an die Gurgel gehen würde.

»Nein«, presste er nach einer längeren Pause hervor.

»Gut«, sagte Skaugen. »Cliff, du bist vorläufig von allen Aufgaben entbunden. Tina wird deinen Job übernehmen.«

»Das kannst du nicht …«

»Wir reden später darüber.«

Stone sah Hilfe suchend zu Hvistendahl, doch der starrte geradeaus.

»Thor, verdammt nochmal, die Fabrik funktioniert doch.«

»Du bist ein Idiot«, sagte Hvistendahl tonlos.

Stone wirkte vollkommen entgeistert. Sein Blick wanderte von einem zum anderen.

»Es tut mir Leid«, sagte er. »Ich wollte nicht ... Ich wollte wirklich nur, dass wir mit der Fabrik weiterkommen.«

Johanson fühlte sich peinlich berührt. Darum also war Stone die ganze Zeit über so bemüht gewesen, die Rolle der Würmer herunterzuspielen. Er wusste, dass er damals einen Fehler begangen hatte. Er hatte der Erste sein wollen, der einen Prototyp erfolgreich in Funktion nahm. Die Unterwasserfabrik war Stones Baby. Sie stellte eine einmalige Chance für ihn dar, Karriere zu machen.

Eine Weile hatte es funktioniert. Ein erfolgreiches Jahr mit einem inoffiziellen Test, dann die offizielle Inbetriebnahme, am Ende eine Serie und der Vorstoß in immer neue Tiefen. Es hätte Stones persönlicher Triumphzug werden können. Aber dann tauchten die Würmer ein zweites Mal auf. Und diesmal beschränkten sie sich nicht auf wenige Quadratmeter.

Plötzlich tat er Johanson beinahe Leid.

Skaugen rieb sich die Augen.

»Es ist mir unangenehm, Sie mit alldem zu behelligen, Dr. Johanson«, sagte er. »Aber Sie sind im Team.«

»Ja. Offensichtlich.«

»Überall auf der Welt laufen die Dinge aus dem Ruder. Unglücksfälle, Anomalien ... Die Leute sind dünnhäutig geworden, und Ölkonzerne geben gute Sündenböcke ab. Wir dürfen jetzt keinen Fehler machen. Können wir weiterhin auf Sie zählen?«

Johanson seufzte. Dann nickte er.

»Das ist gut. Wir haben eigentlich auch nichts anderes von Ihnen erwartet. – Missverstehen Sie mich nicht, es ist ganz alleine Ihre Entscheidung! Aber Sie werden vielleicht noch mehr Zeit investieren müssen in Ihre Aufgabe als Wissenschaftlicher Koordinator, und so haben wir uns erlaubt, vorsorglich mit der NTNU darüber zu sprechen.«

Johanson richtete sich auf. »Sie haben was?«

»Um offen zu sein, wir haben um Ihre vorübergehende Freistellung gebeten. Ich habe Sie außerdem in Regierungskreisen empfohlen.«

Johanson starrte zuerst Skaugen an, dann Lund.

»Augenblick mal«, sagte er.

»Es ist eine richtige Forschungsstelle«, warf Lund hastig ein. »Statoil stellt ein Budget, und du bekommst jede Unterstützung.«

»Ich hätte es vorgezogen ...«

»Sie sind verärgert«, sagte Skaugen. »Das verstehe ich. Aber Sie haben gesehen, wie dramatisch die Situation am Hang ist, und augenblicklich weiß kaum jemand besser darüber Bescheid als Sie und die Leute von Geomar. Sie können natürlich ablehnen, aber dann ... Bitte bedenken Sie, dass es eine Aufgabe im Interesse der Allgemeinheit wäre.«

Johanson wurde beinahe schlecht vor Zorn. Er fühlte eine scharfe Erwiderung aufsteigen und schluckte sie hinunter.

»Verstehe«, sagte er steif.

»Und wie lautet Ihre Entscheidung?«

»Dieser Aufgabe werde ich mich natürlich nicht verschließen.«

Er warf Lund einen Blick zu, von dem er hoffte, dass er sie zumindest durchbohrte, wenn nicht in Stücke schnitt. Sie hielt eine Weile stand, dann sah sie weg.

Skaugen nickte ernst. »Hören Sie, Dr. Johanson, Statoil ist Ihnen überaus dankbar. Alles, was Sie schon für uns getan haben, sichert Ihnen höchste Anerkennung. Aber vor allem eines sollten Sie wissen: Was mich persönlich angeht, haben Sie in mir einen Freund gewonnen. Wir haben Sie überfahren, was die NTNU angeht. Aber ich werde mich im Gegenzug für Sie überfahren lassen, wenn es vonnöten sein sollte. Ich lasse mich für Sie kreuzigen, okay?«

Johanson sah den bulligen Mann an. Er sah in Skaugens klare blaue Augen.

»Okay«, sagte er. »Ich komme darauf zurück.«

»Sigur. Jetzt bleib doch endlich mal stehen!«

Lund kam hinter ihm hergelaufen, aber Johanson stapfte weiter den gepflasterten Weg entlangt, der zum Parkplatz führte. Das Forschungszentrum lag mitten im Grünen, fast idyllisch platziert auf einem Hügel nahe den Klippen, aber Johanson hatte keinen Blick für landschaftliche Schönheiten. Er wollte nur zurück in sein Büro.

»Sigur!«

Sie holte auf. Er ging weiter.

»Was soll das, du sturer Hund?«, schrie sie. »Willst du im Ernst, dass ich dir hinterherrenne?«

Johanson blieb abrupt stehen und drehte sich zu ihr um. Fast wäre sie in ihn hineingelaufen.

»Warum nicht? Du bist doch sonst immer so schnell.«

»Idiot.«

»Ach ja? Du bist schnell im Reden, schnell im Denken, du bist sogar schnell genug, deine Freunde zu verplanen, bevor sie ja oder nein sagen können. Ein kleiner Sprint wird dich ja wohl kaum umbringen.«

Lund funkelte ihn zornig an.

»Du selbstgerechtes Arschloch! Glaubst du wirklich, ich wollte über dein verdammtes Eigenbrötlerleben bestimmen?«

»Nicht? Das beruhigt mich.«

Er ließ sie stehen und nahm seinen Gang wieder auf. Lund zögerte eine Sekunde, dann heftete sie sich an seine Seite.

»Okay, ich hätte es dir sagen sollen. Es tut mir Leid, wirklich.«

»Ihr hättet mich *fragen* können!«

»Das wollten wir doch, verdammt nochmal. Skaugen ist einfach mit der Tür ins Haus gefallen, du hast alles falsch verstanden.«

»Ich habe verstanden, dass ihr mich der Uni abgeschachert habt, als sei ich ein Gaul oder was.«

»Nein.« Sie packte seinen Jackenärmel und zwang ihn anzuhalten. »Wir haben in der Sache vorgefühlt, nichts weiter. Wir haben einfach nur wissen wollen, ob sie dich unbefristet freistellen, falls du ja sagst.«

Johanson schnaubte. »Das klang eben ganz anders.«

»Es ist unglücklich gelaufen. Herrgott, ich schwöre es dir. Was soll ich denn noch alles tun? Sag mir, was ich tun soll?«

Johanson schwieg. Sein Blick und ihrer wanderten gleichzeitig zu Lunds Fingern, die sich immer noch in den Stoff seiner Jacke krallten. Sie ließ los und sah ihn an.

»Keiner will dich überfahren. Wenn du es dir anders überlegst, auch gut. Dann eben nicht.«

Irgendwo sang ein Vogel. Vom Fjord her wehte der Wind die Geräusche weit entfernter Motorboote herüber.

»Falls ich es mir anders überlege«, sagte er schließlich, »stehst du nicht besonders gut da, oder?«

»Ach, das.« Sie strich seinen Jackenärmel glatt.

»Komm schon.«

»Mach dir keine Gedanken um mich. Damit muss ich dann halt leben. Ich hätte dich ja nicht zu empfehlen brauchen, es war meine eigene Entscheidung, und … na ja, du kennst mich. Ich bin halt vorgeprescht bei Skaugen.«

»Was hast du ihm gesagt?«

»Dass du es machen wirst.« Sie lächelte. »Ehrensache. Aber wie gesagt, das muss nicht dein Problem sein.«

Johanson fühlte, wie sein Zorn verrauchte. Er hätte gern noch eine

Weile daran festgehalten, einfach aus Prinzip, um Lund nicht so davonkommen zu lassen. Aber die Wut war aufgebraucht.

Sie schaffte es immer wieder.

»Skaugen vertraut mir«, sagte Lund. »Ich konnte dich nicht in der Cafeteria treffen. Wir hatten ein Vier-Augen-Gespräch, in dem er mir mitteilte, was sie in Stavanger über Stones vertuschte Gutachten herausgefunden hatten. Stone, dieser verdammte Mistkerl. Er ist an allem schuld. Hätte er damals mit offenen Karten gespielt, stünden wir jetzt anders da.«

»Nein, Tina.« Johanson schüttelte den Kopf. »Er hat nicht wirklich geglaubt, dass die Würmer eine Gefahr darstellen könnten.« Er mochte Stone nicht, aber plötzlich hörte er sich Worte der Verteidigung für den Projektleiter sagen. »Er wollte einfach weiterkommen.«

»Wenn er sie für ungefährlich hielt, warum hat er das Gutachten nicht einfach auf den Tisch gelegt?«

»Es hätte sein Projekt zurückgeworfen. Ihr hättet die Würmer ohnehin nicht ernst genommen. Aber natürlich hättet ihr eurer Pflicht Genüge tun und das Projekt aufschieben müssen.«

»Du siehst doch, dass wir die Würmer ernst nehmen.«

»Ja, jetzt, weil es zu viele sind. Ihr habt es mit der Angst bekommen. Aber Stone fand seinerzeit nur ein kleines Gebiet vor, richtig?«

»Hm.«

»Eine zwar dicht besiedelte, aber begrenzte Fläche. So was passiert alle Tage. Kleine Tiere kommen oft in Massen vor, und was sollen ein paar Würmer schon ausrichten? Ihr hättet gar nichts unternommen, glaub mir. Als sie im Mexikanischen Golf den Eiswurm entdeckt haben, ist auch nicht gleich der Notstand ausgerufen worden, obwohl die Viecher dicht an dicht im Hydrat saßen.«

»Es ist eine Frage des Prinzips, alles offen zu legen. Er hatte die Verantwortung.«

»Sicher«, seufzte Johanson. Er sah hinaus auf den Fjord. »Und jetzt habe ich die Verantwortung.«

»Wir brauchen einen wissenschaftlichen Leiter«, sagte Lund. »Ich würde niemandem vertrauen außer dir.«

»Du liebe Güte«, sagte Johanson. »Hast du irgendwas genommen?«

»Im Ernst.«

»Ich mach's ja.«

»Überleg mal«, strahlte Lund. »Wir können zusammenarbeiten.«

»Jetzt versuch nicht, es mir wieder auszureden. Was soll überhaupt als Nächstes geschehen?«

Sie zögerte. »Na ja, du hast ja gehört – Skaugen will mich an Stones Stelle setzen. Er kann das vorläufig so verfügen, aber nicht definitiv beschließen. Dafür braucht er die Zustimmung aus Stavanger.«

»Skaugen«, sinnierte Johanson. »Warum hat er Stone derart ans Kreuz genagelt? Was sollte ich dabei? Ihm die Munition liefern?«

Lund zuckte die Achseln. »Skaugen ist überaus integer. Manche finden, er übertreibt es ein bisschen mit der Integrität. Er sieht, wo überall die Augen zugekniffen werden, und es macht ihn wütend.«

»Wenn das stimmt, macht es ihn vor allem menschlich.«

»Im Grunde ist er weichherzig. Würde ich ihm vorschlagen, Stone eine letzte Chance zu geben, könnte er womöglich zustimmen.«

»Verstehe«, sagte Johanson gedehnt. »Und genau darüber denkst du nach.«

Sie antwortete nicht.

»Bravo. Du bist die Wohlfahrt in Person.«

»Skaugen hat mir die Wahl gelassen«, sagte Lund, ohne auf seinen Spott einzugehen. »Diese Unterwasserfabrik – Stone weiß immens viel darüber. Mehr als ich. Skaugen will jetzt, dass die *Thorvaldson* rausfährt, um nachzusehen, was da unten los ist und warum wir keine Aufzeichnungen mehr empfangen. Eigentlich müsste Stone die Operation leiten. Aber wenn Skaugen ihn suspendiert, wird es mein Job.«

»Was wäre die Alternative?«

»Wie gesagt, wir geben Stone seine Chance.«

»Um die Fabrik zu bergen.«

»Wenn da was zu bergen ist. Oder um sie wieder in Betrieb zu nehmen. Wie auch immer, Skaugen will mich auf alle Fälle befördern. Aber wenn er ein Auge zudrückt, bleibt Stone im Spiel und geht auf die *Thorvaldson*.«

»Und was machst du unterdessen?«

»Ich fahre nach Stavanger und reporte dem Vorstand. Was Skaugen Gelegenheit gibt, mich dort aufzubauen.«

»Gratuliere«, sagte Johanson. »Du machst Karriere.«

Ein kurzes Schweigen entstand.

»Will ich das?«

»Weiß ich, was du willst?«

»Weiß ich es denn, verdammt nochmal?«

Johanson dachte an das Wochenende am See.

»Keine Ahnung«, sagte er. »Du kannst einen Freund haben und trotzdem Karriere machen, falls du deswegen zögerst. Hast du übrigens noch einen?«

»Das ist auch so eine Sache.«

»Weiß der arme Kare, woran er mit dir ist?«

»Wir waren nicht mehr so oft zusammen seit ... seit du und ich ...« Sie schüttelte unwillig den Kopf. »Es hat eben nichts mit dem richtigen Leben zu tun, wenn wir im trauten Sveggesundet rumhängen oder raus zu den Inseln fahren. Mir kommt alles irgendwie vor, als sei ich Teil einer Inszenierung.«

»Ist es wenigstens eine gute Inszenierung?«

»Es ist, als ob du immer wieder einen Ort aufsuchst, in den du dich verliebt hast«, sagte Lund. »Jedes Mal bist du hingerissen. Eine Opernkulisse. Wenn du wieder wegfahren sollst, rollen die Tränen. Du möchtest dableiben. Und zugleich fragst du dich, ob du wirklich am schönsten Ort der Welt leben willst und ob es dann immer noch der schönste Ort der Welt ist. Wir sind es gewohnt, dass sich unser Leben ... Himmel, wie soll ich sagen? Entzaubert! Mit jedem Tag ein bisschen mehr. Also suchen wir nach etwas, das es eigentlich nicht gibt. Verstehst du?« Sie lächelte schüchtern. »Entschuldige, das klingt alles furchtbar kitschig und durcheinander. Ich bin nicht gut in so was.«

»Nein. Wirklich nicht.«

Johanson sah sie an. Er suchte nach Anzeichen von Ratlosigkeit. Stattdessen sah er jemanden, der sich schon entschieden hatte. Sie wusste es nur noch nicht.

»Wenn du nicht bereit bist, an einem Ort zu leben, liebst du ihn auch nicht«, sagte er. »Wir hatten dasselbe Gespräch am See, erinnerst du dich? Damals ging's um Häuser. Im Grunde austauschbar. Vielleicht solltest du endlich zu Kare fahren und ihm sagen, dass du ihn liebst und steinalt mit ihm werden willst. Du tätest mir einen großen Gefallen damit, ich muss mich sonst alle paar Tage mit dir durch die Sumpfgebiete schwülstiger Allegorien schleppen.«

»Und wenn es schief geht?«

»Du bist doch sonst nicht so ein Angsthase.«

»Doch«, sagte sie leise. »Genau das bin ich.«

»Du misstraust dem Gefühl, glücklich zu sein. Das habe ich auch mal getan. Es ist für nichts gut.«

»Und? Bist du heute glücklich?«

»Ja.«

»Ohne Abstriche?«

Johanson hob in einer hilflosen Geste die Arme.

»Wer ist schon ohne Abstriche glücklich, du Schaf? Ich mache mir und anderen nichts vor. Ich will meine Flirts, meinen Wein, meinen

Spaß und bestimmen, wo's langgeht. Ich neige zur Verschwiegenheit, aber nicht zur Kompensation. Jeder Psychiater würde sich mit mir zu Tode langweilen, weil ich tatsächlich einfach nur meine Ruhe will. Unterm Strich geht's mir also prächtig. Aber ich bin ich. Mein Glück ist anders beschaffen als deines. Meinem Glück vertraue ich. Du musst das noch lernen. Und zwar bald. Kare ist kein Ort und kein Haus. Er wird nicht ewig warten.«

Lund nickte. Wind kam auf und spielte mit ihrem Haar. Johanson stellte fest, wie gern er sie hatte. Er war froh, dass es am See nicht zu einer dieser Liaisons mit Verfallsdatum gekommen war, die sein Liebesleben bestimmten.

»Wenn Stone hinaus zum Kontinentalhang führe«, sinnierte sie, »würde ich den Kopf in Stavanger hinhalten. Das ist okay. Die *Thorvaldson* liegt auf See bereit. Stone könnte gleich morgen oder übermorgen an Bord gehen. Stavanger, das dauert länger. Dafür werde ich einen ausführlichen Bericht schreiben müssen. Ich hätte also ein paar Tage Zeit, nach Sveggesundet zu fahren und … dort zu arbeiten.«

»Zu arbeiten«, grinste Johanson. »Warum nicht?«

Sie kniff die Lippen zusammen.

»Ich muss darüber nachdenken und mit Skaugen reden.«

»Tu das«, sagte Johanson. »Und denk schnell.«

Zurück am Schreibtisch checkte er die E-Mail-Eingänge. Kaum etwas davon brachte ihn weiter. Erst die letzte Nachricht erregte sein Interesse beim Blick auf den Absender:

kweaver@deepbluesea.com

Johanson öffnete sie.

hallo, dr. johanson, danke für ihre mail. ich bin eben nach london zurückgekehrt und kann ihnen augenblicklich nur sagen, dass ich nicht die geringste ahnung habe, was mit lukas bauer und seinem schiff passiert ist. wir haben jeden kontakt verloren. wenn sie wollen, können wir uns kurzfristig treffen. möglich, dass wir uns gegenseitig weiterhelfen. mitte kommender woche bin ich in meinem londoner büro zu erreichen. – falls sie vorher lust auf ein treffen haben: ich bin derzeit zu besuch auf den shetland-inseln und könnte es einrichten, dass wir dort zusammentreffen. lassen sie mich wissen, wie es ihnen am besten passt. karen weaver.

»Schau, schau«, murmelte Johanson. »So kooperativ kann die Presse sein.«

Lukas Bauer war verschwunden?

Vielleicht sollte er Skaugen noch einmal treffen. Mehr als lächerlich machen konnte er sich nicht, wenn er dem Mann seine Theorie der höheren Zusammenhänge darlegte. Aber war es überhaupt eine Theorie? Eigentlich hatte er wenig mehr vorzuweisen als das ungute Gefühl, dass die Welt in Schieflage geriet und das Meer daran schuld war.

Wenn er den Gedanken ernsthaft fortentwickeln wollte, wurde es Zeit, ein Dossier anzulegen.

Er überlegte. Er sollte Karen Weaver so schnell wie möglich treffen. Warum nicht auf den Shetland-Inseln? Es würde ein bisschen kompliziert werden mit den Flügen, aber das sollte kein Problem darstellen, wo Statoil schon alles bezahlte.

Nein, dachte er plötzlich, es ist überhaupt nicht kompliziert.

Hatte Skaugen nicht vor wenigen Stunden gesagt, er würde sich kreuzigen lassen für Johanson?

So weit musste er ja gar nicht gehen.

Es würde reichen, einen Helikopter bereitzustellen.

Das war gut! Ein Diensthelikopter. Einer von denen, die dem Management Board zur Verfügung standen. Keiner dieser fliegenden Linienbusse, sondern etwas Schnelles und Komfortables. Wenn Skaugen ihn schon zwangsrekrutierte, sollte er auch was für ihn tun.

Johanson lehnte sich zurück. Er sah auf die Uhr. In einer Stunde hatte er Vorlesung und später ein Treffen mit Kollegen im Labor, um eine DNA-Analyse zu diskutieren.

Er legte einen neuen Ordner an und schrieb als Filename:

Der fünfte Tag.

Es war ein spontaner Gedanke, ein bisschen poetisch vielleicht, aber tatsächlich fiel ihm nichts Besseres ein. Am fünften Tag hatte Gott der Bibel zufolge das Meer und seine Bewohner erschaffen. Und das Meer und seine Bewohner machten gerade einigen Ärger.

Er begann zu schreiben.

Mit jeder Minute wurde ihm dabei kälter.

2. mai

Seit achtundvierzig Stunden studierten Ford und Anawak nun diese eine Sequenz.

Zuerst nur Schwärze. Dann die Ausschläge von einem starken Schallimpuls jenseits der menschlichen Hörgrenze. Dreimal.

Dann die Wolke.

Eine phosphoreszierende blaue Wolke, die plötzlich inmitten des Bildschirms entstand wie das expandierende Universum. Kein starkes Licht, eher ein schummriges Blau, eine leichte, diffuse Aufhellung, aber ausreichend, dass man die massigen Silhouetten der Tiere davor sehen konnte. Die Wolke breitete sich rasch aus. Sie musste von enormer Größe sein. Schließlich hatte sie den gesamten Bildschirm eingenommen, und die Wale hingen wie gebannt davor.

Einige Sekunden vergingen.

In die Tiefen der Wolke kam Bewegung. Plötzlich schoss etwas daraus hervor wie ein sich schlängelnder Blitz mit dünn zulaufender Spitze. Sie berührte einen der Wale seitlich des Kopfes. Es war Lucy. Keine Sekunde dauerte die Entladung. Weitere Blitze zuckten zu anderen Tieren, ein Schauspiel wie ein Gewitter unter Wasser, das ebenso schnell vorbeiging, wie es begonnen hatte.

Der Film schien rückwärts zu laufen. Die Wolke zog sich wieder zusammen. Sie kollabierte und verschwand, und der Bildschirm wurde schwarz. Fords Leute hatten die Sequenz verlangsamt und nochmal verlangsamt. Sie hatten alles Erdenkliche unternommen, um die Bildschärfe zu optimieren und mehr Licht herauszuholen, aber auch nach stundenlanger Analyse blieb das Video vom nächtlichen Ausflug der Wale, was es war – ein Rätsel.

Schließlich erarbeiteten Anawak und Ford einen Bericht für den Krisenstab. Sie hatten die Erlaubnis eingeholt, einen Biologen aus Nanaimo hinzuzuziehen, der auf Biolumineszenz spezialisiert war und nach anfänglicher Ratlosigkeit zu den gleichen Schlüssen gelangte wie sie. Wolke und Lichtblitze waren vermutlich organischen Ursprungs. Der Lumineszenzexperte vertrat die Meinung, bei den Blitzen müsse es sich um eine Art Kettenreaktion im Gefüge der Wolke handeln, doch was sie auslöste und warum sie überhaupt stattfanden, vermochte auch er nicht zu sagen. Ihre schlängelige Form und die Tatsache, dass sie zur

Spitze dünner wurden, ließ ihn an einen Kalmar denken, aber dann hätte es ein Tier von gigantischen Ausmaßen sein müssen, und außerdem war zweifelhaft, dass Riesenkalmare leuchteten. Selbst wenn, hätte es nicht die Wolke erklärt und ebenso wenig, wovon diese schlangenartigen Blitze ausgingen.

Nur eines hatten alle instinktiv begriffen: Die Wolke musste der Grund für das absonderliche Verhalten der Wale sein.

All das brachten sie in dem Bericht zum Ausdruck, und der Bericht verschwand in einem Schwarzen Loch, so schwarz wie der Bildschirm nach Verlöschen des blauen Lichts. Als Schwarzes Loch titulierten sie mittlerweile den staatlichen Krisenstab, der ganz nach Art Schwarzer Löcher alles in sich hineinsog, ohne irgendetwas preiszugeben. Anfänglich hatte die kanadische Regierung den Schulterschluss mit den Forschern gesucht. Seit vor wenigen Tagen offiziell geworden war, dass die Krisenstäbe Kanadas und der Vereinigten Staaten unter US-amerikanischer Leitung operierten, sah es eher so aus, als bediene man sich ihrer, um in den Besitz gewisser Resultate zu gelangen. Das Aquarium, das Institut in Nanaimo, selbst die Universität in Vancouver waren zu Lieferanten degradiert worden, denen nichts mitgeteilt wurde, außer dass sie forschen und ihre Erkenntnisse, Vermutungen und Ratlosigkeit in Berichten abfassen sollten. Weder John Ford oder Leon Anawak noch Rod Palm, Sue Oliviera oder Ray Fenwick erfuhren etwas über die Auswertung des Inputs. Sie erfuhren nicht einmal, was der Krisenstab davon hielt. Das wichtigste Instrumentarium ihrer Forschung, der Abgleich mit den Erkenntnissen anderer staatlicher und militärischer Forschergruppen, blieb ihnen vorenthalten.

»Und das alles«, schimpfte Ford, »seit diese Judith Li das Ruder übernommen hat. Leiterin der Krisenstäbe. Keine Ahnung, was die leitet. Mir kommt es eher so vor, als ob sie uns alle in den Arsch tritt.«

Oliviera rief Anawak an. »Es wäre wirklich hilfreich, wenn wir noch einige dieser Muscheln bekommen könnten.«

»Ich erreiche aber niemanden bei *Inglewood*«, sagte Anawak. »Sie reden nicht mit mir, und Li spricht offiziell von einem Fehler beim Andockmanöver. Die Muscheln werden mit keinem Wort erwähnt.«

»Aber du warst doch unten. Wir brauchen mehr von dem Zeug. Und von dieser ominösen organischen Substanz. Wieso blockieren die uns? Ich dachte, wir sollen helfen!«

»Warum nimmst du nicht selber Kontakt zum Krisenstab auf?«

»Läuft alles über Ford. Ich verstehe das nicht, Leon. Wozu sind diese Stäbe eigentlich gut?«

Wozu waren sie gut? Wozu war es gut, wenn die Vereinigten Staaten und Kanada einen gemeinsamen Stab bildeten, den General Commander Li dann vertrat? Der Grund lag auf der Hand: Beide hatten die gleichen Probleme zu lösen, beide waren auf einen übergeordneten Austausch von Erkenntnissen angewiesen, und beide hatten den Schleier der Geheimhaltung über alles geworfen. Vielleicht musste es so sein. Vielleicht war es der Natur von Untersuchungskommissionen und Krisenstäben immanent, im Verborgenen zu arbeiten. Wann hatte eine Untersuchungskommission je vergleichbare Aufgaben zu lösen gehabt? Die ständigen Mitglieder solcher Stäbe mussten sich mit Terrorismus herumzuschlagen, mit Flugzeugkatastrophen und Geiselnahmen, mit politischen und militärischen Krisen, mit Umstürzen. – Geheimsache, was sonst! Ein Krisenstab trat außerdem in Aktion, wenn es Probleme in einem Atomkraftwerk gab oder mit einem Staudamm, wenn die Wälder brannten oder die Gewässer über die Ufer traten, wenn die Erde bebte und Vulkane ausbrachen und Hungersnöte herrschten. Auch Geheimsache? Vielleicht, aber wozu?

»Die Ursachen von Vulkanausbrüchen und Erdbeben sind bekannt«, sagte Shoemaker, als Leon seinem Ärger an diesem Morgen Luft machte. »Du kannst die Erde fürchten, aber du brauchst ihr nicht zu misstrauen. Sie heckt keine Schweinereien aus und versucht dich nicht zu bescheißen. Das tut nur der Mensch.«

Sie frühstückten zu dritt auf Leons Schiff. Die Sonne lugte zwischen weißer Hochbewölkung hervor, und es war angenehm mild. Von den Bergen blies ein leichter Wind küstenwärts. Es hätte ein schöner Tag sein können, nur dass keiner mehr einen Sinn für schöne Tage hatte. Lediglich Delaware entwickelte ungeachtet aller Misslichkeiten einen gesunden Appetit und schaufelte Unmengen Rührei in sich hinein.

»Habt ihr von dem Gastanker gehört?«

»Der vor Japan in die Luft geflogen ist?« Shoemaker schlürfte seinen Kaffee. »Schnee von gestern. Kam in den Nachrichten.«

Delaware schüttelte den Kopf. »Den meine ich nicht. Gestern ist wieder einer abgesoffen. Abgefackelt im Hafen von Bangkok.«

»Kennt man den Grund?«

»Nein. Komisch, was?«

»Vielleicht war's einfach technisches Versagen«, meinte Anawak. »Man muss nicht überall Gespenster sehen.«

»Du hörst dich schon an wie Judith Li.« Shoemaker stellte mit einem Knall den Becher ab. »Hattest übrigens Recht. Über die *Barrier Queen* ist tatsächlich kaum berichtet worden. Im Wesentlichen haben sie über den gesunkenen Schlepper geschrieben.«

Anawak hatte nichts anderes erwartet. Der Krisenstab ließ sie am ausgestreckten Arm verhungern. Vielleicht gehörte das zum Spiel. Such dir dein Fressen selber. Aber wenn es so war, würden sie eben suchen. Nach dem Flugzeugabsturz hatte Delaware begonnen, das Internet zu durchforsten. Wenn schon die Mitarbeiter des landeseigenen Krisenstabs kurz gehalten wurden, was würde dann aus anderen Ländern an die Öffentlichkeit dringen? Wo hatte es sonst noch in der Welt Angriffe durch Wale gegeben? Falls überhaupt. Oder, wie George Frank gesagt hatte, der *taayii hawil* der Tla-o-qui-aht:

Vielleicht sind gar nicht die Wale das Problem, Leon. Vielleicht sind sie nur der Teil des Problems, den wir sehen.

Offenbar hatte Frank damit den Nagel auf den Kopf getroffen, wenngleich Anawak noch ratloser geworden war, nachdem Delaware ihm die Resultate ihrer ersten ausgiebigen Recherche vorgelegt hatte. Sie hatte in südamerikanischen Netzen gestöbert, in deutschen und skandinavischen, französischen und japanischen, sie war in Australien rumgesurft. Wie es aussah, machte man anderenorts ähnlich verstörende Erfahrungen mit Quallen.

»Quallen?« Shoemaker hatte zu lachen begonnen. »Was tun sie? Springen sie gegen Schiffe?«

Im ersten Moment hatte auch Anawak keinen Zusammenhang gesehen. Was sollte das für ein Problem sein, das sich in Gestalt von Walen und Quallen manifestierte? Womöglich wiesen Invasionen hoch giftiger Nesseltiere Schnittmengen mit Walattacken auf, die vordergründig verborgen blieben. Zwei Symptome desselben Problems. Eine Kumulation der Anomalien. Delaware stieß auf eine Stellungnahme costaricanischer Wissenschaftler, die der Vermutung Ausdruck gaben, es sei gar nicht die Portugiesische Galeere, die vor Südamerika ihr Unwesen treibe, sondern eine ähnliche, bislang unbekannte Art, noch gefährlicher, noch tödlicher.

Und das war längst nicht alles.

»Ungefähr zu der Zeit, als es hier mit den Walen losging, verschwanden vor Südamerika und Südafrika Schiffe«, resümierte Delaware. »Motorboote und Kutter. Man hat ein paar Trümmer gefunden, sonst nichts. Wenn du jetzt eins und eins zusammenzählst ...«

»Bekommst du einen Haufen Wale«, sagte Shoemaker. »Warum erfährt man so was hier nicht? Ist Kanada denn aus der Welt?«

»Wir interessieren uns nun mal nicht sonderlich für die Probleme anderer Länder«, konstatierte Anawak. »Wir nicht, und die Vereinigten Staaten noch viel weniger.«

»Es gab jedenfalls mehr Unglücke mit größeren Schiffen«, sagte Delaware, »als wir aus den Medien erfahren haben. Kollisionen, Explosionen, Untergänge. Und wisst ihr, was außerdem seltsam ist? Diese Epidemie in Frankreich. Irgendwelche Algen in Hummern haben sie ausgelöst, und jetzt breitet sich da in Windeseile ein Erreger aus, den sie nicht in den Griff bekommen. Ich glaube, auch andere Länder sind betroffen. Aber je mehr du nachforschst, desto verschwommener wird das Bild.«

Mitunter rieb sich Anawak die Augen und dachte, dass sie drauf und dran waren, sich lächerlich zu machen. Sie wären nicht die Ersten, die des Amerikaners liebstem Kind nachhingen, der Verschwörungstheorie. Jeder vierte US-Bürger trug solche Hirngespinste mit sich herum. Es gab Theorien, Bill Clinton sei ein russischer Agent gewesen, und eine Menge Leute handelten mit Ufo-Geschichten. Alles blanker Unsinn. Welches Interesse sollte ein Staat haben, Ereignisse zu camouflieren, die Tausende von Menschen betrafen? Abgesehen davon, dass es schlicht unmöglich schien, so etwas überhaupt geheim zu halten.

Auch Shoemaker gab seiner Skepsis Ausdruck: »Das ist nicht Roswell hier. Es sind keine grünen Männchen vom Himmel gefallen, und nirgendwo sind fliegende Untertassen versteckt. Wir haben zu viel Harrison Ford geguckt. Den ganzen Verschwörungskram gibt's nur im Kino. Wenn heute irgendwo Wale auf Schiffe springen, weiß das morgen die ganze Welt, und was anderswo passiert, erfährst du auch.«

»Dann pass mal auf«, sagte Delaware. »Tofino hat 1 200 Einwohner und besteht im Wesentlichen aus drei Straßen. Trotzdem ist es unmöglich, dass jeder über jeden ständig Bescheid weiß. Richtig?«

»Na und?«

»Ein einziger Ort ist schon zu groß, dass du alles mitkriegst. Erst recht ein ganzer Planet.«

»Binsenweisheit. Der Verstand des Menschen ist ein Eimer, der schnell überläuft.«

»Ich meine, eine Regierung kann Nachrichten nicht immer zurückhalten. Aber man kann ihre Bedeutung schmälern. Du sorgst eben dafür, dass die Berichterstattung nicht so üppig ausfällt. Das geht. Dann bleibt das meiste ohnehin im eigenen Land, und den Rest findest du in Randnotizen wieder. Wahrscheinlich hat alles, was ich aus dem Internet gefischt habe, sogar in den hiesigen Zeitungen gestanden und ist im Fernsehen gekommen, und wir haben es einfach nicht mitgekriegt.«

Shoemaker kniff die Augen zusammen.

»So?«, sagte er unsicher.

»Wie auch immer«, beschied Anawak. »Wir brauchen mehr Informationen.« Er stocherte mürrisch in seinen Rühreiern herum und schob sie über den Teller. »Das heißt, wir haben ja welche. Li hat welche. Ich bin sicher, sie weiß eine ganze Menge mehr als wir.«

»Dann frag sie«, sagte Shoemaker.

Anawak hob die Brauen. »Li?«

»Warum denn nicht? Wenn du was wissen willst, geh fragen. Alles, was du dir einfangen kannst, ist ein Nein und was auf die Zähne, aber mal ehrlich – schlechter als jetzt kannst du doch gar nicht dastehen.«

Anawak schwieg und grübelte vor sich hin.

Er würde keine Auskunft bekommen. Ford bekam auch keine, und er fragte sich die Seele aus dem Leib.

Andererseits war Shoemakers Idee gar nicht so dumm. Man konnte auch Fragen stellen, ohne dass es der Befragte merkte.

Vielleicht wurde es einfach Zeit, sich die Antworten zu *holen*.

Später, als Shoemaker gegangen war, legte ihm Delaware eine Ausgabe der *Vancouver Sun* auf den Tisch.

»Ich wollte damit warten, bis Tom gegangen ist«, sagte sie.

Anawak warf einen Blick auf die Titelseite. Es war die Ausgabe vom Vortag.

»Hab ich gelesen.«

»Komplett?«

»Nein, nur das Wesentliche.«

Delaware lächelte. Obwohl Anawak sich in den letzten Tagen nicht eben durch Höflichkeit und Rücksichtnahme, geschweige denn durch gute Laune ausgewiesen hatte, war sie wirklich nett zu ihm. Die Frage nach seiner Herkunft hatte sie seit ihrer Unterhaltung in der Station nicht wieder angeschnitten. »Dann lies das Unwesentliche.«

Anawak drehte die Zeitung um. Sofort sah er, was sie meinte. Es war eine kleine Meldung, nur wenige Zeilen. Dazu ein Foto mit einer glücklichen Familie, Vater, Mutter und ein Junge, die dankbar zu einem sehr großen Mann aufsahen. Der Vater schüttelte dem Mann die Hand, und alle lachten in die Kamera.

»Nicht zu fassen«, murmelte Anawak.

»Du kannst es drehen und wenden, wie du willst«, sagte Delaware. Ihre Augen funkelten. Heute funkelten sie hinter gelben Gläsern, deren Ränder mit Kreuzen aus Strass verziert waren. »Aber ein solches Arschloch scheint er nicht zu sein.«

Der kleine Bill Sheckley (5), der am 11. April als Letzter von Bord des sinkenden Ausflugsschiffs Lady Wexham gerettet worden war, kann wieder lachen. Heute holten ihn seine erleichterten Eltern aus dem Krankenhaus in Victoria ab, wo er eine Weile zur Beobachtung geblieben war. Bill hatte sich bei der Rettungsaktion eine gefährliche Unterkühlung und als Folge davon eine Lungenentzündung zugezogen. Dies sowie den Schock hat er nun offenbar verarbeitet. Heute bedankten sich seine Eltern vor allem bei Jack »Greywolf« O'Bannon, einem engagierten Naturschützer Vancouver Islands, der die Rettungsaktion geleitet und sich danach rührend um die Genesung des kleinen Bill gekümmert hatte. Der Held von Tofino, wie O'Bannon seitdem genannt wird, hat wohl nicht nur im Herzen des kleinen Jungen seinen Platz gefunden.

Anawak klappte die Zeitung zusammen und warf sie auf den Frühstückstisch.

»Shoemaker wäre ausgerastet«, sagte er.

Eine Weile sagte niemand etwas. Anawak sah den langsam ziehenden Wolken zu und versuchte, seine Wut auf Greywolf anzufachen, aber diesmal klappte es nicht. Wut empfand er nur gegen die Leute, die seine und Fords Arbeit behinderten, gegen diese arrogante Soldatin und aus unerklärlichen Gründen gegen sich selber.

Genau genommen gegen sich am meisten.

»Was habt ihr eigentlich alle für ein Problem mit Greywolf?«, fragte Delaware schließlich.

»Du hast doch gesehen, was er gemacht hat.«

»Die Aktion, als sie mit Fischen schmissen? Gut, das ist eine Sache. Er übertreibt. Man könnte auch sagen, er hat ein Anliegen.«

»Greywolfs Anliegen ist es, Stunk zu machen.« Anawak fuhr sich über die Augen. Obwohl es früher Vormittag war, fühlte er sich schon wieder müde und kraftlos.

»Versteh mich nicht falsch«, sagte Delaware vorsichtig. »Aber der Mann hat mich aus dem Wasser gezogen, als ich schon dachte, das wär's gewesen mit der kleinen Licia. Ich bin vor zwei Tagen losgegangen, um ihn zu suchen. Zu Hause war er nicht. Er hockte am Tresen einer Kneipe in Ucluelet, also bin ich hin und habe ... na ja, wie ich schon sagte: Ich habe mich bedankt.«

»Und?«, fragte Anawak lustlos. »Was hat er gesagt?«

»Er hatte es nicht erwartet.«

Anawak sah sie an.

»Er war ziemlich verblüfft«, fuhr Delaware fort. »Und erfreut. Dann wollte er wissen, wie es dir geht.«

»Mir?«

»Weißt du, was ich glaube?« Sie verschränkte die Arme auf der Tischplatte. »Ich denke, dass er wenig Freunde hat.«

»Vielleicht sollte er sich mal fragen, warum.«

»Und dass er dich mag.«

»Licia, hör auf. Was soll das werden? Soll ich das Heulen kriegen und ihn heilig sprechen?«

»Erzähl mir einfach was von ihm.«

Großer Gott, warum?, dachte Anawak. Warum muss ich jetzt ausgerechnet über Greywolf erzählen? Können wir nicht über was Nettes sprechen? Irgendetwas wirklich Nettes und Erfreuliches, zum Beispiel …

Er überlegte. Ihm fiel nichts ein.

»Wir waren mal befreundet«, sagte er knapp.

Er erwartete, Delaware mit einem Triumphschrei aufspringen zu sehen – Ha, ertappt, ich hatte Recht! –, aber sie nickte nur.

»Er heißt Jack O'Bannon und stammt aus Port Townsend. Das liegt im Bundesstaat Washington. Sein Vater ist Ire und hat eine Halbindianerin geheiratet, eine Suquamish, glaube ich. – Jedenfalls, Jack hat in den USA alles Mögliche gemacht, er war Rausschmeißer, Lastwagenfahrer, Werbegrafiker und Leibwächter und schließlich Kampftaucher bei den US Navy SEALs. Dort fand er seine Berufung. Delphintrainer. Er machte das gut, aber dann stellten sie einen Herzfehler bei ihm fest. Nichts Wildes, bloß, die SEALs sind ein harter Haufen. Jack kam klar dort, er hat ein Regal voller Auszeichnungen zu Hause, aber das war's dann mit der Navy.«

»Was hat ihn nach Kanada verschlagen?«

»Jack hatte immer schon ein Faible für Kanada. Anfangs hat er versucht, in Vancouvers Filmindustrie Fuß zu fassen. Er dachte, mit der Statur und dem Gesicht könnte er vielleicht Schauspieler werden, aber Jack ist hundert Prozent talentfrei. Eigentlich klappte überhaupt nichts in seinem Leben, weil er immer sofort die Nerven verlor und schon mal jemanden ins Krankenhaus prügelte.«

»Oh«, machte Delaware.

Anawak fletschte die Zähne. »Tut mir Leid, wenn ich dein Denkmal ankratze. Ich hab mich nicht darum gerissen.«

»Schon gut. Und dann?«

»Dann?« Anawak goss sich ein Glas Orangensaft ein. »Dann kam er in den Knast. Kurz nur, er hat ja niemanden betrogen oder gelinkt. Es war sein schlagfertiges Temperament, das ihn reinbrachte. Als er wieder rauskam, war natürlich alles noch viel schwerer. Mittlerweile hatte er Bücher über Naturschutz und Wale gelesen und beschlossen, das müsse es jetzt sein. Warum auch nicht? Er ging also zu Davie, den er von einem Trip nach Ucluelet kannte, und fragte ihn, ob sie noch einen Skipper brauchten, und Davie sagte, wenn du keinen Ärger machst, klar, mit Kusshand, jederzeit! – Jack kann nämlich charmant sein, wenn er will.«

Delaware nickte. »Aber er war nicht charmant.«

»Eine Weile schon. Wir hatten plötzlich jede Menge weiblichen Zulauf. Alles lief bestens – bis zu dem Tag, wo er dann doch jemandem eine reingehauen hat.«

»Doch nicht einem der Gäste?«

»Du hast es erfasst.«

»Au Backe.«

»Tja. Davie wollte ihn feuern. Ich habe mit Engelszungen auf ihn eingeredet, Jack eine zweite Chance zu geben. Wir haben ihn also *nicht* rausgeworfen. Aber was macht dieser Idiot?« Da war sie wieder, die Wut auf Greywolf. »Drei Wochen später dieselbe Nummer. Da *musste* Davie ihn feuern. Was hättest du denn gemacht?«

»Ich glaube, ich hätte ihn schon nach dem ersten Mal vor die Tür gesetzt«, sagte Delaware leise.

»Um *deine* Zukunft muss ich mir wenigstens keine Sorgen machen«, spottete Anawak. »Jedenfalls, wenn du dich für jemanden stark machst, und er dankt es dir so, hat jede Sympathie irgendwann ein Ende.«

Er stürzte den Orangensaft hinunter, verschluckte sich und hustete. Delaware langte hinüber und schlug ihm sacht auf den Rücken.

»Danach ist er völlig durchgedreht«, keuchte er. »Jack hat ein zweites Problem, eines mit der Realität. Irgendwann in seinem Frust ist wohl der große Manitou über ihn gekommen und hat gesagt, ab heute heißt du Greywolf, und du schützt die Wale und alles, was da kreucht und fleucht, so ein verdammter Schwachsinn! Gehe hin und kämpfe. Klar, dass er sauer auf uns war, also hat er sich eingeredet, gegen *uns* kämpfen zu müssen, und zu allem Überfluss glaubt er auch noch, ich sei auf der falschen Seite und hätte es nur noch nicht gemerkt.« Anawak wurde immer zorniger. Sein Zorn wuchs ins Uferlose. »Er wirft alles durcheinander. Er hat keine Ahnung von Naturschutz und keine von den Indianern, denen er sich so zugehörig fühlt. Die Indianer lachen sich tot über ihn. Warst du bei ihm zu Hause? Ach nein, du hast ihn ja in der Kneipe aufgegabelt! Voller Indianerkitsch, die Bude. Ja. Sie lachen sich tot, bis auf diejenigen unter ihnen, die selber nichts draufhaben, Jugendliche, die rumhängen, Arbeitsverweigerer, Schläger und

Säufer. Die finden ihn toll, und auch der Haufen weißer Althippies und Surfer, die es nicht abkönnen, dass ihnen die Touristen beim Faulenzen zusehen, schauen zu ihm auf, ehemalige Wildcamper, die jetzt nicht mehr überall hinscheißen und ihren Müll zurücklassen können. Greywolf hat den Abschaum zweier Kulturen um sich versammelt, Anarchisten und Versager, Aussteiger, Neoaktivisten gegen die Staatsgewalt, militante Umweltfreaks, die sie bei Greenpeace rausgeworfen haben, weil sie schlecht für deren Ruf waren, Indianer, die nicht mal bei ihren Stämmen erwünscht sind, kriminelles Gesindel. Den meisten dieser Strauchdiebe sind die Wale scheißegal, sie wollen ein bisschen randalieren und sich wichtig tun, nur Jack kriegt nichts davon mit und glaubt allen Ernstes, seine *Seaguards* seien eine Umweltorganisation. – Er finanziert das Pack, stell dir das vor, indem er als Holzfäller und Bärenführer arbeitet und selber in einer Bruchbude lebt, dass du sie keinem Hund zumuten würdest! Das ist doch Scheiße! Warum lässt er zu, dass sich alle über ihn lustig machen? Warum wird jemand wie Jack zur tragischen Figur, he? Dieser Riesenarsch! Kannst du mir das sagen?«

Anawak hielt inne und holte Atem.

Hoch über ihm schrie ein Seevogel.

Delaware bestrich ein Stück Brot mit Butter, kleckerte Marmelade drauf und schob es sich in den Mund. »Fein«, sagte sie. »Ich sehe, du magst ihn immer noch.«

Der Name Ucluelet leitete sich ab aus der Nootka-Sprache und bedeutete so viel wie ›Sicherer Hafen‹. Ebenso wie Tofino lag Ucluelet geschützt in einer natürlichen Bucht, und ebenso war das kleine Fischerdorf mit den Jahren zu einem pittoresken Anziehungspunkt für Whale Watcher geworden, mit hübsch gestrichenen Holzhäusern, netten Kneipen und Restaurants.

Greywolfs Behausung gehörte zum weniger vorzeigbaren Teil Ucluelets. Folgte man einem wurzelüberwucherten Pfad abseits der Hauptstraße, der breit genug für ein Auto und das Verderben eines jeden Stoßdämpfers war, fand man sich nach einigen hundert Metern auf einer Lichtung wieder, umstanden von uralten Riesenbäumen. Das Haus, eine unansehnliche Bruchbude mit einer angebauten, leer stehenden Stallung, lag mitten darauf. Es war vom Ort aus nicht zu sehen. Man musste den Weg schon kennen.

Dass die Hütte alles andere als komfortabel war, wusste niemand besser als ihr einziger Bewohner. Sofern es das Wetter zuließ – und Greywolfs Ansicht nach begann schlechtes Wetter irgendwo zwischen einem Tornado und dem Ende der Welt –, hielt er sich draußen auf, zog durch die Wälder, führte Touristen zu Schwarzbären und nahm alle Arten von Gelegenheitsarbeiten an. Die Wahrscheinlichkeit, ihn hier anzutreffen, ging gegen null, selbst in der Nacht. Entweder schlief er in der freien Natur oder in den Zimmern erlebnishungriger Touristinnen, die überzeugt waren, den edlen Wilden abgeschleppt zu haben.

Es war früher Nachmittag, als Anawak in Ucluelet eintraf. Er hatte den Plan gefasst, nach Nanaimo zu fahren und von dort die Fähre nach Vancouver zu nehmen. Aus verschiedenen Gründen zog er es vor, diesmal auf den Helikopter zu verzichten. Shoemaker, der sich in Ucluelet mit Davie treffen wollte, erklärte sich bereit, ihn zu fahren, womit er Anawak einen passenden Vorwand lieferte, dort Zwischenstation zu machen. Davie dachte in diesen Tagen laut über ausgedehnte Abenteuertouren nach: Wenn du den Leuten keine zwei Stunden auf See mehr bieten kannst, biete ihnen eine ordentliche Woche auf dem Land. Anawak hatte es abgelehnt, bei dem Gespräch dabei zu sein, in dessen Verlauf Davie und Shoemaker die Neuausrichtung des Unternehmens erörtern wollten. Er spürte, dass seine Zeit auf Vancouver Island zu Ende ging, wie immer sich die Dinge entwickeln mochten. Was hielt ihn schon *wirklich*? Was blieb, nachdem das Whale Watching eingestellt war? Eine Lähmung, die sich als Liebe zur Insel tarnte und für die sein schmerzendes Knie zum unliebsamen Symbol geworden war.

Sinnlosigkeit.

Jahre seines Lebens hatte er damit verbracht, sich abzulenken. Gut, es hatte ihm einen Doktortitel eingebracht und Anerkennung. Dennoch hatte er diese Zeit verloren. Nur, nicht richtig zu leben war eine Sache, den Tod vor Augen zu haben eine ganz andere, und zweimal wäre er in den vergangenen Wochen beinahe gestorben. Seit dem Absturz des Wasserflugzeugs war alles anders geworden. Anawak fühlte sich im Innersten bedroht. Ein Verfolger aus längst vergessen geglaubten Zeiten hatte seine Angst gewittert und seine Spur wieder aufgenommen. Ein frostiges Gespenst, das ihm eine letzte Chance bot, sein Leben in den Griff zu bekommen, und Einsamkeit und Elend bereithielt, sollte er scheitern. Die Botschaft war allzu deutlich:

Durchbrich den Kreis. Der gute alte Psychologenspruch.

Anawaks Weg führte ihn den wurzelbewachsenen Pfad hinauf, wie zufällig und ohne besondere Eile. Er war die Hauptstraße entlanggegangen und in allerletzter Sekunde abgebogen, als sei ihm unvermittelt die Idee gekommen. Nun stand er auf der Lichtung vor dem hässlichen kleinen Haus und fragte sich, was zum Teufel er hier eigentlich machte. Er stieg die wenigen Stufen zu der schäbigen Veranda empor und klopfte.

Greywolf war nicht zu Hause.

Einige Male ging er um das Haus herum. Auf unbestimmte Weise war er enttäuscht. Natürlich hätte er sich denken können, dass er niemanden antreffen würde. Er überlegte, ob er einfach wieder gehen solle. Vielleicht war es gut so. Immerhin hatte er einen Versuch gestartet, wenngleich einen erfolglosen.

Aber er ging nicht. Das Bild eines Menschen mit Zahnschmerzen ging ihm plötzlich im Kopf herum, der beim Zahnarzt schellt und davonläuft, weil nicht unverzüglich geöffnet wird.

Seine Schritte führten ihn zurück zur Haustür. Er streckte die Hand aus und drückte die Klinke hinunter. Mit leisem Knarren schwang die Tür ins Innere. Es war nicht ungewöhnlich in dieser Gegend, dass die Menschen ihre Häuser offen ließen. Eine Erinnerung durchfuhr ihn kalt. Auch anderswo lebte man so. Hatte man so gelebt. Einen Moment verharrte er in Unschlüssigkeit, dann trat er zögerlich ein.

Er war ewig nicht mehr hier gewesen. Umso mehr erstaunte ihn, was er sah. In seiner Erinnerung hatte Greywolf in schmuddeligem Chaos gehaust. Stattdessen erblickte Anawak einen schlichten, aber behaglich eingerichteten Raum, an dessen Wänden indianische Masken und Wandteppiche hingen. Um einen niedrigen Holztisch standen geflochtene und bemalte Sessel. Indianische Decken zierten ein Sofa. Zwei Regale waren voll gestopft mit allen möglichen Gegenständen des täglichen Gebrauchs, aber auch mit hölzernen Rasseln, wie die Nootka sie bei Zeremonien und rituellen Gesängen benutzten. Einen Fernseher sah Anawak nicht. Zwei Kochplatten wiesen den Raum zugleich als Küche aus. Ein Durchgang führte in ein zweites Zimmer, in dem Greywolf schlief, wie Anawak sich erinnerte.

Kurz war er versucht, sich dort umzusehen. Immer noch fragte er sich, was er hier eigentlich machte. Dieses Haus lockte ihn in eine Zeitschleife. Es warf ihn weiter zurück in die Vergangenheit, als ihm lieb sein konnte.

Sein Blick blieb an einer großen Maske hängen. Sie schien den ganzen Raum zu überblicken.

Die Maske sah ihn an.

Er trat näher heran. Viele indianische Masken, die Gesichter zeigten, arbeiteten die Merkmale in symbolhafter Übertreibung heraus – riesige Augen, übermäßig geschwungene Brauen, schnabelartige Hakennasen. Diese hier war das getreue Abbild eines menschlichen Antlitzes.

Sie zeigte das ruhige Gesicht eines jungen Mannes mit gerader Nase, vollen, geschwungenen Lippen und hoher, glatter Stirn. Die Haare wirkten verfilzt, schienen aber echt zu sein. Sah man davon ab, dass die Pupillen ausgeschnitten waren, um dem Träger das Hindurchgucken zu ermöglichen, wirkten die Augen mit den weiß bemalten Augäpfeln überraschend lebendig. Sie blickten ruhig und ernst, fast wie in Trance.

Anawak stand reglos vor der Maske. Er kannte indianische Masken zuhauf. Die Stämme fertigten sie aus Zedernholz, Rinde und Leder. Man konnte sie kaufen, sie gehörten zum festen Repertoire des touristischen Angebots. Diese hier schlug aus der Art. Eine solche Maske fand man nicht in Touristenläden.

»Sie stammt von den Pacheedaht.«

Er fuhr herum. Greywolf stand direkt hinter ihm.

»Für einen Möchtegernindianer bist du gut im Anschleichen«, sagte Anawak.

»Danke.« Greywolf grinste. Er wirkte keineswegs verärgert über den ungebetenen Besucher. »Ich kann das Kompliment nicht zurückgeben. Für einen Totalindianer bist du die absolute Vollpfeife. Wahrscheinlich hätte ich dich abmurksen können, und es wäre dir nicht aufgefallen.«

»Wie lange stehst du schon hinter mir?«

»Ich bin gerade reingekommen. Ich spiele keine Spielchen, das müsstest du eigentlich wissen.« Greywolf trat einen Schritt zurück und musterte Leon, als falle ihm erst jetzt auf, dass er ihn nicht eingeladen hatte. »Bei der Gelegenheit, was willst du eigentlich?«

Gute Frage, dachte Anawak. Unwillkürlich wandte er den Kopf wieder der Maske zu, als könne sie das Gespräch für ihn übernehmen.

»Von den Pacheedaht, sagst du?«

»Du kennst dich mal wieder nicht aus, wie?« Greywolf seufzte und schüttelte nachsichtig den Kopf. Schimmernde Wellen durchliefen sein langes Haar. »Die Pacheedaht ...«

»Ich weiß, wer die Pacheedaht sind«, sagte Anawak ärgerlich. Das Territorium des kleinen Nootka-Stammes lag im Süden Vancouver Islands, oberhalb von Victoria. »Mich interessiert die Maske. Sie sieht alt aus. Nicht wie der Krempel, den sie den Touristen verkaufen.«

»Es ist eine Replik.« Greywolf trat neben ihn. Statt des speckigen Lederanzugs trug er Jeans und ein verwaschenes Hemd, dessen Karomuster nur noch zu erahnen war. Seine Finger strichen über die Konturen des Zederngesichts. »Es ist die Maske eines Vorfahren. Das Original verwahrt die Queesto-Familie in ihrem *HuupuKanum*. Soll ich dir erklären, was ein *HuupuKanum* ist?«

»Nein.« Anawak kannte das Wort, aber tatsächlich wusste er nicht genau, was es bedeutete. Irgendetwas Rituelles. »Ein Geschenk?«

»Ich habe sie selber gemacht«, sagte Greywolf. Er wandte sich ab und ging hinüber zu der Sitzgruppe. »Willst du was trinken?«

Anawak starrte auf die Maske. »Du hast ...«

»Ich hab eine Menge Zeug geschnitzt in letzter Zeit. Neue Leidenschaft. Die Queestos hatten nichts dagegen, dass ich die Maske kopiere. – Willst du nun was trinken oder nicht?«

Anawak wandte sich um.

»Nein.«

»Mhm. Also was führt dich her?«

»Ich wollte mich bedanken.«

Greywolf hob die Brauen. Er ließ sich auf der Kante des Sofas nieder und verharrte dort wie ein sprungbereites Tier.

»Wofür?«

»Ich verdanke dir mein Leben.«

»Oh! Das. Ich dachte schon, es wär dir nicht aufgefallen.« Greywolf zuckte die Achseln. »Gern geschehen. Sonst noch was?«

Anawak stand hilflos im Raum. Davor hatte er sich nun wochenlang gedrückt, und jetzt war es vorbei. Danke, bitte. Im Grunde konnte er wieder gehen. Er hatte getan, was nötig war.

»Was hast du denn zu trinken?«, fragte er stattdessen.

»Kaltes Bier und Cola. Der Eisschrank hat letzte Woche den Geist aufgegeben. War 'ne harte Zeit, aber jetzt funktioniert er wieder.«

»Gut. Cola.«

Plötzlich fiel Anawak auf, dass der Riese unsicher wirkte. Greywolf musterte ihn, als wisse er irgendwie nicht weiter. Er zeigte auf den kleinen Kühlschrank neben dem provisorischen Herd.

»Bedien dich selber. Für mich ein Bier.«

Anawak nickte. Er öffnete den Kühlschrank und förderte zwei Dosen zutage. Etwas steif setzte er sich Greywolf gegenüber in einen der Korbsessel, und sie tranken.

Eine Weile sagte niemand etwas.

»Und sonst, Leon?«

»Ich ...« Anawak drehte die Dose hin und her. Dann stellte er sie ab. »Hör zu, Jack, ich meine es ernst. Ich hätte längst herkommen sollen. Du hast mich aus dem Wasser gefischt, und ... na ja, ich meine, du weißt, was ich von deinen Aktionen und deinem Indianergehabe halte. Ich kann nicht leugnen, dass ich eine Sauwut auf dich hatte. Aber das sind zwei Paar Schuhe. Ohne dich würden einige Leute nicht mehr leben. Das ist viel wichtiger, und … ich bin gekommen, um dir das zu sagen. Sie nennen dich den Held von Tofino, und ich schätze, in gewisser Weise bist du das auch.«

»Du meinst es tatsächlich ernst?«

»Ja.«

Wieder verstrich längeres Schweigen.

»Was du Indianergehabe nennst, Leon, ist etwas, woran ich glaube. Soll ich's dir erklären?«

Unter anderen Umständen wäre die Unterhaltung damit beendet gewesen. Anawak hätte sich entnervt verzogen, Greywolf hätte ihm irgendetwas Kränkendes hinterhergebrüllt. Nein, das war nicht ganz fair. Anawak hätte sich verzogen und dabei als Erstes etwas Kränkendes gesagt.

»Schön.« Er seufzte. »Erklär's mir.«

Greywolf sah ihn lange an.

»Ich habe ein Volk, zu dem ich gehöre. Ich habe mir eines erwählt.«

»Oh, toll. Du hast dir eines erwählt.«

»Ja.«

»Und? Haben sie dich auch erwählt?«

»Ich weiß es nicht.«

»Du läufst rum wie die Jahrmarkt-Version deines Volkes, wenn ich das sagen darf. Wie eine Figur aus einem schlechten Western. Was sagt denn dein Volk dazu? Finden sie, du tust ihnen einen Gefallen?«

»Es ist nicht meine Aufgabe, jemandem einen Gefallen zu tun.«

»Doch. Wenn du zu einem Volk gehören willst, übernimmst du für dieses Volk Verantwortung. So ist das nun mal.«

»Sie akzeptieren mich. Mehr will ich gar nicht.«

»Sie lachen über dich, Jack!« Anawak beugte sich vor. »Begreifst du das nicht? Du hast einen Haufen Versager um dich versammelt. Darunter mögen ein paar Indianer sein, aber es sind solche, mit denen nicht mal die eigenen Leute was zu tun haben wollen. Das versteht kein Mensch. Ich versteh's auch nicht. Du bist kein Indianer, du bist es gerade mal zu 25 Prozent, und der Rest ist weiß und zu allem Überfluss irisch. Warum fühlst du dich nicht den Iren zugehörig? Wenigstens der Name würde stimmen.«

»Weil ich nun mal nicht will«, sagte Greywolf ruhig.

»Kein Indianer läuft noch mit so einem Namen rum, wie du ihn dir zugelegt hast.«

»Ich schon.«

Müßig, dachte Anawak. Du bist gekommen, um dich zu bedanken, du hast dich bedankt, alles andere ist obsolet. Was sitzt du hier rum? Du solltest gehen.

Aber er ging nicht.

»Okay, erklär mir bitte eines: Wenn du so viel Wert darauf legst, von deinem erwählten Volk akzeptiert zu werden, warum versuchst du dann nicht zur Abwechslung mal, *authentisch* zu sein?«

»So wie du?«

Anawak zuckte zurück.

»Lassen wir mich aus dem Spiel.«

»Wozu?«, bellte Greywolf angriffslustig. »Ich sehe eigentlich nicht ein, warum ich mir die Prügel abholen soll, die für dich bestimmt sind.«

»Weil *ich* sie gerade austeile!«

Plötzlich kam die Wut wieder in ihm hoch, stärker denn je. Aber diesmal hatte er keine Lust, sie mit nach Hause zu nehmen wie sonst, sie in sich einzuschließen, damit sie Geschwüre bilden konnte. Es war zu spät. Kein Rückzug. Er würde sich selber in die Augen blicken müssen, und er wusste, was das bedeutete. Mit jedem Sieg, den er über Greywolf errang, würde er sich selber eine Niederlage beifügen.

Greywolf sah ihn unter gesenkten Lidern an.

»Du bist nicht gekommen, um dich zu bedanken, Leon.«

»Doch.«

»Glaubst du? – Ja, du glaubst es tatsächlich. Aber du bist wegen was anderem hier.« Er verzog höhnisch die Mundwinkel und verschränkte die Arme. »Also, spuck's aus. Was hast du Wichtiges zu sagen?«

»Nur eines, Jack. Du kannst dich tausendmal Greywolf nennen, du bleibst, was du bist. Es gibt Regeln, nach denen die Indianer früher zu ihren Namen gelangten, und keine davon trifft auf dich zu. Du hast eine schöne Maske da hängen, aber sie ist kein Original. Eine Fälschung, genauso falsch wie dein Name. – Und noch was, deine dämliche Naturschutzorganisation, ebenfalls eine Fälschung.« Plötzlich sprudelte aus ihm heraus, was er gar nicht hatte sagen wollen. Nicht heute. Er war nicht hergekommen, um Greywolf zu beschimpfen, aber er konnte nicht verhindern, dass es geschah. »Dein Niveau sind Tagediebe und Halunken, die es sich auf deinen Schultern bequem machen. Merkst du nichts? Du erreichst nicht das Geringste. Deine Vorstellung vom Schutz der Wale ist kindisch. Erwähltes Volk, Blödsinn. Dein erwähltes Volk wird niemals Verständnis für deine Spinnereien aufbringen.«

»Wenn du es sagst.«

»Du weißt verdammt genau, dass dein erwähltes Volk wieder Wale jagt. Du willst das verhindern. Ehrenvoll, aber offenbar hast du deinen eigenen Leuten nicht zugehört. Du wendest dich *gegen* das Volk, das du angeblich …«

»Quatsch, Leon. Es gibt unter den Makah reihenweise Leute, die meiner Meinung sind.«

»Schon, aber …«

»Stammesälteste, Leon! Nicht alle Indianer finden, dass eine ethnische Gruppe ihre Kultur durch rituelles Töten ausdrücken sollte. Sie sagen, die Makah sind ebenso Teil der Gesellschaft des 21. Jahrhunderts wie alle anderen Bewohner Washingtons auch.«

»Das Argument ist mir bekannt«, konterte Anawak geringschätzig. »Es stammt nicht von dir und irgendwelchen Stammesältesten, sondern aus einem Resümee der *Sea Shepherd Conservation Society*, einer Gesellschaft von Tierschützern, und zwar wörtlich. Du wartest nicht mal mit eigenen Argumenten auf, Jack. Mein Gott, kaum zu glauben. Du fälschst sogar deine Argumente!«

»Tu ich nicht, ich …«

»Außerdem«, fuhr ihm Anawak dazwischen, »ist es ja wohl mehr als lächerlich, ausgerechnet *Davies* aufs Korn zu nehmen.«

»Ah! Wir kommen der Sache schon näher. Darum bist du hier.«

»Du warst doch selber mal einer von uns, Jack. Hast du nichts gelernt? Erst Whale Watching hat den Menschen klar gemacht, dass Wale und Delphine lebend mehr wert sind als tot. Es hat den Blick der Welt auf ein Problem gelenkt, das sonst nie in diesem Ausmaß offenbar geworden wäre. Whale Watching *ist* Naturschutz! Fast zehn Millionen Menschen fahren mittlerweile jedes Jahr hinaus, um die Erfahrung zu machen, welch großartige Geschöpfe das sind. Selbst in Japan und Norwegen wächst der Widerstand gegen den Walfang, weil wir den Menschen diese Möglichkeit bieten. Kapierst du das, kriegst du das mit? Zehn Millionen Menschen, die Wale sonst nur aus dem Fernsehen kennen würden! Wenn überhaupt! Unsere wissenschaftliche Arbeit, die uns in die Lage versetzt, Wale in ihrem Lebensraum zu schützen, wäre nie möglich gewesen ohne Whale Watching.«

»Hugh!«

»Warum also wir? Warum bekämpfst du ausgerechnet uns? Weil du damals rausgeflogen bist?«

»Ich bin nicht rausgeflogen. Ich bin gegangen!«

»Du bist rausgeflogen!«, schrie Anawak. »Gefeuert, gehimmelt, abserviert. Du hast Mist gebaut, und Davie hat dich auf die Straße gesetzt. Dein beschissenes kleines Selbstbewusstsein hat das nicht verkraftet, genauso wenig, wie es Jack O'Bannon verkraftet, wenn man ihm die Haare schneidet und ihm die Lederklamotten und den läppischen Namen wegnimmt. Deine ganze Ideologie beruht auf Missverständnissen und Fälschungen, Jack. Alles an dir ist eine Fälschung. Du bist eine Null, ein Nichts. Du produzierst nur Scheiße! Du schadest dem Naturschutz, du schadest den Nootka, du bist nirgendwo zu Hause, nirgendwo heimisch, du bist kein Ire und kein Indianer, das ist dein verdammtes Problem, und es macht mich krank, dass wir uns damit herumschlagen müssen, als hätten wir keine anderen Sorgen!«

»Leon …«, sagte Greywolf mit schmalen Lippen.

»Es macht mich krank, dich so zu sehen.«

Greywolf stand auf.

»Leon, halt den Mund. Es reicht.«

»Es reicht noch lange nicht. Zum Teufel, du könntest so viel Sinnvolles tun, du bist ein Berg voller Muskeln, blöde bist du auch nicht, also was …«

»Leon, halt endlich die Schnauze!«

Greywolf kam um den Tisch auf ihn zu, mit Riesenschritten, die Fäuste geballt. Anawak sah zu ihm hoch. Er fragte sich, ob ihn schon der erste Schlag ins Reich der Träume befördern würde. Greywolf hatte dem Touristen damals den Kiefer gebrochen. Ganz sicher würde ihn seine vorlaute Klappe ein paar Zähne kosten.

Aber Greywolf schlug nicht zu. Stattdessen stemmte er beide Hände auf die Lehnen von Anawaks Sessel und beugte sich über ihn.

»Du willst wissen, warum ich mir dieses Leben ausgesucht habe? Willst du's wirklich wissen?«

Anawak starrte ihn an.

»Nur zu.«

»Nein, das willst du nämlich nicht, du selbstgerechtes kleines Arschloch.«

»Doch. Du hast nur nichts zu sagen.«

»Du …« Greywolfs Kiefer mahlten. »Verdammter Idiot. Ja, ich bin unter anderem auch Ire, aber in Irland war ich nie. Meine Mutter ist zur Hälfte Suquamish. Sie ist weder von den einheimischen Weißen noch von den Indianern richtig akzeptiert worden, also hat sie einen Einwanderer geheiratet, und der wurde auch von keinem akzeptiert.«

»Rührend. Das hast du mir schon mal erzählt. Erzähl mir was Neues.«

»Nein, ich werde dir einfach die Wahrheit erzählen, und du hörst gefälligst zu! Du hast Recht, ich werde kein Indianer, wenn ich wie einer rumlaufe. Ich würde aber auch kein Ire, wenn ich anfinge, literweise

Guinness zu saufen, und ein stinknormaler weißer Amerikaner schon gar nicht, bloß weil wir in unserer Familie auch so was haben. Ich bin nicht authentisch. Ich gehöre nirgendwo richtig dazu, und weißt du was? Ich – kann – es – verdammt – nochmal – nicht – ändern!«

Seine Augen blitzten. »*Du* müsstest nur den Arsch hochkriegen und könntest was ändern. *Du* müsstest einfach nur deine Geschichte umdrehen. *Ich* hatte nie die Möglichkeit, meine Geschichte umzudrehen.«

»Schwachsinn!«

»Oh, sicher, ich hätte mich benehmen und was Anständiges lernen können. Wir leben in einer offenen Gesellschaft. Niemand fragt danach, woraus du zusammengesetzt bist, wenn du Erfolg hast, aber ich hatte keinen. Es gibt ethnisch Zusammengeflickte, die haben das Beste aus allen Welten mitbekommen. Die sind überall zu Hause. Meine Eltern sind einfache, verunsicherte Leute. Sie haben es nie verstanden, ihrem Sohn so etwas wie Selbstbewusstsein und Zugehörigkeit zu vermitteln. Sie fühlten sich entwurzelt und missverstanden, und ich habe das *Schlechteste* aus allen Welten mitbekommen! Alles ist misslungen, und das Einzige, was geklappt hat, ist auch misslungen!«

»Ach ja. Die Navy. Deine Delphine.«

Greywolf nickte grimmig.

»Die Navy war gut. Ich war der beste Trainer, den sie jemals hatten, und da hat keiner blöde Fragen gestellt. Aber kaum war ich draußen, ging es wieder los. Meine Mutter trieb meinen Vater mit indianischen Bräuchen zum Wahnsinn und er sie mit seinem ständigen Heimweh nach Mayo. Jeder versuchte sich irgendwie zu behaupten. Ich glaube, sie wollten nicht mal stolz darauf sein, irgendwoher zu kommen, sie wollten überhaupt nur irgendwoher kommen und sagen *fuck!*, ich bin kein Bastard! Das hier ist meine Heimat, hey, hier bin ich zu Hause!«

»Das waren ihre Probleme. Du hättest sie nicht zu deinen machen müssen.«

»Ach ja?«

»Mann, Jack! Du stehst vor mir wie ein Schrank und behauptest, von den Konflikten deiner Eltern dermaßen traumatisiert zu sein, dass du nichts auf die Reihe kriegst?« Anawak schnaubte zornig. »Was macht es für einen Unterschied, ob du Indianer, Halbindianer oder sonst was bist? Niemand ist für seine innere Heimat verantwortlich außer er selber, seine Eltern nicht, keiner.«

Greywolf schwieg überrascht. Dann stahl sich Genugtuung in seine Augen, und Anawak wusste, dass er soeben verloren hatte. Es hatte so kommen müssen.

»Von wem reden wir hier eigentlich?«, fragte Greywolf mit maliziösem Lächeln.

Anawak schwieg. Er sah zur Seite.

Greywolf richtete sich langsam auf. Das Lächeln verschwand von seinen Zügen. Plötzlich sah er verbraucht und müde aus. Er ging hinüber zu der Maske und blieb davor stehen.

»Okay, vielleicht bin ich ein Idiot«, sagte er leise.

»Mach dir nichts draus.« Anawak fuhr sich über die Augen. »Wir sind beide Idioten.«

»Du bist der größere von uns beiden. Diese Maske hier stammt aus dem *HuupaKanum* von Chief Jones. Du hast keine Ahnung, was das ist, stimmt's? Ich sag's dir. Ein *HuupuKanum* ist eine Box. Ein Aufbewahrungsort für Masken und Kopfschmuck, Zeremoniengegenstände und so weiter. Aber das ist nicht alles. Im *HuupuKanum* liegen die vererbten Rechte der *hawiih* und *chaachaabat*, der Chiefs. Das *HuupuKanum* dokumentiert ihr Territorium, ihre historische Identität, ihre vererbten Rechte. Es sagt den anderen, wer du bist und woher du kommst.« Er drehte sich um. »Jemand wie ich könnte nie in den Besitz eines *HuupuKanum* gelangen. Du schon. Du könntest stolz sein. Aber du verleugnest alles, was du bist und woher du stammst. Ich soll Verantwortung tragen für das Volk, dem ich mich zugehörig *fühle*. Du *bist* einem Volk zugehörig und hast es verlassen! Du wirfst mir vor, nicht authentisch zu sein. Ich *konnte* es nie sein, aber ich versuche mir ein Stück Authentizität zu erkämpfen. Du hingegen *bist* authentisch. Aber du willst nicht sein, was du bist, und bist nicht, was du sein willst. Du sagst mir, ich sehe aus wie aus einem schlechten Western, aber es ist wenigstens ein Bekenntnis zu irgendeiner Art von Leben. Du zuckst ja schon zusammen, wenn dich bloß jemand fragt, ob du ein Makah bist.«

»Woher weißt du …?« Delaware. Natürlich. Sie war hier gewesen.

»Mach ihr bloß keinen Vorwurf«, sagte Greywolf. »*Dich* zu fragen, hat sie sich kein zweites Mal getraut.«

»Was hast du ihr erzählt?«

»Nichts. Du verdammter Feigling. Du willst mir was von Verantwortung erzählen? Du kommst hierher und wagst es, mir diese Scheiße aufzutischen, dass nicht die Eltern für deine innere Heimat zuständig sind, sondern nur du selber? Ausgerechnet du? Leon, ich führe vielleicht ein lächerliches Leben, aber du … du bist doch schon tot.«

Anawak saß da und ließ die letzten Worte Revue passieren.

»Ja«, sagte er langsam. »Du hast Recht.«

»Ich habe Recht?«

Anawak erhob sich.

»Ja. Ich danke dir nochmals für die Lebensrettung. Du hast Recht.«

»Hey, warte mal.« Greywolf zwinkerte nervös. »Was ... was hast du denn jetzt vor?«

»Ich gehe.«

»So? Hm. Na ja, Leon, ich ... also, dass du schon tot bist, habe ich nicht so ... verdammt, ich wollte dich nicht verletzen, ich ... Zum Teufel, steh hier nicht rum, setz dich wieder hin!«

»Wozu?«

»Deine ... deine Cola! Du hast sie nicht ausgetrunken.«

Anawak zuckte ergeben die Achseln. Er setzte sich wieder, nahm die Dose und trank. Greywolf sah ihm zu, kam zu ihm herüber und ließ sich wieder auf dem Sofa nieder.

»Was war eigentlich mit diesem kleinen Jungen?«, fragte Anawak. »Scheint dich ja schwer ins Herz geschlossen zu haben.«

»Den wir vom Schiff geholt haben?«

»Ja.«

»Was schon? Er hatte Angst. Ich hab mich um ihn gekümmert.«

»Einfach so?«

»Klar.«

Anawak lächelte. »Ich hatte eher den Eindruck, du willst um jeden Preis in die Zeitung.«

Einen Moment lang wirkte Greywolf verärgert. Dann grinste er zurück. »Klar wollte ich in die Zeitung. Ich fand's geil, in der Zeitung zu stehen. Das eine schließt das andere ja nicht aus.«

»Der Held von Tofino.«

»Na und? Es war klasse, der Held von Tofino zu sein! Wildfremde Leute haben mir auf die Schulter gehauen. Nicht jeder macht durch bahnbrechende Tests mit Meeressäugern von sich reden. Man nimmt, was man kriegt.«

Anawak nuckelte den letzten Rest aus seiner Dose. »Und wie geht's deiner ... ähm, Organisation?«

»Den *Seaguards*?«

»Ja.«

»Aus die Maus. Nachdem die eine Hälfte bei dem Walangriff ums Leben gekommen ist, hat sich die andere in alle Winde zerstreut.« Greywolf zog die Stirn in Falten. Er sah aus, als horche er in sich hinein. Dann ruhte sein Blick wieder auf Anawak. »Weißt du, Leon, was das Problem unserer Zeit ist? Die Menschen verlieren ihre Bedeutung. Jeder ist ersetzbar. Es gibt keine Ideale mehr, und ohne Ideale gibt es nichts, was uns größer macht, als wir sind. Jeder sucht verzweifelt nach dem Beweis, dass die Welt mit ihm ein bisschen anders ist als ohne ihn. – Ich habe was für diesen Jungen getan. Vielleicht war es sinnvoll. Vielleicht gibt es mir ein bisschen Bedeutung.«

Anawak nickte langsam. »Ja. Das tut es bestimmt.«

HAFENGELÄNDE, VANCOUVER

Wenige Stunden nach seinem Besuch bei Greywolf blickte Anawak im verschwindenden Tageslicht den Pier entlang.

Menschenleer.

Wie alle Welthäfen war auch Vancouver Harbour ein autarker Kosmos von gewaltigen Ausmaßen, in dem es an nichts zu fehlen schien – bis auf Übersichtlichkeit.

Hinter ihm lagen die aufgetürmten, eckigen Kistengebirge des Containerhafens, in unwirkliche Farben getaucht. Löschkräne zeichneten sich schwarz gegen das Silberblau des Abendhimmels ab. Die Silhouetten von Autofrachtern erhoben sich wie riesige Schuhkartons, dazwischen Containerschiffe, Massengutfrachter und elegante weiße Kühlschiffe. Zu Anawaks Rechten reihten sich Lagerhallen aneinander. Ein Stück weiter sah er Schläuche, Bleche und Hydraulikteile übereinander liegen. Hier begannen auf weiter Fläche die Trockendocks, und noch weiter draußen lagen die Schwimmdocks. Eine Brise trieb den Geruch von Farbe herüber.

Offenbar kam er der Sache näher.

Ohne Auto war man hier verloren. Anawak hatte ein paar Leute fragen müssen und eine ganze Weile falsch gefragt, weil er das Objekt seiner Suche schlecht nennen konnte. Sie hatten ihm beschrieben, wo die Schwimmdocks lagen, weil er davon ausging, es dort zu finden. Im Hafen von Vancouver standen Docks aller Größen zur Verfügung, bis hin zum zweitgrößten Schwimmdock der Welt, das über 50 000 Tonnen hob. Aber zu seiner Überraschung, als er gezwungenermaßen konkreter wurde, schickte man ihn zu den Trockendocks, jenen künstlichen Hafenbecken, die durch Schleusen abgedichtet wurden, bevor man das Wasser nach draußen pumpte. Nach zweimaligem Verfahren sah er sich endlich am Ziel. Er parkte den Wagen im Schatten eines lang gestreckten Kontorgebäudes, wuchtete die prall gefüllte Sporttasche über die Schulter und wanderte entlang der Gitterabsperrung, bis er ein spaltbreit offenes Rolltor fand. Dort schlüpfte er ins Innere.

Vor ihm lag eine kopfsteingepflasterte Fläche, seitlich umstanden von Baracken. Dahinter schienen die Aufbauten eines riesigen Schiffes geradewegs aus dem Boden zu wachsen. Es war die *Barrier Queen*. Sie lag in einem Becken von gut und gerne 250 Metern Länge. Zu beiden Seiten erhoben sich Kräne auf Schienen. Starke Scheinwerfer bestrahlten das Gelände. Weit und breit war niemand zu sehen.

Während er mit wachsamen Blicken über den erleuchteten Platz ging, fragte er sich, ob die Aktion nicht allzu überhastet war. Das Schiff lag seit Wochen auf dem Trockenen. Den Bewuchs hatte man vermutlich entfernt, mit allem, was darin versteckt gewesen war. Etwaige Reste in Ritzen und Spalten würden längst vertrocknet sein. Von dem Ding in den Muscheln wäre erst recht nichts übrig. Im Grunde wusste Anawak nicht so recht, was eine zweite Untersuchung der *Barrier Queen* zutage fördern sollte. Es war ein Versuch auf gut Glück, eine vage Hoffnung. Falls er irgendetwas fand, das für Nanaimo von Nutzen sein konnte, würde er es mitnehmen. Falls nicht, hatte er dem Abenteuer einen Abend geopfert.

Das Ding vom Rumpf.

Es war klein gewesen, höchstens so groß wie ein Rochen oder ein Tintenfisch. Der Organismus hatte einen Lichtblitz ausgesandt. Viele Meeresbewohner taten das, Kopffüßer, Medusen, Tiefseefische. Dennoch war Anawak überzeugt, diesem Blitzen wiederbegegnet zu sein, als er mit Ford die Aufnahmen des *URA* betrachtet hatte. Die leuchtende Wolke war ungleich größer als das Ding, aber was sich in ihrem Innern abspielte, erinnerte ihn auf frappierende Weise an sein Erlebnis unter dem Rumpf der *Barrier Queen*. Falls es sich wirklich um ein und dieselbe Lebensform handelte, wurde es allerdings erst richtig spannend. Denn das Zeug in den Köpfen der Wale, die Substanz vom Rumpf des Schiffes und das geflohene Wesen schienen identisch zu sein.

Die Wale sind nur der Teil des Problems, den wir sehen.

Er schaute sich mit erhöhter Wachsamkeit um und sah ein Stück abseits mehrere Geländewagen vor einer Baracke parken. Die Fenster des Gebäudes waren erleuchtet. Er blieb stehen. Es waren Militärfahrzeuge. Was tat das Militär hier? Plötzlich wurde ihm bewusst, dass er mitten auf dem hell erleuchteten Platz stand, und er lief geduckt weiter. Erst am Rand des Trockendocks verharrte er. So sehr beschäftigte ihn das Vorhandensein der Militärfahrzeuge, dass er einige Sekunden lang in das Becken starrte, ohne recht zu begreifen, was er sah. Dann weiteten sich seine Augen vor Erstaunen. Er vergaß die Fahrzeuge und trat näher heran.

Das Dock war geflutet.

Die *Barrier Queen* lag keineswegs auf dem Trockenen. Wo man den Kiel auf den Pallen hätte sehen müssen, rippten sich winzige Wellen. Der Wasserspiegel lag mindestens acht bis zehn Meter über der Docksohle.

Anawak ging in die Hocke und starrte auf das schwarze Wasser.

Warum hatten sie es eingelassen? War die Reparatur des Ruders vollendet? Aber dann hätten sie die *Barrier Queen* ebenso gut raussetzen können.

Er dachte nach.

Und plötzlich wusste er, warum.

Vor Erregung ließ er die Schultertasche so schnell heruntergleiten, dass sie geräuschvoll aufschlug. Erschrocken blickte er den verlassenen Pier entlang. Der Himmel verdüsterte sich zusehends. Flutlichter erstrahlten entlang des Docks in kaltem Weißgrün. Er lauschte auf Schritte, aber außer den Geräuschen der Stadt, die der Wind herüberwehte, war nichts zu hören.

Jetzt, da er das geflutete Becken sah, kamen ihm plötzlich Zweifel, ob er nicht einen Fehler beging. Seine Verärgerung über die Geheimnistuerei des Krisenstabs hatte ihn hergeführt, aber wer war er, dessen Entscheidungen in Frage zu stellen? Es war eine Rambo-Aktion, die er hier durchzog, möglicherweise eine Nummer zu groß für ihn. Darüber hatte er zuvor nicht nachgedacht.

Andererseits war er nun mal hier, und überhaupt – was sollte passieren? In zwanzig Minuten würde er ebenso unbemerkt verschwunden sein, wie er hergelangt war. Um einiges klüger.

Anawak öffnete die Sporttasche. Sie hielt alles bereit. Er hatte die Möglichkeit nicht ausgeschlossen, tauchen zu müssen. Hätte die *Barrier Queen* im Schwimmdock gelegen, wäre es sinnvoll gewesen, sich vom offenen Wasser her zu nähern. Aber so war es natürlich einfacher.

So war es perfekt!

Er entledigte sich seiner Jeans und der Oberbekleidung, holte Maske, Flossen und Stablampe hervor und einen Sammelbehälter, den er um seine Hüften schnallte. Die Messertasche am Bein komplettierte die Ausrüstung. Atemluft würde er nicht brauchen. Die Tasche verstaute er unter einem Poller. Die Ausrüstung unter den Arm geklemmt, eilte er am Becken entlang, bis er zu einer schmalen, abwärts führenden Steigleiter gelangte. Er warf einen letzten Blick über den Pier. Aus der Baracke drang unverändert Licht. Niemand war zu sehen. Schnell und geräuschlos lief er die Gitterstufen abwärts, streifte Maske und Flossen über und ließ sich ins Wasser gleiten.

Schneidende Kälte fuhr ihm in die Knochen. Ohne Neoprenschutz musste er sich beeilen, aber er hatte ohnehin nicht vor, lange unten zu bleiben. Mit kräftigen Flossenschlägen, die Stablampe eingeschaltet, tauchte er ab und strebte dem Kiel zu. Das Wasser war um einiges klarer als bei seinem Tauchgang im Hafenbecken, und er sah den stählernen Rumpf deutlich vor sich. Das Licht der Lampe ließ den Anstrich kräftig rot aufleuchten. Er strich mit den Fingern über die Oberfläche, verharrte einen Moment, stieß sich ab und schwamm weiter.

Nach wenigen Metern verschwand die Bordwand unter dichtem Muschelbewuchs.

Fasziniert paddelte er weiter. Der Kiel war unverändert dick verkrustet. Nachdem er rund die Hälfte der Distanz zum Bug zurückgelegt hatte, schien es ihm fast, als habe der Bewuchs sogar noch zugenommen. Das war es also. Sie hatten ihn überhaupt nicht entfernt. Sie erforschten das Zeug und alles, was noch darin stecken mochte, direkt am Schiff. Darum lag die *Barrier Queen* im Trockendock, weil man es im Gegensatz zu einem Schwimmdock hermetisch abriegeln konnte, sodass nichts ins Meer entwich, was nicht entweichen sollte. Sie hatten die *Barrier Queen* zu einem Laboratorium umfunktioniert. Und damit, was daran haftete und darin lebte, weiterleben konnte, hatten sie das Dock geflutet.

Schlagartig wurde ihm nun auch klar, was die Militärfahrzeuge zu bedeuten hatten. Wenn Nanaimo als ziviles Institut aus der Sache raus war, konnte das nur eines bedeuten. Die Armee hatte die Forschungen an sich gerissen. Alles Weitere lief unter Ausschluss der Öffentlichkeit.

Anawak zögerte. Wieder meldeten sich Zweifel, ob er das Richtige tat. Noch war Zeit, sich davonzumachen. Dann verwarf er den Gedanken. Lange würde er nicht brauchen. Rasch zog er das Messer heraus und begann, Muscheln abzusäbeln. Er achtete darauf, die Schalen nicht zu beschädigen, löste die Tiere, indem er die Klinge behutsam unter den muskulösen Fuß schob und mit einem Ruck abhebelte, konzentriert und systematisch. Eine Muschel nach der anderen wanderte in die Sammelbox. Gut so. Oliviera würde ihm um den Hals fallen.

Der Drang einzuatmen wurde übermächtig. Anawak steckte das Messer weg und tauchte auf, um Luft zu holen. Kühl drang sie in seine Lungen. Über ihm ragte dunkel und steil die Bordwand empor. Er atmete mehrmals kräftig durch. Als Nächstes würde er eine Stelle suchen, die jener glich, aus der ihm das aufblitzende Ding entgegengekommen war. Vielleicht verbargen sich ja noch weitere dieser Wesen im Bewuchs. Diesmal würde er vorbereitet sein.

Als er eben wieder abtauchen wollte, vernahm er leise Schritte.

Er drehte sich im Wasser und spähte die Wand des Beckens hoch. Zwei Gestalten gingen dort entlang, auf halber Strecke zwischen zwei Flutlichtmasten.

Sie schauten nach unten.

Lautlos ließ er sich unter die Oberfläche sinken. Vermutlich der Wachdienst. Oder zwei späte Arbeiter. Sicher gab es eine Menge Leute, die Grund hatten, um diese Zeit hier entlangzugehen. Er würde darauf zu achten haben, wenn er das Becken wieder verließ.

Dann fiel ihm ein, dass sie den Schein seiner Lampe unter Wasser sehen konnten.

Er schaltete sie aus. Dunkelheit umfing ihn.

Wie dumm. Wo waren die beiden entlanggelaufen? Sie gingen in Richtung Heck. Vielleicht konnte er zum Bug schwimmen und seine Untersuchung dort fortsetzen. Mit gleichmäßigen Flossenschlägen machte er sich auf den Weg. Nach einer Weile kam er wieder hoch, drehte sich auf den Rücken und sog Luft in sich hinein, den Blick auf die Kaimauer gerichtet, aber niemand war zu sehen.

Auf Höhe des Ankers ließ er sich wieder nach unten sinken. Seine Finger ertasteten vorsichtig die Bordwand. Auch hier bildeten die Muscheln bizarre Wucherungen. Er suchte nach einem Spalt oder größeren Vertiefungen, fand aber nichts Derartiges. Das Beste würde sein, die Box mit weiteren Muscheln zu füllen und schleunigst wieder zu verschwinden. In seiner Hast schnitt er die Tiere jetzt weniger sorgfältig ab. Seine Hände zitterten. Diese ganze Aktion war der Plan eines Dilettanten, das wurde ihm deutlich bewusst. Ihm war schrecklich kalt, seine Fingerspitzen hatten jedes Gefühl verloren.

Seine Fingerspitzen …

Plötzlich fiel ihm auf, dass er sie sehen konnte. Er schaute an sich hinab. Auch seine Arme und seine Beine. Sie leuchteten. Nein, das Wasser hatte zu leuchten begonnen. Es fluoreszierte in tiefdunklem Blau.

Mein Gott, dachte Anawak.

Im nächsten Moment blendete ihn grelles Licht. Instinktiv riss er die Arme hoch und schirmte seine Augen ab. Lichtblitze. Die Wolke. Was geschah mit ihm? Worauf hatte er sich bloß eingelassen?

Aber es war kein Lichtblitz. Das grelle Licht blieb. Anawak erkannte, dass er von einem Unterwasserscheinwerfer angeleuchtet wurde. Weitere Scheinwerfer flammten entlang der Docksohle auf. Sie tauchten den Rumpf der *Barrier Queen* in harte Helligkeit. Deutlich sah er die furchigen, hügeligen Krusten aus Muscheln und erschauderte.

Das galt ihm. Sie hatten ihn entdeckt!

Einen Moment lang wusste er nicht, was er tun sollte. Aber es gab nur einen Weg. Er musste versuchen, zurück ans Heck zu gelangen, dorthin, wo die Stiege nach oben führte und wo seine Tasche auf ihn wartete. Mit klopfendem Herzen schnellte er vorbei an den grellen Lichtern. In seinen Ohren rauschte das Wasser. Die Luft wurde ihm knapp, aber er wollte nicht auftauchen, bevor er nicht die Stiege erreicht hatte.

Da war sie, im Zickzack der Docksohle zustrebend.

Seine Hände umklammerten das Geländer, und er zog sich hoch. Von oben hörte er lautes Rufen und das Getrampel laufender Füße. Hastig streifte er Flossen und Maske ab, klinkte die Stablampe an seinem Gürtel fest und schlich geduckt nach oben, bis er über den Rand schauen konnte.

Drei Gewehrmündungen waren auf ihn gerichtet.

In der Baracke gab man Anawak eine Decke. Er hatte versucht, den Soldaten zu erklären, dass er Mitglied des Wissenschaftlichen Krisenstabs sei, aber sie hörten ihm überhaupt nicht zu. Ihre Aufgabe bestand darin, ihn dingfest zu machen. Nachdem er offensichtlich keinen Widerstand leistete und auch nicht zu fliehen versuchte, hatten sie ihn in die Baracke getrieben, wo noch mehr Soldaten waren und ein diensthabender Offizier, der ihn mit Fragen löcherte. Anawak wusste, dass es zwecklos war, irgendwelche Geschichten zu erzählen. Sie würden ihn ohnehin nicht laufen lassen. Also erzählte er, wer er war und warum er hier war – kurz, die Wahrheit.

Der Offizier hörte nachdenklich zu.

»Können Sie sich ausweisen?«, fragte er.

Anawak schüttelte den Kopf. »Meine Papiere sind in meiner Tasche, und die steht draußen. Ich könnte sie holen.«

»Sagen Sie uns einfach, wo die Tasche ist.«

Er beschrieb den Soldaten, wo er die Sporttasche abgestellt hatte. Fünf Minuten später hielt der Offizier seinen Ausweis in Händen und studierte ihn aufmerksam.

»Falls Ihre Papiere nicht gefälscht sind, heißen Sie Leon Anawak, wohnhaft in Vancouver…«

»Nichts anderes erzähle ich die ganze Zeit.«

»Erzählt wird vieles. Wollen Sie einen Kaffee? Sie sehen ziemlich durchgefroren aus.«

»Ich *bin* ziemlich durchgefroren.«

Der Offizier stand von seinem Schreibtisch auf, ging zu einem Automaten und drückte auf eine Taste. Ein Pappbecher fiel unten heraus und füllte sich mit dampfender Flüssigkeit. Anawak trank in kleinen Schlucken und fühlte ein bisschen Wärme in seinen klammen Körper zurückkehren.

»Ich weiß nicht, was ich von Ihrer Geschichte halten soll«, sagte der Offizier, während er langsam um ihn herumwanderte. »Wenn Sie zum Krisenstab gehören, warum haben Sie dann kein offizielles Ersuchen eingereicht?«

»Fragen Sie das Ihre Vorgesetzten. Ich versuche seit Wochen, Kontakt mit *Inglewood* aufzunehmen.«

Der Offizier legte die Stirn in Falten.

»Sie sind freier Mitarbeiter des Stabs?«

»Ja.«

»Verstehe.«

Anawak sah sich um. Er vermutete, dass der mit Resopalstühlen und schäbigen Tischen möblierte Raum als Pausenraum für die Dockarbeiter diente. Jetzt war er offenbar umfunktioniert worden zu einer provisorischen Kommandostelle.

Er hatte die ganze Sachlage vollkommen falsch eingeschätzt.

»Und jetzt?«, fragte er.

»Jetzt?« Der Offizier setzte sich ihm gegenüber und verschränkte die Finger. »Ich muss Sie bitten, vorerst hier zu bleiben. Der Fall ist nicht so einfach. Sie befinden sich auf militärischem Sperrgebiet.«

»Nirgendwo steht ein Schild, wenn ich das anmerken darf.«

»Ein Schild mit der Genehmigung einzudringen steht hier ebenso wenig, Dr. Anawak.«

Anawak nickte. Was sollte er sich beschweren? Es war eine Schnapsidee gewesen. Oder auch nicht, immerhin wusste er nun, dass die Armee an der Sache arbeitete, dass sie die Organismen am Rumpf studierte und am Leben erhielt. Die Muscheln, die er für Oliviera gesammelt hatte, würden Nanaimo wohl kaum erreichen, sofern die Verantwortlichen weiterhin mauerten.

Der Offizier zog ein Funkgerät vom Gürtel und führte ein kurzes Gespräch. »Sie haben wirklich Glück«, sagte er dann. »Es wird jemand kommen, um sich mit Ihnen zu befassen.«

»Warum nehmen Sie nicht einfach meine Personalien auf und lassen mich gehen?«

»So einfach ist das nicht.«

»Ich habe nichts Unrechtmäßiges getan«, sagte Anawak. Es klang nicht sonderlich überzeugend, nicht mal in seinen eigenen Ohren.

Der Offizier lächelte. »Auch für Mitglieder eines Krisenstabs gelten die Regeln des Hausfriedensbruchs. Im zivilrechtlichen Sinne.«

Er ging hinaus. Anawak blieb zusammen mit den übrigen Soldaten in der Baracke. Sie sprachen nicht mit ihm, behielten ihn aber im Auge. Allmählich wurde ihm wieder warm vom Kaffee und vom Ärger darüber, es verpatzt zu haben. Er hatte sich angestellt wie der letzte Idiot. Der einzige Trost war die Aussicht auf ein paar Informationen, wenn wer auch immer eintraf, um sich mit ihm ›zu befassen‹.

Eine halbe Stunde verstrich in untätigem Warten. Dann hörte er einen Helikopter näher kommen. Er wandte den Kopf und schaute aus dem Fenster, das zum Hafenbecken hinausging. Licht strömte ins Innere der Baracke. Ein starker Scheinwerfer schwebte dicht über dem Wasser. Kurz schwoll das Knattern der Rotoren ohrenbetäubend an, als der Helikopter das Gebäude überflog und tiefer ging. Das Knattern verwandelte sich in rhythmisches Flappen. Die Maschine war gelandet.

Anawak seufzte. Jetzt würde er alles ein zweites Mal erzählen müssen. Wer er war, was er hier zu suchen hatte.

Über den gepflasterten Platz näherten sich Schritte. Gesprächsfetzen klangen auf. Zwei Soldaten traten ein. Ihnen folgte der Offizier.

»Sie haben Besuch, Dr. Anawak.«

Er ging einen Schritt zur Seite. Eine weitere Person erschien als Schattenriss im erleuchteten Türrahmen. Anawak erkannte sie sofort. Kurz verharrte sie dort, als wolle sie sich einen Überblick verschaffen. Dann kam sie langsam näher, bis sie dicht vor ihm stand. Anawak sah in wasserblaue Augen. Zwei Aquamarine in einem asiatischen Gesicht.

»Guten Abend«, sagte eine leise, kultivierte Stimme.

Es war General Commander Judith Li.

3. mai

Clifford Stone war im schottischen Aberdeen zur Welt gekommen, als zweites von drei Kindern. Vom ersten Lebensjahr an ging ihm alles Niedliche ab. Er war klein, schmächtig und auf unkindliche Weise hässlich. Seine Familie begegnete ihm mit Distanz, als sei er ein Unfall, eine peinliche Panne, die umso weniger offenbar wird, je weniger man sie thematisiert. Clifford wurde keine Verantwortung übertragen wie dem Erstgeborenen, und er wurde nicht verhätschelt wie seine jüngere Schwester. Man konnte auch nicht eben sagen, dass er schlecht behandelt wurde, im Grunde fehlte es ihm an nichts.

Bis auf Wärme und Aufmerksamkeit.

Nie erlebte er das Gefühl, anderen in irgendetwas voraus zu sein.

Er fand keine Freunde als Kind und kein Mädchen, als er älter wurde und mit achtzehn seine Haare ausfielen. Nicht einmal der Umstand, dass er mit einem glänzenden Abitur aufwartete, schien tatsächlich jemanden zu interessieren. Mit einiger Verblüffung überreichte ihm sein Kursleiter das Abschlusszeugnis, als nehme er den unscheinbaren Jungen mit den fordernden schwarzen Augen erstmalig wahr. Es war ein sehr gutes Zeugnis, also nickte er Stone freundlich zu, lächelte kurz und vergaß das schmale Gesicht im selben Moment.

Stone studierte Ingenieurwissenschaften und erwies sich als hoch begabt. Endlich – über Nacht – wurde ihm die Anerkennung zuteil, nach der er sich immer gesehnt hatte. Aber sie blieb beschränkt auf seine berufliche Existenz. Der private Stone verblasste zusehends – weniger, weil niemand etwas mit ihm zu tun haben wollte, sondern weil er sich selber keine private Existenz gestattete. Der Gedanke an Privatheit machte ihm Angst. Privatheit bedeutete zurückzufallen in die Nichtbeachtung. Während Clifford Stone, der Ingenieur, mit seinem messerscharfen Verstand Karriere bei Statoil machte, begann er den kahlen Mann, der abends allein nach Hause ging, für seine Ängste zu verachten, bis er ihm schließlich jegliches Existenzrecht absprach.

Der Konzern wurde sein Leben, seine Familie, seine Erfüllung, weil er Stone etwas vermittelte, das er zu Hause nie erfahren hatte. Das Gefühl, anderen voraus zu sein. Vorn zu liegen. Es war ein berauschendes und zugleich quälendes Empfinden, eine ständige Hetze. Mit der Zeit begann die Sucht nach dem ultimativen Vorsprung Stone auf eine Weise zu beherrschen, dass er sich an keinem seiner Erfolge wirklich freuen konnte, weil er gar nicht wusste, wie man Erfolge feierte oder mit wem. Hatte er ein Ziel erreicht, war er unfähig zu verweilen. Wie besessen hastete er sich selber voraus. Zu verweilen hätte möglicherweise bedeutet, einen Blick auf einen schmalen Jungen mit seltsam erwachsenen Zügen werfen zu müssen, der so lange ignoriert worden war, dass er sich am Ende selber ignorierte. Und nichts fürchtete Stone mehr als den Blick in die dunklen, fordernden Augen.

Vor einigen Jahren hatte Statoil ein Ressort eingerichtet, das sich ausschließlich mit der Erprobung neuer Technologien befasste. Sehr schnell erkannte Stone, welche Chancen in der baldigen Umrüstung auf autonome Förderfabriken lagen. Nachdem er der Konzernspitze eine Reihe von Vorschlägen unterbreitet hatte, übertrug man ihm schließlich den Bau einer Fabrik auf dem Grund der Tiefsee, die von der renommierten norwegischen Technologiefirma FMC Kongsberg entwickelt worden war. Es gab zu dieser Zeit schon eine ganze Reihe unterseeischer Fabriken, aber der Kongsberg-Prototyp war ein völlig neuartiges System, enorm kostensparend und geeignet, die Offshore-Förderung zu revolutionieren. Der Bau geschah mit Wissen und Billigung der norwegischen Regierung, dennoch fand er offiziell nie statt. Stone wusste, dass die praktische Inbetriebnahme streng genommen zu früh erfolgte. Besonders Greenpeace hätte auf einer Reihe zusätzlicher Tests bestanden. Tests, die Monate und Jahre in Anspruch genommen hätten. Das Misstrauen war verständlich, immerhin lag die Ölförderung in der Statistik menschlichen und moralischen Versagens ganz weit vorn. Kaum ein Interessengeflecht, das den Planeten überzog, schnürte ihm zugleich so sehr den Atem ab wie die so genannten vitalen Ansprüche der Mineralölkonzerne. Also blieb das Projekt geheim. Selbst als Kongsberg die Fabrik als Konzeptstudie im Internet vorstellte, wurde nicht publik, dass Statoil sie längst in Betrieb genommen hatte. Am Grund der Tiefsee arbeitete ein Phantom, das seinen Erbauern nur darum nicht den Schlaf raubte, weil es einwandfrei funktionierte.

Nichts anderes hatte Stone erwartet. Nach endlosen Testreihen war er tatsächlich überzeugt gewesen, jedes Risiko ausgeschlossen zu haben. Was hätten zusätzliche Tests gebracht? Allenfalls hätten sie einer Mentalität des Zögerns Genüge getan, die er in den Strukturen des staatlich geführten Konzerns zu erspüren glaubte und die er verachtete wie alles und jeden, der zögerte. Außerdem schlossen zwei Faktoren jedes weitere Warten kategorisch aus. Faktor eins war Stones erwitterte Chance, als technologischer Wegbereiter Einzug in die geräumigeren

Büros des Management Boards zu halten. Faktor zwei war, dass der Ölkrieg trotz Instrumentalisierung internationaler Politik und bewaffneter Eingriffe in die Herrschaftsverhältnisse souveräner Staaten für alle Seiten verloren zu gehen drohte. Am Ende spielte es keine Rolle, wann der letzte Tropfen Öl floss, sondern wann die Förderung ins Stadium der Unwirtschaftlichkeit wechselte. Die typische Ertragsentwicklung einer Quelle folgte nun mal brav der Physik. Nach dem ersten Anbohren schoss das Öl unter Hochdruck heraus und sprudelte oft jahrzehntelang weiter. Mit der Zeit jedoch verringerte sich der Druck. Die Erde schien das Öl nicht länger herausrücken zu wollen, sie hielt es durch kapillarischen Druck in winzigen Poren fest, und was anfangs von selber ausgetreten war, musste nun mit einer Menge Aufwand herausgespült werden. Das kostete Unsummen. Die Fördermenge sank rapide, lange bevor das Lager erschöpft war. Wie viel auch immer noch da unten sein mochte – sobald der Aufwand zur Gewinnung dieses Öls mehr Energie verschlang, als es lieferte, ließ man es besser in der Erde.

Hierin lag einer der Gründe, warum sich die Energieexperten am Ende des zweiten Jahrtausends so fulminant verschätzt hatten, als sie die fossilen Reserven auf Jahrzehnte für gesichert erklärten. Genau genommen hatten sie zwar Recht. Die Erde war ölgetränkt. Aber entweder kam man nicht dran, oder der Ertrag stand in keinem Verhältnis zum Aufwand.

Dieses Dilemma hatte Anfang des dritten Jahrtausends zu einer gespenstischen Situation geführt. Die OPEC, in den achtziger Jahren totgesagt, feierte eine zombiehafte Renaissance. – Nicht weil sie das Dilemma löste, sondern einfach, weil sie über die größeren Reserven verfügte. Den Nordseestaaten, die sich von der OPEC nicht die Preise diktieren lassen wollten, blieb damit nur, die Kosten der Förderung drastisch zu senken und ansonsten der Tiefsee mit vollautomatisierten Systemen auf den Leib zu rücken. Die Tiefsee quittierte das neu erwachte Interesse ihrerseits mit einer ganzen Reihe von Problemen, angefangen bei den extremen Druck- und Temperaturverhältnissen, verhieß jedoch demjenigen, der sie löste, ein zweites Eldorado. Nicht in alle Ewigkeit zwar, aber lange genug für eine Branche, die davon lebte, dass die Welt in suchtartiger Abhängigkeit von Öl und Gas stehen geblieben war.

Stone, dessen ganzes Leben bestimmt war von der Sehnsucht, vorn zu liegen, hatte damals eine Expertise verfasst, die Entwicklung des Prototyps forciert und den Bau empfohlen, und Statoil war ihm gefolgt. Über Nacht fand er seinen Kompetenzspielraum und seinen Kreditrahmen großzügig erweitert. Er pflegte glänzende Kontakte zu den Entwicklungsfirmen und schaffte es, dass man den Wünschen und Befindlichkeiten von Statoil dort Vorrang einräumte. Die ganze Zeit hindurch war ihm bewusst, auf welch schmalem Grat er sich bewegte. Solange niemand dem Konzern am Zeug flicken konnte, war er den Vorständen ein willkommener Conquistador. Im Falle größerer Erklärungsnotstände würde man ihn fallen lassen. Der beste Mann war immer auch der beste Schuldige. Stone wusste, dass er schleunigst einen Vorstandssessel ansteuern musste, bevor jemand auf die Idee kam, ihn zu opfern. Stand sein Name erst einmal für Innovation und Profit, würden sich ihm alle Türen öffnen. Es war dann nur die Frage, durch welche er zu gehen geruhte.

So jedenfalls hatte er sich die Sache gedacht.

Und jetzt saß er auf diesem verdammten Schiff.

Er wusste nicht, worüber er sich mehr ärgern sollte. Über Skaugen, der ihn verraten hatte, oder über sich selber. Hatte er die Spielregeln nicht in Kauf genommen? Worüber regte er sich auf? Es war geschehen. Der ungünstigste aller Fälle war eingetreten. Jeder brachte sich in Sicherheit. Skaugen wusste nur zu gut, dass die desaströsen Vorgänge am Hang früher oder später an die Öffentlichkeit gelangen würden. Niemand konnte sich sein Schweigen noch lange leisten, wenn er nicht riskieren wollte, bloßgestellt zu werden. Statoils Umfrage unter den Konzernen hatte eine Entwicklung in Gang gesetzt, die nicht mehr zu stoppen war. Jeder setzte nun jeden unter Druck. Keine konspirativen Absprachen waren noch möglich mit einer drohenden Umweltkatastrophe vor Augen. Es ging einzig darum, wer in dieser verfahrenen Situation am elegantesten die Kurve kriegte und wen man dafür schlachtete.

Stone kochte vor Zorn. Er hätte kotzen können, als Skaugen sich als Gutmensch aufgespielt hatte. Dabei war Finn Skaugen der Schlimmste von allen. Sein Spiel war weit perfider als alles, was sich ein Clifford Stone in seinen schwärzesten Momenten auszudenken vermochte. Was hatte er denn schon verbrochen? Natürlich hatte er sich im erweiterten Handlungsrahmen bewegt, aber warum denn? Weil man ihm diesen Rahmen zugebilligt hatte! Lächerlich, er hatte ihn ja nicht mal richtig ausgenutzt. Ein unbekannter Wurm, na und? Selbstverständlich hatte er das idiotische Gutachten ›vergessen‹. Kein Wurm hatte je die Seefahrt gefährdet oder eine Bedrohung für Bohrinseln dargestellt. Inmitten Milliarden planktonischer Lebewesen kreuzten täglich Tausende von Schiffen. Blieben die etwa im Hafen angesichts einer neuen Art Ruderfußkrebs, wie man sie ständig entdeckte?

Dann die Sache mit den Hydraten. Zum Totlachen. Die Gasaustritte hatten absolut im grünen Bereich gelegen. Aber was wäre passiert, wenn er dieses Gutachten vorgelegt hätte? Verfluchte Bürokraten, die in allem, was heiß serviert wurde, so lange herumstocherten, bis kalte Matsche übrig blieb. Sie hätten den Bau verzögert, für nichts und wieder nichts.

Das System trägt Schuld, dachte Stone grimmig. Allen voran Skaugen mit seiner widerlichen Bigotterie. Das Vorstandspack, das einem grinsend auf die Schulter schlug und sagte, klasse, Kumpel, mach weiter so, aber lass dich nicht erwischen, denn dann sind wir's nicht gewesen, sie trugen Schuld an Stones unverdientem Elend. Und Tina Lund, auch sie war schuld, sie hatte sich bei Skaugen eingeschleimt, um den Job zu bekommen, wahrscheinlich ließ sie sich ficken von dem Arschloch! Ja, so musste es sein. Hätte sie je mit ihm gevögelt, mit Stone? Verfluchte Schlampe. Sogar Dank hatte er heucheln müssen dafür, dass die blöde Kuh sich für ihn eingesetzt und Skaugen ihm die Chance gegeben hatte, seine verloren gegangene Fabrik wiederzufinden. Und was man von dieser Chance zu halten hatte, war ebenfalls klar. Es war keine Chance, sondern eine Falle. Alle, alle hatten ihn verraten!

Aber er würde es ihnen zeigen. Clifford Stone war noch lange nicht erledigt. Was immer mit der Fabrik geschehen war, er würde es herausfinden und in Ordnung bringen. Dann erst würde man sehen, wer bei wem Leichen im Keller hatte.

Er selber würde der Sache auf den Grund gehen.

Höchstpersönlich!

Die *Thorvaldson* hatte den Standort der Fabrik inzwischen mit dem Fächersonar gescannt. Die Anlage blieb verschwunden. Wo sie gestanden hatte, schien die Morphologie des Meeresbodens eine andere geworden zu sein. Dort unten klaffte ein Graben, den es vor wenigen Tagen noch nicht gegeben hatte. Stone konnte nicht leugnen, dass ihm beim Gedanken an die Tiefe ebenso mulmig wurde wie der Besatzung und dem technischen Team. Aber er verdrängte die Angst. Er dachte nur an seine Tauchfahrt und wie er den Schleier am Ende lüften würde.

Clifford Stone. Unerschrocken. Ein Mann der Tat!

Auf dem Achterdeck der *Thorvaldson* wartete das Tauchboot darauf, ihn nach unten zu bringen, in neunhundert Meter Tiefe. Natürlich hätte er zuerst den Roboter auf Erkundung schicken sollen. Jean-Jacques Alban und jeder an Bord hatte ihm dringend dazu geraten. *Victor* verfügte über ausgezeichnete Kameras, einen hoch sensiblen Greifarm und alle Instrumente, die für eine schnelle Datenauswertung vonnöten waren. Aber es machte mehr Eindruck, wenn er selber ging. Man würde im Konzern begreifen, dass ein Clifford Stone kein Freund halber Sachen war. Außerdem teilte er Albans Ansicht nicht. Auf der *Sonne* hatte er sich mit Gerhard Bohrmann über Reisen in bemannten Tauchbooten unterhalten. Bohrmann war mit der legendären *Alvin* vor Oregon runtergegangen. Seine Augen hatten etwas Verträumtes bekommen, als er davon erzählt hatte. Er hatte gesagt:

»Ich habe Tausende von Videoaufzeichnungen gesehen. Aufzeichnungen von Robotern, allesamt sehr beeindruckend. Aber selber da drin zu sitzen, selber unten zu sein, diese Dreidimensionalität – ich hätte nie gedacht, dass es so sein würde. Es ist unvergleichlich.«

Und dass keine Maschine Sinnesorgane und Intuition des Menschen je vollständig würde ersetzen können, hatte er auch gesagt.

Stone lächelte grimmig.

Diesmal war er am Zug. Er hatte klug gehandelt. Das Tauchboot war über seine ausgezeichneten Kontakte schnell zu beschaffen gewesen. Es war ein *DR 1002*, ein *Deep Rover* der amerikanischen *Deep Ocean Engineering*, und gehörte zu den kleinen und leichten Booten einer völlig neuen Generation. Auf wuchtigen Kufen, denen zwei mehrgelenkige Greifarme entwuchsen, ruhte eine vollkommen transparente Kugel. Im Innern waren zwei bequem aussehende Sitze mit seitlich angeordneten Bedienungselementen untergebracht. Stone war sehr zufrieden mit seiner Wahl, als er neben das *Deep Rover* trat. Es war an die Trossen des Auslegers gekoppelt und aufgebockt, sodass man durch die Bodenluke ins Innere kriechen konnte. Der Pilot, ein vierschrötiger pensionierter Marineflieger, den alle Eddie nannten, hockte bereits im Innenraum und checkte die Instrumente. Wie üblich, bevor ein Tauchboot zu Wasser gelassen wurde, wimmelte es auf dem Achterdeck von Matrosen, Technikern und Wissenschaftlern. Stone sah sich suchend um, erblickte Alban und pfiff ihn heran.

»Wo ist der Fotograf?«, rief er ungeduldig. »Und der Kerl mit der Kamera?«

»Keine Ahnung«, sagte Alban im Näherkommen. »Den Kameramann habe ich vorhin irgendwo rumschleichen sehen.«

»Dann soll er gefälligst herschleichen«, blaffte Stone. »Wir gehen nicht runter, ohne das hier dokumentiert zu haben.«

Alban runzelte die Stirn und sah hinaus aufs Meer. Der Tag war dunstig, mit schlechter Sicht.

»Es stinkt«, sagte er.

Stone zuckte die Achseln. »Das liegt am Methan.«

»Es wird schlimmer.«

Tatsächlich lag ein schwefeliger Geruch über dem Meer. Es musste eine Menge Gas dort unten freigesetzt worden sein, dass es oben derart übel roch. Sie alle hatten gesehen, was am Hang los war, sie hatten die Würmer gesehen und die aufsteigenden Blasen. Niemand konnte oder wollte sich eine Vorstellung davon machen, was am Ende dieser Entwicklung stand, aber es war eindeutig kein gutes Zeichen, wenn das ganze Meer roch, als hätte jemand eine Wagenladung Stinkbomben platzen lassen.

»Das kriegt sich alles wieder ein«, sagte Stone.

Alban sah ihn an. »Hören Sie, Stone, ich würde das an Ihrer Stelle bleiben lassen.«

»Was?«

»Den Tauchgang.«

»Ach Blödsinn!« Stone sah sich zornig um. »Wo ist jetzt dieser verdammte Fotograf?«

»Es ist zu riskant.«

»Quatsch.«

»Außerdem fällt das Barometer. Es fällt ins Bodenlose. Wir bekommen Sturm.«

»Sturm ist unerheblich für Tauchboote, muss ich Ihnen das erst erklären? Wir gehen runter und basta.«

»Stone, Sie Idiot! Warum machen Sie das?«

»Weil wir so einen besseren und schnelleren Überblick gewinnen«, belehrte ihn Stone. »Herrgott, Jean, seien Sie nicht so eine verdammte Memme. Nichts kriegt die Kiste da klein, schon gar nicht ein paar Würmer. Das Boot kommt vier Kilometer tief …«

»In viertausend Metern kollabiert die Hülle«, berichtigte ihn Alban trocken. »Und zugelassen ist das Boot bis tausend.«

»Das weiß ich selber. Na und? Wir wollen auf neunhundert gehen, wer redet denn von viertausend? Was soll denn überhaupt passieren, um Himmels willen?«

»Ich weiß es nicht. Ich weiß nur, dass sich der Meeresboden unter uns verändert hat und dass immer mehr Gas in die Wassersäule gelangt. Das Sonar kann die Fabrik nicht orten, wir haben nicht die geringste Vorstellung davon, was da unten los ist.«

»Vielleicht ist was abgerutscht. Oder eingebrochen. Im schlimmsten Fall ist unsere Fabrik ein Stück weggesackt. So was kommt vor.«

»Ja. Vielleicht.«

»Also, wo ist das Problem?«

»Das Problem ist, dass ein Roboter es ebenso täte«, sagte Alban genervt. »Aber Sie wollen ja unbedingt den Helden spielen.«

Stone zeigte mit zwei Fingern auf seine Augen. »Damit kann ich immer noch am besten einschätzen, was los ist. Verstehen Sie? Direkt vor Ort. So löst man Probleme, man geht hin und packt sie an.«

»Gut. Okay.«

»Also, wann gehen wir runter?« Stone sah auf die Uhr. »Ah, in einer halben Stunde. Nein, zwanzig Minuten. Wunderbar.«

Er winkte Eddie im Innern des Tauchboots zu. Der Pilot hob kurz die Hand und widmete sich wieder der Konsole. Stone grinste.

»Was wollen Sie überhaupt? Wir haben den besten Piloten, den wir bekommen konnten. Und notfalls steuere ich das Ding selber.«

Alban schwieg.

»Also wäre das geklärt. Schön. Ich will nochmal den Tauchplan durchgehen. Bin in meiner Kabine, wenn was ist. Und bitte, Jean – holen Sie endlich diese verdammten Filmleute her. Holen Sie sie her, sofern sie nicht über Bord gefallen sind.«

TRONDHEIM, NORWEGEN

»Rasierwasser«, überlegte Johanson.

Konnte es sein, dass ihm das Rasierwasser ausgegangen war? Unmöglich. Er war Sigur Johanson, der Lagerist der schönen Dinge. Wein und Kosmetika gingen nicht einfach aus. Irgendwo musste er noch eine Flasche von dem *Kiton Eau de Toilette* haben.

Ungeduldig ging er zurück ins Bad und durchstöberte den Spiegelschrank. Er wusste, dass er allmählich das Haus verlassen sollte. Der Helikopter wartete auf dem Landeplatz des Forschungszentrums, um ihn zu dem Treffen mit Karen Weaver zu bringen. Aber für jemanden, der Wert auf inszenierte Schlampigkeit legte, gestaltete sich das Packen eines Koffers ungleich schwerer als für einen ordentlichen Menschen. Ordentliche Menschen verschraubten sich nicht in derlei Abstrusitäten, wie man möglichst gekonnt den Farbton des Jacketts verfehlte.

Hinter zwei Dosen Haarwachs wurde er fündig.

Er packte die Flasche in den Kulturbeutel, quetschte ihn zusammen mit einem Gedichtband von Walt Whitman und einem Buch über Portwein in die Reisetasche und ließ die Scharniere zuschnappen. Es war eine teure Tasche im Stil des Handgepäcks, wie sie der Londoner Adel für Landpartien zu benutzen pflegte – Anfang des neunzehnten Jahrhunderts. Die Lederschlaufen waren handgenäht, und dass der Griff ein wenig abgewetzt aussah, fand entschieden Johansons Beifall.

Der fünfte Tag!

Hatte er die CD eingepackt? Er hatte eine gebrannt mit den Daten, die seine wundersame Idee vom höheren Plan dokumentierten. Vielleicht ergab sich eine Gelegenheit, sie mit der Journalistin zu besprechen. Er sah noch einmal nach.

Da war sie, begraben unter Hemden und Socken.

Mit federnden Schritten verließ er sein Haus in der Kirkegata und stieg in den Geländewagen auf der anderen Seite der Straße. Aus irgendeinem Grund fühlte er sich seit dem frühen Morgen aufgekratzt, erfüllt von beinahe hysterischem Tatendrang. Kurz bevor er den Motor startete, wanderte sein Blick noch einmal über die Fassade seines Hauses. Die Rechte mit dem Schlüssel zwischen Daumen und Zeigefinger verharrte unmittelbar vor dem Zündschloss.

Plötzlich wusste er, was ihn umtrieb.

Er versuchte sich abzulenken. Aktionismus gegen Nachdenken. Pfeifen im Walde. Trali, trala, ist irgendwas?

Feuchter Dunst lag über Trondheim, der alle Konturen verwischte. Selbst sein Haus auf der anderen Straßenseite erschien ihm flächiger als sonst. Es sah beinahe aus wie ein Gemälde.

Was geschah mit den Dingen, die man liebte?

Warum hatte er so oft stundenlang vor den Bildern van Goghs gestanden und einen Frieden in sich gefühlt, als wären sie nicht von einem verzweifelten Paranoiker gemalt worden, sondern von einem restlos glücklichen Menschen?

Weil nichts die Impression zerstören konnte.

Natürlich konnte ein Bild vernichtet werden. Aber solange es existierte, war der in Öl gebannte Augenblick endgültig. Die Sonnenblumen würden nie verwelken. Auf die Zugbrücke von Langlois bei Arles würden keine Bomben fallen. Nichts konnte das gemalte Motiv seiner Verbindlichkeit berauben, auch wenn man es überpinselte. Das Original darunter blieb erhalten. Was schrecklich war, blieb schrecklich, was schön war, würde seine Schönheit nie verlieren. Selbst dem Porträt des Mannes mit den scharfen Gesichtszügen und dem weißen Verband über dem Ohr, der den Betrachter aus tief liegenden Augen ansah, war etwas wohltuend Verlässliches zu Eigen, weil er zumindest im Bild nicht noch unglücklicher werden konnte, weil er nicht einmal altern konnte. Er verkörperte den ewigen Augenblick. Er hatte gesiegt. Am Ende hatte er über die Schinder und Ignoranten triumphiert, er hatte sie kraft seines Pinsels und seines Genies einfach ausgetrickst.

Johanson betrachtete sein Haus.

Warum kann es nicht einfach so bleiben, dachte er. Wenn es doch ein Bild wäre, und ich mit in dem Bild.

Aber er lebte nicht in einem Bild und nicht in einer Galerie, in der sich die Schauplätze seines Lebens abschreiten ließen. Das Haus am See, es hätte ein weiteres wunderbares Bild abgegeben, daneben ein Porträt von seiner geschiedenen Frau und weitere von den Frauen, die er gekannt hatte, und welche von seinen Freunden und natürlich eines von Tina Lund. Gerne auch Arm in Arm mit Kare Sverdrup. Ja, warum nicht? Ein Bild, in dem Tina zur Ruhe kam, für alle Zeiten. Er hätte ihr Ruhe und Seelenfrieden gegönnt.

Mit einem Mal befiel ihn dumpfe Verlustangst.

Da draußen verändert sich die Welt, dachte er. Sie schließt sich gegen uns zusammen. An einem geheimen Ort ist etwas vereinbart worden, und wir waren nicht dabei. Die Menschen waren nicht dabei.

Ein so schönes Haus. So friedlich.

Er ließ den Motor an und fuhr los.

KIEL, DEUTSCHLAND

Erwin Suess betrat, Yvonne Mirbach im Gefolge, Bohrmanns Büro.

»Ruf diesen Johanson an«, sagte er. »Sofort.«

Bohrmann hob den Kopf. Er kannte den Geomar-Direktor lange genug, um zu sehen, dass etwas Außergewöhnliches passiert sein musste. Etwas, das Suess zutiefst bestürzte.

»Was ist los?«, fragte er, obschon er es ahnte.

Mirbach zog einen Stuhl heran und setzte sich.

»Wir haben den Computer sämtliche Szenarien durchrechnen lassen. Der Kollaps wird eher erfolgen, als wir dachten.«

Bohrmann runzelte die Stirn. »Letztes Mal waren wir nicht sicher, ob es überhaupt zu einem Kollaps kommen wird.«

»Ich fürchte doch«, sagte Suess.

»Die Bakterien-Konsortien?«

»Ja.«

Bohrmann lehnte sich zurück und fühlte, wie sich seine Stirn mit kaltem Schweiß bedeckte. Es kann nicht sein, dachte er. Das sind doch nur Bakterien, mikroskopisch kleine Lebewesen. Plötzlich begann er zu denken wie ein Kind. Wie kann etwas so Winziges einen Eisdeckel von über hundert Metern Dicke zerstören? Es geht nicht. Was soll eine Mikrobe ausrichten auf Tausenden von Quadratkilometern Meeresboden? Gar nichts. Es ist nicht vorstellbar. Es ist nicht real. Es findet nicht statt.

Sie wussten wenig über Konsortien. Fest stand, dass sich in der Tiefsee Mikroorganismen verschiedener Arten zu Symbiosen zusammenschlossen. Schwefelbakterien verbündeten sich mit Archäen, urtümlichen Einzellern, die zu den ältesten Lebensformen überhaupt gehörten. Die Symbiose war extrem erfolgreich. Vor wenigen Jahren erst hatte man die ersten Konsortien auf den Oberflächen von Methanhydraten aufgespürt. Die Schwefelbakterien verwerteten mit Hilfe von Sauerstoff, was sie von den Archäen erhielten, nämlich Wasserstoff, Kohlendioxid und verschiedene Kohlenwasserstoffe. Denn diese Stoffe schieden die Archäen aus, wenn sie sich an ihrer Leibspeise gütlich taten.

An Methan.

Gewissermaßen lebten damit auch die Schwefelbakterien vom Methan, nur dass sie selber nicht drankamen. Denn das meiste Methan lagerte im sauerstofffreien Sediment, und Schwefelbakterien konnten ohne Sauerstoff nicht leben. Aber Archäen konnten es. Sie waren in der Lage, Methan ohne Sauerstoff zu knacken, noch kilometertief unter der Erdoberfläche. Man schätzte, dass sie jährlich 300 Millionen Tonnen des marinen Methans umsetzten, möglicherweise zum Wohle des Weltklimas, denn aufgespaltenes Methan konnte nicht als Treibhausgas in die Atmosphäre entweichen. So gesehen waren sie beinahe eine Art Umweltpolizei.

Zumindest, solange sie sich auf weiter Fläche verteilten.

Aber sie lebten auch in Symbiose mit Würmern. Und dieser seltsame Wurm mit seinen monströsen Kiefern war voll gepackt mit Konsortien von Schwefelbakterien und Archäen. Sie lebten in ihm und auf ihm. Mit jedem Meter, den er sich ins Hydrat bohrte, brachte er die Mikroorganismen tiefer hinein, und sie begannen, das Eis von innen zu zersetzen. Wie Krebs. Irgendwann verendeten die Würmer, dann die Schwefelbakterien, aber die Archäen fraßen sich unbeirrt nach allen Seiten weiter durch das Eis hindurch zum freien Gas. Sie verwandelten das vormals kompakte Hydrat in eine poröse, brüchige Masse, und das Gas trat aus.

Die Würmer können das Hydrat nicht destabilisieren, hörte Bohrmann sich sagen.

Richtig. Aber es war auch gar nicht ihre Aufgabe. Die Würmer erfüllten nur den Zweck, ihre Archäenfracht ins Eis zu schaffen. Wie

Omnibusse: Methanhydrat, fünf Meter Tiefe, alles aussteigen, an die Arbeit.

Warum haben wir das nie erwogen, dachte Bohrmann. Temperaturschwankungen des Meerwassers, Verringerung des hydrostatischen Drucks, Erdbeben, all das gehörte zum Schreckensrepertoire der Hydratforschung. Nur über Bakterien hatte kaum jemand ernsthaft nachgedacht, obwohl bekannt war, was sie taten. Kein Mensch hätte im Traum das Szenario einer solchen Invasion entwickelt. Niemand hätte die Existenz eines Wurmes für denkbar gehalten, der sich als methanotroper Selbstmörder herausstellte. Seine Vielzahl, seine Ausdehnung auf einen kompletten Kontinentalhang, absurd, unerklärlich! Die Armee der Archäen, getrieben von ihrem fatalen Appetit, in ihrer Masse faktisch unmöglich!

Und dann dachte er wieder: Wie um alles in der Welt sind diese Tiere dahin gekommen? Warum sind sie da? Was hat sie hingebracht?

Oder wer?

»Das Problem«, sagte Mirbach, »ist, dass unsere erste Simulation weitgehend auf linearen Gleichungen fußte. Aber die Wirklichkeit verläuft nicht linear. Wir haben es mit teils exponenziellen und weitgehend chaotischen Entwicklungen zu tun. Das Eis bricht auseinander, das Gas darunter sprudelt unter Hochdruck hervor und reißt ganze Brocken mit sich. Meeresboden stürzt ein, sodass der Zeitpunkt des Zusammenbruchs rasend schnell …«

»Schon gut.« Bohrmann hob die Hand. »Wie lange noch?«

»Ein paar Wochen. Ein paar Tage. Ein paar …« Mirbach zögerte. Dann zuckte sie die Schultern. »Es gibt eine Unwägbarkeit bei alledem. Wir wissen immer noch nicht, ob es *tatsächlich* stattfinden wird. Fast alles spricht dafür, aber das Szenario ist so ungewöhnlich, dass wir über bloßes Theoretisieren kaum hinauskommen.«

»Lassen wir das ganze diplomatische Versteckspiel. Was ist deine persönliche Meinung?«

Mirbach sah ihn an.

»Ich habe keine.« Sie machte eine kurze Pause. »Wenn drei Wanderameisen auf ein großes Säugetier treffen, werden sie allenfalls tot getreten. Wenn dasselbe Säugetier auf ein paar tausend von ihnen trifft, wird es bei lebendigem Leib bis auf die Knochen abgenagt. So ähnlich stelle ich mir das mit Würmern und Mikroorganismen vor. *Capito?*«

»Ruf Johanson an«, sagte Suess wieder. »Sag ihm, wir rechnen mit einem Storegga-Effekt.«

Bohrmann ließ langsam die Luft entweichen.

Er nickte stumm.

Sie standen am Rande der Landeplattform, von wo man auf den Fjord sehen konnte. Vom gegenüberliegenden Ufer war kaum etwas zu erkennen. Die See lag vor ihnen wie matter Stahl unter einem immer grauer werdenden Himmel.

»Du bist ein Snob«, sagte Lund mit Blick auf den wartenden Helikopter.

»Natürlich bin ich ein Snob«, erwiderte Johanson. »Wenn man von euch zwangsrekrutiert wird, hat man sich einen gewissen Snobismus verdient, findest du nicht?«

»Fang nicht wieder davon an.«

»Du bist auch ein Snob. Du darfst die nächsten Tage mit einem feinen Geländewagen unterwegs sein.«

Lund lächelte. »Dann gib mir mal die Schlüssel.«

Johanson fingerte in seiner Manteltasche herum, zog den Schlüssel des Jeeps hervor und legte ihn in ihre Handfläche.

»Pass gut drauf auf, solange ich weg bin.«

»Keine Angst.«

»Und komm bloß nicht auf die Idee, mit Kare darin zu knutschen.«

»Wir knutschen nicht in Autos.«

»Überall werdet ihr knutschen. Immerhin hast du gut daran getan, meinem Rat zu folgen und eine Lanze für den armen Stone zu brechen. Jetzt kann er seine Fabrik selber aus dem Wasser fischen.«

»Auf die Gefahr hin, dich zu desillusionieren, dein Rat spielte dabei keine Rolle. Stone zu begnadigen war ausschließlich Skaugens Entscheidung.«

»Ist er denn begnadigt?«

»Wenn er alles wieder unter Kontrolle bringt, könnte er im Konzern überleben.« Sie sah auf die Uhr. »Etwa um diese Zeit wird er wahrscheinlich mit dem Tauchboot runtergehen. Drücken wir ihm die Daumen.«

»Wieso schickt er keinen Roboter nach unten?«, wunderte sich Johanson.

»Weil er sie nicht alle hat.«

»Im Ernst.«

»Ich denke, er will beweisen, dass so eine Krise nur auf seine Art zu lösen ist. Dass ein Clifford Stone unersetzbar ist.«

»Und das lasst ihr zu?«

»Wieso?« Lund zuckte die Achseln. »Er ist immer noch Projektleiter. Außerdem hat er in einem Punkt Recht. Wenn er selber runtergeht, kann er die Lage differenzierter beurteilen.«

Johanson stellte sich vor, wie die *Thorvaldson* im konturlosen Grau lag, während Stone dem Meeresboden entgegensank, um sich herum Finsternis und unter sich ein Rätsel.

»Mutig scheint er jedenfalls zu sein.«

»Ja.« Lund nickte. »Er ist ein Arschloch, aber Mut kann man ihm weiß Gott nicht absprechen.«

»Alsdann.« Johanson ergriff seine Reisetasche. »Fahr mein Auto nicht zuschanden.«

»Keine Bange.«

Sie gingen gemeinsam zum Helikopter. Skaugen hatte ihm tatsächlich das Flaggschiff des Konzerns zur Verfügung gestellt, einen großen *Bell* 430, das Nonplusultra an Komfort und Flugruhe.

»Was ist das eigentlich für ein Typ, diese Karen Weaver?«, fragte Lund an der Einstiegstüre.

Johanson zwinkerte ihr zu.

»Sie ist jung und wunderschön.«

»Idiot.«

»Was weiß ich? Keine Ahnung.«

Lund zögerte. Dann schlang sie die Arme um ihn.

»Pass auf dich auf, ja?«

Johanson tätschelte ihr den Rücken.

»Wird schon schief gehen. Was soll mir denn passieren?«

»Nichts.« Sie schwieg einen Moment. »Übrigens hat dein Rat doch was bewirkt. Das, was du gesagt hast. Es hat den Ausschlag gegeben.«

»Zu Kare zu fahren?«

»Ein paar Dinge anders zu sehen. Ja, und zu Kare zu fahren.«

Johanson lächelte. Dann küsste er sie rechts und links auf die Wange.

»Wir telefonieren, sobald ich dort bin.«

»Okay.«

Er stieg ins Innere und warf seine Tasche auf einen der Sitze hinter dem Piloten. Der Helikopter bot zehn Passagieren Platz, aber er hatte die Maschine für sich allein. Allerdings würden sie auch gut drei Stunden unterwegs sein.

»Sigur!«

Er drehte sich zu ihr um.

»Du bist ... ich glaube, du bist wirklich mein bester Freund.« Sie hob etwas hilflos die Arme und ließ sie wieder fallen. Dann lachte sie. »Ich meine, was ich sagen will, ist ...«

»Ich weiß schon«, grinste Johanson. »Du bist nicht gut in so was.«

»Nein.«

»Ich auch nicht.« Er beugte sich vor. »Je mehr ich jemanden mag, desto blöder stelle ich mich an, es ihm zu sagen. Was dich angeht, bin ich wahrscheinlich der größte Blödmann aller Zeiten.«

»War das ein Kompliment?«

»Mindestens.«

Er schloss die Tür. Der Pilot warf die Rotoren an. Langsam hob der *Bell* ab, und Lunds winkende Gestalt wurde kleiner. Dann senkte der Helikopter die Nase und flog hinaus auf den Fjord. Das Forschungszentrum blieb als Spielzeugbau zurück. Johanson machte es sich bequem und sah nach draußen, aber die Sicht gab nicht viel her. Trondheim verschwand im Dunst, Wasser und Berge zogen als farblose Flächen unter ihnen dahin, und der Himmel sah aus, als wolle er sie verschlucken.

Das dumpfe Gefühl überkam ihn wieder.

Angst.

Angst wovor?

Das ist nur ein Flug mit dem Hubschrauber, sagte er sich. Auf die Shetland-Inseln. Was soll schon passieren?

Manchmal hatte man eben so Anwandlungen. Zu viel Methan und Monsterkram. Dazu das Wetter. Vielleicht hätte er einfach ausgiebiger frühstücken sollen.

Er zog den Gedichtband aus der Reisetasche und begann zu lesen.

Über ihm wummerten dumpf die Rotoren. Sein Mantel, in dem sein Handy steckte, lag zusammengeknüllt auf der Sitzreihe hinter ihm. Dies und der Umstand seiner Versunkenheit in die Poesie Walt Whitmans führten dazu, dass er nicht hörte, als es klingelte.

THORVALDSON, NORWEGISCHER KONTINENTALHANG

Stone hatte beschlossen, vor dem Einsteigen ein paar Worte zu sagen, während ihn der Kameramann filmte und der andere Typ Fotos schoss. Es sollte eine genaue Dokumentation über den Verlauf des Unternehmens werden. Bei Statoil sollten sie sich ins Gedächtnis rufen, wie professionell ein Clifford Stone zu arbeiten wusste und was er unter Verantwortung verstand.

»Einen Schritt nach rechts«, sagte der Kameramann.

Stone gehorchte und scheuchte dabei zwei Techniker aus dem Bild. Dann überlegte er es sich anders und winkte sie wieder herbei.

»Schräg hinter mich«, sagte er. Es sah möglicherweise besser aus, wenn Techniker im Bild waren. Nichts sollte den Eindruck erwecken, als seien hier Hasardeure und Abenteurer am Werk.

Der Kameramann schraubte sein Stativ höher.

»Können wir endlich?«, rief Stone.

»Moment noch. Es sieht komisch aus. Sie verdecken den Piloten.«

Stone trat einen weiteren Schritt zur Seite.

»Und?«

»Besser.«

»Nicht die Fotos vergessen«, wies Stone den zweiten Mann an. Der Fotograf kam näher und betätigte, wie um den Expeditionsleiter zu beruhigen, den Auslöser.

»Okay«, sagte der Kamermann. »Läuft.«

Stone blickte entschlossen in die Linse.

»Wir werden jetzt runtergehen, um zu sehen, was aus unserem Prototyp geworden ist. Augenblicklich scheint es, als sei die Fabrik von ihrem ursprünglichen … äh … wo sie vorher stand … Mist.«

»Kein Problem. Nochmal.«

Diesmal klappte alles. Stone erklärte in sachlichen Worten, dass sie vorhatten, für die Dauer einiger Stunden nach der Fabrik zu suchen. Er gab einen Abriss über den bisherigen Erkenntnisstand, kam kurz auf die veränderte Morphologie des Hangabschnitts zu sprechen und gab seiner Meinung Ausdruck, die Fabrik müsse infolge einer lokalen Destabilisierung des Sediments abgerutscht sein. Es klang alles sehr profund. Vielleicht zu sachlich. Stone, nicht eben ein Showtyp, erinnerte sich, dass alle großen Entdecker und Erkunder irgendeinen klugen Satz gesagt hatten, bevor oder nachdem sie die Ärmel hochkrempelten. Etwas, das prima klang. Es ist nur ein kleiner Schritt für mich, aber ein großer Schritt für die Menschheit. So was. Das war klasse gewesen. Natürlich hatten sie Neil Armstrong vorher eingeschärft, das zu sagen, als wäre er je von selber drauf gekommen, aber egal. Ich kam, sah und siegte, auch nicht schlecht. Julius Cäsar. Hatte Kolumbus irgendwas gesagt? Jacques Picard?

Er überlegte. Ihm fiel nichts ein.

Aber man musste ja nicht alles selber erfinden. Bohrmanns besinnliche Worte über bemannte Tauchfahrten hatten auch nicht schlecht geklungen. Stone räusperte sich.

»Natürlich könnten wir einen Roboter nach unten schicken«, sagte er abschließend. »Aber es ist nicht dasselbe. Ich kenne jede Menge Videoaufzeichnungen von Robotern. Hervorragendes Material.« Wie war das noch gewesen? Ach ja: »Aber selber da drin zu sitzen, selber unten zu sein, diese Dreidimensionalität – man kann sich das nicht vorstellen. Es ist unvergleichlich. Und … es gibt uns schlicht den besseren Über … äh, besseren Einblick … um zu sehen, was da los ist … ähm, und was wir tun können.«

Der letzte Satz war lausig gewesen.

»Amen«, sagte Alban leise im Hintergrund.

Stone drehte sich um, kroch unter das Tauchboot und schob sich durch das Loch. Der Pilot streckte ihm die Hand entgegen, aber Stone ignorierte die Hilfe. Er stemmte sich hoch und nahm Platz. Es war ein bisschen wie in einem Hubschrauber zu sitzen. Oder in einer Hightech-Attraktion in Disneyland. Das Seltsamste war das Empfinden, nach wie vor draußen zu sein, nur dass die Geräusche vom Deck nicht mehr ans Ohr drangen. Die Kugel aus zentimeterdickem Acryl, hermetisch abgeschlossen, ließ nichts durch.

»Muss ich Ihnen noch irgendwas erklären?«, fragte Eddie freundlich.

»Nein.«

Eddie hatte ihn schon zuvor geschult. Er hatte es sehr gründlich getan auf seine ruhige Art. Stone warf einen Blick auf die kleine Computerkonsole vor ihnen. Seine Rechte glitt über die Steuerelemente seitlich des Sessels. Draußen schoss der Fotograf eifrig Bilder, und der Kameramann filmte.

»Fein«, sagte Eddie. »Dann mal rein ins Vergnügen.«

Ein Ruck ging durch das Boot. Plötzlich schwebten sie über dem Deck, glitten langsam darüber hinweg. Unter ihnen war die bewegte Wasseroberfläche zu sehen. Es herrschte ziemlicher Seegang. Einen Moment hingen sie reglos da und sahen auf das Heck der *Thorvaldson*. Alban hob die Hand mit aufgerichtetem Daumen. Stone nickte ihm kurz zu. In den nächsten Stunden würden sie nur über das Unterwassertelefon kommunizieren können. Kein Glasfaserkabel verband das Tauchboot mit dem Mutterschiff, nichts außer Schallwellen. Sobald der Ausleger sie ausgeklinkt hatte, waren sie auf sich allein gestellt.

Stones Magen begann zu kribbeln.

Es ruckte erneut. Über ihnen erscholl ein Klonk, als sich die Trossen lösten. Das Boot senkte sich hinab, wurde von einer Welle hochgehoben, dann schoss gurgelnd Meerwasser in die Kufen, als Eddie die Tanks flutete. Die See schlug über der Kugel zusammen. Wie ein Stein begann das *Deep Rover* zu sinken, rund dreißig Meter in der Minute. Stone starrte hinaus. Bis auf zwei kleine Positionsleuchten an den Kufen waren alle Lichter ausgeschaltet. Es galt Strom zu sparen, den sie unten brauchen würden.

Kaum Fische ließen sich blicken. Nach hundert Metern verdunkelte sich das tiefe Blau der See und ging in samtene Finsternis über.

Draußen blitzte etwas auf wie ein Feuerwerkskörper. Erst einmal, dann überall um sie herum.

»Leuchtquallen«, sagte Eddie. »Nett, nicht?«

Stone war fasziniert. Er hatte schon einige Tauchgänge hinter sich, aber noch keinen im *Deep Rover*. Es schien tatsächlich, als sei nichts zwischen ihnen und dem Meer. Selbst die rot glimmenden Kontrolllampen der Konsole und der Bedieninstrumente schienen sich zu den Schwärmen fluoreszierender Tierchen gesellen zu wollen, die draußen vorbeiwimmelten. Der Gedanke, dass in diesem fremdartigen Universum seine Fabrik stehen sollte, erschien ihm plötzlich dermaßen absurd, dass er kurz davor stand loszulachen.

Ich bin der Initiator dieses Projekts, dachte er. Sollte ich zu lange am Schreibtisch gesessen haben, dass ich mir selber nicht mehr vorstellen kann, wie die Wirklichkeit beschaffen ist?

Er streckte die Beine aus, so weit es ging. Sie redeten wenig, während es weiter abwärts ging. Mit zunehmender Tiefe kühlte es im Innern der Kugel ab, ohne dass es wirklich ungemütlich wurde. Im Vergleich zu Tauchbooten wie *Alvin, MIR* oder *Shinkai*, die in 6000 Meter Tiefe vorstießen, verfügte das *Deep Rover* über ein geradezu luxuriöses System zur Regulierung der Innentemperatur. Vorsorglich hatte Stone dicke Socken angezogen – Schuhe waren in Tauchbooten nicht erlaubt, um nicht durch zufällige Tritte Instrumente zu zerstören – und einen warmen, wollenen Pullover. Trotz der Kühle war ihm behaglich. Eddie neben ihm wirkte entspannt und konzentriert. Hin und wieder drang eine lärmende Stimme aus dem Lautsprecher, Kontrollanrufe des Technikers auf der *Thorvaldson*. Die Worte waren verständlich, aber verzerrt, weil sich die Schallwellen mit tausend anderen Geräuschen unter Wasser mischten.

Sie fielen und fielen.

Nach fünfundzwanzig Minuten schaltete Eddie das Sonar ein. Leises Pfeifen und Klicken durchzog die Sphäre, überlagert vom sanften Brummen der Elektronik.

Sie näherten sich dem Grund.

»Popcorn und Cola bereithalten«, sagte Eddie. »Jetzt gibt's Kino.«
Er schaltete die Außenscheinwerfer ein.

GULLFAKS C, NORWEGISCHER SCHELF

Lars Jörensen stand auf der obersten Plattform des stählernen Treppenschachts, der vom Hubschrauberlandeplatz zum Wohntrakt führte, und sah auf den Bohrturm. Er hatte die Arme über dem Geländer verschränkt. Die Spitzen seines weißen Schnurrbarts zitterten im Wind. An klaren Tagen schien der Turm zum Greifen nahe, aber heute entrückte er zusehends. Mit jeder Stunde, die sich der Dunst vor dem nahenden Sturm verdichtete, wurde er unwirklicher, als wolle er vollständig verblassen und zur bloßen Erinnerung werden.

Seit Lunds letztem Besuch fühlte Jörensen sich immer schwermütiger werden. Er dachte darüber nach, was Statoil am Kontinentalhang bauen mochte. Ohne Zweifel planten sie eine vollautomatische Fabrik. Vielleicht würde sie mit einem Produktionsschiff verbunden sein. Lund war wohl der Meinung gewesen, sie hätte ihn mit ihren Antworten abgewimmelt, aber Jörensen war ja nicht blöde. Er hatte sogar Verständnis dafür, wie sie vorgingen, und dass sie Menschen einsparten, um sie durch Maschinen zu ersetzen. Es ergab durchaus Sinn. Eine Maschine legte keinen Wert auf gute Küche wie Lars Jörensen, sie schlief nicht, arbeitete unter lebensfeindlichen Bedingungen und wollte keinen Lohn dafür. Sie beklagte sich nicht, und wenn sie in die Jahre kam, konnte man sie notfalls auf den Müll werfen und musste sich nicht um ihr weiteres Wohlergehen sorgen. Andererseits fragte er sich, wie ein Roboter je Augen und Ohren ersetzen und intuitiv Entscheidungen treffen sollte. Ohne Menschen gab es kein menschliches Versagen, sicher. Aber wenn Maschinen versagten, ohne dass Menschen in der Nähe waren, würde es kommen wie in den utopischen Filmen, die er oft spätnachts noch sah, wenn draußen die See gegen die Pfeiler schlug. Der Mensch würde die Kontrolle verlieren. Und die Maschine hatte keinen Sinn für Leben und Umwelt, sie hatte kein Verständnis für die Interessen ihrer Erbauer, die sich selber wegrationalisierten, sie zeichnete sich durch keinerlei Menschlichkeit und Verständnis aus.

Langsam schwand das Licht. Der Himmel wurde noch grauer, und nieseliger Regen setzte ein.

Was für ein Scheißtag, dachte Jörensen.

Nicht genug, dass es seit einiger Zeit über dem Meer stank, als sei das Wasser voller Chemikalien. Jetzt wetteiferte auch noch das Klima mit seiner Laune um den Tiefpunkt der Trübsinnigkeit.

Im Grunde arbeiten wir auf einer Ruine, dachte Jörensen. Eine Geisterstadt im Meer, voller Zombies, von denen einer nach dem anderen exorziert wird. Sind die Vorkommen erschöpft, bleibt ein Gerippe ohne Funktion. Die Ölarbeiter werden entsorgt, die Plattformen werden entsorgt, und die Zukunft schauen wir uns im Fernsehen an. Videoaufzeichnungen aus einer Welt, in die wir nicht vordringen können, wenn es erforderlich wird.

Jörensen seufzte.

Waren das Überlegungen, die irgendjemandem weiterhalfen? Zu einfach gestrickt? Zu einseitig, engstirnig, selbstgerecht? Das Auto hatte das Ende der Droschkenkutscher bedeutet. Damals hatte es viel billiges Pferdefleisch gegeben, und Existenzen waren vernichtet worden. Aber wer wollte noch Droschken? Wahrscheinlich hatten aufs Ganze gesehen die anderen Recht, und er war ein alter Mann, der es einfach nur hasste, in Pension zu gehen.

Ganz früher, erinnerte er sich, hatte es diesen magischen Moment gegeben. Als schwarz glänzende Männer, triefend vor Öl, einander in die Arme gefallen waren, während aus dem sandigen Boden hinter ihnen eine Fontäne steil in den Himmel schoss, die unermesslichen Reichtum verhieß. War das wirklich so gewesen? In *Giganten* gab es diese Szene mit James Dean. Jörensen liebte den Film. Er mochte die Szene mit Dean weit mehr als die mit Bruce Willis in *Armageddon*, obwohl die auf einer richtigen Plattform spielte und *Giganten* in der texanischen Wüste. Den lachenden, wild umherspringenden, schwarz gesprenkelten James Dean zu sehen war ein bisschen, als säße man auf Großvaters Schoß und ließe sich von damals erzählen, als Opa selber noch jung und überhaupt alles besser war. Und man lauschte und glaubte jedes Wort und glaubte es doch wieder nicht.

Opa. Genau! Er war ein Opa.

Wenige Monate noch, dachte Jörensen. Dann hab ich's hinter mir. Aus, passé. Mir wird es jedenfalls besser gehen als denen, die heute jung sind. Mich können sie nicht mehr wegrationalisieren, ich höre von selber auf, und Rente gibt es auch noch. Fast könnte man sich schuldig fühlen abzuhauen, bevor das Ende über die Inseln kommt. Aber es ist dann nicht mehr mein Problem. Ich werde andere haben.

Ein Geräusch näherte sich von der weit entfernten Küste her. Ein rhythmisches Dröhnen, das zum Knattern eines Helikopters wurde. Jörensen legte den Kopf in den Nacken. Er kannte alle Modelle, die hier verkehrten. Selbst auf die Entfernung und trotz der schlechten Wetterverhältnisse sah er, dass ein *Bell* 430 über Gullfaks hinwegzog und im Dunst verschwand. Das Schlagen der Rotorblätter wurde wieder zu einem Wummern, entfernte sich und erstarb schließlich ganz.

Staubfeine Regenpartikel überzogen das Geländer mit feuchtem Glanz. Jörensen überlegte, ob er ins Innere gehen sollte. Er hatte eine Stunde Leerlauf, was selten genug vorkam, und er konnte fernsehen oder lesen oder sich mit jemandem zum Schach treffen. Aber er hatte keine Lust hineinzugehen. Nicht heute, da ihm zumute war, als bewohne er einen stählernen Sarg. Nicht auch noch ins Innere und sich begraben lassen. Wenigstens das Meer sah aus wie immer, grau, zerklüftet, ein stetiges Auf und Ab.

Weit hinter dem Turm, an der Spitze des Auslegers, brannte blass die Gasflamme. Das Leuchtfeuer der Verlorenen. Hey, das war gut! Das klang wie ein Filmtitel! Nicht schlecht für einen alten Sack, der seit Jahr und Tag den Hubschrauber- und Schiffsverkehr überwachte.

Vielleicht sollte er ein Buch schreiben nach seiner Pensionierung. Über die Zeit, an die man sich in wenigen Jahrzehnten kaum noch würde erinnern können. Die Zeit der großen Plattformen.

Und der Titel würde lauten: *Das Leuchtfeuer der Verlorenen*.

Opa, erzähl uns eine Geschichte.

Jörensens Laune besserte sich etwas. Gar keine schlechte Idee, das. Vielleicht war es ja doch kein solcher Scheißtag.

KIEL, DEUTSCHLAND

Gerhard Bohrmann hatte das Gefühl, in Treibsand zu versinken. Er lief abwechselnd zu Suess und zu Mirbach, die den Computer unentwegt neue Szenarien durchrechnen ließen, mit immer fataleren Ergebnissen. Zwischendurch versuchte er Sigur Johanson zu erreichen, aber der ging nicht ran. Er versuchte es in Johansons Sekretariat an der NTNU, und man sagte ihm, der Doktor sei verreist und käme wohl auch nicht zur Vorlesung. Genau genommen käme er auf unabsehbare Zeit gar nicht mehr. Er sei für andere Aufgaben freigestellt worden, offenbar im Auftrag der Regierung. Bohrmann konnte sich ungefähr denken, welche Aufgaben das waren. Er versuchte es bei Johanson zu Hause. Dann wieder auf dem Handy. Nichts.

Schließlich besprach er sich ein weiteres Mal mit Suess.

»Es muss doch sonst noch jemanden geben aus Johansons Dunstkreis, der fähig ist, eine Entscheidung zu treffen«, sagte Suess.

Bohrmann schüttelte den Kopf.

»Alles Statoil-Leute. Da können wir's genauso gut für uns behalten. Und was Vertraulichkeit angeht – wenn wir das Thema weiter vertraulich behandeln, und es kommt zum Storegga-Effekt, wird man uns das dermaßen dick aufs Brot schmieren, dass es keiner schlucken kann.«

»Also, was machen wir?«

»An Statoil gehe ich jedenfalls nicht ran.«

»Schon gut.« Suess rieb sich die Augen. »Du hast ja Recht. Also wenden wir uns ans Ministerium für Forschung und Entwicklung und an die Umweltbehörde.«

»In Oslo?«

»Und in Berlin. Und Kopenhagen. Und Amsterdam. Ach ja, London. Hab ich was vergessen?«

»Reykjavik.« Bohrmann seufzte. »Du lieber Himmel. Okay, so machen wir's.«

Suess starrte aus dem Fenster seines Büros. Von hier aus konnte man über die Kieler Förde sehen. Auf die gewaltigen Krananlagen, wo die Schiffe beladen wurden, auf die Kontore und Silos. Ein Zerstörer der Marine verschwamm im Grau von Wolken und Wasser.

»Was sagen deine Simulationen eigentlich über Kiel?«, fragte Bohrmann. Seltsam, dass er darüber noch gar nicht richtig nachgedacht hatte. Hier, so nah am Wasser.

»Es könnte gut gehen.«

»Immerhin ein Trost.«

»Versuch trotzdem, Johanson zu erreichen. Versuch es immer wieder.«

Bohrmann nickte und ging nach draußen.

DEEP ROVER, NORWEGISCHER KONTINENTALHANG

Von unermesslicher Weite konnte keine Rede sein, als Eddie die sechs Außenscheinwerfer einschaltete. Je 150 Watt aus vier Quartz-Halogen-Strahlern und zwei 400-Watt-HMI-Leuchten tauchten ein Gebiet im Radius von etwa fünfundzwanzig Metern in gleißendes Licht. Feste Strukturen waren nicht auszumachen. Stone blinzelte irritiert nach der langen Fahrt durch die Dunkelheit. Das *Deep Rover* fiel durch einen Vorhang aus schimmernden Perlen.

Er beugte sich vor.

»Was ist das?«, fragte er. »Wo ist der Meeresboden?«

Dann erkannte er, was um sie herum aufstieg. Es waren Blasen. Sie trudelten zur Oberfläche, einige klein und wie auf Schnüre gereiht, andere plump und eiernd.

Das Sonar ließ weiter sein charakteristisches Pfeifen und Klicken hören. Eddie studierte mit zusammengezogenen Brauen die LED-Anzeigen der Konsole, die Aufschluss über den Zustand der Batterien, über Innen- und Außentemperatur, Sauerstoffvorrat, Kabinendruck und so weiter gaben, und rief die Messdaten der Außenfühler ab.

»Herzlichen Glückwunsch«, knurrte er. »Es ist Methan.«

Der Perlenvorhang wurde dichter. Eddie klinkte zwei Stahlgewichte aus, die seitlich der Kufen befestigt waren, und presste zusätzliche Luft in die Tanks, um das Tauchboot in eine stabile Position zu bringen. Sie hätten nun schweben müssen, aber stattdessen sanken sie weiter.

»Wir kriegen den Arsch nicht hoch. Ich glaub's nicht!«

Im Licht der Scheinwerfer tauchte der Boden unter ihnen auf. Er kam ihnen entgegen, viel zu schnell. Stone erhaschte einen Blick auf Spalten und Löcher, dann war alles wieder voller Blasen. Eddie fluchte und blies weiteres Wasser aus den Tanks.

»Was ist denn los?«, wollte Stone wissen. »Haben wir Probleme mit dem Auftrieb?«

»Schätze, es ist das Gas. Wir sind mitten in einem Blowout.«

»So ein Mist.«

»Nur die Ruhe.«

Der Pilot warf die Propeller an. Das Boot begann sich durch die Schnüre aus Blasen vorwärts zu bewegen. Stone verspürte kurz ein Gefühl wie in einem sanft abstoppenden Fahrstuhl. Sein Blick suchte den Tiefenmesser. Das *Deep Rover* fiel immer noch, nun aber langsamer. Dennoch näherten sie sich dem Boden mit hoher Geschwindigkeit. Nicht lange, und sie würden aufschlagen.

Er biss sich auf die Lippen und ließ Eddie seinen Job machen. In dieser Situation war nichts weniger angebracht, als den Piloten durch Gequatsche aus der Ruhe zu bringen. Also sah Stone zu, wie die Blasen dicker und der Vorhang dichter wurden und das, was man in dem Blowout noch vom Boden erkennen konnte, langsam zur Seite wegkippte. Die rechte Kufe verschwand in heftigem Sprudeln, und das Tauchboot geriet in Schieflage.

Er hielt den Atem an.

Dann waren sie durch.

So wild es eben noch um sie herum geschäumt hatte, so ruhig lag jetzt der Meeresboden vor ihnen. Für die Dauer eines Augenblicks begann das Boot wieder zu steigen. Eddie bediente ohne sonderliche Hast die Fluter und ließ etwas Meerwasser in die Tanks laufen, bis das *Deep Rover* austariert war und dicht über dem Hang dahinschwebte.

»Alles wieder im grünen Bereich«, sagte er.

Mit zwei Knoten fuhren sie nun Höchstgeschwindigkeit, umgerechnet etwa 3,7 Kilometer pro Stunde. Jeder Jogger war schneller, aber hier ging es nicht darum, Entfernungen zurückzulegen. Genau genommen waren sie ziemlich exakt dort, wo Stone die Fabrik auf Grund gesetzt hatte. Weit konnte es nicht mehr sein.

Der Pilot grinste.

»Damit hätten wir eigentlich rechnen können, was?«

»Nicht in der Heftigkeit«, sagte Stone.

»Nicht? Wenn schon das Meer stinkt wie die letzte Kloake? Irgendwo muss das Gas ja austreten. Na, Sie wollten es ja nicht anders. Sie wollten ja unbedingt runter.«

Stone würdigte ihn keiner Antwort. Er straffte sich und suchte nach Anzeichen von Hydraten, aber im Moment waren keine zu sehen und nur vereinzelt Würmer. Ein großer Plattfisch, ähnlich einer Scholle, lag auf dem Boden. Bei ihrem Näherkommen stieg er träge auf, wirbelte ein wenig wolkigen Schlamm auf und schwamm aus dem Licht.

Wie unwirklich es war, hier zu sitzen, während draußen fast einhundert Kilogramm Wasserdruck auf jeden Quadratzentimeter der Acrylkugel einwirkten. Alles an dieser Situation war künstlich. Die erleuchtete Zone des Hangplateaus mit seinen wandernden Schatten, als das *Deep Rover* langsam darüber hinwegzog. Die Schwärze jenseits des diffundierenden Lichts. Der maschinell aufrechterhaltene Innendruck. Die Atemluft, die kontinuierlich aus Gasflaschen strömte, während das ausgeatmete Kohlendioxid von Chemikalien eliminiert wurde.

Nichts hier unten lud den Menschen zum Verweilen ein.

Stone schmatzte. Seine Zunge klebte am Gaumen. Er dachte daran, dass sie stundenlang vor dem Tauchgang nichts getrunken hatten. Für alle Fälle lagerten *Human Range Extender* an Bord, spezielle Flaschen, wenn es gar nicht mehr anders ging, aber jedem, der ein Tauchboot bestieg, wurde vorher dringend geraten, seine Blase zu entleeren, und zwar so, dass sie eine Weile leer blieb. Seit dem frühen Morgen hatten er und Eddie zudem nur Erdnussbuttersandwiches und knochenharte Schoko- und Ballaststoffriegel zu sich genommen. Tauchmahlzeiten. Nahrhaft, sättigend und trocken wie Saharasand.

Er versuchte sich zu entspannen. Eddie gab einen kurzen Bericht an die *Thorvaldson*. Hin und wieder sahen sie Muscheln oder Seesterne. Der Pilot wies mit einer Handbewegung nach draußen.

»Erstaunlich, was? Wir sind tiefer als neunhundert Meter, und es ist stockfinster. Trotzdem nennt man diesen Bereich Restlichtzone.«

»Soll es nicht Gegenden geben, wo das Wasser so klar ist, dass bis eintausend Meter tatsächlich noch Licht einfällt?«, fragte Stone.

»Sicher. Aber kein menschliches Auge ist in der Lage, das zu erkennen. Spätestens ab einhundert, einhundertfünfzig Meter ist für unsereinen zappenduster. Waren Sie schon mal tiefer als tausend?«

»Nein. Sie?«

»Einige Male.« Eddie zuckte die Achseln. »Es ist genauso beschissen dunkel wie hier. Ich bin lieber da, wo das Licht ist.«

»Was denn? Kein Ehrgeiz auf Tiefgang?«

»Wozu? Jacques Picard hat's bis in 10740 Meter Tiefe geschafft. Darauf hätte ich gar keine Lust. Es war eine wissenschaftliche Leistung ersten Ranges, aber was zu sehen gibt's da kaum.«

»Woher wollen Sie das wissen?«

»Ich weiß es nicht. Aber ich kann mir nicht vorstellen, dass da viel ist. Ich meine, selbst wenn, es ist lustiger in der Benthosphäre als in den Abyssalen, es ist einfach mehr los.«

»Pardon«, sagte Stone. »Aber kam Picard nicht 11340 Meter tief?«

»Oh, das.« Eddie lachte. »Ich weiß, es steht in allen möglichen Schulbüchern. Falschmeldung. Lag am Messgerät. Es war in der Schweiz kalibriert worden, in Süßwasser. Verstehen Sie? Süßwasser hat eine andere Dichte. Darum haben sie sich vermessen bei ihrer einzigen bemannten Tauchfahrt zum tiefsten Punkt der Erdoberfläche. Sie hatten …«

»Augenblick. Da!«

Vor ihnen verschwand der Lichtkegel in einem Schatten. Im Näherkommen erkannten sie, dass der Boden hier steil abstürzte. Das Licht verlor sich im Abgrund.

»Halten Sie an.«

Eddies Finger flogen über Tasten und Knöpfe. Er erzeugte Gegenschub, und das *Deep Rover* verharrte. Dann begann es sich allmählich zu drehen.

»Ziemlich starke Strömung«, sagte Eddie. Das Tauchboot drehte sich langsam weiter, bis die Scheinwerfer den Rand des Abgrundes beleuchteten. Sie starrten auf eine Bruchkante.

»Sieht ganz so aus, als wäre hier vor kurzem was abgestürzt«, sagte Eddie. »Ziemlich frisch.«

Stones Augen wanderten nervös umher.

»Was sagt das Sonar?«

»Es geht mindestens vierzig Meter tief runter. Und rechts und links kann ich gar nichts ausmachen.«

»Das heißt, das Plateau ...«

»Hier ist kein Plateau mehr. Es ist eingebrochen.«

Stone nagte an seiner Unterlippe. Sie mussten in unmittelbarer Nähe der Fabrik sein. Aber hier war kein Abgrund gewesen vor einem Jahr. Wahrscheinlich nicht einmal vor wenigen Tagen.

»Wir gehen tiefer«, entschied er. »Schauen wir mal, wo das hinführt.«

Das *Deep Rover* nahm Fahrt auf und sank entlang der Bruchkante abwärts. Nach knapp zwei Minuten beleuchteten die Scheinwerfer wieder Grund. Es sah aus wie auf einem Trümmerfeld.

»Wir sollten ein paar Meter steigen«, sagte Eddie. »Hier unten ist es ziemlich zerklüftet. Wir könnten irgendwo reinrasseln.«

»Ja, gleich. – Verdammt, vor uns! Schauen Sie.«

Eine meterdicke, aufgerissene Röhre kam ins Blickfeld. Sie wand sich quer über große Gesteinsbrocken und verschwand jenseits des Lichtkegels. Mehrere dünne, schwarze Ölfäden zogen sich daraus hervor und stiegen senkrecht zur Oberfläche.

»Das ist eine Pipeline«, rief Stone aufgeregt. »Mein Gott.«

»Das *war* eine Pipeline«, sagte Eddie.

»Wir folgen ihrem Verlauf.«

Stone fröstelte. Er wusste, wohin diese Pipeline führte, beziehungsweise, woher sie kam. Sie waren auf dem Gelände der Fabrik.

Aber es gab kein Gelände mehr.

Vor ihnen tauchte jäh eine zerklüftete Wand auf. Eddie zog das Tauchboot in letzter Sekunde hoch. Die Wand schien kein Ende zu nehmen, dann flogen sie mit knapper Not über die Kante hinweg. Erst jetzt sah Stone, dass es gar keine Wand war, sondern ein gewaltiges Stück Meeresboden, das sich senkrecht aufgestellt hatte. Dahinter ging es wieder steil abwärts. Im Licht trieben Sedimentpartikel und erschwerten die Sicht. Dann erfassten die Leuchten wieder einen Strom schnell aufsteigender Blasen. Sie schossen wild aus einem Graben mit kantigen Rändern hervor.

»Du lieber Himmel«, flüsterte Stone. »Was ist denn hier passiert?«

Eddie gab keine Antwort. Er flog eine Kurve, sodass sie an dem Blasenstrom vorbeizogen. Die Sicht wurde immer schlechter. Sie verloren die Pipeline kurz aus den Augen, dann schob sie sich wieder in den Scheinwerferkegel. Sie führte abwärts.

»Scheißströmung«, sagte Eddie. »Wir werden in den Blowout gezogen.«

Das *Deep Rover* begann zu trudeln.

»Weiter der Pipeline nach«, befahl Stone.

»Das ist Wahnsinn. Wir sollten auftauchen.«

»Die Fabrik ist hier«, beharrte Stone. »Sie müsste gleich vor uns auftauchen.«

»Hier wird überhaupt nichts auftauchen. Hier ist alles kaputt.«

Stone sagte nichts. Vor ihnen bog sich die Pipeline wie von einer Riesenfaust verdreht nach oben und endete in einem ausgerissenen Stumpf. Zerfetzter Stahl wand sich zu bizarren Skulpturen.

»Wollen Sie immer noch weiter?«

Stone nickte. Eddie manövrierte bis dicht an das Rohr. Einen Moment lang schwebten sie über der gezackten Öffnung wie über einem riesigen Maul. Dann zog das Tauchboot an der Pipeline vorbei.

»Hier geht es ins Bodenlose«, sagte Eddie.

Um sie herum begann es wieder zu perlen.

Stone ballte die Fäuste. Ihm dämmerte, dass Alban am Ende Recht behalten würde. Sie hätten einen Roboter hinunterschicken sollen. Aber jetzt aufzugeben erschien ihm umso absurder. Er musste es wissen! Er würde Skaugen nicht unter die Augen treten ohne einen detaillierten Bericht. Diesmal würde er sich nicht kalt erwischen lassen.

»Weiter, Eddie.«

»Sie sind irre.«

Hinter dem abgerissenen Rohr fiel das Trümmerfeld steil ab, und der Sedimentregen nahm zu. Erstmals machte sich jetzt auch bei Eddie eine gewisse Anspannung bemerkbar. Jeden Moment konnten neue Hindernisse vor ihnen auftauchen.

Dann sahen sie die Fabrik.

Genau genommen sahen sie nur einige Querverstrebungen, aber Stone wusste im selben Moment, dass es den Kongsberg-Prototyp nicht mehr gab. Die Fabrik lag unter dem Schutt des zusammengebrochenen Plateaus, über fünfzig Meter tiefer, als sie gestanden hatte.

Er schaute genauer hin. Etwas löste sich aus den Metallstreben und kam zu ihnen herauf.

Blasen.

Nein, mehr als nur Blasen. Es erinnerte Stone an den kolossalen Gaswirbel, den sie an Bord der *Sonne* beobachtet hatten. An den Blowout, nachdem der Videogreifer eingebrochen war.

Plötzlich erfasste ihn Panik.

»Weg!«, schrie er.

Eddie klinkte die restlichen Gewichte aus. Das Boot tat einen Satz und schoss in die Höhe, gefolgt von der riesigen Blase. Dann waren sie mitten in dem Wirbel und sackten weg. Um sie herum kochte das Meer.

»Scheiße!«, brüllte Eddie.

»Was ist los bei euch da unten?« Die blecherne Stimme des Technikers an Bord der *Thorvaldson*. »Eddie? Melde dich! Wir messen hier komische Sachen, es steigt jede Menge Gas und Hydrat nach oben.«

Eddie drückte die Antworttaste.

»Ich werfe die Hülle ab! Wir kommen hoch.«

»Was ist los? Habt ihr…«

Die Stimme des Technikers ging unter in dröhnendem Lärm. Es zischte und knallte. Eddie hatte die Batteriepakete und Teile der Hülle abgesprengt. Es war die ultimative Notfallmaßnahme, um schnell Gewicht zu verlieren. Der Restrumpf des *Deep Rover* mit der Acrylkugel begann sich zu drehen und wieder aufzusteigen. Dann erschütterte ein heftiger Stoß das Gefährt. Stone sah einen gewaltigen Felsbrocken neben sich auftauchen, der vom Gas mit hochgerissen wurde. In der Kugel kehrte sich das Unterste zuoberst. Er hörte den Piloten schreien, als sie ein weiteres Mal getroffen wurden. Diesmal bekamen sie einen Schlag von rechts, der sie seitlich aus dem Blowout heraustrug. Augenblicklich erhielt das *Deep Rover* Auftrieb und schoss nach oben. Stone klammerte sich an den Lehnen fest, mehr liegend als sitzend. Eddie sackte mit geschlossenen Augen gegen ihn. Blut lief über sein Gesicht. Entsetzt registrierte Stone, dass er nun völlig auf sich gestellt war. Fieberhaft versuchte er sich zu erinnern, wie man das Boot wieder ins Gleichgewicht brachte. Die Steuerung ließ sich von Eddie zu ihm herüberschalten, aber wie?

Eddie hatte es ihm gezeigt. Da war der Knopf.

Stone drückte ihn, während er zugleich versuchte, Eddie von sich wegzuschieben. Er war nicht sicher, ob die Propeller überhaupt noch funktionierten, nachdem die Hülle abgesprengt war. Auf dem Tiefenmesser jagten die Zahlen einander und zeigten ihm an, dass das Boot jetzt sehr schnell stieg. Im Grunde war es belanglos, wohin er steuerte. Hauptsache, es ging nach oben. Dekompressionsprobleme musste man im *Deep Rover* nicht befürchten. Der Kabinendruck entsprach dem Druck an der Wasseroberfläche.

Ein Warnlicht leuchtete auf.

Die Scheinwerfer über der rechten Kufe erloschen. Dann gingen sämtliche Lichter aus. Tintenschwärze herrschte um Stone herum.

Er begann zu zittern.

Beruhige dich, dachte er. Eddie hat dir die Funktionen erklärt. Es gibt ein Notstromaggregat. Es ist einer der Knöpfe in der obersten Reihe des Bedienpults. Entweder es schaltete sich von selber ein, oder er musste es tun. Seine Finger ertasteten die Schalter, während er weiter in die Schwärze starrte.

Was war da?

Es hätte stockfinster sein müssen ohne die Leuchten des Tauchboots. Aber da war Licht.

Waren sie schon so dicht unter der Oberfläche? Die letzte Anzeige des Tiefenmessers hatte etwas mehr als siebenhundert Meter angezeigt, bevor die Scheinwerfer ausgingen. Das Boot schwebte immer noch am Kontinentalhang entlang. Sie waren weit unterhalb der Schelfkante und jenseits jeglichen Tageslichts.

Eine Sinnestäuschung?

Er kniff die Augen zusammen.

Schwach bläulich leuchtete das Licht, so schwach, dass es mehr zu ahnen als zu sehen war. Es reckte sich aus der Tiefe empor, und es hatte eine Form, eine Art trichterförmige Röhre, deren hinteres Ende sich im Dunkel des Abgrunds verlor. Stone hielt den Atem an. Es war verrückt, aber plötzlich hätte er schwören können, dass dieses Ding umso heller erstrahlen würde, je näher man ihm käme. Der größte Teil der Lichtwellen wurde vom Wasser geschluckt. Wenn das stimmte, musste es ein beträchtliches Stück entfernt sein.

Und damit riesig.

Die Röhre bewegte sich.

Der Trichter schien sich zu dehnen, während sich das ganze Gebilde langsam bog. Stone verharrte regungslos, die Finger erstarrt auf ihrer Suche nach dem Notstromschalter, und sah gebannt hinaus. Was er dort sah, war Biolumineszenz, ganz ohne Zweifel, gefiltert durch Millionen Kubikmeter Wasser, Partikel und Gas. Aber welches Meereslebewesen, das leuchtete, war so unvorstellbar groß? Ein Riesenkalmar? Das da war größer als jeder Kalmar. Es war größer als jede noch so kühne Phantasie von einem Kalmar.

Oder bildete er sich alles ein? Eine Täuschung auf der Netzhaut, hervorgerufen durch die abrupten Hell-Dunkel-Wechsel? Geisterbilder von den erloschenen Scheinwerfern?

Je länger er auf das leuchtende Ding starrte, desto schwächer erschien es. Die Röhre sackte langsam nach unten weg.

Dann war sie verschwunden.

Sofort nahm Stone die Suche nach dem Knopf für das Notstromaggregat wieder auf. Das Tauchboot stieg ruhig und gleichmäßig nach oben, und er verspürte einen Anflug von Erleichterung, dass er nun bald zur Oberfläche gelangen und der Alptraum vorbei sein würde. Die Videokameras waren jedenfalls nicht verloren gegangen, als Eddie die Hülle abgesprengt hatte. Ob sie auch das leuchtende Ding gefilmt hatten? Konnten sie derart schwache Impulse verarbeiten?

Es war da gewesen. Er hatte sich nicht getäuscht. Und plötzlich fiel ihm die merkwürdige Videoaufnahme ein, die der *Victor* gemacht hatte. Dieses andere Ding, das sich so plötzlich aus dem Lichtkegel zurückgezogen hatte. Mein Gott, dachte er. Worauf sind wir da gestoßen?

Ah! Da war der Schalter.

Summend sprang das Notstromaggregat an. Zuerst flammten die Kontrolllichter an der Konsole auf, dann die Außenscheinwerfer. Von einem Augenblick zum anderen schwebte das *Deep Rover* wieder in einem Kokon aus Licht.

Eddie lag mit offenen Augen neben ihm.

Stone beugte sich zu ihm hinüber, als etwas hinter Eddie im Licht auftauchte, eine Fläche, wolkig, rötlich. Sie kippte auf das Boot zu, und Stones Hand schnellte nach der Steuerkonsole, weil er dachte, sie würden gegen den Hang prallen.

Dann wurde ihm klar, dass der Hang gegen das Boot prallte.

Er kam auf sie zu.

Der Hang raste auf sie zu!

Es war das Letzte, was Stone begriff, bevor die Acrylkugel von der Wucht des Aufpralls in tausend Stücke zerschmettert wurde.

BELL 430, NORWEGISCHE SEE

In Trondheim hatte es noch nach einem ruhigen Flug ausgesehen. Inzwischen wackelte es dermaßen, dass Johanson Probleme hatte, sich in gebührender Weise der amerikanischen Poesie zu widmen. Während der vergangenen halben Stunde hatte sich der Himmel dramatisch verdunkelt und beständig herabgesenkt. Er lastete auf dem Helikopter, als wolle er ihn ins Meer drücken. Scharfe Böen schüttelten den *Bell* hin und her.

Der Pilot wandte den Blick nach hinten.

»Alles in Ordnung?«

»Bestens.« Johanson klappte das Buch zu und sah nach draußen. Die Meeresoberfläche war in eine Waschküche getaucht. Schemenhaft erkannte er Bohrinseln und Schiffe. Er schätzte, dass der Seegang in diesen Minuten ordentlich zulegte. Ein handfester Sturm zog auf.

»Sie müssen sich keine Sorgen machen«, sagte der Pilot. »Wir haben nicht das Geringste zu befürchten.«

»Ich mache mir keine. Was sagt eigentlich der Wetterdienst?«

»Dass es windig wird.« Der Pilot warf einen Blick auf das Barometer an der Steuerkonsole. »Wie es aussieht, bekommen wir einen kleinen Orkan geboten.«

»Nett, dass Sie's mir vorher nicht gesagt haben.«

»Ich wusste es nicht.« Der Mann zuckte die Achseln. »So toll funktioniert das mit den Wettervorhersagen auch nicht immer. – Haben Sie Angst vorm Fliegen?«

»Überhaupt nicht. Ich finde Fliegen ganz prima«, sagte Johanson mit Nachdruck. »Einzig das Runterfallen macht mir Sorgen.«

»Wir fallen nicht. Im Offshoregeschäft ist so was Kinderkram. Heute wird nichts Schlimmeres passieren, als dass es uns einige Male ordentlich durchschüttelt.«

»Wie lange sind wir noch unterwegs?«

»Die Hälfte haben wir hinter uns.«

»Na dann.«

Er schlug das Buch wieder auf.

In das Motorengeräusch mischten sich tausend andere Laute. Es knackte, polterte, pfiff. Es schien sogar zu schellen. Ein Ton, der in regelmäßigen Intervallen erklang, irgendwo hinter ihm. Was der Wind alles anstellte mit der Akustik! Johanson drehte den Kopf zur Rückbank, aber das Geräusch war verstummt.

Er widmete sich wieder den Gedanken Walt Whitmans.

STOREGGA-EFFEKT

Vor 18 000 Jahren, während der Hochphase der letzten Eiszeit, lag der Meeresspiegel überall auf der Welt rund einhundertzwanzig Meter tiefer als zu Beginn des dritten Jahrtausends. Große Mengen der globalen Wassermassen waren in Gletschern gebunden. Ein entsprechend geringerer Wasserdruck lastete damals auf den Schelfregionen, und einige der heutigen Meere existierten noch nicht. Andere wurden im Zuge der Vereisung immer flacher, einige trockneten schließlich aus und verwandelten sich in ausgedehnte Sumpflandschaften.

Unter anderem führte der sinkende Wasserdruck in vielen Teilen der Welt dazu, dass sich die Stabilitätsverhältnisse für Methanhydrate dramatisch änderten. Besonders in den hoch gelegenen Regionen der Kontinentalhänge wurden innerhalb kürzester Zeit riesige Mengen Gas freigesetzt. Die Eiskäfige, in denen es gefangen und komprimiert war, schmolzen dahin. Was Tausende von Jahren wie Mörtel in den Hängen fungiert hatte, wurde nun zu deren Sprengstoff. Schlagartig blähte sich das frei werdende Methan zum Einhundertvierundsechzigfachen seines Volumens auf, drückte Poren und Spalten der Sedimente auseinander auf seinem Weg nach draußen und hinterließ poröse Ruinen, die ihr eigenes Gewicht nicht länger zu tragen vermochten.

Als Folge begannen die Kontinentalhänge in sich zusammenzustürzen und große Teile des Schelfs mit sich zu reißen. Unvorstellbare Mengen Material rasten in Schlammlawinen Hunderte von Kilometern weit in die Tiefsee. Das Gas gelangte in die Atmosphäre und leitete dort umwälzende Klimaveränderungen ein, aber die Rutschungen hatten noch andere, unmittelbare Auswirkungen – nicht allein auf das Leben im Meer, sondern ebenso auf die Küstenregionen des Festlands und der Inseln.

Es geschah in der zweiten Hälfte des zwanzigsten Jahrhunderts, dass Wissenschaftler vor der Küste Mittelnorwegens eine unheimliche Entdeckung machten. Sie stießen auf die Spuren einer solchen Rutschung. Genauer gesagt waren es mehrere Rutschungen gewesen, die einen großen Teil des dortigen Kontinentalhangs abgetragen hatten, und sie hatten sich im Verlauf von über vierzigtausend Jahren ereignet. Viele Faktoren hatten dazu beigetragen, Warmzeiten, in denen die durchschnittliche Temperatur der hangnahen Meeresströmungen angestiegen war, oder eben jene Vereisungsperioden wie vor 18 000 Jahren, innerhalb derer es zwar kalt blieb, der Wasserdruck jedoch abnahm. Genau genommen bildeten die Phasen der Hydratstabilität – erdhistorisch betrachtet – die Ausnahme.

Aber in einer solchen Ausnahme lebten die Menschen der sogenannten Neuzeit. Und sie waren allzu sehr geneigt, den trügerischen Zustand der Ruhe als Regel misszuverstehen.

Insgesamt waren damals mehr als fünfeinhalbtausend Kubikkilometer Meeresboden des norwegischen Schelfs in die Tiefe gerissen worden, in mehreren gewaltigen Lawinen. Zwischen Schottland, Island und Norwegen fanden die Forscher eine Schlammhalde von achthundert Kilometern Länge vor. Das eigentlich Beunruhigende daran war die Erkenntnis, dass der größte der Hangabbrüche gar nicht sonderlich lange zurücklag, nicht einmal zehntausend Jahre. Man gab dem Ereignis den Namen Storegga-Rutschung und hoffte, dass sich dergleichen nie wieder ereignen möge.

Natürlich war es eine unsinnige Hoffnung. Aber vielleicht wären weitere Jahrtausende der Ruhe vergangen. Und womöglich hätten neue Eiszeiten oder Warmzeiten lediglich Rutschungen in verträglichen Schüben freigesetzt, wäre nicht über Nacht ein gewisser Wurm samt seiner Bakterienfracht erschienen und hätten nicht begleitende Umstände zu dem geführt, was nun passierte.

Jean-Jacques Alban an Bord der *Thorvaldson* ahnte, dass er das Tauchboot nie wieder sehen würde, als der Kontakt abbrach. Aber er machte sich keine Vorstellung vom Ausmaß dessen, was soeben wenige hundert Meter unter dem Rumpf des Forschungsschiffs geschah. Unzweifelhaft war die Zersetzung der Hydrate in ein verheerendes Stadium getreten – während der letzten Viertelstunde hatte der Gestank nach faulen Eiern auf unerträgliche Weise zugenommen, und auf den höher werdenden Sturmwellen trieben schäumende weiße Brocken, die immer größer wurden. Alban wusste auch, dass jedes weitere Verweilen am Kontinentalhang kollektivem Selbstmord gleichkam. Noch mehr Gas würde die Oberflächenspannung des Wassers herabsetzen, und sie würden sinken. Was immer in der Tiefe geschah, lag außerhalb jeder Berechenbarkeit. Alban hasste den Gedanken, das *Deep Rover* und seine Insassen aufzugeben, aber etwas sagte ihm unmissverständlich, dass Stone und der Pilot verloren waren.

Unter den Wissenschaftlern und der Besatzung herrschte mittlerweile helle Aufregung. Nicht jeder wusste das Schäumen und den Gestank richtig zu deuten. Der Sturm trug das Seine zur allgemeinen Verunsicherung bei. Er hatte sich wie ein erzürnter Gott aus den Himmeln gestürzt und blies mit zunehmender Heftigkeit immer steilere Wellen über die norwegische See. Sie krachten gegen den Rumpf der *Thorvaldson* und zerstoben in Myriaden funkelnder Tropfen. Bald würde es kaum noch möglich sein, sich auf den Beinen zu halten.

In dieser Situation hatte Alban vieles gegeneinander abzuwägen. Die Sicherheit der *Thorvaldson* ließ sich nicht durch die Brille der Reederei betrachten oder am Wert für die Wissenschaft messen. Sie bemaß sich einzig am Wert menschlichen Lebens. Dazu gehörten auch die Leben der beiden Menschen in dem Tauchboot, über deren Schicksal Albans Bauch beredtere Aussagen traf als sein Kopf. Bleiben und Fliehen war gleichermaßen falsch, und beides war gleichermaßen richtig.

Alban sah mit zusammengekniffenen Augen in den schwarzen Himmel und wischte sich das Regenwasser aus dem Gesicht. Im selben Moment beruhigte sich die aufgewühlte See für die Dauer weniger

Augenblicke. Es war kein wirkliches Nachlassen des Sturms, eher eine Verschnaufpause, bevor es mit doppelter Wucht weiterging.

Alban beschloss zu bleiben.

Unten vollzog sich ein Desaster.

Von einem Moment auf den anderen waren die zerstörten Hydrate – vormals stabile Eisfelder und Adern in den Poren der Sedimente, nun von Würmern und Bakterien zerfressene Ruinen – auseinander gefallen. Auf einer Strecke von einhundertfünfzig Kilometern verwandelte sich die eisartige Verbindung von Wasser und Methan explosionsartig in Gas. Während Alban sich dazu durchrang, die Stellung zu halten, bahnte sich das Gas seinen Weg ins Freie, sprengte Steilwände, riss Felsen auseinander, ließ den Schelf erbeben und nach vorne wegsacken. Kubikkilometer Gestein stürzten binnen Sekunden in sich zusammen. Der gesamte obere Kontinentalrand geriet in Bewegung, während tief unten immer neue Schichten kollabierten, und drängte nach. In einer gewaltigen Kettenreaktion rissen die abrutschenden Massen einander mit, krachten auf die letzten festen Strukturen und zermahlten sie zu Schlamm.

Der Schelf zwischen Schottland und Norwegen mit seinen Pumpen, Pipelines und Plattformen zeigte erste Risse.

Jemand schrie durch den Sturm zu Alban hinüber. Er wirbelte herum und sah den stellvertretenden wissenschaftlichen Leiter wild mit den Armen fuchteln. Seine Worte waren im Sturm kaum zu verstehen.

»Der Hang«, hörte Alban nur. »Der Hang.«

Nach der kurzen trügerischen Ruhe war das Meer jetzt richtig wild geworden. Schwere Seen setzten der *Thorvaldson* zu. Alban warf einen verzweifelten Blick in Richtung Ausleger, wo sie das *Deep Rover* zu Wasser gelassen hatten. Die Fluten schäumten. Der Methangestank war unerträglich geworden. Er riss seinen Blick los und rannte mittschiffs. Der Mann packte ihn am Jackenärmel.

»Kommen Sie, Alban! Mein Gott! Das müssen Sie sich ansehen.«

Das Schiff erzitterte. Ein dumpfes Grollen drang an Albans Ohr, ein Geräusch tief aus dem Innern der See. Sie taumelten durch das enge, schwankende Treppenhaus hinauf zur Brücke.

»Da!«

Alban starrte auf das Instrumentenpult mit dem Sonar, das fortgesetzt den Meeresboden abtastete. Er traute seinen Augen nicht.

Da war kein Boden mehr.

Es war, als blicke er in einen Mahlstrom.

»Der Hang rutscht ab«, flüsterte er.

Im selben Moment erkannte er, dass er nichts mehr für den verrückten Ingenieur und Eddie tun konnte. Was er geahnt hatte, wurde zur schrecklichen Gewissheit.

»Wir müssen hier weg«, sagte er. »Sofort.«

Der Steuermann wandte ihm den Kopf zu. »Und wohin?«

Alban dachte fieberhaft nach. Er hatte nun völlige Gewissheit. Er wusste, was dort unten geschah, und darum wusste er auch, was ihnen als Nächstes blühte. Einen Hafen anzulaufen schloss sich aus. Der *Thorvaldson* blieb nur die Chance, möglichst schnell tiefere Gewässer anzusteuern.

»Funksprüche durchgeben«, sagte er. »Norwegen, Schottland, Island, sämtliche Anrainer. Sie sollen die Küsten evakuieren. Unablässig senden! Erreichen, wen immer wir erreichen können.«

»Was ist mit Stone und ...«, begann der stellvertretende Leiter.

Alban sah ihn an.

»Sie sind tot.«

Er wagte sich nicht auszumalen, wie gewaltig die Rutschung war. Aber allein was das Sonar zeigte, reichte, ihm Schauer über den Rücken zu jagen. Noch waren sie im kritischen Bereich. Wenige Kilometer schelfeinwärts, und sie würden kentern. Weiter draußen stand zu erwarten, dass sie mit einem blauen Auge davonkamen. Sie würden sich dem Wüten des Sturms aussetzen müssen, aber damit ließ sich zurechtkommen.

Alban rief sich die Morphologie des Hangs in Erinnerung. Zum Nordwesten hin fiel der Meeresboden in mehreren großen Terrassen ab. Wenn sie Glück hatten, kam die Lawine im oberen Bereich zum Stillstand. Aber bei einem Storegga-Effekt gab es kein Halten mehr. Der komplette Hang würde in die Tiefsee rutschen, Hunderte von Kilometer weit und bis in dreieinhalbtausend Meter Tiefe. Bis in die Abyssale östlich von Island würden die Massen dringen und dabei die Nordsee und die norwegische See erschüttern wie ein Jahrtausendbeben.

Wohin sollten sie fahren?

Alban wandte den Blick von den Instrumenten.

»Kurs Island«, sagte er.

Millionen Tonnen Schlamm und Schutt rasten nach unten.

Als die ersten Ausläufer der Lawine in den Färöer-Shetland-Kanal stürzten, gab es zwischen Schottland und der Norwegischen Rinne schon keine Hangterrassen mehr, nur noch eine aufgelöste Masse, die mit Wucht tiefer und tiefer krachte und alles mit sich riss, was bis dahin Struktur und Form besessen hatte. Ein Teil der Rutschung verteilte sich westlich der Färöer-Inseln und wurde schließlich an den unterseeischen Bänken gestoppt, die das Isländische Becken umgaben. Ein anderer Teil der Lawine verteilte sich entlang des Höhenzugs zwischen Island und den Färöern.

Das meiste jedoch donnerte den Färöer-Shetland-Kanal hinab wie auf einer gigantischen Rutsche. Nichts stoppte den Niedergang. Dasselbe Tiefseebecken, das Tausende von Jahren zuvor die Storegga-Rutschung in sich aufgenommen hatte, füllte sich jetzt mit einer noch größeren Lawine, die unaufhaltsam vordrang und dabei einen gewaltigen Sog erzeugte.

Dann brach die Schelfkante ab.

Sie riss auf einer Breite von fünfzig Kilometern einfach weg. Und das war nur der Beginn von allem.

SVEGGESUNDET, NORWEGEN

Direkt nach Johansons Abflug hatte Tina Lund ihr Gepäck in Johansons Jeep verladen und war losgefahren.

Sie fuhr schnell. Beginnender Regen verschmierte die Straße. Johanson hätte wahrscheinlich protestiert, aber Lund war der Meinung, was der Wagen hergab, sollte man ihm auch abverlangen. In dem trüben Wetter gab es ohnehin nicht viel zu sehen.

Mit jedem Kilometer, den sie sich Sveggesundet näherte, fühlte sie sich leichter werden.

Der Knoten war geplatzt. Nachdem die Sache mit Stone geklärt war, hatte sie unverzüglich Kare Sverdrup angerufen und ihm vorgeschlagen, ein paar Tage zusammen am Meer zu verbringen. Sverdrup war erfreut gewesen und auch einigermaßen verblüfft, wie ihr schien. Etwas an seiner Reaktion ließ sie ahnen, dass Johanson Recht behalten hatte. Dass sie den Zickzackkurs der vergangenen Wochen in letzter Sekunde begradigt hatte, weil Kare Sverdrup sonst weg gewesen wäre. Einen Moment lang hatte sie die Angst gepackt, es verpatzt zu haben, und sie hatte sich Worte sagen hören, die für ihre Verhältnisse geradezu beunruhigend verbindlich klangen.

Johanson hatte ein Haus niedergerissen. Nun gut. Man könnte ja mal versuchen, eines zu bauen.

Als der Jeep nach rascher Fahrt die uferwärts führende Hauptstraße von Sveggesundet entlangrollte, fühlte sie, wie sich ihr Puls beschleunigte. Sie parkte den Wagen auf einem öffentlichen Platz oberhalb des *Fiskehuset*. Von dort führten eine Zufahrt und ein Fußweg zum Strand. Ein richtiger Sandstrand war es nicht. Moose und Farne überwucherten Geröll und flaches Gestein. Die Landschaft um Sveggesundet war zwar flach, aber romantisch wild, und das *Fiskehuset* mit seiner Terrasse, direkt am Meer gelegen, bot einen besonders schönen Ausblick, selbst heute im Regen und bei schlechter Sicht.

Lund schlenderte die paar Schritte bis zum Restaurant und trat ein. Sverdrup war nicht dort, und geöffnet war auch noch nicht. Eine Küchenhilfe trug Kisten mit Gemüse hinein und ließ sie wissen, Sverdrup habe im Ort zu tun. Vielleicht sei er auf der Bank oder beim Friseur oder sonst wo, jedenfalls habe er keine Aussage darüber getroffen, wann mit seiner Rückkehr zu rechnen sei.

Selber schuld, dachte Lund.

Sie hatten sich hier verabredet. Vielleicht lag es an der Raserei in Johansons Jeep, aber sie war eine Stunde zu früh dran. Wie hatte sie sich so verschätzen können? Sie würde sich ins Restaurant setzen und warten müssen. Aber das war blöde. Es würde unpassend aussehen: Kuckuck, schau mal, wer schon da ist! Oder schlimmer noch: He, Kare, wo warst du, ich warte die ganze Zeit auf dich!

Sie trat hinaus auf die Terrasse des *Fiskehuset*. Regen schlug ihr ins Gesicht. Andere wären sofort wieder ins Innere gegangen, aber Lund besaß kein Empfinden für schlechtes Wetter. Sie hatte ihre Kindheit auf dem Land verbracht. Sie liebte sonnige Tage, aber Sturm und Regen taten's auch. Genau genommen fiel ihr erst jetzt auf, dass die Böen, die den Jeep während der letzten halben Stunde durchgerüttelt hatten, in einen handfesten Sturm umgeschlagen waren. Es war nicht mehr so dunstig, dafür jagten die Wolken nun tiefer über den Himmel. So weit sie blicken konnte, war die See gefurcht und mit weißer Gischt überzogen.

Etwas kam ihr seltsam vor.

Sie war oft genug hier gewesen, um die Gegend hinreichend zu kennen. Dennoch schien es ihr, als sei das Ufer breiter als sonst. Kies und Felsen erstreckten sich weiter ins Meer als gewöhnlich, trotz der hereinrollenden Wellen. Es hatte beinahe den Anschein, als finde eine außerplanmäßige Ebbe statt.

Du musst dich irren, dachte sie.

Kurz entschlossen zog sie ihr Handy hervor und wählte Sverdrups Mobilnummer. Sie konnte ihm ebenso gut sagen, dass sie schon hier war. Besser, als wenn die Überraschung misslang. Wahrscheinlich sah sie Gespenster, aber es war ihr lieber, dass er es wusste. Ein langes Gesicht oder auch nur den geringsten Mangel an Freude konnte sie heute schlecht vertragen.

Es schellte viermal, dann meldete sich seine Mailbox.

Auch gut. Das Schicksal hatte es anders gewollt.

Dann eben warten.

Sie strich sich das nass gewordene Haar aus der Stirn und ging wieder nach drinnen in der Hoffnung, wenigstens die Kaffeemaschine in Bereitschaft vorzufinden.

TSUNAMI

Das Meer war voller Ungeheuer.

Seit Menschengedenken bot es Raum für Mythen, Metaphern und Urängste. Odysseus' Gefährten fielen der sechsköpfigen Scylla zum Opfer. Poseidon schuf aus Ärger über Cassiopeias Hochmut das Ungeheuer Cetus und schickte Laokoon aus Rache für den Verrat an Troja eine riesige Seeschlange auf den Hals. Den Sirenen ließ sich nur mit Wachs in den Ohren beikommen. Nixen, Meeressaurier und Riesenkraken machten die Phantasie unsicher. *Vampyrotheutis infernalis* schließlich wurde zum Antipoden aller menschlichen Werte. Selbst das gehörnte Tier aus der Bibel war dem Meer entstiegen. Und ausgerechnet die Wissenschaft, ihrem Wesen nach der Skepsis verschrieben, predigte neuerdings den wahren Kern all der Legenden und atemlosen Berichte, seit man den Quastenflosser wieder gefunden und die Existenz des Riesenkalmars bewiesen hatte. Nachdem die Menschen jahrtausendelang Furcht empfunden hatten vor den Bewohnern der Abyssale, heftete man sich nun begeistert an ihre Fersen. Dem aufgeklärten Geist war nichts heilig, nicht einmal mehr die Angst. Die Ungeheuer waren zu besseren Spielkameraden geworden, die echten ebenso wie die eingebildeten, Plüschtiere der Forschung.

Bis auf eines.

Es war das schlimmste von allen. Es versetzte auch den abgeklärtesten Verstand in Panik. Wann immer es sich aus dem Meer erhob und über das Land kam, brachte es Tod und Zerstörung. Seinen Namen verdankte es japanischen Fischern, die auf hoher See nichts von seinem Schrecken mitbekamen, um bei ihrer Rückkehr ihr Dorf verwüstet und ihre Angehörigen tot vorzufinden. Sie hatten ein Wort für das Ungeheuer gefunden, das wörtlich übersetzt »Welle im Hafen« bedeutete. Tsu für Hafen, Nami für Welle.

Tsunami.

Albans Entscheidung, Kurs auf tiefe Gewässer zu nehmen, zeigte, dass er das Ungeheuer und seine Eigenarten kannte. Der größte Fehler wäre gewesen, den vermeintlich schützenden Hafen anzulaufen.

Also tat er das einzig Richtige.

Während sich die *Thorvaldson* durch schwere Seen kämpfte, stürzten Kontinentalhang und Schelfkante weiter in die Tiefe. Der entstehende Sog senkte den Meeresspiegel auf großer Fläche ab. Wellen breiteten sich um die Absturzstelle aus und rasten ringförmig nach allen Seiten los. Über dem Zentrum der Erschütterung, einem Gebiet von immerhin mehreren tausend Quadratkilometern, waren sie noch so flach, dass sie sich in dem tobenden Sturm nicht bemerkbar machten. Die Amplitude betrug knapp einen Meter über dem Meeresspiegel.

Dann jedoch erreichten sie flaches Schelfgebiet.

Alban hatte beizeiten gelernt, was Tsunamiwellen von herkömmlichen Wellen unterschied, nämlich so ziemlich alles. Üblicherweise entstand Seegang durch Luftbewegung. Wenn die Sonneneinstrahlung die Atmosphäre aufheizte, verteilte sich die Erwärmung nicht immer gleichmäßig über die ganze Erdoberfläche. Ausgleichende Winde entstanden, die an der Wasseroberfläche Reibung und dadurch Wellen erzeugten. Selbst Orkane schaukelten die See kaum fünfzehn Meter auf. Riesenwellen wie die berüchtigten *Freak Waves* bildeten die Ausnahme. Die Spitzengeschwindigkeit normaler Sturmwellen lag bei neunzig Stundenkilometern, und die Wirkung des Windes blieb auf die oberen Meeresschichten beschränkt. Ab einer Tiefe von zweihundert Metern war alles ruhig.

Aber Tsunamiwellen wurden nicht an der Oberfläche erzeugt, sondern in der Tiefe. Sie waren nicht das Resultat von Windgeschwindigkeiten, sondern entsprangen einem seismischen Schock, und Schockwellen bewegten sich mit ganz anderen Geschwindigkeiten fort. Vor allem aber wurde die Energie der Tsunamiwelle von der Wassersäule bis zum Meeresboden weitergeleitet. Die Welle hatte damit an jedem Punkt des Meeres, wie tief er auch liegen mochte, Bodenkontakt. Die gesamte Wassermasse geriet in Schwingung.

Das beste Beispiel, wie man sich einen Tsunami vorzustellen hatte, war Alban indes nicht am Computer demonstriert worden, sondern auf viel einfachere Weise. Jemand hatte einen Blecheimer mit Wasser gefüllt und von unten dagegengetreten. Als Folge breiteten sich an der Oberfläche mehrere konzentrische Wellen aus. Die Erschütterung des

Bodens übertrug sich auf den kompletten Inhalt und wurde als Wellenform nach außen getragen.

Diesen Effekt, hatte man ihm gesagt, müsse er sich einfach in einem millionenfach größeren Maßstab vorstellen.

Einfach.

Der Tsunami, den die Rutschung auslöste, raste mit einer Anfangsgeschwindigkeit von siebenhundert Stundenkilometern nach allen Seiten los, mit extrem lang gestreckten, flachen Kämmen. Schon die erste Welle transportierte eine Million Tonnen Wasser und eine entsprechend gewaltige Menge an Energie. Nach wenigen Minuten traf sie auf die Abbruchkante des Schelfs. Der Meeresboden wurde flacher und bremste die Welle ab, verlangsamte ihre Front, ohne dass sich die mitgeführte Energie wesentlich verringerte. Die Wassermassen drängten weiter, und weil sie nicht mehr so schnell vorankamen, begannen sie sich aufzutürmen. Je flacher es wurde, desto höher wuchs der Tsunami, während seine Wellenlänge zugleich dramatisch schrumpfte. Sturmwellen ritten auf seinem Kamm mit. Als er die ersten Bohrplattformen auf dem Nordseeschelf erreichte, war er nur noch vierhundert Stundenkilometer schnell, dafür aber bereits fünfzehn Meter hoch.

Fünfzehn Meter waren nichts, weswegen man sich auf Plattformen ernsthaft Sorgen machte – solange es sich um eine gewöhnliche Sturmwelle handelte.

Eine Schockwelle hingegen, die vom Meeresboden bis zur Wasseroberfläche schwang, gekrönt von einem fünfzehn Meter hohen Wasserberg und mit vierhundert Sachen unterwegs, besaß die Wirkung eines aufprallenden Jumbo-Jets.

GULLFAKS C, NORWEGISCHER SCHELF

Einen Moment lang dachte Lars Jörensen, er sei sogar zu alt, um noch die letzten paar Monate auf Gullfaks zu überstehen. Er zitterte am ganzen Leibe. Was war los? Er zitterte so sehr, dass das Geländer mitzuzittern schien, und er hatte nicht die geringste Ahnung, warum. An sich fühlte er sich gar nicht übel. Deprimiert vielleicht, aber nicht krank. War es so, wenn man einen Herzanfall bekam?

Dann dämmerte ihm, dass es tatsächlich das Geländer war, das zitterte. Nicht er.

Gullfaks C bebte.

Die Erkenntnis traf ihn wie ein Schock.

Er starrte auf den Förderturm, dann wieder hinaus aufs Meer. Unten wütete der Sturm, aber er hatte schon Schlimmeres erlebt. Weitaus Schlimmeres, ohne dass man auf der Plattform viel davon gemerkt hatte. Dieses Zittern kannte Jörensen nur aus Erzählungen, wenn eine falsch durchgeführte Bohrung einen Blowout erzeugte und Öl oder Gas unter Hochdruck nach oben schoss. Dann konnte es passieren, dass die komplette Plattform in heftige Vibrationen verfiel. Aber auf Gullfaks war so etwas nicht möglich. Sie pumpten das Öl aus halb leeren Reservoirs in unterseeische Tanks, und es geschah nicht direkt unter der Plattform, sondern in weitem Umkreis drum herum.

Im Offshoregeschäft gab es so etwas wie eine Top Ten potenzieller Katastrophen. Querverstrebungen von Stahlskeletten, auf denen viele Plattformen ruhten, konnten brechen. *Freak Waves*, die höchsten Wellen, zu denen Wind und Strömung das Meer mitunter auftürmten, galten als GAU der Ölindustrie. Ebenso fürchtete man Kollisionen mit losgerissenen Pontons und manövrierunfähigen Tankern. All das verteilte sich auf der Hitliste des Schreckens, und ganz oben stand das Gasleck. Lecks waren kaum detektierbar. Man bemerkte sie oft erst, wenn es zu spät war und sie mit Feuer in Berührung kamen. In diesem Fall explodierte die komplette Plattform, so wie damals die *Piper Alpha* auf der britischen Seite, als die größte Katastrophe in der Geschichte der Ölindustrie über hundertsechzig Menschenleben forderte.

Doch Seebeben waren der Alptraum schlechthin.

Und dies, erkannte Jörensen, war ein Beben.

Alles konnte nun geschehen. Wenn die Erde bebte, verlor man jede Kontrolle. Material deformierte sich und riss. Lecks entstanden, Brände brachen aus. Wenn ein Beben eine Plattform zum Erzittern brachte, konnte man nur hoffen, dass es nicht noch schlimmer wurde, dass der Meeresboden nicht einbrach oder abrutschte, dass die verankerten Konstruktionen den Stößen standhielten. Aber selbst dann gab es ein weiteres Problem, das mit dem Beben einherging, und dagegen gab es gar nichts, was man tun konnte, nicht das Geringste.

Und dieses Problem kam gerade auf die Plattform zu.

Jörensen sah es herannahen und wusste, dass seine Chancen mehr als schlecht standen. Er drehte sich um und wollte die stählerne Treppe hinuntereilen, um wegzukommen von der luftigen Empore.

Alles ging sehr schnell.

Seine Füße verloren den Halt, und er stürzte. Instinktiv krallten sich seine Hände ins Bodengitter. Infernalischer Lärm brach los, ein Tosen und Krachen, als breche die ganze Plattform auseinander. Schreie waren zu hören, dann zerriss ein ohrenbetäubender Knall die Luft, und Jörensen wurde gegen das Geländer geschleudert. Heftiger Schmerz durchfuhr seinen Körper. Im Gitter hängend gewahrte er, wie sich die See plötzlich aufzustellen schien. Über ihm zerbarst kreischend Metall. Voller Entsetzen begriff er, dass sich die riesige Plattform in Schräglage begab, und sein Verstand setzte aus. Übrig blieb ein Wesen in Panik, das unsinnigerweise den Versuch unternahm, nach oben davonzukriechen, weg vom näher kommenden Wasser. Er zog sich die Schräge hinauf, die eben noch ein Boden gewesen war, doch die Schräge wurde steiler, und Jörensen begann zu schreien.

Seine Kraft erlahmte. Die Finger der Rechten lösten sich aus den Metallstreben, und er rutschte tiefer. Ein fürchterlicher Ruck ging durch seinen linken Arm. Er hing nun an einer Hand. Immer noch schreiend legte er den Kopf in den Nacken und sah den kippenden Förderturm und den Ausleger mit der Gasflamme, der nicht länger übers Wasser hinausragte, sondern steil in den rabenschwarzen Himmel.

Einen Moment lang wirkte die einsame Flamme fast erhaben. Ein Gruß an die Götter. Hallo da oben. Wir kommen.

Dann flog alles in einer hellgelben Glutwolke auseinander, und Jörensen wurde in die See geschleudert. Er spürte den Schmerz nicht dort, wo es ihm den Unterarm abgerissen hatte, sodass seine Linke immer noch ins Gitter der Empore gekrallt war. Bevor ihn die Feuerwalze erfassen konnte, krachte schon der heranrasende Tsunami in die versinkende Plattform, und Gullfaks C wurde zerschmettert, während die Betonpfeiler zusammen mit dem abstürzenden Schelfrand in der Tiefe verschwanden.

Opa, erzähl uns eine Geschichte …

OSLO, NORWEGEN

Die Frau hörte mit gefurchter Stirn zu.

»Was meinen Sie?«, fragte sie. »So etwas wie eine Kettenreaktion?«

Sie gehörte dem ständigen Katastrophenstab des Umweltministeriums an und war es gewohnt, mit den abenteuerlichsten Theorien konfrontiert zu werden. Das Geomar-Institut war ihr bekannt und auch, dass man sich dort nicht zu Spinnereien verstieg, also versuchte sie möglichst rasch zu begreifen, was der deutsche Wissenschaftler am Telefon ihr erzählte.

»Nicht direkt«, antwortete Bohrmann. »Eher einen *simultanen* Ablauf. Die Zerstörungen schreiten entlang des gesamten Hangs voran. Es geschieht überall zur gleichen Zeit.«

Die Frau schluckte. »Und … welche Gebiete wären davon betroffen?«

»Kommt drauf an, wo genau der Abbruch stattfindet und auf welcher Länge. Große Teile der norwegischen Küste, schätze ich. Tsunamiwellen breiten sich über Tausende von Kilometern aus. Wir informieren sämtliche Anrainer, Island, Großbritannien, Deutschland, alle.«

Die Frau starrte aus dem Fenster des Regierungsgebäudes. Sie dachte an die Plattformen da draußen. Hunderte bis hinauf nach Trondheim.

»Was wäre die Folgen für die Küstenstädte?«, fragte sie tonlos.

»Sie sollten Evakuierungen ins Auge fassen.«

»Und für die Offshore-Industrie?«

»Glauben Sie mir, das ist alles schwer zu sagen. Im besten Fall gibt es eine Serie kleiner Rutschungen. Dann wird es einfach nur ein bisschen wackeln. Schlimmstenfalls bedeutet es …«

Im selben Moment ging die Türe auf, und ein Mann mit bleichem Gesicht kam hereingestürzt. Er legte ein Blatt Papier vor die Frau und machte ihr Zeichen, das Gespräch zu beenden. Sie nahm den Ausdruck und überflog den kurzen Text. Es war die Abschrift eines Funkspruchs. Ein Schiff hatte ihn abgegeben.

Thorvaldson, las sie.

Dann las sie weiter und fühlte, wie der Boden unter ihren Füßen zu schwinden drohte.

»Es gibt warnende Anzeichen«, sagte Bohrmann gerade. »Falls es passieren sollte, müssen die Menschen an der Küste wissen, worauf sie zu achten haben. Tsunamis kündigen sich an. Eine Weile vor ihrem Eintreffen kann man ein schnelles Ansteigen und Fallen des Meeresspiegels beobachten. Mehrmals hintereinander. Dem geübten Auge fällt es auf. Nach zehn oder zwanzig Minuten weicht das Wasser dann plötzlich weit vom Ufer zurück. Riffe und Felsen werden sichtbar. Sie werden Meeresboden sehen, der normalerweise nie zu sehen ist. Spätestens jetzt müssen Sie höheres Gelände aufsuchen.«

Die Frau sagte nichts mehr, und sie hörte kaum noch zu. Sie hatte sich vorzustellen versucht, was geschehen würde, wenn der Mann am Telefon die Wahrheit sagte. Jetzt versuchte sie sich vorzustellen, was soeben geschah.

SVEGGESUNDET, NORWEGEN

Lund verging vor Langeweile.

Es war dämlich, in dem leeren Restaurant herumzusitzen und Kaffee zu trinken. Jede Form von Untätigkeit erschien ihr wie Folter. Die

Küchenhilfe war freundlich gewesen und hatte ihretwegen extra die Maschine angeworfen, mit der man Espresso und Cappuccino zubereitete. Der Kaffee schmeckte köstlich, und trotz des stürmischen Wetters und der schlechten Sicht war der Blick aus den großen Panoramafenstern aufs Meer beeindruckend. Dennoch fand Lund die Warterei ungemein öde.

Sie löffelte aufgeschäumte Milch aus ihrer Tasse, als jemand eintrat. Ein Windstoß fuhr ins Innere.

»Hallo, Tina.«

Sie sah auf. Der Mann war ein Freund von Sverdrup. Sie kannte ihn nur als Åke, seinen Nachnamen wusste sie nicht. Er hatte eine gut gehende Bootsvermietung in Kristiansund und verdiente in den Sommermonaten eine Menge Geld.

Sie wechselten einige Worte über das Wetter, dann fragte Åke: »Was machst du hier? Besuchst du Kare?«

»Das hatte ich vor«, sagte Lund mit schiefem Grinsen.

Åke sah sie aus erstaunten Augen an.

»Was sitzt du dann alleine hier herum? Warum ist der Schwachkopf nicht bei dir, wo er hingehört?«

»Meine Schuld. Ich war zu früh.«

»Ruf ihn an.«

»Hab ich. Mailbox.«

»Ach richtig!« Åke schlug sich gegen die Stirn. »Er hat keinen Empfang dort, wo er jetzt ist.«

Lund horchte auf. »Du weißt, wo er ist?«

»Ja, ich war eben noch mit ihm zusammen bei *Hauffen*.«

»*Hauffen*? Die Brennerei?«

»Ja. Er kauft Schnäpse ein. Wir haben das eine oder andere probiert, aber du kennst ja Kare. Er trinkt weniger Alkohol als ein Mönch in der Fastenzeit, ich musste die Verkostung alleine übernehmen.«

»Ist er noch da?«

»Als ich ging, standen sie unten im Keller beisammen und quatschten. Warum fährst du nicht rüber? Weißt du, wo *Hauffen* ist?«

Lund wusste es. Die kleine Brennerei, die einen ausgezeichneten, nicht zum Export bestimmten Aquavit destillierte, lag zehn Gehminuten südlich auf einem flachen Plateau. Mit dem Auto würde sie in zwei Minuten dort sein, wenn sie die landeinwärts gelegene Straße nahm. Aber irgendwie gefiel ihr der Gedanke an einen kurzen Spaziergang besser. Sie hatte genug im Auto gesessen.

»Ich gehe rüber«, sagte sie.

»Bei dem Sauwetter?« Åke verzog das Gesicht. »Na, du musst es wissen. Schwimmhäute werden dir wachsen.«

»Besser als Wurzeln.« Sie stand auf, dankbar für die Information. »Bis dann. Ich bringe ihn mit zurück.«

Draußen stellte sie den Kragen ihrer Jacke hoch, ging hinunter zum Strand und stapfte los. Von hier aus war die Brennerei an klaren Tagen gut zu erkennen. Jetzt erschien sie als grauer Schemen im schräg einfallenden Regen.

Würde er sich freuen, sie zu sehen?

Unglaublich! Sie dachte wie ein verliebter Teenager. Tina Lund, nicht zurechnungsfähig. Klar würde er sich freuen. Was denn sonst?

Während sie sich vom *Fiskehuset* entfernte, wanderte ihr Blick aufs Meer hinaus. Ihr fiel auf, dass sie sich geirrt haben musste vorhin. Sie hatte gedacht, der felsige Strand sei breiter als sonst, aber er war wie immer. Nein, eigentlich wirkte er sogar schmaler.

Einen Moment lang verharrte sie.

Wie konnte man sich derart täuschen?

Vielleicht war der Sturm schuld. Die Wellen schlugen mal mehr, mal weniger herein. Wahrscheinlich wurde es gerade wieder heftiger. Sie zuckte die Achseln und ging weiter.

Als sie völlig durchnässt die Brennerei betrat, fand sie niemanden in dem kleinen Empfangsraum vor. An der Rückwand stand eine Holztür offen. Lichtschein drang aus dem Keller nach oben. Sie zögerte nicht, sondern stieg hinab, wo sie zwei Männer antraf, die an Fässer gelehnt miteinander redeten, jeder ein Glas in der Hand. Es waren die beiden Brüder, denen die Brennerei gehörte, freundliche, alte Kerle mit wettergegerbten Gesichtern. Kare war nirgends zu sehen.

»Tut mir Leid«, sagte einer der beiden. »Er ist vor zwei Minuten abgezogen. Du hast ihn gerade verpasst.«

»War er zu Fuß hier?«, fragte sie. Womöglich konnte sie ihn einholen.

»Nein.« Der andere schüttelte den Kopf. »Mit dem Lieferwagen. Er hat ein bisschen was gekauft. Zu viel, um's zu tragen.«

»Hat er gesagt, ob er zurück ins Restaurant fährt?«

»Ja, da wollte er hin.«

»Okay. Danke.«

»He, warte mal.« Der Alte löste sich vom Fass und kam zu ihr herüber. »Wenn du schon umsonst gekommen bist, trink wenigstens einen mit uns. Das ist doch ein Unding, du kommst in eine Brennerei und gehst nüchtern wieder raus!«

»Danke, das ist sehr nett, aber ...«

»Er hat Recht«, stimmte sein Bruder eifrig zu. »Du musst was trinken.«

»Ich ...«

»Draußen geht die Welt unter, Kind. Wie willst du denn zurückfinden ohne was Warmes im Bauch?«

Beide sahen sie mit Dackelaugen an. Lund wusste, dass sie den Alten eine Freude machte, wenn sie auf ein Glas blieb.

Und warum eigentlich nicht?

»Eines«, sagte sie.

Die Brüder grinsten und nickten einander zu, als hätten sie soeben Konstantinopel eingenommen.

SHETLAND ISLANDS, GROSSBRITANNIEN

Der Helikopter setzte zur Landung an.

Johanson sah hinaus. Sie hatten die Steilküste überflogen, waren ihrem Verlauf gefolgt und hielten nun auf den kleinen Landeplatz zu, an dem Karen Weaver ihn abholen wollte. Die Klippen fielen nach Osten sanft ab und endeten in einer geschwungenen Bucht. Ab hier war das Land flach. Endlose Sand- und Kiesstrände reihten sich aneinander, hinter denen die typische karge Mooslandschaft der Shetlands begann. Niedrige, lang gestreckte Hügel, zwischen denen sich die Straßen ausnahmen wie hineingekratzt.

Der Heliport gehörte zu einer meereskundlichen Station, die ein halbes Dutzend Wissenschaftler beherbergte, und verdiente die Bezeichnung kaum: ein annähernd rundes Schotterfeld inmitten der graugrünen Weite, die Station selbst wenig mehr als eine Ansammlung windschiefer Baracken. Eine schmale Straße führte aus den Hügeln herab und endete an einem Pier. Johanson sah keine Boote. Neben den Baracken parkten zwei Geländewagen und ein rostiger VW-Bus. Weaver schrieb an einem Artikel über Seehunde, darum hatte sie den Platz ausgewählt. Sie fuhr regelmäßig mit den Wissenschaftlern hinaus, tauchte mit ihnen und wohnte in einer der Hütten.

Eine letzte Bö ließ den *Bell* erzittern, dann hatten die Räder Bodenberührung. Federnd setzte der Helikopter auf.

»Das hätten wir überstanden«, sagte der Pilot.

Johanson sah eine kleine Gestalt am Rand des Landefeldes stehen. Ihre Haare flatterten im Wind. Er schätzte, dass es Karen Weaver war. Es gefiel ihm, wie sie da in der Einöde wartete. Nicht weit von ihr war ein Motorrad aufgebockt. Alles nach seinem Geschmack. Eine archaische Insel mit einer einsamen Gestalt darin, beide einander beherrschend. Er reckte die Glieder, steckte das Buch mit den Gedichten Whitmans zurück in die Reisetasche und griff nach seinem Mantel.

»Meinetwegen könnten wir noch ein paar Runden drehen«, sagte er, »aber ich würde die Dame ungern warten lassen.«

Der Pilot drehte sich zu Johanson um und zog die Stirn in Falten.

»Tun Sie eigentlich nur so cool, oder hat es Ihnen tatsächlich nichts ausgemacht?«

Johanson versuchte, in die Ärmel seines Mantels zu gelangen.

»Das müssen Sie schon selber rausfinden. Sie haben doch Ihre Erfahrungen mit Vorständen.«

»Ja, sicher.«

»Und? Bin ich cool?«

»Ich weiß nicht. Vielleicht bluffen Sie einfach nur. Die meisten, mit denen ich unterwegs bin, hätten mir die Ohren voll gejammert.«

»Auch Skaugen?«

»Skaugen?« Der Pilot dachte einen Moment nach, während über ihnen das Flappen der Rotoren langsamer wurde. »Nein. Ich glaube, Skaugen ist durch gar nichts zu beeindrucken.«

Das hätte mich auch gewundert, dachte Johanson.

»Können Sie mich morgen Mittag wieder hier aufgabeln? Sagen wir, um zwölf.«

»Kein Problem.«

Er wartete, bis die Tür aufschwang, und stieg die kleine Leiter hinunter. War er cool? Tief im Innern war er froh, wieder festen Boden unter den Füßen zu haben. Der Pilot musste weiter, aber er war heftige Wetterverhältnisse offenbar gewöhnt. Er würde nur eine kurze Pause einlegen und dann nach Lerwick fliegen, um aufzutanken. Johanson schulterte seine Reisetasche und ging hinüber zu der wartenden Gestalt. Sein Mantel blähte sich und schlug um seine Beine, aber wenigstens regnete es nicht.

Karen Weaver kam ihm langsam entgegen.

Mit jedem Schritt schien sie kurioserweise kleiner zu werden. Als sie schließlich vor ihm stand, schätzte er sie auf höchstens einsfünfundsechzig. Sie war auf attraktive Weise kompakt. Die Jeans spannten sich über muskulösen Beinen. Unter der Lederjacke zeichneten sich breite Schultern ab. Soweit Johanson erkennen konnte, trug sie keinerlei Make-up. Ihre Bräune war von der Art, wie man sie in Wind und Wetter erwirbt. Brennende Sonne und Salz hatten daran mitgearbeitet und zudem für Sommersprossen gesorgt, die sich zahlreich auf den breiten Wangenknochen und der Stirn verteilten. Der Wind zerrte an einer Flut kastanienfarbener Locken. Sie musterte ihn interessiert.

»Sigur Johanson«, stellte sie fest. »Wie war der Flug?«

»Lausig. Ich musste mich der tröstenden Gesellschaft von Walt Whitman versichern.« Er sah hinüber zum Helikopter. »Aber der Pilot meinte, ich sei cool.«

Sie lächelte. »Wollen Sie was essen?«

Seltsame Frage, dachte er, so unmittelbar nach der Begrüßung. Dann fiel ihm auf, dass er tatsächlich Hunger hatte.

»Gerne. Wo?«

Sie machte eine Kopfbewegung in Richtung Motorrad.

»Wir können in den nächsten Ort fahren. Wenn Ihnen die Fliegerei nicht allzu sehr zugesetzt hat, werden Sie auch die Harley überstehen. Schneller geht es in der Station, falls Sie mit Corned Beef aus der Dose und Erbsensuppe vorlieb nehmen.«

Johanson sah sie an und stellte fest, dass ihre Augen von ungewöhnlich intensivem Blau waren. Das Blau der tiefen See.

»Warum nicht?«, sagte er. »Sind Ihre Wissenschaftler rausgefahren?«

»Nein. Zu stürmisch. Sie wollten in den Ort und Besorgungen machen. Ich kann hier tun und lassen, was ich will, und ich kann auch eine Büchse aufmachen. Ende meiner Kochkunst. Kommen Sie.«

Johanson folgte ihr über die Schotterfläche des Heliports zur Station. Hier unten präsentierten sich die Gebäude nicht ganz so windschief wie aus der Vogelperspektive.

»Wo sind eigentlich die Boote?«, fragte er.

»Wir lassen sie nicht so gerne draußen.« Sie zeigte auf das Gebäude, das dem Wasser am nächsten stand. »Die Bucht ist kaum geschützt, darum verfrachten wir sie jedes Mal nach Gebrauch in die Baracke gleich am Meer.«

Das Meer …

Wo war das Meer?

Johanson stutzte und blieb stehen. Wo eben noch Brandungswellen gegen den Strand geschlagen hatten, breitete sich eine schlammige Ebene aus, durchsetzt mit flachen Felsen. Das Meer hatte sich zurückgezogen, aber es musste innerhalb der letzten Minute passiert sein. Auf weiter Fläche war nur Boden zu sehen.

Keine Ebbe konnte das in derart kurzer Zeit bewirken. Das Wasser war Hunderte von Metern zurückgewichen.

Weaver ging noch ein paar Schritte, dann drehte sie sich zu ihm um.

»Was ist? Keinen Hunger?«

Er schüttelte den Kopf. Ein Geräusch drang an seine Ohren, schwoll an, wurde lauter. Zuerst dachte er, es sei ein großes Flugzeug, das tief über dem Wasser dahinzog und auf die Insel zuhielt. Doch es klang nicht wie ein Flugzeug. Eher wie heranrollender Gewitterdonner, nur viel zu gleichmäßig für Donner, und es hörte nicht auf …

Plötzlich wurde ihm klar, was es war.

Weaver war seinem Blick gefolgt.

»Was zum Teufel ist das?«

Johanson setzte zu einer Antwort an. Im selben Moment sah er, wie sich der Horizont verfinsterte, und Weaver sah es auch.

»Zum Helikopter!«, schrie er.

Die Journalistin schien wie erstarrt. Dann lief sie los. Gemeinsam rannten sie auf den Helikopter zu. Hinter den Cockpitscheiben sah Johanson den Piloten die Instrumente checken. Es dauerte eine Sekunde, bis der Blick des Mannes auf die heraneilenden Gestalten fiel. Er hielt inne. Johanson machte ihm Zeichen, die Leiter herunterzulassen. Er wusste, dass der Pilot nicht sehen konnte, was vom Meer kam. Der Helikopter stand mit dem Cockpit landeinwärts.

Der Mann runzelte die Stirn, dann nickte er. Mit einem Zischen öffnete sich die Tür, und die Leiter senkte sich herab.

Das Donnern kam näher. Inzwischen klang es, als sei die komplette Welt jenseits der Insel in Bewegung geraten.

Und genauso ist es, dachte Johanson.

Falscher Ort, falsche Zeit.

Hin- und hergerissen zwischen Entsetzen und Faszination verharrte er am Fuß der Leiter und sah zu, wie das Meer zurückkam und die schlammige Ebene wieder überspülte. Mein Gott, dachte er, es ist so unwahrscheinlich! Es gehört einfach nicht in diese Epoche, ist nicht für zivilisierte Menschen gedacht. Schulbuchzeug. Jeder wusste, dass Meteoriten, Erdbeben, Vulkanausbrüche und Flutwellen das Bild der Erde über Jahrmillionen verändert hatten, aber einem geheimen Abkommen zufolge schienen derartige Begebenheiten mit dem Beginn des technischen Zeitalters für immer ihr Ende gefunden zu haben.

»Johanson!«

Jemand versetzte ihm einen Stoß. Er riss sich los und hastete die Stufen hinauf, gefolgt von Weaver. Der Helikopter hatte zu zittern begonnen. Er sah die Bestürzung in den Augen des Piloten und rief:

»Starten Sie. Sofort!«

»Was ist das für ein Geräusch? Was passiert hier?«

»Los, hoch mit der Kiste!«

»Ich kann nicht zaubern. Was soll das überhaupt? Wohin soll ich fliegen?«

»Egal. Höhe gewinnen.«

Knatternd setzten sich die Rotoren in Bewegung. Der *Bell* löste sich schwankend vom Boden und stieg ein, zwei Meter. Dann siegte die Neugierde des Piloten über seine Angst. Er schwenkte den Helikopter um hundertachtzig Grad, sodass sie hinaus aufs Meer sehen konnten. Seine Gesichtszüge entgleisten.

»Ach du heilige Scheiße«, stieß er hervor.

»Da!« Weaver zeigte aus dem Fenster zu den Baracken. »Da draußen!«

Johanson wandte den Kopf. Aus dem Hauptgebäude kam jemand auf sie zugelaufen. Ein Mann in Jeans und T-Shirt. Sein Mund stand weit offen. Er rannte aus Leibeskräften auf sie zu und ruderte mit den Armen.

Johanson sah Weaver verblüfft an.

»Ich dachte …«

»Ich auch.« Sie starrte entsetzt auf die näher kommende Gestalt. »Wir müssen runter. Oh Gott, ich schwöre, ich wusste nicht, dass Steven hier geblieben ist, ich dachte wirklich, sie seien alle …«

Johanson schüttelte energisch den Kopf. »Er schafft es nicht.«

»Wir können ihn nicht zurücklassen.«

»Schauen Sie nach draußen, verflucht nochmal. Er schafft es nicht. Wir schaffen es nicht.«

Weaver stieß ihn zur Seite und drängte sich an ihm vorbei zur Tür. Im nächsten Moment verlor sie das Gleichgewicht, als der Pilot den Helikopter seitlich über den Sandstreifen auf den rennenden Mann zubewegte. Die Maschine begann sich zu drehen und erbebte, als sie nacheinander von einer Reihe schwerer Böen getroffen wurde. Der Pilot fluchte lautstark. Kurz verloren sie den Wissenschaftler aus den Augen, dann waren sie ihm plötzlich sehr nahe.

»Er schafft es«, schrie Weaver. »Wir müssen runtergehen!«

»Nein«, flüsterte Johanson.

Sie hörte ihn nicht. Sie konnte ihn nicht hören. Selbst der Rotorenlärm ging nun unter im Donner des heranrollenden Meeres. Johanson wusste, dass sie den Wissenschaftler nicht mehr retten konnten, aber sie hatten wertvolle Zeit verloren, und inzwischen bezweifelte er, dass sie es selber schaffen würden. Er zwang sich, den Blick von der rennenden Gestalt zu lösen und nach vorn zu richten.

Die Welle war riesig. Sie mochte an die dreißig Meter hoch sein, eine senkrechte Wand aus tosendem, schwarzgrünem Wasser. Wenige hundert Meter trennte sie noch vom Ufer, aber sie näherte sich mit der Geschwindigkeit eines Eilzuges, und das bedeutete, dass ihnen allenfalls Sekunden blieben bis zur Kollision. Die Zeit reichte eindeutig nicht aus, um den Mann an Bord zu nehmen und zugleich den heranstürmenden Wassermassen zu entkommen. Dennoch versuchte der Pilot ein letztes Mal, den Helikopter nah genug an den Flüchtenden heranzubringen. Vielleicht hoffte er, der Mann könne sich mit einem Sprung durch die offene Tür ins Innere retten, eine der Kufen zu fassen bekommen, irgendwas von dem, was man ständig im Kino sah und was dort regelmäßig klappte, wenn man Bruce Willis hieß oder Pierce Brosnan.

Der Wissenschaftler stolperte und schlug der Länge nach hin.

Das war's dann, dachte Johanson.

Vor ihnen wurde es dunkel. Kein Himmel war mehr zu sehen durch die Cockpitscheiben, nichts außer der Front der Welle. Sie füllte ihr Blickfeld nach allen Seiten aus, schob sich mit rasender Geschwindigkeit auf sie zu. Sie hatten ihre Chance vertan. Alle Möglichkeiten waren zunichte. Ein senkrechter Aufstieg würde sie auf halber Höhe mit dem gigantischen Brecher kollidieren lassen. Flohen sie dicht über dem Boden landeinwärts, sparten sie zwar die Zeit für den Aufstieg, aber dennoch würde sie das Wasser einholen. Der Tsunami war auf alle Fälle schneller, und außerdem mussten sie den *Bell* zuvor wenden. Auch dafür reichten die verbleibenden Sekunden nicht.

In einem Anflug von Distanziertheit fragte sich Johanson, wie er den Anblick der senkrechten Wasserfront ertrug, ohne darüber den Verstand zu verlieren. Dann holte ihn die Wirklichkeit wieder ein, als der Pilot das einzig Richtige tat, indem er den Helikopter zugleich rückwärts *und* in die Höhe steuerte. Die Nase des *Bell* senkte sich ab. Für die Dauer eines Augenblicks war der Erdboden durch die Cockpitscheiben zu sehen, aber sie stürzten nicht darauf zu, sondern bewegten sich in aufstrebendem Rückwärtsflug vom Boden und von der heranrasenden Welle weg. Der *Bell* heulte auf, als wolle das Getriebe explodieren. Johanson hatte nie geglaubt, dass ein Helikopter zu einem solchen Manöver fähig war – vielleicht hatte es nicht mal der Pilot geglaubt –, aber es funktionierte.

Die kollabierende Welle geiferte ihnen nach wie ein hungriges Tier. Sie fegte über den Strand und begann, in sich zusammenzustürzen. Berge aus Gischt folgten dem *Bell* auf seiner irrwitzigen Flucht. Der Tsunami brüllte und kreischte. Im nächsten Moment erschütterte ein fürchterlicher Schlag den Helikopter, und Johanson wurde gegen die Seitenwand geschleudert, gleich neben die offene Tür. Wasser klatschte ihm ins Gesicht. Sein Kopf knallte gegen die Bordwand, und er sah dunkelrote Blitze. Seine Finger bekamen Metall zu fassen, eine Strebe, krallten sich daran fest. Stechender Schmerz durchraste ihn. Er vermochte nicht zu sagen, ob das schreckliche Brausen in seinen Ohren noch von der Welle herrührte oder schon aus seinem Kopf kam, ob sie stiegen oder fielen. Sein einziger Gedanke war, dass die Welle sie am Ende doch gekriegt hatte und dass sie nun zerschmettert würden, und er wartete auf das Ende.

Dann klärte sich sein Blick. Die Kabine hing voller Sprühwasser. Zerfetzte graue Wolken trieben über dem Helikopter dahin.

Sie hatten es geschafft.

Sie waren entkommen. Sie waren nicht in den Tsunami gestürzt, sondern mit knapper Not über den Kamm gelangt.

Der Helikopter stieg weiter, wobei er eine Kurve flog, sodass sie nun die Küste unter sich erkennen konnten. Aber es gab keine Küste mehr. Dort unten war nichts außer einer wilden Flut, die mit unverminderter Geschwindigkeit vorwärts drängte und das Land verschluckte. Die Station, die Fahrzeuge und der Wissenschaftler waren verschwunden. Weit entfernt zur Rechten, wo die Steilküste begann, explodierten glitzernde Gischtfontänen an den Klippen und schossen endlos empor in den Himmel, weit über die Flughöhe des *Bell* hinaus, als wollten sie sich mit den Wolken vereinen.

Weaver rappelte sich hoch. Sie war über die Sitzbänke gestürzt, als der Wasserschwall den *Bell* getroffen hatte. Sie starrte hinaus und sagte immer wieder: »Oh Gott!«

Der Pilot schwieg. Sein Gesicht war aschfahl, seine Kiefer mahlten.

Aber er hatte es geschafft.

Sie setzten der Welle nach. Die Wassermassen rasten schneller über den Untergrund dahin, als der Helikopter zu folgen vermochte. Eine Anhöhe kam in Sicht, und die Flut schoss darüber hinweg und ergoss sich schäumend in die dahinter liegende Ebene, kaum in ihrer Geschwindigkeit gebremst. Flach, wie das Gelände hier war, würde sie kilometerweit ins Landesinnere vordringen. Johanson sah die Ebene übersät mit weißen Flecken und erkannte, dass es Schafe waren, die in wilder Flucht davonstoben, und dann waren auch die Schafe verschwunden.

Eine Küstenstadt, dachte er, wäre ausradiert worden.

Nein, falsch. Sie *wird* ausradiert werden. Nicht nur eine. Annähernd jede Stadt, die an den Küsten der nördlichen Meere lag, würde im Mahlstrom versinken. Der Tsunami, wo immer er entstanden war, breitete sich in diesem Augenblick ringförmig aus, wie es der Natur von Impulswellen entsprach. Seine zerstörerische Wucht würde bis nach Norwegen reichen, bis nach Holland, Deutschland, Schottland und Island. Schockartig wurde ihm bewusst, welche Katastrophe sich da ereignete, und er krümmte sich, als habe ihm jemand ein glühendes Eisen in den Unterleib gestoßen.

Ihm fiel ein, wer gerade in Sveggesundet war.

SVEGGESUNDET, NORWEGEN

Man konnte den Gebrüdern *Hauffen* einen gewissen Unterhaltungswert nicht absprechen, fand Lund. Sie taten weiß Gott alles, um sie zum Bleiben zu bewegen. Sie verstiegen sich sogar zu der Aussage, beide weit bessere Liebhaber zu sein als Kare Sverdrup, wobei sie einander in die Seiten stießen und zuzwinkerten, und Lund musste noch einen Schnaps mit ihnen trinken, bevor sie endlich einwilligten, sie ziehen zu lassen.

Sie sah auf die Uhr. Wenn sie jetzt losginge, käme sie pünktlich ins *Fiskehuset*. So pünktlich, dass es fast schon peinlich war, fand sie plötzlich. Wer so pünktlich ist, hat's nötig. Ein paar Minuten Verspätung würden sie womöglich souveräner dastehen lassen.

Blöde Kuh.

Aber sie musste ja nicht ins *Fiskehuset* hetzen.

Die beiden Alten bestanden auf einer Umarmung. Sie sei die Richtige für Kare, schworen sie, eine, die nicht reinspuckt, wenn guter Aquavit serviert wird. Lund musste diverse Komplimente, Witzeleien und gute Ratschläge über sich ergehen lassen, bis einer der beiden sie schließlich aus dem Keller nach oben brachte. Er öffnete ihr die Haustür, sah den schräg herniederprasselnden Regen und befand, ohne Schirm könne sie da nicht rausgehen. Vergebens bemühte sie sich, ihm klar zu machen, dass sie bei Regen grundsätzlich ohne Schirm nach draußen ging. Dass es zu ihrem Beruf gehörte, sich bei jedem Wetter im Freien herumzutreiben. Ebenso gut hätte sie sich mit dem Fußboden unterhalten können. Der Alte ging einen Schirm holen. Es folgte eine neuerliche Umarmung, dann endlich war sie der Fürsorge der Schnapsbrenner entkommen und stapfte durch den Regen zurück in Richtung Restaurant, den geschlossenen Schirm in der Rechten.

Das kann ja heiter werden, dachte sie.

Der Himmel war noch schwärzer geworden, und der Wind blies mit zunehmender Heftigkeit. Sie ging schneller. Hatte sie nicht eben noch vorgehabt, sich Zeit zu nehmen? Du kannst einfach nichts langsam machen, dachte sie. Johanson hat vollkommen Recht. Du lebst ständig auf Vollgas.

Na, wenn schon. So war sie eben, und außerdem wollte sie jetzt endlich zu dem Mann, den sie beschlossen hatte zu lieben.

Von irgendwoher erklang ein leises Signal. Sie blieb stehen. Das war ihr Handy! Er rief an! Verdammt, seit wann schellte es schon? Atemlos zog sie den Reißverschluss ihrer Jacke herunter und fingerte im Innern nach dem Telefon. Wahrscheinlich hatte er schon mehrfach angerufen, aber in dem Keller dürfte sie kaum Empfang gehabt haben.

Da war es. Sie zerrte es hervor und meldete sich in Erwartung, Kares Stimme zu hören.

»Tina?«

Sie stutzte.

»Sigur. Oh, das ist … das ist schön, dass du anrufst, ich …«

»Wo warst du denn, verdammt? Ich versuche die ganze Zeit, dich zu erreichen.«

»Tut mir Leid, ich …«

»Wo bist du jetzt?«

»In Sveggesundet«, sagte sie zögernd. Seine Stimme klang atmosphärisch verzerrt, und offenbar sprach er gegen irgendein lautes Dröhnen an, aber da war noch etwas anderes. Etwas, das sie nie zuvor an ihm gehört hatte und das ihr Angst machte. »Ich gehe am Strand entlang, es ist ein widerliches Dreckswetter, aber du kennst mich ja …«

»Hau ab!«

»Was?«

»Du sollst machen, dass du da wegkommst.«

»Sigur! Bist du noch bei Trost?«

»Jetzt, sofort.« Er redete weiter, atemlos. Die Worte prasselten auf sie ein wie der Regen, immer wieder gestört durch atmosphärisches Krachen und Rauschen, sodass sie erst glaubte, sich verhört zu haben. Dann begriff sie allmählich, was er ihr erzählte, und ihre Beine schienen sich für einen Moment in Gummi zu verwandeln.

»Ich weiß nicht, wo das Epizentrum liegt«, plärrte sein Stimme. »Offenbar braucht die Welle länger bis zu euch, aber egal, dir bleibt keine Zeit. Hau ab, um Gottes willen, mach, dass du da wegkommst!«

Sie starrte hinaus aufs Meer.

Der Sturm trieb flockige Brandung vor sich her.

»Tina?«, schrie Johanson.

»Ich ... okay.« Sie sog den Atem ein, pumpte ihre Lungen voll Luft. »Okay. Okay!«

Sie warf den Schirm von sich und begann zu laufen.

Durch den Regen konnte sie die Lichter der Restaurants erkennen, gelb und einladend. Kare, dachte sie. Wir müssen einen der Wagen nehmen, deinen oder meinen. Den Jeep hatte sie fünfhundert Meter oberhalb des Restaurants gelassen, aber Kare besaß einige Stellplätze neben dem *Fiskehuset*, wo für gewöhnlich auch sein Wagen stand. Während sie rannte, versuchte sie zu erkennen, ob er dort parkte. Regen lief ihr in die Augen, und sie wischte ihn zornig weg. Dann fiel ihr ein, dass sich die restauranteigenen Plätze auf der anderen Seite des Gebäudes befanden, die von hier nicht zu sehen waren, und sie lief noch schneller.

In das Heulen des Windes und das Tosen der Brandung mischte sich ein neues Geräusch. Eine Art lautes Schlürfen.

Ohne innezuhalten wandte sie den Kopf.

Etwas Unvorstellbares geschah. Lund geriet ins Stolpern und konnte nicht anders, als stehen zu bleiben und zuzusehen, wie das Meer verschwand, als habe jemand irgendwo den Stöpsel gezogen. Eine Fläche schwarzen, zerklüfteten Untergrunds kam zum Vorschein, so weit das Auge reichte.

Wie im Zeitraffer wich die See zurück.

Dann hörte sie das Donnern.

Sie blinzelte und wischte erneut Regenwasser aus ihren Augenwinkeln. Fern am Horizont manifestierte sich etwas Diffuses, Gewaltiges in dem Unwetter und nahm langsam Gestalt an. Zuerst glaubte sie, eine noch schwärzere Wolkenfront zöge dort auf. Doch die Front kam zu schnell näher, und ihre Oberkante war zu gerade.

Lund machte unwillkürlich einen Schritt nach hinten.

Sie begann wieder zu rennen.

Ohne Auto war sie verloren, das stand außer Frage. Erst hinter dem Ort, zum Festland hin, führte die Straße auf höheres Gelände. Sie atmete gleichmäßig und tief, um die aufkommende Panik zurückzudrängen, und spürte das Adrenalin in ihre Muskeln schießen. Sie hatte Kraft genug, um endlos weiterlaufen zu können, nur dass es ihr nichts nützen würde. Die Welle war auf alle Fälle schneller.

Vor ihr gabelte sich der Weg, links ging es weiter zum Restaurant, rechts führte eine Abkürzung von der Küste hoch zu dem öffentlichen Platz, wo Johansons Jeep stand. Wenn sie jetzt dort hinauflief, würde sie es bis zum Wagen schaffen. Dann die Straße hoch, über die Anhöhe, alles was der Motor hergab. Aber was würde aus Kare, wenn sie fuhr? Er wäre verloren. Nein, unmöglich, undenkbar, sie konnte nicht einfach verschwinden und ihn hier zurücklassen. Sie wollte nicht weg ohne ihn. Die beiden Alten in der Brennerei hatten gesagt, er sei auf direktem Weg ins *Fiskehuset* gefahren. Gut so, also war er dort, er war dort und wartete auf sie, und er verdiente nicht, allein gelassen zu werden. *Sie* verdiente nicht länger, allein zu sein. Kein Mensch verdiente es.

Mit Riesensätzen lief sie an der Gabelung vorbei und weiter auf das erleuchtete Gebäude zu. Es war nun nicht mehr weit bis zum *Fiskehuset*. Sie hoffte inständig, dass sein Wagen dort stünde. Das Donnern kam jetzt sehr schnell näher, aber sie versuchte es zu ignorieren und sich nicht lähmen zu lassen von der Angst. Auch sie war schnell. Sie würde schneller sein als die verfluchte Welle, ihre Schnelligkeit würde für zwei reichen.

Die Terrassentür des Restaurants flog auf. Jemand stürzte nach draußen und verharrte, den Blick aufs Meer gerichtet.

Es war Kare.

Sie begann seinen Namen zu rufen. Ihre Stimme verlor sich im Heulen des Windes und dem Donnern der herannahenden Welle. Sverdrup starrte hinaus aufs Meer, ohne zu reagieren. Er kam nicht einmal auf die Idee, in ihre Richtung zu schauen, so verzweifelt sie auch seinen Namen schrie.

Dann lief er fort.

Er verschwand auf der anderen Seite des Hauses. Lund stöhnte auf. Fassungslos hetzte sie weiter. Im nächsten Moment hörte sie schwach das Aufhusten eines Motors durch den Sturm herüberdringen. Sekunden später erschien Kares Wagen an der Rückseite des Restaurants und bewegte sich mit hoher Geschwindigkeit die Straße hinauf und auf die Anhöhe zu.

Ihr Herz drohte stillzustehen.

Das konnte er nicht tun. Er konnte nicht ohne sie fahren. Er musste, *musste* sie doch gesehen haben!

Er hatte sie nicht gesehen.

Kare *würde* es schaffen. Vielleicht.

Mutlosigkeit überkam sie. Sie lief weiter, nun nicht mehr zum Restaurant, sondern durch Gestrüpp und Steine hinauf zum Parkplatz. Nachdem sie die Weggabelung verpasst hatte, musste sie durch einen Streifen felsigen Geländes, und hier kam sie weniger schnell voran. Aber es war der einzige Weg, der ihr noch blieb. Ihre letzte Chance war der Jeep. Nach wenigen Metern gelangte sie an eine Absperrung, ein zwei Meter hohes Drahtgitter. Sie griff in die Maschen, zog sich hoch. Mit einem Satz war sie auf der anderen Seite. Wieder hatte sie wertvolle Sekunden verloren, während derer die Welle näher kam. Aber dafür sah sie plötzlich die schwarze Silhouette des Jeeps hinter Vorhängen aus Regen, und er war näher, als sie gedacht hatte, zum Greifen nahe.

Sie lief noch schneller. Die Felsen endeten, gingen in Wiese über. Da war der Beton des Parkplatzes unter ihren Füßen. Gut so! Und dort der Wagen. Vielleicht hundert Meter noch. Weniger. Vielleicht fünfzig.

Vierzig.

Lauf, Tina. Lauf!

Der Beton erbebte. In Lunds Ohren dröhnte und hämmert das Blut.

Lauf!

Ihre Hand glitt in die Jackentasche, umfasste den Autoschlüssel. Ihre Stiefelsohlen hämmerten einen gleichmäßigen Takt. Auf den letzten Metern rutschte sie aus, aber egal, sie war da, ihr Körper schlug gegen den Wagen, aufschließen, schnell!

Sie spürte, wie ihr der Schlüssel entglitt.

Nein, dachte sie, bitte nicht. Nicht das.

Panisch fingerte sie danach, wirbelte herum. Oh Gott, wo war der verdammte Schlüssel, er musste hier liegen, irgendwo, bitte!

Dunkelheit senkte sich herab.

Langsam hob sie den Kopf und sah die Welle.

Plötzlich hatte sie keine Eile mehr. Sie wusste, dass es zu spät war. Sie hatte schnell gelebt, sie würde schnell sterben. Sie hoffte wenigstens, dass es schnell ging. Manchmal hatte sie sich gefragt, wie es wäre zu sterben, was einem im Kopf herumgehen mochte, wenn man definitiv erkannte, dass es so weit war und kein Weg daran vorbeiführte. Der Tod würde sagen, ich bin da. Du hast fünf Sekunden, mach dir ein paar Gedanken, was immer du willst, wir sind heute großzügig, und wenn du möchtest, kannst du dein ganzes Leben nochmal Revue passieren lassen, die Zeit bekommst du. War es nicht so? Hieß es nicht, dass man erstaunlicherweise – in einem sich überschlagenden Auto etwa, im Angesicht eines abgefeuerten Projektils, im Verlauf eines tödlichen Sturzes – sein komplettes Leben an sich vorüberziehen sah, Bilder aus der Kindheit, die erste Liebe, eine Art *Best of*? Jeder sagte, dass es so war, also musste es stimmen.

Aber das Einzige, was Lund empfand, war Angst, der Tod könne ihr wehtun und sie würde Schmerzen leiden müssen. Und dann fühlte sie eine gewisse Scham, dass sie so erbärmlich enden musste. Dass sie es verpatzt hatte. Das war alles. Kein inneres Hollywood. Keine großen Gedanken. Kein würdiger Abschluss.

Vor ihren Augen krachte der Tsunami in Kares Sverdrups Restaurant, schlug es in Trümmer und fegte darüber hinweg.

Die Wasserwand erreichte den Parkplatz.

Sekunden später schoss sie die Anhöhe hinauf.

DER SCHELF

Als die Welle im Verlauf ihrer Ausbreitung das umliegende Festland erreichte, hatte sie auf dem Schelf bereits unvorstellbare Zerstörungen hinterlassen.

Ein Teil der Bohrplattformen und Pumpstationen, die man direkt an den Kontinentalrand gebaut hatte, war mit dem abrutschenden Hang in der Tiefe verschwunden. Das allein kostete innerhalb weniger Minuten Tausende von Menschen ihr Leben, aber es war nur ein Vorgeschmack dessen, was der Tsunami auf dem Schelf anrichtete. Wie bei einem Auffahrunfall türmten sich die nachdrängenden Wassermassen zu einer senkrechten Front übereinander, die umso höher wuchs, je flacher es wurde. Unter ihrem Aufprall knickten die Gestänge der Bohrplattformen, die nach Gerüstbauweise konstruiert waren, wie Streichhölzer ein. Im Verlauf von nicht einmal fünfzehn Minuten kenterten über achtzig Plattformen, weil sie der Belastung nicht standhielten. Dabei wurde ihnen weniger die Höhe der Wasserwand zum Verhängnis – Nordseebohrinseln waren darauf ausgerichtet, von einer knapp vierzig Meter hohen Welle unterlaufen zu werden, ohne ernsthaften Schaden zu nehmen, was statistisch einmal in hundert Jahren erwartet wurde –, sondern das Zusammentreffen etlicher Faktoren.

In gewöhnlichen Brechern waren schon zwölf Tonnen Druck pro Quadratmeter gemessen worden. Das reichte aus, um Hafendämme loszureißen und im Stadtzentrum wieder abzusetzen, kleinere Schiffe durch die Luft zu wirbeln und große Frachter und Tanker in zwei Teile zu zerschlagen. Es waren winderzeugte Wellen, die das zustande brachten. Ihre Aufprallenergie berechnete sich anders als die von Tsunamiwellen. Man konnte auch sagen, gegen eine Tsunamiwelle von gleicher Größe nahm sich selbst ein solcher Brecher lammfromm aus.

Der Tsunami, den die Rutschung auslöste, erreichte auf dem mittleren Schelf Kammhöhen bis zu zwanzig Meter, aber damit ging er immer noch unter den Decks der Plattformen hindurch.

Umso fataler war die Wucht, mit der er gegen die tragenden Konstruktionen schmetterte.

Ölplattformen, ebenso wie Schiffe und überhaupt alles, was der langfristigen Einwirkung des Meeres unterworfen war, mussten einer definierten Beanspruchung standhalten, die in Jahren ausgedrückt wurde. Legte man die Vierzig-Meter-Welle zugrunde, die von Plattformkonstrukteuren einmal in hundert Jahren erwartet wurde, baute man die Plattform demnach so, dass sie mit der Welle fertig wurde. Einer nicht sehr vertrauenerweckenden Logik folgend erhielt die Plattform damit den Status einer 100-Jahre-Beanspruchung. Statistisch gesehen hatte sie den Belastungen von Wind und See nunmehr einhundert Jahre standzuhalten. Das hieß natürlich nicht, dass sie einhundert Jahre lang pausenlos Extremwellen verkraften konnte. Möglicherweise verkraftete sie aber trotz ihrer Klassifizierung nicht mal die eine große, weil Verschleiß selten das Resultat von Monsterwellen war und weit öfter Folge des alltäglichen Gezerres an der Konstruktion durch kleinere Wellen und Strömungen. Jeder technischen Konstruktion entstand auf diese Weise ziemlich schnell eine Achillesferse, ohne dass man in den meisten Fällen zu sagen vermochte, wo genau sie sich befand. Hatte eine solche Stelle im Verlauf der ersten zehn Jahre schon die Belastungen von fünfzig Jahren wegstecken müssen, konnte eine durchschnittliche Welle plötzlich zum Problem werden.

Rechnerisch ließ sich die Nuss kaum knacken. Statistische Mittelwerte, wie sie für den Bau meerestechnischer Konstruktionen herangezogen wurden, trafen lediglich Aussagen über Idealbedingungen, nicht über die Realität. Durchschnittsbeanspruchungen mochten in den Büros und Köpfen der Konstrukteure Gültigkeit haben. Die Natur kannte keinen Durchschnitt, und sie hielt sich nicht an Statistiken. Sie war eine Aufeinanderfolge unkalkulierbarer Momentzustände und Extreme. Auf einem Gewässer wurden vielleicht durchschnittlich zehn Meter hohe Wellen nachgewiesen, aber wenn man dem einen Dreißig-Meter-Exemplar begegnete, das statistisch gar nicht existierte, half einem der Mittelwert wenig, und man starb.

Als der Tsunami durch die Landschaft der Stahltürme fegte, überschritt er deren Beanspruchungsgrenze innerhalb eines Augenblicks. Träger brachen, Schweißnähte rissen auf, Deckaufbauten kippten ab. Vor allem auf der britischen Seite, wo man Stahlrohrgerüsten den Vorrang gab, zertrümmerte die Aufprallenergie der Welle nahezu jede Konstruktion oder fügte ihr erheblichen Schaden zu.

Norwegen hatte sich schon Jahre zuvor auf Stahlbetonpfeiler spezialisiert. Hier fand der Tsunami weniger Angriffsfläche. Dennoch war das Desaster nicht minder gewaltig, denn die Welle schleuderte riesige Geschosse in die Fördertürme: Schiffe.

Die meisten Schiffe waren Sturmwellen von 20 Metern Höhe theoretisch nicht gewachsen. Die Festigkeit von Schiffsrümpfen orientierte sich an einer statistischen Wellenhöhe von 16,5 Metern. In der Praxis sah es dann doch anders aus. Mitte der Neunziger hatten Monsterwellen oberhalb Schottlands ein hausgroßes Loch in den 3 000-Tonnen-Tanker *Mimosa* geschmettert, aber das Schiff entkam. 2001 versenkte ein 35-Meter-Brecher vor Südafrika fast das Kreuzfahrtschiff *MS Bremen*, aber eben nur fast. Im selben Jahr war die *Endeavour*, ein Schiff von 90 Metern Länge, in Höhe der Falklands einem Phänomen zum Opfer gefallen, das die Wissenschaft als ›Drei Schwestern‹ kannte – drei dicht aufeinander folgende Wellen von je 30 Metern Höhe. Die *Endeavour* wurde schwer beschädigt, doch es gelang ihr, sich in den Hafen zu retten.

Meist jedoch hörte man von Schiffen, die derartige Begegnungen hatten, nie wieder etwas. Denn das eigentlich Tückische an den Riesenwellen war das sogenannte ›Loch im Ozean‹ – die Wellenfront schob einen tiefen Trog, einen Abgrund vor sich her, in den das Schiff hineinsackte, Bug oder Heck voran. Lagen die Wellen weit genug auseinander, blieb im Allgemeinen ausreichend Zeit, um wieder hochzukommen und den nachfolgenden Wellenberg zu erklimmen. Bei kurzen Wellenlängen verhielt es sich anders. Das Schiff stürzte in den Trog, aber die Welle folgte zu dicht auf, und so fuhr es in die Wasserwand hinein, die es verschluckte und unter sich begrub. Aber selbst wenn ein Schiff es mit knapper Not aus dem Trog schaffte und sich wieder an den Aufstieg machte, konnte man nur bangen, dass die Welle nicht zu hoch oder zu steil war. Im Zweifel war sie jedoch beides, extrem steil und extrem hoch. Man versuchte das Unmögliche, nämlich eine senkrechte Fläche zu ersteigen. Dem fielen vor allem kleinere Schiffe zum Opfer, wenn die Welle höher als das Schiff lang war, aber auch Ozeanriesen schafften es oft nicht aus dem Tal und über den Kamm hinweg. Sie wurden von der Welle umgekippt und kenterten kopfüber.

Solche Riesenwellen, die ihren Ursprung dem Zusammenspiel von Wind und Strömung verdankten, brachten es auf Geschwindigkeiten von fünfzig Stundenkilometern, selten mehr. Es reichte zur Totalkatastrophe, aber gegen die 20-Meter-Front des Tsunamis, der in diesen Minuten über den Schelf fegte, waren sie lahme Enten.

Die meisten der Schlepper, Tanker und Fähren, die gerade das Pech hatten, auf der Nordsee unterwegs zu sein, wurden wie Spielzeug herumgeworfen. Einige krachten zusammen, andere wurden gegen die Betonpfosten der Plattformen geschmettert oder gegen die Verladebojen, an denen sie ankerten. Der Wucht des Aufpralls waren selbst Stahlbetonstützen nicht gewachsen. Viele der Kolosse begannen einzubrechen. Was standhielt, entging dennoch nicht der Zerstörung, als die kollidierenden, teils voll beladenen Schiffe explodierten und riesige Feuerwolken auf die Plattformen übergriffen. In Kettenreaktionen flogen ganze Landschaften aus Fördertürmen in die Luft. Brennende Trümmer wurden Hunderte von Metern weit geschleudert. Der Tsunami riss am Meeresgrund verankerte Plattformen los und kippte sie um. All das geschah nur Minuten, nachdem die kreisförmige Welle vom Zentrum der unterseeischen Rutschung losgerast war auf ihrem Weg zu den Küsten der umliegenden Landmassen.

Jedes einzelne der Ereignisse verkörperte den Alptraum der Schifffahrt und der Offshore-Industrie schlechthin. Was an jenem Nachmittag auf der Nordsee geschah, war jedoch mehr als ein vereinzelter, wahr gewordener Alptraum.

Es war die Apokalypse.

DIE KÜSTE

Acht Minuten nach dem Absturz des Schelfs war der Tsunami gegen die Klippen der Färöer-Inseln geschlagen, vier Minuten später hatte er die Shetlands erreicht, weitere zwei Minuten später prallte er gegen das schottische Festland und den südwestlichen Buckel Norwegens.

Um Norwegen als Ganzes zu überfluten, bedurfte es vermutlich jenes Kometen, von dem man annahm, dass er die Menschheit auslöschen würde, sollte er jemals ins Meer stürzen. Das Land war ein einziges Gebirge, gesäumt von einer Steilküste, an deren oberen Rand so schnell keine Welle schlug.

Aber Norwegen lebte vom und auf dem Wasser, und die meisten der wichtigsten Städte lagen auf Meeresspiegelhöhe am Fuß der gewaltigen Gebirge. Von der See trennten sie lediglich kleine, flache Inseln, oder sie lagen auf den Inseln selber. Hafenstädte wie Egersund, Haugesund und Sandnes im Süden waren der heranrollenden Welle ebenso ausgeliefert wie Ålesund und Kristiansund weiter nördlich und Hunderte kleinerer Orte ringsum.

Am schlimmsten erwischte es Stavanger.

Wie sich ein Tsunami entwickelte, wenn er die Küste erreichte, hing von unterschiedlichsten Faktoren ab. Dazu gehörten Riffs, Flussmündungen, unterseeische Gebirge und Sandbänke, vorgelagerte Inseln oder schlicht die Neigung des Strandes. Alles konnte die Wirkung entweder abschwächen oder verstärken. Stavanger, das Zentrum der norwegischen Offshore-Industrie, Schlüsselstadt des Handels und der Schifffahrt, eine der ältesten, schönsten und reichsten Städte Norwegens, lag so gut wie ungeschützt direkt am Meer. Lediglich eine Reihe flacher Inselchen erstreckte sich oberhalb des Hafens, verbunden durch Brücken. Unmittelbar vor dem Eintreffen der Welle war eine Warnung der norwegischen Regierung an die Behörden der Stadt ergangen, die sofort über alle Radio- und Fernsehstationen und via Internet verbreitet wurde, aber es blieb lächerlich wenig Zeit. An eine Evakuierung war nicht mehr zu denken. Der Warnung folgte ein beispielloses Durcheinander in den Straßen. Niemand konnte sich recht vorstellen, was da auf Stavanger zukam. Anders als in den Anrainerstaaten des Pazifiks, die seit Menschengedenken mit Tsunamis lebten, gab es im Atlantikraum, in Europa und im Mittelmeer keine Warncenter. Während das *PTWS*, das *Pacific Tsunami Warning System,* mit Hauptsitz auf Hawaii in über zwanzig Pazifikstaaten vertreten war, zu denen von Alaska über Japan und Australien bis Chile und Peru so ziemlich jede Küstennation gehörte, wusste man in einem Land wie Norwegen nicht das Geringste über Tsunamis. Nicht zuletzt darum verstrichen die letzten Minuten Stavangers in ratlosem Entsetzen.

Die Welle brach über die Stadt herein, ohne dass jemand rechtzeitig hinausgefunden hatte. Noch während sie die Pfeiler der Inselbrücken knickte, wuchs sie weiter an. Unmittelbar vor der Stadt türmte sich der Tsunami zu seinen ganzen dreißig Metern Höhe auf, aber aufgrund seiner extremen Wellenlänge brach er nicht sofort, sondern knallte senkrecht gegen die Hafenbefestigungen, schlug Kais und Gebäude in Stücke und raste weiter stadteinwärts. Die Altstadt mit ihren historischen Holzhäusern aus dem späten 17. und frühen 18. Jahrhundert wurde dem Erdboden gleichgemacht. Im Vågen, dem alten Hafenbecken, staute sich die Welle und fiel über die Innenstadt her. In Stavangers ältestem Gebäude, der anglo-normannischen Domkirche, schlugen die Fluten zuerst sämtliche Fenster aus, bevor sie die Mauern zum Einsturz brachten, und auch diese Trümmer trugen sie mit sich fort. Was immer im Weg stand, wurde mit der Wucht eines Raketenangriffs hinweggefegt. Nicht nur das Wasser zerstörte die Stadt, sondern auch mitgeführter Schlamm, tonnenschwere Steine, Schiffe und Autos, die wie Geschosse einschlugen.

Inzwischen hatte sich die vertikale Wand in einen Berg aus tosender Gischt verwandelt. Der Tsunami wälzte sich nun weniger schnell durch die Straßen, dafür chaotisch turbulent. In der Gischt wurde Luft eingeschlossen und beim Aufprall komprimiert, was einen Druck von über fünfzehn Bar erzeugte, genug, um Panzerplatten zu zerbeulen. Das Wasser knickte Bäume wie Streichhölzer. Sie wurden Teil des Bombardements. Keine Minute, nachdem die Welle auf die ersten Befestigungen geprallt war, waren die kompletten Hafenanlagen vernichtet und die dahinter liegenden Viertel zerstört. Noch während die Wassermassen durch die Straßen schossen, erschütterten die ersten Explosionen die Stadt.

Für die Menschen in Stavanger gab es nicht die geringste Überlebenschance. Wer versuchte, vor der Wasserwand davonzulaufen, die plötzlich in den Himmel ragte, rannte vergeblich. Die überwiegende Anzahl der Opfer wurde erschlagen. Das Wasser war wie Beton. Man spürte nichts. Kaum anders erging es denen, die wie durch ein Wunder den Aufprall überlebten, um dann gegen Häuser geschmettert oder zwischen Trümmerteilen zermalmt zu werden. Paradoxerweise ertrank so gut wie niemand, sah man von jenen ab, die in den zulaufenden Kellern gefangen waren. Selbst dort wurden die meisten schon durch die Wucht der hereinströmenden Wassermassen getötet oder erstickten im zusätzlich eindringenden Schlamm. Wer schließlich ertrank, starb einen schrecklichen, aber wenigstens schnellen Tod. Kaum einer von ihnen registrierte, was mit ihm geschah. Von jeder Sauerstoffzufuhr abgeschnitten, trieben die Körper der Eingeschlossenen im lichtlosen, wenige Grad kalten Wasser. Das Herz begann unregelmäßig zu schlagen, transportierte weniger Blut und kam schließlich zum Stillstand, während sich der Metabolismus extrem verlangsamte. Dadurch lebte das Gehirn noch eine Weile weiter. Erst zehn bis zwanzig Minuten später erlosch die letzte elektrische Aktivität, und der endgültige Tod trat ein.

Nach weiteren zwei Minuten hatte die Gischt die Vororte Stavangers erreicht. Je großräumiger sie sich verteilte, desto flacher wurde die brodelnde Flut. Immer noch nahm ihre Geschwindigkeit ab. Das Wasser tobte und spritzte durch die Straßen, und wer hineingeriet, war hoffnungslos verloren, aber dafür hielten die meisten Häuser dem Druck fürs Erste stand. Wer sich deswegen in Sicherheit wähnte, freute sich dennoch zu früh. Denn der Tsunami verbreitete seinen Schrecken nicht nur bei der Ankunft.

Fast noch schlimmer war es, wenn er ging.

Knut Olsen und seine Familie erlebten den Rückzug der Welle in Trondheim, wo der Tsunami wenige Minuten später eingetroffen war.

Im Gegensatz zu Stavanger, das sich wie auf dem Präsentierteller darbot, lag Trondheim geschützt im Trondheimfjord. Flankiert von größeren Inseln und zudem abgeschirmt von einer Landzunge, führte der Fjord fast vierzig Kilometer ins Landesinnere, bevor er sich zu einem breiten Becken öffnete, an dessen östlichem Rand die Stadt erbaut war. Viele norwegische Städte und Ortschaften lagen am Innenrand oder am Ende von Fjorden auf Wasserhöhe. Wer einen Blick auf die Landkarte warf, musste zu dem Schluss gelangen, dass selbst die Wucht einer Dreißig-Meter-Welle nicht ausreichen würde, um Trondheim ernsthaft zu gefährden.

Doch gerade die Fjorde erwiesen sich als Todesfallen.

Geriet ein Tsunami in Meerengen und trichterförmige Buchten, wurden die Wassermassen nicht mehr nur von unten gestaut, sondern plötzlich auch von beiden Seiten. Zigtausend Tonnen Wasser quetschten sich durch einen engen Kanal. Die Wirkung war verheerend. Im Sognefjord nördlich von Bergen, der zwar lang, aber schmal war, eingebettet in steile Felswände, stieg die Wellenhöhe ein weiteres Mal dramatisch an. Die meisten Ortschaften längs dieses Fjords lagen oberhalb der Klippen auf den Plateaus. Bis zu ihnen spritzte das Wasser, aber größere Schäden blieben aus. Anders am Ende des fast hundert Kilometer langen Fjords, wo auf einer flachen Halbinsel mehrere Kleinstädte und Dörfer beieinander lagen. Die Welle radierte sie aus und wurde erst vom dahinter liegenden Steilgebirge gestoppt. Dabei schlug die Gischt bis in eine Höhe von zweihundert Metern und rasierte jeglichen Pflanzenbewuchs ab, bevor die Wassermassen in sich zusammenstürzten und sich in den angrenzenden Flüssen weiter fortpflanzten.

Der Trondheimfjord war breiter als der Sognefjord, und seine Wände waren weniger hoch. Weil er zudem nach hinten breiter wurde, konnten sich die Fluten besser verteilen. Dennoch war der Wasserberg, der Trondheim erreichte, noch hoch genug, um über den Hafen hinwegzufegen und einen Teil der Altstadt zu zerstören. Die Nidelva schoss über die Ufer und drängte in die Viertel Bakklandet und Mollenberg. Gischtlawinen mähten die alten Häuser nieder. In der Kirkegata fiel fast jedes Haus dem einströmenden Wasser zum Opfer, auch das von

Sigur Johanson. Seine hübsche Fassade wurde eingedrückt, die Holzverkleidung zersplitterte, das Dach stürzte in die zusammenbrechende Front. Die Trümmer wurden fortgespült, nunmehr Teil der schäumenden Welle, die erst an den Grundmauern der NTNU ihre Kraft und Energie verlor, in wilden Wirbeln zum Stillstand kam und zurückzufließen begann.

Die Olsens wohnten in einer Straße hinter der Kirkegata. Ihr Haus, aus Holz gebaut wie das von Johanson, hielt dem Ansturm des Tsunamis stand. Es zitterte und wankte. In der Wohnung kippten Möbel um, Geschirr ging zu Bruch, und der Boden der vorderen Zimmer neigte sich. Die Kinder gerieten in Panik. Olsen schrie seiner Frau zu, sie in den hinteren Bereich des Hauses zu bringen. Er wusste im Grunde nicht, was das Beste war, aber er dachte, wenn das Wasser von vorn gegen das Haus geschlagen war, müsse es im rückwärtigen Teil vielleicht sicherer sein. Während seine Familie dorthin flüchtete, wagte er sich atemlos an eines der vorderen Fenster, um hinauszusehen. Der Holzboden unter seinen Füßen bog sich weiter und knackte vernehmlich, ohne jedoch einzubrechen. Olsen klammerte sich an den Fensterrahmen, entschlossen, sofort nach hinten zu laufen, wenn eine weitere Welle auf das Haus zurollen sollte. Fassungslos blickte er auf die zerstörte Stadt, sah Bäume, Autos und Menschen in den Wasserwirbeln treiben, hörte Schreie und das Bersten in sich zusammenbrechender Mauern. Dann erschütterten mehrere Explosionen die Luft, und am Hafen stiegen schwarzrote Wolken empor.

Es war das Grauenhafteste, was er je gesehen hatte. Dennoch verdrängte er den Schock zugunsten des einen Gedankens, seine Familie zu schützen. Was immer noch auf sie zukommen mochte, entscheidend war, dass seine Kinder und seine Frau überlebten.

Und er selber, wenn möglich.

Aber wie es schien, kam die Flut zum Stillstand.

Olsen schaute noch eine Weile nach draußen, dann ging er vorsichtig ins Hinterhaus. Sofort wurde er mit Fragen bestürmt. Er sah in die angstgeweiteten Augen seiner Kinder und hob beruhigend die Hand, obwohl ihm schrecklich zumute war. Er sagte, dass wohl alles vorbei sei, und sie sollten sich keine Sorgen machen. Natürlich war nichts in Ordnung, gar nichts. Sie mussten irgendwie aus dem Haus gelangen. Ihm kam die Idee, über die Dächer zu flüchten, dorthin, wo das Wasser nicht hingelangt war. Seine Frau fand, er habe zu viele Filme von Hitchcock gesehen. Sie fragte ihn, wie er sich das mit vier Kindern vorstelle. Olsen wusste keine Antwort. Sie schlug vor, einfach abzuwarten. Etwas

Besseres fiel ihm auch nicht ein, also stimmte er zu und ging wieder nach vorn zum Fenster.

Als er diesmal hinaussah, bemerkte er, dass sich die Flut zurückzog. Immer schneller strebten die Wassermassen dem Fjord zu.

Wir haben es überstanden, dachte er.

Er beugte sich weiter vor. Im selben Moment ging ein Ruck durch das Haus. Olsen grub seine Finger in den Rahmen. Der Boden splitterte. Er wollte zurückspringen, aber da war nichts mehr. Ein riesiges Loch klaffte im Wohnzimmerboden. Regen schlug herein. Olsen kippte nach vorn. Zuerst dachte er, es habe ihn aus dem Fenster gerissen. Dann wurde ihm klar, dass sich die komplette vordere Hauswand ablöste, als sei sie eine schlecht aufgeklebte Pappe, und sich der Flut zuneigte.

Er schrie aus Leibeskräften.

Die Menschen auf Hawaii, die seit Generationen mit dem Ungeheuer lebten, wussten sehr genau, was sein Rückzug bedeutete. Die abfließenden Wassermassen erzeugten einen gewaltigen Sog, der alles, was noch stand oder sich zu halten versuchte, ins Meer spülte. Alles riss das Wasser mit sich fort. Menschen, die den ersten Akt der Katastrophe überlebt hatten, starben jetzt, und ihr Sterben verlief weit grausamer als das in der heranrasenden Welle. Es ging einher mit dem aussichtslosen Überlebenskampf in der brausenden Strömung, mit dem Anschwimmen gegen den unerbittlichen Sog, mit dem Nachlassen der Kräfte. Die Muskeln erlahmten. Man wurde von herumwirbelnden Gegenständen getroffen, Knochen brachen. In verzweifelter Gegenwehr klammerte man sich irgendwo fest, wurde losgerissen und trieb weiter davon zwischen Schlamm und Trümmern.

Das Ungeheuer aus dem Meer kam an Land, um zu fressen, und wenn es sich zurückzog, nahm es seine Beute mit.

All dies hatte Olsen nicht gewusst, als die Hauswand in den Mahlstrom kippte, aber es wurde ihm schlagartig klar, und darum schrie er. Er schrie um sein Leben. Er wusste, dass er nun sterben würde. Während er fiel, dröhnten weitere Explosionen vom Hafen, als demolierte Schiffe und Ölanlagen in die Luft flogen. Nahezu jedes elektrische System der Stadt war ausgefallen, Kurzschlüsse folgten dicht auf dicht. Vielleicht würde er schon darum sterben, weil das Wasser unter Starkstrom stand.

Er dachte an seine Familie. An seine Kinder. Seine Frau.

Dann dachte er kurz an Sigur Johanson und seine merkwürdigen Theorien, und er spürte eine rasende Wut in sich aufsteigen. Johanson war schuld. Er hatte ihm etwas verschwiegen. Etwas, das sie hätte retten können. Irgendetwas hatte der verdammte Hurensohn gewusst!

Dann dachte er nichts mehr. Nur noch: Du bist tot.

Mit ohrenbetäubendem Prasseln landete die Hauswand in einem großen Baum, der erstaunlicherweise noch stand. Olsen wurde kopfüber aus dem Fensterrahmen geschleudert. Seine Hände griffen ins Leere, bekamen etwas zu fassen. Blätter und Rinde. Unter sich sah er die schlammige Flut dahinbrausen. Er klammerte sich an den Ast, schwang zappelnd in der Luft und begann, sich hochzuziehen. Von oben regneten Teile des Giebels herab, Planken und Verputz. Sie verfehlten ihn knapp. Das dahinschießende Wasser riss große Teile der Fassade weg. Was einmal die Vorderfront seines Hauses gewesen war, verformte sich, splitterte und brach kreischend auseinander. In panischer Angst versuchte Olsen, näher an den Stamm zu gelangen. Seitlich unter ihm entsprang ein dickerer Ast, den er erreichen konnte. Vielleicht würde er seine Füße darauf stellen können. Er spürte, wie der riesige Baum ächzte und wankte, und hangelte sich keuchend vorwärts.

Krachend stürzten die letzten Reste der Hauswand, Laub und Äste mit sich reißend, in die Flut. Ein Ruck fuhr durch Olsens Ast. Seine Finger glitten ab. Plötzlich hing er nur noch an einer Hand. Er schaute zwischen seinen Füßen hindurch und fühlte seine Kraft erlahmen. Wenn er jetzt stürzte, wäre sein Schicksal besiegelt. Mühsam drehte er den Kopf und versuchte, einen Blick auf sein Haus zu erhaschen, beziehungsweise auf das, was davon noch übrig war.

Bitte, dachte er. Lass sie nicht tot sein.

Das Haus stand noch.

Und dann sah er seine Frau.

Sie hatte sich auf Hände und Knie niedergelassen, war bis zur Kante gekrochen und sah zu ihm herüber. In ihren Zügen lag eine grimmige Entschlossenheit, als wolle sie sich im nächsten Moment ins Wasser stürzen, um ihm zur Hilfe zu kommen. Natürlich konnte sie ihm kein bisschen helfen, aber sie war da, und sie rief seinen Namen. Ihre Stimme klang fest und beinahe zornig, als solle er endlich seinen verdammten Arsch in Sicherheit bringen und nach Hause kommen, wo man auf ihn wartete.

Olsen sah sie einen Moment lang einfach nur an.

Dann spannte er die Muskeln. Seine freie Hand langte nach oben, packte zu. Er krallte die Finger ins Holz und begann, weiter vorzurücken, bis seine Füße direkt über dem dicken Ast schwebten. Langsam ließ er sich darauf nieder. Jetzt hatte er festen Halt. Er stand. Ein

Zucken durchlief seine Schultern. Er löste die Finger, umschlang den Stamm, fühlte die Not des Baumes, sich zu halten in der Flut, drückte sein Gesicht gegen die Rinde und sah weiter hinüber zu seiner Frau.

Es dauerte endlos. Der Baum hielt stand, und auch das Haus.

Als das Wasser seinen Tribut ins Meer gezogen hatte, stieg er endlich zitternd hinab in die Wüste aus Trümmern und Schlamm. Er half seiner Frau und seinen Kindern, das Haus zu verlassen. Sie nahmen das Nötigste mit, Kreditkarten, Geld, Papiere und einige hastig zusammengesuchte persönliche Erinnerungen, die sie in zwei Rucksäcke packten. Olsens Auto war irgendwo in der Flut verschwunden. Sie würden laufen müssen, aber alles war besser, als hier zu bleiben.

Schweigend verließen sie ihre zerstörte Straße, liefen auf die andere Seite des Flusses und fort von Trondheim.

FIASKO

Die Welle breitete sich weiter aus.

Sie überflutete die Ostküste Großbritanniens und den dänischen Westen. Auf der Höhe von Edinburgh und Kopenhagen wurde der Schelf extrem flach. Unvermittelt erhob sich dort die Doggerbank, ein Relikt aus der Zeit, als Teile der Nordsee noch trockenes Land waren. Die Doggerbank war lange Zeit eine Insel gewesen, auf der sich zahlreiche Tiere vor den immer höher auflaufenden Fluten zusammengedrängt hatten, bis sie schließlich ertranken. Jetzt lag die Bank dreizehn Meter unter dem Meeresspiegel, und sie staute die heranrollende Welle zu neuer Höhe.

Südlich der Doggerbank standen Plattformen dicht an dicht, insbesondere entlang der britischen Südostküste und oberhalb Belgiens und der Niederlande. Die Welle wütete hier noch schlimmer als im nördlichen Teil, jedoch bremste die zerklüftete Struktur des Schelfs mit ihren Sandbänken, Spalten und Graten den Tsunami ab. Die friesischen Inseln wurden vollständig überflutet, verringerten die Energie der Welle aber um ein Weiteres, sodass sie Holland, Belgien und Norddeutschland mit verminderter Wucht traf. Nur noch knapp einhundert Stundenkilometer schnell erreichte die Wasserwand schließlich Den Haag und Amsterdam und zerstörte große Teile der seenahen Gebiete. Hamburg und Bremen erlebten ein rabiates Hochwasser. Sie lagen weiter im Landesinnern, dafür waren die Mündungen von Elbe und Weser kaum geschützt. Der Tsunami wälzte sich die Flussläufe entlang und überschwemmte das Umland, bevor er die Hansestädte erreichte. Selbst in

London schwoll kurzzeitig die Themse an, trat über die Ufer und ließ Schiffe in Brücken krachen.

Die Ausläufer der Flut schossen durch die Straße von Dover und waren noch in der Normandie und an der bretonischen Küste zu spüren. Nur die Ostsee mit Kopenhagen und Kiel entging dem Fiasko. Zwar rollte auch hier schwere See heran, aber wo Skagerrak und Kattegat ineinander flossen, verwirbelte der Tsunami und brach in sich zusammen. Dafür schlug die Welle im hohen Norden gegen die Küste Islands und erreichte noch Grönland und Spitzbergen.

Die Olsens hatten unmittelbar nach der Katastrophe höheres Gelände aufgesucht. Knut Olsen vermochte später nicht zu sagen, warum sie so gehandelt hatten. Es war seine Idee gewesen. Möglicherweise besaß er dunkle Erinnerungen an einen Film über Tsunamis oder einen Bericht, den er irgendwann gelesen hatte. Vielleicht war es einfach nur Intuition. Aber ihre Flucht rettete der Familie das Leben.

Die meisten Menschen, die das Kommen und Gehen eines Tsunamis überlebten, starben dennoch. Sie kehrten nach der ersten Welle zurück in ihre Dörfer und Häuser, um nachzusehen, was übrig war. Aber Tsunamis breiteten sich in mehreren aufeinander folgenden Wellen aus. Den extrem großen Wellenlängen war es zuzuschreiben, dass der nächste Wasserberg erst eintraf, wenn man die Katastrophe schon überstanden glaubte.

So auch diesmal.

Nach über einer Viertelstunde jagte die zweite Welle heran, nicht minder gewaltig als die vorangegangene, und erledigte, was der Vorgänger nicht geschafft hatte. Eine dritte Welle zwanzig Minuten später war nur noch halb so hoch, danach kam eine vierte und dann nichts mehr.

In Deutschland, Belgien und den Niederlanden waren die Evakuierungsmaßnahmen im Ansatz stecken geblieben, obwohl dort mehr Zeit zur Verfügung gestanden hatte. Aber so ziemlich jeder besaß ein Auto, und jeder hielt es für eine gute Idee, es zu benutzen und damit die Flucht anzutreten, was unterm Strich eine schlechte Idee war. Keine zehn Minuten nach Eingang der Warnungen waren sämtliche Straßen hoffnungslos verstopft, bis die Welle den Stau auf ihre Weise auflöste.

Eine Stunde, nachdem der Kontinentalhang abgerutscht war, hatte die nordeuropäische Offshore-Industrie aufgehört zu existieren. Fast alle Küstenstädte des umliegenden Festlands waren teilweise bis vollständig zerstört. Hunderttausende hatten ihr Leben verloren. Lediglich Island und Spitzbergen, ohnehin dünn besiedelt, waren ohne Todesopfer davongekommen.

Die gemeinsame Expedition von *Thorvaldson* und *Sonne* hatte erkennen lassen, dass die Würmer auch im Norden Hydrate zersetzten, bis hinauf nach Tromsø. Der Hang war im Süden abgerutscht. Die Auswirkungen des Tsunamis ließen vorerst keine Beschäftigung mit der Frage zu, ob auch mit einem Kollaps der nördlichen Kante zu rechnen sei. Möglicherweise hätte Gerhard Bohrmann eine Antwort darauf gefunden. Aber nicht einmal Bohrmann wusste, wo genau die Lawinen heruntergekommen waren. Und auch Jean-Jacques Alban, dem es gelungen war, die *Thorvaldson* weit genug aufs offene Meer und damit in Sicherheit zu bringen, hatte keine Vorstellung von dem, was tief unten wirklich geschehen war.

Fortgesetzt hallten Explosionen übers Meer und durch die Ruinen der Küstenstädte. In das Schreien und Weinen der Überlebenden mischten sich Hubschrauberdröhnen, Sirenengeheul und Lautsprecherdurchsagen. Es war eine Kakophonie des Grauens, doch über all dem Lärm lag eine bleierne Stille. Die Stille des Todes.

Drei Stunden vergingen, bis die letzte Welle zurück ins Meer geflossen war.

Dann rutschte der nördliche Kontinentalhang ab.

ZWEITER TEIL

CHÂTEAU DISASTER

Aus den Jahresberichten der Umweltschutz-
organisationen:
Trotz des Verbots von 1994 gelangt nach wie vor
Atommüll in die Meere. Greenpeace-Taucher wiesen
am Abflussrohr der französischen Wiederaufbereitungsanlage La Hague eine 17 Millionen Mal höhere
Radioaktivität nach als in unbelasteten Gewässern.
Vor Norwegen sind Tang und Krabben mit dem
radioaktiven Stoff Technetium verseucht. Als Quelle
identifizierten norwegische Strahlenschützer die
veraltete britische Wiederaufbereitungsanlage
Sellafield. Indes wollen amerikanische Geologen hoch
radioaktiven Müll im Meeresboden versenken, indem
sie die strahlenden Behälter durch ein kilometertiefes
Rohr in Löcher rutschen lassen und mit Sedimenten
bedecken.

Seit 1959 haben die Sowjets gewaltige Mengen Atommüll inklusive abgewrackter Reaktoren im arktischen
Meer deponiert. Über eine Million Tonnen chemischer
Waffen rotten auf den Meeresböden vor sich hin, in
Tiefen zwischen 500 und 4 500 Metern. Als besonders
gefährlich gelten langsam durchrostende Giftgas-
behälter, die Moskau 1947 versenken ließ. Hundert-
tausend Fässer schwach radioaktiver Abfälle aus
Medizin, Forschung und Industrie lagern vor Spanien.
Plutonium aus den Atombombentests in der Südsee
wiesen Meeresforscher im mittleren Atlantik in mehr
als 4 000 Metern Tiefe nach.

Der britische hydrographische Dienst listet 57 435
Wracks in den Tiefen der Ozeane auf, darunter auch

die Trümmer mehrerer amerikanischer und russischer Atom-U-Boote.

Das Umweltgift DDT gefährdet Meeresorganismen stärker als andere Lebewesen. Durch die Strömungen breitet es sich global aus und reichert sich in marinen Nahrungsketten an. Im Speck von Pottwalen sind Polybromverbindungen nachgewiesen worden, die als Brandhemmer in Computern und Fernsehverkleidungen verarbeitet werden. 90 Prozent aller gefangenen Schwertfische sind mit Quecksilber vergiftet, 25 Prozent zudem mit PCB. In der Nordsee wachsen weiblichen Wellhornschnecken Penisse. Auslöser dürfte die in Schiffsanstrichen enthaltene Substanz Tributylzinn sein.

Jede Ölbohrung verseucht den Meeresboden auf einer Fläche von 20 Quadratkilometern. Ein Drittel davon ist nahezu ohne jedes Leben.

Elektrische Felder von Tiefseekabeln stören die Orientierung von Lachsen und Aalen. Zudem beeinträchtigt der Elektrosmog das Larvenwachstum.

Algenblüten und Fischsterben nehmen weltweit dramatisch zu. Nachdem Israel das Verbotsabkommen zur Verklappung von Industriemüll auf See nicht unterzeichnete, entließ allein die Firma Haifa Chemicals bis 1999 jährlich 60 000 Tonnen Giftabfälle ins Meer: Blei, Quecksilber, Cadmium, Arsen und Chrom gelangen mit der Strömung bis Syrien und Zypern. Täglich pumpen Fabriken am Tunesischen Golf 12 800 Tonnen Phosphatgips aus der Dünger-Herstellung ins Meer.

70 der 200 wichtigsten Meeresfischarten beziffert die Welternährungsorganisation FAO als gefährdet. Zugleich nimmt die Zahl der Fischer weiter zu. 1970 waren es 13 Millionen, 1997 schon 30 Millionen Fänger. Verheerend wirken sich Grundschleppnetze aus,

die zum Fang von Kabeljau, Sandaal und Alaska-Seelachs eingesetzt werden. Ganze Ökosysteme werden buchstäblich hinweggefegt. Meeressäuger, Raubfische und Seevögel finden keine Beute mehr.

Bunker C, der meistgenutzte Schiffstreibstoff, wird vor der Verfeuerung von Aschen, Schwermetallen und Sedimenten gereinigt. Ein zäher Müll entsteht, den viele Kapitäne nicht ordnungsgemäß entsorgen, sondern stillschweigend auf See verklappen.

In 4 000 Metern Tiefe vor Peru haben Hamburger Forscher die geplante großkommerzielle Ernte von Manganknollen simuliert. Kreuz und quer schleppte ihr Schiff eine Pflugegge über ein 11 Quadratkilometer großes Stück Meeresboden. Zahlreiche Lebewesen starben. Noch Jahre später hatte sich die Region nicht erholt.

Durch Bauvorhaben in den Florida Keys wurde Erdreich ins Meer gespült, das sich wie Flugsand auf die Korallenbänke legte. Ein Großteil des dortigen Lebens ist erstickt.

Meeresforscher fanden heraus, dass steigende Kohlendioxid-Konzentrationen in der Atmosphäre, verursacht durch die zunehmende Verbrennung fossiler Rohstoffe, die Fähigkeit zur Riffbildung behindern. Wenn sich das CO_2 löst, macht es das Wasser saurer. Ungeachtet dessen wollen die großen Energiekonzerne demnächst gewaltige Mengen CO_2 direkt in die Tiefsee pumpen, um die Atmosphäre zu entlasten.

10. mai

Die Nachricht verließ Kiel mit 300 000 Kilometern in der Sekunde.

Der Wortlaut, eingegeben von Erwin Suess in dessen Laptop am Geomar-Forschungszentrum, wanderte als digitale Datenmenge ins Netz und wurde von einer Laserdiode in Lichtpulse umgewandelt. Von nun an schoss sie mit einer Wellenlänge von 1,5 Tausendstelmillimeter infrarot durch ein hochtransparentes Glasfaserkabel, zusammen mit Millionen weiterer Telefongespräche und Informationspakete. Die Faser bündelte das Licht auf einem Durchmesser von doppelter Haaresstärke und reflektierte es von den Außenrändern ins Innere, um es nicht entweichen zu lassen. Rasend schnell pflanzten sich die Wellen über Land fort bis zur Küste, jagten alle 50 Kilometer durch einen optischen Verstärker, bis die Faser im Meer verschwand, umhüllt von einem Kupfermantel und verpackt in mehrere Lagen kräftiger Drähte und weicher Isolierschichten.

Unter Wasser hatte der Strang die Dicke eines kräftigen Männerunterarmes. Er zog sich über den Grund des Schelfs, eingegraben in den Boden, um ihn vor Ankern und Fischernetzen zu schützen. TAT 14, so die offizielle Bezeichnung, war eines der Transatlantikkabel, die Europa mit dem amerikanischen Kontinent verbanden. Es gehörte zu den leistungsfähigsten Kabeln der Welt. Allein im Nordatlantik lagen Dutzende solcher Kabel. Hunderttausende Kilometer Glasfaser bildeten weltweit das Rückgrat des Informationszeitalters. Drei Viertel ihrer Kapazitäten dienten dem World Wide Web. Das *Projekt Oxygen* verband 175 Länder in einer Art Superinternet. Ein anderes System bündelte acht Glasfasern zu einer Übertragungsleistung von 3,2 Terabits, was 48 Millionen gleichzeitig geführter Telefonate entsprach. Längst hatten die filigranen Fasern in den Tiefen der Meere jeder Satellitentechnik den Rang abgelaufen. Der Erdball war umschlungen von einem Geflecht Licht leitender Drähte, in denen die Bits und Bytes der Kommunikationsgesellschaft in Echtzeit kursierten, Telefonate, Videos, Musik, E-Mails. Nicht die Satelliten, die Kabel schufen das globale Dorf.

Die Nachricht von Erwin Suess schoss zwischen Skandinavien und Großbritannien nordwärts. Oberhalb Schottlands wandte sich TAT 14 nach links. Jenseits des Hebridenschelfs hätte es sich nun über den tiefer gelegenen Meeresboden schlängeln müssen, nicht länger eingegraben, sondern offen daliegend.

Aber es gab keinen Schelfrand mehr und auch keinen Meeresboden.

Unter Gigatonnen von Schlamm und Geröll passierte die Nachricht aus Kiel knapp eine hundertzwanzigstel Sekunde, nachdem sie abgeschickt worden war, das Gebiet unterhalb der Färöer-Inseln und endete in einem zerfetzten Strang. Die robuste Umhüllung mit ihren verstärkenden Drähten und flexiblen Kunststoffschichten war glatt durchtrennt, die zersplitterten Fasern leiteten die Botschaft aus Licht ins Sediment. Mit solcher Wucht hatte die Lawine das Kabel getroffen, dass die zerrissenen Enden Hunderte von Kilometern auseinander lagen. Erst im isländischen Becken fand sich TAT 14 wieder, ein nutzloses Stück Hightech, das südlich von Neufundland wieder auf den Schelf gelangte, an dessen Rand es bis nach Boston verlief. Dort mündete es in die Landverbindung. Über die Rocky Mountains gelangte die Datenautobahn schließlich in die westkanadischen Küstengebirge oberhalb Vancouvers, direkt in die Schaltstationen des berühmten Luxushotels Château Whistler am Fuße von Blackcomb Mountain, wo die Glasfaser in ein konventionelles Kupferkabel überging. Eine Photodiode kehrte den Prozess um und wandelte die Lichtimpulse zurück in digitale Impulse.

Unter anderen Umständen wäre auch die Kieler Nachricht auf diese Weise digitalisiert worden, um auf Gerhard Bohrmanns Laptop als E-Mail zu erscheinen. Aber die herrschenden Umstände hatten Bohrmanns Verbindung ebenso abreißen lassen wie die Millionen weiterer Menschen. Eine Woche nach der Katastrophe in Nordeuropa lagen die transatlantischen Internet- und E-Mail-Verbindungen fast vollständig lahm, und telefonische Kontakte kamen – wenn überhaupt – nur via Satellit zustande.

Bohrmann saß in der großen Halle des Hotels und starrte auf den Bildschirm. Er wusste, dass Suess ihm ein Dokument hatte schicken wollen. Es enthielt Wachstumskurven von Wurmpopulationen und Hochrechnungen, was bei vergleichbarem Befall in anderen Regionen der Welt geschehen konnte. Seit der erste Schock überwunden war, arbeiteten sie in Kiel wie die Besessenen daran.

Er fluchte. Die angeblich so kleine Welt war wieder groß geworden, voller unüberbrückbarer Räume. Am Morgen hatte es geheißen, E-Mails könnten im Verlauf des Tages über Satellit empfangen werden, aber noch ließ nichts darauf schließen. Wie es aussah, waren sie immer noch an das zerstörte Kabel gefesselt. Bohrmann wusste, dass die Krisenstäbe in fieberhafter Eile mit dem Aufbau autarker Netze befasst waren, aber das Internet brach trotzdem immer wieder zusammen. Er vermutete, dass es weniger an technischen Mängeln als an den Kapazitäten lag. Die militärischen Satelliten arbeiteten zwar einwandfrei, aber nicht einmal die amerikanische Armee war jemals davon ausgegangen, die komplette transatlantische Glasfaserbrücke durch Satelliten kompensieren zu müssen.

Er griff nach dem mobilen Telefon, das ihm der Stab zur Verfügung gestellt hatte, wählte sich über Satellit nach Kiel ein und wartete. Nach mehreren Anläufen hatte er endlich das Institut in der Leitung und ließ sich mit Suess verbinden. »Nichts ist angekommen«, sagte er.

»Einen Versuch war's wert.« Suess' Stimme drang klar an sein Ohr, dennoch irritierte Bohrmann die Verzögerung, mit der er antwortete. An Satellitentelefonate konnte er sich einfach nicht gewöhnen. Das Signal musste vom Sender rund 36 000 Kilometer auf- und die gleiche Strecke zum Empfänger absteigen. Man telefonierte mit Pausen und Überlappungen. »Bei uns geht auch nichts mehr. Es wird stündlich schlimmer. Nach Norwegen kommst du nicht mehr durch, Schottland ist mucksmäuschenstill, Dänemark existiert nur noch auf der Landkarte. Und glaub nicht, dass irgendwelche Notfallpläne greifen.«

»Wir telefonieren doch auch«, sagte Bohrmann.

»Wir telefonieren, weil die Amerikaner es so eingerichtet haben. Du nutzt die militärischen Vorzüge einer Großmacht. In Europa – vergiss es! Alle wollen telefonieren, alle haben Angst, weil sie nicht wissen, was mit ihren Angehörigen und Freunden ist. Wir haben einen Datenstau. Die paar freien Netze sind belegt von Krisenstäben und Regierungsstellen.«

»Also, was machen wir?«, sagte Bohrmann nach einer Pause der Ratlosigkeit.

»Weiß nicht. Vielleicht fährt die *Queen Elizabeth* noch. Reichen dir die Unterlagen in sechs Wochen, wenn du einen berittenen Boten zur Küste schickst, um sie abzuholen?«

Bohrmann lächelte gequält.

»Im Ernst«, sagte er.

»Im Ernst musst du dir was zu schreiben besorgen. Ich kann's nicht ändern.«

»Ich habe was zu schreiben«, seufzte Bohrmann.

Während er notierte, was Suess durchgab, durchquerte hinter ihm eine Gruppe Uniformierter die Hotelhalle und ging zu den Aufzügen.

Ihr Anführer war ein hoch gewachsener Schwarzer mit äthiopischem Gesichtsschnitt. Er trug die Rangabzeichen eines Majors der US-amerikanischen Streitkräfte und ein Namensschild mit der Aufschrift PEAK.

Die Gruppe betrat einen der Aufzüge. Auf dem zweiten und dritten Stock stiegen die meisten aus. Die restlichen verließen den Fahrstuhl ein Stockwerk darüber.

Zurück blieb Major Salomon Peak. Er fuhr weiter in den neunten Stock. Hier lagen die Gold Executive Suiten, das Nobelste, was das 550 Zimmer starke Château zu bieten hatte. Peak selber bewohnte eine Junior Suite im darunter liegenden Stockwerk. Ein stinknormales Einzelzimmer hätte ihm vollauf gereicht. Er legte keinen Wert auf Luxus, aber die Hotelleitung hatte darauf bestanden, den Stab in ihren besten Räumen unterzubringen. Während er den Flur entlangschritt, das Geräusch der Schritte gedämpft durch dicken Teppichboden, ging er im Kopf noch einmal den geplanten Ablauf der Nachmittagsveranstaltung durch. Männer und Frauen in Zivil und Uniform kamen ihm entgegen. Türen standen offen und gaben Einblick in Suiten, die zu Büros umfunktioniert worden waren. Nach einigen Sekunden erreichte Peak eine breite Tür. Zwei Soldaten salutierten. Peak winkte ab. Einer der beiden klopfte und wartete auf Antwort von drinnen, dann öffnete er zackig die Tür und ließ den Major eintreten.

»Wie geht's?«, sagte Judith Li.

Sie hatte sich ein Laufband aus dem Health Center nach oben bringen lassen. Peak wusste, dass Li mehr Zeit auf dem Band verbrachte als im Bett. Sie sah von dort aus fern, erledigte ihre Post, diktierte Memoranden, Berichte und Reden in das Spracherkennungssystem ihres Laptops, führte Ferngespräche, ließ sich über alles Mögliche informieren oder dachte einfach nur nach. Auch jetzt lief sie. Die schwarzen Haare lagen glatt und glänzend an, gehalten von einem Stirnband. Sie trug eine leichte Trainingsjacke und eng anliegende kurze Hosen. Ihr Atem ging gleichmäßig, trotz des hohen Tempos, das sie vorlegte. Peak musste sich immer wieder ins Gedächtnis rufen, dass die Frau dort auf dem Laufband 48 Jahre alt war. General Commander Judith Li sah aus wie eine gut trainierte Enddreißigerin.

»Danke«, sagte Peak. »Es geht.«

Er sah sich um. Die Suite hatte die Größe einer Luxuswohnung und war entsprechend eingerichtet. Klassische kanadische Elemente – viel Holz und rustikale Behaglichkeit, offener Kamin – mischten sich mit französischer Eleganz. Am Fenster stand ein Flügel. Auch er gehörte eigentlich woandershin, nämlich in die große Halle. Li hatte ihn ebenso wie das Laufband in ihre Räumlichkeiten schaffen lassen. Zur Linken führte ein geschwungener Durchgang in ein riesiges Schlafzimmer. Peak hatte das Badezimmer nicht gesehen, aber gehört, dass es über Whirlpool und Sauna verfügte.

Aus Peaks Sicht war der einzig sinnvolle Gegenstand das klotzige, schwarze Laufband, auch wenn es deplatziert in dem liebevoll gestalteten Wohnraum wirkte. Er fand, dass sich Luxus und Design mit militärischen Dingen nicht vereinbaren ließen. Peak stammte aus einfachen Verhältnissen. Er war nicht zur Armee gegangen, weil er einen Sinn für Schöngeistiges besaß, sondern um von der Straße wegzukommen, die allzu oft in den Knast führte. Beharrlichkeit und bedingungsloser Fleiß hatten ihm schließlich einen College-Abschluss eingebracht und ihm eine Karriere als Offizier eröffnet. Seine Laufbahn diente vielen als Vorbild, aber sie änderte nichts an den Verhältnissen seiner Herkunft. In einem Zelt oder billigen Motel fühlte er sich nach wie vor am wohlsten.

»Wir haben die letzten Auswertungen der NOAA-Satelliten bekommen«, sagte er, während er an Li vorbei aus dem großen Panoramafenster aufs Tal blickte. Die Sonne lag auf den Zedern und Tannenwäldern. Es war schön hier oben, aber Peak sah über die Schönheit hinweg. Ihn interessierten vornehmlich die nächsten Stunden.

»Und?«

»Wir hatten Recht.«

»Es gibt eine Ähnlichkeit?«

»Ja, zwischen den Geräuschen, die der *URA* aufgenommen hat, und den nicht identifizierten Spektrogrammen von 1997.«

»Gut«, sagte Li mit befriedigter Miene. »Das ist sehr gut.«

»Ich weiß nicht, ob es gut ist. Es ist eine Spur, aber es erklärt nichts.«

»Was erwarten Sie? Dass der Ozean uns irgendwas erklärt?« Li drückte die Stopptaste des Laufbands und sprang herunter. »Dafür veranstalten wir ja den ganzen Zirkus, um es rauszufinden. Ist die Runde mittlerweile vollständig?«

»Wir sind komplett. Eben kam der Letzte.«

»Wer?«

»Dieser Biologe aus Norwegen, der die Würmer entdeckt hat. Ich müsste nachsehen, er heißt ...«

»Sigur Johanson.« Li ging ins Bad und kam mit einem Handtuch um die Schultern wieder zurück. »Merken Sie sich endlich die Namen, Sal.

Wir sind 300 Leute im Hotel, 75 davon Wissenschaftler, das muss doch verdammt nochmal runterzubeten sein.«

»Wollen Sie mir erzählen, Sie hätten 300 Namen im Kopf?«

»Ich habe 3 000 im Kopf, wenn es sein muss. Also strengen Sie sich an.«

»Sie bluffen«, sagte Peak.

»Wollen Sie's drauf ankommen lassen?«

»Warum nicht? In Johansons Begleitung befindet sich eine britische Jornalistin, von der wir uns Aufschluss über die Vorgänge am Polarkreis erhoffen. Kennen Sie auch ihren Namen?«

»Karen Weaver«, sagte Li und frottierte sich die Haare. »Lebt in London. Journalistin, Schwerpunkt Meereskunde. Computerfreak. Sie war auf einem Schiff in der Grönländischen See, das später mit Mann und Maus unterging.« Sie grinste Peak mit ihren schneeweißen Zähnen an. »Wenn wir von allem nur so schöne Bilder hätten wie von diesem Untergang, nicht wahr?«

»Allerdings.« Peak gestattete sich ein Lächeln. »Vanderbilt ist jedes Mal wie paralysiert, wenn man drauf zu sprechen kommt.«

»Verständlich. Die CIA hasst es, Informationen nicht einordnen zu können. Ist er eigentlich schon aufgetaucht?«

»Er ist avisiert.«

»Avisiert? Was heißt das?«

»Er sitzt im Helikopter.«

»Die Tragfähigkeit unseres Luftgeräts verblüfft mich jedes Mal aufs Neue, Sal. Ich würde schwitzende Hände bekommen, wenn ich das fette Schwein fliegen müsste. Aber egal. Lassen Sie mich wissen, falls noch irgendwelche bahnbrechenden Erkenntnisse ihren Weg ins Château Whistler finden, bevor wir die Hosen runterlassen.«

Peak zögerte. »Wie wollen wir die alle darauf einschwören, den Mund zu halten?«

»Das ist tausendmal besprochen.«

»Ich weiß, dass es tausendmal besprochen wurde. Tausendmal zu wenig. Da unten sitzen jede Menge Leute, die mit Geheimhaltung nicht vertraut sind. Die haben Familie und Freunde. Scharen von Journalisten werden einfallen und Fragen stellen.«

»Nicht unser Problem.«

»Es könnte unseres werden.«

»Lassen wir sie doch in die Armee eintreten.« Li breitete die Hände aus. »Dann unterliegen sie dem Kriegsrecht. Wer das Maul aufmacht, wird erschossen.«

Peak erstarrte.

»Das war ein Witz, Sal.« Li winkte ihm zu. »Hallo! Ein Witzchen.«

»Ich bin nicht in der Stimmung für Witze«, erwiderte Peak. »Ich weiß sehr wohl, dass Vanderbilt den ganzen Haufen am liebsten unter Militärrecht stellen möchte, aber das ist illusorisch. Mindestens die Hälfte sind Ausländer, die meisten Europäer. Wir *können* denen nicht am Zeug flicken, wenn sie die Vereinbarungen brechen.«

»Wir tun eben so, als könnten wir's.«

»Sie wollen Druck machen? Das funktioniert nicht. Unter Druck hat noch keiner kooperiert.«

»Wer redet denn von Druck? Mein Gott, Sal, wo Sie bloß immer die Probleme herholen. Die *wollen* helfen. Und sie *werden* schweigen. Falls sie außerdem glauben, dass sie eingebuchtet werden, wenn sie die Vertraulichkeitserklärung unterlaufen, umso besser. Glaube macht stark.«

Peak sah skeptisch drein.

»Noch was?«

»Nein. Ich denke, wir können loslegen.«

»Gut. Wir sehen uns später.«

Peak ging.

Li sah ihm nach und dachte amüsiert, wie wenig der Mann über Menschen wusste. Er war ein ausgezeichneter Soldat und hervorragender Stratege, aber Menschen von Maschinen zu unterscheiden, fiel ihm schwer. Peak schien zu glauben, es müsse irgendwo am menschlichen Körper ein Programmierfeld geben, um ganz sicherzugehen, dass Anweisungen auch ausgeführt wurden. In gewisser Weise unterlagen fast alle West-Point-Absolventen diesem Irrglauben. Amerikas elitärste Militärakademie war für ihren gnadenlosen Drill bekannt, an dessen Ende nichts als Gehorsam stand, bedingungsloser, auf Knopfdruck erfolgender Gehorsam. Peak hatte nicht ganz Unrecht mit seinen Bedenken, aber was Gruppenpsychologie anging, lag er daneben.

Li dachte an Jack Vanderbilt. Er war hauptverantwortlich auf Seiten der CIA. Li mochte ihn nicht, er stank und schwitzte und hatte einen miserablen Atem, aber er leistete gute Arbeit. Während der letzten Wochen und ganz besonders nach dem verheerenden Tsunami, der Nordeuropa überflutet hatte, war Vanderbilts Abteilung zur Höchstform aufgelaufen. Seine Leute hatten erstaunlich viel Übersicht in die Dinge gebracht. Im Klartext hieß das, es mangelte zwar an Antworten, aber der Katalog der Fragen präsentierte sich lückenlos.

Sie überlegte, ob sie dem Weißen Haus eine Zwischenmeldung geben sollte. Im Grunde gab es wenig Neues zu berichten, nur dass der Präsident gern mit Li schwatzte, weil er sie für ihre Klugheit bewunderte. Sie wusste, dass es sich so verhielt, wenngleich sie öffentlich nie ein Wort darüber verlor. Es hätte nur geschadet. Unter Amerikas Generälen war Li eine der wenigen Frauen, und zudem senkte sie den Altersschnitt in der Kommandostruktur dramatisch. Vielen hochrangigen Militärs und Politikern war sie schon darum suspekt. Ihr vertraulicher Kontakt zum mächtigsten Mann der Welt trug nicht eben dazu bei, das Bild aufzuhellen, also verfolgte Li ihr Ziel mit aller Vorsicht. Nie spielte sie sich in den Vordergrund. Nie ließ sie Andeutungen darüber laut werden, wie das Verhältnis zwischen ihr und dem Präsidenten tatsächlich beschaffen war – dass er es nicht mochte, wenn man ein Problem als komplex bezeichnete, weil Komplexität seinem Denken fern lag. Dass meist sie es war, die ihm die komplizierte Welt in einfachen Worten erklärte. Dass er, wenn ihm die Ansichten des Verteidigungsministers oder seiner Sicherheitsberater undurchsichtig erschienen, Li fragte, die ihm gleich auch die Position des Außenministeriums erläuterte.

Unter keinen Umständen hätte Li es sich gestattet, die Ideen des Präsidenten öffentlich auf ihre eigentliche Urheberschaft zurückzuführen. Wurde sie gefragt, sagte sie: »Der Präsident glaubt, dass ...« oder »Die Ansicht des Präsidenten hierzu ist ...«. Wie sie dem Herrn des Weißen Hauses Kultur und Bildung vermittelte, seine intellektuellen Grenzen erweiterte und ihn überhaupt erst mit Ansichten und Meinungen versah, hatte niemanden zu interessieren.

Die Mitglieder des innersten Kreises wussten ohnehin Bescheid. Zur rechten Zeit erkannt zu werden, darauf kam es an, so wie General Norman Schwarzkopf sie 1991 im Golfkrieg erkannt hatte als hochintelligente Strategin mit politisch-taktischer Begabung, die sich durch nichts und niemanden einschüchtern ließ. Zu diesem Zeitpunkt hatte Li schon einen erstaunlichen Werdegang hinter sich: erste weibliche West-Point-Absolventin mit Studium der Naturwissenschaften, Lehrprogramm für Offiziere zur See, Besuch der Generalstabsakademie des Heeres und der Kriegsakademie, Promotion in Politik und Geschichte an der *Dukes University*. Schwarzkopf nahm Li unter seine Fittiche und sorgte dafür, dass sie zu Seminaren und Konferenzen eingeladen wurde und die richtigen Leute traf. Selber uninteressiert an Politik, ebnete ihr *Stormin' Norman* so den Weg in die Zwischenwelt, wo die Grenze zwischen Militär und Politik verfloss und die Karten neu gemischt wurden.

Fürs Erste brachte ihr die mächtige Gönnerschaft die Rolle der Stellvertretenden Befehlshaberin der Alliierten Landstreitkräfte in Mitteleuropa ein. Binnen kurzem erfreute sich Li in europäischen Diplomatenkreisen großer Beliebtheit. Erziehung, Ausbildung und natürliche Begabung kamen ihr endlich in vollem Umfang zugute. Lis amerikanischer Vater entstammte einer angesehenen Generalsfamilie und hatte im Sicherheitsstab des Weißen Hauses eine maßgebliche Rolle gespielt, bevor er sich aus gesundheitlichen Gründen hatte zurückziehen müssen. Ihre chinesische Mutter brillierte als Cellistin an der New Yorker Oper und auf unzähligen Einspielungen. An ihre einzige Tochter hatten beide fast noch höhere Ansprüche gestellt als an sich selbst. Judith bekam Stunden in Ballett und Eiskunstlauf, lernte Klavier und Cello. Sie begleitete ihren Vater auf seinen Reisen nach Europa und Asien und gewann früh ein Bild von der Unterschiedlichkeit der Kulturen. Ethnische Besonderheiten und historische Hintergründe übten einen unwiderstehlichen Reiz auf sie aus, also fragte sie den Leuten Löcher in den Bauch, vornehmlich in deren Landessprache. Mit zwölf hatte sie Mandarin, die Sprache ihrer Mutter, perfektioniert, mit 15 sprach sie fließend Deutsch, Französisch, Italienisch und Spanisch, mit 18 verständigte sie sich leidlich auf Japanisch und Koreanisch. Ihre Eltern achteten mit unnachgiebiger Strenge auf Manieren, Kleidung und die Einhaltung gesellschaftlicher Regeln, während sie in anderen Dingen eine fast verblüffende Toleranz an den Tag legten. Die presbyterianischen Grundsätze des Vaters und die buddhistisch geprägte Lebensphilosophie der Mutter führten eine ebenso harmonische Ehe wie die beiden selber.

Das Erstaunlichste aber war, dass der Vater sich bei der Heirat entschlossen hatte, den Namen seiner Frau anzunehmen, was einen langwierigen Kampf gegen die Behörden in Gang setzte. Diese Geste gegenüber der Frau, die er liebte und die ihr Land aus Liebe verlassen hatte, ließ Judith Li in glühender Bewunderung für ihn entflammen. Er war ein Mann der Gegensätze, mit teils liberalen, teils erzkonservativ republikanischen Ansichten, die jede für sich als unumstößlich galten. Jemand mit geringerer Charakterstärke wäre vielleicht am Bestreben dieser Familie, in allen Disziplinen perfekt zu sein, zugrunde gegangen. Doch das Mädchen wuchs daran, übersprang zwei Schulklassen, legte einen glänzenden High-School-Abschluss hin und kultivierte ihre Überzeugung, alles werden zu können, wonach ihr der Sinn stand, und sei es Präsidentin der Vereinigten Staaten von Amerika.

Mitte der Neunziger hatte man ihr die Position des Stellvertretenden Stabschefs für Operationen und Einsatzplanungen im US-Heeresministerium und zugleich eine Dozentur für Geschichte in West Point offeriert. Im Verteidigungsministerium wurde sie jetzt hoch gehandelt. Zudem registrierten gewisse Kreise ihr verstärktes Interesse an Politik. Einzig fehlte ihr noch der maßgebliche militärische Erfolg. Das Pentagon legte Wert auf Kampferfahrung, bevor es den Weg zu höheren administrativen Weihen freigab, und Li sehnte sich von Herzen nach einer schönen globalen Krise. Lange musste sie nicht warten. 1999 wurde sie Deputy Commander im Kosovo-Konflikt und schrieb sich endgültig ein ins Buch der Helden.

Der abermaligen Heimkehr folgte die Position des Kommandierenden Generals in Fort Lewis und die Berufung in den Sicherheitsstab des Präsidenten, nachdem sie diesem mit einer von ihr verfassten Denkschrift zum Thema Nationale Sicherheit bis ins Mark imponiert hatte. Li vertrat darin eine harte Gangart. Tatsächlich dachte sie in vielem noch um einiges kompromissloser als die republikanische Administration, vor allem aber dachte sie patriotisch. Bei aller Weltläufigkeit war sie tatsächlich der Meinung, dass es kein besseres und gerechteres Land auf der Welt gab als die Vereinigten Staaten von Amerika, und sie hatte eine Reihe akuter Fragen in eben diesem Sinne beantwortet.

Plötzlich war sie im Zentrum der Macht.

Li, die kaltblütige Perfektionistin, kannte das Tier, das in ihr lauerte, nur zu gut, die heiße, unbändige Emotionalität, die ihr an diesem Punkt ebenso nützen wie gefährlich werden konnte, je nachdem, was sie als Nächstes tat. Jeden Anflug von Eitelkeit und übertriebener Zurschaustellung ihres Könnens musste sie sich unter diesen Umständen versagen. Es reichte, dass sie an manchen Abenden im Weißen Haus die Uniform mit dem trägerlosen Abendkleid vertauschte und den hingerissenen Zuhörern Chopin, Brahms und Schubert vorspielte, dass sie den Präsidenten beim Tanz auf dem Festparkett zu führen wusste, bis er zu schweben glaubte wie Fred Astaire, dass sie für seine Familie und alte republikanische Freunde Lieder aus der Zeit der Gründerväter sang. Dieser Teil der Inszenierung gehörte ihr allein. Geschickt knüpfte sie enge persönliche Beziehungen, teilte die Begeisterung des Verteidigungsministers für Baseball und die der Außenministerin für europäische Geschichte, ließ sich mit zunehmender Häufigkeit ins Private einladen und verbrachte ganze Wochenenden auf der präsidentialen Ranch.

Nach außen blieb sie bescheiden. Ihre Privatansicht in politischen Dingen behielt sie für sich. Sie spielte den Ball zwischen Militär und Politik, trat kultiviert, charmant und selbstsicher auf, stets korrekt gekleidet, aber niemals steif oder gar aufgeblasen. Man dichtete ihr eine Reihe von Verhältnissen mit einflussreichen Männern an, die sie sämtlich nicht hatte. Li ignorierte es mit gewohnter Souveränität. Keine Frage vermochte sie aus der Ruhe zu bringen. Sie fütterte Journalisten, Abgeordnete und Untergebene mit gut verdaulichen Happen aus Gewissheit und Überzeugung, war immer bestens organisiert und vorbereitet, hatte Unmengen von Details gespeichert und rief sie auf wie Dateien, reduziert auf griffige, klare Formeln.

Obwohl sie nicht im Mindesten wusste, was in den Ozeanen vor sich ging, schaffte sie es auch diesmal, ihrem Präsidenten ein genaues Bild der Lage zu vermitteln. Das umfangreiche Dossier der CIA brach sie auf wenige, entscheidende Punkte herunter. Als Folge saß Li nun im Château Whistler, und sie wusste sehr genau, was das bedeutete.

Es war der letzte, große Schritt, den sie zu gehen hatte.

Vielleicht sollte sie doch den Präsidenten anrufen. Einfach so. Er mochte es. Sie konnte ihm erzählen, dass die Wissenschaftler und Experten vollständig versammelt waren, was hieß, dass sie der informellen Einladung der Vereinigten Staaten gefolgt waren, obwohl sie zu Hause weiß Gott genug zu tun hatten. Oder dass die NOAA Ähnlichkeiten zwischen unidentifizierbaren Geräuschen festgestellt hatte. So etwas gefiel ihm, es klang nach »Sir, wir sind ein Stück weitergekommen«. Natürlich konnte sie nicht erwarten, dass er wusste, was unter *Bloop* und *Upsweep* zu verstehen war, und warum die NOAA glaubte, den Ursprung von *Slowdown* enträtselt zu haben. Das alles ging zu sehr ins Detail, aber es war auch nicht nötig. Ein paar Worte der Zuversicht über die abhörsichere Satellitenverbindung, der Präsident wäre glücklich, und glücklich war er nützlich.

Sie entschied sich dafür.

Neun Stockwerke unter ihr bemerkte Leon Anawak einen gut aussehenden Mann mit grau meliertem Haar und Vollbart. Er ging über den Vorplatz zum Hotel. Eine Frau begleitete ihn, klein, breitschultrig und braun gebrannt, Jeans und Lederjacke. Anawak schätzte sie auf Ende zwanzig. Kastanienfarbene Locken ringelten sich über Schulter und Rücken. Beide Ankömmlinge trugen Gepäck, das ihnen soeben von Bediensteten des Hotels abgenommen wurde. Die Frau sprach kurz mit dem Bärtigen, sah sich um und heftete ihren Blick für eine Sekunde auf Anawak. Sie strich sich die Locken aus der Stirn und verschwand in der Lobby.

Gedankenverloren starrte Anawak auf die Stelle, an der sie eben noch gestanden hatte. Dann legte er den Kopf in den Nacken, schirmte die Augen mit der Hand gegen das schräg einfallende Sonnenlicht ab und ließ seinen Blick die neoklassizistische Fassade des Châteaus erwandern.

Das Luxushotel lag inmitten des Traums, den jeder irgendwann von Kanada träumte. Nahm man den Highway 99 entlang der Horseshoe Bay, gelangte man von Vancouver in die Berge und fand das riesige Hotel eingebettet in sanft ansteigende Wälder und gekrönt von mächtigen Bergen, deren Gipfel auch in den Sommermonaten weiß schimmerten. Das Blackcomb- und Whistler-Massiv galt als eines der schönsten Skigebiete der Welt. Jetzt im Mai kamen die Gäste vorwiegend, um Golf zu spielen oder zu wandern. Ringsum lagen verschwiegene Seen. Man konnte die Gegend mit dem Mountainbike erkunden oder sich mit dem Helikopter in den ewigen Schnee fliegen lassen. Das Château selber verfügte über einige hervorragende Restaurants und bot jede nur erdenkliche Annehmlichkeit.

Alles hätte man an diesem Platz fernab der Welt erwartet. Nur nicht ein Dutzend Militärhubschrauber.

Anawak war schon vor zwei Tagen eingetroffen. Er hatte bei den Vorbereitungen für Lis Präsentation geholfen, zusammen mit Ford, der seit achtundvierzig Stunden zwischen dem Vancouver Aquarium, Nanaimo und dem Château hin- und herflog, um Material zu sichten, Daten auszuwerten und letzte Erkenntnisse zusammenzutragen. Sein Knie schmerzte immer noch, aber er humpelte nicht mehr. Die klare Bergluft hatte auch sein Denken irgendwie geklärt, und die Mutlosigkeit nach dem Flugzeugabsturz war nervösem Tatendrang gewichen.

Mittlerweile war so viel passiert, dass seine Festnahme durch die Militärpatrouille in unendlich weiter Ferne zu liegen schien. Dabei war er Li vor nicht einmal zwei Wochen erstmals begegnet – unter peinlichen Umständen, wie er sich eingestehen musste. Sie war amüsiert gewesen über den Dilettantismus, mit dem er seine nächtliche Aktion ausgeführt hatte, denn natürlich hatte man ihn bereits registriert, als er noch im Auto gesessen und die Docks entlanggefahren war. Sie hatten ihn einfach eine Weile beobachtet, um herauszufinden, was er eigentlich wollte. Dann hatten sie zugegriffen, und Anawak war sich vorgekommen wie der sprichwörtliche Mann, der nie wieder auftaucht.

Aber er war wieder aufgetaucht. Nicht länger warf er seine Erkenntnisse ins Schwarze Loch, sondern saß nun selber in dessen Zentrum, ebenso wie Ford und seit neuestem Oliviera. Auch mit Roberts von *Inglewood* durfte er wieder konferieren, der als Erstes sein Bedauern über die höheren Orts verordnete Funkstille zum Ausdruck gebracht hatte. Von Li mit einem Maulkorb belegt, war er notgedrungen nicht erreichbar gewesen – und hatte dabei einige Male direkt neben dem Telefon gestanden, während seine Sekretärin Anawak in die Wüste schickte.

Die Präsentation stand. Vorerst konnte Anawak nichts tun als warten. Also war er Tennis spielen gegangen, während die Welt ins Chaos stürzte und Europa unter Wasserbergen versank, um zu sehen, wie das Laufen seinem Knie bekäme. Sein Partner war ein kleiner Franzose mit buschigen Brauen und gewaltiger Nase. Er hieß Bernard Roche, ein Bakteriologe, der am Vorabend aus Lyon eingetroffen war. Während sich Amerika mit den größten Tieren des Planeten rumschlug, kämpfte Roche einen aussichtslos erscheinenden Kampf gegen die kleinsten.

Anawak sah auf die Uhr. In einer halben Stunde würden sie zusammentreffen. Das Hotel war für den Touristenverkehr gesperrt worden und fest in Regierungshand, allerdings wirkte es bevölkert wie zur Hochsaison. Einige hundert Leute mussten inzwischen hier sein. Weit über die Hälfte davon gehörte auf die eine oder andere Weise der *United States Intelligence Community* an. Die meisten waren Mitarbeiter der CIA, die das Château kurzerhand in eine Kommandozentrale umgewandelt hatten. Eine ganze Abteilung hatte die NSA entsandt, Amerikas größter Geheimdienst, der für alle Arten der elektronischen Aufklärung, für Datensicherheit und Kryptographie zuständig war. Die NSA bewohnte das vierte Stockwerk. Der fünfte Stock war von Mitarbeitern des US-Verteidigungsministeriums und der kanadischen Nachrichtendienste in Beschlag genommen worden. Darüber logierten Vertreter des britischen SIS und des Security Service, außerdem Delegationen des Zentrums für Nachrichtenwesen der Bundeswehr und des Bundesnachrichtendienstes aus Deutschland. Die Franzosen hatten eine Abordnung der *Direction de la Surveillance du Territoire* geschickt, Schwedens militärischer Nachrichtendienst war ebenso zugegen wie Finnlands *Pääesikunnan tiedusteluosasto*. Es war ein beispielloses Zusammentreffen von Geheimdiensten, eine Menschen- und Materialschlacht ohnegleichen mit dem Ziel, die Welt wieder zu verstehen.

Anawak massierte sein Bein.

Plötzlich verspürte er wieder schmerzhafte Stiche. Er hätte nicht gleich Tennis spielen sollen. Ein Schatten zog über ihn hinweg, als ein weiterer Militärhubschrauber mit gesenkter Nase zur Landung ansetzte. Anawak sah zu, wie die gewaltige Maschine herabsank, straffte sich und ging ins Innere.

Überall waren Menschen unterwegs. Alles geschah im Stechschritt, zügig und dennoch ohne Hast, ein Ballett der Geschäftigkeit unter dem kirchenartigen Giebeldach der Halle. Die Hälfte der Leute schien beständig zu telefonieren. Die anderen hatten die gemütlichen Sitzecken unter den Natursteinpfeilern, die das Mittelschiff der Halle von den Seitenschiffen trennten, mit ihren Laptops belegt, schrieben oder starrten konzentriert auf ihre Bildschirme. Anawak versuchte, mit niemandem zusammenzustoßen, und ging nach nebenan in die Bar, wo Ford mit Oliviera stand. Sie waren in Begleitung eines hoch gewachsenen Mannes, der einen Schnurrbart trug und unglücklich dreinblickte.

»Leon Anawak, Gerhard Bohrmann«, übernahm Ford die Vorstellung. »Schüttel Gerhard nicht zu heftig die Hand, sonst fällt sie ab.«

»Tennisarm?«, fragte Anawak.

»Kugelschreiber.« Bohrmann grinste säuerlich. »Eine geschlagene Stunde lang habe ich mitgeschrieben, was man vor zwei Wochen noch per Mausklick abrufen konnte. Man fühlt sich wie im Mittelalter.«

»Ich dachte, das läuft jetzt alles über Satellit.«

»Die Satelliten sind überlastet«, konstatierte Ford.

»Ab morgen ist alles wieder heile.« Oliviera nippte an einer Tasse Tee. »Ich hörte eben, sie haben ein Netz für das Hotel freigeschaltet.«

»Wir sind in Kiel nur unzureichend auf Satelliten eingestellt«, sagte Bohrmann düster.

»Niemand ist auf all das eingestellt.« Anawak bestellte ein Wasser. »Seit wann sind Sie hier?«

»Seit vorgestern. Ich habe an der Präsentation mitgearbeitet.«

»Ich auch. Komisch. Wir hätten uns über den Weg laufen müssen.«

»Kaum.« Bohrmann schüttelte den Kopf. »Das Hotel ist wie ein Schweizer Käse, voller Gänge. Was ist Ihr Fachgebiet?«

»Meeressäuger. Intelligenzforschung.«

»Leon hat ein paar unangenehme Begegnungen mit Buckelwalen hinter sich«, bemerkte Oliviera. »Sie haben es ihm offenbar krumm genommen, dass er ständig in ihren Kopf gucken will … Oh, seht mal da. Was macht der denn hier?«

Sie wandten die Köpfe. Von der Bar konnte man in die Halle sehen. Ein Mann ging dort zu den Aufzügen. Anawak erkannte ihn. Er war vor wenigen Minuten mit der kastanienbraun gelockten Frau eingetroffen.

»Wer soll das sein?«, fragte Ford stirnrunzelnd.

»Geht ihr nie ins Kino?« Oliviera schüttelte den Kopf. »Das ist dieser deutsche Schauspieler. Wie heißt er gleich? Scholl … nein, Schell. Das ist Maximilian Schell! Er sieht super aus, findet ihr nicht? In natura noch besser als auf der Leinwand.«

»Zügel dich«, sagte Ford. »Was soll ein Schauspieler hier?«

»Sue könnte Recht haben«, sagte Anawak. »Hat der nicht in diesem Katastrophenstreifen mitgespielt? *Deep Impact*! Die Erde wird von einem Meteoriten getroffen und ...«

»Wir spielen alle in einem Katastrophenstreifen mit«, unterbrach ihn Ford. »Sag bloß, das ist dir noch nicht aufgefallen.«

»Soll heißen, als Nächstes haben wir Bruce Willis zu erwarten?«

Oliviera verdrehte die Augen.

»Ist er's nun oder nicht?«

»Sparen Sie sich die Mühe, um ein Autogramm zu bitten.« Bohrmann lächelte. »Es ist nicht Maximilian Schell.«

»Nicht?« Oliviera wirkte enttäuscht.

»Nein. Er heißt Sigur Johanson. Ein Norweger. Er könnte Ihnen etwas darüber erzählen, was in der Nordsee passiert ist. Er, ich und ein paar Leute in Kiel, ein paar weitere von Statoil ...« Bohrmann sah dem Mann nach, und seine Miene verdüsterte sich wieder. »Aber am besten fragen Sie ihn nicht danach, bevor er nicht selber davon anfängt. Er lebte in Trondheim, und von Trondheim ist nicht mehr allzu viel übrig. Er hat sein Zuhause verloren.«

Da war er, der reale Schrecken. Der Beweis, dass die Fernsehbilder echt waren. Schweigend trank Anawak sein Wasser.

»Okay.« Ford sah auf die Uhr. »Genug rumgehangen. Gehen wir rüber und hören, was sie zu erzählen haben.«

Das Château verfügte über mehrere Konferenzräume. Li hatte einen Raum mittlerer Größe ausgewählt, beinahe zu knapp bemessen für die Gruppe der Geheimdienstler, Staatsvertreter und Wissenschaftler, die der Präsentation beiwohnen würden. Sie hatte die Erfahrung gemacht, dass Leute, die dicht aufeinander saßen, sich entweder in die Haare bekamen oder ein starkes Gemeinschaftsgefühl entwickelten. Auf keinen Fall erhielten sie Gelegenheit, Distanz zu schaffen, weder zueinander noch zum Thema.

Entsprechend war die Sitzordnung angelegt. Die Anwesenden mischten sich bunt, unabhängig von Nationalität oder Spezialgebiet. Jeder der Plätze verfügte über einen eigenen kleinen Tisch mit Schreibblock und Laptop. Der visuelle Teil der Präsentation entstand auf einem drei mal fünf Meter messenden Bildschirm samt Boxen, der über *Power-point* angesteuert wurde. Inmitten der bieder verkuschelten Gemütlichkeit des Mobiliars nahm sich die geballte Hightech fremdartig und ernüchternd aus.

Peak erschien und setzte sich auf einen der Stühle, die für die Vortragenden reserviert waren. Ihm folgte ein Mann in einem zerknautschten Anzug und von kugelrunder Statur. Sein Jackett wies unter den Achseln dunkle Flecken auf. Schütteres, weißblondes Haar zog sich in Strähnen über den breiten Schädel. Er keuchte vernehmlich, während er Li die Rechte entgegenstreckte. Fünf Finger standen ab wie kleine, prall gefüllte Luftballons.

»Hallo, Suzie Wong«, sagte er.

Li gab Vanderbilt die Hand und widerstand dem Impuls, sie gleich wieder an der Hose abzuwischen.

»Jack. Nett, Sie zu sehen.«

»Aber immer.« Vanderbilt grinste. »Liefern Sie denen eine schöne Show, Baby. Wenn keiner klatscht, strippen Sie. Mein Beifall ist Ihnen sicher.«

Er fuhr sich über die schweißnasse Stirn, reckte augenzwinkernd einen Daumen und ließ sich neben Peak niedersinken. Li betrachtete ihn mit eingefrorenem Lächeln. Vanderbilt war Stellvertretender Direktor der CIA. Ein guter Mann, sehr gut sogar. Er würde der Behörde fehlen. Sie nahm sich vor, ihn hübsch langsam zu vernichten, wenn es so weit war. Noch hatte sie ein Stück Weg vor sich. Danach würde das fette Schwein quiekend auf der Straße liegen, wie brillant Jack Vanderbilt auch immer sein mochte.

Der Raum füllte sich.

Viele der Anwesenden kannten einander nicht, und die Einnahme der Plätze erfolgte schweigend. Li wartete geduldig, bis das Rascheln und Stühlerücken verklungen war. Sie spürte die allgemeine Anspannung. Die Stimmungslage eines jeden Einzelnen hätte sie beschreiben können, der Reihe nach, wie sie da saßen, nur durch einen kurzen Blick in die Augen. Li konnte in Seelen schauen, das hatte sie gelernt.

Sie trat vor das Pult, lächelte und sagte:

»Entspannen Sie sich.«

Leises Murmeln durchlief die Reihen. Der eine oder andere schlug die Beine übereinander und lehnte sich steif zurück. Lediglich der gut aussehende norwegische Professor mit dem nachlässig drapierten Schal um den Hals hing beinahe gelangweilt in seinem Sitz. Hinter seiner Stirn schien ein anderer Film abzulaufen als in den Köpfen der Umsitzenden. Seine dunklen Augen ruhten auf Li. Sie versuchte, ihn einzuschätzen, aber Johanson blieb ihr verschlossen. Sie fragte sich, woran es lag. Der Mann hatte sein Haus verloren, er war mehr von der Katastrophe betroffen als irgendjemand sonst in diesem Raum. Er hätte deprimiert sein müssen, aber offenkundig war er es nicht. Es konnte nur einen Grund dafür geben. Johanson ging nicht davon aus, dass er heute etwas Neues erfahren würde. Er hatte seine eigene Theorie, und sie überwog Kummer und Verzweiflung. Entweder wusste er mehr als sie alle, oder er glaubte es zumindest.

Sie würde den Norweger im Auge behalten.

»Ich weiß, dass Sie unter enormem Druck stehen«, fuhr sie fort. »Und ich möchte Ihnen aufrichtig danken, dass Sie dieses Treffen möglich gemacht haben. Insbesondere den hier versammelten Wissenschaftlern möchte ich danken. Angesichts Ihrer Mitarbeit bin ich im Innersten sicher, dass wir die Ereignisse der jüngsten Vergangenheit nun auch im Licht der Hoffnung betrachten dürfen. Sie geben uns Mut.«

Li sprach die Worte ohne Pathos, freundlich und ruhig, und sah dabei jeden direkt an. Sie erfreute sich ungeteilter Aufmerksamkeit. Nur Vanderbilt entblößte seine Zähne und stocherte darin herum.

»Viele von Ihnen werden sich fragen, warum wir dieses Treffen nicht im Pentagon abhalten, im Weißen Haus oder im kanadischen Regierungssitz. Nun, einerseits wollten wir Ihnen einen möglichst angenehmen Rahmen bieten. Die Vorzüge des Château Whistler sind legendär. Aber sein Hauptvorzug ist die Lage. Die Berge sind sicher. Die Küsten sind es nicht. Keine der küstennahen Städte Kanadas oder Amerikas, in denen man solche Treffen abhalten könnte, ist derzeit noch sicher.«

Sie ließ ihren Blick über die Gesichter wandern.

»Das ist der eine Grund. Der andere ist die Nähe zur Küste British Columbias. Wir haben es mit Verhaltensanomalien und Mutationen zu tun, es gibt einen Kontinentalhang mit Methanvorkommen … kurz, alles, was uns derzeit beschäftigt, kommt dort zusammen. Vom Château aus gelangen wir mit dem Helikopter in kürzester Zeit ans Meer und können eine Vielzahl von Forschungseinrichtungen anfliegen, insbesondere das *Nanaimo Institute*. Schon vor Wochen haben wir im Château einen Stützpunkt eingerichtet, um das Verhalten der Meeressäuger zu beobachten. Angesichts der Entwicklungen in Europa haben wir uns entschlossen, den Stützpunkt zum Krisenzentrum für die ganze Welt auszubauen. Und das bestmögliche Krisenmanagement, *ladies and gentlemen*, sind Sie.«

Sie ließ die Worte eine Weile wirken. Sie wollte, dass die Leute im Raum sich ihrer Bedeutung bewusst wurden. Es war gut, wenn sie ungeachtet der tragischen Begleitumstände einen gewissen Stolz entwickelten, einen Sinn fürs Elitäre. So widersinnig es klang – es half ihnen, nach draußen den Mund zu halten.

»Der dritte Grund ist, dass wir hier ungestört sind. Das Château ist von den Medien vollkommen abgeschottet. Natürlich bleibt es nicht unbemerkt, wenn ein Hotel in exponierter Lage plötzlich dichtmacht und überall Militärhubschrauber kreisen. Aber es hat nie eine offizielle Verlautbarung gegeben, was wir hier oben eigentlich tun. Wenn man uns fragt, sprechen wir von einer Übung. Darüber kann man zwar eine Menge schreiben, aber nichts Konkretes, also schreibt man besser gar nichts.« Li machte eine Pause. »Man kann, man *darf* der Öffentlichkeit nicht alles offen legen. Panik wäre der Anfang vom Ende. Ruhe bewahren heißt, handlungsfähig zu bleiben. – Lassen Sie es mich ganz offen sagen: Das erste Opfer im Krieg ist immer die Wahrheit. Und wir sind im Krieg. In einem Krieg, den wir erst verstehen müssen, um ihn zu gewinnen. Dafür ist es erforderlich, eine Verpflichtung vor uns selber und der ganzen Menschheit einzugehen, was konkret heißt, dass Sie von nun an mit niemandem, nicht einmal mit Ihren engsten Familienangehörigen und Freunden, über Ihre Arbeit in diesem Stab sprechen dürfen. Jeder von Ihnen wird im Anschluss eine entsprechende Erklärung unterschreiben, deren Einhaltung wir überaus ernst nehmen. – Ich würde es begrüßen, wenn Sie etwaige Bedenken *vor* der Präsentation äußern. Denn natürlich ist jedem freigestellt, die Unterzeichnung einer solchen Erklärung abzulehnen. Niemandem erwächst daraus ein Nachteil. Aber dann sollte er *jetzt* den Raum verlassen und sich unverzüglich nach Hause fliegen lassen.«

Innerlich schloss sie eine Wette mit sich ab. Niemand würde aufstehen und gehen. Aber eine Frage würde gestellt werden.

Sie wartete.

Jemand hob die Hand.

Der Mann hieß Mick Rubin. Er stammte aus Manchester und war Biologe, ein Spezialist für Weichtiere.

»Heißt das, wir können das Château nicht verlassen?«

»Das Château ist kein Gefängnis«, sagte Li. »Sie können jederzeit gehen, wohin Sie wollen. Nur über Ihre Arbeit dürfen Sie nicht reden.«

»Und wenn …« Rubin druckste herum.

»Wenn Sie es doch tun?« Li setzte eine besorgte Miene auf. »Ich verstehe, dass Sie die Frage stellen müssen. Nun, wir würden jede Ihrer Äußerungen dementieren und sicherstellen, dass Sie die Erklärung kein weiteres Mal verletzen können.«

»Und das … ähm … liegt in Ihrer Macht? Ich meine, Sie sind …«

»Befugt? Den meisten von Ihnen dürfte bekannt sein, dass Deutschland vor drei Tagen eine Initiative ins Leben gerufen hat, um die aktuellen Vorfälle im Rahmen der Europäischen Union gemeinschaftlich zu untersuchen. Man hat sich darauf geeinigt, dem deutschen Innenminister den Vorsitz zu übertragen. Zugleich hat die NATO vorsorglich den Bündnisfall proklamiert. In Norwegen, Großbritannien, Belgien, den Niederlanden, Dänemark und auf den Färöern herrscht der Ausnahmezustand, teils national, teils in einzelnen Regionen. Auch Kanada und die USA kooperieren unter der Federführung der Vereinigten Staaten. Andere Länder würden sich gerne einbringen. Je nach Entwicklung der Weltlage ist nicht auszuschließen, dass die Vereinten Nationen demnächst eine Art Gesamtverantwortung übernehmen. Überall werden bestehende Regeln außer Kraft gesetzt und Kompetenzen neu verteilt. Angesichts der besonderen Situation – ja, wir sind befugt.«

Rubin zupfte an seiner Unterlippe und nickte. Es kamen keine weiteren Fragen mehr.

»Gut«, sagte Li. »Dann wollen wir beginnen. Major Peak, bitte.«

Peak trat vor die Gruppe. Das Licht der Deckenbeleuchtung schimmerte auf seiner ebenholzfarbenen, wie poliert wirkenden Haut. Er drückte kurz den Sensor der Fernbedienung, und eine Satellitenaufnahme erschien auf dem Großbildschirm. Sie zeigte eine von Ortschaften gesäumte Küste aus beträchtlicher Höhe.

»Vielleicht hat es woanders angefangen«, sagte er, »vielleicht zu einem früheren Zeitpunkt. Aber wir sagen heute, es hat hier begonnen, in Peru. Der etwas größere Ort in der Mitte heißt Huanchaco.« Er leuchtete mit einem Laserpointer auf verschiedene Stellen im Meer. »Der Ort hat im Verlauf weniger Tage 22 Fischer verloren, und zwar bei ausnehmend schönem Wetter. Einige der Boote fand man später auf dem Meer treibend. Kurze Zeit später verschwanden auch Sportboote, Motoryachten und kleine Segelschiffe. Man stieß auf ein paar Trümmer. Wenn überhaupt.«

Peak rief ein neues Bild auf.

»Die Meere unterliegen ständiger Beobachtung«, fuhr er fort, »sie stecken voller Treibsonden und Roboter, die endlose Datenmengen funken über Strömungseigenschaften, Salzgehalt, Temperatur, Kohlendioxidgehalt und alles Mögliche sonst. Messstationen am Meeresgrund registrieren Wasser- und Stoffaustausch mit dem Sediment. Eine Flotte von Forschungsschiffen ist weltweit unterwegs, und wir haben

Hunderte militärischer und ziviler Satelliten im All. Man sollte meinen, die Aufklärung von Schiffsverlusten stelle kein Problem dar, aber ganz so einfach ist es nicht. Unsere Weltraumspäher leiden nämlich wie alles, was Augen hat, unter dem berühmten blinden Fleck.«

Die grafische Darstellung zeigte einen Teil der Erdoberfläche. Darüber hingen wie überdimensionale Insekten Satelliten unterschiedlicher Größe und Flughöhe.

»Versuchen Sie gar nicht erst, im Gewirr der künstlichen Himmelskörper den Überblick zu behalten«, sagte Peak. »Es sind dreieinhalbtausend, exorbitale Raumsonden wie *Magellan* oder *Hubble* nicht mit eingerechnet. Das meiste von dem, was da oben kreist, ist Schrott. Funktionstüchtig sind etwa 600 Objekte, auf die Sie teilweise Zugriff erhalten werden. Übrigens auch auf militärische Satelliten.«

Den letzten Satz hörte sich Peak höchst ungern sagen. Er ließ den Laserpointer auf ein tonnenförmiges Objekt mit Sonnensegeln wandern.

»Ein amerikanischer KH-12-Keyhole-Satellit, optische Bauweise. Liefert Ihnen bei Tag eine Auflösung von unter fünf Zentimetern. Kurz vor der individuellen Gesichtserkennung. Für Nachtaufnahmen zusätzlich mit Infrarot- und Multispektralsystemen ausgestattet, und leider völlig nutzlos bei Bewölkung.«

Peak wies auf einen anderen Satelliten.

»Viele Aufklärungssatelliten arbeiten darum mit Radar, beziehungsweise Mikrowellen. Für Radar sind Wolken kein Hindernis. Diese Satelliten fotografieren nicht, sondern modellieren die Welt zentimetergenau, indem sie deren Oberfläche abtasten und ein dreidimensionales Modell erstellen. – Aber auch hier gibt es wieder eine Achillesferse. Radarbilder bedürfen der Interpretation. Radar kennt keine Farben, blickt nicht durch Glas, seine Welt ist einzig die Form.«

»Warum legt man die Technologien nicht zusammen?«, fragte Bohrmann.

»Das geschieht, aber es ist aufwändig und selten. Im Grunde führt es uns zum Hauptproblem der ganzen Satellitenüberwachung. Um wenigstens einen Tag lang ein gesamtes Land abzudecken oder einen bestimmten Meeressektor, braucht man schon mehrere kooperierende Systeme, die in der Lage sind, große Flächen zu scannen. Sobald Sie auf detailscharfe Bilder einer eng gesteckten Region aus sind, müssen Sie Momentaufnahmen in Kauf nehmen. Satelliten befinden sich in Umlaufbahnen. Die meisten brauchen rund 90 Minuten, bis sie wieder über derselben Stelle stehen.«

»Es gibt doch eine ganze Reihe von Satelliten, die immer über derselben Stelle stehen«, meldete sich ein finnischer Diplomat. »Könnten wir nicht welche davon über den kritischen Gebieten postieren?«

»Zu hoch. Geostationäre Satelliten sind nur stabil in einer Höhe von exakt 35 888 Kilometern. Das kleinste Detail, das Sie von dort erkennen, misst acht Kilometer. Sie würden nicht mal sehen, wenn Helgoland im Meer versinkt.« Peak machte eine Pause und fuhr fort: »Aber nachdem wir ahnten, wonach wir Ausschau halten müssen, begannen wir unsere Systeme entsprechend auszurichten.«

Sie sahen eine Wasseroberfläche aus geringer Höhe. Sonnenlicht fiel schräg auf die Wellen und verlieh dem Meer die Oberflächenstruktur geriffelten Glases, mit kleinen Schiffen und winzigen, länglichen Gebilden darauf. Bei näherem Hinsehen erwiesen sie sich als bastfarbene Boote, auf denen jeweils eine Person hockte.

»Ein Zoom von KH-12«, sagte Peak. »Das Schelfgebiet vor Huanchaco. An diesem Tag verschwanden mehrere Fischer. Die Reflektionen halten sich wegen der frühen Tageszeit in Grenzen, und das ist gut so, denn auf diese Weise konnten wir das hier abbilden.«

Das nächste Bild zeigte auf weiter Fläche eine silbrige Aufhellung. Darüber hingen verloren zwei der bastfarbenen Boote.

»Fische. Ein riesiger Schwarm. Sie schwimmen etwa drei Meter unter der Wasseroberfläche, also können wir sie sehen. Das Problem mit Meerwasser ist, dass es elektromagnetische Wellen kaum oder gar nicht leitet, aber unsere optischen Systeme schauen wenigstens ein Stück hinein, wenn das Wasser klar ist. Das Wärmebild eines Wals erfassen wir mit Infrarot noch bis in 30 Meter Tiefe. Darum hat das Militär den Infrarotbereich so lieb, weil er getauchte U-Boote sichtbar macht.«

»Was sind das für Fische?«, rief eine junge schwarzhaarige Frau. Ihr Namensschild wies sie als Ökologin des Ministeriums für Umweltschutz aus Reykjavik aus. »Goldmakrelen?«

»Vielleicht. Möglicherweise auch südamerikanische Sardinen.«

»Es müssen Millionen sein. Erstaunlich. Meines Wissens ist vor Südamerika alles hoffnungslos überfischt.«

»Sie haben Recht«, sagte Peak. »Auch dass wir diese Schwärme vielfach dort vorfinden, wo Schwimmer, Taucher oder kleine Fischerboote verschwinden, bereitet uns Kopfzerbrechen. Augenblicklich sprechen wir von Schwarmanomalien. Vor drei Monaten beispielsweise hat ein Heringsschwarm vor Norwegen einen 19 Meter langen Trawler versenkt.«

»Davon habe ich gehört«, sagte die Ökologin. »Das Schiff hieß *Steinholm*, richtig?«

Peak nickte. »Die Tiere gerieten ins Netz und schwammen unter dem Trawler hindurch, als die Besatzung ihren Fang gerade an Bord holen wollte. Das Schiff legte sich quer. Die Mannschaft versuchte die Leinen zu kappen, aber es half nichts. Sie mussten die *Steinholm* verlassen. Innerhalb von zehn Minuten war sie gesunken.«

»Wir hatten wenig später einen ähnlichen Fall vor Island«, sagte die Ökologin nachdenklich. »Zwei Seeleute ertranken.«

»Ich weiß. Alles kuriose Einzelfälle, sollte man meinen. Aber wenn wir die Einzelfälle weltweit zusammenrechnen, haben Fischschwärme in den letzten Wochen mehr Boote versenkt als je zuvor. Die einen sagen, Zufall. Die Schwärme kämpfen um ihr Überleben. Andere schauen auf den immer gleichen Ablauf und erkennen eine Art Strategie. Wir schließen nicht aus, dass sich die Tiere fangen lassen, weil sie die Schiffe zum Kentern bringen *wollen*.«

»Das ist doch Blödsinn!«, rief ein Vertreter Russlands ungläubig. »Seit wann haben Fische einen Willen?«

»Seit sie Trawler versenken«, erwiderte Peak knapp. »Im Atlantik tun sie das. Im Pazifik scheinen sie hingegen gelernt zu haben, die Netze zu umschwimmen. Wir haben nicht die geringste Vorstellung davon, wie sie das machen. Es legt den Schluss nahe, dass der Schwarm einen kognitiven Prozess durchläuft und plötzlich *weiß*, was ein Treibnetz oder ein Ringwadennetz ist und was es mit ihm tut. Aber selbst wenn etwas seine Lernfähigkeit derart heraufgesetzt hätte, müssten die Tiere außerdem einen Blick für die Abmessungen bekommen haben.«

»Kein Fisch, kein Schwarm *sieht* ein Netz mit einer Öffnung von 110 Metern Höhe und 140 Metern Breite.«

»Dennoch scheinen sie die Netze zu erkennen. Die Fischereiflotten jedenfalls beklagen gewaltige Einbußen. Die ganze Nahrungsmittelindustrie ist betroffen.« Peak räusperte sich. »Der zweite Grund für das Verschwinden von Schiffen und Menschen ist hinreichend bekannt. Aber es dauerte eine Weile, bis KH-12 einen solchen Vorgang dokumentieren konnte.«

Anawak starrte auf den Bildschirm. Er wusste, was kam. Er hatte die Bilder schon gesehen und selber Material beigesteuert, aber sie schnürten ihm jedes Mal aufs Neue die Kehle zu.

Er dachte an Susan Stringer.

Die Aufnahmen waren so dicht aufeinander geschossen worden, dass sie fast wie eine Filmsequenz abliefen. Auf dem offenen Meer trieb eine Segelyacht von schätzungsweise zwölf Metern Länge. Es war windstill, die See spiegelglatt, das Segel eingeholt. Im Heck saßen zwei Männer, auf dem Vorderdeck lagen Frauen in der Sonne.

Etwas Großes, Massiges schwamm dicht neben dem Boot vorbei. Jede Einzelheit des riesigen Körpers war deutlich zu erkennen. Es war ein ausgewachsener Buckelwal. Zwei weitere folgten. Ihre Rücken durchbrachen die Wasseroberfläche, und einer der Männer stand auf und zeigte hinaus. Vorn hoben die Frauen die Köpfe.

»Jetzt«, sagte Peak.

Die Wale passierten das Boot. Backbord erschien etwas im tiefen Blau und gelangte näher an die Oberfläche. Es war ein weiterer Wal, der senkrecht nach oben schoss. Er stieg aus dem Wasser, die Flipper weit abgespreizt. Die Leute auf dem Boot wandten die Köpfe, verharrten gebannt.

Der Körper kippte.

Er schlug quer über das Segelboot und zerschmetterte es in zwei Teile. Trümmer wirbelten umher. Wie Puppen flogen die Menschen durch die Luft. Anawak sah den Mast brechen, dann sprang ein zweiter Wal auf das Wrack. Im Nu hatte sich die Idylle in ein aufgewühltes Inferno verwandelt. Das Boot sank. Bruchstücke trieben verloren in einem sich ausbreitenden Ring aus marmorierter Gischt. Von den Menschen war nichts mehr zu sehen.

»Die wenigsten hier haben solche Attacken unmittelbar erlebt«, sagte Peak. »Darum die Demonstration. Mittlerweile beschränken sich die Angriffe nicht länger auf Kanada und die Vereinigten Staaten, sondern haben weltweit einen erheblichen Teil der Kleinschifffahrt lahm gelegt.«

Anawak schloss die Augen.

Wie musste es von oben ausgesehen haben, als die DHC-2 mit dem Buckelwal kollidiert war? Gab es auch darüber eine geisterhafte Chronik? Er hatte nicht den Mut aufgebracht, danach zu fragen. Die Vorstellung, dass ein teilnahmsloses, gläsernes Auge alles mit angesehen hatte, erschien ihm unerträglich.

Wie als Antwort auf seine Gedanken sagte Peak:

»Diese Art der Dokumentation mag Ihnen zynisch erscheinen, *ladies and gentlemen*. Aber wir sind keine Voyeure. Wo es uns möglich war, haben wir uns um sofortige Hilfe bemüht.« Er hob den Blick vom Bildschirm seines Laptops. Seine Augen waren ausdruckslos. »Leider kommt man in solchen Fällen grundsätzlich zu spät.«

Peak war klar, dass er sich soeben auf dünnes Eis begab. Er deutete an, dass man nach Unglücksfällen Ausschau gehalten hatte, was die Frage aufwarf, warum man nicht bemüht gewesen war, sie zu verhindern.

»Stellen wir uns die Ausbreitung der Attacken nach Art einer Epidemie vor«, sagte er, »dann hat diese Epidemie vor Vancouver Island begonnen. Die ersten nachgewiesenen Fälle ereigneten sich vor Tofino. Vielfach – so unwahrscheinlich es klingt – sind strategische Allianzen zu beobachten. Grauwale, Buckelwale, auch Finnwale, Pottwale und andere Großwale, greifen die Boote an. Die kleineren, schnelleren Orcas erledigen dann die im Wasser treibenden Menschen.«

Der norwegische Professor hob die Hand.

»Was bringt Sie zu der Annahme, es handele sich um eine Epidemie?«

»Wir sagen nicht, dass es eine Epidemie *ist*, Dr. Johanson«, erwiderte Peak. »Sondern dass die Art der Ausbreitung epidemieartig zu verlaufen scheint. Von Tofino binnen weniger Stunden bis hinunter zur Baja California und hoch nach Alaska.«

»Ich bin nicht sicher, dass sich da etwas ausbreitete.«

»Augenscheinlich doch.«

Johanson schüttelte den Kopf. »Worauf ich hinaus will, ist, dass uns diese Augenscheinlichkeit zu falschen Schlüssen verleiten könnte.«

»Dr. Johanson«, sagte Peak geduldig, »wenn Sie dem Verlauf meiner Ausführungen mehr Zeit einräumen würden …«

»Wäre es nicht möglich«, fuhr Johanson unbeirrt fort, »dass wir es mit einem zeitgleichen Vorgehen zu tun haben, das lediglich ein bisschen unsauber koordiniert war?«

Peak sah ihn an.

»Ja«, sagte er widerwillig. »Das wäre möglich.«

Sie hatte es gewusst. Johanson bewegte seine eigene Theorie. Und Peak, der es nicht mochte, wenn Offiziere von Zivilisten unterbrochen wurden, hatte sich ärgern müssen.

Li war amüsiert.

Sie schlug die Beine übereinander, lehnte sich zurück und empfing einen fragenden Blick von Vanderbilt. Der CIA-Mann schien anzunehmen, sie habe Johanson im Vorfeld einiges erzählt. Sie sah zurück, schüttelte den Kopf und lauschte weiterhin Peaks Ausführungen.

»Wir wissen«, sagte Peak gerade, »dass es sich bei den aggressiven Walen ausschließlich um Non-Residents handelt. Residents gehören sozusagen zum festen Repertoire einer Lokalität. Transients hingegen wandern über große Strecken, so wie Grauwale und Buckelwale, oder sie treiben sich auf hoher See herum wie Offshore-Orcas. Wir haben daraus – mit einiger Vorsicht – eine Theorie entwickelt: dass die Ursache für die Verhaltensänderung der Tiere weiter draußen zu finden ist, im offenen Meer.«

Eine Weltkarte erschien. Sie zeigte, wo Angriffe durch Wale bekundet waren. Eine rote Schraffierung zog sich von Alaska bis Kap Horn. Weitere Gebiete erstreckten sich beiderseits des afrikanischen Kontinents und entlang Australiens. Dann verschwand die Karte und machte einer anderen Platz. Auch hier waren Küstenbereiche farbig unterlegt.

»Insgesamt nimmt die Zahl meeresbewohnender Arten, deren Verhalten sich gezielt gegen den Menschen richtet, dramatisch zu. Vor Australien kumulieren Angriffe durch Haie, ebenso vor Südafrika. Niemand geht noch schwimmen oder fischen. Hainetze, die für gewöhnlich ausreichen, um die Tiere fern zu halten, hängen in Fetzen, ohne dass jemand verlässlich sagen könnte, was sie zerstört. Unsere optischen Systeme tragen wenig zur Aufklärung bei, und was Tauchroboter angeht, sind die Länder der Dritten Welt technisch unterrepräsentiert.«

»An eine Häufung von Zufällen glauben Sie nicht?«, fragte ein deutscher Diplomat.

Peak schüttelte den Kopf.

»Das Erste, was Sie in der Navy lernen, *Sir*, ist, die Gefahr durch Haie richtig einzuschätzen. Die Tiere sind gefährlich, aber nicht grundsätzlich aggressiv. Wir schmecken ihnen nicht mal sonderlich. Die meisten Haie spucken einen Arm oder ein Bein sofort wieder aus.«

»Wie tröstlich«, murmelte Johanson.

»Aber diverse Arten scheinen ihre Meinung über den Wohlgeschmack von Menschenfleisch geändert zu haben. Innerhalb weniger Wochen hat sich die Zahl der Haiattacken verzehnfacht. Tausende von Blauhaien, eigentlich Hochseebewohner, dringen in Schelfregionen vor. Mako-, Weiß- und Hammerhaie treten rudelartig auf wie Wölfe, fallen über ein Küstengebiet her und richten innerhalb kürzester Zeit gewaltigen Schaden an.«

»Schaden?«, fragte ein französischer Abgeordneter mit starkem Akzent. »Was heißt das? Todesfälle?«

Was sonst, du Idiot, schien Peak zu denken.

»Ja, Todesfälle«, sagte er. »Sie greifen auch Boote an.«

»*Mon Dieu*! Was kann ein Hai gegen ein Boot ausrichten?«

»Täuschen Sie sich nicht!« Peak lächelte dünn. »Ein ausgewachsener Weißhai ist durchaus in der Lage, ein kleines Boot durch Rammen oder Bisse zu versenken. Haiangriffe auf Flöße mit Schiffbrüchigen sind belegt. Wenn mehrere Tiere zugleich beteiligt sind, besteht kaum Hoffnung, den Angriff zu überleben.«

Er zeigte das Bild eines hübsch aussehenden kleinen Kraken, dessen Oberfläche mit leuchtend blauen Ringen überzogen war.

»Des Weiteren: *Hapalochlaene Maculosa*. Der Blaugefleckte Oktopus, 20 Zentimeter lang. Australien, Neuguinea, Salomonen. Eines der giftigsten Tiere der Welt. Injiziert beim Biss toxische Enzyme in die Wunde. Man merkt kaum etwas davon, aber nach zwei Stunden ist man mausetot.« Die Fotoserie setzte sich mit teils bizarr anmutenden Lebewesen fort. »Steinfische, Petermännchen, Drachenköpfe, Feuerwürmer, Kegelschnecken – es gibt jede Menge giftiger Tiere in den Meeren. In den meisten Fällen dienen die Toxine der Verteidigung. Über die Unfallhäufigkeit liegen mehr oder weniger aussagekräftige Erhebungen vor. Bei vielen der Tiere ist die Statistik allerdings nach oben geschnellt, und es gibt dafür einen simplen Grund: Arten, die sich vorher tarnten und versteckten, haben begonnen, uns anzugreifen.«

Roche beugte sich zu Johanson hinüber.

»Ob etwas, das einen Hai verändert, auch einen Krebs verändern kann?«, hörte Li ihn flüstern. »Was meinen Sie?«

Johanson wandte ihm den Kopf zu.

»Darauf können Sie Gift nehmen.«

Peak berichtete von den unermesslich großen Quallenschwärmen, die sich zu einer wahren Invasion ausgewachsen hatten und Südamerika, Australien und Indonesien bedrohten. Johanson lauschte mit halb geschlossenen Augen. Die Portugiesische Galeere löste neuerdings einen toxischen Schock aus, der binnen Sekunden tötete.

»Der Einfachheit halber unterteilen wir die Vorgänge in drei Kategorien«, sagte Peak. »Verhaltensänderungen, Mutationen, Umweltkatastrophen. Sie bedingen einander. Bis jetzt haben wir über anormales Verhalten gesprochen. Bei den Quallen scheinen vorwiegend Mutationen aufzutreten. Seewespen konnten immer schon navigieren, aber neuerdings sind sie zu wahren Meistern avanciert. Man gewinnt den Eindruck von Patrouillen. Es scheint, als wollten sie ganze Gebiete von jeder menschlichen Anwesenheit säubern, ohne dass man viel gegen sie ausrichten könnte. Der Tauchtourismus ist praktisch zum Erliegen gekommen, aber am schlimmsten leiden die Fischer.«

Ein Fabrikschiff erschien von der Sorte, die den Fang gleich an Bord zu Konserven verarbeitete.

»Das ist die *Anthanea*. Vor vierzehn Tagen zog die Mannschaft eine Riesenladung *chironex fleckeri* an Bord – Seewespen. Besser gesagt etwas, wovon wir glauben, dass es *chironex* ist oder gewesen sein könnte. Es war ein Fehler, den Fang nicht augenblicklich wieder ins Meer zu entlassen. Stattdessen öffneten sie die Netze, was zur Folge hatte, dass sich mehrere Tonnen pures Gift auf Deck entluden. Einige Arbeiter starben sofort, andere später, als sich die meterlangen, haardünnen Tentakel über das Schiff verteilten. An dem Tag hat es geregnet. Das Wasser trug die Bestandteile der Quallen überallhin. Keiner kann sagen, wie das Gift schließlich ins Trinkwasser gelangte, jedenfalls wurde die *Anthanea* praktisch entvölkert. Seitdem ist man vorsichtiger und hält spezielle Schutzkleidung bereit, aber es ändert nichts am grundsätzlichen Übel. In weiten Teilen der Welt fangen die Flotten jetzt keinen Fisch mehr, sondern Gift.«

Sie fangen keinen Fisch mehr, weil keiner mehr da ist, dachte Johanson. Das hättest du der Ordnung halber erwähnen sollen, Peak. Auch wenn es nicht der eigentliche Grund für das ist, was geschieht.

Oder vielleicht doch?

Natürlich war es der Grund. Einer von zahllosen.

Er dachte an die Würmer.

Mutierte Organismen, die plötzlich zu wissen schienen, was sie taten. Sah niemand, was vor sich ging? Sie erlebten die Symptome einer Krankheit, deren Erreger in allem steckte und in nichts offenkundig wurde, eine meisterliche Camouflage. Der Mensch hatte das Meer bis auf ein paar kümmerliche Reste leer gefischt, und jetzt hatten die verbliebenen Schwärme gelernt, den Todesfallen aus dem Weg zu gehen, während an ihrer statt Armeen giftbewehrter Soldaten dem maroden Fischereigewerbe den Rest gaben.

Das Meer tötete den Menschen.

Und du hast Tina Lund getötet, dachte Johanson nüchtern. Du hast sie darin bestärkt, Kare Sverdrup nicht aufzugeben. Auf dich hat sie gehört, sonst wäre sie nicht nach Sveggesundet gefahren.

War er schuld?

Wie hätte er wissen sollen, was geschehen würde? In Stavanger wäre Lund vermutlich auch gestorben. Was, wenn er ihr geraten hätte, die nächste Maschine nach Hawaii zu nehmen oder nach Florenz? Würde er dann jetzt hier sitzen und sich etwas darauf einbilden, Tina Lund *gerettet* zu haben?

Jeder von ihnen kämpfte gegen seinen persönlichen Dämon. Bohrmann quälte sich mit der Vorstellung, er hätte die Welt früher warnen sollen. Sicher hätte er das. Aber vor was? Vor einer Vermutung? Vor einem ominösen Zeitpunkt? Sie hatten auf Hochtouren daran gearbeitet, Gewissheit zu erlangen. Am Ende waren sie nicht schnell genug gewesen, aber sie hatten es immerhin versucht. Traf Bohrmann eine Schuld?

Und Statoil? Finn Skaugen war tot. Er hatte sich am Hafen Stavangers aufgehalten, als die Welle kam. Mittlerweile sah Johanson den Ölmanager in einem anderen Licht. Skaugen war ein Manipulator gewesen. Er hatte sich darin gefallen, das gute Gewissen einer bösen Branche zu verkörpern, aber hatte er die richtigen Schritte unternommen? Auch Clifford Stone war der Katastrophe zum Opfer gefallen, aber war er wirklich das berechnende Monster gewesen, als das Skaugen ihn gebrandmarkt hatte?

Würmer, Quallen, Wale, Haie.

Intelligente Fische. Allianzen. Strategien.

Johanson dachte an sein zerstörtes Haus in Trondheim. Seltsamerweise bedrückte ihn der Umstand, es verloren zu haben, wenig. Sein wahres Zuhause lag woanders, am Rand des Spiegels, der bei klarer Nacht das Universum in sich trug. Dort hatte er sich selbst erblickt und sich ein Refugium des Schönen und Wahrhaftigen geschaffen. Die Hütte war seine ureigene Schöpfung, die Verkörperung seiner selbst. Sie barg, was in einem Mietshaus niemals hätte heimisch werden können.

Er war nicht mehr dort gewesen seit dem Wochenende mit Tina.

Hatte sich auch dort etwas verändert?

Der See war ein friedliches Gewässer. Dennoch machte ihm der Gedanke zu schaffen. Er würde hinfahren und nachsehen müssen, sobald es ging. Ganz gleich, wie viel Arbeit auf ihn zukam.

Peak rief ein neues Bild auf.

Ein Hummer. Nein, Reste eines Hummers. Das Tier sah aus, als sei es explodiert.

»Hollywood würde es den Boten des Grauens nennen«, sagte Peak mit schiefem Grinsen. »In diesem Fall trifft die Bezeichnung den Nagel auf den Kopf. In Mitteleuropa breitet sich eine Epidemie aus, deren Ursache in Tieren wie diesem steckt. Wir verdanken es Dr. Roche, dass der blinde Passagier weitgehend identifiziert ist. Der Gattung nach handelt es sich um eine einzellige Alge namens *Pfiesteria piscicida*.

Eine von rund 60 bekannten Dinoflagellaten-Spezies, die als toxisch gelten. *Pfiesteria* ist unter den Killeralgen die schlimmste. Wir haben an der Ostküste der Vereinigten Staaten, insbesondere in den Küstengewässern North Carolinas, schon vor Jahren verheerende Erfahrungen damit gemacht, als *Pfiesteria* Milliarden Fische tötete. Ihre Kadaver trieben zu Schwärmen an der Wasseroberfläche, mit offenen, angefressenen Wunden. Für die Fischer ein wirtschaftliches Desaster, aber auch ein gesundheitliches. Viele klagten über Bewusstseinsstörungen, bekamen blutige Geschwüre an Armen und Beinen und mussten ihren Job aufgeben. Wissenschaftler, die *Pfiesteria* untersuchten, erlitten nachhaltige Gesundheitsschäden.« Er ließ eine kurze Pause verstreichen. »1990 reinigte ein Erforscher der Alge, Howard Glasgow, in einem speziell dafür eingerichteten Labor der Universität von North Carolina Aquarien, als plötzlich etwas höchst Absonderliches mit ihm geschah. Sein Gehirn arbeitete auf Hochtouren, aber sein Körper bewegte sich wie in Zeitlupe. Die Glieder versagten den Dienst. Seine Erkrankung war das erste Indiz dafür, dass *Pfiesteria*-Toxine auch in die Luft gelangen können, also verfrachtete Glasgow die Organismen in ein gesichertes Labor. Dummerweise hatten Bauarbeiter dort einen Lüftungsschacht verkehrt eingebaut und direkt mit Glasgows Büro verbunden. Er atmete die giftige Luft sechs Monate lang ein, ohne es zu wissen. Seine Kopfschmerzen wurden so stark, dass er kaum in der Lage war zu arbeiten. Sein Gleichgewichtssinn setzte aus. Leber und Nieren begannen sich zu zersetzen. Wenn er mit jemandem telefonierte, wusste er fünf Minuten später nichts mehr davon. Er irrte in der Stadt herum und fand nicht mehr nach Hause, vergaß seine Telefonnummer und seinen Namen. Für die meisten stand fest, dass er entweder an einem Hirntumor litt oder an Alzheimer, aber Glasgow wollte nichts davon hören. Schließlich ließ er sich an der *Duke University* verschiedenen Tests unterziehen, die in der Tat etwas völlig anderes ergaben – sein Nervensystem war über Monate hinweg einem chemischen Angriff ausgesetzt gewesen. Andere Forscher, die mit *Pfiesteria* in Kontakt gerieten, erkrankten später an Lungenentzündung und chronischer Bronchitis. Und alle verloren langsam, aber sicher ihr Gedächtnis. Sie verloren es an einen Organismus, der nicht zu begreifen ist.«

Peak präsentierte eine Reihe elektronenmikroskopischer Aufnahmen. Sie zeigten unterschiedliche Lebensformen. Manche sahen aus wie Amöben mit sternförmigen Auswüchsen, andere glichen schuppigen oder haarigen Kugeln, wieder andere Hamburgern, zwischen deren Hälften sich spiralige Tentakel wanden.

»Das alles ist *Pfiesteria*«, sagte Peak. »Die Alge verändert innerhalb von Minuten ihr Aussehen, sie kann auf das Zehnfache anwachsen, sich in Zysten verpuppen, daraus hervorbrechen und von einem harmlosen Einzeller zu einer hochtoxischen Zoospore mutieren. Bis zu vierundzwanzig verschiedene Formen nimmt *Pfiesteria* an, und jedes Mal verändert sie dabei ihre Eigenschaften. Mittlerweile ist es gelungen, die Toxine zu isolieren. Dr. Roche und sein Team arbeiten auf Hochtouren an der Entschlüsselung, allerdings haben sie es schwerer als die Forscher hierzulande. Das Wesen, das in die Kanalisation gelangte, scheint nämlich gar nicht *Pfiesteria piscicida* zu sein, sondern eine ungleich gefährlichere Abart. *Pfiesteria piscicida* heißt in wörtlicher Übersetzung *Fisch fressende Pfiesterie*. Dr. Roche hat das von ihm entdeckte Exemplar *Pfiesteria homicida* getauft – *Menschen fressende Pfiesterie*.«

Peak erläuterte die Schwierigkeiten, der Alge Herr zu werden. Der neue Organismus schien es darauf anzulegen, sich in Zyklen explosionsartig zu vermehren. Einmal in den Wasserkreislauf geraten, wurde man ihn nicht wieder los. Er sickerte ins Erdreich und sonderte sein Gift ab, das kaum herauszufiltern war. Genau hier lag das Problem. Viele der Opfer wurden von *Pfiesteria* regelrecht angefressen. Sie bekamen schwärende Wunden am ganzen Körper, die nicht verheilten, sondern sich entzündeten und vereiterten. Aber schlimmer war das Gift. So verzweifelt die Behörden bemüht waren, Kanäle und Wasserleitungen zu reinigen, konnten sie doch nicht verhindern, dass sich der Organismus woanders wieder ausbreitete. Man versuchte ihm mit Hitze und Säuren beizukommen, mit chemischen Keulen, aber natürlich konnte der Sinn solcher Aktionen nicht darin bestehen, ein Übel durch das andere zu ersetzen.

Von alldem zeigte sich *Pfiesteria homicida* weitestgehend unbeeindruckt.

Pfiesteria piscicida hatte das Nervensystem geschädigt. Die neue Art attackierte es mit einer Aggressivität, dass man binnen Stunden gelähmt war, ins Koma fiel und starb. Nur wenige Menschen schienen resistent zu sein. Nachdem Roche den toxischen Code bislang nicht hatte entschlüsseln können, hoffte man auf die Dekodierung dieser Resistenz, doch dem Team lief die Zeit davon. Die Übertragung der Krankheit schien sich jeder Eindämmung entzogen zu haben.

»Die Alge ist in einem Trojanischen Pferd gekommen«, sagte Peak. »Im Innern von Schalentieren. In Trojanischen Hummern, wenn Sie so wollen, oder besser gesagt in etwas, das nach Hummer aussah. Ganz offenbar *lebten* die Tiere, als sie gefangen wurden, nur dass ihr Fleisch einer gallertigen Substanz gewichen war. Eingekapselt darin lagerten Kolonien von *Pfiesteria*. Die Europäische Union hat den Fang und die Ausfuhr von Schalentieren mittlerweile verboten. Im Augenblick beschränken sich Erkrankungen und Todesfälle auf Frankreich, Spanien, Belgien, Holland und Deutschland. Die letzte mir vorliegende Zahl spricht von 14 000 Toten. Auf dem amerikanischen Kontinent scheinen Hummer noch Hummer zu sein, aber auch wir erwägen, den Verkauf von Schalentieren zu untersagen.«

»Schrecklich«, flüsterte Rubin. »Woher kommen diese Algen?«

Roche drehte sich zu ihm um.

»Menschen haben sie gemacht«, sagte er. »Die amerikanische Schweinemast an der Ostküste spült Unmengen von Gülle direkt in die Gewässer, und *Pfiesterien* gedeihen prächtig in überdüngtem Wasser. Sie nähren sich von Phosphaten und Nitraten, die mit Tierfäkalien auf Feldern ausgebracht werden und in die Flüsse gelangen. Oder von Industrieabwässern. Was wundern wir uns, dass sich die Biester in der Kanalisation von Großstädten wohl fühlen, wo alles gesättigt ist mit organischen Stoffen? Wir erschaffen die *Pfiesterien* dieser Welt. Wir erfinden sie nicht, aber wir gestatten ihnen, sich in Monster zu verwandeln.« Roche machte eine Pause und sah wieder Peak an. »Wenn die Ostsee umkippt und alle Fische darin sterben, wie es in den letzten Jahren der Fall war, hat das seinen Grund in der dänischen Schweinemast. Die Gülle bringt Algen dazu, sich explosionsartig zu vermehren. Die Algen binden den Sauerstoff, und die Fische sterben. Toxische Algen tun noch einiges mehr, und keine Gegend scheint vor ihnen sicher. Jetzt haben wir die schlimmste von allen mitten unter uns.«

»Aber warum hat man nicht schon früher etwas dagegen unternommen?«, fragte Rubin.

»Früher?« Roche lachte. »Man *hat* früher etwas dagegen unternommen, mein Freund. Man hat es versucht. Wo leben Sie? Statt ernsthafte Studien zu treiben, wurden die Forscher ausgelacht und erhielten Morddrohungen. Erst vor wenigen Jahren ist aufgeflogen, dass die Umweltbehörde von North Carolina die Vorfälle um *Pfiesteria* bewusst vertuscht hatte, mit Rücksicht auf einflussreiche politische Repräsentanten, die zufälligerweise selber Schweinezüchter sind. Natürlich sollten wir uns fragen, welcher Irre uns mit *Pfiesterien* verseuchte Hummer schickt. – Aber es ändert nichts daran, dass wir die Geburtshelfer der Katastrophe sind. Auf irgendeine Weise sind wir das immer.«

»Diese Muscheln besitzen alle Eigenschaften typischer Zebramuscheln. Aber sie können etwas, das gewöhnliche Zebramuscheln nicht können. Nämlich navigieren.«

Peak war bei Schiffsunglücken angelangt. Nachdem sich die Konferenz durch *Pfiesteria*-Bilanzen gequält hatte, präsentierte er nun Statistiken, die nicht weniger niederschmetternd waren. Über eine Weltkarte zog sich ein Geflecht farbiger Linien.

»Die Hauptverkehrswege der Handelsschifffahrt«, erläuterte Peak die Grafik. »Ausschlaggebend für den Verlauf ist die Verteilung transportierter Güter. In der Regel werden Rohstoffe immer in den Norden verschifft. Australien exportiert Bauxit, Kuwait Öl und Südamerika Eisenerz. Alles wandert über Entfernungen von bis zu 11 000 Seemeilen nach Europa und Japan, damit in Stuttgart, Detroit, Paris und Tokio Autos, Elektrogeräte und Maschinen entstehen. Und die wandern in Containerfrachtern wieder zurück nach Australien, Kuwait oder Südamerika. Fast ein Viertel des gesamten Welthandels wird im pazifisch-asiatischen Raum abgewickelt, das entspricht einem Warenwert von 500 Milliarden US-Dollar. Unwesentlich weniger ist es im Atlantik. – Die Hauptballungszentren des Seeverkehrs sehen Sie dunkel markiert. Die amerikanische Ostküste mit Schwerpunkt New York, der europäische Norden mit Ärmelkanal, Nordsee und Ostsee bis hinauf zu den baltischen Republiken, das gesamte Mittelmeer, insbesondere die Riviera. Den europäischen Meeren kommt eine zentrale Bedeutung für den Welthandel zu, das Mittelmeer dient außerdem als Seeweg von der nordamerikanischen Ostküste durch den Suezkanal nach Südostasien. Nicht zu vergessen die japanischen Inseln und der Persische Golf! Im Kommen ist das Chinesische Meer, es zählt neben der Nordsee zu den am dichtesten befahrenen Gewässern der Erde. Um die Abläufe des Welthandels auf den Meeren zu verstehen, muss man dieses Netzwerk verstanden haben. Man muss wissen, was es für die eine Seite des Globus bedeutet, wenn auf der anderen ein Containerfrachter sinkt, welche Produktionswege unterbrochen werden, wie viele Arbeitsplätze gefährdet sind, wen es die Existenz oder das Leben kostet und wer vom Unglück profitieren könnte. Der Flugverkehr hat die Passagierschifffahrt abgelöst, aber der Welthandel hängt am Meer. Nichts kann den Wasserweg ersetzen.«

Peak machte eine Pause.

»Vor diesem Hintergrund ein paar Zahlen. 2 000 Schiffe täglich drängen sich durch die Malakkastraße und ihre angrenzenden Meerengen, fast 20 000 Schiffe aller Größen durchqueren im Jahr den Suezkanal. Das ergibt jeweils 15 Prozent des Welthandels. 300 Schiffe kreuzen am Tag im englischen Kanal, um ins meistbefahrene Meer der Welt zu gelangen, in die Nordsee. Rund 44 000 Schiffe pro Jahr verbinden Hongkong mit der Welt. Zigtausend Frachter, Tanker und Fähren bewegen sich jährlich über den Globus, von Fischereiflotten, Kuttern, Segelyachten und Sportbooten ganz zu schweigen. Millionen Schiffsbewegungen verzeichnen die Ozeane, Randmeere, Kanäle und Meerengen. Angesichts dessen mag es übertrieben erscheinen, vom gelegentlichen Untergang eines Supertankers oder Containerfrachters auf eine ernsthafte Krise der Seeschifffahrt zu schließen. So leicht lässt sich niemand davon abschrecken, noch den letzten Rosthaufen mit Öl zu füllen und auf Fahrt zu schicken. – Nebenbei, die meisten der rund 7 000 Öltanker weltweit befinden sich in einem miserablen Zustand. Über die Hälfte davon tut seit mehr als 20 Jahren Dienst, viele der Supertanker kann man getrost als schrottreif bezeichnen. Da wird einiges in Kauf genommen. Die Katastrophe ist potenziell, aber geläufig. Man beginnt zu rechnen: Könnte es gut gehen? Man kennt die Faktoren, das Ganze wird zum Glücksspiel. Wenn ein 300 Meter langer Tanker in ein Wellental gerät, wird er in der Mitte um bis zu einem Meter durchgebogen, das zermürbt jede Konstruktion. Der Tanker fährt trotzdem, weil man sich den Ausgang der Fahrt schönrechnet.« Peak lächelte dünn. »Wenn aber völlig unerklärliche Phänomene zu Unglücksfällen führen, ist die Rechnerei dahin. Das Risiko wird unkalkulierbar. Eine ganz eigenartige Psychologie kommt ins Spiel. Wir nennen sie die Hai-Psychose. Nie weiß man, wo der Hai gerade ist, wen er als Nächsten fressen könnte, also reicht ein Exemplar, um Tausende Urlauber daran zu hindern, ins Wasser zu gehen. Statistisch wäre es dem einen Menschenfresser unmöglich, dem Tourismus erkennbaren Schaden zuzufügen. Praktisch bringt er ihn zum Erliegen. – Jetzt stellen Sie sich eine Handelsschifffahrt vor, die innerhalb weniger Wochen viermal so viele Havarien zu beklagen hat wie je zuvor, ohne dass es als Folge bekannter Ursachen geschieht. Beängstigende Phänomene, für die es keine Erklärung gibt, reißen selbst Schiffe in den Abgrund, die sich nachweislich in ausgezeichnetem Zustand befanden. Nie weiß man, wen es treffen wird und wo, und was man im Vorfeld tun kann, um sich zu schützen. Man spricht nicht mehr von Durchrostung, Sturmschäden oder Navigationsfehlern – man spricht davon, gar nicht erst hinauszufahren.«

Auf diesem Weg war Peak zu den Muscheln gelangt. Sie prangten übergroß auf dem Bildschirm. Peak deutete auf einen faserigen Auswuchs, der zwischen den gestreiften Schalen herausragte.

»Mit diesem Fuß, dem Byssus, setzt sich die Zebramuschel gewöhnlich fest, je nachdem, wohin die Strömung sie trägt. Genauer gesagt besteht der Byssus aus einem Bündel klebriger Proteinfäden. Die neuen Muscheln haben diese Fäden zu einer Art Propeller weiterentwickelt. Das Prinzip erinnert flüchtig an die Fortbewegungsweise von *Pfiesteria piscicida*. Konvergenzen sind aus der Natur bekannt, aber sie vollziehen sich über Jahrtausende und Jahrmillionen. Diese Muscheln sind entweder bislang nicht in Erscheinung getreten, oder sie haben sich die neuen Fähigkeiten über Nacht zugelegt. Das spräche für eine rapide Mutation, denn in vielerlei Hinsicht sind es immer noch Zebramuscheln, nur dass sie sehr genau zu wissen scheinen, wo sie hinwollen. Beispielsweise blieben die Seekästen der *Barrier Queen* frei, aber das Ruder war gleichmäßig bedeckt.«

Peak berichtete von den Umständen der Havarie und vom Angriff der Wale auf die Schlepper. Auch wenn die *Barrier Queen* davongekommen war, hatte sich gezeigt, wie effektiv die Strategie des Zusammenwirkens zwischen Muscheln und Walen funktionierte – ebenso wie die zwischen Grauwalen, Buckelwalen und Orcas.

»Das ist doch Wahnsinn«, sagte ein Oberst der Bundeswehr aus dem Hintergrund.

»Keineswegs.« Anawak drehte sich zu ihm um. »Es hat Methode.«

»Völliger Blödsinn! Wollen Sie behaupten, Muscheln hätten sich mit Walen abgesprochen?«

»Nein. Aber es ist dennoch eine Zusammenarbeit. Wenn Sie solche Attacken erlebt hätten, würden Sie anders darüber denken. Unserer Meinung nach hatte der Angriff auf die *Barrier Queen* lediglich die Funktion eines Tests.«

Peak drückte die Fernbedienung, und das Bild eines auf der Seite liegenden Riesenschiffs erschien. Sturm trieb haushohe Wellen über den Rumpf. Peitschender Regen verschleierte die Sicht.

»Die *Sansuo*, einer der größten japanischen Autotransporter«, sagte Peak. »Die letzte Fracht waren Schwerlaster. Das Schiff geriet vor Los Angeles in einen Muschelschwarm. Ebenso wie auf der *Barrier Queen* fraß sich das Ruder fest, aber diesmal herrschte hohe See. Die *Sansuo* wurde backbord von einer riesigen Welle erwischt und begann voll zu laufen. Was dann geschah, können wir nur vermuten. Unter der Wucht der Brecher müssen sich einige Trucks im Innern losgerissen haben. Sie krachten in die Ballastwassertanks, einer durchschlug die Bordwand. Als diese Aufnahme gemacht wurde, waren seit dem missglückten Rudermanöver nicht mal 15 Minuten vergangen. Eine weitere Viertelstunde später brach die *Sansuo* auseinander und sank.« Er machte eine Pause. »Wir haben inzwischen eine ganze Liste solcher Fälle, die täglich länger wird. Schlepper werden attackiert, in den meisten Fällen muss die Bergung abgebrochen werden. Die Zahl der Totalverluste zeigt einen dramatischen Trend nach oben. Dr. Anawak hat Recht, wenn er dem Wahnsinn Methode bescheinigt, denn mittlerweile wissen wir von mindestens einer weiteren Variante des Wahnsinns.«

Peak präsentierte die Satellitenaufnahme einer kilometerlangen schwarzen Wolke. Sie trieb aufs Land zu. Ihr Ursprung lag ein erhebliches Stück vor der Küste, wo sie sich zu einem schmutzig roten Zentrum verdichtete. Es sah aus, als sei mitten im Meer ein Vulkan ausgebrochen.

»Unter der Wolke verbergen sich die Reste der *Phoebos Apollon*, eines LNG-Gastankers. Post-Panamax-Klasse, das Größte, was es gibt. Am 11. April brach fünfzig Seemeilen vor Tokio plötzlich ein Feuer im Maschinenraum aus, das auf die vier Kugeltanks übergriff und eine Reihe gewaltiger Explosionen auslöste. Die *Phoebos Apollon* galt in jeder Beziehung als vorbildlich, sie war in ausgezeichnetem Zustand und wurde regelmäßig gewartet. Die griechische Reederei wollte es genau wissen und schickte einen Roboter nach unten.«

Blitze zuckten über den Bildschirm. Ein Zahlencode lief an, dann trieb plötzlich Schneegestöber vor einem trüben Hintergrund.

»Von einem explodierten Gastanker ist im Allgemeinen nicht viel übrig. Das Schiff war unter Wasser in vier Teile zerbrochen. Vor Honshu geht es 9 000 Meter runter, und die Trümmer verteilen sich auf einer Strecke von mehreren Quadratkilometern. Schließlich stieß der Roboter auf den hinteren Teil.«

Im Schneegestöber erschien undeutlich eine Struktur. Ein Ruderblatt, die gebogene Form des Hecks, Teile von Aufbauten. Der Roboter schwebte darüber hinweg und sank entlang der stählernen Hülle abwärts. Ein einzelner Fisch zog durchs Bild.

»Die Grundströmung transportiert jede Menge organisches Material, Plankton, Detritus, alles Mögliche«, erläuterte Peak die Aufnahmen. »Nicht einfach, da zu manövrieren. Ich erspare Ihnen den ganzen Film, aber das hier dürfte Sie interessieren.«

Plötzlich war die Kamera sehr viel näher am Rumpf. Etwas überlagerte die Schiffshülle in dicken Klumpen. Im Licht der Scheinwerfer schimmerte und glänzte es wie zerschmolzenes Wachs.

Rubin beugte sich mit erregtem Gesichtsausdruck vor.

»Wie kommt denn dieses Zeug dahin?«, rief er.

»Was glauben Sie, was es ist?«, fragte Peak.

»Medusen.« Rubin kniff die Augen zusammen. »Kleine Quallen. Es müssen Tonnen sein. Aber wieso haften sie an der Hülle?«

»Warum können Zebramuscheln plötzlich navigieren?«, gab Peak zurück. »Irgendwo unter dem Schleim liegen die Seekästen. Sie müssen hoffnungslos verstopft sein.«

Ein Diplomat hob zaghaft die Hand.

»Was genau, äh … sind eigentlich …?«

»Seekästen?« Alles musste man erklären. »Kantige Einbuchtungen, in welche die Hauptrohrleitungen für die Wasserversorgung münden, versehen mit Lochblechen, damit keine Eisbrocken und Pflanzen mit hineingelangen. Im Schiffsinnern verzweigen sich die Rohre und transportieren das angesaugte Seewasser überall hin, wo es gebraucht wird, zur Umwandlung in Süßwasser, in Löschtanks, vor allem aber in den Kühlwasserkreislauf der Maschine. Es ist schwer zu sagen, wann sich die Tiere an den Rumpf geheftet haben. Vielleicht erst, nachdem das Schiff gesunken war. Andererseits … stellen wir uns folgendes Szenario vor: Der Medusenschwarm treibt dem Tanker entgegen, so dicht gedrängt, dass er wie eine geschlossene Masse wirkt. Nach wenigen Sekunden haben die Tiere die Kästen dicht gemacht. Kein Wasser dringt mehr ein, dafür quillt der organische Brei durch die Löcher der Abdeckplatten ins Innere. Immer mehr Tiere kommen nach. Das restliche Wasser aus den Rohren wird in die Maschine gesaugt, dann liegen alle Trakte auf dem Trockenen, und die Kühlwasserversorgung der *Phoebos Apollon* reißt von einem Moment zum anderen ab. Die Hauptmaschine läuft heiß, Schmieröl wird glühend, die Temperatur in den Zylinderköpfen steigt, eines der Auslassventile fliegt auseinander. Brennender Kraftstoff schießt heraus und setzt eine Kettenreaktion in Gang, und die Feuerlöschsysteme versagen, weil sie ebenfalls kein Wasser mehr ansaugen können.«

»Ein hochmoderner Tanker explodiert, weil Medusen die Seekästen verstopfen?«, fragte Roche.

Peak dachte, wie komisch diese Frage im Grunde war. Da saßen hochkarätige Wissenschaftler beisammen und schauten drein wie enttäuschte Kinder angesichts nicht funktionierender Technik.

»Tanker und Frachter sind Gebilde, die zur Hälfte aus Hightech bestehen. Die andere Hälfte ist archaisch. Schiffsdiesel und Rudermaschinen mögen komplizierte, hoch entwickelte Konstrukte sein, aber unterm Strich dienen sie dazu, eine Schraube im Kreis zu drehen und ein Stück Stahl hin- und herzubewegen. Man navigiert mit GPS, aber Kühlwasser wird durch ein Loch ins Innere gepumpt. Warum auch anders? Man schwimmt ja darin. So einfach ist das. Hin und wieder setzt sich einer der Kästen zu, wenn zufällig Seegras hineingerät oder sonst was, aber dann wird er gereinigt. Ist einer verstopft, benutzt man den anderen. Nie hat die Natur offensiv Angriffe auf Seekästen gestartet, wozu also hätte man das System verbessern sollen?« Er ließ einige Sekunden verstreichen. »Dr. Roche, wenn winzige Insekten morgen beschließen sollten, gezielt Ihre Nasenlöcher zuzusetzen, besteht für Ihren wunderbaren, hochkomplexen Körper die Gefahr des Ablebens. Haben Sie je darüber nachgedacht, dass es geschehen könnte? Genau hier liegt das Problem in allem, was uns heimsucht. – Haben wir je darüber nachgedacht, dass es geschehen könnte?«

Johanson hörte nicht mehr richtig hin. Das nächste Kapitel kannte er in allen Einzelheiten. Er und Bohrmann hatten es für Peaks Vortrag strukturiert. Es handelte von Würmern und Methanhydraten. Während Peak sprach, vertraute er seinem Laptop in loser Folge Gedankengänge an:

Die Beeinflussung der neuronalen Systeme durch die …
Durch die was?

Er musste einen Begriff dafür finden. Es war lästig, ständig drum herum zu formulieren. Gedankenverloren starrte er den Bildschirm an. Hatte der Stab Zugriff auf die Programme? Der Gedanke, Li und ihre Leute könnten seine Gedanken ausspionieren, drängte sich auf und missfiel ihm. Er hatte seine Theorie, und er wollte den Stab zu einem Zeitpunkt damit konfrontieren, den er bestimmte.

Der reine Zufall wollte es, dass Ringfinger und Mittelfinger seiner linken Hand plötzlich ein Wort produzierten. Eigentlich war es noch weniger als ein Wort. Drei Buchstaben erschienen auf dem Bildschirm des Laptops.

Yrr

Johanson war versucht, sie wieder zu löschen. Dann hielt er inne.

Warum eigentlich nicht?

Ein Wort war so gut wie jedes andere. Dieses war sogar noch besser als ein richtiges Wort, weil es sich jedem Versuch einer Interpretation entzog. Im Grunde wusste er ja nicht, worüber er schrieb. Es gab keinerlei Begriff dafür, also empfahl sich der Weg in die Abstraktion.

Yrr

Yrr klang gut. Er würde vorerst dabei bleiben.

Weaver zerkaute ihren dritten Bleistift, während sie zuhörte.

»Vielleicht war die Sintflut ähnlich verheerend«, schloss Peak seinen minutiösen Exkurs. »Flutschilderungen sind Teil etlicher Mythen und religiöser Überlieferungen. Die vielleicht früheste Beschreibung eines Tsunami, der wir glauben können, erzählt von einer Naturkatastrophe in der Ägäis 479 vor Christus. Nachgewiesen sind die 60 000 Toten, die 1755 in Lissabon starben, als Portugal von zehn Meter hohen Wellen getroffen wurde. Definitiv wissen wir auch von der Explosion des Krakatau 1883. Der größte Teil des Gipfels wurde abgesprengt, die unterseeische Caldera stürzte in die Magmakammer. Zwei Stunden später trafen 40 Meter hohe Wellen die Küstenregionen um Sumatra und Java, über 300 Orte wurden verwüstet, fast 36 000 Menschen starben. 1933 suchte ein weit kleinerer Tsunami die japanische Stadt Sanriku heim und überrollte den Nordosten von Honshu. Bilanz: 3 000 Tote, 9 000 Gebäude zerstört, 8 000 Schiffe gesunken. Keines dieser Ereignisse kommt auch nur annähernd dem nordeuropäischen Tsunami gleich. Die Anrainerstaaten dort sind ausnahmslos hoch entwickelte Industrienationen. Insgesamt 240 Millionen Menschen leben dort, die meisten an der Küste.«

Er sah in die Runde. Es war totenstill im Raum.

»Geologisch hat sich die gesamte Region schlagartig verändert. Für die Menschheit als Ganzes sind die Folgen noch nicht abzusehen, für die Wirtschaft sind sie vernichtend! Einige der bedeutendsten Hafenstädte der Welt wurden teilweise oder vollständig zerstört. Rotterdam war bis vor wenigen Tagen der größte maritime Handelsplatz aller Zeiten, die Nordsee eine der wichtigsten Lagerstätten für fossile Energien. Rund 450 000 Barrel Öl wurden hier täglich hoch gepumpt. Die Hälfte der europäischen Ölressourcen lagert vor der norwegischen Küste, ein weiterer Teil vor England, außerdem ein erheblicher Teil der globalen Gasvorräte. Diese gewaltige Industrie wurde innerhalb weniger Stunden vernichtet. Die Zahl der Todesopfer liegt vorsichtig geschätzt bei zwei bis drei Millionen, die der Verletzten und obdachlos Gewordenen weit darüber.«

Peak verlas die Zahlen wie einen Wetterbericht, sachlich und scheinbar ohne Emotion.

»Unklar ist, was die Rutschung auslöste. Die Würmer gehören zweifellos zu den bemerkenswertesten Mutationen, mit denen wir es im Augenblick zu tun bekommen. Kein natürlicher Vorgang erklärt das milliardenfache Auftreten dieser Wurm-Bakterien-Kohorten. Dennoch vertreten unsere Freunde aus Kiel und Dr. Johanson die Auffassung, dass in dem Puzzle noch ein Steinchen fehlt. So instabil die Hydratfelder durch den Befall wurden, war mit einer solchen Katastrophe einfach nicht zu rechnen. Ein zusätzlicher Faktor muss ins Spiel gekommen sein, der mit der Welle nur den vordergründigen Teil des Problems schuf.«

Weaver richtete sich auf. Sie spürte, wie sich ihre Nackenhaare sträubten. Auch wenn das Satellitenbild, das in dieser Sekunde auf dem Schirm erschien, aus großer Höhe geschossen worden war, unscharf und künstlich aufgehellt, erkannte sie das Schiff sofort.

»Diese Aufnahmen demonstrieren, was ich meine«, sagte Peak. »Wir haben das Schiff per Satellit überwacht …«

Wie bitte? Weaver glaubte, sich verhört zu haben.

Sie hatten Bauer überwacht?

»Ein Forschungsschiff namens *Juno*«, fuhr Peak fort. »Die Bilder sind nachts geschossen worden, von einem militärischen Aufklärungssatelliten namens EORSAT. Glücklicherweise hatten wir einwandfreie Sicht und sehr ruhige See, was ungewöhnlich ist für die Gegend. Die *Juno* lag zu diesem Zeitpunkt vor Spitzbergen.«

Verwaschen hoben sich die Schiffslichter von der schwarzen Oberfläche ab. Plötzlich sprenkelte sich das Meer mit hellen Flecken, die sich ausbreiteten, bis die See zu kochen schien.

Die *Juno* kippte von rechts nach links, drehte sich.

Dann sank sie wie ein Stein.

Weaver erstarrte. Niemand hatte sie *darauf* vorbereitet. Endlich wusste sie, wo Bauer abgeblieben war. Die *Juno* lag am Grund der Grönländischen See. Sie dachte an seine verstörenden Aufzeichnungen, seine Befürchtungen und Ängste. Schmerzlich wurde ihr bewusst, dass sie nun mehr darüber wusste als jeder andere. Bauer hatte ihr sein geistiges Eigentum vermacht.

»Es war das erste Mal seit Beginn der Anomalien«, sagte Peak, »dass wir diesen Effekt beobachten konnten. Bekannt waren uns Methan-Blowouts in dieser Gegend schon des Längeren, allerdings …«

Weaver hob die Hand.

»Haben Sie vermutet, dass so etwas geschehen würde?«

Peak sah sie aus seinen weißen Augen an. Sein Gesicht wirkte wie geschnitzt, vollkommen reglos.

»Nein.«

»Und was haben Sie unternommen, als die *Juno* sank?«

»Nichts.«

»Sie konnten nichts tun, obwohl Sie die Gegend und das Schiff von einem Satelliten überwachen ließen?«

Peak schüttelte langsam den Kopf. »Wir haben eine ganze Reihe von Schiffen beobachtet, um Erfahrungen zu sammeln. Man kann nicht überall zugleich sein. Niemand konnte davon ausgehen, dass ausgerechnet dieses Schiff ...«

»Täusche ich mich«, unterbrach ihn Weaver heftig, »oder sind Auswirkungen solcher Blowouts hinlänglich bekannt? Zum Beispiel aus dem angeblich so mysteriösen Bermuda-Dreieck?«

»Miss Weaver, wir ...«

»Anders gefragt, wenn Sie wussten, dass in der Vergangenheit Schiffe auf diese Weise verschwunden sind, und wenn Sie ferner wussten, dass die Freisetzung von Methan im Nordmeer zunimmt – ahnten Sie dann nicht auch, was dem norwegischen Kontinentalhang blühen würde?«

Peak starrte sie an.

»Was wollen Sie damit sagen?«

»Ich will wissen, ob Sie etwas hätten *tun* können!«

Peaks Ausdruck blieb ohne Regung. Er heftete seinen Blick unverwandt auf Weaver. Es war unangenehm still geworden.

»Wir haben es falsch eingeschätzt«, sagte er schließlich.

Li kannte solche Situationen zur Genüge. Peak würde keine andere Wahl bleiben, als das Versagen der Luftaufklärung teilweise einzugestehen. Tatsächlich hatten sie eine Zunahme von Blowouts vor Norwegen registriert, aber eben auch alles Mögliche andere. Von Würmern hatten sie nichts gewusst.

Sie erhob sich. Es wurde Zeit, Peak Beistand zu leisten.

»Wir hätten überhaupt nichts tun können«, sagte sie ruhig. »Ich möchte Sie im Übrigen bitten, den Ausführungen des Majors zuzuhören, anstatt Urteile zu fällen. Vielleicht darf ich Sie daran erinnern, dass die wissenschaftlichen Berater hier im Raum unter zwei Gesichtspunkten ausgesucht wurden: Fachkompetenz und Erfahrung. Einige von Ihnen waren in die Geschehnisse unmittelbar verwickelt. Was hätte Dr. Bohrmann verhindern können? Dr. Johanson? Statoil? Was hätten Sie verhindern können, Miss Weaver? Glauben Sie wirklich, der Blick aus dem Orbit gehe einher mit einer omnipräsenten Task Force, die sofort zur Stelle ist und die Betroffenen raushaut, egal was passiert? Sollen wir lieber wegsehen?«

Die Journalistin runzelte die Stirn.

»Wir sind nicht hier, um uns gegenseitig Vorwürfe zu machen«, sagte Li mit Nachdruck, bevor Weaver etwas erwidern konnte. »Wer ohne Schuld ist, der werfe den ersten Stein. So habe ich es gelernt. So steht es in der Bibel, und die Bibel hat in vielen Dingen Recht. Wir sind hier, um zu verhindern, dass noch mehr passiert. Sind wir uns einig?«

»Halleluja«, murmelte Weaver.

Li ließ ein kurzes Schweigen verstreichen.

Dann lächelte sie unvermittelt. Zeit für Zuckerbrot.

»Wir sind alle sehr aufgewühlt«, sagte sie. »Ich habe jedes Verständnis für Sie, Miss Weaver. Major Peak, bitte fahren Sie fort.«

Peak war vorübergehend mulmig geworden. Soldaten äußerten Kritik oder Bedenken nicht auf diese Weise. Er hatte nichts gegen Bedenken und Kritik, aber er hasste es, vorgeführt zu werden, ohne mit einem knappen Befehl die Verhältnisse wieder herstellen zu können. Plötzlich verspürte er dumpfen Hass auf die Journalistin. Er fragte sich, wie er mit diesem Haufen Wissenschaftler je zurechtkommen sollte.

»Was Sie eben gesehen haben«, sagte er, »war die Freisetzung einer größeren Menge Methan. So sehr ich den Tod der Seeleute bedaure, stellt uns das freigesetzte Gas vor weit größere Probleme. Infolge der Rutschung ist ein Millionenfaches dessen, was zum Untergang der *Juno* geführt hat, in die Atmosphäre gelangt. Es gibt Szenarien für den Fall, dass alles Methan weltweit auf gleiche Art entweicht. Das Resultat kommt einem Todesurteil gleich. Die Atmosphäre würde kippen.«

Er schwieg einen Moment. Peak war hartgesotten, aber was er nun zu verkünden hatte, bereitete auch ihm eine Höllenangst.

»Ich muss Sie darüber in Kenntnis setzen«, sagte er bedächtig, »dass die Würmer sowohl im Atlantik als auch im Pazifischen Ozean aufgetaucht sind. Explizit hat man die Spezies an den Kontinentalabhängen vor Nord- und Südamerika, vor der kanadischen Westküste und vor Japan entdeckt.«

Atemlose Stille.

»Das war die schlechte Nachricht.«

Jemand hüstelte. Es klang wie eine kleine Explosion.

»Die gute ist, dass der Befall bei weitem nicht die Ausmaße erreicht wie vor Norwegen. Die Organismen besiedeln nur vereinzelte Flächen. Definitiv sind sie nicht in der Lage, in diesen Konzentrationen ernsthaften Schaden anzurichten. Aber wir müssen davon ausgehen, dass sie sich verstärken werden, auf welche Weise auch immer. Offenbar sind vor Norwegen schon im letzten Jahr kleinere Populationen verzeichnet worden, in einem Gebiet, das Statoil zur Erprobung neuartiger Fabriken ausgesucht hatte.«

»Unsere Regierung kann das nicht bestätigen«, sagte ein norwegischer Diplomat in der letzten Reihe.

»Das ist mir klar«, sagte Peak spöttisch. »Praktischerweise scheint so gut wie jeder, der mit dem Projekt befasst war, tot zu sein. Unsere Quellen beschränken sich also auf Dr. Johanson und die Forschungsgruppe aus Kiel. Nun, wir haben Aufschub erhalten. Wir sollten ihn nutzen, um möglichst rasch etwas gegen die Scheißviecher zu unternehmen.«

Er stockte. Scheißviecher. Zu emotional. Das war nicht gut. Er hatte sich sozusagen auf den letzten Metern hinreißen lassen.

»Scheißviecher sind es, bei Gott, dem Allmächtigen!«, dröhnte eine Stimme.

Ein Mann von bemerkenswertem Äußeren hatte sich erhoben. Wie ein Fels ragte er in die Höhe, groß und massig, mit einem orangefarbenen Overall angetan. Unter einer Baseballkappe ringelten sich drahtige, schwarze Locken nach allen Seiten. Eine getönte, überdimensionale Brille hielt sich mühsam auf der viel zu kleinen Nase, die sich trotzig gegen den froschartig breiten Mund behauptete, indem sie spitz hervorstach. Wann immer sich dieser Mund öffnete und das kolossale Kinn nach unten drückte, fühlte man sich auf fatale Weise an die *Muppet Show* erinnert.

Dr. Stanley Frost stand auf dem Namensschild des Riesen, *Vulkanologe*.

»Ich habe mir die Unterlagen im Vorfeld angesehen«, sagte Frost. Es klang, als predige er das Evangelium. »Und sie treffen keineswegs meinen Geschmack. Wir konzentrieren uns da auf Kontinentalabhänge im Umfeld dicht besiedelter Zonen.«

»Ja, weil es dem norwegischen Muster entspricht. Zuerst wenige Tiere, dann über Nacht ganze Horden.«

»Wir sollten uns nicht allein darauf konzentrieren.«

»Wollen Sie ein zweites Nordeuropa?«

»Major Peak! Sagte ich, wir sollten die Hänge außer Acht lassen? Das habe ich nicht gesagt! Ich sprach von der alleinigen Konzentration darauf, was – der Herr sei mein Zeuge – von gewaltiger Dummheit kündet. Mir ist das zu augenfällig. Der Teufel plant auf anderen Wegen.«

Peak kratzte sich den Schädel.

»Könnten Sie Ihre Ausführungen präzisieren, Dr. Frost?«

Der Vulkanologe holte tief Luft. Sein Brustkorb spannte sich.

»Nein«, sagte er.

»Habe ich Sie richtig verstanden?«

»Das will ich doch hoffen. Sollen wir Pferde scheu machen? Ich muss erst Klarheit haben. Denken Sie an meine Worte.«

Er sah entschlossen in die Runde, das riesige Kinn vorgereckt, und setzte sich wieder.

Na wunderbar, dachte Peak. Erst dieser Idiot, und jetzt der nächste.

Vanderbilt wälzte seine Massen zum Pult. Li verfolgte ihn mit zusammengekniffenen Lidern. Sie sah zu, wie der Stellvertretende Direktor der CIA eine lächerlich kleine Brille auf seine Nase nestelte, was sie mit einer Mischung aus Belustigung und Widerwillen erfüllte.

»Scheißviecher ist durchaus der richtige Begriff, Sal«, sagte Vanderbilt gut gelaunt. Er strahlte in die Runde, als habe er die Frohe Botschaft zu verkünden. »Aber wir werden den kleinen Scheißern Feuer machen, dass ihnen der Arsch glüht. Ich versprech's euch. – Gut, kommen wir zu dem, was wir vermuten. Viel ist es nicht. Das liebe Öl, von dem wir alle so abhängig sind, dass wir's am liebsten saufen würden, kaputschnik! In Wirtschaftsparametern ausgedrückt heißt das, wir können einen erheblichen Teil der weltweiten Produktion abschreiben. Für die Kameltreiber von der OPEC eine feine Sache. Die internationale Schifffahrt schlägt sich mit immer neuen Tricks der Natur herum, sie lahm zu legen, wie Peak wortreich demonstrieren konnte. Und der Terror zeigt Wirkung! Ich meine, unter uns – Wal- und Haiattacken, mal ehrlich, so was ist im Grunde Kinderkacke, höherer Blödsinn. Ich meine, es ist ärgerlich, wenn eine anständige amerikanische Familie nicht mehr raus zum Angeln kann, der Menschheit im Ganzen geht es am Arsch vorbei. Auch dass der kleine Fischer in Entwicklungshausen, von dessen täglicher Sardelle siebzehn Kinder und sechs Frauen leben müssen, mit hohlem Blick am Strand sitzt, weil er auf See befürchten muss, gefressen zu werden, ist unschön, sehr beschissen. Geschüttelt von aufrichtigem Bedauern können wir rein gar nichts tun. Die Menschheit hat andere Sorgen. Reiche Länder sind betroffen. Die bösen Fische lassen sich überhaupt nicht mehr fangen und schicken stattdessen mutierte Giftschleudern in die Netze, oder sie bringen Trawler zum Kentern. Auch wenn es Einzelfälle sind, es sind leider verdammt viele Einzelfälle. Und das ist blöde für Entwicklungshausen, weil sie nun gar nichts mehr von uns abbekommen.«

Vanderbilt sah mit schlauem Blick über die Ränder seiner Brille.

»Wissen Sie, Herrschaften, wenn einer die Welt vernichten wollte, könnte er zwei Drittel einfach schon dadurch kaputtkriegen, dass er die Großen und Reichen auf Trab hält. Er muss ihnen dermaßen zusetzen, dass sie kaum imstande sind, ihre eigenen Probleme zu lösen. Die Dritte Welt ist aber darauf angewiesen, dass ihr die Großen unter die Arme greifen. Sie lebt davon, hin und wieder den gerechten Zorn Amerikas zu spüren, einen kleinen Wechsel im Regime, dass wir uns mit ihren Drogenbossen einigen und Forderungen an Wirtschaftshilfe koppeln. Das alles fällt flach. Wir mögen es belächeln, wenn Wale auf Boote springen, weil das Wohl und Wehe unserer Wirtschaft nicht von Barken und Binsenbündeln abhängt, aber der westliche Lebensstandard ist nicht gerade repräsentativ. Denken Sie dran, wenn Sie heute Abend im kalten Buffet rummatschen. Für die Dritte Welt sind Anomalien das Aus! El Niño ist das Aus. El Niña ist das Aus. Wenn wir Bilanz ziehen, was uns die Natur in den letzten Monaten an Extravaganzen geboten hat, erscheinen einem solche Phänomene wie nette alte Freunde. Man würde sich nachgerade wünschen, sie kämen mal wieder auf ein Bier vorbei, aber am Arsch geleckt, Herrschaften! Wir haben jetzt andere Gäste. In Teilen Europas herrscht der Ausnahmezustand. Und was heißt das? Dass keiner mehr nach Dunkelheit auf die Straße gehen darf, weil er sonst Gefahr läuft, nasse Füße zu bekommen? – Ich will Ihnen sagen, was es heißt. Es heißt, dass Europa die humanitäre Katastrophe *nicht* in den Griff bekommen wird. Dass die Hilfswerke, Rotes Kreuz, Technisches Hilfswerk, UNESCO, Malteser, nicht mehr nachkommen mit Zelten und Lebensmitteln. Dass im goldenen Europa Menschen an Hunger sterben und andere an Infektionen. Dass Seuchen ausgebrochen sind. – Seuchen in Europa! Als wär's nicht genug mit *Pfiesteria* und Konsorten. In Norwegen wütet die Cholera! Es heißt, dass die medizinische Versorgung für die Verwundeten nicht mehr gewährleistet werden kann und die Wunden aufrechter europäischer Samstagabendquiz-Konsumenten von kleinen weißen Würmern wimmeln und mit Fliegen übersät sind, die ihrerseits Krankheitskeime verbreiten, wo immer sie sich niederlassen. – Wird's einem schlecht? Das war noch gar nichts. Ein Tsunami ist eine nasse Angelegenheit, aber wenn er geht, fliegt alles Mögliche in die Luft. Keiner kommt noch mit der Feuerbekämpfung nach. Die Küstenstriche sind erst überspült und anschließend verbrannt worden. Ach ja, und noch was ist passiert, als der Sog der zurückweichenden Wassermassen die Kühlwasserzufuhr einiger bescheuerterweise in Küstennähe erbauter Atomkraftwerke unterbrochen hat. Wir haben einen GAU in Norwegen, einen in England. Sind Sie bedient? Ich hätte noch den vollständigen Zusammenbruch der Stromversorgung zu bieten. *Ladies and gentlemen*, so Leid es mir tut, aber rechnen Sie vorerst bitte nicht mit

Europa. Schon gar nicht in der Dritten Welt. Europa sendet das Testbild. Europa ist im Arsch!«

Vanderbilt förderte ein weißes Taschentuch zutage und tupfte sich die Stirn ab. Peak war kurz davor, sich zu übergeben. Er hasste diesen Mann. Er hasste es, dass Vanderbilt niemandes Freund war, wahrscheinlich nicht mal sein eigener. Ein Defätist, ein Zyniker, eine Dreckschleuder. Am meisten hasste Peak, dass Vanderbilt in fast allem, was er sagte, Recht behielt. In seinem Hass auf Vanderbilt war er sich sogar mit Judith Li einig.

Abgesehen davon hasste er auch Li.

Manchmal hatte er sich bei der Vorstellung ertappt, wie er Li die Kleider vom Leib riss und ihr auf dem verdammten Laufband die Süffisanz austrieb, dieses arrogante Gehabe einer Tochter aus gutem Hause, der man den Fremdsprachenunterricht und die Diplome nur so reingeblasen hatte. In solchen Momenten kam der Salomon Peak in ihm zum Vorschein, der unter anderen Umständen wahrscheinlich Anführer einer Gang, Dieb, Vergewaltiger und Mörder geworden wäre.

Dieser andere Peak ängstigte ihn. Der andere Peak glaubte nicht an die Ideale von West Point, an Ehre, Ruhm und Vaterland. Er war wie Vanderbilt, der alles in den Dreck zog und durchblicken ließ, der Dreck sei die Realität. Der andere Peak war im Dreck groß geworden. Ein schwarzer Mann, geboren im Dreck der Bronx.

»Weiter im Text«, sagte Vanderbilt vergnügt. »Europa erfreut sich lustiger kleiner Algen im Trinkwasser. Was tun? Chemische Keule? Natürlich kann man Wasser kochen oder in Chemikalien ertränken. Dabei gehen die kleinen Scheißer vielleicht drauf, aber wir folgen ihnen nach. Schon wird das Wasser knapp. In Europa hat bislang jeder Idiot drei Stunden lang unter der Dusche gestanden und Seemannslieder gesungen, das ist passé. Ich weiß nicht, wann bei uns die ersten Hummer explodieren werden, Herrschaften, aber Gottes eigenes Land sollte sich darauf einstellen, dass es passieren wird. Gott hat die Geduld verloren.« Vanderbilt kicherte. »Oder sollten wir besser sagen, Allah? *The shape of things to come*, Herrschaften! Freuen Sie sich auf sensationelle Enthüllungen. Gleich nach der Werbung!«

Was redet der da, dachte Peak. War Vanderbilt verrückt geworden? Es konnte nicht anders sein. Nur ein Verrückter benahm sich so.

Der CIA-Direktor projizierte eine Weltkarte, auf der Länder und Kontinente durch farbige Linien miteinander verbunden waren. Ein dichtes Bündel erstreckte sich von England und Frankreich quer über den Atlantik bis in die Gegend von Boston, Long Island, New York, Manasquan und Tuckerton. Ein anderes Netz, weiter auseinander gezogen, durchlief den Pazifik und verband den Westen der Vereinigten Staaten von Amerika mit Asien. Dichte Stränge zogen sich entlang der karibischen Inseln und Kolumbiens, durch das Mittelmeer und den Suezkanal und über die ostasiatische Küste bis nach Tokio.

»Tiefseekabel«, erklärte Vanderbilt. »Datenautobahnen, über die wir telefonieren und chatten. Kein Internet ohne Glasfaser. Die Rutschung vor Norwegen hat einen Teil der Glasfaserverbindungen zwischen Europa und Amerika zerstört, wie es aussieht. Mindestens fünf der wichtigsten Transatlantikkabel transportieren keine Daten mehr. Allerdings ist vorgestern auch ein Kabel mit der schönen Bezeichnung FLAG Atlantic-1 ausgefallen. Es verbindet New York mit St. Brieuc in der Bretagne und ist immerhin gut für den Transport von 1,28 Terabits in der Sekunde. Pardon, war! FLAG Atlantic-1 hat die Papiere eingereicht, und das liegt eindeutig *nicht* an den Folgen der Rutschung. Ebenso wenig wie der Ausfall von TPC-5 zwischen San Luis Obispo und Hawaii. Merken Sie was? Jemand frühstückt Tiefseekabel. Unsere Brücken brechen. Strom kommt aus der Steckdose? Von wegen. Die Welt ist klein? Von wegen! Wir rufen Tante Polly in Kalkutta an und gratulieren zum Geburtstag? Vergiss es! Fakt ist, dass die weltweite Kommunikation zum Erliegen kommt, und wir wissen nicht, warum. Aber eines scheidet aus.« Vanderbilt fletschte die Zähne und beugte sich so weit über das Pult, wie es seine Leibesfülle zuließ. »Zufall, Herrschaften. Hier ist jemand am Werk. Und er koppelt uns gerade vom Tropf der Zivilisation ab. – Aber genug von dem, was wir alles nicht mehr haben und dabei sind zu verlieren.«

Er nickte den Anwesenden jovial zu, wobei sich sein Doppelkinn mehrfach faltete.

»Reden wir von dem, was wir haben.«

Anawak fand einen gewissen Trost in Vanderbilts Worten. Nachdem er vorübergehend den Glauben an die Welt verloren hatte, schien sie ihm jetzt mit einem Schild voranzumarschieren, auf das in großen, unübersehbaren Lettern gemalt war: LEON, WIR GLAUBEN DIR.

»Dr. Anawak beschreibt einen leuchtenden Organismus«, sagte Vanderbilt. »Flach und formlos. Wir konnten keinen weiteren Organismus dieser Art im Bewuchs der *Barrier Queen* finden, aber unser Held war tapfer und hat Beute gemacht. Ein Fetzen konnte untersucht werden. Die Substanz ist identisch mit einer amorphen Gallerte, die Dr. Fenwick und Dr. Oliviera in den Köpfen Krawall suchender Wale nachgewiesen haben. Erinnern wir uns in diesem Zusammenhang der Sauerei in den verseuchten Schalentieren. *Pfiesterien* wurden darin transportiert wie in einem Taxi, aber der Taxifahrer ist nicht Gevatter Hummer, sondern etwas, das ihn ersetzt hat. Die Schalen waren zum Bersten gefüllt mit Zeugs, das sich an frischer Luft in Wohlgefallen auflöst. Dr. Roche gelang es trotzdem, Spuren davon zu analysieren. Es ist unser alter Bekannte – die Gallerte!«

Ford und Oliviera steckten die Köpfe zusammen. Dann sagte Oliviera mit ihrer tiefen Stimme: »Die Substanzen aus den Walgehirnen und vom Schiff sind identisch, so weit richtig. Aber das Zeug aus den Hirnen ist deutlich leichter. Die Zellen scheinen weniger dicht gepackt.«

»Ich hörte schon, dass die Ansichten über die Gallerte auseinander gehen«, sagte Vanderbilt. »Nun, Herrschaften, das ist Ihr Problem. Meinerseits kann ich sagen, dass wir die *Barrier Queen* in einem Dock isoliert haben, um etwaige blinde Passagiere nicht ausbüxen zu lassen. Seitdem konnten wir im Wasser des Docks mehrfach ein blaues Leuchten beobachten. Es ist nie besonders lange präsent. Auch Dr. Anawak hat es gesehen, als er seinen diesjährigen Tauchurlaub in unserer Sperrzone nahm. Wasserproben zeigen das übliche Gewimmel von Mikroorganismen, wie man sie in jedem Tropfen Meerwasser vorfindet. Also woher kommt das Leuchten? Wir nennen es die Blaue Wolke, in Ermangelung wissenschaftlicher Weisheit. Den Begriff verdanken wir Dr. John Ford, nachdem er eine Aufnahme betrachtete, die ein Gerät namens *URA* gemacht hat.«

Vanderbilt zeigte den Film von Lucys Rudel.

»Diese Blitze scheinen die Wale weder zu verletzen noch zu erschrecken. Offenbar nimmt die Wolke Einfluss auf ihr Verhalten. Etwas könnte sich in ihrem Zentrum verbergen, das die Substanz in den Köpfen der Tiere stimuliert. Vielleicht injiziert es sie auch. Ein Ding mit aufblitzenden, peitschenartigen Tentakeln. Jetzt gehen wir einen Schritt weiter und nehmen an, dass diese Tentakel die Gallerte nicht nur injizieren, sondern dass sie selber die Gallerte *sind*! Sollte das stimmen, dann sähen wir hier in großem Maßstab, was Dr. Anawak am Rumpf der *Barrier Queen* in Klein begegnete. Wir hätten einen unbekannten Organismus aufgespürt, der Schalentiere steuert, Wale in den Wahnsinn und sein Unwesen zwischen Schiffe versenkenden Muscheln treibt. Sehen Sie, Herrschaften, wir sind schon ganz weit! Jetzt müssen Sie nur noch rausfinden, was es ist, warum es da ist, in welcher Beziehung die Gallerte zur Wolke steht – ach ja, und welcher Schweinehund den ganzen Mist in irgendeinem Laboratorium zusammengepanscht hat. Vielleicht hilft Ihnen *das* dabei.«

Vanderbilt zeigte den Film ein weiteres Mal. Diesmal erschien am unteren Bildrand ein Spektrogramm. Starke Frequenzausschläge waren zu erkennen.

»Der *URA* ist ein talentiertes Kerlchen. Kurz bevor sich die Wolke manifestierte, zeichneten seine Hydrophone etwas auf. Zu hören ist nichts, weil wir eben keine Wale, sondern armselige Menschlein mit zugekleisterten Ohren sind. Ultra- und Infraschall kann man allerdings hörbar machen, wenn man die entsprechenden Tricks auf Lager hat. So wie unsere Spanner-Kollegen von SOSUS.«

Anawak horchte auf. Er kannte SOSUS. Mehrfach hatte er damit gearbeitet. Die NOAA, die *National Oceanic and Atmospheric Administration,* betrieb eine Reihe von Projekten, die sich mit der Erfassung und Auswertung akustischer Phänomene unter Wasser beschäftigten. Zusammengefasst liefen sie unter dem Oberbegriff *Acoustic Monitoring Project.* Das Werkzeug, das die NOAA für den unterseeischen Lauschangriff benutzte, war ein Relikt des Kalten Krieges. SOSUS stand abgekürzt für *Sound Surveillance System,* ein Netz empfindlicher Hydrophone, das die US Navy während der Sechziger in den Weltmeeren installiert hatte, um den Missionen sowjetischer Unterseeboote folgen zu können. Seit 1991, nachdem der Kalte Krieg mit dem Zusammenbruch der Sowjetunion geendet hatte, durften auch die zivilen NOAA-Forscher Daten des Systems auswerten.

Auf diese Weise war der Wissenschaft offenbar geworden, dass in den Weiten der Ozeane alles andere als Stille herrschte. Vor allem im Frequenzbereich unterhalb von 16 Hertz spielte sich geradezu infernalischer Lärm ab. Um die Geräusche für menschliche Ohren hörbar zu machen, mussten sie mit 16facher Geschwindigkeit abgespielt werden. Plötzlich klang ein Unterwasserbeben wie Donnergrollen, der Gesang von Buckelwalen erinnerte an Vogelgezwitscher, während Blauwale ihren Artgenossen in dröhnendem Stakkato Botschaften über Hunderte von Kilometern schickten. Drei Viertel der Aufnahmen wurden dominiert von einem rhythmischen, extrem lauten Wummern – Luftkanonen, die Ölgesellschaften zur Erkundung der Tiefseegeologie einsetzten.

Mittlerweile hatte die NOAA SOSUS durch eigene Systeme ergänzt. Mit jedem Jahr baute die Organisation das Netz der Hydrophone weiter aus. Und jedes Mal hörten die Forscher ein bisschen mehr.

»Einzig anhand des Geräuschs können wir heute sagen, worum es sich handelt«, erklärte Vanderbilt. »Ist es ein kleines Schiff? Fährt es schnell? Welche Art Antrieb benutzt es? Wo kommt es her, wie weit ist es entfernt? Die Hydrophone verraten uns *alles*. Ihnen dürfte bekannt sein, wie gut Wasser den Schall leitet und wie schnell er sich unter Wasser fortpflanzt, nämlich mit Geschwindigkeiten zwischen fünf- und fünfeinhalbtausend Stundenkilometern. Wenn ein Blauwal vor Hawaii einen fahren lässt, rumpelt es knapp eine Stunde später in einem kalifornischen Kopfhörer. SOSUS kann aber noch mehr als den Impuls registrieren, es sagt uns auch, wo er herkommt. Kurz, das Sound-Archiv der NOAA umfasst Abertausende von Geräuschen: Klicken, Grummeln, Rauschen, Blubbern, Quietschen und Raunen, bioakustische und seismische Laute, Umweltlärm, und alles können wir zuordnen – bis auf wenige Ausnahmen. Dr. Murray Shankar von der NOAA weilt unter uns, welch vorausschauender Schachzug. Er wird freudig darangehen, das Folgende zu kommentieren.«

Aus der ersten Reihe erhob sich ein untersetzter, schüchtern wirkender Mann mit indischem Gesichtsschnitt und Goldrandbrille. Vanderbilt rief ein weiteres Spektrogramm auf und spielte den künstlich beschleunigten Sound ab. Ein dumpfes, von ansteigenden Tonfolgen bestimmtes Brummen erfüllte den Raum.

Shankar hüstelte. »Dieses Geräusch nennen wir *Upsweep*«, sagte er mit sanfter Stimme. »Es wurde 1991 aufgenommen und scheint seinen Ursprung irgendwo bei 54° S, 140° W zu haben. *Upsweep* war eines der ersten nichtidentifizierbaren Geräusche, die SOSUS erfasst hat, und derart laut, dass es im gesamten Pazifik empfangen wurde. Bis heute wissen wir nicht, was es ist. Einer Theorie nach könnte es durch Resonanzen zwischen Wasser und flüssiger Lava entstanden sein, irgendwo in einer Kette unterseeischer Berge zwischen Neuseeland und Chile. – Jack, bitte die nächsten Beispiele.«

Vanderbilt spielte zwei weitere Spektrogramme ab.

»*Julia*, aufgenommen 1999, und *Scratch*, zwei Jahre zuvor von einer Reihe autonomer Hydrophone im äquatorialen Pazifik. Die Amplitude war in einem Umkreis von fünf Kilometern mühelos zu hören. *Julia* erinnert an Tierrufe, finden Sie nicht? Die Frequenz der Laute ändert sich sehr schnell. Sie sind in einzelne Töne aufgelöst, wie Walgesänge. Aber es sind keine Wale. Kein Wal produziert solche Lautstärken. *Scratch* hingegen klingt, als rutsche eine Plattennadel quer zur Rille, nur dass der dazugehörige Plattenspieler die Ausmaße einer Großstadt haben dürfte.«

Das nächste Geräusch klang wie ein lang gezogenes, stetig abfallendes Quietschen.

»Aufgenommen 1997«, sagte Shankar. »*Slowdown*. Wir schätzen, der Ursprung liegt irgendwo im untersten Süden. Schiffe und U-Boote scheiden aus. Möglicherweise entsteht *Slowdown*, wenn gewaltige Eisplatten über den Fels der Antarktis schrammen, aber es könnte ebenso gut etwas ganz anderes sein. Die NOAA schließt auch bioakustische Ursachen mit ein, also Tiere. Einige sähen es gerne, wenn sie anhand der Geräusche endlich die Existenz von Riesenkraken nachweisen könnten, aber meines Wissens sind diese Tiere zur Lauterzeugung kaum fähig. Also Fehlanzeige. Keiner weiß, was es ist, aber ...«, er lächelte scheu, »dafür können wir ein anderes Kaninchen aus dem Hut zaubern.«

Vanderbilt spielte noch einmal das Spektrogramm des *URA*-Videos ab. Diesmal ließ er es hörbar erklingen.

»Haben Sie es wieder erkannt? Es ist *Scratch*. Und wissen Sie, was *URA* sagt? Der Ursprung lag inmitten der blauen Wolke! Daraus können wir ...«

»Danke, Murray, Sie waren oscarreif.« Vanderbilt keuchte und tupfte sich die Stirn mit seinem Taschentuch. »Der Rest ist Spekulation. Gut, geben wir dem Tag einen würdigen Abschluss, *ladies and gentlemen*, um Ihren Denkapparat richtig auf Touren zu bringen.«

Die nachfolgende Filmsequenz zeigte eine Aufnahme aus lichtloser Tiefe. Partikel blitzten im Scheinwerferlicht auf. Dann wölbte sich etwas Flächiges in die Kamera und zog sich augenblicklich wieder zurück.

»Wenn man den Film in der bearbeiteten Fassung studiert, die Marintek freundlicherweise angelegt hat, bevor das Institut von den Klippen gespült wurde, gelangt man zu zwei Schlüssen. Erstens: Das Ding ist von gewaltiger Größe. Zweitens: Es leuchtet, oder besser gesagt, es leuchtet kurz auf und erlischt, sobald es ins Objektiv der Kamera gerät. Fest steht, es tummelte sich in rund 700 Metern Tiefe am norwegischen Kontinentalhang. – Studieren Sie es, Herrschaften. Ist es unser gallertiger Freund? Gelangen Sie zu Schlüssen. Wir erwarten nichts weniger von Ihnen als die Rettung unserer gottgleichen Rasse.« Vanderbilt grinste sie der Reihe nach an. »Ich will nicht verhehlen, dass wir vor dem Armageddon stehen. Darum schlage ich Arbeitsteilung vor. *Sie* finden heraus, wie man das mutierte Viehzeug stoppen kann. Vielleicht fallen Ihnen hübsche Dressurprogramme ein oder was, woran es sich den Magen verdirbt. *Wir* versuchen, den Riesenarsch zu finden, der uns die Suppe eingebrockt hat. Und was immer Sie tun, treten Sie es nicht breit. Erliegen Sie nicht der Verlockung von Titelseiten. Europa und Amerika betreiben in Absprache miteinander eine Politik gezielter Desinformation. Panik wäre wie Salzsäure auf Hundescheiße, wenn Sie verstehen, was ich meine. Wir können nichts weniger gebrauchen als soziale, politische, religiöse oder sonst welche Eskalationen. Also denken Sie daran, was Sie Tante Li versprochen haben, wenn Sie draußen spielen gehen.«

Johanson räusperte sich.

»Ich möchte Ihnen im Namen aller für den äußerst unterhaltsamen Vortrag danken«, sagte er liebenswürdig. »Wir sollen also rausfinden, was da draußen ist.«

»Exakt, Doktor!«

»Was glauben *Sie* denn, was da ist?«

Vanderbilt lächelte. »Gallerte. Und blaue Wolken.«

»Verstehe.« Johanson lächelte zurück. »Sie möchten, dass wir das Türchen am Adventskalender selber aufmachen. Hören Sie, Vanderbilt, Sie haben eine Theorie. Wenn Sie wollen, dass wir hier mitspielen, sollten Sie uns vielleicht daran teilhaben lassen. Was meinen Sie?«

Vanderbilt rieb seinen Nasenrücken. Er wechselte einen Blick mit Li.

»Nun ja«, sagte er gedehnt. »Was wäre Weihnachten ohne die Bescherung. Sei's drum. Wir haben uns also gefragt: Wo geht's zur Sache, wo weniger und wo gar nicht? Und da sieht man, nicht betroffen sind der Nahe Osten, das Gebiet der ehemaligen Sowjetunion, Indien, Pakistan und Thailand. Nicht betroffen sind China und Korea. Die Arktis und die Antarktis auch nicht, aber die Kühlschränke lassen wir mal außen vor. Unterm Strich zeigt sich, dass der Hauptleidtragende der Westen ist. Alleine die Vernichtung der norwegischen Offshore-Industrie schädigt den Westen auf nachhaltige Weise, was uns in gewisse unliebsame Abhängigkeiten bringt.«

»Wenn ich Sie recht verstehe«, sagte Johanson langsam, »sprechen Sie von Terrorismus.«

»Schön, dass Sie's erwähnen! Es gibt zwei Arten von Terrorismus, die beide auf Massenvernichtung setzen. Variante eins will den politischen und gesellschaftlichen Umsturz um jeden Preis, auch wenn Tausende dabei den Löffel abgeben. Islamische Extremisten finden zum Beispiel, dass die Ungläubigen nur Platz wegnehmen. Variante zwei ist völlig aufs Jenseits eingeschworen und propagiert, die sündhafte Menschheit hätte sich schon viel zu lange auf Gottes schönem Planeten rumgetrieben und dass es Zeit wird, sie vom Angesicht der Erde zu tilgen. Je mehr

Geld und Know-how solchen Leuten zur Verfügung steht, desto gefährlicher wird das Ganze. – Killeralgen, nun, so was kann man vielleicht züchten. Man kann schließlich auch Hunde darauf trainieren, andere zu beißen. Die Gentechnologie hat Eingriffe ins Erbgut ermöglicht. Warum sollte es nicht gelingen, auf diesem Weg die Kontrolle über das Verhalten zu erlangen? Ich meine, so viele Mutationen in so kurzer Zeit, wie sieht das für Sie aus? Für mich riecht es nach Labor. Ein formloser Fremdorganismus, tja, warum hat er denn keine Form? Alles hat doch eine! Vielleicht, weil sein Zweck keine erfordert? Stellen wir uns eine Art Protoplasma vor, eine organische Verbindung, einen zähen Brei, der in moleküldünnen Strängen Tierschädel oder Hummer okkupiert. – Ich sage Ihnen, Herrschaften, irgendwo sitzt hinter allem ein planender Geist. Geben Sie der Vorstellung Raum, was der Zusammenbruch der nordeuropäischen Ölindustrie für die Energiepolitik des Nahen Ostens bedeuten würde, und Sie haben ein Motiv.«

Johanson starrte ihn an.

»Sie sind verrückt, Vanderbilt.«

»Meinen Sie? In der Straße von Hormuz gab es bislang keine Kollisionen oder Havarien. Im Suezkanal auch nicht.«

»Angenommen, das stimmt, warum sollten potenzielle Abnehmer für arabisches Öl mit Flutwellen und Seuchen dezimiert werden?«

»Das alles ist verrückt«, erwiderte Vanderbilt. »Ich sage ja auch nur, dass es einen Sinn ergibt. Nicht, dass es sinnvoll ist. Aber beachten Sie, das Mittelmeer wurde bislang verschont und damit die Route vom Persischen Golf bis Gibraltar. Wurmpopulationen finden wir hingegen überall dort, wo der Westen und Südamerika ans Öl wollen.«

»Die Populationen sind auch vor der amerikanischen Nordostküste aufgetaucht«, sagte Johanson. »Ein Tsunami europäischen Ausmaßes würde die Kundschaft ihrer Business-Terroristen aus dem Markt schwemmen.«

»Dr. Johanson.« Vanderbilt lächelte. »Sie sind Wissenschaftler. In der Wissenschaft sucht man ständig nach Logik. Danach fragt die CIA schon längst nicht mehr. Naturgesetze mögen logisch sein. Menschen sind es nicht. Seit Jahrzehnten hängt das Damoklesschwert eines Atomkriegs über uns, und jeder weiß, dass unsere geliebte Menschheit darüber hingehen könnte. Die Welterpresser und Wahnsinnigen aus den James-Bond-Filmen, Dr. Johanson, es gibt sie, nur dass die Realität keinen James Bond vorsieht. Als Saddam Hussein 1991 Kuwaits Ölquellen anzündete, sagten sogar seine eigenen Leute voraus, dass er damit unter Umständen einen Jahre und Jahrzehnte andauernden nuklearen Winter auslösen könne. Sie behielten nicht Recht. Aber hat es ihn abgehalten? Und noch eines: Fragen Sie Ihre Kollegen aus Kiel. Was *wirklich* geschieht, wenn alles marine Methan in die Atmosphäre entweicht, darüber kann man nur spekulieren. Ein Anstieg des Meeresspiegels steht auf alle Fälle zu befürchten, Europa ist hinüber, weil sich Belgien, die Niederlande und Norddeutschland zu ausgedehnten Wassersportgebieten entwickeln, aber in den wasserarmen Wüsten des Nahen und Mittleren Ostens könnte es plötzlich blühen und gedeihen. Sie werden die Menschen mit ein paar Tsunamis nicht ausrotten, es bleiben immer noch genügend übrig, um arabisches Öl zu kaufen. Und vielleicht führt der ganze Terror ja gar nicht zum Ende der Menschheit, sondern nur zu einer Schwächung des Westens und Fernasiens und damit zu einer Umverteilung der globalen Machtverhältnisse, ohne dass jemand Krieg führen müsste. Irgendwann kriegt sich der Planet wieder ein, wollen wir drauf wetten? – Ich sage Ihnen, der Terror kommt aus dem Meer, aber die Ursache findet sich auf dem Land.«

Li schaltete den Beamer aus.

»Ich möchte den diplomatischen Vertretern und den Gesandten der Geheimdienste aller Länder danken, diesen Gipfel ermöglicht zu haben«, sagte sie. »Einige werden noch heute wieder abreisen, aber die meisten bleiben für die Dauer der nächsten Wochen unsere Gäste. Dass Sie im Zuge der Zusammenarbeit ebensolches Stillschweigen über den Fortgang unserer Arbeit und sämtliche damit verbundenen Erkenntnisse wahren wie der wissenschaftliche Stab, brauche ich nicht extra zu betonen. Es liegt im Interesse Ihrer Regierungen.«

Sie machte eine Pause.

»Was die Mitarbeiter der wissenschaftlichen Arbeitsgruppe betrifft, so sind wir bemüht, Sie in jeder erdenklichen Weise zu unterstützen. Ab sofort benutzen Sie bitte ausschließlich die Laptops vor sich. Überall im Hotel sind Anschlüsse gelegt worden, in der Bar, auf Ihren Zimmern, im Health Center. Sie können sich einloggen, wo immer Sie gerade sind. Inzwischen steht die transatlantische Verbindung wieder. Das Hoteldach ist bestückt mit Satellitenschüsseln, alles funktioniert. Telefon, Telefax, E-Mail und Internet laufen von nun an über die NATO-III-Satelliten – sie dienen üblicherweise dazu, Verbindungen zwischen den Regierungen der NATO-Partner herzustellen. Jetzt dienen sie Ihnen. Dafür haben wir einen geschlossenen Circuit eingerichtet, ein *secretus in secretum*, auf den ausschließlich Mitglieder der Arbeitsgruppe Zugriff haben. Über dieses Netz können Sie untereinander kommunizieren und streng geheime Informationen abrufen. Um hineinzugelangen, benötigen Sie ein persönliches Passwort, das Sie nach Unterzeichnung der Geheimhaltungserklärung erhalten.«

Sie sah streng in die Runde.

»Ich brauche nicht zu betonen, dass dieses Passwort unter keinen Umständen an Unbefugte weitergegeben werden darf. Einmal eingeloggt, haben Sie Zugriff auf zivile und militärische Satelliten, auf die Dateien der NOAA und SOSUS, auf sämtliche laufenden und archivierten Telemetrieprojekte, auf Datenbanken der CIA und NSA hinsichtlich weltweiter terroristischer Aktivitäten, Biowaffenentwicklungen und gentechnologischer Projekte, und so weiter und so fort. Wir haben den aktuellen Stand der Tiefseetechnik und ihrer Möglichkeiten für Sie zusammengefasst, ebenso geologisches und geochemisches Grundlagenwissen. Es gibt Verzeichnisse sämtlicher bekannter Organismen, Sie können Tiefseekarten aus den Beständen der Navy einsehen, und natürlich haben wir die heutige Präsentation anhänglich aller Zahlen und Statistiken beigefügt. Jede aktuelle Meldung, jede neue Entwicklung wird Ihnen automatisch und ohne Verzug zugeleitet. Wir halten Sie auf dem Laufenden, und selbstverständlich erwarten wir, dass Sie es umgekehrt ebenso halten.«

Li verharrte einen Moment und schickte ein aufmunterndes Lächeln in die Runde.

»Ich wünsche Ihnen Glück. Übermorgen um diese Zeit treffen wir uns wieder. Wer zwischendurch das Bedürfnis hat, sich auszutauschen, findet bei Major Peak oder mir jederzeit Gehör.«

Vanderbilt sah sie an und zog eine Braue hoch.

»Sie werden Onkel Jack doch hoffentlich immer schön Bericht erstatten«, sagte er so leise, dass nur Li es hören konnte.

»Vergessen Sie nicht, Jack«, erwiderte Li, während sie ihre Unterlagen zusammenpackte, »dass *Sie mir* unterstellt sind.«

»Das haben Sie missverstanden, Kleine. Wir arbeiten auf Augenhöhe. Keiner von uns ist dem anderen unterstellt.«

»Doch, mein Freund. Intellektuell.«

Grußlos verließ sie den Raum.

JOHANSON

Die meisten bewegten sich Richtung Bar, aber Johanson verspürte wenig Lust, sich ihnen anzuschließen. Vielleicht hätte er die Gelegenheit nutzen sollen, die Truppe näher kennen zu lernen, aber ihm gingen andere Dinge im Kopf herum.

Er war kaum auf seiner Suite angelangt, als es klopfte. Weaver kam ins Zimmer, ohne ein ›Herein‹ abzuwarten.

»Man muss älteren Männern Zeit geben, das Korsett anzulegen, bevor man reinplatzt«, sagte Johanson. »Am Ende bist du enttäuscht.«

Er lief mit seinem Laptop durch den großen, komfortabel eingerichteten Wohnraum und suchte nach dem Modemanschluss. Weaver öffnete unbeeindruckt die Minibar und entnahm ihr eine Cola.

»Überm Schreibtisch«, sagte sie.

»Oh. Tatsächlich.«

Johanson schloss den Laptop an und startete das Programm. Sie blickte ihm über die Schulter.

»Was hältst du davon, dass es Terroristen sind?«, fragte sie.

»Nichts.«

»Ganz deiner Meinung!«

»Aber ich verstehe den Zustand der Schizophrenie, unter dem die CIA leidet.« Johanson klickte nacheinander einige Dateien an. »Sie lernen es da nicht anders. Außerdem hat Vanderbilt Recht, wenn er sagt, dass Wissenschaftler dazu neigen, menschliches mit natürlichem Verhalten gleichzusetzen.«

Weaver beugte sich zu ihm herab. Ein Schwall Locken fiel ihr ins Gesicht. Sie strich sie zurück.

»Du musst sie darüber in Kenntnis setzen, Sigur.«

»Was meinst du?«

»Deine Theorie.«

Johanson zögerte. Er kniff die Augen zusammen, öffnete per Doppelklick ein Feld und gab sein Passwort ein:

Château Disaster 000550899-XK/0

»Tiraliralu«, summte er leise. »Willkommen im Wunderland.«

Wie sinnig, dachte er. Ein Schloss voller Wissenschaftler, Geheimdienstler und Soldaten mit der Aufgabe, die Welt vor Ungeheuern, Flutwellen und Klimakatastrophen zu retten. *Château Disaster.* Treffender hätte man es kaum ausdrücken können.

Der Bildschirm füllte sich mit Symbolen. Johanson studierte die Namen der Dateien und stieß einen leisen Pfiff aus. »Donnerwetter. Sie geben uns tatsächlich Zugriff auf die Satelliten.«

»Sag bloß! Können wir sie auch steuern?«

»Quatsch. Aber wir können ihre Daten abrufen. Schau dir das an. GOES-W und GOES-E, das ganze NOAA-Geschwader steht uns zur Verfügung. Hier, QuikSCAT, das ist auch nicht übel. Und da sind tatsächlich die Lacrosse-Satelliten. Damit sind sie über ihren Schatten gesprungen. Und hier, SAR-Lupe. Das ist …«

»Schon gut, komm runter von deinem Trip. Glaubst du im Ernst, wir haben unbegrenzten Zugriff auf geheimdienstliche Informationen und Regierungsprogramme?«

»Natürlich nicht. Wir haben Zugriff auf das, was sie uns sehen lassen wollen.«

»Warum hast du Vanderbilt nicht gesagt, was du denkst?«

»Weil es zu früh ist.«

»Wir haben aber keine Zeit mehr, Sigur.«

Johanson schüttelte den Kopf. »Karen, du musst Leute wie Li und Vanderbilt überzeugen. Sie wollen Resultate, keine Vermutungen.«

»Wir haben Resultate!«

»Aber der Zeitpunkt wäre denkbar ungünstig gewesen. Heute hatten die ihre große Stunde. Sie haben alles Mögliche zusammengetragen und zur Katastrophen-Gala aufgemotzt. Vanderbilt zog ein fettes arabisches Kaninchen aus dem Hut, und, verdammt, er war *stolz* drauf! Es hätte einfach nur wie Widerspruch geklungen. Ich will, dass ihnen selber Zweifel kommen an ihrer kleinen Verschwörungstheorie, und das wird schneller der Fall sein, als du glaubst.«

»Okay.« Weaver nickte. »Und wie überzeugt bist du selber?«

»Von meiner Theorie?«

»Bist du's nicht mehr?«

»Doch. Aber nach dem heutigen Tag müssen wir außerdem die Ansichten der Amerikaner entkräften.« Johanson schaute sinnend auf den Bildschirm. »Im Übrigen habe ich so ein Gefühl, dass Vanderbilt nicht wirklich wichtig ist in dem Spiel. Wir müssen Li überzeugen, Karen. So wie ich sie einschätze, macht Li am Ende ohnehin, was sie will.«

LI

Als Erstes ging sie auf ihr Laufband. Sie programmierte den Computer auf neun Stundenkilometer, was einen gemütlichen Trab ergab. Dann ließ sie eine Verbindung zum Weißen Haus herstellen. Nach zwei Minuten vernahm sie die Stimme des Präsidenten im Kopfhörer.

»Jude! Schön, von Ihnen zu hören. Was machen Sie gerade?«

»Ich laufe.«

»Sie laufen. Bei Gott, Sie sind die Beste, Mädchen. Jeder sollte sich ein Beispiel an Ihnen nehmen. Nur ich nicht.« Der Präsident lachte laut und kumpelig. »Sie sind mir entschieden zu sportlich. – Verlief die Präsentation zu Ihrer Zufriedenheit?«

»Vollkommen.«

»Und haben Sie denen erzählt, was wir vermuten?«

»Es ließ sich nicht vermeiden, dass sie erfuhren, was *Vanderbilt* vermutet.«

Der Präsident lachte immer noch. »Hören Sie doch endlich auf mit Ihrem Kleinkrieg gegen Vanderbilt«, sagte er.

»Er ist ein Arschloch.«

»Aber er macht seine Arbeit. Sie müssen ihn ja nicht heiraten.«

»Wenn es der nationalen Sicherheit dient, *werde* ich ihn heiraten«, entgegnete Li gereizt. »Aber ich werde darum nicht seiner Meinung sein.«

»Nein, natürlich nicht.«

»Hätten *Sie* sich zu diesem Zeitpunkt mit einer völlig unausgegorenen Terrorismus-Hypothese wichtig getan? Jetzt sind die Wissenschaftler vorbelastet. Sie laufen einer Theorie hinterher, anstatt selber eine zu entwickeln.«

Der Präsident schwieg. Li konnte ihn förmlich darüber nachdenken hören. Er mochte Alleingänge nicht, und Vanderbilt hatte sich des Alleingangs schuldig gemacht.

»Sie haben Recht, Jude. Es wäre wohl besser gewesen, damit noch hinterm Berg zu halten.«

»Ganz Ihrer Ansicht, Sir.«

»Gut. Reden Sie mit Vanderbilt.«

»Reden *Sie* mit ihm. Auf mich hört er nicht. Ich kann ihn nicht daran hindern vorzupreschen, auch wenn es dumm und unüberlegt ist.«

»In Ordnung. Ich werde mit ihm reden.«

Li grinste in sich hinein. »Ich will Jack natürlich keine Schwierigkeiten machen …«, fügte sie pflichtschuldigst hinzu.

»Das ist schon in Ordnung. Genug von Vanderbilt. Was glauben Sie? Kriegt Ihr akademisches Panoptikum die Sache in den Griff? Welchen Eindruck haben Sie von den Typen?«

»Alle hoch qualifiziert.«

»Jemand, der Ihre besondere Aufmerksamkeit verdient?«

»Ein Norweger. Sigur Johanson, Molekularbiologe. Ich weiß noch nicht, was an dem Besonderes ist, aber er hat seinen eigenen Blick auf die Dinge.«

Der Präsident rief etwas nach hinten. Li steigerte die Geschwindigkeit des Bandes.

»Ich habe übrigens vorhin mit dem norwegischen Innenminister telefoniert«, sagte er. »Sie wissen nicht mehr ein noch aus. Natürlich begrüßen sie die Initiative der Europäischen Union, aber sie sähen es, glaube ich, lieber, wenn die Vereinigten Staaten mit im Boot wären. Die Deutschen sind übrigens derselben Meinung, von wegen Know-how-Transfer und so. Sie votieren für eine globale Kommission mit weit reichenden Befugnissen, die *alle* Kräfte bündelt.«

»Und wer soll die Federführung haben?«

»Der deutsche Kanzler schlägt vor, die Vereinten Nationen zu ermächtigen.«

»Wirklich? Hm.«

»Ich halte das für keinen schlechten Vorschlag.«

»Nein, es ist sogar ein ausgesprochen guter Vorschlag.« Sie machte eine Pause. »Ich erinnere mich nur, dass Sie kürzlich feststellten, die UN hätte in ihrer ganzen Geschichte noch keinen derart schwachen Generalsekretär durchgefüttert wie gerade. Das war auf dem Botschafterempfang vor drei Wochen, erinnern Sie sich? Ich stieß ins selbe Horn, und wir bekamen die üblichen Prügel aus den üblichen Lagern.«

»Ja, ich weiß. Gott, waren die aufgeblasen! Er ist aber nun mal ein Schlappschwanz. Die Wahrheit muss man äußern können, verdammt nochmal! – Worauf wollen Sie eigentlich hinaus?«

»Ich sag's nur.«

»Sie sagen's nur. Kommen Sie schon. Was wäre die Alternative?«

»Sie meinen die Alternative zu einem Gremium, in dem dutzendweise Vertreter des Nahen Ostens sitzen?«

Der Präsident schwieg.

»Die Vereinigten Staaten«, sagte er schließlich.

Li tat, als müsse sie sich den Gedanken durch den Kopf gehen lassen.

»Ich glaube, das ist eine gute Idee, Sir«, sagte sie.

»Aber dann haben wir schon wieder die Probleme der ganzen Welt an der Backe. Eigentlich zum Kotzen, finden Sie nicht, Jude?«

»Wir haben sie doch sowieso an der Backe. Wir sind die einzige Supermacht. Wenn wir es bleiben wollen, müssen wir weiterhin Verantwortung übernehmen. Außerdem – schlechte Zeiten sind gute Zeiten für die Starken.«

»Sie und Ihre chinesischen Sprichwörter«, sagte der Präsident. »Wir bekommen den Job ohnehin nicht auf dem Silbertablett. Dazu ist es zu früh. Noch müssten wir unter Mühen glaubhaft machen, warum ausgerechnet wir uns an die Spitze einer Weltuntersuchungskommission setzen wollen. Was glauben Sie, wie so was in der arabischen Welt ankommt! Oder in China und Korea. Apropos Asien, ich habe das Dossier durchgeblättert über Ihre Wissenschaftler. Da ist einer, der asiatisch aussieht. Hatten wir nicht gesagt, Asiaten und Araber außen vor?«

»Ein Asiate? Wie heißt er?«

»Komischer Name. – Wakawaka oder so ähnlich.«

»Oh, Leon Anawak. Haben Sie seinen Lebenslauf gelesen?«

»Nein, ich hab's nur überflogen.«

»Er ist kein Asiate.« Li steigerte das Tempo auf zwölf Stundenkilometer. »Ich bin das mit Abstand Asiatischste im Umkreis des kompletten Whistlers.«

Der Präsident lachte.

»Ach Jude. Sie könnten vom Mars stammen, und ich würde Ihnen jede Vollmacht erteilen. Wirklich schade, dass Sie nicht zum Baseballgucken rüberkommen können. Wir treffen uns auf der Ranch, wenn nichts dazwischenkommt. Meine Frau mariniert Rippchen.«

»Nächstes Mal, Sir«, sagte Li herzlich.

Sie fachsimpelten noch eine Weile über Baseball. Li insistierte nicht weiter auf der Idee, die Vereinigten Staaten an die Spitze der Weltgemeinschaft zu setzen. Spätestens in zwei Tagen würde er glauben, es sei seine gewesen. Es reichte, ihm die Injektion verpasst zu haben.

Nach dem Gespräch lief sie noch einige Minuten. Dann setzte sie sich schweißnass, wie sie war, an den Flügel und legte die Finger auf die Tasten. Sie konzentrierte sich.

Sekunden später perlte Mozarts Klaviersonate in G durch die Suite.

KH-12

Lis Klavierspiel verlor sich wie ein nach allen Seiten schwächer werdender Duft in den Fluren des neunten Stockwerks und trieb aus dem halb geöffneten Fenster der Suite nach draußen. Einhundert Meter über dem Erdboden breiteten sich die Schallwellen ringförmig nach allen Seiten aus. Am höchsten Punkt des Châteaus, das wie ein Märchenschloss über einen spitzgiebeligen Wohnturm verfügte, hätte ein geübtes Ohr sie zwar leise, aber noch deutlich wahrgenommen. Oberhalb des Giebels begannen sie sich zu zerstreuen. Nach einhundert Metern hatten sie sich mit einer Vielzahl anderer Wellen vermischt, und je höher es hinaufging, desto leiser wurden auch diese Geräusche. Einen Kilometer über dem Erdboden waren immer noch startende Automotoren zu hören, der mäkelige Lärm kleiner Propellerflugzeuge und die Glocke der presbyterianischen Kirche im üblicherweise geschäftigen Whistler Village, das nunmehr Teil der Sperrzone geworden war. Das Geknatter der Militärhubschrauber, die als wichtigste Verbindung zur Außenwelt dienten, wurde erst ab zweitausend Meter schwächer.

Aus dieser Höhe genoss man einen atemberaubenden Blick auf das Hotel. Wie ein prophetischer Traum Ludwig des Zweiten lag es inmitten ausgedehnter, nach Westen sanft ansteigender Wälder, eben noch mit bloßem Auge zu erkennen. Auf den angrenzenden Bergrücken schimmerten zerfurchte Schneeflächen.

Dann erstarben auch die letzten Geräusche vom Erdboden.

Vornehmlich machten sich nun Düsenflugzeuge in der Start- und Landephase bemerkbar. In zehn Kilometern Höhe war das Château mit der Umgebung verschmolzen. Linienmaschinen zogen ihre Bahn. Der Horizont begann sich merklich zu krümmen. Tief liegende Wolkenfelder unter strahlend blauem Himmel gaukelten Schneefelder und Berge von Packeis vor, ein trügerischer Boden aus Wasserdampf. Weitere fünf bis zehn Kilometer höher durchschnitt der Lärm von Überschallflugzeugen die immer dünner werdende Atmosphäre. Die Troposphäre hatte den Launen des Wetters gehört, die Stratosphäre gehörte dem Ozon, das einen Großteil der ultravioletten Strahlung filterte. Es wurde wieder wärmer. In dieser Höhe waren Wolken wenig mehr als ätherische Formationen, deren Schillern an Perlmutt erinnerte. Silbrige Wetterballons reflektierten das Sonnenlicht und sorgten für Ufosichtungen. Durch die perfekte Stille 20 Kilometer über dem Erdboden hatte 1962 die legendäre U2 ihren verstohlenen Kurs Richtung Kuba angetreten, um die Stationierung sowjetischer Atomraketen nachzuweisen. Der Pilot des Aufklärungsflugzeugs hatte wegen der extremen Höhe Astronautenkleidung tragen müssen. Es war einer der kühnsten Flüge aller Zeiten gewesen unter einem Himmel, dessen Tiefblau den Weltraum schon erahnen ließ.

In 80 Kilometern Höhe leuchteten noch vereinzelt gitterförmige Nachtwolken. Die Temperatur betrug −113 Grad Celsius. Nichts hier oben ließ auf menschliche Anwesenheit schließen, sah man von der gelegentlichen Präsenz startender und landender Raumfahrzeuge ab. Das Tiefblau wechselte über in Schwarzblau. Hier begann das Reich all jener heidnischen Götter, die von der modernen Wissenschaft als Polarlichter und verglühende Meteoriten entlarvt worden waren. Nirgendwo hatten die physikalischen Besonderheiten derart zur Bildung von Mythen und Legenden beigetragen wie in der Hunderte von Kilometern durchmessenden Thermosphäre. Tatsächlich eignete sie sich als Wohnort weder für Gottheiten noch sonstige Lebensformen. Nichts und niemand konnte hier überdauern. Gamma- und Röntgenstrahlen fielen ungehindert ein. Kaum noch Gasmoleküle waren anzutreffen.

Dafür aber etwas anderes.

Mit 28 000 Stundenkilometern zogen in 150 Kilometern Höhe die ersten Satelliten dahin. Ihrer Natur nach waren es vornehmlich Spionagesatelliten, die sich so nah wie irgend möglich über dem Erdboden hielten. 80 Kilometer über ihnen erstellte die Sonde der *Space Radar Topography Mission* Höhenprofile der Erdoberfläche und arbeitete an der Weltkarte des 21. Jahrhunderts. In solch geringer Höhe bremste das immer noch verhältnismäßig dichte atmosphärische Gemisch die Geschwindigkeit der Satelliten stetig ab, sodass sie auf gelegentliche Treibstoffschübe angewiesen waren, um nicht abzustürzen. Oberhalb 300 Kilometer brauchten sie keinen Treibstoff mehr. Hier glichen sich Zentrifugalkraft und Erdanziehung aus, sorgten für stabile Umlaufbahnen, und der Himmel füllte sich.

Es ging zu wie auf einem Netz übereinander geschichteter Highways. Je höher, desto reger. Zwei kleine, elegante Flugkörper mit Namen *Champ* und *Grace* observierten das Gravitations- und Magnetfeld der Erde. 600 Kilometer über den Polen empfing ICESat Reflexionen der Erdoberfläche und gab Aufschluss über Veränderungen der Eiskappen. 70 Kilometer darüber kreisten drei hoch entwickelte Lacrosse-Beobachtungssatelliten des amerikanischen Militärs und tasteten den Boden mit hoch auflösendem Radar ab. Aus 700 Kilometern Höhe beobachteten die LANDSAT-Sonden der NASA Länder und Küsten, vermaßen die Zu- und Abnahme von Gletschern, kartierten die Ausdehnung von Wäldern und Packeis und lieferten detailgetreue Darstellungen der globalen Temperaturverteilung. SeaWiFS war mit optischer und infraroter Bilderfassung den Algenkonzentrationen in den Ozeanen auf der Spur. Die NOAA-Satelliten hatten sich auf einer sonnensynchronen Umlaufbahn in 850 Kilometern Höhe häuslich eingerichtet, und alle möglichen Wettersatelliten bewegten sich von Pol zu Pol. Bis weit in die Magnetosphäre herrschte das Gedränge, die jenseits der 900-Kilometer-Grenze kosmische Teilchen und Sonnenemissionen zu zwei Strahlungsgürteln bündelte, dem sogenannten Van-Allen-Gürtel, der sich zu einem kuriosen Medienphänomen entwickelt hatte. Einem Großteil der amerikanischen Bevölkerung diente er als schlagender Beweis dafür, dass die Amerikaner *nicht* auf dem Mond gewesen waren – selbst angesehene Wissenschaftler bezweifelten, dass überhaupt ein Mensch in einem Raumschiff hinreichend geschützt war, um diese Zone tödlicher Strahlung zu durchqueren. In der Satelliten-Terminologie firmierte die Region hingegen schlicht als LEO, *Low Earth Orbit*, gefolgt vom dicht besiedelten Feld der *Middle Low Orbits* mit den gut 20 000 Kilometer hoch fliegenden GPS-Satelliten, bis schließlich in 35 888 Kilometern die geostationären Satelliten wie fixiert dahingen, Hüter fester Plätze, allen voran die Intelsats für die weltweite Kommunikation.

Von alldem war Mozart unvorstellbar weit entfernt.

Doch während sich die Klavierklänge in der Frühlingsluft verloren hatten, war Lis Gespräch mit dem Präsidenten die lange Strecke hinauf ins All und wieder zurückgereist. Auf dem Scheitelpunkt ihres Telefonats hatten sich die beiden im äußeren Weltraum unterhalten und Informationen ausgetauscht, die ebenfalls dem Weltraum entstammten. Ohne das Heer der Satelliten hätte Amerika die Golfkriege nicht führen können, nicht den Krieg im Kosovo und nicht den in Afghanistan. Der Luftwaffe wären keine Präzisionstreffer gelungen ohne die Unterstützung aus dem All, und das Oberkommando wäre blind gewesen für Feindbewegungen in unzugänglichen Bergregionen ohne das hoch auflösende Auge von *Crystal*, auch KH-12 genannt.

KH stand für *Keyhole*. Amerikas detailgenaueste Spionagesatelliten bildeten das optische Pendant zum Radar des *Lacrosse*-Systems. Sie erkannten Gegenstände von vier bis fünf Zentimetern Kantenlänge und fotografierten auch im infrarotnahen Bereich, was ihre Aktionszeit auf die Nacht ausdehnte. Im Gegensatz zu außeratmosphärischen Satelliten waren sie mit einem Raketenantrieb ausgestattet, der ihnen den Aufenthalt in sehr niedrigen Umlaufbahnen gestattete. Üblicherweise umkreisten sie den Planeten in 340 Kilometern Höhe zwischen Nord- und Südpol, was sie in die Lage versetzte, innerhalb von 24 Stunden die gesamte Erde zu fotografieren. Mit Einsetzen der Angriffe vor Vancouver Island waren einige von ihnen auf 200 Kilometer abgesenkt worden. *Keyhole*, *Lacrosse* und 24 neue optische Hochpräzisionssatelliten in extrem erdnahen Umlaufbahnen, von Amerika als Antwort auf die Anschläge des 11. September in den Orbit geschossen, bildeten nun eine Konstellation, deren Leistungsfähigkeit sogar dem viel gerühmten deutschen SAR-Lupe-System den Rang ablief.

Um 20.00 Uhr Ortszeit erhielten zwei Männer in einem unterirdischen Raum bei Buckley Field in der Nähe von Denver einen Anruf. Die Buckley Field Station gehörte zu mehreren geheimen Bodenstationen der amerikanischen Bildaufklärungsbehörde NRO, die mit der Planung der Satellitenspionage für die amerikanische Luftwaffe beauftragt war. Sie arbeitete eng zusammen mit der nationalen Sicherheits- und Dechiffrierbehörde NSA. Deren Auftrag bestand im Wesentlichen darin, zu lauschen und abzuhören. Den amerikanischen Behörden gestattete die Allianz der beiden Geheimdienste Überwachungsmöglichkeiten ohne Beispiel. Mittlerweile überzog ein größtenteils automatisiertes Netzwerk den Planeten, Echelon genannt, dessen verschiedenste technische Systeme die internationale Kommunikation überwachten, von Satelliten über Mikrowellenradio bis hin zur Glasfaser.

Die beiden Männer saßen unterhalb einer riesigen Satellitenschüssel. Umgeben von Monitoren empfingen sie Daten von *Keyhole*, *Lacrosse* und anderen Sonden in Echtzeit, interpretierten und verarbeiteten sie und leiteten sie an zuständige Stellen weiter. Beide waren ihrer Funktion nach Geheimagenten, wenngleich sie in nichts dem Bild entsprachen, das man sich gemeinhin von Agenten machte. Sie trugen Jeans und Turnschuhe und sahen eher aus wie Mitglieder einer Grunge-Band.

Der Anrufer informierte die Männer über den Notruf eines Fischkutters vor der Nordostspitze von Long Island. In Höhe von Montauk war es offenbar zu einer Kollision gekommen, die auf den Angriff eines Pottwals schließen ließ – falls die Meldung stimmte. Die allgemeine Hysterie gipfelte in einer Flut falscher Alarme. Angeblich war ein größeres Schiff zur Unglücksstelle unterwegs, aber auch diese Meldung ließ sich nicht verifizieren. Der Kontakt zur Mannschaft war Sekunden nach dem Notruf abgerissen.

KH-12-4, einer der *Crystal-Keyhole*-Satelliten, näherte sich südöstlich von Long Island. Er befand sich in günstiger Position. Die Direktive des Anrufers an die Bodenmannschaft lautete, das Teleskop unverzüglich auf die mögliche Unglücksstelle auszurichten.

Einer der Männer gab eine Reihe von Befehlen ein.

195 Kilometer über der Atlantikküste raste KH-12-4 dahin, eine teleskopbestückte Röhre von 15 Metern Länge und viereinhalb Metern Durchmesser, die inklusive Treibstoff beinahe 20 Tonnen wog. Zu beiden Seiten entfalteten sich große Sonnensegel. Der Befehl aus Buckley Field setzte einen schwenkbaren Spiegel vor dem Objektiv in Bewegung. Damit konnte der Satellit nach allen Seiten einen Bereich von bis zu 1 000 Kilometern scannen. In diesem Fall reichte eine winzige Korrektur. Da es früher Abend war, schalteten sich die Restlichtverstärker ein und erhellten das Bild wie zur Mittagszeit. Alle fünf Sekunden schoss KH-12-4 ein Foto und funkte die Daten an einen Relaissatelliten, der sie ins Datenzentrum von Buckley Field schickte.

Die Männer starrten auf den Monitor.

Sie sahen Montauk dort unten liegen, den malerischen alten Ort mit seinem berühmten Leuchtturm. Aus 195 Kilometern Höhe wirkte Montauk allerdings nicht malerischer als ein Fleck auf einer Straßenkarte. Strichdünne Straßen durchzogen eine hell gesprenkelte Landschaft. Die Sprenkel waren Gebäude. Der Leuchtturm selber erschien als kaum wahrnehmbarer weißer Punkt am Ende einer Landzunge.

Drum herum erstreckte sich der Atlantik.

Der Mann, der den Satelliten steuerte, definierte den Bereich, in dem das Schiff angeblich angegriffen worden war, gab die Koordinaten ein und zoomte in die nächste Vergrößerungsstufe. Die Küste verschwand aus dem Blickfeld. Nur noch Wasser war zu sehen. Kein Schiff.

Der andere Mann sah zu und aß frittierten Fisch aus einer Papiertüte.

»Mach hin«, sagte er.

»Nur die Ruhe.«

»Nix mit Ruhe. Sie wollen die Auskunft sofort.«

»Scheiß drauf, was sie wollen.« Der Steuermann schwenkte den Spiegel vor dem Teleskop um eine weitere Winzigkeit. »Das kann endlos dauern, Mike. Das ist Scheiße. Immer muss alles schnell gehen! Wie soll das funktionieren? Wir müssen das ganze verdammte Scheißmeer absuchen nach einem winzigen Scheißkutter.«

»Müssen wir nicht. War ein Satellitennotruf über NOAA. Es kann nur hier sein. Wenn nicht, ist der Kahn versoffen.«

»Noch größere Scheiße.«

»Ja.« Der andere leckte seine Finger ab. »Arme Schweine.«

»Scheiß auf die armen Schweine. Die armen Schweine sind wir. Wenn der Kahn abgesoffen ist, geht die Scheißsuche nach den Trümmern los.«

»Cody, du bist wirklich eine faule Sau.«

»Wohl wahr.«

»Nimm 'n Stück Fisch. – Hey, was ist das?« Mike zeigte mit einem fettigen Finger auf den Monitor. Im Wasser war undeutlich etwas Dunkles, Längliches zu erkennen.

»Schauen wir doch mal.«

Das Teleskop zoomte, bis sie zwischen den Wellen die lang gestreckte Silhouette eines Wals erkennen konnten. Ein Schiff war nach wie vor nicht auszumachen. Weitere Wale kamen ins Bild. Über ihren Köpfen breiteten sich verwaschene helle Flecken aus. Die Wale bliesen.

Dann tauchten sie ab.

»Das war's«, sagte Mike

Cody vergrößerte den Bildausschnitt erneut. Jetzt waren sie in der höchsten Auflösungsstufe angelangt. Sie sahen einen Seevogel auf den Wellen reiten. Genau genommen war es eine Ansammlung von knapp zwei Dutzend quadratischen Pixeln, aber im Ganzen ergaben sie unverkennbar einen Vogel.

Sie suchten die Umgebung ab, konnten aber weder ein Schiff noch Trümmer entdecken.

»Vielleicht abgetrieben«, mutmaßte Cody.

»Kaum. Wenn die Meldung stimmt, müssten wir hier irgendwas sehen. Vielleicht sind sie weitergefahren.« Mike gähnte, knüllte die Tüte zusammen und zielte damit auf einen Papierkorb. Er verfehlte ihn um ein gutes Stück. »Wahrscheinlich doch falscher Alarm. Jedenfalls wär ich jetzt gerne da unten.«

»Wo?«

»In Montauk. Ist'n schöner Platz. Ich war letztes Jahr mit den Jungs da, kurz nachdem Sandy Schluss gemacht hatte. Wir waren ständig nur besoffen oder bekifft, aber es war klasse, auf den Klippen zu liegen, wenn die Sonne unterging. Am dritten Tag hab ich die Bedienung aus der Hafenkneipe klargemacht. War 'ne echt geile Zeit.«

»Dein Wunsch ist mir Befehl.«

»Was meinst du?«

Cody grinste ihn an. »Willst du in dein Scheißmontauk? Ich meine, wir herrschen über die himmlischen Heerscharen, Mann. Und wo wir gerade schon mal da sind ...«

Ein Leuchten ging über Mikes Gesichtszüge.

»Zum Leuchtturm«, sagte er. »Ich zeig dir, wo ich sie gefickt habe.«

»Aye, aye.«

»Nein, warte mal. Vielleicht doch besser nicht. – Wir könnten einen Haufen Ärger kriegen, wenn ...«

»Wieso, Mann? Mach dir nicht ins Hemd. Es liegt in unserer Scheißverantwortung, wo wir nach Trümmern suchen.«

Seine Finger flitzten über die Tastatur. Das Teleskop zoomte auf. Die Landzunge erschien. Cody suchte den weißen Punkt des Turms und holte ihn heran, bis er deutlich sichtbar unter ihnen aufragte. Er warf einen extrem langen Schatten. Die Klippen waren in rötliches Licht getaucht. In Montauk versank gerade die Sonne. Ein Pärchen ging eng umschlungen vor dem Leuchtturm spazieren.

»Das ist die beste Zeit jetzt«, sagte Mike begeistert. »Voll romantisch.«

»Du hast sie direkt vor dem Turm gevögelt?«

»Quatsch, nein! Weiter unten. Da, wo die beiden hingehen. Der Platz ist bekannt dafür. Jeden Abend ist Flachlegen angesagt.«

»Vielleicht bekommen wir ja was zu sehen.«

Cody schwenkte das Teleskop, sodass es dem Pärchen vorauseilte. Auf den schwarzen Klippen war sonst niemand auszumachen. Nur Seevögel kreisten darüber hinweg oder pickten zwischen Felsritzen nach etwas, das man fressen konnte.

Dann kam etwas anderes ins Bild. Etwas Flächiges. Cody runzelte die Stirn. Mike rückte näher. Sie warteten die nächste Aufnahme ab.

Das Bild hatte sich verändert.

»Was ist das denn?«

»Keine Ahnung! Kannst du näher ran?«

»Nein.«

Wieder schickte der KH-12-4 Bilddaten. Wieder hatte sich die Landschaft verändert.

»Du heilige Scheiße«, flüsterte Cody.

»Was zum Teufel ist das?« Mike kniff die Augen zusammen. »Es breitet sich aus. Es kriecht die verdammten Klippen hoch.«

»Scheiße«, wiederholte Cody. Er sagte eigentlich bei jeder sich bietenden Gelegenheit Scheiße, auch wenn ihm etwas gefiel. Mike registrierte es schon gar nicht mehr, wenn Cody Scheiße sagte. Aber diesmal war es nicht zu überhören.

Diesmal klang es wirklich bestürzt.

MONTAUK, USA

Linda und Darryl Hooper waren seit drei Wochen verheiratet, und sie verbrachten ihre Flitterwochen auf Long Island. Seit der Zeit, als noch mehr Fischer auf der Insel gelebt hatten als Filmstars, war Long Island teuer geworden. Hunderte exquisiter Fischrestaurants blickten auf kilometerlange Sandstrände. Die New Yorker Prominenz gab sich hier genauso mondän, wie man es von ihr erwartete. Sie teilte sich mit Amerikas schwerreichen Industriellen das Villenviertel von East Hampton, einem blank geputzten Postkartendorf, in dem sich als Durchschnittsverdiener kaum leben ließ. Auch Southampton weiter südwestlich war nicht gerade billig. Aber Darryl Hooper hatte sich als aufstrebender junger Anwalt einen Namen gemacht. In der großen Kanzlei im Herzen von Manhattan galt er als Ziehsohn der Seniorpartner. Noch verdiente er vergleichsweise wenig, aber Hooper wusste, dass er kurz davor stand, richtig viel Geld zu machen. Und er hatte dieses wirklich süße Mädchen geheiratet. Linda war der Schwarm aller Jurastudenten gewesen, aber sie hatte sich für ihn entschieden, obwohl ihm trotz seiner frühen Jugend die Haare ausfielen und er eine dickglasige Brille tragen musste, weil er Kontaktlinsen nicht vertrug.

Hooper war glücklich. Im Bewusstsein kommender Segnungen hatte er beschlossen, sich und Linda einen kleinen Vorschuss zu gönnen. Das Hotel in Southampton war zu teuer. Sie bezahlten jeden Abend fast einhundert Dollar in einem der Gourmetrestaurants ringsum. Trotzdem war es in Ordnung so. Sie arbeiteten beide wie die Pferde, und sie hatten es sich einfach verdient. Nicht mehr lange, und die neu gegründete Familie Hooper würde sich die exklusiven Plätze leisten können, wann immer sie wollte.

Er legte den Arm enger um seine Frau und sah hinaus auf den Atlantik. Eben verschwand die Sonne. Der Himmel ging ins Violette. Hoch gelegene Dunstfelder leuchteten rosafarben am Horizont. Das Meer schickte flache Wellen gegen den Strand, die mit Rücksicht auf ruhebedürftige Großstädter dezent plätscherten, anstatt sich lautstark zu brechen. Hooper überlegte, ob sie nicht eine Weile hier bleiben und später nach Southampton zurückkehren sollten. Im Moment war die Hauptstraße noch stark befahren, aber in einer Stunde würden sie gut durchkommen. Keine zwanzig Minuten würden sie für die fünfzig Kilometer brauchen, wenn er die Harley ordentlich aufdrehte. Jetzt aufzubrechen war einfach zu schade.

Außerdem gehörte dieser Platz, wie allgemein erzählt wurde, nach Sonnenuntergang der Liebe.

Langsam schlenderten sie über die flachen Klippen. Nach wenigen Schritten tat sich vor ihnen eine große, flache Mulde auf. Ein idealer, verschwiegener Flecken. Hooper war sehr verliebt, und er genoss es, dass sie hier völlig unbeobachtet waren. Von jenseits der Klippen hörte er das Meer. Sie waren weit und breit die Einzigen, wie es schien. Der Strand lag praktisch um die Ecke. Die meisten der romantisch Verliebten waren wohl dort unterwegs, aber das hier war ihre Welt.

Nie im Leben wäre Hooper auf die Idee gekommen, dass zwei Beobachter in einem unterirdischen Raum in Buckley Field aus 195 Kilometer Höhe zusahen, wie er seine Frau küsste, mit den Händen unter ihr T-Shirt fuhr und es ihr abstreifte, wie sie seinen Gürtel öffnete, wie sie einander auszogen und auf dem Kleiderbündel ineinander verschlungen zu liegen kamen. Er küsste und streichelte Lindas Körper. Sie drehte sich auf den Rücken, und seine Lippen wanderten von ihren

Brüsten zu ihrem Bauch, während er versuchte, mit seinen Händen möglichst überall gleichzeitig zu sein.

Sie kicherte. »Nicht. Das kitzelt.«

Er nahm die Rechte von der Innenseite ihres Oberschenkels und küsste sie ungestüm weiter.

»Hey. Was machst du denn da?«

Hooper sah auf. Was machte er? Eigentlich tat er nichts anderes als das, was er immer tat, und wovon er wusste, dass es ihr gefiel.

Er küsste sie auf den Mund und fing ihren verwirrten Blick auf. Sie schaute an ihm vorbei. Hooper drehte den Kopf.

Ein Krebs saß auf Lindas Schienbein.

Sie stieß einen kleinen Schrei aus und schüttelte ihn ab. Der Krebs fiel auf den Rücken, spreizte die Scheren und kam wieder auf die Beine.

»Mein Gott. Hab ich mich erschrocken.«

»Schätze, er will mitmachen«, grinste Hooper. »Pech gehabt, Junge. Such dir dein eigenes Weibchen.«

Linda lachte und stützte sich auf den Ellbogen.

»Komischer kleiner Kerl«, sagte sie. »So einen hab ich noch nie gesehen.«

»Was ist so komisch daran?«

»Findest du nicht, dass er komisch aussieht?«

Hooper sah genauer hin. Der Krebs verharrte regungslos auf dem gerölligen Untergrund. Er war nicht besonders groß, schätzungsweise zehn Zentimeter lang und völlig weiß. Sein Panzer leuchtete auf dem dunklen Boden. Die Färbung war sicher ungewöhnlich, aber noch etwas anderes irritierte Hooper. Linda hatte Recht. Er sah komisch aus.

Dann erkannte er, was es war.

»Er hat keine Augen«, sagte er.

»Stimmt.« Sie rollte herum und kroch auf Knien und Händen zu dem Tier, das weiter einfach nur dasaß. »So was! Ob er krank ist?«

»Sieht eher aus, als hätte er nie welche besessen.« Hooper ließ seine Fingerspitzen ihre Wirbelsäule heruntergleiten. »Ist doch egal. Lass ihn, er tut uns ja nichts.«

Linda betrachtete den Krebs. Dann nahm sie ein Steinchen auf und warf es nach ihm. Das Tier wich weder zurück, noch ließ es sonst eine Reaktion erkennen. Sie tippte gegen die Scheren und zog die Finger schnell wieder weg, aber nichts geschah.

»Der ist ja vielleicht stoisch.«

»Komm, lass den blöden Krebs.«

»Er wehrt sich gar nicht.«

Hooper seufzte. Er hockte sich neben sie, tat ihr den Gefallen und stupste den Krebs an.

»Tatsächlich«, stellte er fest. »Hat die Ruhe weg.«

Sie lächelte, drehte ihm den Kopf zu und küsste ihn. Hooper spürte ihre Zungenspitze gegen seine stoßen und sie umspielen. Er schloss die Augen und gab sich dem Genuss hin ...

Linda zuckte zurück.

»Darryl.«

Er sah, dass der Krebs plötzlich auf ihrer Hand saß, mit der sie sich immer noch abstützte. Dahinter saß ein weiterer. Und daneben noch einer. Sein Blick wanderte den Fels hoch, der die Mulde vom Strand trennte, und er glaubte sich in einem Alptraum.

Das dunkle Gestein war unter Myriaden gepanzerter Leiber verschwunden. Weiße Leiber mit Scheren und ohne Augen, die sich aneinander drängten, so weit man blicken konnte.

Es mussten Millionen sein.

Linda starrte auf die reglosen Krebse.

»Oh Gott«, flüsterte sie.

Im selben Moment setzten sich die Tiere in Bewegung. Hooper hatte schon kleine Krabben über den Strand flitzen sehen, sonst aber immer gedacht, dass Krebse langsam und behäbig dahinstaksten. Doch diese hier waren schnell. Sie waren schrecklich in ihrer Schnelligkeit, wie eine Welle, die auf sie zufloss. Ihre harten Beine verursachten ein leises Prasseln auf dem felsigen Untergrund.

Linda sprang auf, nackt wie sie war, und wich zurück. Hooper versuchte, ihre Kleidung zusammenzuraffen. Er taumelte. Die Hälfte fiel ihm wieder aus den Händen. Die rasende Horde der Krebse machte sich darüber her, und Hooper tat einen Satz nach hinten.

Die Tiere folgten ihm.

»Die tun nichts«, rief er gegen seine Überzeugung, aber Linda hatte sich schon umgedreht und rannte die Klippen rauf.

»Linda!«

Sie stolperte und schlug der Länge nach hin. Hooper lief zu ihr. Im nächsten Augenblick waren die Krebse überall, krabbelten über sie hinweg und an ihnen hoch. Linda begann zu schreien, schrill und panisch. Hooper fegte die Tiere mit der flachen Hand von ihrem Rücken und von seinen Unterarmen. Sie sprang mit verzerrtem Gesicht auf die Füße, immer noch schreiend, und fuhr mit den Händen zu ihren Haaren. Krabben liefen über ihren Kopf. Hooper packte sie und stieß sie vorwärts. Er wollte ihr nicht wehtun, er wollte nur, dass sie aus der nicht enden wollenden Lawine herausfänden, die sich über die Klippen ergoss, aber Linda stolperte erneut und riss ihn mit sich. Hooper verlor den Halt. Er schlug auf und spürte die kleinen, harten Körper unter seinem Gewicht zerbrechen. Splitter drangen schmerzhaft in sein Fleisch. Er spürte, wie Hunderte spitzer Füße über ihn hinweghuschten, sah Blut an seinen Fingern und schaffte es endlich, hochzukommen und Linda mit sich zu ziehen.

Irgendwie gelangten sie nach oben. Chitin knackste unter ihren Füßen, als sie nackt zu der Harley rannten. Hooper wandte im Laufen den Kopf und stöhnte auf. Von der erhöhten Warte des Leuchtturms konnte er sehen, dass der komplette Strand von Krebsen nur so brodelte. Sie kamen aus dem Meer, unzählige von ihnen und immer neue. Die ersten hatten den Parkplatz erreicht und schienen auf dem glatten Untergrund noch schneller zu werden. Hooper rannte aus Leibeskräften, Linda mit sich zerrend. Seine Fußsohlen steckten voller Splitter. Widerwärtiger Schleim klebte an seinen Füßen. Er musste Acht geben, nicht auszurutschen. Endlich erreichten sie das Motorrad, sprangen auf den Sattel, und Hooper betätigte den Anlasser.

Sie rasten los, aus der Umfriedung des Parkplatzes auf die Straße, die nach Southampton führte. Das Motorrad schlingerte wild im Matsch überfahrener Krebse, dann waren sie aus dem Gewimmel raus und schossen den Asphalt entlang. Linda krallte sich an ihm fest. Ein Lieferwagen kam ihnen entgegen, hinter dem Steuer ein alter Mann, der ihnen ungläubig entgegenstarrte. Hooper dachte kurz, dass man solche Szenen sonst nur in Filmen sah – zwei Leute splitternackt auf einem Motorrad. Wäre alles nicht so schrecklich gewesen, hätte er sich totgelacht über die Situation.

In Sichtweite tauchten die ersten Häuser von Montauk auf. Der östliche Zipfel von Long Island war wenig mehr als ein schmaler Streifen, und die Straße verlief parallel zur Küste. Noch während Hooper auf Montauk zuhielt, sah er, dass sich von links die weiße Flut der Krebse näherte. Wie es aussah, kamen sie auch an anderer Stelle aus dem Meer. Sie verteilten sich über die Felsen und hielten auf die Straße zu.

Er beschleunigte die Harley.

Die weiße Flut war schneller.

Wenige Meter vor dem Ortseingangsschild erreichte sie die Fahrbahn und verwandelte den Asphalt in ein Meer aus Leibern. Zugleich setzte ein Pickup rückwärts aus einer Toreinfahrt. Hooper merkte, wie die Harley ins Schleudern geriet, und versuchte, den Pickup zu umfahren, aber das Motorrad gehorchte ihm nicht mehr.

Nein, dachte er. Oh mein Gott, bitte nicht.

Der Pickup rollte quer über die Straße und weiter nach hinten, während die Harley darauf zurutschte. Hooper hörte Linda schreien und riss den Lenker herum. Um Haaresbreite schlitterten sie an der chromverzierten Kühlerhaube vorbei. Die Harley drehte sich. Nach wenigen Sekunden gelang es Hooper, das Motorrad zu stabilisieren. Menschen sprangen aus dem Weg. Er beachtete sie nicht. Die Straße vor ihnen war frei.

Mit Höchstgeschwindigkeit flohen sie weiter nach Southampton.

BUCKLEY FIELD, USA

»Was um alles in der Welt ist das bloß?«

Codys Finger rasten über die Tastatur. Er legte nacheinander verschiedene Filter über die Bilder, aber es war und blieb eine helle Masse, die mit großer Geschwindigkeit vom Meer landeinwärts strebte.

»Sieht aus wie Brandung«, sagte er. »Wie eine Riesenscheißwelle.«

»Wir haben keine Welle gesehen«, sagte Mike. »Da war keine Welle. Es müssen Tiere sein.«

»Was denn für Scheißtiere, Mann?«

»Es sind …« Mike starrte auf die Bilder. Er zeigte auf eine Stelle. »Da. Das da. Hol mir das näher ran. Mach mir einen Ausschnitt von einem Quadratmeter.«

Cody schnitt die Stelle aus und vergrößerte sie. Das Resultat war eine Fläche heller und dunkler Quadrate. Mike kniff die Augen zusammen.

»Noch näher.«

Die Pixelquadrate wurden größer. Einige waren weiß, andere in Grautönen abgestuft.

»Erklär mich für verrückt«, sagte Mike langsam. »Aber es könnten …« War das möglich? Aber was sonst sollte es sein? Was sonst kam aus dem Meer und bewegte sich so schnell? »Scheren«, sagte er. »Es könnten Panzer mit Scheren sein.«

Cody starrte ihn an. »Scheren?«

»Krebse.«

Cody öffnete den Mund. Dann befahl er dem Satelliten, den weiteren Küstenverlauf abzusuchen.

Der KH-12–4 arbeitete sich von Montauk nach East Hampton hoch, dann weiter nach Southampton bis Mastic Beach und Patchogue. Mit jedem neuen Bild, das die Sonde schoss, wurde Mike unheimlicher.

»Das ist ja wohl nicht wahr«, sagte er.

»Nicht wahr?« Cody sah ihn an. »Es ist scheißwahr! Irgendwas kommt da unten aus dem Meer. Auf der gesamten Küstenlänge von Long Island kommt irgendetwas aus dem Scheißmeer. Willst du jetzt immer noch gerne in Montauk sein?«

Mike fuhr sich über die Augen.

Er griff nach dem Telefonhörer, um die Zentrale anzurufen.

GREATER NEW YORK, USA

Kurz hinter Montauk ging die Landstraße 27 in den Long Islang Expressway 495 über. Er führte auf direktem Wege nach Queens. Von Montauk bis New York waren es rund zweihundert Kilometer, und je näher man der Metropole kam, desto belebter wurde es. Auf halber Strecke hinter Patchogue nahm der Verkehr stark zu.

Bo Henson fuhr für seinen eigenen privaten Kurierdienst. Er legte die Long-Island-Strecke zweimal am Tag zurück. In Patchogue hatte er einige Pakete vom dortigen Flughafen abgeholt und im Umkreis abgeliefert. Jetzt war er auf dem Weg zurück in die Stadt. Es war spät geworden, aber um Unternehmen wie FedEx Konkurrenz zu machen, durfte man nicht zimperlich sein, was Arbeitszeiten anging. Für heute sah Henson dem Ende entgegen. Alles war erledigt, sogar früher als gedacht. Er war müde und freute sich auf ein Bier.

In der Höhe von Amityville, rund 40 Kilometer vor Queens, geriet vor ihm ein Wagen ins Schleudern.

Henson bremste scharf ab. Der Wagen fing sich wieder, fuhr langsamer und schaltete die Warnblinkanlage ein. Etwas bedeckte die Straße auf großer Fläche. Im ersten Moment konnte Henson im Dämmerlicht nicht erkennen, was es war, nur dass es sich bewegte und von links aus den Büschen kam. Dann sah er, dass der Highway von Krebsen überrannt wurde. Von kleinen, schneeweißen Krebsen. Dicht an dicht versuchten sie, die Straße zu überqueren, aber es war ein aussichtsloses Un-terfangen. Matschige Spuren und zersplitterte Panzer zeigten an, wie viele von ihnen den Versuch bereits mit ihrem Leben bezahlt hatten.

Der Verkehr schlich dahin. Das Zeug war wie Seife. Henson fluchte. Er fragte sich, wo die Viecher plötzlich herkamen. In einer Zeitschrift hatte er gelesen, dass die Landkrebse auf Christmas Island einmal im Jahr zur Fortpflanzung aus den Bergen zum Meer marschierten. An die 100 Millionen Krabben waren dann unterwegs. Aber Christmas Island lag im Indischen Ozean, und auf den Bildern waren große, knallrote Tiere abgebildet gewesen, nicht so ein weißes Gewimmel wie hier.

Etwas Derartiges hatte Henson noch nie gesehen.

Immer noch fluchend schaltete er das Radio ein. Nach einigem Suchen fand er einen Countrysender, lehnte sich zurück und ergab sich in sein Schicksal. Dolly Parton tat ihr Bestes, um ihn mit der Situation zu versöhnen, aber Hensons Laune war ruiniert. Es dauerte zehn Minuten, dann kamen Nachrichten, doch die Krabbeninvasion wurde mit keinem Wort erwähnt. Dafür bahnte sich plötzlich ein Schneepflug seinen Weg zwischen den dahinzuckelnden Autos und versuchte, das krabbelnde Zeug von der Straße zu entfernen. Der Effekt war eine völlige Blockade. Eine Zeit lang bewegte sich überhaupt nichts mehr. Henson schaltete zwischen allen möglichen lokalen Sendern hin und her, ohne dass jemand eine entsprechende Meldung brachte, und das machte ihn fuchsteufelswild, weil er sich in seiner Misere auch noch ignoriert fühlte. Die Klimaanlage blies einen ungesunden Geruch ins Innere, sodass er sie schließlich ausschaltete.

Hinter der Kreuzung, die links nach Hempstead und rechts nach Long Beach führte, ging es dann endlich wieder zügiger voran. Offenbar waren die Tiere bis hierher nicht gekommen. Henson trat aufs Gas und erreichte Queens über eine Stunde später, als er gehofft hatte. Er war stocksauer. Kurz vor dem East River bog er links ab und überquerte den Newton Creek, um zu seiner Stammkneipe in Brooklyn-Greenpoint zu fahren. Er stellte den Transporter ab, stieg aus und bekam fast einen Schlag, als er den Zustand seines Fahrzeugs sah. Reifen, Radkästen und die Seiten bis hinauf zu den Fenstern waren mit Krabbenmatsch verschmiert. Ein schrecklicher Anblick, und er musste am kommenden Morgen früh wieder auf der Straße sein. So konnte er unmöglich ausliefern.

Spät war es ohnehin. Henson zuckte die Achseln. Jetzt konnte das Bier auch noch so lange warten, bis er den Transporter im nahe gelegenen 24-Hours-Carwash abgegeben hatte. Er stieg wieder ein, fuhr drei Straßen weiter zur Waschanlage und schärfte dem Personal ein, die Felgen gesondert abzuspritzen, um auch ja den letzten Rest der Schweinerei zu entfernen. Dann sagte er ihnen, wo sie ihn finden könnten, und ging zu Fuß in seine Kneipe, um endlich sein Bier zu trinken.

Der 24-Stunden-Service war dafür bekannt, seine Arbeit gewissenhaft und gründlich zu verrichten. Der schmierige Belag auf Hensons Transporter erwies sich als hartnäckig, aber nachdem er längere Zeit dem heißen Hochdruckdampfstrahl ausgesetzt war, floss er schließlich ab. Der Junge, der den Dampfstrahler hielt, hatte den Eindruck, dass die Brocken regelrecht dahinschmolzen. Wie Götterspeise in der Sonne, dachte er.

Alles strebte den Abflüssen zu.

New York verfügte über ein einzigartiges Kanalisationssystem. Während Straßen- und Zugtunnel den East River in rund 30 Metern Tiefe unterquerten, reichten die Rohrsysteme für Abwasser und Trinkwasser bis in Tiefen von 240 Metern. Immer neue Kanäle trieben die Tunnelbauer mit Hilfe gewaltiger Bohrköpfe durch den Untergrund, damit die Wasserver- und -entsorgung der Riesenstadt nicht ins Stocken geriet. Neben den intakten Rohrleitungssystemen gab es zudem eine Reihe alter Tunnel, die nicht mehr in Betrieb waren. Experten behaupteten, dass mittlerweile niemand mehr zu sagen vermochte, wo im New Yorker Untergrund überall Kanäle verlegt waren. Es gab keine Karte, die das gesamte Netz abbildete. Manche der Tunnel waren nur bestimmten Gruppen von Obdachlosen bekannt, die ihr Geheimnis für sich behielten. Andere hatten Filmemacher zu Monster Movies inspiriert, in denen sie als Brutstätte allerlei monströser Kreaturen dienten. Fest stand, dass in der New Yorker Kanalisation alles, was hineingeleitet wurde, in gewisser Weise verloren ging.

An diesem Abend und in den darauf folgenden Tagen wurden in Brooklyn und Queens, auf Staten Island und in Manhattan eine Menge Autos gewaschen, die von Long Island hergekommen waren. Viel Abwasser floss in die Eingeweide der Metropole, verteilte sich darin, vereinte sich mit anderen Abwässern, wurde in Wiederaufbereitungsanlagen gepumpt und zurück in die Wasserverteiler geleitet. Schon wenige Stunden, nachdem der 24-Stunden-Service Hensons Transporter blitzblank abgeliefert hatte, war alles untrennbar miteinander vermischt.

Keine sechs Stunden später rasten die ersten Notarztwagen durch die Straßen.

11. mai

Mit Veränderungen konnte man sich arrangieren.

Er zumindest konnte es. Sosehr es ihn schmerzte, sein Haus verloren zu haben, konnte er damit leben. Das Ende seiner Ehe war ein Anfang gewesen. Der Umzug nach Trondheim, die immer neuen Beziehungen, die unterm Strich eine Beziehungslosigkeit ergaben, kaum etwas davon war ihm je wirklich nahe gegangen. Was nicht Johansons Verständnis von Sinnlichkeit, Wohlklang und Geschmack entsprochen hatte, war dem Kehrichthaufen der Geschichte überantwortet worden. Man teilte die Oberfläche mit anderen und hatte die Tiefe für sich. So ließ es sich leben.

Jetzt, in den frühen Morgenstunden, holte ihn der weniger wohlklingende Teil seiner Vergangenheit ein. Nachdem er das linke Auge mehr aus Zufall geöffnet hatte, lag er eine Weile da, betrachtete die Welt aus seiner zyklopischen Perspektive und dachte an die Menschen in seinem Leben, die an Veränderungen gescheitert waren.

Seine Frau.

Man lernte, dass einem das eigene Leben selbst gehörte, dass man Einfluss darauf hatte. Aber als er gegangen war, hatte sie erkennen müssen, dass ihr nichts gehörte und dass Selbstbestimmung pure Illusion war. Sie hatte argumentiert, gefleht, geschrien, Verständnis gezeigt, geduldig zugehört und Rücksicht erbeten, alle Register gezogen, um am Ende doch zurückzubleiben, machtlos, entmachtet, rausgeworfen aus dem gemeinsamen Leben wie aus einem fahrenden Zug. Aller Kraft beraubt hatte sie aufgehört zu glauben, dass Anstrengung etwas bewirkt. Sie hatte verloren. Das Leben war ein Glücksspiel.

Wenn du mich nicht mehr liebst, hatte sie gesagt, warum kannst du dann nicht wenigstens so tun?

Würde es dir dann besser gehen?, hatte er gefragt.

Nein, war ihre Antwort gewesen. Es wäre mir besser gegangen, wenn du gar nicht erst damit angefangen hättest, mich zu lieben.

Machte man sich schuldig, wenn man plötzlich anders fühlte? Gefühle lagen jenseits von Schuld oder Unschuld, sie waren Ausdruck biochemischer Prozesse als Folge erlittener Umstände, so unromantisch das auch klingen mochte, aber die Endorphine hatten noch über jede

Romantik triumphiert. Also worin lag die Schuld? Falsche Versprechungen gemacht zu haben?

Johanson öffnete das andere Auge.

Für ihn war Veränderung immer Lebenselixier gewesen. Für sie Lebensentzug. Nach Jahren – er lebte mittlerweile in Trondheim – erzählte man ihm, es sei ihr endlich gelungen, die Ohnmacht abzuschütteln. Sie habe wieder begonnen, Einfluss auf sich zu nehmen. Schließlich hörte er, es gäbe einen neuen Mann in ihrem Leben. Danach hatten sie einige Male telefoniert, ohne Groll auf- oder Verlangen nacheinander. Die Bitterkeit war an sich selber zugrunde gegangen, der Druck von ihm genommen.

Doch er war zurückgekehrt.

Jetzt hieß er Tina Lund, und sie verfolgte ihn mit ihrem schönen, blassen Gesicht. Seitdem spielte er alle Varianten durch, immer wieder aufs Neue. Dazu gehörte, dass sie am See doch miteinander geschlafen hätten. Alles wäre anders gekommen. Sie hätten mehr Zeit miteinander verbracht. Vielleicht, dass sie mit ihm auf die Shetlands geflogen wäre. Ebenso gut hätte es alles zerstören können, und er wäre der Letzte gewesen, von dem sie Ratschläge angenommen hätte. Den Ratschlag zum Beispiel, nach Sveggesundet zu fahren. So oder so würde sie noch leben.

Immer wieder sagte er sich, dass es Irrsinn war, so zu denken.

Immer wieder dachte er so.

Frühes Sonnenlicht fiel ins Zimmer. Er hatte die Vorhänge offen gelassen, wie er es immer tat. Verhängte Schlafzimmer waren wie Gruften. Er überlegte, ob er aufstehen und frühstücken sollte, aber eigentlich hatte er keine Lust, sich überhaupt zu bewegen. Lunds Tod erfüllte ihn mit Traurigkeit. Er war nicht verliebt gewesen, aber auf unbestimmte Weise hatte er sie doch geliebt, ihre ruhelose Art, ihren Drang nach Freiheit. Darin hatten sie sich gefunden. Und verloren, weil es widersinnig war, Freiheit und Freiheit aneinander zu ketten. Vielleicht waren sie auch beide nur zu feige gewesen.

Was nützte das jetzt?

Auch ich werde irgendwann tot sein, dachte er. Seit Lund in der Welle umgekommen war, dachte er oft an den Tod. Nie hatte er sich alt gefühlt. Jetzt war es mitunter, als habe ihm die Vorsehung einen Prägestempel aufgedrückt, ein Mindesthaltbarkeitsdatum wie einem Becher Joghurt, und jemand schien ihn zu betrachten und zurück ins Regal zu stellen, weil er kurz davor stand abzulaufen. Er war 56 Jahre alt, in bemerkenswert guter Verfassung, der Statistik unfall- und krankheitsbedingter Todesfälle bislang von der Schippe gesprungen. Sogar einen heranrasenden Tsunami hatte er überlebt. Dennoch konnte kein Zweifel daran bestehen, dass seine Zeit ablief. Der größte Teil des Lebens lag unwiederbringlich hinter ihm. Und er fragte sich plötzlich, ob er es richtig gelebt hatte.

Zwei Frauen in diesem Leben hatten ihm vertraut, und beide hatte er nicht schützen können. Die eine war vorübergehend gestorben, die andere für immer.

Karen Weaver lebte.

Sie erinnerte ihn an Lund. Weniger hektisch, verschlossen, von schwererem Gemüt. Dafür ebenso stark, zäh und ungeduldig. Nachdem sie der Riesenwelle entkommen waren, hatte er ihr seine Theorie unterbreitet und sie ihn im Gegenzug mit der Arbeit von Lukas Bauer vertraut gemacht. Schließlich war er zurück nach Norwegen geflogen, um sich auf der Obdachlosenliste wieder zu finden, aber die Gebäude der NTNU standen noch. Man überhäufte ihn mit Arbeit, bis ihn der Ruf aus Kanada ereilte, und er schaffte es nicht mehr hinaus zum See. Er schlug vor, Weaver mit ins Team zu nehmen, weil sie mehr als jeder andere über Bauers Arbeit wusste und in der Lage war, sie weiterzuentwickeln, aber insgeheim hatte er andere Gründe. Ohne den Helikopter hätte sie die Welle kaum überlebt. Insofern hatte er sie gerettet. Weaver erteilte ihm Absolution für sein Versagen bei Lund, und er war entschlossen, sich dessen würdig zu erweisen. Künftig würde er auf sie Acht geben, und dafür war es gut, sie in der Nähe zu wissen.

Die Vergangenheit verblasste im Sonnenlicht. Er stand auf, ging duschen und erschien um 6.30 Uhr am Buffet, um festzustellen, dass er nicht der einzige Frühaufsteher war. In dem geräumigen Saal tranken Soldaten und Geheimdienstler Kaffee, aßen Obst und Müsli und führten gedämpfte Unterhaltungen. Johanson häufte sich einen Teller voll Rührei mit Speck und suchte nach einem Gesicht, das er kannte. Er hätte gerne mit Bohrmann gefrühstückt, aber der war nirgendwo zu finden. Stattdessen sah er General Commander Judith Li allein an einem Zweiertisch sitzen. Sie blätterte in einem Schnellhefter und pickte von Zeit zu Zeit ein Stück Obst aus einer Schale, das sie in den Mund schob, ohne es anzusehen.

Johanson betrachtete sie. Li faszinierte ihn auf unbestimmte Weise. Er schätzte, dass sie jünger aussah, als sie war. Mit etwas Make-up und entsprechend gekleidet hätte sie den Mittelpunkt jeder Party abgegeben. Er fragte sich, was man unternehmen musste, um mit ihr ins Bett zu gehen, aber wahrscheinlich unternahm man besser gar nichts. Li sah nicht aus wie jemand, der anderen die Initiative überließ. Außerdem, eine Affäre mit einem General Commander der US-Streitkräfte, das ging nun wirklich zu weit.

Li hob den Kopf.

»Guten Morgen, Dr. Johanson«, rief sie. »Gut geschlafen?«

»Wie ein Baby.« Er trat an ihren Tisch. »Was ist los, warum frühstücken Sie alleine? Die Einsamkeit des Vorgesetzten?«

»Nein, ich wälze Probleme.« Sie lächelte und sah ihn aus ihren wasserblauen Augen an. »Leisten Sie mir Gesellschaft, Doktor. Ich hab gerne Leute um mich, die sich ihre eigenen Gedanken machen.«

Johanson setzte sich.

»Wie kommen Sie darauf, dass ich das tue?«

»Es ist offensichtlich.« Li legte die Unterlagen aus der Hand. »Kaffee?«

»Gerne.«

»Sie haben sich gestern auf der Veranstaltung geoutet. Keiner der anwesenden Wissenschaftler hat bislang mehr gesehen als seinen ureigenen Bereich. Shankar brütet über Tiefseegeräuschen, die er nicht einordnen kann, Anawak fragt sich, was mit seinen Walen los ist, wenngleich ich ihm zugute halten muss, dass er noch am ehesten über den Tellerrand hinausdenkt. Bohrmann sieht die Gefahren eines Methan-GAUs und versucht, mit Bekannten und Unbekannten zu jonglieren, um eine zweite Rutschung zu verhindern. Und so weiter und so fort.«

»Das ist doch eine ganze Menge.«

»Aber keiner von denen hat eine Theorie entwickelt, wie alles miteinander in Zusammenhang steht.«

»Das wissen wir ja nun«, sagte Johanson gleichmütig. »Es sind arabische Terroristen.«

»Und glauben Sie das auch?«

»Nein.«

»Was also glauben Sie?«

»Ich glaube, dass ich noch ein bis zwei Tage brauche, bevor ich es Ihnen sagen werde.«

»Sie sind sich nicht sicher?«

»Fast.« Johanson nippte an seinem Kaffee. »Aber das ist ein heikles Thema. Ihr Mr. Vanderbilt hat sich auf Terrorismus eingeschossen. Ich will Rückendeckung, bevor ich meine Vermutungen äußere.«

»Und wer soll Ihnen die geben?«, fragte Li.

Johanson stellte die Kaffeetasse ab.

»Sie, General.«

Li wirkte nicht sonderlich überrascht. Sie schwieg einen Moment lang, dann sagte sie: »Wenn Sie mich von irgendetwas überzeugen wollen, sollte ich vielleicht wissen, was es ist.«

»Ja.« Johanson lächelte. »Beizeiten.«

Li schob ihm den Schnellhefter hinüber. Johanson sah, dass er mehrere Faxausdrucke enthielt. »Vielleicht beschleunigt das Ihre Entscheidung, Doktor. Das kam heute früh um fünf. Wir haben noch keinen Überblick, und niemand kann verlässlich sagen, was da eigentlich geschieht, aber ich habe beschlossen, dass wir im Verlauf der nächsten Stunden den Ausnahmezustand über New York und die angrenzenden Gebiete verhängen werden. Peak ist bereits dort, um alles in die Wege zu leiten.«

Johanson starrte auf den Schnellhefter. Das Bild einer weiteren Flutwelle suchte ihn heim.

»Warum?«

»Was würden Sie sagen, wenn entlang der Küste von Long Island Milliarden weißer Krebse dem Meer entstiegen?«

»Ich würde sagen, sie machen einen Betriebsausflug.«

»Schöne Idee. Für welchen Betrieb?«

»Was ist mit diesen Krebsen?«, fragte Johanson, ohne auf ihre Frage einzugehen. »Was tun sie?«

»Wir sind uns nicht sicher. Aber ich schätze, sie tun etwas Ähnliches wie die bretonischen Hummer in Europa. Sie schleppen eine Seuche ein. Wie passt das in Ihre Theorie, Doktor?«

Johanson überlegte. Dann sagte er:

»Gibt es irgendwo hier oder im Umkreis ein hermetisch abgeschlossenes Labor, in dem man die Tiere untersuchen kann?«

»Wir haben so was eingerichtet. In Nanaimo. Exemplare der Krebse sind auf dem Weg hierher.«

»Lebende Exemplare?«

»Ich weiß nicht, ob sie noch leben. Mein letzter Wissensstand ist, dass sie lebendig waren, als sie eingefangen wurden. Dafür sind mehrere Leute tot. Toxischer Schock. Dieses Gift scheint schneller zu wirken als das der Algen in Europa.«

Johanson schwieg einen Moment.

»Ich fliege hin«, sagte er.

»Nach Nanaimo?« Li nickte befriedigt. »Gute Idee. Und wann werden Sie mir sagen, was Sie denken?«

»Geben Sie mir vierundzwanzig Stunden.«

Li schürzte die Lippen und dachte einen Moment nach.

»Vierundzwanzig Stunden«, sagte sie. »Keine Minute länger.«

Anawak saß mit Fenwick, Ford und Oliviera im großen Vorführraum des Instituts. Der Beamer projizierte dreidimensionale Modelle von Walgehirnen. Oliviera hatte sie im Computer angelegt und die Stellen markiert, an denen sie auf Gallerte gestoßen waren. Man konnte um die Hirne herumfahren und sie mit einer virtuellen Klinge der Länge nach in Scheiben schneiden. Drei Simulationen hatten sie bereits durchgespielt. Die vierte zeigte, wie sich die Substanz zwischen den Hirnwindungen in feinste Ausläufer verzweigte, die stellenweise ins Innere eindrangen.

»Die Theorie ist folgende«, sagte Anawak mit Blick auf Oliviera. »Nimm an, du bist eine Küchenschabe ...«

»Danke, Leon.« Oliviera hob die Brauen, was ihr Pferdegesicht noch länger erscheinen ließ. »Du verstehst es wahrhaftig, einer Frau zu schmeicheln.«

»Eine Küchenschabe ohne Intelligenz und Kreativität.«

»Mach ruhig weiter so.«

Fenwick lachte und rieb sich den Nasenrücken.

»Du bist ausschließlich von Reflexen gesteuert«, fuhr Anawak ungerührt fort. »Für einen Neurophysiologen ein Kinderspiel, dich zu steuern. Er muss nichts anderes tun, als deine Reflexe zu kontrollieren und sie auf Wunsch auszulösen. Wie bei einer Prothese. Hauptsache, er weiß, wo bei dir die Knöpfe sitzen.«

»Haben sie nicht irgendwann mal eine Schabe geköpft und ihr den Kopf einer anderen aufgepflanzt«, fragte Ford, »und das Vieh ist gelaufen?«

»So ungefähr. Sie haben die eine Kakerlake geköpft und die andere ihrer Beine beraubt. Dann haben sie die zentralen Nervensysteme der Körper miteinander verbunden. Die Kakerlake mit Kopf übernahm die Steuerung des Laufapparats, als hätte sie nie einen anderen besessen. Genau das ist es, was ich meine. Simple Geschöpfe, simple Vorgänge. In einem anderen Experiment hat man etwas Ähnliches mit Mäusen versucht. Man transplantierte einer Maus einen zweiten Kopf. Sie lebte erstaunlich lange, ein paar Stunden oder Tage, glaube ich, und beide Köpfe schienen normal zu funktionieren, aber in der Steuerung wurde es natürlich kompliziert. Die Maus lief, aber sie lief offenbar nicht immer dorthin, wo sie hatte hinlaufen wollen, und meistens fiel sie nach ein paar Schritten um.«

»Widerlich«, murmelte Oliviera.

»Das heißt, steuern lässt sich im Grunde jedes Lebewesen. Nur, je komplexer es ist, desto größer werden die Schwierigkeiten. Wenn du jetzt den Aspekt der bewussten Wahrnehmung hinzunimmst, Intelligenz und kreatives, ichbezogenes Denken, wird es schon verdammt schwer, jemandem deinen Willen aufzuzwingen. Also was machst du?«

»Ich versuche, seinen Willen zu brechen und ihn wieder auf eine Küchenschabe zu reduzieren. Bei Männern funktioniert das, indem man sich ohne Höschen vor ihnen bückt.«

»Richtig.« Anawak grinste. »Weil nämlich Menschen und Küchenschaben gar nicht so weit auseinander liegen.«

»Einige Menschen«, bemerkte Oliviera.

»Alle Menschen. Wir sind zwar stolz auf unseren freien Geist, aber der ist nur so lange frei, bis du auf bestimmte Knöpfe drückst. Zum Beispiel aufs Schmerzzentrum.«

»Was bedeutet, dass derjenige, der die Gallerte entwickelt hat, sehr genau wissen muss, wie das Hirn eines Wals aufgebaut ist«, sagte Fenwick. »Ich meine, davon gehen Sie doch aus, oder? Das Zeug stimuliert Zentren im Gehirn.«

»Ja.«

»Aber dazu muss es wissen, welche.«

»So was lässt sich rausfinden«, sagte Oliviera zu Fenwick. »Denk an die Arbeit von John Lilly.«

»Sehr gut, Sue!« Anawak nickte. »Lilly war der Erste, der Elektroden in Tiergehirne implantierte, um Schmerz- und Lustzonen zu reizen. Er hat bewiesen, dass man Tieren durch gezielte Manipulation der Hirnbereiche Freude und Wohlbefinden oder Schmerz, Wut und Angst suggerieren kann. Bei Affen, wohlgemerkt. Affen kommen Walen und Delphinen am nächsten, was Komplexität und Intelligenz betrifft, aber es funktionierte. Er konnte die Tiere mit Hilfe von Elektroden vollkommen kontrollieren, indem er gezielt Reize für Bestrafung und Belohnung auslöste. – Und er war schon in den Sechzigern so weit!«

»Trotzdem, Fenwick hat Recht«, sagte Ford. »Alles gut und richtig, wenn du deinen Affen auf den OP-Tisch legen und an ihm rumfuhrwerken kannst. Aber die Gallerte muss durchs Ohr oder durch den Kiefer eingedrungen sein. Sie hat dabei auf alle Fälle ihre Form verändern müssen. Selbst wenn du so ein Zeug in einen Walschädel bekommst – wie stellst du sicher, dass es sich dort in gewünschter Weise verteilt und auf die ... na ja, die richtigen Knöpfe drückt?«

Anawak zuckte die Schultern. Er war fest davon überzeugt, dass die Substanz in den Köpfen der Wale genau das tat, aber natürlich hatte er nicht die geringste Ahnung, *wie* sie es tat.

»Vielleicht musst du ja gar nicht so viele Knöpfe drücken«, erwiderte er nach einer Weile. »Vielleicht reicht es, wenn ...«

Die Tür öffnete sich.

»Dr. Oliviera?« Einer der Laborassistenten steckte den Kopf herein. »Entschuldigen Sie die Störung, aber Sie werden im Hochsicherheitstrakt verlangt. Umgehend.«

Oliviera sah sie der Reihe nach an.

»So was hatten wir bis vor wenigen Wochen noch gar nicht«, sagte sie kopfschüttelnd. »Man konnte gepflegt beieinander sitzen und sich ungestört über allen möglichen Blödsinn austauschen. Jetzt kommt man sich vor wie in einem James-Bond-Film. Alarm, Alarm! Dr. Oliviera bitte in den Hochsicherheitstrakt! Puh!«

Sie erhob sich und klatschte in die Hände.

»Na dann – *vamos, muchachos.* Will mich einer begleiten? Ohne mich kommt ihr ja ohnehin keinen Schritt weiter.«

HOCHSICHERHEITSLABOR

Johansons Helikopter landete neben dem Institut, kurz nachdem die Krebse dort eingetroffen waren. Ein Assistent brachte ihn zu den Fahrstühlen. Zwei Stockwerke tiefer stiegen sie aus und folgten einem kahlen, neonbeleuchteten Gang. Der Assistent öffnete eine schwere Tür, und sie betraten einen mit Monitoren bestückten Raum. Einzig ein Biohazard-Warnschild über einer Stahltür wies darauf hin, dass dahinter der Tod lauerte. Johanson sah Wissenschaftler und Sicherheitspersonal. Er erkannte Roche, Anawak und Ford, die sich leise miteinander unterhielten. Oliviera und Fenwick waren im Gespräch mit Rubin und Vanderbilt. Als Rubin Johanson erblickte, kam er herüber und schüttelte ihm die Hand.

»Man kommt nicht zur Ruhe, was?« Er lachte gehetzt.

»Nein.« Johanson sah sich um.

»Wir hatten bis jetzt wenig Gelegenheit, uns auszutauschen«, sagte Rubin. »Sie müssen mir unbedingt alles über diese Würmer erzählen. Ich meine, es ist schrecklich, dass man sich unter derartigen Umständen kennen lernen muss, aber irgendwie ist das alles ja auch verdammt spannend ... Haben Sie die aktuellen Meldungen gehört?«

»Ich schätze, darum bin ich hier.«

Rubin deutete auf die Stahltür. »Kaum zu glauben, was? Bis vor kurzem waren hier Lagerräume, aber die Armee hat in kürzester Zeit ein hermetisch abgeriegeltes Labor eingerichtet. Klingt provisorisch, aber Sie müssen nichts befürchten. Der Sicherheitsstandard entspricht in allem L4. Wir können die Tiere gefahrlos untersuchen.«

L4 war die höchste Sicherheitsstufe für Laboratorien.

»Sie gehen mit rein?«, fragte Johanson.

»Ich und Dr. Oliviera.«

»Ich dachte, Roche ist der Experte für Schalentiere.«

»Hier ist jeder Experte für alles.« Vanderbilt und Oliviera waren hinzugetreten. Der CIA-Mann roch leicht nach Schweiß. Er schlug Johanson leutselig auf die Schulter. »Unser Haufen neunmalkluger Eierköpfe wurde so ausgewählt, dass sich Spezialistenwissen aller Couleur zu einer Art Pizza zusammenfindet. Außerdem hat Li irgendeinen Narren an Ihnen gefressen. Ich wette, sie würde am liebsten Tag und Nacht mit Ihnen verbringen, um rauszukriegen, was Sie denken.« Er lachte breit. »Oder will sie was anderes? Weiß man's?«

Johanson lächelte kühl zurück. »Warum fragen Sie sie nicht?«

»Das habe ich schon«, sagte Vanderbilt gleichmütig. »Ich fürchte, mein Freund, Sie müssen sich mit dem Gedanken arrangieren, dass sie tatsächlich nur an Ihrem Kopf interessiert ist. Ich kenne Li. Sie ist der Meinung, dass Sie irgendetwas wissen.«

»So? Was denn?«

»Verraten Sie's mir.«

»Ich weiß gar nichts.«

Vanderbilt betrachtete ihn abschätzend.

»Keine flotte Theorie?«

»Ich fand Ihre Theorie eigentlich flott genug.«

»Ist sie auch, solange keine bessere auftaucht. Wenn Sie gleich da reingehen, Doktor, denken Sie an etwas, das wir in Amerika Golfkriegssyndrom nennen. 1991 in Kuwait hat die amerikanische Armee ihre Verluste sehr gering gehalten, aber später erkrankte rund ein Viertel aller Soldaten, die dort im Einsatz waren, an rätselhaften Beschwerden. Im Nachhinein erscheinen sie wie eine sehr stark abgemilderte Form dessen, was *Pfiesteria* und Konsorten auslösen. Gedächtnisschwund, Konzentrationsprobleme, Schädigungen innerer Organe. Wir vermuten, dass die Leute mit was Chemischem Kontakt hatten – sie waren in der Nähe, als irakische Waffendepots gesprengt wurden. Damals tippten wir auf Sarin, aber vielleicht hatten die Iraker auch einen biologischen Erreger in Arbeit. Über Pathogene verfügt die halbe islamische Welt. Es ist kein

Problem, harmlose Bakterien oder Viren durch genetische Manipulation in kleine Killer zu verwandeln.«

»Und Sie meinen, damit haben wir es hier zu tun?«

»Ich meine, Sie wären gut beraten, Tante Li ins Boot zu holen.« Vanderbilt zwinkerte ihm zu. »Unter uns, sie ist ein bisschen verrückt. *Capisce*? Verrückten sollte man ihren Willen lassen.«

»Ich kann nichts Verrücktes an ihr finden.«

»Ihr Problem. Ich habe Sie gewarnt.«

»*Mein* Problem ist, dass wir immer noch zu wenig wissen«, sagte Oliviera und zeigte zur Tür. »Gehen wir rein und machen unsere Arbeit. Roche ist selbstverständlich mit dabei.«

»Und ich? Brauchen Sie keinen Leibwächter?«, grinste Vanderbilt. »Ich würde mich anbieten.«

»Sehr freundlich, Jack.« Sie musterte ihn. »Leider sind die Anzüge in Ihrer Größe gerade alle ausgegangen.«

Sie traten zu viert durch die Stahltür in den ersten von drei Schleusenräumen. Das System war so konzipiert, dass sich die Schleusen wechselseitig verriegelten. Eine Kamera lugte aus der Decke. An einem Bord hingen vier knallgelbe Schutzanzüge mit transparenten Kapuzen, Handschuhen und schwarzen Stiefeln.

»Sind Sie alle mit der Arbeit in einem Hochsicherheitslabor vertraut?«, fragte Oliviera.

Roche und Rubin nickten.

»Theoretisch«, gab Johanson zu.

»Kein Problem. Normalerweise müssten wir Sie schulen, aber dafür reicht die Zeit nicht aus. Der Anzug ist ein Drittel Ihrer Lebensversicherung. Um den müssen Sie sich keine Sorgen machen. Er besteht aus verschweißtem PVC. Die anderen beiden Drittel sind Vorsicht und Konzentration. Warten Sie, ich helfe Ihnen beim Anlegen.«

Das Ding war sperrig. Johanson schlüpfte in eine Art Weste, deren Zweck darin bestand, die zugeführte Luft gleichmäßig im Anzug zu verteilen. Er quälte sich in den gelben Überzug und lauschte dabei ergeben Olivieras Erklärungen:

»Sobald Sie drinstecken, schließen wir Sie an ein Schlauchsystem an und blasen Ihren Anzug mit Atemluft auf. Die Luft wird entfeuchtet, temperiert und über Kohlefilter so hineingeleitet, dass im Innern Überdruck entsteht. Das ist wichtig, damit sie von Ihnen wegströmen kann. Überschüsse gelangen durch ein Ventil nach draußen. Wenn Sie wollen, können Sie die Zufuhr selber regulieren, aber das wird nicht nötig sein. – Alles klar? Wie fühlen Sie sich?«

Johanson sah an sich hinunter.

»Wie ein Marshmallowmann.«

Oliviera lachte. Sie betraten die erste Schleuse. Johanson hörte Oliviera gedämpft weitersprechen und registrierte, dass sie jetzt über Funk miteinander verbunden waren: »Im Labor herrscht ein Unterdruck von – 50 Pascal. Keine Spore kommt da raus. Bei Stromausfall haben wir immer noch das Notstromaggregat, es ist also kaum anzunehmen, dass es Probleme gibt. Der Fußboden besteht aus versiegeltem Beton, die Fenster sind aus Panzerglas. Alle Luft im Innern des Labors wird durch Hochleistungsfilter steril gehalten. Es gibt keine Abflüsse hier, Abwässer sterilisieren wir gleich im Gebäude. Mit der Außenwelt kommunizieren wir entweder über Funk oder per Fax und PC. Alle Kühltruhen, Zu- und Abluftmechanismen sind über Alarm gesichert, der gleichzeitig im Kontrollraum, in der Virologie und beim Pförtner aufläuft. Jeder Winkel wird videoüberwacht.«

»So ist es«, erklang Vanderbilts Stimme im Lautsprecher. »Wenn also einer von Ihnen umfällt und stirbt, gibt's ein schönes Erinnerungsvideo für die Enkel.«

Johanson sah, wie Oliviera die Augen verdrehte. Sie passierten nacheinander die drei Schleusen und betraten das Labor. In ihren Anzügen, angeschlossen an die Schläuche, sahen sie aus, als wollten sie den Mars betreten. Der Raum war schätzungsweise 30 Quadratmeter groß und mutete an wie eine Restaurantküche mit Tiefkühlschränken, Kühltruhen und weißen Hängeschränken. An einer Wand standen ölfassgroße Stahlbehälter mit stickstoffgekühlten Virenkulturen und anderen Organismen. Mehrere Arbeitstische boten reichlich Platz. Die gesamte Inneneinrichtung hatte abgerundete Kanten, damit man sich nicht aus Versehen den Anzug aufriss. Oliviera zeigte ihnen die drei großen roten Knöpfe im Raum, mit denen sich Alarm auslösen ließ, führte sie zu einem der Tische und öffnete einen wannenförmigen Behälter.

Er war gefüllt mit kleinen, weißen Krabben. Sie schwammen in zwei Handbreit Wasser und sahen ziemlich leblos aus.

»Mist!«, entfuhr es Rubin.

Oliviera nahm einen metallenen Spatel zur Hand und berührte die Tiere der Reihe nach, aber keines regte sich.

»Tot, würde ich sagen.«

»Das ist unglücklich.« Rubin schüttelte den Kopf. »Sehr unglücklich. Hat es nicht geheißen, wir bekommen lebende?«

»Li zufolge lebten sie, als sie auf Reisen gingen«, sagte Johanson. Er beugte sich vor und betrachtete die Krabben ausgiebig und der Reihe nach. Dann tippte er Oliviera auf den Unterarm. »Dort oben. Der zweite von links. Hat gerade mit den Beinen gezuckt.«

Oliviera beförderte die Krabbe auf die Arbeitsplatte. Sie saß einige Sekunden still, dann begann sie plötzlich in großer Eile zur Kante zu laufen. Oliviera holte sie zurück. Die Krabbe ließ sich widerstandslos über den Tisch schieben und versuchte erneut zu fliehen. Sie wiederholten die Prozedur einige Male, dann legten sie das Tier zurück in die Wanne.

»Irgendwelche spontanen Meinungen?«, wollte Oliviera wissen.

»Ich müsste mir das Innere ansehen«, sagte Roche.

Rubin zuckte die Schultern. »Scheint sich normal zu verhalten, aber die Art habe ich noch nie gesehen. Sie vielleicht, Dr. Johanson?«

»Nein.« Johanson dachte einen Moment nach. »Sie verhält sich nicht normal. Natürlicherweise würde sie den Spatel als Gegner sehen. Sie würde die Scheren spreizen und Drohgebärden vollführen. Meines Erachtens ist die Motorik in Ordnung, aber der Sinnesapparat nicht. Sie kommt mir vor, als ob …«

»Als hätte sie jemand aufgezogen«, sagte Oliviera. »Wie ein Spielzeug.«

»Ja. Wie ein Mechanismus. Sie läuft wie eine Krabbe, aber sie verhält sich nicht wie eine Krabbe.«

»Können Sie die Art bestimmen?«

»Ich bin kein Taxonom. Ich kann Ihnen sagen, woran sie mich erinnert, aber Sie müssen das mit Vorsicht verbuchen.«

»Nur zu.«

»Es gibt zwei signifikante Merkmale.« Johanson nahm den Spatel und berührte nacheinander einige der leblosen Körper. »Zum einen, die Tiere sind weiß, also farblos. Farben dienen nie dem Schmuck, sie haben immer eine Funktion. Die meisten farblosen Lebewesen, die wir kennen, brauchen nur darum keine Farbe, weil niemand sie sehen kann. Die zweite Besonderheit ist das völlige Fehlen von Augen.«

»Das heißt, sie stammen entweder aus Höhlen oder aus lichtlosen Tiefen«, sagte Roche.

»Ja. Bei manchen Tieren, die ohne Sonnenlicht leben, sind die Augen stark verkümmert, aber rudimentär vorhanden. Man erkennt noch, wo sie früher saßen. Diese Krabben hingegen … nun, ich will nicht vorschnell urteilen, aber sie machen mir den Eindruck, als hätten sie niemals Augen besessen. Wenn das stimmt, würden sie nicht nur aus einer Welt völliger Schwärze stammen, sie wären auch dort entstanden. Ich kenne nur eine Krabbenart, für die das zutrifft und die so aussieht wie diese hier.«

»Schlotkrabben«, nickte Rubin.

»Und woher stammen die?«, fragte Roche.

»Von hydrothermalen Schloten in der Tiefsee«, sagte Rubin. »Vulkanische Oasen. Sie sehen genauso aus wie Schlotkrabben.«

Roche runzelte die Stirn.

»Dann dürften sie an Land eigentlich keine Sekunde überleben.«

»Die Frage ist, *was* da überlebt hat«, sagte Johanson.

Oliviera fischte einen der leblosen Körper aus der Wanne, drehte ihn auf den Rücken und legte ihn auf die Arbeitsplatte. Nacheinander entnahm sie einer Schale eine Reihe von Werkzeugen, die an Hummerbesteck erinnerten. Sie fuhr mit einer winzigen, batteriebetriebenen Kreissäge seitlich des Panzers entlang, und sofort spritzte unter Hochdruck etwas Transparentes aus dem Innern. Oliviera fuhr ungerührt fort, den Panzer aufzuschneiden, hob die Unterseite mit den Beinen ab und legte sie beiseite.

Sie starrten in das aufgeschnittene Tier.

»Das ist keine Krabbe«, sagte Johanson.

»Nein«, sagte Roche. Er deutete auf die halb flüssige, klumpige Gallertmasse, die den größten Teil des Panzers ausfüllte. »Es ist die gleiche Sauerei, die wir in den Hummern gefunden haben.«

Oliviera begann, die Gallerte mit einem Löffel in ein Gefäß umzufüllen.

»Schauen Sie mal da«, sagte sie. »Gleich hinter dem Kopf sieht es nach original Krabbe aus. Und sehen Sie die faserige Verzweigung entlang des Rückens? Das ist das Nervensystem. Das Tier hat seine Sinne noch beisammen, nur nichts drum herum, um sie zu nutzen.«

»Doch«, sagte Rubin. »Die Gallerte.«

»Also, es ist jedenfalls keine Krabbe im vollständigen Sinne.« Roche beugte sich über die Schale mit dem farblosen Glibber. »Eher ein Krabbenapparat. Funktions-, aber nicht lebensfähig.«

»Was erklären würde, warum sie sich nicht wie Krabben verhalten. Es sei denn, wir identifizieren das Zeug im Innern als neue Art von Krabbenfleisch.«

»Nie im Leben«, sagte Roche. »Es ist ein Fremdorganismus.«

»Dann hat dieser Fremdorganismus dafür gesorgt, dass die Tiere an Land kamen«, bemerkte Johanson. »Und wir können uns überlegen, ob er in Tiere geschlüpft ist, die gestorben waren, um sie quasi wiederzubeleben …«

»Oder ob die Krabben so gezüchtet wurden«, ergänzte Oliviera.

Eine Zeit lang herrschte unbehagliches Schweigen. Schließlich sagte Roche in die Stille hinein:

»Was immer der Grund für ihr Hiersein ist, eines steht fest. Würden wir jetzt die Anzüge ausziehen, wären wir alle binnen kurzem tot. Ich schätze, wir werden die Viecher randvoll mit *Pfiesteria*-Kulturen finden. Oder was noch Schlimmerem. Die Luft in diesem Labor ist jedenfalls verseucht.«

Johanson dachte an etwas, was Vanderbilt gesagt hatte.

Biologische Kampfstoffe.

Natürlich hatte Vanderbilt Recht. Vollkommen Recht. Nur völlig anders, als er dachte.

WEAVER

Weaver war euphorisiert.

Sie brauchte nur ein Passwort einzugeben, schon hatte sie Zugriff auf jede nur erdenkliche Information. Was ihr hier geboten wurde, hätte unter anderen Umständen monatelange Recherche erforderlich gemacht – ohne die Zugriffsmöglichkeit auf militärische Satelliten. Aber das hier war phantastisch! Sie saß auf dem Balkon ihrer Suite, vernetzt mit der Datenbank der NASA, und vertiefte sich in amerikanische Radarkartographie.

In den achtziger Jahren hatte die amerikanische Marine mit der Untersuchung eines erstaunlichen Phänomens begonnen. Geosat, ein Radarsatellit, war in eine polnahe Umlaufbahn geschossen worden. Den Meeresboden sollte und konnte er nicht kartieren. Radar durchdrang kein Wasser. Die Aufgabe von Geosat bestand vielmehr darin, die Meeresoberfläche als Ganzes zu vermessen, und zwar auf wenige Zentimeter genau. Eine Abtastung großer Flächen, so hoffte man, würde aufzeigen, ob der Meeresspiegel – abgesehen von Ebbe- und Flutschwankungen – überall gleich hoch lag oder nicht.

Was Geosat enthüllte, übertraf alle Erwartungen.

Man hatte geahnt, dass die Ozeane selbst im Zustand absoluter Ruhe nicht völlig glatt seien. Jetzt aber offenbarten sie eine Struktur, die der Erde das Aussehen einer riesigen, knolligen Kartoffel verlieh. Sie waren voller Dellen und Buckel, Aufragungen und Einmuldungen. Hatte man lange Zeit angenommen, dass die Wassermassen der Weltmeere gleichmäßig über den Erdball verteilt seien, vermittelte die Kartierung ein ganz anderes Bild. Südlich von Indien etwa lag der Meeresspiegel rund 170 Meter tiefer als vor Island. Nördlich von Australien wölbte sich das Meer zu einem Berg, der 85 Meter über dem Durchschnitt lag. Die Meere waren regelrechte Gebirgslandschaften, deren Topographie den Ausprägungen der Unterwasserlandschaft zu folgen schien. Große unterseeische Gebirgszüge und Tiefseegräben pausten sich mit einigen Metern Höhenunterschied auf der Wasseroberfläche durch.

Der Rückschluss war bestechend. Wer die Wasseroberfläche kannte, wusste im Groben, wie es darunter aussah.

Schuld waren Unregelmäßigkeiten in der Gravitation. Ein unterseeischer Berg fügte dem Meeresboden Masse hinzu, also wirkte die Schwerkraft dort höher als in einem Tiefseegraben. Sie zog das umliegende Wasser seitlich zu dem Tiefseeberg hin und schichtete einen Buckel auf. Über Gebirgen wölbte sich die Meeresoberfläche, über Gräben fiel sie ab. Eine Weile sorgten Ausnahmen für Verwirrung, etwa wenn sich Wasser über einer Tiefseeebene hochwölbte, bis man dahinter kam, dass manche der dortigen Bodengesteine von extremer Dichte und Schwere waren, und somit stimmte die Gravitationstopographie wieder.

Die Neigungen all dieser Dellen und Buckel waren so flach, dass man sie an Bord eines Schiffes nicht registrierte. Tatsächlich wäre man dem Phänomen ohne die Satellitenkartierung nie auf die Spur gekommen. Jetzt aber hatte man einen neuen Weg gefunden, nicht nur die Topographie der Meeresböden abzubilden, sondern die Gesamtdynamik der Ozeane zu verstehen, indem man aus dem Geschehen an der Oberfläche auf Vorgänge in der Tiefe schloss. Geosat enthüllte außerdem, dass in den Ozeanen gewaltige Strömungswirbel mit mehreren hundert Kilometern Durchmesser entstanden. Wie Kaffee, der in einem Becher umgerührt wurde, bildeten die rotierenden Massen im Zentrum eine Delle, während sie sich zum Rand hin hochwölbten. Es erwies sich, dass – außer den Schwerkraftschwankungen – auch derartige Wirbel, so genannte Eddies, die Meeresoberfläche ausbeulten, und wiederum waren die Eddies Bestandteile weit größerer Wirbel. Aus dem erweiterten Blickwinkel der Satellitenkartographie wurde deutlich, dass die kompletten Ozeane in Rotation gerieten. Gigantische Ringsysteme kreisten oberhalb des Äquators im Uhrzeigersinn und südlich davon entgegengesetzt, und sie kreisten umso schneller, je näher sie den Polen kamen.

Damit hatte man ein weiteres Prinzip der Meeresdynamik verstanden: Die Erddrehung selber beeinflusste den Grad der Rotation.

Der Golfstrom war demnach gar kein richtiger Strom, sondern der westliche Rand einer riesigen, sich langsam drehenden Wasserlinse, eines aus unzähligen kleineren Wirbeln bestehenden Riesenwirbels, der im Uhrzeigersinn gegen Nordamerika drückte. Weil das Zentrum des Riesenwirbels nicht mitten im Atlantik lag, sondern nach Westen versetzt, wurde der Golfstrom gegen die amerikanische Küste gequetscht, dort aufgestaut und hochgewölbt. Starke Winde und seine Fließrichtung zum Pol beschleunigten ihn, während ihn die enorme Reibung der Küste zugleich wieder verlangsamte. So hatte sich der nordatlantische Wirbel in eine stabile Drehung gefunden, getreu dem Satz von der Erhaltung des Drehimpulses, der besagt, dass eine Kreisbewegung so lange konstant bleibt, bis sie durch äußere Einflüsse gestört wird.

Es waren diese äußeren Einflüsse, die Bauer erkannt zu haben glaubte, aber er konnte nicht sicher sein. Das Verschwinden der Schlote, durch die das Wasser vor Grönland kaskadenartig in die Tiefe stürzte, bot Grund zur Beunruhigung, aber es bewies nichts. Beweisen ließen sich globale Veränderungen nur durch globale Darstellungen.

1995, nach dem Ende des Kalten Krieges, hatte die amerikanische Armee nach und nach die Geosat-Kartierungen freigegeben. Das Geosat-System war abgelöst worden durch eine Reihe modernerer Satelliten. Von allen lagen Karen Weaver Daten vor, lückenlose Dokumentationen seit Mitte der Neunziger. Sie verbrachte Stunden damit, die Messungen in Beziehung zueinander zu setzen. Die Daten differierten in Details – es konnte geschehen, dass der Radar des einen Satelliten einen besonders dichten Sprühnebel irrtümlich für die Oberfläche einer Welle gehalten hatte, was der andere natürlich nicht bestätigte –, aber unterm Strich kam überall dasselbe heraus.

Je tiefer sie Einblick nahm, desto mehr wich ihre anfängliche Begeisterung tiefer Beunruhigung.

Schließlich wusste sie, dass Bauer Recht gehabt hatte.

Seine Drifter hatten eine kurze Weile gesendet, ohne erkennen zu lassen, dass sie einer definierten Strömung folgten. Dann waren sie einer nach dem anderen ausgefallen. Von der Bauer-Expedition lagen damit so gut wie keine Daten vor. Sie fragte sich, ob dem unglücklichen Professor klar gewesen war, in welchem Ausmaß er Recht behalten sollte. Weaver spürte sein Vermächtnis auf ihr lasten. Er hatte ihr sein gesamtes Wissen anvertraut, sodass sie nun zwischen den Zeilen zu lesen vermochte, was für andere keinen Sinn ergab. Es reichte, um die Katastrophe heraufdämmern zu sehen.

Noch einmal rechnete sie alles durch. Sie stellte sicher, dass ihr kein Fehler unterlaufen war, wiederholte die Prozedur ein weiteres Mal und dann ein drittes Mal.

Es war noch schlimmer, als sie befürchtet hatte.

ONLINE

Johanson, Oliviera, Rubin und Roche duschten in ihren PVC-Anzügen minutenlang unter 1,5%-iger Peressigsäure, deren Dämpfe jeden möglichen Erreger rückstandslos zersetzten, bevor die ätzende Flüssigkeit mit Wasser abgewaschen und mit Natronlauge neutralisiert wurde und sie das Schleusensystem endlich verlassen konnten.

Shankar und sein Team arbeiteten unter Hochdruck an der Entschlüsselung nicht identifizierbarer Geräusche. Sie hatten Ford hinzugezogen und spielten *Scratch* und andere Spektrogramme rauf und runter.

Anawak und Fenwick gingen spazieren und diskutierten die Möglichkeiten der Fremdbeeinflussung neuronaler Systeme.

Frost war in Bohrmanns Suite aufgetaucht, massig und raumfüllend, die Baseballkappe über den Brillenrand gezogen, und hatte dröhnend verkündet:

»Doc, wir müssen reden!«

Danach hatte er Bohrmann erzählt, wie er über die Würmer dachte. Es war bemerkenswert. Die beiden verstanden sich auf Anhieb dermaßen gut, dass sie in Windeseile mehrere Humpen Bier leerten und den Fundus des Potenziellen mit ebenso beunruhigenden wie sinnfälligen Szenarien füllten. Soeben konferierten sie über Satellit mit Kiel. Nachdem die Internetverbindung wieder funktionierte, lieferte Kiel eine Simulation nach der anderen. Suess hatte versucht, die Vorgänge am norwegischen Kontinentalhang so detailliert wie möglich zu rekonstruieren, mit dem Resultat, dass es kaum zu einer derartigen Katastrophe hätte kommen können. Die Würmer und Bakterien hatten gewiss eine fatale Wirkung entfaltet, aber etwas im Puzzle fehlte, ein winziges Steinchen, ein zusätzlicher Auslöser.

»Und solange wir den nicht kennen«, stellte Frost fest, »wird es uns die Ärsche wegschwemmen, Gott ist mein Zeuge! Und es wird *nicht* geschehen, weil vor Amerika oder Japan der Hang abrutscht.«

Li saß vor ihrem Laptop.

Sie war allein in ihrer riesigen Suite und doch überall mit dabei. Eine Weile hatte sie der Arbeit im Hochsicherheitslabor zugesehen und gehört, was dort gesprochen wurde. Sämtliche Räumlichkeiten des Châteaus wurden abgehört und videoüberwacht. Gleiches galt für Nanaimo, die Universität Vancouver und das Aquarium. Einige der nahe gelegenen Privatwohnungen waren verwanzt worden, die von Ford, Oliviera und Fenwick, und außerdem das Schiff, auf dem Anawak wohnte, sowie sein kleines Appartement in Vancouver. In allem hatten sie Augen und Ohren, nur was an der frischen Luft gesprochen wurde, in Kneipen und Restaurants, hatte keine Chance, aufgefangen zu werden. Das ärgerte Li, aber dafür hätten sie den Wissenschaftlern schon Sender implantieren müssen.

Umso besser funktionierte die Überwachung des stabsinternen Datennetzes. Bohrmann und Frost waren online, ebenso Karen Weaver, die Journalistin, die in diesen Minuten Satellitendaten der Golfstromregion miteinander verglich. Das war hochinteressant, ebenso wie die Simulationen aus Kiel. Das Netz war überhaupt eine gute Idee gewesen. Natürlich konnte Li nicht lesen oder hören, was seine Benutzer *dachten*. Aber woran sie arbeiteten und welche Dateien sie aufriefen, wurde gespeichert und ließ sich jederzeit mitverfolgen. Falls Vanderbilt mit seiner Terroristenhypothese Recht behielt, was Li bezweifelte, war es sogar legitim, jeden Einzelnen der Truppe abzuhören. Augenscheinlich waren alle sauber. Niemand unterhielt Kontakte zu extremistischen Vereinigungen oder Ländern der arabischen Welt, aber ein Restrisiko blieb immer. Doch selbst wenn die Vermutungen des CIA-Direktors nicht zutrafen, war es hilfreich, den Wissenschaftlern über die Schulter zu sehen, ohne dass diese es merkten. Es war immer gut, frühzeitig in den Besitz von Wissen zu gelangen.

Sie schaltete zurück nach Nanaimo und lauschte Johanson und Oliviera, die eben zu den Aufzügen gingen. Beide unterhielten sich über die Arbeitsbedingungen im Hochsicherheitstrakt. Oliviera bemerkte, dass man die Säuredusche ohne den schützenden Anzug als sauber gebleichtes Skelett verlassen würde, und Johanson machte einen Witz darüber. Sie lachten und fuhren nach oben.

Warum sprach Johanson nicht mit irgendjemandem über seine Theorie? Fast hätte er es getan. Auf seinem Zimmer im Gespräch mit Weaver, gleich nach dem großen Meeting. Aber dann hatte er sich doch wieder nur in Andeutungen ergangen.

Li führte eine Reihe von Telefonaten, sprach kurz mit Peak in New York und sah auf die Uhr. Zeit für Vanderbilts Report. Sie verließ ihre Suite und ging den Flur entlang zu einem gesicherten Raum am Südende des Châteaus. Er bildete ein Pendant des War Room im Weißen Haus und war ebenso wie der Konferenzraum vollkommen abhörsicher. Drinnen erwarteten sie Vanderbilt und zwei seiner Leute. Der CIA-Direktor war eben mit dem Helikopter aus Nanaimo zurückgekehrt und sah noch derangierter aus als sonst.

»Können wir Washington zuschalten?«, schlug sie vor, ohne zu grüßen.

»Könnten wir«, sagte Vanderbilt. »Aber es würde nichts bringen ...«

»Machen Sie es nicht so spannend, Jack.«

»... sofern Sie beabsichtigen, den Präsidenten auf Leitung zu legen. Der Präsident ist nicht mehr in Washington.«

NANAIMO, VANCOUVER ISLAND

Oliviera lief Fenwick und Anawak in der Vorhalle über den Weg, als sie mit Johanson den Fahrstuhl verließ.

»Wo kommt ihr denn her?«, fragte sie erstaunt.

»Wir waren spazieren.« Anawak zwinkerte ihr zu. »Hattet ihr noch Spaß im Labor?«

»Idiot.« Oliviera verzog das Gesicht. »Sieht so aus, als wären die Probleme Europas zu uns rübergeschwappt. Die Gallerte in den Krabben ist tatsächlich unser alter Bekannter. Außerdem hat Roche einen Erreger isoliert, den die Krabben in sich trugen.«

»*Pfiesteria*?«, fragte Anawak.

»So ähnlich«, sagte Johanson. »Sozusagen die Mutation der Mutation. Die neue Art ist unendlich viel toxischer als die europäische.«

»Wir mussten ein paar Mäuse opfern«, sagte Oliviera. »Wir haben sie zusammen mit einer toten Krabbe eingesperrt, und alle waren binnen weniger Minuten tot.«

Fenwick trat unwillkürlich einen Schritt zurück.

»Ist dieses Gift eigentlich ansteckend?«

»Nein, du darfst mich knutschen. Es wird nicht von Mensch zu Mensch übertragen. Wir haben es nicht mit Viren zu tun, sondern mit einer bakteriellen Invasion. Aber es gelangt außer Kontrolle, sobald die *Pfiesterien* ins Wasser gelangen, und sie vermehren sich exponenziell, wenn die Krabben schon lange hinüber sind. Bis auf eine waren alle krepiert, und die ist inzwischen auch von uns gegangen.«

»Kamikaze-Krabben«, sinnierte Anawak.

»Ihre Aufgabe ist es, Bakterien an Land zu bringen, so wie es die Aufgabe der Würmer ist, Bakterien ins Eis zu tragen«, sagte Johanson. »Danach verrecken sie. Quallen, Muscheln, selbst diese Gallerte, nichts davon überdauert sonderlich lange, aber alles erfüllt seinen Zweck.«

»Der da wäre, uns zu schädigen.«

»Richtig. Auch die Wale haben eher was von Selbstmordattentätern«, sagte Fenwick. »Angriffe sind gewöhnlich Teil einer Überlebensstrategie, ebenso wie Flucht. Aber nirgendwo wird eine solche Strategie ersichtlich.«

Johanson lächelte. Seine schwarzen Augen blitzten.

»Da wäre ich mir nicht so sicher. Einer verfolgt hier ganz klar eine Überlebensstrategie.«

Fenwick musterte ihn. »Sie klingen fast schon wie Vanderbilt.«

»Nein. Das scheint nur so. In einigem hat Vanderbilt Recht, ansonsten bin ich ganz anderer Meinung.« Johanson machte eine Pause. »Aber ich gehe jede Wette ein, Vanderbilt wird schon bald genauso klingen wie ich.«

LI

»Was soll das heißen?«, wollte Li wissen, während sie sich setzte. »Wo ist der Präsident, wenn nicht in Washington?«

»Er ist auf dem Weg zur Offutt Air Force Base in Nebraska«, sagte Vanderbilt. »Es sind Krabbenschwärme in der Chesapeake Bay und im Potomac aufgetaucht. Offenbar treiben sie den Meerarm hoch. Bei Alexandria und unterhalb von Arlington sollen welche an Land gelangt sein, aber wir haben noch keine Bestätigung erhalten.«

»Und wer hat Offutt angeordnet?«

Vanderbilt zuckte die Achseln. »Der Stabschef im Weißen Haus hegt Befürchtungen, die Hauptstadt könne das gleiche Schicksal wie New York erleiden«, sagte er. »Sie kennen ja den Präsidenten. Er hat sich mit Händen und Füßen dagegen gewehrt. Am liebsten würde er losziehen und den hässlichen Biestern persönlich den Krieg erklären, aber am Ende hat er eingewilligt ins gesunde Landleben.«

Li überlegte. Offutt war der Sitz des Strategic Command, das über die Atomwaffen der Vereinigten Staaten gebot. Der Stützpunkt war ideal, um den Präsidenten zu schützen. Er lag mitten im Landesinnern, weit weg von allen Gefährdungen, die aus dem Meer kamen. Von dort konnte der Präsident über eine abhörsichere Videoverbindung mit sei-

nem Nationalen Sicherheitsrat telefonieren und seine volle Regierungs-
gewalt ausüben.

»Das ist schlampig gelaufen«, sagte sie mit Nachdruck. »So was will
ich demnächst sofort erfahren, Jack. Wenn irgendwo irgendwas seinen
Kopf aus dem Meer steckt, will ich es wissen. Nein, ich will es wissen,
bevor es seinen Kopf aus dem Meer steckt.«

»Wir können das hinkriegen«, sagte Vanderbilt. »Wir könnten diplomatische Beziehungen zu den ortsansässigen Delphinen aufnehmen
und ...«

»Außerdem will ich in Kenntnis gesetzt werden, wenn jemand auf die
Idee kommt, den Präsidenten nach Offutt zu schicken.«

Vanderbilt lächelte jovial.

»Wenn ich einen Vorschlag machen darf ...«

»Und ich will Klarheit darüber, was in Washington passiert«, fiel
ihm Li ins Wort. »Und zwar innerhalb der nächsten zwei Stunden. Falls
sich die Meldung bestätigt, evakuieren wir die befallenen Gebiete und
verwandeln Washington in eine Sperrzone wie New York.«

»Das wäre mein Vorschlag gewesen«, sagte Vanderbilt milde.

»Dann sind wir uns einig. Was haben Sie sonst für mich?«

»Einen Haufen Scheiße.«

»Das bin ich gewöhnt.«

»Eben. Ich wollte Sie nicht entwöhnen, also habe ich mich bemüht,
möglichst viele schlechte Nachrichten zusammenzutragen. Beginnen
wir damit, dass die NOAA am Kontinentalhang vor der Georges Bank
versucht hat, zwei Roboter hinunterzulassen, um Würmer zu weiteren
Forschungszwecken heraufzuholen. Das ... ähm ... ist gelungen.«

Li hob die Brauen und lehnte sich abwartend zurück.

»Also, es ist gelungen, die Tiere einzusammeln«, sagte Vanderbilt,
indem er jedes Wort genüsslich dehnte. »Aber nicht, sie an Bord zu
bringen. Kaum waren sie im Körbchen, kam etwas und kappte die
Verbindung. Wir haben beide Roboter verloren. Ähnliche Nachrichten
erreichen uns aus Japan. Dort ist ein bemanntes Tauchboot verloren
gegangen, irgendwo im Gebiet vor Honshu und Hokkaido. Auch sie
sollten Würmer mitbringen. Die Japaner sagen, es sind mehr geworden. Insgesamt hat die Sache eine neue Qualität gewonnen. Bis jetzt
sind nur Taucher angegriffen worden, aber noch keine Unterseeboote,
Sonden oder Roboter.«

»Konnten wir irgendwas Verdächtiges erfassen?«

»Nicht direkt. Feindliche Sonden oder Tauchboote waren nicht aufzuspüren, aber das NOAA-Schiff hat in siebenhundert Metern Tiefe

eine sich bewegende Fläche von mehreren Kilometern Ausdehnung erfasst. Der Forschungsleiter meint, zu neunzig Prozent habe es sich um einen Planktonschwarm gehandelt, aber er würde es nicht beschwören.«

Li nickte. Sie dachte an Johanson. Fast bedauerte sie, dass er nicht hier war, um Vanderbilts Ausführungen zuzuhören.

»Zweiter Punkt, Tiefseekabel. Weitere Verbindungen sind abgerissen, CANTAT-3 und einige TAT-Kabel. Alles wichtige Verbindungen über den Atlantik. Im Pazifik haben wir offenbar PACRIM WEST verloren, eine unserer Hauptverbindungen nach Australien. – Es gab außerdem in den letzten beiden Tagen mehr Schiffsunglücke denn je, und alle in dicht befahrenen Gebieten. Von den rund 200 maritimen Nadelöhren, die wir kennen, sind rund die Hälfte betroffen, insbesondere die Straße von Gibraltar, die Malakkastraße und der englische Kanal, aber auch der Panama-Kanal hat was abgekriegt und ... nun ja, es ist geschehen, aber wir sollten das vielleicht nicht überbewerten: Es gab eine Karambolage in der Straße von Hormuz und eine weitere bei Khalij as-Suways, das ist ... ähm ...«

Li beobachtete Vanderbilt. Er wirkte weniger zynisch und überheblich als sonst, und soeben wurde ihr bewusst, warum.

»Ich weiß, wo das ist«, sagte sie. »Khalij as-Suways ist der Ausläufer des Roten Meers, der in den Suezkanal mündet. Das heißt, die arabische Welt ist an zwei wichtigen Verkehrsknotenpunkten getroffen worden.«

»Bingo, Baby. Es gab Probleme mit der Navigation. Was Neues übrigens. Die Rekonstruktion ist schwierig, aber in der Straße von Hormuz sieht es so aus, als seien sieben Schiffe ineinander gerasselt, weil mindestens zwei von ihnen nicht mehr wussten, wo sie hinfahren. Logge und Echolot lieferten keine Daten mehr.«

An Bord eines jeden Schiffes gab es vier lebenswichtige Systeme: Echolot, Logge, Radar und Windmesser. Während Radar und Windmesser oberhalb der Wasserlinie arbeiteten, saß das Austrittsfenster des Echolots am Kiel, ebenso wie die Logge, ein Staurohr mit integriertem Fühler, der das hereinströmende Fahrtwasser maß. Die Logge war so etwas wie das Tachometer eines Schiffs. Sie informierte die Radarsysteme an Bord über Kurs und Geschwindigkeit des Schiffes, und der Radar errechnete auf dieser Basis die Kollisionsgefahr mit Schiffen in der Nähe und bot Ausweichkurse an. Im Allgemeinen folgte man blind den Instrumenten. Blind, weil sich 70 Prozent der Seefahrt bei Nacht, Nebel oder hoher See abspielten, wo ein Blick aus dem Fenster nichts brachte.

»In einem der Fälle haben offenbar marine Organismen die Logge verstopft«, sagte Vanderbilt. »Sie zeigte keine Fahrt mehr an, was den Radar veranlasste, keine Kollisionsgefahr zu melden, obwohl drum herum alles dicht befahren war. Im anderen Fall spielte das Echolot verrückt und meldete abnehmende Wassertiefe. Sie mussten davon ausgehen aufzulaufen, obwohl sie tatsächlich in tiefem Gewässer fuhren, und vollführten eine vollkommen idiotische Kurskorrektur. Beide knallten in andere Schiffe, und weil es so schön dunkel war, fuhren gleich noch ein paar weitere rein ins Vergnügen. Anderswo auf der Welt kommt es zu ähnlichen Scherzen. Jemand will beobachtet haben, dass Wale dicht unter den Schiffen geschwommen sind, über einen langen Zeitraum.«

»Natürlich«, sinnierte Li. »Wenn über längere Zeit etwas Großes dicht unter dem Echolot-Austritt bleibt, könnte man es leicht mit festem Untergrund verwechseln.«

»Außerdem häufen sich Fälle von Verkrustungen im Ruder und in Seitenstrahlern. Seekästen werden verstopft, immer gezielter. Vor Indien ist aktuell ein Erzfrachter abgesoffen, nachdem wochenlanger Bewuchs offenbar zu außergewöhnlich rascher Korrosion geführt hat. Bei ruhiger See kollabierte der vordere Laderaum. Sank innerhalb von Minuten. Und so weiter und so fort. Es reißt nicht ab. Alles wird ständig schlimmer, und die Seuche kommt obendrauf.«

Li legte die Fingerspitzen aufeinander und brütete vor sich hin.

Einfach lächerlich. Aber bei genauem Hinsehen waren Schiffe nun mal lächerlich. Peak hatte es auf den Punkt gebracht. Archaische Kästen, die mit Hightech navigierten und Kühlwasser durch ein Loch anschlürften. Anderswo drangen Krabben in hochmoderne Großstädte ein, ließen sich zu Matsch fahren und verteilten Tonnen hochgiftiger Algen in der Kanalisation. Als Folge mussten sie die Stadt sperren und jetzt wahrscheinlich eine weitere, und der Präsident der Vereinigten Staaten floh ins Landesinnere.

»Wir brauchen diese verdammten Würmer«, sagte Li. »Und wir müssen was gegen diese Algen unternehmen.«

»Wie Recht Sie haben«, erwiderte Vanderbilt beflissen.

Seine Männer saßen mit reglosen Gesichtern zu seinen Seiten und starrten Li an. Eigentlich wäre es an Vanderbilt gewesen, ihr Vorschläge zu unterbreiten, aber Vanderbilt mochte Li ebenso wenig wie sie ihn. Er würde sie ins Messer laufen lassen. Aber sie brauchte Vanderbilt nicht, um Entscheidungen zu treffen.

»Erstens«, sagte sie. »Wir evakuieren Washington, sollte sich die Meldung bestätigen. Zweitens will ich, dass in den betroffenen Gebie ten Trinkwasser in Tankwagen herbeigeschafft und streng rationiert wird. Wir legen die Kanalisationen trocken und ätzen die Biester mit Chemikalien raus.«

Vanderbilt lachte laut auf. Seine Männer grinsten.

»New York trockenlegen? Die Kanalisation?«

Sie sah ihn an.

»Ja.«

»Gute Idee. Die Chemikalien töten dann auch gleich alle New Yorker, und wir können die Stadt vermieten. Vielleicht an die Chinesen? Ich habe gehört, es gibt unheimlich viele Chinesen.«

»Wie das zu machen ist, werden *Sie* rausfinden, Jack! Ich werde den Präsidenten um eine Plenarsitzung des Sicherheitsrats ersuchen und die Verhängung des Ausnahmezustands anordnen.«

»Ah! Verstehe.«

»Sämtliche Küsten werden gesperrt. Aufklärungsdrohnen fliegen Patrouille. Wir entsenden Truppen in Schutzanzügen mit Flammenwerfern. Was immer ab jetzt versucht, an Land zu krabbeln, wird zu Barbecue verarbeitet.« Sie stand auf. »Und wenn wir ohnehin schon Ärger mit Walen haben, sollten wir aufhören, wie verschreckte Kinder zu reagieren. Ich will, dass wir die volle Beweglichkeit unserer Schiffe zurückerlangen. Aller Schiffe. Wollen doch mal sehen, was ein bisschen psychologische Kriegsführung ausrichtet.«

»Was haben Sie vor, Jude? Wollen Sie den Tieren gut zureden?«

»Nein.« Li lächelte dünn. »Ich will sie jagen, Jack. Ihnen eine Lektion erteilen oder demjenigen, der für ihr Verhalten verantwortlich ist. Schluss mit Naturschutz. Ab jetzt werden sie abgeschossen.«

»Sie wollen sich mit der IWC anlegen?«

»Nein. Wir beschießen sie mit Sonar. So lange, bis sie aufhören, uns anzugreifen.«

NEW YORK, USA

Direkt vor ihm brach ein Mann zusammen und starb.

Peak schwitzte unter seinem schweren Schutzanzug. Jeder Teil seines Körpers war damit bedeckt. Er atmete durch eine Sauerstoffmaske und sah durch Panzerglasaugen auf eine Stadt, die sich über Nacht in eine Hölle verwandelt hatte.

Langsam steuerte der Sergeant neben ihm den Jeep über die First Avenue. East Village wirkte streckenweise wie ausgestorben. Dann wieder begegneten sie Gruppen von Menschen, die vom Militär zusammengetrieben wurden. Das Hauptproblem war, dass sie niemanden rauslassen konnten, solange sie nicht definitiv wussten, ob die Seuche ansteckend war. Im Augenblick sah es nicht so aus. Eher bot sich das Bild eines groß angelegten Giftgasangriffs. Aber Peak war skeptisch. Ihm fiel auf, dass viele der Opfer münzgroße Fleischwunden aufwiesen. Wenn es Killeralgen waren, die New York heimsuchten, sonderten sie nicht nur Giftwolken ab, sondern hefteten sich zudem an die Körper der Betroffenen. Theoretisch waren sie damit in allen Körperflüssigkeiten anzutreffen. Peak war kein Biologe, aber er fragte sich, was passierte, wenn ein Erkrankter einen Gesunden küsste und seinen Speichel weitergab. Die Algen konnten in Wasser überleben, tolerierten ein breites Temperaturspektrum und vermehrten sich, nach allem, was er wusste, mit rasender Geschwindigkeit.

Fieberhaft arbeiteten sie daran, für die Stadt und Long Island Quarantänebedingungen zu schaffen, die Kranken wie Gesunden gleichermaßen gerecht wurden. Anfangs waren sie optimistisch gewesen. New York schien vorbereitet. Nach dem ersten Anschlag auf das World Trade Center 1993 hatte der damalige Bürgermeister eine Sonderbehörde für alle Arten von Notfällen ins Leben gerufen, das *Office of Emergency Management*, kurz OEM. Ende der Neunziger hatte es die größte Katastrophenübung in der Geschichte der Stadt abgehalten und einen imaginären Angriff mit chemischen Waffen simuliert, in dessen Folge über 600 Polizisten, Feuerwehrleute und FBI-Agenten in Schutzanzügen die New Yorker »gerettet« hatten. Die Übung war reibungslos verlaufen, und der Senat hatte großzügig neue Mittel bewilligt. Plötzlich sah sich das OEM in der Lage, 15 Millionen für ein kugel- und bombensicheres Bunkerbüro mit eigenem Luftzirkulationssystem ausgeben zu können, in dem über vierzig hoch qualifizierte Mitarbeiter auf den echten Doomsday warteten – und sie bauten es im 23. Stockwerk des World Trade Center, nicht lange vor dem 11. September 2001. Danach hatte die OEM vollkommen neu strukturiert werden müssen. Immer noch befand sie sich im Aufbau, kaum fähig, der Probleme Herr zu werden. Die Menschen erkrankten und starben schneller, als überhaupt jemand helfen konnte.

Der Jeep kurvte um den Toten herum und näherte sich der Kreuzung 14. Straße. Mehrere Autos rasten wild hupend darüber hinweg. Die Leute versuchten, aus der Stadt zu gelangen. Weit würden sie nicht kommen. Alles war abgesperrt. Bis jetzt hatte die Armee nur Brooklyn und wenige Viertel Manhattans halbwegs unter Kontrolle gebracht, aber wenigstens verließ niemand mehr den Großraum New York ohne besondere Genehmigung.

Weiter fuhren sie entlang militärischer Absperrungen. Hunderte Soldaten bewegten sich wie außerirdische Invasoren durch die Stadt, gesichtslos hinter ihren Atemmasken, tapsig und unförmig in ihren knallgelben ABC-Anzügen. Leute der Sonderbehörde waren zu sehen. Überall wurden Körper auf Bahren und in Militärfahrzeuge und Krankenwagen verladen. Andere lagen einfach auf den Straßen herum. In der Innenstadt war größtenteils kein Durchkommen mehr, weil ineinander gefahrene und verlassene Autos die Fahrbahnen blockierten. Das beständige Dröhnen der Helikopter hallte in den Straßenschluchten wider.

Peaks Fahrer rumpelte ein Stück über den Bürgersteig und hielt nach wenigen hundert Metern vor dem *Bellevue Hospital Center* am Ufer des East River, wo eine der provisorischen Einsatzzentralen untergebracht war. Peak eilte ins Innere. Das Foyer war voller Menschen. Er fing angstvolle Blicke auf und ging schneller. Manche der Leute hielten ihm Fotos ihrer Angehörigen entgegen. Rufe drangen auf ihn ein. Er passierte, flankiert von zwei Soldaten, die innere Sperre und marschierte weiter zum Rechenzentrum des Hospitals. Dort stellte man ihm eine abhörsichere Satellitenverbindung zum Château Whistler her. Nach einigen Minuten des Wartens hatte er Li in der Leitung. Er ließ sie nicht lange zu Wort kommen.

»Wir brauchen ein Gegengift. Und zwar schleunigst.«

»Nanaimo arbeitet auf Hochtouren«, erwiderte Li.

»Das ist noch zu langsam. Wir können New York nicht halten. Ich habe mir die Pläne der Kanalisation angesehen. Vergessen Sie den Gedanken, das hier leer zu pumpen. Eher legen Sie den Potomac trocken.«

»Kommen Sie mit der medizinischen Versorgung nach?«

»Wie denn? Wir können niemanden medizinisch versorgen, wir wissen ja gar nicht, was helfen könnte. Man kann den Leuten allenfalls Mittel zur Stärkung des Immunsystems verabreichen und hoffen, dass der Erreger abstirbt.«

»Hören Sie, Sal«, sagte Li. »Das bekommen wir in den Griff. Wir können mit beinahe hundertprozentiger Gewissheit sagen, dass die Toxine nicht übertragen werden. Ansteckungsgefahr geht so gut wie gar nicht von den Betroffenen aus. Wir *müssen* diese Viecher aus der Kanalisation ätzen, brennen, herausbeten, was auch immer.«

»Dann fangen Sie mal an«, sagte Peak. »Es wird nichts nützen. Die Giftwolke über der Stadt ist das geringste Problem. Im Freien verteilt der Wind die Toxine und dünnt sie aus. Aber inzwischen ist in jeder

Wohnung Wasser geflossen, es wurde geduscht, abgewaschen, getrunken, der Goldfisch versorgt, was weiß ich. Autos wurden gewaschen, die Feuerwehr ist zum Löschen rausgefahren. Diese Algen haben sich in der ganzen Stadt verteilt, sie verpesten die Luft in den Häusern und verteilen sich über die Klimaanlagen und Entlüftungsschächte. Selbst wenn nie wieder ein Krebs an Land geht, weiß ich nicht, wie wir die Vermehrung der Algen stoppen sollen.« Er rang nach Luft. »Mein Gott, Jude, es gibt 6 000 Krankenhäuser in den Vereinigten Staaten, und weniger als ein Viertel davon ist auf einen solchen Ernstfall vorbereitet! Kaum eine Klinik sieht sich in der Lage, dermaßen viele Patienten zu isolieren und schnell genug von geeigneten Ärzten behandeln zu lassen. Das *Bellevue* ist hoffnungslos überlastet, und es ist ein verdammt großes Krankenhaus.«

Li schwieg eine Sekunde.

»Gut. Sie wissen, was zu tun ist. Verwandeln Sie *Greater New York* in einen Superknast. Nichts und niemand kommt raus.«

»Hier können wir aber nichts für die Leute tun. Sie werden alle sterben.«

»Ja, das ist schrecklich. Tun Sie was für die Leute anderswo und sorgen Sie dafür, dass New York zu einer Insel wird.«

»Was soll ich denn machen?«, rief Peak verzweifelt. »Der East River fließt landeinwärts.«

»Für den East River lassen wir uns was einfallen. Einstweilen …«

Etwas passierte.

Peak spürte die Explosion mehr, als dass er sie hörte. Der Boden unter seinen Füßen bebte. Ein dumpfes Grollen breitete sich aus. Es war, als durchliefen die Schallwellen ganz Manhattan wie ein Erdbeben.

»Irgendwas ist explodiert«, sagte Peak.

»Schauen Sie, was es ist. In zehn Minuten habe ich Ihren Bericht.«

Peak fluchte und lief zum Fenster, aber es war nichts zu sehen. Er gab seinen Männern ein Zeichen und rannte aus dem Rechenzentrum zurück in den Gang und zur hinteren Seite des Hospitals. Von hier blickte man über den Franklin Drive auf den East River, auf Brooklyn und Queens.

Er schaute nach links den Fluss hinauf.

Menschen liefen auf das Hospital zu. In etwa einem Kilometer Entfernung sah er einen riesigen Rauchpilz in den Himmel steigen. Ungefähr dort lag das Hauptquartier der Vereinten Nationen. Im ersten Moment fürchtete Peak, es sei in die Luft geflogen. Dann wurde ihm bewusst, dass die Wolke weiter stadteinwärts entsprang.

Sie erhob sich aus der Zufahrt zum Queens Midtown Tunnel, der den East River unterquerte und Manhattan mit der anderen Seite verband.

Der Tunnel brannte!

Peak dachte an die demolierten Autos, die überall herumstanden, ineinander verkeilt, in Schaufenster gerast oder vor Laternen gesetzt. Autos, in denen infizierte Menschen das Bewusstsein verloren hatten. Er ahnte, was in dem Tunnel geschehen war. Es war das Letzte, was sie jetzt noch gebrauchen konnten.

Sie rannten zurück ins Gebäude, durch das Foyer und zu ihrem Jeep auf der First Avenue. Es war mühsam, in der Schutzkleidung zu laufen, weil man ständig aufpassen musste, nirgendwo hängen zu bleiben und sich nichts aufzureißen. Peak schaffte es trotzdem, sich in den offenen Jeep zu schwingen, und sie rasten los.

Drei Stockwerke über ihm starb im selben Moment Bo Henson, der Fahrer des Kurierdienstes, der sich angeschickt hatte, FedEx Konkurrenz zu machen.

Das Ehepaar Hooper war zu diesem Zeitpunkt schon seit einigen Stunden tot.

VANCOUVER ISLAND, KANADA

»Was zum Teufel tut ihr da oben auf dem Whistler?«

Es sollte ein Ausflug in die Normalität werden, aber natürlich wurde es alles andere. Nach Tagen der Abwesenheit saß Anawak in *Davies Whaling Station* und sah zu, wie Shoemaker und Delaware aus Anlass seines Besuchs zwei Dosen Heineken leerten. Davie hatte die Station vorübergehend geschlossen. Seine Landexpeditionen waren nicht gefragt. Kaum jemand verspürte noch Lust, überhaupt Tiere zu beobachten. Wenn schon die Wale durchdrehten, was mochte dann den Schwarzbären einfallen? Wenn Europa von Tsunamis überrollt wurde, was drohte der Pazifikküste? Die meisten Touristen hatten Vancouver Island verlassen. Shoemaker verrichtete einsam seinen Dienst als Geschäftsführer und trieb Außenstände ein, um die Station über Wasser zu halten, solange es irgendwie ging.

»Ich wüsste wirklich gerne, was ihr da macht«, bohrte er nach.

Anawak schüttelte den Kopf.

»Hör auf zu fragen, Tom. Ich hab versprochen, den Mund zu halten, also reden wir bitte von was anderem.«

»Wozu das Theater? Warum kannst du nicht sagen, woran ihr arbeitet?«

»Tom ...«

»Ich wüsste nämlich gerne, wann ich meinen Arsch von hier entfernen soll«, fuhr Shoemaker fort. »Von wegen Tsunami und so.«

»Kein Mensch redet von Tsunamis.«

»Nicht? *Bullshit*! Es hat sich auch ohne euch herumgesprochen, dass da Zusammenhänge bestehen. Die Leute sind ja nicht bescheuert, Leon. Aus New York hört man dubiose Horrorgeschichten von Massenerkrankungen, in Europa sterben die Leute, und Schiffe gehen reihenweise hops, das bleibt doch alles nicht verborgen.« Er beugte sich vor und zwinkerte Anawak zu. »Ich meine, wir haben zusammen die Leute von der *Lady Wexham* geholt, *Baby*. Ich bin doch mit im Boot. Eingeweiht, verstehst du? Innerer Kreis.«

Delaware nahm einen kräftigen Schluck aus der Dose und wischte sich den Mund. »Geh Leon nicht auf die Nerven. Wenn sie ihn vergattert haben, haben sie ihn vergattert.«

Sie trug eine neue Brille mit runden, orangefarbenen Gläsern. Irgendetwas, stellte Anawak fest, hatte sie mit ihren Haaren gemacht. Sie waren weniger kraus und fielen ihr stattdessen in seidigen Wellen über die Schultern. Eigentlich, selbst mit den übergroßen Zähnen, sah sie hübsch aus. Ziemlich hübsch sogar.

Shoemaker hob die Hände und ließ sie in einer hilflosen Geste in den Schoß sinken. »Ihr solltet mich mitnehmen. Wirklich, Leon. Ich könnte hilfreich sein. Hier sitze ich bloß rum und blase den Staub von den Reiseführern.«

Anawak nickte. Er fühlte sich unwohl, weil er den Geheimniskrämer abgeben musste. Die Rolle lag ihm nicht. Er hatte sie jahrelang in eigener Sache gespielt, und allmählich begann ihm jede Form von Geheimnistuerei auf die Nerven zu gehen. Einen Moment lang fragte er sich, ob er nicht einfach von der Arbeit im Château berichten sollte. Aber er hatte Lis Blick nicht vergessen. Sie gab sich verständnisvoll und freundlich, doch er war sicher, dass es einen Höllenärger geben würde, falls die Sache rauskam.

Wahrscheinlich hatte sie sogar Recht.

Er ließ den Blick durch den Verkaufsraum wandern. Plötzlich spürte er, wie fremd ihm die Station binnen weniger Tage geworden war. Das hier war nicht sein Leben. Vieles hatte sich verändert seit seiner Aussöhnung mit Greywolf. Anawak ahnte, dass etwas Einschneidendes bevorstand, etwas, das sein Leben komplett umkrempeln würde. Er fühlte sich dabei wie ein Kind in einer Achterbahn, nachdem es festgestellt hat, dass die Waggons fahren und es nicht mehr aussteigen kann. Furcht, bisweilen Entsetzen, mischte sich mit einem kaum zu beschreibenden Hochgefühl und neugieriger Erwartung. Früher hatte die Station einen Wall um ihn geschlossen. Jetzt war ihm, als säße er im Freien, nackt und ungeschützt. Ein Raum schien zu fehlen in seinem Leben, eine Tür, durch die man in ein angrenzendes Zimmer gehen konnte, um sich von der Welt auszusperren. Alles drang mit ungewohnter Intensität auf ihn ein, erschien eine Spur zu laut und zu grell.

»Du wirst weiterhin den Staub von deinen Führern blasen müssen«, sagte er. »Du weißt genau, dass dein Platz hier ist und nicht in einem Expertenrat, wo man dich platt redet, wenn du was sagen willst. Ohne dich ist Davie aufgeschmissen.«

Shoemaker sah ihn an.

»Kleine Motivationsveranstaltung?«, fragte er.

»Nein. Wozu? Warum sollte ich dich motivieren? *Ich* bin derjenige, der die Schnauze halten muss und seinen Freunden nichts erzählen darf. Warum versuchst du nicht, *mich* zu motivieren?«

Shoemaker drehte die Bierdose in seiner Hand. Dann grinste er.

»Wie lange bleibst du?«

»Kann ich mir aussuchen«, sagte Anawak. »Sie behandeln uns wie die Könige, wir haben rund um die Uhr Zugriff auf den Helikoptershuttle. Ich muss nur anrufen.«

»Sie tragen dir wirklich den Arsch hinterher, was?«

»Ja, tun sie. Dafür erwarten sie, dass ich es wert bin. Wahrscheinlich sollte ich in Nanaimo sein oder im Aquarium oder sonst wo und arbeiten, aber ich wollte euch sehen.«

»Arbeiten kannst du auch hier. Okay, ich motiviere dich. Komm heute Abend zum Essen. Du bekommst ein Riesensteak. Ich werde es selber für dich wenden, bis es aussieht und schmeckt wie die Sünde selber.«

»Klingt gut«, sagte Delaware. »Um wie viel Uhr?«

Shoemaker warf ihr einen undefinierbaren Blick zu.

»*Du* kannst auch gerne kommen«, sagte er.

Delaware kniff die Augen zusammen und erwiderte nichts. Anawak fragte sich, was da los war, aber er hielt sich fürs Erste raus und versprach Shoemaker, um sieben da zu sein. Wenig später lösten sie die Runde auf. Shoemaker machte sich auf den Weg nach Ucluelet, um Davie zu treffen. Anawak ging die Hauptstraße entlang zu seinem Boot und freute sich über Delawares Begleitung. Irgendwie hatte er die Nervensäge tatsächlich vermisst.

»Was hat Tom eigentlich vorhin gemeint«, fragte er.

Sie stellte sich ahnungslos.

»Wovon redest du?«

»Die Einladung zum Steak. So wie er es sagte, klang es, als ob er dich nicht gerne in Begleitung sieht.«

Delaware wirkte verlegen. Sie nestelte an einer Strähne ihres Haars und krauste die Nase.

»Na ja. Es ist was passiert in den Tagen, in denen du weg warst. Ich meine, das Leben steckt voller Überraschungen, nicht wahr? Manchmal ist man selber total platt.«

Anawak blieb stehen und sah sie an.

»Ja, und?«

»Also, der Tag, an dem du rüber bist nach Vancouver und erst mal nicht mehr auftauchtest – ich meine, du warst über Nacht verschwunden! Keiner wusste was über deinen Verbleib, und ein paar Leute haben sich Sorgen gemacht. Unter anderem auch, ähm … Jack. Also, Jack rief mich an, will sagen, er wollte eigentlich dich anrufen, aber du warst nicht da, und …«

»Jack?«, fragte Anawak.

»Ja.«

»Greywolf? Jack O'Bannon?«

»Er sagte, ihr hättet euch unterhalten«, fuhr Delaware hastig fort, bevor er weitersprechen konnte. »Und es muss wohl ein ziemlich gutes Gespräch gewesen sein. Jedenfalls, er freute sich und wollte, glaube ich, einfach mit dir quatschen, und …« Sie sah Anawak in die Augen. »Es war doch ein gutes Gespräch, oder?«

»Und was, wenn nicht?«

»Das wäre ziemlich blöde, weil …«

»Schon okay. Es *war* ein gutes Gespräch. Könntest du jetzt bitte aufhören, tausend Pirouetten zu drehen, und zur Sache kommen?«

»Wir sind zusammen«, platzte sie heraus.

Anawak öffnete den Mund und schloss ihn wieder.

»Ich sagte ja, manchmal ist man vollkommen platt! Er kam rüber nach Tofino – ich hatte ihm nämlich meine Nummer gegeben, du weißt ja, dass ich ihn irgendwie klasse … also, dass ich ein gewisses Verständnis für seinen Standpunkt aufbrachte, und …«

Anawak spürte, wie seine Mundwinkel zuckten. Er versuchte ernst zu bleiben. »Ein gewisses Verständnis. Natürlich.«

»Er kam also. Wir tranken was bei *Schooners*, und hinterher gingen wir runter an den Steg. Er hat mir alles Mögliche von sich erzählt, und ich hab ihm was von mir erzählt, wie das eben so geht, du quatschst und quatschst, und plötzlich … rumms … Du weißt schon.«

Anawak begann zu grinsen.

»Und Shoemaker passt das gar nicht.«

»Er *hasst* Jack!«

»Ich weiß. Das kannst du ihm nicht verdenken. Nur weil wir Greywolf plötzlich alle wieder lieb haben – du insbesondere –, ändert das nichts daran, dass er sich wie ein Arschloch aufgeführt hat. Jahrelang, wenn du's genau wissen willst. Er *ist* ein Arschloch.«

»Nicht mehr als du auch«, entfuhr es ihr.

Anawak nickte.

Dann lachte er. Bei allem Elend, das über die Welt gekommen war, lachte er über Delawares verzwickte Geschichte, er lachte über sich selbst und seinen Groll auf Greywolf, der eigentlich nur aus Wut über eine verlorene Freundschaft bestanden hatte, er lachte über sein Leben in den letzten Jahren, über sein dumpfes, brütendes Dasein, er lachte sich selber aus, dass es fast schmerzte, und genoss es.

Er lachte immer lauter.

Delaware legte den Kopf schief und sah ihn verständnislos an.

»Was gibt's denn da so blöde zu gackern?«

»Du hast Recht«, kicherte Anawak.

»Was heißt, du hast Recht? Bist du übergeschnappt?«

Er spürte, dass sein Heiterkeitsausbruch drohte, ins Hysterische abzugleiten, aber er konnte nichts dagegen tun. Es schüttelte ihn vor Gelächter. Er konnte sich nicht erinnern, wann er das letzte Mal so gelacht hatte. Ob er überhaupt je so gelacht hatte.

»Licia, du bist unbezahlbar«, japste er. »Du hast so verdammt Recht. Arschlöcher. Genau! Wir alle. Und du bist mit Greywolf zusammen. Ich pack's nicht. Oh Mann!«

Ihre Augen verengten sich. »Du machst dich über mich lustig.«

»Nein, überhaupt nicht«, keuchte er.

»Doch.«

»Ich schwör's dir, es ist nur …« Plötzlich fiel ihm etwas ein. Etwas, von dem er sich fragte, warum er nicht schon viel früher darauf gekommen war. Sein Gelächter erstarb. »Wo ist Jack eigentlich gerade?«

»Ich weiß nicht.« Sie zuckte die Achseln. »Vielleicht zu Hause?«

»Jack ist nie zu Hause. Ich denke, ihr seid zusammen?«

»Mein Gott, Leon! Wir haben nicht geheiratet, wenn du das meinst. Wir haben Spaß und sind verknallt, aber ich überwache doch nicht jeden seiner Schritte.«

»Nein«, murmelte Anawak. »Das wäre auch nichts für ihn.«

»Wieso fragst du? Willst du ihn sprechen?«

»Ja.« Er fasste sie bei den Schultern. »Licia, pass auf. Ich muss ein bisschen privaten Kram erledigen. Versuch ihn aufzustöbern. Vor heute Abend, wenn's geht, damit wir Shoemaker nicht das Essen verderben. Sag ihm, ich … ich würde mich freuen, ihn zu sehen. Ja, ganz ehrlich! Ich würde mich freuen. Ich hätte regelrecht Sehnsucht nach ihm.«

Delaware lächelte unsicher.

»Gut. Ich werd's ihm sagen.«

»Fein.«

»Ihr Männer seid komisch. Echt. Du meine Güte. Ihr seid wirklich ein paar komische Affen.«

Anawak ging aufs Schiff, sah die Post durch und schaute auf einen Sprung bei *Schooners* vorbei, wo er einen Kaffee trank und mit Fischern plauderte. Während seiner Abwesenheit waren zwei Männer in einem Kanu verunglückt und gestorben. Sie hatten sich trotz des strikten Verbots hinausgewagt. Keine zehn Minuten hatte es gedauert, bis sie von Orcas gerammt worden waren. Die Überreste des einen Mannes waren später angespült worden, von dem anderen fehlte jede Spur. Niemand verspürte Lust, ihn zu suchen.

»Ist ja nicht deren Problem«, sagte einer der Fischer, womit er die Betreiber der großen Fähren, Frachter und Fabriktrawler und die Kriegsmarine meinte. Er trank sein Bier mit der Verbissenheit desjenigen, der den Schuldigen ausgemacht zu haben glaubt und sich durch nichts und niemanden davon abbringen lässt, ihm die Verantwortung für seine Misere anzulasten. Dann sah er Anawak an, als erwarte er von ihm eine Bestätigung.

Es ist sehr wohl deren Problem, war Anawak versucht zu sagen, ihren Schiffen geht es keinen Deut besser. Er schwieg. Was sollte er antworten? Er durfte über die großen Zusammenhänge nicht sprechen, und die Leute in Tofino sahen nur ihren Ausschnitt der Welt. Sie kannten die Statistik über die Zunahme schwerer Unglücke nicht, mit denen Peak den Stab konfrontiert hatte.

»Nee, Junge, denen kommt das doch gelegen!«, knurrte der Mann. »Die großen Fangflotten dehnen ihr Monopol immer weiter aus, und jetzt so was. Sie haben uns die Bestände weggefischt, und jetzt räumen sie den Rest auch noch ab, nachdem wir Kleinen nicht mal mehr rausfahren können.« Und dann, nach einem weiteren Zug aus seinem Glas, sagte er: »Wir sollten diese verdammten Wale abschießen. Wir sollten ihnen zeigen, wo der Hammer hängt.«

Es war überall dasselbe. Wo immer Anawak hinhörte in den Stunden, seit er in Tofino war, klang die gleiche Forderung durch.

Töten wir die Wale.

War alles umsonst gewesen? Die Jahre der Mühsal, um ein paar lumpige, löchrige Schutzverordnungen zu erzwingen? Auf seine Weise hatte der frustrierte Fischer am Tresen von *Schooners* den Nagel auf den Kopf getroffen. Aus Sicht der kleinen Fischer brachte die Situation den Großen nur Vorteile ein, weil große Fabrikschiffe die Fanggründe als Einzige noch befahren konnten und jene, denen die Erlasse der Internationalen Walfangkommission, eingeschränkte Fangquoten und Jagdverbote immer schon ein Dorn im Auge gewesen waren, endlich eine Legitimation vorweisen konnten, wieder Wale zu jagen.

Anawak bezahlte seinen Kaffee und ging zurück zur Station. Der Verkaufsraum war leer. Er machte es sich hinter der Theke bequem, schaltete den Computer ein und begann, das World Wide Web zu durchforsten auf der Suche nach militärischen Dressurprogrammen. Es war mühsam. Diverse Seiten ließen sich nicht aufrufen. Während sie im Château Zugriff auf jede gewünschte Information hatten, krankte das öffentliche Netz zunehmend unter dem Ausfall der Tiefseekabel.

Anawak ließ sich nicht entmutigen. Die offizielle Homepage des *US Navy's Marine Mammal Program* zur militärischen Arbeit mit Meeressäugern fand er schnell. Was dort zu lesen war, kannte er bereits aus dem *Whistler Circuit*. Jeder bessere investigative Journalist hatte dutzendfach darüber berichtet. Er schloss die Seite und suchte weiter. Nach kurzer Zeit stieß er auf Meldungen über ein militärisches Programm in der ehemaligen Sowjetunion, die viel versprechend klangen. Eine größere Anzahl Delphine, Seelöwen und Belugas waren demnach während des Kalten Krieges mit dem Auffinden von Minen und verloren gegangenen Torpedos betraut und zum Schutz der Schwarzmeerflotte eingesetzt worden. Nach dem Zusammenbruch der Sowjetunion waren die Tiere in ein Ozeanarium in Sevastopol auf der Krimhalbinsel überführt worden und hatten dort Zirkuskunststücke vorgeführt, bis den Betreibern das Geld für Lebensmittel und Medikamente ausgegangen war und sie vor der Alternative standen, ihre Schützlinge entweder zu töten oder zu verkaufen. Einige Tiere gelangten auf diese Weise in ein Therapieprogramm für autistische Kinder. Die anderen wurden in den Iran verkauft. Dort verlor sich ihre Spur, was vermuten ließ, dass sie Gegenstand neuerlicher militärischer Experimente geworden waren.

Offenbar erlebten Meeressäuger eine Renaissance in der strategischen Kriegsführung. Während des Kalten Krieges hatte ein regelrechtes Wettrüsten zwischen den USA und der Sowjetunion stattgefunden, wer die effizienteste Meeressäugerstaffel aufbaute. Mit dem Ende der Blockstaaten schien sich Delphinspionage erledigt zu haben, doch dem Gerangel der Supermächte war keine bessere Weltordnung gefolgt. Der israelisch-palästinensische Konflikt geriet aus dem Ruder und begann die Region zu destabilisieren. Im Verborgenen wuchs eine neue, megapotente Generation von Terroristen heran, die in der Lage waren, amerikanische Kriegsschiffe zu sabotieren. Zahllose internationale Konflikte gipfelten in verminten Gewässern, verloren gegangenen Projektilen und wertvoller Ausrüstung, die auf den Meeresgrund sank und wieder hochgeholt werden musste. Es zeigte sich, dass Delphine, Seelöwen und Belugas jedem Taucher oder Roboter darin weit überlegen waren. Beim Aufspüren von Minen arbeiteten Delphine nachweislich 12-mal effizienter als Menschen. Die US-Seelöwen in den Militärbasen von Charleston und San Diego verbuchten im Aufspüren von Torpedos eine Erfolgsquote von 95 Prozent. Während Menschen unter Wasser nur eingeschränkt arbeiten konnten, unter schlechter Orientierung litten und Stunden in Dekompressionskammern verbringen mussten, operierten die Säuger in ihrem natürlichen Lebensraum. Seelöwen sahen noch bei extrem schlechten Lichtverhältnissen. Delphine orientierten sich selbst in lichtloser Schwärze, indem sie Sonar einsetzten, ein Trommelfeuer von Klicklauten, aus deren Echos sie mit unglaublicher Präzision auf Standort und Form von Gegenständen schließen konnten. Meeressäuger tauchten mühelos Dutzende von Malen am Tag in Tiefen von mehreren hundert Metern. Ein kleines Team von Delphinen ersetzte Millionen teure Schiffe, Taucher, Besatzungen und Equipment. Und immer, fast immer, kamen die Tiere zurück. In 30 Jahren hatte die US-Navy gerade mal sieben Delphine verloren.

Also wurden die amerikanischen Dressurprogramme mit neuen Mitteln fortgesetzt. Aus Russland hörte man von ersten Anstrengungen, die Arbeit mit den Säugern wieder aufzunehmen. Auch die indische Armee begann mit eigenen Zucht- und Dressurprogrammen. Aktuell war selbst der Nahe Osten in die Forschung eingestiegen.

Hatte Vanderbilt am Ende Recht?

Anawak war überzeugt, dass in den Tiefen des Web Informationen zu finden waren, die man auf der Homepage der US-Navy vergebens suchte. Er hörte nicht zum ersten Mal von Militärversuchen, um Wale und Delphine vollständiger Kontrolle zu unterwerfen. Dabei ging es weniger um klassische Dressur als um neuronale Forschung, wie sie John Lilly einst begonnen hatte. Weltweit hegte das Militär ein ausgeprägtes Interesse am Sonar der Delphine, das jedem menschlichen System überlegen war und dessen Funktionsweise man immer noch nicht verstand. Vieles deutete darauf hin, dass in jüngster Vergangenheit Experimente stattgefunden hatten, die weit über alles hinausgingen, was man offiziell bereit war einzugestehen.

Dort würden die Antworten zu finden sein auf die Frage, was mit den Walen geschehen war.

Aber das World Wide Web schwieg sich aus.

Es schwieg beharrlich, durchbrochen von Abstürzen und Zugriffsfehlern. Es schwieg drei Stunden lang, bis Anawak schließlich kurz davor stand aufzugeben. Seine Augen brannten. Er hatte keine Lust und keine Konzentration mehr, und so entging ihm beinahe die kurze Meldung des *Earth Island Journal*, die über den Bildschirm flackerte.

US-Navy verantwortlich für tote Delphine?

Das Journal wurde herausgegeben vom *Earth Island Institute*, einer Umweltschutzgruppe, die sich um neuartige Methoden zum Erhalt der Natur bemühte und diverse Projekte betrieb. Die *Earth-Island*-Leute waren in der Klimadiskussion vertreten und enthüllten Umweltskandale. Ein großer Teil ihrer Arbeit galt dem Leben in den Ozeanen und speziell dem Schutz der Wale.

Der kurze Artikel ging zurück auf ein Ereignis zu Beginn der neunziger Jahre, als an der französischen Mittelmeerküste 16 tote Delphine angeschwemmt worden waren. Alle Kadaver wiesen rätselhafte, identische Wunden auf. Ein sauber ausgestanztes, faustgroßes Loch an der hinteren Nackenseite, unter dem der nackte Schädelknochen zu sehen war. Niemand hatte sich damals erklären können, was es mit den mysteriösen Verletzungen auf sich hatte, aber ohne Zweifel waren sie verantwortlich für den Tod der Tiere. Der Vorfall hatte sich während der ersten Golfkrise ereignet, als große Flottenverbände der Amerikaner das Mittelmeer durchkreuzt hatten, und *Earth Island* stellte einen Zusammenhang mit Geheimexperimenten der US-Navy her, von denen man annahm, dass sie zu dieser Zeit stattgefunden haben mussten. Offenbar hatten sie nicht den gewünschten Erfolg gehabt, sodass man sich schließlich gezwungen sah, sie zu vertuschen.

Irgendetwas muss damals fürchterlich schief gelaufen sein, schrieb das Journal.

Anawak druckte den Text aus und versuchte, im Archiv weitere Artikel zu finden, die den Vorfall aufgriffen. Er war so vertieft in seine

Arbeit, dass er kaum hörte, wie die Tür der Station geöffnet wurde. Erst als sich sein Blickfeld verdunkelte, schaute er auf und sah einen muskulösen Bauch und eine nackte, behaarte Brust, die sich unter einer offen stehenden Lederjacke hervorwölbte.

Er legte den Kopf in den Nacken. Bei der Größe seines Gegenübers war das unvermeidbar.

»Du wolltest mich sprechen«, sagte Greywolf.

Das Lederzeug an seinem gewaltigen Körper war speckig und abgetragen wie immer. Die langen Haare hatte er zu einem schimmernden Zopf gebunden. Augen und Zähne blitzten. Anawak hatte den Halbindianer einige Tage nicht gesehen, und wie alles um sich herum nahm er auch ihn plötzlich mit anderen Augen wahr. Er spürte die Kraft des Hünen, seine Ausstrahlung, seinen natürlichen Charme. Es war kein Wunder, dass Delaware so viel geballter Männlichkeit verfallen war. Wahrscheinlich hatte es Greywolf nicht mal darauf angelegt.

»Ich dachte, du bist irgendwo in Ucluelet«, sagte er.

»War ich auch.« Greywolf zog einen Stuhl heran und setzte sich, dass es knarrte. »Licia meinte, du brauchst mich.«

»Brauchen?« Anawak lächelte. »Ich hatte ihr gesagt, dass ich mich freuen würde, dich zu sehen.«

»Was im Klartext heißt, du brauchst mich. Also bin ich hier.«

»Und wie geht's dir?«

»Es ginge mir besser, wenn du was zu trinken hättest.«

Anawak ging zum Kühlschrank, förderte Bier und Cola zutage und stellte beides auf die Theke. Greywolf trank eine halbe Dose Heineken in einem Zug und wischte sich den Mund.

»Hab ich dich bei irgendwas gestört?«, fragte Anawak.

»Zerbrich dir nicht den Kopf. Ich war fischen mit ein paar reichen Säcken aus Beverly Hills. Was euch Whale Watcher betrifft, so schwappt euer idiotisches Geschäft gerade zu mir rüber. Keiner geht davon aus, dass sein Boot von einer Forelle attackiert wird, also bin ich umgestiegen und biete Angeltouren auf den Seen und Flüssen unserer geliebten Insel an.«

»Ich sehe, deine Einstellung zum Whale Watching hat sich nicht sonderlich geändert.«

»Nein, warum sollte sie? Aber ich lasse euch in Ruhe.«

»Oh, danke«, sagte Anawak sarkastisch. »Aber es trifft sich gut. Ich meine, dass du immer noch auf deinem Rachefeldzug für die gepeinigte Natur bist. Erzähl mir nochmal in kurzen Zügen, was du bei der Navy gemacht hast.«

Greywolf starrte ihn verblüfft an. »Das weißt du doch.«

»Erzähl's mir nochmal.«

»Ich war Trainer. Wir haben Delphine für taktische Einsätze trainiert.«

»Wo? In San Diego?«

»Ja, auch da.«

»Und du bist wegen Herzmuskelschwäche oder so was Ähnlichem entlassen worden. In allen Ehren.«

»Genau«, sagte Greywolf zwischen zwei Schlucken.

»Das stimmt nicht, Jack. Du bist nicht entlassen worden. Du bist von selber gegangen.«

Greywolf nahm die Dose vom Mund und setzte sie beinahe vorsichtig auf dem Tresen ab.

»Wie kommst du denn darauf?«

»Weil es in den Akten des *Space and Naval Warfare System Center San Diego* so vermerkt ist«, sagte Anawak. Er begann, langsam im Raum auf und ab zu gehen. »Nur damit du siehst, dass ich im Bilde bin: Das *SSC San Diego* ist die Nachfolgeorganisation einer Behörde, die sich *Navy Command, Control and Ocean Systems Center* nannte, ebenfalls beheimatet in San Diego, Point Loma. Die Finanzierung erfolgte durch eine Organisiation, aus der das *US Navy's Marine Mammal System* von heute hervorgegangen ist. Jede dieser Institutionen taucht in irgendeiner Weise auf, wenn man die Geschichte der Meeressäugerprogramme nachliest, und jede wird unter der Hand in Verbindung gebracht mit einer Reihe dubioser Experimente, die angeblich niemals stattgefunden haben.« Anawak hielt einen Moment inne. Dann entschloss er sich zu einem Bluff. »Experimente, die durchgeführt wurden in Point Loma, wo du stationiert warst.«

Greywolf verfolgte Anawaks Wanderung durch den Verkaufsraum mit lauernden Blicken.

»Wozu erzählst du mir den ganzen Quatsch?«

»Aktuell werden in San Diego Ernährungsgewohnheiten erforscht, Jagd- und Kommunikationsverhalten, Dressurfähigkeit, Möglichkeiten der Auswilderung und so weiter. Was das Militär allerdings noch mehr interessiert, ist das Gehirn der Säuger. Dieses Interesse geht zurück auf die Sechziger. Zur Zeit des ersten Golfkriegs scheint es neu aufgeflammt zu sein. Du warst damals schon einige Jahre dabei. Als du die Navy verlassen hast, bist du im Rang eines Lieutenant ausgeschieden, zuletzt verantwortlich für die beiden Delphinstaffeln MK6 und MK7, zwei von insgesamt vier.«

Greywolfs Brauen zogen sich zusammen.

»Na und? Habt ihr keine anderen Sorgen in eurem Ausschuss? Die Situation in Europa beispielsweise?«

»Der nächste Schritt in deiner Karriere hätte dir die Gesamtverantwortung über das komplette Programm eingetragen«, fuhr Anawak fort. »Stattdessen hast du alles hingeschmissen.«

»Ich habe überhaupt nichts hingeschmissen. Sie haben mich ausgemustert.«

Anawak schüttelte den Kopf. »Jack, ich genieße ein paar bemerkenswerte Privilegien. Ich verdanke ihnen Zugriff auf eine Reihe von Daten, an deren Verlässlichkeit es nichts zu rütteln gibt. Du bist freiwillig gegangen, und ich würde gerne wissen, warum.«

Er nahm den Ausdruck des *Earth-Island*-Artikels vom Tresen und reichte ihn Greywolf, der einen kurzen Blick darauf warf und das Blatt weglegte.

Eine ganze Weile war es still.

»Jack«, sagte Anawak leise. »Du hattest Recht. Ich freue mich wirklich, dich zu sehen, aber ich brauche deine Hilfe.«

Greywolf sah zu Boden und schwieg.

»Was hast du damals erlebt? Warum bist du gegangen?«

Der Halbindianer brütete weiter vor sich hin. Dann straffte er sich und verschränkte die Arme hinter dem Kopf.

»*Warum* willst du das wissen?«

»Weil es uns helfen könnte zu verstehen, was mit unseren Walen geschehen ist.«

»Es sind nicht eure Wale. Es sind nicht eure Delphine. Nichts ist euer. Du willst wissen, was los ist? Sie schlagen zurück, Leon. Wir kriegen die längst fällige Quittung. Sie spielen nicht mehr mit. Wir haben sie als Eigentum betrachtet, ihnen Leid zugefügt, sie missbraucht, sie begafft. Sie haben einfach die Schnauze voll von uns.«

»Du glaubst tatsächlich, sie tun das alles aus freiem Willen?«

Greywolf setzte zum Sprechen an, dann schüttelte er den Kopf.

»Mich interessiert nicht mehr, warum sie irgendetwas tun. Wir haben uns schon viel zu sehr für sie interessiert. Ich will es nicht wissen, Leon, ich will einfach nur, dass man sie in Frieden lässt.«

»Jack«, sagte Anawak langsam. »Sie werden gezwungen.«

»Quatsch. Wer sollte …«

»Sie werden gezwungen! Wir haben den Beweis. Ich dürfte dir das gar nicht erzählen, aber ich brauche Informationen. Du willst ihnen Leid ersparen, dann tu es auch. Im Moment widerfährt ihnen größeres Leid, als du dir vorstellen kannst …«

»Als ich mir vorstellen kann?« Greywolf sprang auf. »Was weißt du denn? Du weißt gar nichts!«

»Dann klär mich auf.«

»Ich habe …« Der Riese schien mit sich zu ringen. Seine Kiefer mahlten. Er ballte die Fäuste. Dann ging eine Veränderung mit ihm vor. Sein Körper entspannte sich, erschlaffte geradezu.

»Komm mit«, sagte er. »Wir gehen spazieren.«

Eine Weile liefen sie schweigend nebeneinander her. Am Ortsrand wählte Greywolf einen Pfad, der unter Bäumen hindurch zum Wasser führte. Nach wenigen Schritten erreichten sie die Böschung. Ein kleiner, wackliger Steg führte hinaus und bot Ausblick auf die herbe Schönheit der Bucht. Greywolf schlenderte die windschiefen Planken entlang und ließ sich am Stegende nieder. Anawak folgte ihm. Von Tofino lugten hinter der Landzunge zur Rechten nur Davies Pier und einige Stelzenhäuser hervor. Sie saßen eine Weile dort und sahen auf die Berge, deren Farben im späten Nachmittagslicht kraftvoll leuchteten.

»Deine Daten sind nicht ganz vollständig«, sagte Greywolf schließlich. »Offiziell gibt es vier Gruppen, MK4 bis 7, aber es existiert eine fünfte Gruppe, Deckname MK0. Die Navy bevorzugt übrigens den Begriff System statt Gruppe. Jedem System fallen bestimmte Aufgaben zu. Es stimmt, San Diego hat die Leitung inne, aber die meiste Zeit verbrachte ich in Coronado, Kalifornien, wo viele der Tiere trainiert werden. Die Armee hält sie in ihrem natürlichen Lebensraum, in Buchten und Hafenanlagen. Es geht ihnen dort gut! Sie werden regelmäßig gefüttert und genießen ausgezeichnete medizinische Versorgung, das ist mehr, als die meisten Menschen für sich verbuchen können.«

»Und du warst für diese fünfte Gruppe … das fünfte System verantwortlich?«

»Du machst dir falsche Vorstellungen. MK0 ist anders. Im Allgemeinen umfasst ein System vier bis acht Tiere mit fest definierten Aufträgen. MK4 hat zum Beispiel die Aufgabe, am Ozeanboden verankerte Minen aufzuspüren und zu markieren. Alles Delphine. Sie werden außerdem darauf trainiert, Sabotageversuche an Schiffen zu melden. MK5 ist eine Seelöwenstaffel, MK6 und MK7 suchen ebenfalls nach Minen, werden aber bevorzugt in der Abwehr feindlicher Taucher eingesetzt.«

»Sie greifen Taucher an?«

»Nein. Sie geben dem Eindringling einen Stups mit der Nase und befestigen dabei eine zusammengewickelte Schnur an seinem Anzug, deren Ende mit einem Schwimmer versehen ist. Der Schwimmer ist mit einem Stroboskoplicht gekoppelt, das uns die Position des Tauchers verrät. Alles andere erledigen dann wir. Ähnlich läuft das mit den Minen. Die Tiere melden den Fund. In manchen Fällen tauchen sie mit einem Magneten nach unten, platzieren ihn an der Mine, am Magnet hängt ein Seil, und das bringen sie zurück. Wenn die Mine nicht gerade fest verankert ist, müssen wir nur noch an der Strippe ziehen. Fertig. Schwertwale und Belugas holen dir Torpedos aus bis zu einem Kilometer Tiefe, es ist beeindruckend. – Du musst dir vorstellen, dass Minensuchen für Menschen ein tödliches Geschäft ist. Nicht mal so sehr, weil dir das Ding um die Ohren fliegen könnte, sondern weil du fast immer in Ufernähe danach suchen musst und hauptsächlich dort, wo es gerade kracht. Du wirst vom Land her beschossen.«

»Und die Minen töten die Tiere nicht?«

»Offiziell ist kein einziges Tier auf diese Weise gestorben. Tatsächlich gibt es Ausnahmen, aber sie liegen im tolerierbaren Bereich. Jedenfalls, von MK0 hatte ich anfangs nur gehört und es für ein Ammenmärchen gehalten. Es ist kein richtiges System, sondern der Deckname für eine ganze Reihe von Programmen und Experimenten, die an unterschiedlichen Orten und mit immer neuen Tieren durchgeführt werden. MK0-Tiere kommen auch nicht mit anderen Tieren in Kontakt, aber manchmal werden Tiere aus regulären Systemen für MK0 rekrutiert und verschwinden dann für alle Zeiten.« Greywolf machte eine Pause. »Ich war ein guter Trainer. MK6 war mein erstes System. Wir nahmen an jedem größeren Manöver teil. 1990 übernahm ich MK7, und alle schlugen mir auf die Schulter. Sie lobten meine Arbeit über den grünen Klee, und schließlich kam einer auf den Gedanken, dass ich vielleicht ein bisschen mehr erfahren sollte.«

»Über MK0.«

»Ich wusste natürlich, dass Tümmler der Navy ihren ersten großen Erfolg Anfang der Siebziger in Vietnam verbucht hatten, wo sie Häfen in der Cam-Ranh-Bucht schützten und die Unterwassersabotage der Vietkong stoppten. – Das erzählen sie dir immer als Erstes beim MMS, und sie sind mächtig stolz darauf. Was sie dir nicht erzählen, sind die Umstände, unter denen das geschah. Sie verlieren auch kein Wort über das *Swimmer Nullification Program*. Das funktioniert nämlich ein bisschen anders. Die Tiere werden darauf dressiert, feindlichen Froschmännern Maske und Flossen herunterzureißen und die Luftschläuche rauszuziehen. Brutal genug, aber in Vietnam trugen sie an Schnauze und Flossen außerdem lange, stilettartige Messer, und einige führten auf dem Rücken Harpunen mit sich. Was dich da unter Wasser angriff, war kein Delphin oder Tümmler mehr, sondern eine Tötungsmaschine. – Und selbst das ist harmlos gegen den Trick, auf den die Navy dann verfiel, als sie den Tieren subkutane Spritzen auf die Schnauzen setzten, mit denen sie die Taucher rammen sollten, was sie auch fleißig taten. Das Problem für den betroffenen Taucher lag jedes Mal darin, dass die Spritze eine Ladung von 3 000 psi Karbondioxid in seinen Körper jagte, also komprimierte Kohlensäure. Das Gas breitet sich binnen weniger Sekunden aus. Das Opfer explodiert. Es wird in Fetzen gerissen. – Über 40 Vietkong sind auf diese Weise von unseren Tieren getötet worden und aus Versehen auch zwei Amerikaner, aber ein bisschen Schwund ist überall.«

Anawak spürte, wie sich sein Magen zusammenkrampfte.

»Ähnliches geschah Ende der Achtziger in Bahrain«, fuhr Greywolf fort. »Da war ich erstmalig an der Front. Mein System verrichtete brav seine Arbeit, ich hatte keine Ahnung von MK0. Auch nicht, dass sie die Tiere über unzugänglichen Gebieten mit Fallschirmen abwarfen, zum Teil aus drei Kilometern Höhe, was nicht jedes überlebte. Andere warfen sie ohne Fallschirm aus Helikoptern, immer noch zwanzig Meter über dem Meer. Wieder andere schickten sie mit Minen los, um sie an Schiffsrümpfe und gegnerische U-Boote zu heften. Manchmal warteten sie, bis die Tiere nah genug dran waren, und zündeten die Minen per Fernsteuerung. Kamikaze-Unternehmen. Kurze Zeit später wusste ich darüber Bescheid.« Greywolf schwieg eine Weile. »Ich hätte damals schon aufhören sollen, Leon, aber die Navy war mein Zuhause. Ich war da glücklich. Keine Ahnung, ob du das verstehen kannst, aber so war es nun mal.«

Anawak schwieg. Er verstand es nur zu gut.

»Also tröstete ich mich damit, zu den *good guys* zu gehören. Aber das Oberkommando gelangte zu der Ansicht, es sei gut, mich künftig ins MK0-Programm einzubinden. Die *bad guys* fanden, ich sei so ungemein talentiert im Umgang mit den Tieren.« Greywolf spuckte aus. »Und da hatten sie Recht, die Hurensöhne, und ich war ein Idiot, weil ich Ja sagte, anstatt ihnen was auf die Fresse zu geben. Ich hab mir eingeredet, dass Krieg nun mal so ist. Menschen fallen im Gefecht, sie treten auf Minen oder werden erschossen oder verbrannt, also was soll das Lamento wegen einiger Delphine? So kam ich nach San Diego, wo sie gerade daran arbeiteten, Schwertwale mit nuklearen Sprengköpfen auszurüsten ...«

»Wie bitte?«

Greywolf sah ihn an. »Du wunderst dich? Ich habe längst aufgehört, mich über irgendwas zu wundern. Es gibt Projekte, Orcas mit so was loszuschicken. So ein Sprengkopf wiegt sieben Tonnen, den schleppt dir ein ausgewachsener Orca meilenweit bis in einen feindlichen Hafen. Einen nuklearen Killerwal zu stoppen ist fast unmöglich. Ich weiß nicht, wie weit sie inzwischen sind, aber ich schätze, das stellt heute kein Problem mehr dar. Damals steckten sie mittendrin in den Versuchen. In diesem Zusammenhang wurde ich Zeuge eines anderen Experiments. – Die Navy zeigt Journalisten gerne Videos von Delphinen, die mit einer scharfen Mine im Maul losschwimmen und sie fröhlich zurückbringen, statt dem russischen U-Boot-Kapitän, für den sie bestimmt war, den Arsch damit wegzublasen. Darauf gründet die Navy ihre Behauptung, solche Killerkommandos gäbe es nicht. Tatsächlich kommt so was vor, aber äußerst selten. Schlimmstenfalls fliegt ein Boot mit drei Mann in die Luft. Damit kann die Navy leben. Es hat sie nicht davon abgehalten, solche Versuche voranzutreiben.« Greywolf machte eine Pause. »Was anderes ist es, wenn du einen nuklearen Wal nicht sauber auf Kurs halten kannst. Wenn der zurückkommt, und das Ding ist scharf, hast du ein Problem. Die Navy kann so viele Orcas losschicken, wie sie will, aber sie muss sichergehen, dass die Wale nicht auf dumme Gedanken kommen. Und der beste Weg, dumme Gedanken zu vermeiden, ist, sie gar nicht erst zuzulassen.«

»John Lilly«, murmelte Anawak.

»Was?«

»Ein Forscher. Er hat in den Sechzigern Hirnversuche mit Delphinen durchgeführt.«

»Ich erinnere mich, dass der Name irgendwann fiel«, sagte Greywolf nachdenklich. »In San Diego jedenfalls wurde ich Zeuge, wie sie Delphinen den Kopf aufmeißelten. Das war 1989. Sie schlugen mit Hammer und Meißel kleine Löcher in die Schädeldecke. Die Tiere waren bei vollem Bewusstsein und mussten von mehreren starken Männern festgehalten werden, weil sie ständig versuchten, vom Tisch zu springen. Man erklärte mir, das sei nicht wegen der Schmerzen, sondern weil den Tieren das Gehämmere auf die Nerven ging. Tatsächlich sehe die Prozedur weit schmerzhafter aus, als es tatsächlich der Fall sei. Durch die Löcher führten sie dann Elektroden ein, um über elektrische Reize das Gehirn zu stimulieren.«

»Ja, das ist John Lilly!«, rief Anawak erregt. »Er hat versucht, eine Art Landkarte des Gehirns herzustellen.«

»Glaub mir, die Navy hat ihre Landkarten erstellt«, sagte Greywolf bitter. »Mir wurde schlecht, aber ich hielt meinen Mund. Sie zeigten mir einen Delphin, der in einem Becken schwamm und eine zaumzeugartige Vorrichtung im Nacken trug. Die Vorrichtung trieb Elektroden durch die Schädeldecke. Sie hatten es geschafft, das Tier durch elektrische Signale zu steuern. Es war erstaunlich, das muss man ihnen lassen. Sie konnten den Delphin dazu bringen, nach rechts oder nach links zu schwimmen, Sprünge zu vollführen, Aggressionen aufzubauen und Attrappen von Tauchern anzugreifen, sie konnten seinen Fluchtmechanismus auslösen und eine Art Ruhezustand herbeiführen. Ob das Tier je aus freiem Willen mitgemacht hätte oder nicht, spielte keine Rolle. Dieser Delphin besaß keinen freien Willen mehr. Er funktionierte wie ein ferngesteuertes Auto, wie ein Kinderspielzeug. – Nun, sie waren begeistert. Es sah alles danach aus, als ob die Sache ein großer Erfolg würde. 1991 waren wir zum Golf unterwegs, und wir nahmen rund zwei Dutzend solcher ferngesteuerter Delphine mit, während sie in San Diego parallel an nuklearen Walen arbeiteten. Ich war immer noch dabei, ich hielt immer noch meine sonst so große Klappe und machte mir weis, dass das nicht mein Projekt sei. Meine Delphine suchten Minen, wurden gut gefüttert und gestreichelt. Man drängte mich, aktiv ins MKo einzusteigen, und ich schaffte es irgendwie, mir Bedenkzeit auszubitten – Bedenkzeit ist in der Armee nicht sonderlich beliebt, in dem Wort steckt Denken! –, aber gut, sie gingen darauf ein. Wir passierten die Straße von Gibraltar und führten Testreihen auf hoher See durch. Anfangs lief alles glatt. Dann begannen die ersten Probleme. In den Labors und Aquarien von San Diego hatte die Fernsteuerung reibungslos funktioniert, aber im offenen Meer waren die Tiere anderen Reizen ausgesetzt. Die Ausfälle häuften sich. Es klappte einfach nicht in freier Natur, jedenfalls nicht so, wie sich die Projektleitung die Sache vorgestellt hatte, und die Tiere entwickelten sich zum Sicherheitsrisiko. Zurück nach Amerika konnten wir sie nicht bringen, mitnehmen zum Golf wollte sie keiner. – Wir ankerten vor Frankreich. Es gibt dort ein Partnerinstitut, in dem französische Experten am MKo-Programm mitarbeiten. Die Franzosen sind nicht gerade unsere besten Freunde, aber sie haben eine Menge Ahnung von Meeresforschung, also hatte man Allianzen geknüpft. Hier erhofften wir uns ein paar Antworten. Ein Mann namens René Guy Busnel empfing uns und wurde mir vorgestellt als Leiter des verdienstvollen *Laboratoire d'Acoustique Animale*. Er versprach, sich unserer Probleme anzunehmen, und lud uns zu einer Führung ein. Gleich im ersten dieser verdienstvollen Labors präsentierte er uns einen Delphin, der in eine Vorrichtung aus Schraubstöcken eingespannt und völlig verstümmelt war. Aus seinem Rücken ragte ein armlanges Messer. Ich habe nie gefragt, wozu sie das getan haben, aber ich war dabei, wie die Laborassistenten uns eine Grußkarte des Instituts überreichten, die sie mit dem Blut des Delphins unterschrieben hatten, und alle lachten.«

Greywolf hielt inne. Aus der Tiefe seines gewaltigen Brustkastens drang ein undefinierbarer Laut, etwas wie ein resigniertes Seufzen.

»Busnel fachsimpelte über Hirnexperimente und gelangte zu dem Schluss, dass es so nicht ginge. Die Leiter des Projekts hatten offenbar das eine oder andere übersehen oder falsch eingeschätzt, was weiß ich. Zurück an Bord wurde Kriegsrat gehalten und beschlossen, die Delphine loszuwerden. Wir ließen sie einfach ins Meer hinausschwimmen, und nachdem sie einige hundert Meter weit vom Schiff waren, drückte jemand auf ein Knöpfchen an einem Gerät. – Sie hatten Zündkapseln in das Elektrodengeschirr eingebaut, um zu verhindern, dass die Technik in feindliche Hände fallen konnte. Nicht viel, nur eben genug, um das Geschirr und die Elektroden abzusprengen. Die Tiere wurden dabei getötet. Danach fuhren wir weiter.«

Greywolf nagte an seiner Unterlippe. Dann sah er Anawak an.

»Das sind die Delphine, die an der französischen Küste angeschwemmt wurden. Deine Meldung von *Island Earth*. Jetzt weißt du's.«

»Und du hast ...«

»Ich sagte ihnen, dass es reicht. Sie versuchten, mich umzustimmen. Zwecklos. Natürlich gefiel es ihnen nicht, in ihren Akten vermerkt zu sehen, dass einer ihrer besten Delphintrainer aus ungenannten Gründen den Abschied einreicht. Auf so was stürzen sich immer gleich Hundertschaften von Schreiberlingen, das Fernsehen ruft an, du weißt schon. Es ging hin und her. Schließlich einigten wir uns darauf, dass sie mir einen Haufen Geld geben und ich mich dafür aus gesundheitlichen Gründen ausmustern lasse. Ich bin eigentlich Kampftaucher. Mit Herzmuskelschwäche kannst du das vergessen. Kein Mensch stellt blöde Fragen, wenn du wegen Herzschwäche ausgemustert wirst. Und ich war draußen.«

Anawak sah hinaus auf die Bucht.

»Ich bin kein Wissenschaftler wie du«, sagte Greywolf leise. »Ich verstehe was von Delphinen und wie man mit ihnen umgeht, aber nichts von Neurologie und diesem ganzen Mist. Ich kann es nicht ertragen, wenn jemand ein allzu offensichtliches Interesse an einem Wal oder einem Delphin entwickelt, das ist alles, und wenn er nur ein Foto machen will. Ich kann es nicht ertragen, und ich kann's nicht ändern.«

»Shoemaker glaubt heute noch, du willst uns eins auswischen.«

Greywolf schüttelte den Kopf.

»Ich war eine Weile der Meinung, Whale Watching wäre in Ordnung, aber du siehst ja, es hat nicht funktioniert. Ich habe mich selber rausgeworfen. Ich habe einfach nur dafür gesorgt, dass ihr es tut.«

Anawak stützte das Kinn in die Hände.

Es war so schön hier. So unglaublich schön war diese Bucht mit den Bergen, war diese ganze Insel, dass es beinahe schmerzte.

»Jack«, sagte er nach einer Weile. »Du wirst umdenken müssen. Es passiert schon wieder. Deine Wale nehmen keine Rache. Sie geben uns nicht die Quittung. Sie werden gesteuert. Irgendjemand fährt sein eigenes MKo-Programm mit ihnen. Es ist noch viel schlimmer als alles, was die Navy mit ihnen gemacht hat.«

Greywolf erwiderte nichts. Schließlich verließen sie den Steg und gingen schweigend den Waldweg zurück nach Tofino. Vor *Davies Whaling Station* blieb Greywolf stehen.

»Kurz vor meinem Ausstieg hörte ich, dass die Experimente mit den nuklearen Walen einen entscheidenden Sprung nach vorne getan hätten. In dem Zusammenhang fiel ein Name. Es ging um Neurologie und irgendetwas, das sie Neuronencomputer nannten. Sie sagten, um die Tiere vollständig zu beherrschen, müsse man den Gedanken eines gewissen Kurzweil folgen. Professor Dr. Kurzweil. Ich dachte, ich sag's dir einfach. Keine Ahnung, ob du damit was anfangen kannst.«

Anawak überlegte.

»Doch«, sagte er. »Ich glaube schon.«

CHÂTEAU WHISTLER, KANADA

Am frühen Abend klopfte Weaver an Johansons Zimmertüre. Wie es ihre Art war, drückte sie die Klinke hinunter, um einzutreten, aber die Tür war verschlossen.

Sie hatte ihn aus Nanaimo zurückkommen sehen. Johanson hatte sich mit Bohrmann treffen wollen. Weaver fuhr mit dem Fahrstuhl in die Lobby und fand ihn in der Bar, wo er mit dem Deutschen und Stanley Frost zusammensaß. Sie waren über Diagramme gebeugt und in heftige Diskussionen verstrickt.

»Hi.« Weaver trat hinzu. »Kommt ihr weiter?«

»Wir stecken fest«, sagte Bohrmann. »Wir haben immer noch ein paar Unbekannte in der Gleichung.«

»Bah, denen kommen wir auch noch auf die Spur«, knurrte Frost. »Gott würfelt nicht.«

»Das hat Einstein gesagt«, bemerkte Johanson. »Und er hatte Unrecht.«

»*Gott würfelt nicht!*«

Sie wartete eine Weile. Dann tippte sie Johanson an.

»Könnte ich dich – entschuldige die Störung, aber kann ich dich kurz unter vier Augen sprechen?«

Johanson zögerte.

»Jetzt sofort? Wir gehen gerade Stans Szenario durch. Treibt einem den Angstschweiß auf die Stirn.«

»Tut mir Leid.«

»Warum leistest du uns nicht Gesellschaft?«

»Kannst du dich nicht wenigstens ein paar Minuten ausklinken? Wir brauchen nicht lange.« Sie lächelte in die Runde. »Danach komme ich hinzu, lasse sämtliche Simulationen über mich ergehen und nerve euch mit neunmalklugen Kommentaren.«

»Mächtig nette Vorstellung«, grinste Frost

»Und wohin?«, fragte Johanson, als sie den Tisch verließen.

»Egal. In die Halle.«

»Ist es irgendwas von Bedeutung?«

»Bedeutung ist gar kein Ausdruck!«

»Gut.«

Sie gingen nach draußen. Die Sonne stand tief. Im Untergehen überzog sie das Château und die verschneiten Gipfel der Rockys mit rötlichem Licht. Die Helikopter vor dem Hotel sahen aus wie Rieseninsekten in Ruhestellung. Sie spazierten ein Stück in Richtung Whistler Village. Plötzlich war Weaver die ganze Sache peinlich. Die anderen mussten glauben, sie und Johanson hätten Geheimnisse miteinander, aber tatsächlich wollte sie einfach nur seine Meinung hören. Sie wollte ihm die Entscheidung überlassen, wann er mit seiner Theorie vor den Stab trat, und dazu gehörte auch, ihn vorab zu informieren.

»Wie war es in Nanaimo?«, fragte sie.

»Zum Gruseln.«

»Es heißt, Long Island sei von Killerkrabben überrannt worden.«

»Krabben mit Killeralgen«, sagte Johanson. »Ähnlich wie in Europa, nur viel giftiger.«

»Klingt nach einer neuen Angriffswelle.«

»Ja. Oliviera, Fenwick und Rubin haben sich an die Analysen begeben.« Er räusperte sich. »Dein Interesse in allen Ehren, aber eigentlich wolltest du *mir* was erzählen.«

»Ich habe den ganzen Tag mit Satellitendaten verbracht. Dann habe ich die Radarauswertungen mit Multispektralaufnahmen verglichen. Ich hätte gerne auch die Daten von Bauers autarken Driftern abgefragt, aber sie liefern keine Daten mehr. Es hat auch so gereicht. Du weißt, dass sich der Meeresspiegel in den Randbereichen großer ozeanischer Wirbel hochwölbt?«

»Hab davon gehört.«

»Ein solcher Bereich ist der Golfstrom. Bauer hat vermutet, dass etwas in dieser Region geschieht. Er fand die nordatlantischen Schlote nicht mehr, in denen das Wasser absinkt, und schloss daraus, dass etwas das Verhalten der großen Strömungen stört, aber er war sich nicht ganz sicher.«

»Und?«

Sie blieb stehen und sah ihn an. »Ich habe es durchgerechnet, verglichen, betrachtet, durchgerechnet, verglichen, angezweifelt, betrachtet, durchgerechnet. Die Golfstromwölbung ist verschwunden.«

Johanson runzelte die Stirn. »Du meinst ...«

»Der Wirbel dreht sich nicht mehr wie früher, und wenn du die Spektralaufnahmen daneben betrachtest, stellst du fest, dass im gleichen Maße die Wärme zurückgegangen ist. Es gibt keinen Zweifel, Sigur. Wir sehen einer neuen Eiszeit entgegen. Der Golfstrom hat aufgehört zu fließen. Etwas hat ihn gestoppt.«

SICHERHEITSRAT

»Das ist eine verdammte Schweinerei! Und irgendjemand wird dafür bezahlen.«

Der Präsident wollte Blut sehen.

Er war in der Offutt Air Force Base eingetroffen und hatte als Erstes eine abhörsichere Videokonferenz mit dem Nationalen Sicherheitsrat einberufen. Washington, Offutt und das Château waren zusammengeschaltet. Im Lageraum des Weißen Hauses saßen der Vizepräsident, der Verteidigungsminister und sein Stellvertreter, die Außenministerin, der Sicherheitsberater des Präsidenten, der Direktor des FBI und der Vorsitzende der Vereinigten Stabschefs beisammen. Aus der Zentrale für Terrorismusbekämpfung tief im fensterlosen Inneren des CIA-Hauptquartiers am Potomac waren der Direktor der Behörde, der

Deputy Director for Operations und der Direktor des *Counterterrorism Center* und Leiter der Sondereinsätze zugeschaltet. Die Oberbefehlshabende des *Central Command*, General Judith Li, und der Stellvertretende CIA-Director Jack Vanderbilt komplettierten den Kreis. Sie saßen im provisorischen War Room des Châteaus vor einer Reihe von Bildschirmen, auf denen die übrigen Teilnehmer der Sitzung zu sehen waren. Die meisten trugen einen Ausdruck wilder Entschlossenheit zur Schau, einige wirkten eher ratlos.

Der Präsident gab sich keine Mühe, seine Wut zu verbergen. Am Nachmittag hatte ihm sein Vize den Vorschlag unterbreitet, die Stabschefs mit der Leitung eines Krisenkabinetts zu betrauen, aber er bestand darauf, die Plenarsitzungen des Nationalen Sicherheitsrats selber zu leiten. Auf keinen Fall wollte er sich die Entscheidungsgewalt aus der Hand nehmen lassen.

Damit handelte er ganz im Sinne Lis.

In der Hierarchie der Berater war Li nicht die wichtigste Stimme. Den höchsten militärischen Rang bekleidete der Vorsitzende der Vereinigten Stabschefs. Er war militärischer Hauptberater des Präsidenten, und auch er hatte einen Stellvertreter. Jeder Idiot hatte einen Stellvertreter. Li wusste allerdings, dass der Präsident gern auf sie hörte, und es erfüllte sie mit glühendem Stolz. In jeder Sekunde war die Vision ihrer künftigen Laufbahn präsent, selbst jetzt, da sie hochkonzentriert dem Verlauf der Sitzung folgte. Vom General Commander würde sie es zur Vorsitzenden der Vereinigten Stabschefs bringen. Der jetzige Vorsitzende stand kurz davor, aus dem Amt zu scheiden, und sein Stellvertreter war erwiesenermaßen eine Flasche. Danach konnte sie eine politische Runde als Außenministerin oder im Verteidigungsministerium drehen und sich anschließend für die Präsidentschaftswahl aufstellen lassen. Wenn sie ihren Job jetzt gut machte – und das hieß, uneingeschränkt im Interesse der Vereinigten Staaten –, war ihr die Wahl so gut wie sicher. Die Welt stand am Abgrund, Li vor dem Aufstieg.

»Wir stehen gegen einen gesichtslosen Feind«, sagte der Präsident. »Einige hier sind der Meinung, wir müssten uns dem Teil der Menschheit zuwenden, von dem die Bedrohung auszugehen scheint. Andere bezweifeln, dass mehr dahinter steckt als eine tragische Häufung natürlicher Prozesse. Was mich betrifft, ich will keine langen Vorträge, sondern einen Konsens, damit wir handlungsfähig werden. Ich will Pläne sehen, will wissen, was es kostet und wie lange es dauert.« Er kniff die Augen zusammen. Den Grad seiner Wut und seiner Entschlossenheit konnte man immer daran ablesen, wie sehr er die Augen zusammenkniff. »Ich persönlich glaube nicht an das Märchen von der ausgeflippten Natur. Wir sind im Krieg. Das ist meine Meinung. Amerika ist im Krieg, also was machen wir?«

Der Vorsitzende der Vereinigten Stabschefs sagte, man müsse aus der Defensive treten und zum Angriff übergehen. Es klang sehr entschlossen. Der Verteidigungsminister sah ihn stirnrunzelnd an.

»*Wen* wollen Sie angreifen?«

»Da *ist* jemand, den wir angreifen werden«, sagte der Vorsitzende entschieden. »Darauf kommt's erst mal an.«

Der Vizepräsident gab zu verstehen, dass er einzelne Gruppierungen derzeit kaum für fähig halte, terroristische Offensiven dieses Kalibers durchzuziehen.

»Wenn, dann steckt ein Land dahinter«, sagte er. »Oder eine politische Region. Vielleicht mehrere Staaten, wer weiß. Jack Vanderbilt hat den Gedanken als Erster formuliert, und ich halte so was durchaus für möglich. Ich meine, wir sollten unser Augenmerk darauf lenken, wer zu solchen Dingen fähig ist.«

»Fähig wären einige«, sagte der Direktor der CIA.

Der Präsident nickte. Seit ihm der Direktor unmittelbar vor seinem Amtsantritt einen langen Vortrag über *the good, the bad and the ugly* der CIA gehalten hatte, sah er die Welt bevölkert von gottlosen Verbrechern, die den Untergang der Vereinigten Staaten von Amerika planten. Ganz Unrecht hatte er mit dieser Einschätzung nicht.

»Es fragt sich, ob wir in den Reihen unserer klassischen Feinde suchen müssen«, bemerkte er trotzdem. »Angegriffen wird die freie Welt, nicht nur Amerika.«

»Die freie Welt?« Der Verteidigungsminister schnaubte. »Mann, das sind *wir*! Europa ist Teil des freien Amerika. Japans Freiheit ist Amerikas Freiheit. Kanada, Australien … Wenn Amerika nicht frei ist, sind die es auch nicht.« Er hatte ein Blatt vor sich liegen und schlug mit der flachen Hand darauf. Es vereinte seine Notizen vom Tage. Er war der Meinung, dass kein Sachverhalt so kompliziert war, dass man ihn nicht auf ein einzelnes Blatt Papier herunterbrechen konnte. »Nur zur Erinnerung«, sagte er. »Über biologische Waffen verfügen Israel und wir, das sind die Guten. Dann Südafrika, China, Russland, Indien, die sind hässlich. Außerdem Nordkorea, der Iran, der Irak, Syrien, Libyen, Ägypten, Pakistan, Kasachstan und der Sudan. Die Bösen. Und das hier ist eine biologische Attacke. Das ist böse.«

»Es könnten auch chemische Komponenten eine Rolle spielen«, sagte der Stellvertretende Verteidigungsminister. »Oder?«

»Langsam.« Der CIA-Direktor hob die Hand. »Gehen wir mal davon aus, dass derartige Aktionen, wie wir sie erleben, mit einer Menge Geld verbunden sind und einem Heidenaufwand. Chemische Waffen sind einfach und billig herzustellen, aber der Biokram bündelt enorme Ressourcen. Und wir sind ja nicht blind. Pakistan und Indien arbeiten mit uns zusammen. Wir haben über hundert pakistanische Geheimdienstler für verdeckte Operationen ausgebildet. In Afghanistan und Indien arbeiten einige Dutzend Agenten für die CIA mit zum Teil exzellenten Kontakten. Den ganzen Raum da unten können Sie vergessen. Wir haben paramilitärische Trupps im Sudan, die mit dortigen Oppositionellen zusammenarbeiten, und in Südafrika sitzen Leute von uns mit in der Regierung. Nirgendwo dort ist offenkundig geworden, dass was Größeres im Gange ist. Wir müssen also zusehen, wo in letzter Zeit Summen geflossen sind und Aktivitäten zu beobachten waren. Unsere Aufgabe ist, das Feld einzugrenzen, nicht alle Schurken dieser Welt aufzuzählen.«

»Ich kann dazu anmerken«, sagte der Direktor des FBI, »dass kein Geld fließt.«

»Wie meinen Sie das?«

»Sie wissen, dass uns die Durchführungsverordnungen für die Überwachung terroristischer Finanzquellen weit reichende Einblicke ermöglichen. Das Finanzministerium ist ziemlich genau im Bilde, wo größere Summen transferiert wurden. Wir sollten was mitbekommen haben.«

»Und?«, fragte Vanderbilt.

»Keine Hinweise. Weder in Afrika, Fernasien oder im Nahen Osten. Nichts deutet darauf hin, dass überhaupt ein Land involviert ist.«

Vanderbilt räusperte sich. »Das binden die uns doch nicht auf die Nase«, sagte er. »Es steht auch nicht in der *Washington Post*.«

»Nochmals, wir haben keine ...«

»Tut mir Leid, wenn ich jemanden desillusionieren muss«, fuhr ihm Vanderbilt dazwischen. »Aber glaubt einer im Ernst, wer fähig ist, die Nordsee zu zerdeppern und New York zu vergiften, präsentiert unseren Leuten sein Geldköfferchen?«

Die Augen des Präsidenten verengten sich zu Schlitzen.

»Die Welt verändert sich«, sagte er. »In so einer Welt erwarte ich, dass wir in jedes Köfferchen gucken können. Wir können uns aussuchen, ob die Schweinehunde so schlau oder wir so blöde sind. Ich weiß, dass einige von ihnen verdammt schlau sind, aber unser Job ist es dann eben, schlauer zu sein. Und zwar ab heute.« Er sah den Direktor der Terrorismusbekämpfung an. »Also, wie schlau sind wir?«

Der Direktor zuckte die Achseln. »Das Letzte, was wir reinbekommen haben, ist eine Warnung der Inder vor pakistanischen Dschihadisten, die das Weiße Haus in die Luft sprengen wollen. Wir kennen die Leute bereits. Es besteht keine Gefahr. Wir wussten es übrigens vorher, und wir hatten verschiedene finanzielle Transaktionen verfolgt. Das *Global Response Center* trägt jeden Tag bergeweise Informationen zusammen über den internationalen Terrorismus. Es stimmt, *Mister President*. Da passiert nichts, was wir nicht mitkriegen.«

»Und im Moment ist Ruhe?«

»Ruhe ist nie. Aber das, was geschieht, wurde offenkundig nicht vorbereitet oder finanziert. – Was nichts heißen muss, zugegeben.«

Der Blick des Präsidenten ruhte einige Sekunden auf dem Sprecher und wanderte weiter zum Direktor für verdeckte Operationen.

»Ich erwarte verdoppelte Anstrengungen Ihrer Leute«, sagte er scharf. »Egal, auf welchen Außenposten und Stützpunkten sie sich rumtreiben. Amerikanische Bürger werden nicht zu Schaden kommen, weil jemand hier seine Hausaufgaben nicht gemacht hat.«

»Natürlich, Sir.«

»Ich darf nochmals daran erinnern, dass wir *angegriffen* werden. Wir sind im Krieg! Ich will wissen, mit wem.«

»Schauen Sie in den Nahen Osten«, rief Vanderbilt ungeduldig.

»Das tun wir«, sagte Li neben ihm.

Der dicke Mann seufzte, ohne sie anzusehen. Er wusste, dass Li anderer Meinung war.

»Man kann sich natürlich selber ins Gesicht schlagen, um den Eindruck zu erwecken, verprügelt worden zu sein«, sagte Li. »Aber ist das glaubhaft? Wenn wir irgendwelche vitalen Interessen von Ländern zugrunde legen, die uns nicht wohl gesinnt sind, wäre es idiotisch anzunehmen, sie würden sich selber schaden. Wenn sie es auf uns abgesehen haben, macht ein bisschen Terror anderswo in der Welt sicherlich Sinn, um davon abzulenken, dass es gegen die Vereinigten Staaten geht. Aber doch nicht so.«

»Da sind wir anderer Meinung«, sagte der CIA-Direktor.

»Ich weiß. Diese ist meine: Wir sind nicht das Hauptziel. Zu viel ist passiert, zu ominös ist, was abläuft. Was soll das für ein Irrsinnsaufwand sein, Tausende von Tieren unter Kontrolle zu bringen und Millionen neuer Organismen zu züchten, einen Tsunami in der Nordsee auszulösen, den Fischfang zu sabotieren, Australien und Südamerika mit Quallen zu verseuchen, Schiffe zu zerstören? Niemand würde einen ökonomischen oder politischen Nutzen daraus ziehen. Aber es geschieht, und ob es Jack passt oder nicht, es geschieht *auch* im Nahen Osten. Damit müssen wir leben, aber ich weigere mich, es den Arabern in die Schuhe zu schieben.«

»Ein *paar* Frachter sind versenkt worden«, knurrte Vanderbilt. »Im Nahen Osten.«

»Mehr als ein paar.«

»Vielleicht haben wir es mit einem Größenwahnsinnigen zu tun?«, schlug die Außenministerin vor. »Einem Verbrecher.«

»Schon eher«, sagte Li. »So jemand könnte unter dem Deckmantel der Wohlanständigkeit unbemerkt gewaltige Summen bewegen und sämtliche technologischen Mittel nutzen. Ich schätze, wir müssen mehr in dieser Kategorie denken. Jemand erfindet was. Also erfinden wir was dagegen. Jemand schickt uns Würmer auf den Hals. Wir erfinden was gegen diese Würmer. Jemand züchtet Killerkrabben, giftige Algen und Substanzen. Wir ergreifen Gegenmaßnahmen.«

»Was für Gegenmaßnahmen haben Sie ergriffen?«, fragte die Außenministerin.

»Wir haben …«, begann der Verteidigungsminister.

»Wir haben den Großraum New York gesperrt«, fuhr ihm Li dazwischen, die es nicht mochte, wenn jemand ihre Hausaufgaben hoch hielt. »Und eben hörte ich, dass die Krabbenwarnungen vor Washington ernst zu nehmen sind. Das verdanken wir der Drohnenaufklärung. Wir werden auch Washington unter Quarantäne stellen. Die Belegschaft des Weißen Hauses sollte also dem Beispiel ihres Präsidenten folgen und einen anderen Ort aufsuchen für die Dauer der Krise. Ich habe im Umkreis sämtlicher Küstenstädte Einheiten mit Flammenwerfern postieren lassen. Wir denken außerdem über chemische Gegenmittel nach.«

»Was ist mit Tauchbooten, Tauchrobotern, und so weiter?«, wollte der CIA-Direktor wissen.

»Gar nichts. Seit kurzem verschwindet alles, was wir ins Meer entlassen, spurlos. Wir haben da unten keine Möglichkeit der Kontrolle. ROVs sind nur per Kabel mit der Außenwelt verbunden, und die ziehen wir regelmäßig zerfetzt aus dem Wasser, nachdem die Kameras zuvor ein blaues Leuchten erfasst haben. Über den Verbleib von AUVs lassen sich gar keine Aussagen treffen. Vier couragierte russische Wissenschaftler sind vergangene Woche mit den MIR-Tauchbooten runtergegangen, in eintausend Metern Tiefe von etwas gerammt worden und gesunken.«

»Das heißt, wir überlassen denen das Feld.«

»Im Augenblick versuchen wir, die wurmbefallenen Gebiete mit Schleppnetzen abzugrasen. Netze werden außerdem vor Küsten gespannt, eine zusätzliche Maßnahme, um Landinvasionen wie die auf Long Island abzuwehren.«

»Scheint mir ziemlich archaisch.«

»Wir werden auf archaische Weise angegriffen. Wir haben außerdem begonnen, die Wale vor Vancouver Island mit Sonar in die Zange zu nehmen. Wir beschallen sie mit *Surtass LFA*. Etwas steuert die Tiere, also steuern wir gegen, bis ihnen vor lauter Krach der Schädel platzt. Mal sehen, wer die Oberhand gewinnt.«

»Das klingt beschissen, Li.«

»Wenn Sie eine bessere Idee haben, ist sie willkommen.«

Einen Moment lang sagte niemand etwas.

»Hilft uns die Satellitenüberwachung?«, fragte der Präsident.

»Bedingt.« Der *Deputy Director for Operations* schüttelte den Kopf. »Die Army ist darauf vorbereitet, abgestellte Panzer unter einer Tarnung aus Zweigen ausfindig zu machen, aber es gibt nur wenige Systeme, die etwas von der Größe eines Krebses erfassen können. Gut, wir haben KH-12 und die neue Generation der Keyhole-Satelliten. Außerdem Lacrosse, und die Europäer lassen uns bei Topex/Poseidon und SAR-Lupe mitspielen, aber die arbeiten mit Radar. Das Problem ist überhaupt, dass wir solche Kleinigkeiten nur erkennen, wenn wir ranzoomen. Das heißt, wir konzentrieren uns auf einen kleinen Ausschnitt. Solange wir nicht wissen, was wo aus dem Meer steigt, gucken wir im Zweifel in die verkehrte Richtung. Li hatte den Vorschlag gemacht, Drohnen einzusetzen, die über den Küsten patrouillieren. Ich halte das für einen guten Vorschlag, aber auch Drohnen sehen nicht alles. NRO und NSA tun ihr Bestes. Möglicherweise kommen wir weiter bei der Auswertung abgefangener Nachrichten. Wir ziehen alle Register von SIGINT.«

»Vielleicht ist das unser Problem«, sagte der Präsident gedehnt. »Vielleicht sollten wir es ein bisschen mehr mit HUMINT versuchen.«

Li verkniff sich ein Grinsen. HUMINT gehörte zu den Lieblingsbegriffen des Präsidenten. Im Sicherheitsjargon der USA stand SIGINT für *Signals Intelligence*, was die Gesamtheit der fernmeldetechnischen Nachrichtenbeschaffung umfasste. HUMINT bezeichnete die Nachrichtenbeschaffung im Spionagegewerbe – Human Intelligence. Der Präsident, selber hemdsärmelig und technisch eher unbedarft, war vom Pioniergeist der Gründerväter durchdrungen. Er liebte es, jemandem in die Augen schauen zu können. Obwohl er die technisch hochgerüstetste

Armee der Welt befehligte, konnte er mit dem Bild des Spähers, der sich im Unterholz anschleicht, mehr anfangen als mit Satelliten.

»Setzen Sie die Köpfe ein«, sagte er. »Einige verstecken sich allzu gerne hinter Schaltpulten und Computerprogrammen. Ich will, dass weniger programmiert und mehr gedacht wird.«

Der CIA-Direktor legte die Fingerspitzen aufeinander.

»Nun«, sagte er. »Vielleicht sollten wir der Nahost-Hypothese doch nicht so viel Bedeutung beimessen.«

Li sah Vanderbilt an. Der Stellvertretende CIA-Direktor blickte starr geradeaus.

»Bisschen zu weit vorgeprescht, Jack?«, sagte sie so leise, dass es niemand außer Vanderbilt hören konnte.

»Ach, halten Sie doch den Mund.«

Sie beugte sich vor. »Wollen wir mal über etwas Positives sprechen?«

Der Präsident lächelte.

»Alles, was positiv ist, kann uns nur recht sein, Jude.«

»Nun, es gibt immer eine Zeit danach. Am Ende kommt es darauf an, wer gewonnen hat. Auf jeden Fall wird die Welt anders aussehen, wenn das hier vorüber ist. Bis dahin werden viele Länder destabilisiert sein, auch solche, deren Destabilisierung in unserem Interesse liegt. Dieser Effekt ließe sich nutzen. Ich meine, die Welt ist in einer schrecklichen Lage, aber Krise ist ein anderes Wort für Chance. Wenn die aktuelle Entwicklung den Zusammenbruch eines Regimes fördert, das uns nicht genehm ist, wäre das nicht unsere Schuld, aber wir könnten hier und da nachhelfen und später die richtigen Leute einsetzen.«

»Hm«, machte der Präsident.

Die Außenministerin überlegte einen Moment und sagte:

»Die Frage ist demzufolge weniger, wer diesen Krieg *führt*, sondern wer ihn *gewinnt*.«

»Ich meine, die zivilisierte Welt *muss* Schulter an Schulter gegen den unsichtbaren Feind kämpfen«, bekräftigte Li. »Gemeinsam. Wenn es so weitergeht, werden die Bündnisse ohnehin verstärkt auf die UNO schauen. Das ist vorerst in Ordnung so, alles andere wäre das falsche Signal. Wir sollten uns nicht aufdrängen, aber bereithalten. Zusammenarbeit anbieten. – Aber *gewinnen* sollten am Ende *wir*. Und verlieren sollten alle, die uns in der Vergangenheit bedroht haben und gegen uns waren. Je maßgeblicher wir den Ausgang der aktuellen Situation beeinflussen, desto klarer werden später die Rollen verteilt sein.«

»Klarer Standpunkt, Jude«, sagte der Präsident.

Am Tisch war beifälliges Nicken zu sehen, vermischt mit leichter Verärgerung. Li lehnte sich zurück. Sie hatte genug gesagt. Mehr, als ihre
Position zuließ, aber es hatte seine Wirkung nicht verfehlt. Ein paar Leute,
deren eigentliche Aufgabe es gewesen wäre, diese Dinge zu sagen, hatte sie
vor den Kopf gestoßen. Unwichtig. In Offutt war es angekommen.

»Gut«, sagte der Präsident. »Ich denke, dass wir zum gegenwärtigen
Zeitpunkt einen solchen Vorschlag in die Schublade packen können,
aber die Schublade sollte ein Stück offen stehen. Auf keinen Fall sollten
wir in der Weltöffentlichkeit den Eindruck erwecken, man sei hier an
einer Übernahme der Führung interessiert. – Wie kommen Ihre Wissenschaftler voran, Jude?«

»Ich denke, sie sind unser größtes Kapital.«

»Wann sehen wir Ergebnisse?«

»Morgen kommen alle wieder zusammen. Ich habe Major Peak angewiesen zurückzukehren, damit er dabei sein kann. Er wird die Kri-
senlage in New York und Washington von hier aus steuern.«

»Du solltest eine Rede an die Nation halten«, sagte der Vizepräsident zum Präsidenten. »Es wird Zeit, dass du dich äußerst.«

»Ja, das ist wahr.« Der Präsident schlug auf den Tisch. »Das Kom-
munikationsteam soll die Schreiberlinge daransetzen. Ich will etwas
Ehrliches. Kein Beschwichtigungsblabla, aber etwas, das Hoffnung
macht.«

»Gehen wir auf etwaige Feinde ein?«

»Nein, das wird als Naturkatastrophe gehandelt. Wir sind noch
nicht so weit, die Leute sind beunruhigt genug. Wir müssen ihnen versichern, dass wir alles Menschenmögliche tun werden, um sie zu schützen. – Und dass wir es auch können. Dass wir die Mittel und Möglichkeiten haben. – Dass wir auf alles vorbereitet sind. Amerika ist nicht
nur das freieste Land der Welt, sondern auch das sicherste, egal was aus
dem Meer steigt, das sollen sie wissen. Egal, was passiert. – Und ich
empfehle Ihnen allen noch etwas. Beten Sie. Beten Sie zu Gott. Dies ist
sein Land, und er wird uns beistehen. Er wird uns die Kraft geben, das
alles in unserem Sinne zu regeln.«

NEW YORK, USA

Wir schaffen es nicht.
Salomon Peak hatte nur noch diesen einen Gedanken, als er in den
Helikopter stieg. Wir sind nicht vorbereitet. Wir haben nichts, was
wir diesem Grauen entgegensetzen können.

Wir schaffen es nicht.

Der Helikopter stieg vom nächtlichen Wall Street Heliport auf und zog quer über Soho, Greenwich Village und Chelsea nordwärts. Die Stadt war hell erleuchtet, aber man sah, dass etwas nicht stimmte. Viele Straßen waren in Flutlicht getaucht, und es herrschte kein fließender Verkehr mehr. Von hier oben offenbarte sich das ganze Ausmaß des Chaos. New York wurde beherrscht von den Sicherheitskräften des OEM und der Armee. Ständig landeten und starteten Hubschrauber. Auch der Hafen war gesperrt worden. Nur Militärschiffe kreuzten noch auf dem East River.

Und immer mehr Menschen starben.

Sie waren machtlos. Sie konnten nichts dagegen tun. Das OEM hatte Vorschriften und Ratschläge zuhauf veröffentlicht, wie sich die Bevölkerung im Falle einer Katastrophe schützen konnte, aber die beständigen Warnungen und öffentlichen Übungen schienen nichts bewirkt zu haben. Die Kanister mit Trinkwasser, die in jedem Haushalt für Notfälle bereitzustehen hatten, standen nicht bereit. Wo es doch der Fall war, erkrankten die Leute an Toxinen, die als Gase aus der Kanalisation aufstiegen oder aus Waschbecken, Toiletten und Geschirrspülern waberten. Alles, was Peak hatte tun können, war, offensichtlich gesunde Menschen aus der Gefahrenzone in riesige Quarantänelager zu bringen und dort festzusetzen. New York hatte sich in eine Todeszone verwandelt. Schulen, Kirchen und öffentliche Gebäude waren in Krankenhäuser umfunktioniert worden, der Ring um die Stadt glich einem gigantischen Gefängnis.

Er schaute nach rechts.

Immer noch brannte es in dem Tunnel. Der Fahrer eines Militärtankwagens hatte seine Atemmaske nicht ordnungsgemäß aufgesetzt und bei voller Fahrt das Bewusstsein verloren. Er war in einem Konvoi unterwegs gewesen. Der Unfall hatte eine Kettenreaktion ausgelöst, in deren Verlauf Dutzende von Fahrzeugen in die Luft geflogen waren. Derzeit herrschten im Tunnel Temperaturen wie im Innern eines Vulkans.

Peak machte sich Vorwürfe, dass er den Unfall nicht hatte verhindern können. Natürlich war die Verseuchungsgefahr in einem Tunnel weit höher als in den Straßen der Stadt, wo die Toxine abziehen konnten. Aber wie hätte er überall zugleich sein können? Was konnte er überhaupt verhindern?

Wenn es irgendetwas gab, das Peak aus tiefster Seele hasste, war es das Gefühl der Machtlosigkeit.

Und jetzt ging es auch in Washington los.

»Wir schaffen es nicht«, hatte er Li am Telefon gesagt.

»Wir müssen«, war die einzige Antwort gewesen.

Sie überflogen den Hudson River und hielten auf Hackensack Airport zu, wo eine Militärmaschine auf Peak wartete, um ihn nach Vancouver zu bringen. Die Lichter Manhattans fielen zurück. Peak fragte sich, was die Versammlung am folgenden Tag wohl ergeben würde. Er hoffte, dass wenigstens ein Medikament dabei heraussprang, um dem Horror von New York ein Ende zu setzen, aber etwas warnte ihn, sich Hoffnungen zu machen. Es war seine innere Stimme, und sie behielt im Allgemeinen Recht.

Sein Schädel wummerte im Takt des Rotorenlärms.

Peak lehnte sich zurück und schloss die Augen.

CHÂTEAU WHISTLER, KANADA

Li war hochzufrieden.

Natürlich hätte ihr angesichts des heraufdämmernden Armageddon Erschütterung weit eher angestanden. Aber der Tag war einfach zu gut verlaufen. Vanderbilt ging in die Defensive, und der Präsident hörte ihr zu. Nach endlosen Telefonaten hatte sie sich einen Status quo des Weltuntergangs verschafft und wartete voller Ungeduld darauf, mit dem Verteidigungsminister verbunden zu werden. Sie wollte den Einsatz der Schiffe besprechen, die am folgenden Tag zur ersten Sonarattacke auslaufen sollten. Der Verteidigungsminister hing in einer Besprechung fest. Einige Minuten blieben ihr noch, also spielte sie Schumann vor der Kulisse eines exorbitanten Sternenhimmels.

Es war kurz vor 2.00 Uhr. Das Telefon schellte. Li sprang auf und stellte die Verbindung her. Sie hatte das Pentagon erwartet und war einen Moment lang verblüfft, wessen Stimme sie stattdessen hörte.

»Dr. Johanson! Was kann ich für Sie tun?«

»Haben Sie Zeit?«

»Wann? Jetzt?«

»Ich würde Sie gerne unter vier Augen sprechen, General.«

»Ungünstig im Moment. Ich muss ein paar Telefonate führen. Sagen wir, in einer Stunde?«

»Sind Sie nicht neugierig?«

»Helfen Sie mir auf die Sprünge.«

»Sie waren der Meinung, ich hätte eine Theorie.«

»Oh, richtig!« Sie überlegte eine Sekunde. »Gut. Kommen Sie.«

Mit einem Lächeln legte sie auf. Genau so hatte sie es erwartet. Johanson war nicht der Typ, der Fristen bis zur letzten Sekunde ausreizte, und zu höflich, sie verstreichen zu lassen. *Er* wollte den Zeitpunkt bestimmen, und sei es mitten in der Nacht.

Sie rief die Telefonzentrale an. »Verschieben Sie mein Telefonat mit dem Pentagon um eine halbe Stunde.« Sie überlegte kurz, dann korrigierte sie sich: »Nein, um eine Stunde.«

Johanson würde einiges zu erzählen haben.

VANCOUVER ISLAND

Nach Greywolfs Schilderung war Anawak der Appetit fürs Erste vergangen. Doch Shoemaker übertraf sich selbst. Er hatte preisverdächtige Steaks gebraten und einen bemerkenswerten Salat mit Croutons und Nüssen kreiert. Sie aßen zu dritt auf seiner Veranda. Delaware vermied es, das Thema auf ihre neue Beziehung zu bringen, und erwies sich als überaus unterhaltsam. Sie kannte eine Menge Witze und war sich nicht zu schade, noch die blödesten so zu erzählen, dass man sie auf eine Bühne hätte stellen sollen. Sie war wirklich komisch.

Wie eine Insel lag der Abend in einem Meer von Elend.

Im mittelalterlichen Europa hatten sie getanzt und ein Fest gefeiert, wenn der schwarze Tod umherging. Ganz so weit waren sie hier nicht, aber immerhin schafften sie es, mehrere Stunden lang über alles Mögliche zu reden, nur nicht über Tsunamis, Wale und Killeralgen. Anawak war dankbar für die Abwechslung. Shoemaker erzählte Geschichten aus den Anfangstagen von *Davies*. Sie lachten und schwatzten und genossen den milden Abend, streckten die Beine aus und sahen hinaus aufs schwarze Wasser der Bucht.

Etwa um zwei hatte sich Anawak verabschiedet. Delaware war geblieben. Sie und Shoemaker hatten sich an alten Kinofilmen festgebissen und eine weitere Flasche Wein aufgemacht. Allmählich begaben sie sich auf eine alkoholisierte Daseinsebene, also trank er ein letztes Wasser, bedankte sich und ging die nächtliche Hauptstraße entlang zur Station. Dort schaltete er den Computer ein und loggte sich ins Internet.

Nach wenigen Minuten hatte er Professor Dr. Kurzweil gefunden.

Im Morgengrauen begann sich ein Bild abzuzeichnen.

12. mai

Möglicherweise, dachte Johanson, ist das der Wendepunkt. Oder ich bin ein alter Spinner.

Er stand auf dem kleinen Podium links von der Projektionsfläche. Der Beamer war ausgeschaltet. Sie hatten einige Minuten auf Anawak warten müssen, der in Tofino übernachtet hatte, aber jetzt waren sie vollzählig. In der vordersten Reihe saßen Peak, Vanderbilt und Li. Peak wirkte erschöpft. Er war in der Nacht aus New York zurückgekehrt und sah aus, als habe er dort den größten Teil seiner Kraft gelassen.

Johanson, der sein halbes Leben in Hörsälen verbracht hatte, war es gewohnt, zu anderen Menschen zu sprechen. Hin und wieder hatte er dem Schulwissen eigene Erkenntnisse und Hypothesen hinzugefügt und in Kauf genommen, sich mit echten und selbst ernannten Fachleuten darüber zu streiten. Ansonsten waren Hörsäle sicheres Terrain. Man gab weiter, was andere herausgefunden hatten, und fragte es ab.

An diesem Morgen machte er die unerwartete Erfahrung des Selbstzweifels. Wie sollte er seine Theorie erzählen, ohne dass gleich alle vor Lachen von den Stühlen fielen? Li hatte eingeräumt, er könne Recht haben. Das war schon eine ganze Menge. Mit etwas vorsichtigem Optimismus ließ sich sogar sagen, dass sie seinen Gedankengängen zu folgen bereit war. Aber Reste von Unsicherheit, ob er es richtig machen oder verpatzen würde, gärten in ihm und führten dazu, dass er den größten Teil der Nacht damit verbracht hatte, seinen Vortrag wieder und wieder umzuschreiben. Johanson gab sich keinen Illusionen hin. Er hatte nur diesen einen Schuss. Entweder nahm er die anderen in einem Überraschungsangriff für sich ein, oder sie erklärten ihn für durchgeknallt.

Alle Augen waren auf ihn gerichtet. Es herrschte Totenstille.

Er warf einen Blick auf das oberste Blatt seines Manuskripts. Die Hinleitung war ausführlich. Jetzt, nach drei Stunden Schlaf, erschien sie ihm plötzlich unverständlich und kompliziert. Sollte er das wirklich so vortragen? In der Nacht war er zufrieden damit gewesen, als ihm die Augen brannten und er vor lauter Müdigkeit kaum noch klar denken konnte. Aber genau so las es sich jetzt. Durch tausend Untiefen quälte sich die Argumentation. Ein rhetorischer Schlingerkurs.

Johanson zögerte.

Dann legte er das Manuskript beiseite.

Augenblicklich fühlte er eine ungeheure Erleichterung, als habe der dünne Stapel Papier Tonnen gewogen. Seine Selbstsicherheit kehrte zurück wie eine kampfbereite Kavallerie, mit wehender Fahne und Fanfarenstößen. Er trat einen Schritt vor, sah in die Runde, versicherte sich der Aufmerksamkeit eines jeden Einzelnen und sagte:

»Es ist ganz einfach. Die Konsequenzen werden uns schreckliches Kopfzerbrechen bereiten, aber im Grundsatz ist es wirklich simpel und nahe liegend. Wir erleben keine Naturkatastrophe. Ebenso wenig haben wir es mit terroristischen Vereinigungen oder Schurkenstaaten zu tun. Auch die Evolution spielt nicht verrückt. Nichts von alledem trifft zu.« Er machte eine Pause. »Etwas völlig anderes geschieht. Wir werden in diesen Tagen Zeuge des viel beschriebenen Krieges zwischen den Planeten. Zwei Planeten, die wir nur als solche nicht erkennen, weil sie zu einem verschmolzen sind. Während wir nach oben geschaut haben in Erwartung fremder Intelligenzen aus dem All, zeigen sie sich nun als Teil unserer Welt, den wir uns nie wirklich zu verstehen bemüht haben. Zwei grundverschiedene Systeme intelligenten Lebens koexistieren auf diesem Planeten, die einander bis heute in Ruhe gelassen haben. Aber während das eine System um die Entwicklung des anderen wusste, hat das andere bis heute keinerlei Vorstellung von der Komplexität der Welt unter Wasser, oder – wenn Sie so wollen – von dem fremden Universum, mit dem wir diesen Globus teilen. Der Weltraum liegt in den Ozeanen. Die Außerirdischen kommen nicht aus weit entfernten Galaxien, sondern haben sich am Grund der Tiefsee entwickelt. Das Leben im Wasser ist weit älter als das zu Lande, und ich schätze, diese Wesen werden weit älter sein als wir. Ich habe keine Vorstellung davon, wie sie aussehen oder wie sie leben, wie sie denken und kommunizieren. Aber wir werden uns an den Gedanken gewöhnen müssen, dass es eine zweite göttliche Rasse gibt, deren Lebensbereich wir seit Jahrzehnten systematisch zerstören. – Und, *ladies and gentlemen,* die da unten scheinen mit einiger Berechtigung stinksauer auf uns zu sein.«

Niemand sagte etwas.

Vanderbilt starrte ihn an. Seine Hängebacken zitterten. Sein ganzer gewaltiger Körper begann zu beben, als schaukele sich darin ein Lachen auf, das über Johanson hereinbrechen würde wie die Salve eines Exekutionskommandos. Die fleischigen Lippen zuckten. Vanderbilt öffnete den Mund.

»Ihr Gedanke leuchtet mir ein«, sagte Li.

Es war, als habe man dem Stellvertretenden Direktor der CIA ein

Messer zwischen die Rippen gestoßen. Sein Mund klappte wieder zu. Er zuckte heftig zusammen und schaute Li entgeistert an.

»Das ist nicht Ihr Ernst«, keuchte er.

»Doch«, erwiderte Li ruhig. »Ich habe nicht gesagt, dass Dr. Johanson Recht hat, aber es erscheint mir sinnvoll, ihm zuzuhören. Ich denke, er wird seine Annahme begründen können.«

»Danke, General«, sagte Johanson mit einer leichten Verbeugung. »Das kann ich tatsächlich.«

»Dann schlage ich vor, dass Sie fortfahren. Versuchen Sie Ihre Ausführungen knapp zu halten, damit wir baldmöglichst in die Diskussion einsteigen können.«

Vanderbilt schien unter Schock zu stehen. Johanson ließ seinen Blick die Reihen entlangwandern. Er versuchte es beiläufig geschehen zu lassen, um nicht den Eindruck zu erwecken, er sei auf Reaktionen aus. Kaum jemand trug offene Ablehnung zur Schau. Die meisten Gesichter waren in Verwunderung erstarrt, manche fasziniert, andere ungläubig, einige ausdruckslos. Jetzt musste er den zweiten Schritt tun. Er musste sie dazu bringen, seine Idee aufzugreifen und selbständig weiterzuentwickeln.

»Unser Hauptproblem in den vergangenen Tagen und Wochen«, sagte er, »hat darin bestanden, die unterschiedlichen Vorfälle in Bezug zueinander zu setzen. Es schien keine Verbindung zu geben, bis wir auf eine gallertartige Substanz stießen, die in unterschiedlichen Quantitäten auftritt und an der frischen Luft rasch zerfällt. Leider hat diese Entdeckung unsere Verwirrung nur gesteigert, weil wir das Zeug in Krebsen und Muscheln ebenso fanden wie in den Köpfen von Walen, also in Lebewesen, die unterschiedlicher nicht sein könnten. Als mögliche Erklärung bot sich eine Art Seuche an. Ein Schimmelpilz, eine Substanz gewordene Tollwut, irgendeine Art von Befall wie BSE oder Schweinepest. Aber das erklärt wiederum nicht die Schiffsuntergänge oder warum die Krebse Killeralgen in sich tragen. Und die Würmer an den Kontinentalhängen weisen nichts Gallertiges auf. Dafür transportieren sie Methan reduzierende Bakterien und sind verantwortlich für die Freisetzung von Treibhausgas in großen Mengen, was letztlich zur Abrutschung des Schelfrandes und zum Tsunami führte. In weiten Teilen der Welt treten unterdessen Organismen auf, die offenbar mutiert sind, und Fischschwärme verhalten sich wider ihre Natur. – Das alles ergibt kein Bild. Jack Vanderbilt hat darum absolut Recht, wenn er einen planenden Geist heraufbeschwört, der für all das verantwortlich ist. Aber er verkennt, dass kein Wissenschaftler annähernd genug über marine

Ökosysteme weiß, um sie derart manipulieren zu können. Es wird gerne behauptet, wir wüssten über den Weltraum mehr als über die Tiefsee. Das stimmt. Man sollte ergänzend sagen, warum das so ist: weil wir uns im Weltraum besser bewegen und besser sehen können als in den Meeren. Das Hubble-Teleskop schaut mühelos in fremde Galaxien. Hingegen lassen uns selbst stärkste Scheinwerfer die Welt unter Wasser nur im Umkreis weniger Dutzend Meter erkennen. Ein Mensch in einem Raumanzug kann sich im Weltraum nahezu überall frei bewegen, aber ein Taucher wird ab einer gewissen Tiefe zerquetscht, selbst in einem Hightech-Anzug. Unterseeboote, AUVs und ROVs, sie alle funktionieren nur unter ganz bestimmten Bedingungen. Definitiv besitzen wir weder die technische Ausstattung noch die Physis, um Milliarden Würmer auf Hydraten abzusetzen, und schon gar nicht verfügen wir über das erforderliche Wissen, um sie für eine Welt zu züchten, die wir kaum kennen. – Tiefseekabel sind zerstört worden, und nicht nur durch die Rutschung. Aus den Abyssalen steigen Schwärme von Muscheln, Medusen und Quallen empor. – Ja, es ist richtig, wir erleichtern uns die Erklärung dieser Phänomene, indem wir einen planenden Geist voraussetzen, aber dann müssen wir den Gedanken konsequent zu Ende denken: dass nämlich alles, was geschieht, nur geschehen kann, weil jemand sich da unten ebenso gut auskennt, wie wir uns an der Oberfläche auskennen. Also jemand, der dort lebt und in seinem Universum die herrschende Rolle einnimmt.«

»Habe ich Sie richtig verstanden?«, rief Rubin aufgeregt. »Sie wollen sagen, wir *teilen* uns diesen Planeten mit einer zweiten intelligenten Rasse?«

»Ja. Das glaube ich.«

»Wenn das so ist«, fragte Peak, »warum haben wir bis heute nie etwas von dieser Rasse gehört oder gesehen?«

»Weil es sie nicht gibt«, sagte Vanderbilt mürrisch.

»Falsch.« Johanson schüttelte energisch den Kopf. »Es gibt mindestens drei Gründe. Erstens, das Gesetz vom unsichtbaren Fisch.«

»Das *was*?«

»Die meisten Lebewesen der Tiefsee sehen im herkömmlichen Sinne nicht mehr als wir, aber sie haben andere Sinnesorgane ausgebildet, die das Sehen ersetzen. Sie reagieren auf leichteste Druckveränderungen. Schallwellen erreichen sie über Hunderte und Tausende von Kilometern. Jedes Unterwasserfahrzeug wird wahrgenommen, lange bevor seine Insassen selber etwas sehen. In einer Region können theoretisch Millionen Fische einer bestimmten Art leben, aber wenn sie sich in der

Dunkelheit halten, bekommen wir sie nicht zu Gesicht. Und hier haben wir es mit intelligenten Wesen zu tun! Wir werden sie nie beobachten können, *solange sie es nicht wollen.* – Der zweite Grund ist, dass wir keine Vorstellung davon haben, wie diese Wesen aussehen. Wir haben einige rätselhafte Phänomene auf Video gebannt, die blaue Wolke, die blitzartigen Entladungen, das Ding am norwegischen Kontinentalhang. Sind sie Ausdruck einer fremden Intelligenz? Was ist diese Gallerte? Was sind das für Geräusche, die Murray Shankar nicht zuordnen kann? – Und es gibt einen dritten Grund. Früher dachte man, nur die obere, sonnendurchflutete Schicht der Meere sei bewohnbar. Inzwischen wissen wir, dass es in allen Schichten von Leben wimmelt. Noch in elftausend Metern Tiefe herrscht Leben. Für viele Organismen gibt es nicht den geringsten Grund, sich weiter oben anzusiedeln. Die meisten könnten es gar nicht, weil ihnen das Wasser zu warm wäre, der Druck zu gering, weil ihnen nicht die Nahrung zur Verfügung stünde, die sie benötigen. Wir wiederum haben die oberen Wasserschichten erkundet, aber tief unten waren eben mal ein paar Menschen in gepanzerten Tauchbooten und einige Roboter. Wenn wir diese gelegentlichen Ausflüge mit den berühmten Stecknadeln vergleichen, müssen wir uns einen Heuhaufen von der Größe unseres Planeten vorstellen. – Es ist, als würden Außerirdische in einem Raumschiff Kameras zur Erde hinunterlassen, deren Objektive nur abbilden können, was im Umkreis weniger Meter zu sehen ist. Eine dieser Kameras filmt ein Stückchen mongolische Steppe. Eine andere macht Momentaufnahmen aus der Kalahari, und eine dritte wird über der Antarktis heruntergelassen. Eine weitere schafft es tatsächlich in eine Großstadt, sagen wir in den New Yorker Central Park, wo sie ein paar Quadratmeter Grünzeug aufnimmt und einen Hund, der einen Baum anpinkelt. Zu welchem Schluss würden die Außerirdischen gelangen? – Ein unbesiedelter Planet, auf dem sporadisch primitive Lebensformen anzutreffen sind.«

»Was ist mit ihrer Technologie«, fragte Oliviera. »Sie müssen über eine Technologie verfügen, um das alles zu bewerkstelligen.«

»Auch darüber habe ich mir Gedanken gemacht«, erwiderte Johanson. »Ich glaube, dass es eine Alternative zu einer Technologie wie der unseren gibt. Wir verarbeiten tote Materie zu technischen Gerätschaften, zu Häusern, Fortbewegungsmitteln, Radio, Kleidung und so weiter. Aber Meerwasser ist ungleich aggressiver als Luft. Da unten zählt nur eines: die optimale Anpassung. Und optimal angepasst sind in der Regel Lebensformen, also könnten wir uns eine reine Biotechnologie vorstellen. Wenn wir von einer hohen Intelligenz ausgehen, werden wir auch ein hohes Maß an Kreativität voraussetzen können und eine genaue Kenntnis der Biologie mariner Organismen. – Ich meine, was tun denn wir? Menschen machen sich seit Jahrtausenden andere Lebewesen zunutze. Pferde sind lebende Motorräder. Hannibal zog mit biologischen Schwerlastern über die Alpen. Immer schon wurden Tiere abgerichtet. Heute werden sie genetisch verändert. Wir klonen Schafe und bauen genveränderten Mais an. Was, wenn wir diesen Gedanken weiterentwickeln? Hin zu einer Rasse, die ihre Kultur und Technologie *ausschließlich* auf biologischer Basis errichtet hat! Sie züchten einfach, was sie brauchen. Für das tägliche Leben, zur Fortbewegung, zur Kriegsführung.«

»Du lieber Himmel«, stöhnte Vanderbilt.

»Wir züchten Ebola- und Pesterreger und experimentieren mit Pocken herum«, fuhr Johanson fort, ohne den CIA-Mann zu beachten. »Also mit Lebewesen. Noch packen wir sie in Sprengköpfe, aber das ist umständlich, und eine Rakete, selbst wenn sie satellitengesteuert ist, kommt nicht unbedingt ins Ziel. Würden wir Hunde abrichten, die solche Erreger in sich tragen, wäre das vielleicht der effizientere Weg, Schaden anzurichten. Oder Vögel. Insekten meinetwegen! Was wollen Sie gegen einen virenverseuchten Mückenschwarm oder kontaminierte Ameisen ausrichten? Oder gegen Millionen Krabben, die Killeralgen transportieren?« Er machte eine Pause. »Diese Würmer am Kontinentalhang wurden gezüchtet. Kein Wunder, dass wir sie nie zuvor gesehen haben. Es hat sie nicht gegeben. Ihr Zweck besteht darin, Bakterien ins Eis zu transportieren, also haben wir es gewissermaßen mit *Cruise Missiles* aus der Familie der Polychäten zu tun. Mit Biowaffen, die von jemandem entwickelt wurden, dessen gesamte Kultur auf der Manipulation organischen Lebens beruht. – Und schon erhalten wir auf einen Schlag die Erklärung für sämtliche Mutationen! Einige Tiere wurden nur geringfügig verändert, andere stellen etwas völlig Neues dar. Diese Gallerte beispielsweise: Sie ist ein biologisches, höchst wandelbares Produkt, aber ganz bestimmt kein Ergebnis natürlicher Auslese. Auch sie erfüllt einen Zweck. Sie steuert andere Lebewesen, indem sie ihre neuronalen Netze befällt. Irgendwie verändert sie das Verhalten der Wale. – Die Krabben und Hummer hingegen wurden von Anfang an auf ihre bloßen mechanischen Funktionen reduziert. Leere Hüllen mit Resten von Nervenmasse. Die Gallerte steuert sie, und als Fracht sind Killeralgen mit an Bord. Wahrscheinlich haben diese Krabben nie wirklich gelebt. Sie wurden als organische Raumanzüge gezüchtet, um in den Outer Space vorstoßen zu können, in unsere Welt.«

»Dieses Zeug, diese Gallerte«, sagte Rubin, »könnte die nicht ebenso gut ein Mensch gezüchtet haben?«

»Kaum.« Anawak mischte sich ein. »Was Dr. Johanson sagt, ergibt für mich mehr Sinn. Wenn ein Mensch dahinter steckt, warum wählt er dann den Umweg durch die Tiefsee, um Städte zu verseuchen?«

»Weil Killeralgen im Meer vorkommen.«

»Warum probiert er's nicht mit was anderem? Wer Killeralgen züchten kann, die giftiger als *Pfiesteria* sind, wird doch irgendeinen Erreger finden, der nicht erst durchs Wasser muss. Wozu züchtet er Krabben, wenn er es mit Ameisen oder Vögeln oder meinethalben Ratten schaffen könnte?«

»Mit Ratten erzeugt er keine Tsunamis.«

»Das Zeug kommt aus einem menschlichen Labor«, beharrte Vanderbilt. »Es ist eine synthetische Substanz …«

»Das glaube ich nicht«, rief Anawak. »Nicht mal der Navy traue ich so was zu, und die ist weiß Gott fit darin, Meeressäuger zu verbiegen.«

Vanderbilt schüttelte den Kopf, als sei er von der Parkinson'schen Krankheit befallen.

»Was reden Sie da?«

»Ich rede von Experimenten, die unter dem Begriff MK0 durchgeführt wurden.«

»Nie gehört.«

»Wollen Sie abstreiten, dass die Navy seit Jahren versucht, die Gehirnströme von Delphinen und anderen Meeressäugern zu manipulieren, indem man Elektroden in die Schädeldecke einführt und …«

»So ein Quatsch!«

»Was aber bislang nicht klappte. Jedenfalls nicht wie gewünscht, also studiert man die Arbeit von Ray Kurzweil …«

»Kurzweil?«

»Eine der Koryphäen auf dem Gebiet der Neuroinformatik«, warf Fenwick ein, und plötzlich erhellten sich seine Züge. »Und Kurzweil hat eine Vision entwickelt, die über den heutigen Stand der Hirnforschung weit hinausgeht. Wenn man wissen will, wozu Menschen diesbezüglich in der Lage sind … nein, mehr noch, seine Arbeit könnte Aufschluss darüber geben, wie eine fremde Intelligenz vorgehen würde!« Fenwick geriet sichtlich in Wallung. »Kurzweils Neuronencomputer! Das ist in der Tat eine Möglichkeit.«

»Entschuldigung«, sagte Vanderbilt. »Ich habe keine Ahnung, wovon hier die Rede ist.«

»Nicht?«, schmunzelte Li. »Ich dachte immer, die CIA hätte ein vitales Interesse an Gehirnwäsche.«

Vanderbilt schnaubte und sah sich nach allen Seiten um.

»Wovon redet der? Ich weiß es nicht. Kann mir verdammt nochmal einer sagen, wovon er redet?«

»Der Neuronencomputer ist ein Modell zur kompletten Rekonstruktion eines Hirns«, sagte Oliviera. »Sehen Sie, unser Gehirn setzt sich aus Milliarden von Nervenzellen zusammen. Jede Zelle ist mit unzähligen anderen verbunden. Sie kommunizieren untereinander durch elektrische Impulse. Auf diese Weise werden Wissen, Erfahrung und Emotion ständig aktualisiert, neu geordnet oder archiviert. In jeder Sekunde unseres Lebens, auch wenn wir schlafen, ist unser Gehirn einer fortgesetzten Neustrukturierung unterworfen. Mit heutiger Technik lassen sich aktive Hirnareale bis auf einen Millimeter genau darstellen. Wie eine Landkarte. Wir können zusehen, wie gedacht und gefühlt wird, welche Nervenzellen zeitgleich aktiviert werden, etwa im Moment eines Kusses oder eines erlittenen Schmerzes oder einer Erinnerung.«

»Man kennt die Stellen, und die Navy weiß, wo man elektrisch pulsen muss, um eine gewünschte Reaktion hervorzurufen«, nahm Anawak den Faden auf. »Aber das ist immer noch sehr grob. Wie eine Landkarte, deren Detailschärfe bei 50 Quadratkilometern endet. Kurzweil hingegen glaubt, dass wir schon bald über die Möglichkeit verfügen werden, ein komplettes Hirn zu scannen, und zwar einschließlich jeder einzelnen Nervenverbindung, jeder Synapse und der genauen Konzentration aller chemischen Botenstoffe – bis ins letzte Detail einer jeden Zelle!«

»Uff«, sagte Vanderbilt.

»Wenn man erst mal die komplette Information hat«, fuhr Oliviera fort, »ließe sich ein Gehirn samt aller Funktionen in einen Neuronencomputer übertragen. Der Computer würde eine perfekte Kopie des Denkens der Person herstellen, deren Hirn gescannt wurde, mitsamt ihrer Erinnerungen und Fähigkeiten. Ein zweites Ich.«

Li hob die Hand.

»Ich kann Ihnen versichern, dass MK0 noch nicht so weit ist«, sagte sie. »Kurzweils Neuronencomputer bleibt vorerst eine Vision.«

»Jude«, flüsterte Vanderbilt entsetzt. »Wozu erzählen Sie das hier? Das geht keinen was an, das unterliegt strengster Geheimhaltung.«

»MK0 gründet auf militärischen Notwendigkeiten«, sagte Li ruhig. »Die Alternative wäre, Menschen zu opfern. Wir können uns unsere

Kriege nicht immer aussuchen, wie Sie unzweifelhaft festgestellt haben. Tatsächlich befindet sich das Projekt in einer Sackgasse, aber das wird ein vorübergehender Stillstand sein. Der Weg zur künstlichen Intelligenz ist beschritten. Die Medizin ist nicht weit davon entfernt, menschliche Organe durch Mikrochips zu ersetzen. Blinde können mit Hilfe solcher Implantate bereits Konturen erkennen. Es werden völlig neue Formen von Intelligenz entstehen.« Sie machte eine Pause und heftete ihren Blick auf Anawak. »Das ist es doch, was Sie meinen, nicht wahr? Alles spräche für die Nahost-Hypothese, um bei dem leidigen Wort zu bleiben, wenn die Menschheit so weit wäre, wie Kurzweil gedacht hat. Aber wir sind es nicht. Amerika ist es nicht und niemand sonst. Kein Mensch kann diese Gallerte gezüchtet haben, die offenbar wie ein Neuronencomputer funktioniert.«

»Der Neuronencomputer bedeutet in der Praxis die *vollkommene* Kontrolle über jedes Denken«, sagte Anawak. »Wenn die Gallerte etwas in dieser Art darstellt, dann steuert sie das Tier nicht einfach, sie *wird* zu diesem Tier. Sie wird Teil seines Hirns. Zellen der Substanz übernehmen die Funktion von Hirnzellen. Entweder sie erweitern das Gehirn eines Lebewesens …«

»Oder sie ersetzen es«, schloss Oliviera. »Leon hat Recht. Ein solcher Organismus entspringt keinem *menschlichen* Labor.«

Johanson hörte mit klopfendem Herzen zu. Sie griffen seine Theorie auf. Sie arbeiteten damit und fügten ihr neue Aspekte hinzu, und mit jedem Wort, das gesprochen wurde, verfestigte sie sich. Er begann sich diesen biologischen Computer vorzustellen, der Hirnzellen kopieren konnte, während um ihn herum die Diskussion wogte, bis Roche aufsprang und das Wort ergriff.

»Eines verstehe ich noch nicht, Dr. Johanson. Wie erklären Sie sich, dass die da unten so viel über uns wissen? Ich meine, Ihre Theorie in allen Ehren, aber wie kann ein Bewohner der Tiefsee derart viel über uns herausfinden?«

Johanson sah Vanderbilt und Rubin beifällig nicken.

»Das ist nicht schwer«, sagte er. »Wenn wir einen Fisch sezieren, geschieht das in unserer Welt, nicht in seiner. Warum sollten diese Wesen ihr Wissen nicht in ihrer Welt erlangen? Jedes Jahr ertrinken eine Menge Menschen, und falls man weitere Exemplare braucht, holt man sich eben welche. – Andererseits haben Sie Recht: Wie viel wissen die wirklich über uns? Kurz vor dem Abrutschen des Schelfs war ich erstmalig so weit, an einen organisierten Angriff zu glauben. Seltsamerweise habe ich nie in Erwägung gezogen, dass Menschen dahinter stecken könnten. Zu fremdartig erschien mir die ganze Strategie. Wie auf einen Schlag große Teile der nordeuropäischen Infrastruktur vernichtet wurden, war brillant geplant und mit weit reichenden Folgen für uns verbunden. Kleine Boote durch Wale versenken zu lassen erscheint dagegen naiv. Die Überfischung der Meere stoppt man nicht mit hochgiftigen Quallenschwärmen. Schiffskatastrophen treffen uns hart, aber ob diese mutierten Schwärme die weltweite Schifffahrt wirklich lahm legen können, wage ich zu bezweifeln. Allerdings fällt auf, dass sie sehr genau über Schiffe Bescheid wissen. Alles, was unmittelbar ihren Lebensraum berührt, kennen sie gut. Die Welt darüber ist ihnen weniger vertraut. Killeralgen in Krabben über Land zu schicken, zeugt von exzellenter militärischer Planung, aber der Anfang mit den bretonischen Hummern war eher misslungen. Offenbar hatten sie das Problem des Unterdrucks nicht bedacht. Als die Gallerte da unten in die Hummerkörper schlüpfte, war sie durch den Tiefendruck komprimiert. Zur Oberfläche hin dehnte sie sich natürlich aus, und einige der Hummer platzten.«

»Bei den Krabben scheint man dazugelernt zu haben«, meinte Oliviera. »Sie bleiben stabil.«

»Na ja.« Rubin schürzte die Lippen. »Sie krepieren, kaum dass sie an Land sind.«

»Warum auch nicht?«, erwiderte Johanson. »Ihre Aufgabe ist erfüllt. Alle diese Züchtungen sind zum schnellen Sterben verurteilt. Sie sollen unsere Welt *bekämpfen*, nicht *besiedeln*. – Wohin Sie auch schauen in diesem Krieg, Menschen würden so nicht vorgehen! Warum der Umweg übers Meer? Warum sollte sich ein Mensch in derartige Experimente versteigen? Welchen vernünftigen Grund hätte er, ausgerechnet die Gene von Lebewesen zu verändern, die viele Kilometer unter Wasser leben wie beispielsweise Schlotkrabben? Hier sind keine Menschen am Werk. Hier wird experimentiert, um herauszufinden, wo unsere Schwachstellen sind. Und vor allem wird abgelenkt.«

»Abgelenkt?«, echote Peak.

»Ja. Der Feind macht viele Fronten gleichzeitig auf. Einige bescheren uns Alpträume, andere sind eher lästig, aber sie halten uns auf Trab. Die meisten der verabreichten Nadelstiche schmerzen gewaltig. Das eigentlich Perfide daran ist, dass sie verschleiern, was wirklich geschieht. Dass wir vor lauter Schadensbegrenzung blind für die wirklichen Gefahren werden. Wir finden uns in der Rolle des Zirkusjongleurs, der Teller auf Stöcke stellt und sie in Drehung versetzt, damit sie nicht herunterfallen können. Er muss ständig zwischen den Stöcken hin- und herlaufen. Hat er den letzten Teller stabilisiert, wackelt der erste. Je mehr Teller es werden, desto schneller muss er laufen. In unserem Fall hat die Anzahl der Teller die Fähigkeiten des Jongleurs weit überschritten. Wir werden dieser Vielzahl von Attacken nicht gewachsen sein. Für sich betrachtet mögen Walangriffe und ausbleibende Fischschwärme kein unlösbares Problem darstellen. In der Summe erfüllen sie ihren Zweck, nämlich uns zu lähmen und zu überfordern. Wenn sich die Phänomene weiter ausbreiten, werden ganze Staaten die Kontrolle verlieren, andere Staaten werden das ausnutzen, es wird zu regionalen und größeren Konflikten kommen, die aus dem Ruder laufen und für niemanden zu gewinnen sind. Wir werden uns selber schwächen. Die Strukturen der internationalen Hilfsorganisationen werden in sich zusammenbrechen, die medizinischen Versorgungsnetze zum Erliegen kommen. Wir werden nicht genügend Mittel, Kraft, Know-how und schließlich nicht genügend Zeit haben, um zu verhindern, was sich abseits der offenen Kampfhandlungen im Stillen vollzieht.«

»Und was soll das sein?«, fragte Vanderbilt gelangweilt.

»Die Vernichtung der Menschheit.«

»Wie bitte?«

»Liegt das nicht auf der Hand? Die haben beschlossen, mit uns in gleicher Weise zu verfahren, wie der Mensch mit Schädlingen verfährt. Sie wollen uns ausrotten ...«

»Jetzt reicht's aber!«

»... bevor wir das Leben in den Meeren ausrotten.«

Der CIA-Mann wuchtete sich hoch und richtete einen zitternden Zeigefinger auf Johanson. »Das ist der größte Schwachsinn, der mir jemals untergekommen ist! Was glauben Sie eigentlich, wozu Sie hier sind? Waren Sie zu oft im Kino? Wollen Sie uns weismachen, da sitzen diese ... diese besseren ETs aus *Abyss* unten im Meer und drohen uns mit dem Finger, weil wir unartig waren?«

»*Abyss*?« Johanson überlegte. »Ach richtig. Nein, solche Wesen meine ich nicht. Das waren Außerirdische.«

»Das war genauso ein Blödsinn.«

»Nein. In *Abyss* lassen sich Wesen aus dem All in unseren Meeren nieder. Der Film verkauft sie als bessere Menschen. Sie haben eine moralische Botschaft. Vor allen Dingen verbannen sie uns nicht vom Gipfel der irdischen Evolution, wie es eine intelligente Rasse tun würde, die sich *hier auf diesem Planeten* entwickelt hat, *parallel* zu uns.«

»Doktor!« Vanderbilt zog ein Taschentuch hervor und wischte sich den Schweiß von Stirn und Oberlippe. »Sie sind kein berufsmäßiger

Geheimniskrämer wie wir. Sie haben nicht unsere Erfahrung. Es ehrt Sie, uns ein Viertelstündchen prima unterhalten zu haben, aber wenn Sie Lumpereien aufdecken wollen, müssen Sie als Erstes erkennen, welchem Zweck sie dienen. Wer hat Vorteile davon! Das bringt Sie auf die richtige Spur! Nicht dieses Herumstochern in ...«

»Niemand hat Vorteile davon«, sagte jemand.

Vanderbilt drehte sich schwerfällig um.

»Sie irren, Vanderbilt.« Bohrmann hatte sich erhoben. »Bis gestern Nacht hat Kiel Szenarien entwickelt, was geschehen wird, wenn weitere Kontinentalabhänge kollabieren.«

»Ich weiß«, sagte Vanderbilt unwirsch. »Tsunamis und Methan. Wir bekommen ein Klimaproblemchen ...«

»Nein.« Bohrmann schüttelte den Kopf. »Kein Problemchen. Wir bekommen unser Todesurteil. Es ist allgemein bekannt, was vor 55 Millionen Jahren auf der Erde passierte, als schon einmal alles Methan in die Atmosphäre entwich und ...«

»Woher zum Teufel wollen Sie *wissen*, was vor 55 Millionen Jahren geschah?«

»Wir haben es ausgerechnet. Und jetzt haben wir es wieder ausgerechnet. Über die Küsten werden Tsunamis hereinbrechen und die Küstenpopulationen vernichten. Dann wird es langsam heiß auf der Erdoberfläche, unerträglich heiß, und wir werden alle sterben. Auch der Nahe Osten, Mr. Vanderbilt. Auch Ihre Terroristen. Alleine die Freisetzung des Methans vor Ostamerika und im Westpazifik dürfte ausreichen, unser aller Schicksal zu besiegeln.«

Plötzlich herrschte Totenstille.

»Und dagegen«, sagte Johanson leise, während er Vanderbilt ansah, »können Sie gar nichts machen, Jack. Denn Sie wissen nicht, wie. Und Sie haben keine Gelegenheit, darüber nachzudenken, weil Sie mit Walen, Haien, Muscheln, Quallen, Krabben, Killeralgen und unsichtbaren Kabelfressern schon überfordert sind, die unsere Taucher und Tauchroboter und alles, womit wir einen Blick unter Wasser werfen könnten, eliminieren.«

»Wie lange kann es dauern, bis sich die Atmosphäre so weit aufgeheizt hat, dass die Menschheit ernsthaft bedroht ist?«, fragte Li.

Bohrmann runzelte die Stirn. »Ich schätze, einige hundert Jahre.«

»Wie beruhigend«, knurrte Vanderbilt.

»Nein, keineswegs«, sagte Johanson. »Wenn diese Wesen ihren Feldzug darauf gründen, dass wir ihren Lebensraum gefährden, müssen sie uns schnell loswerden. Erdhistorisch betrachtet sind ein paar hundert

Jahre gar nichts. Aber der Mensch hat schon in kürzerer Zeit das Schlimmste angerichtet. Also sind sie in aller Ruhe noch einen Schritt weitergegangen. – Sie haben es geschafft, den Golfstrom zu stoppen.«

Bohrmann starrte ihn an.

»Sie haben *was*?«

»Er ist bereits gestoppt«, ließ sich Weaver vernehmen. »Vielleicht fließt er noch ein bisschen, aber er liegt in den letzten Zügen. Wenige Jahre, und die Welt kann sich bereitmachen für eine neue Eiszeit. In weniger als hundert Jahren wird es verflucht eisig auf der Erde werden. Vielleicht schon in fünfzig oder vierzig Jahren. Vielleicht noch früher.«

»Augenblick mal«, rief Peak. »Das Methan würde die Erde aufheizen, so viel wissen wir auch. Die Atmosphäre könnte kippen. Aber wie passt das mit einer neuen Eiszeit zusammen, wenn der Golfstrom stoppt? Was soll denn dabei rauskommen, um Himmels willen? Ein Ausgleich des Schreckens?«

Weaver sah ihn an.

»Ich würde eher sagen, eine Potenzierung.«

Hatte es zu Beginn den Anschein gehabt, als stehe Vanderbilt allein da mit seiner rigorosen Ablehnung, wandelte sich das Bild in der darauf folgenden Stunde. Das Gremium spaltete sich in zwei Lager, die erbittert aufeinander losgingen. Alles wurde wieder aufgerollt. Die ersten Anomalien. Die Anfänge der Walattacken. Die Umstände, unter denen die Würmer entdeckt worden waren. Es ging zu wie auf dem Rugbyfeld. Rhetorische Ellbogen kamen zum Einsatz, Argumente wurden einander zugespielt, abwechselnd preschten die Fraktionen vor, umflankten den Gegner mit immer neuen Aspekten und versuchten, ihn auszutricksen. Ein Unterton mischte sich hinein, der Anawak bekannt vorkam. Er warf die Frage auf, ob es sein *dürfe*, dass eine parallele Intelligenz dem Menschen seine Vorherrschaft streitig macht! Niemand sprach es offen aus. Aber Anawak, geschult im Disput über tierische Intelligenz, erspürte den tieferen Gehalt in jedem Wort. Aggression schwang mit. Johansons Theorie spaltete nicht die Wissenschaft, sondern das Selbstverständnis einer Gruppe von Experten, die zuallererst Menschen waren. Vanderbilt scharte Rubin, Frost, Roche, Shankar und den zunächst zögerlichen Peak um sich. Johanson erhielt Verstärkung von Li, Oliviera, Fenwick, Ford, Bohrmann und Anawak. Die Geheimdienstler und Diplomaten saßen eine Weile dabei, als vollziehe sich vor ihren Augen ein absurdes Theaterstück. Dann mischten sie sich nach und nach ein.

Es war verblüffend.

Ausgerechnet diese Leute, berufsmäßige Spione, erzkonservative Sicherheitsberater und Terrorismusexperten, schlugen sich fast sämtlich auf Johansons Seite. Einer von ihnen sagte:

»Ich bin ein nüchtern denkender Mensch. Wenn ich etwas höre, das mir einleuchtet, glaube ich es erst mal. Wenn etwas dagegensteht, das mit Winkelzügen erzwungen werden muss, nur damit es ins Raster unserer Erfahrungen passt, glaube ich es nicht.«

Als Erster desertierte Peak aus Vanderbilts kleiner Truppe. Dann folgten Frost, Shankar und Roche.

Schließlich schlug Vanderbilt erschöpft eine Pause vor.

Sie gingen nach draußen, wo ein Buffet mit Säften, Kaffee und Kuchen aufgebaut war. Weaver gesellte sich an Anawaks Seite.

»Sie hatten die wenigsten Probleme mit Johansons Theorie«, stellte sie fest. »Wie kommt's?«

Anawak sah sie an und lächelte. »Kaffee?«

»Gerne. Mit Milch.«

Er goss zwei Tassen voll und reichte ihr die eine. Weaver war nur unwesentlich kleiner als er. Plötzlich fiel ihm auf, dass er sie mochte, obwohl sie bisher kaum miteinander gesprochen hatten. Er hatte sie vom ersten Moment an gemocht, als ihre Blicke sich vor dem Château getroffen hatten.

»Ja«, sagte er. »Die Theorie ist durchdacht.«

»Nur darum? Oder weil Sie sowieso an tierische Intelligenz glauben?«

»Das tue ich nicht. Ich glaube an Intelligenz im Allgemeinen, aber auch, dass Tiere Tiere und Menschen Menschen sind. Wenn wir nachweisen könnten, dass Delphine ebenso intelligent sind wie wir, mit allen Konsequenzen, wären sie keine Tiere mehr.«

»Und glauben Sie, dass es so ist?«

Anawak schüttelte den Kopf.

»Ich glaube, dass wir es nicht herausfinden werden, solange wir von der menschlichen Warte aus urteilen. – Halten Sie Menschen für intelligent, Miss Weaver?«

Weaver lachte. »*Ein* Mensch ist intelligent. Viele Menschen sind eine dumpfe Horde.«

Das gefiel ihm.

»Sehen Sie?«, sagte er. »Genau das könnte man auch von …«

»Dr. Anawak?« Ein Mann kam mit schnellen Schritten auf ihn zu. Er gehörte zum Sicherheitspersonal. »Sie sind doch Dr. Anawak?«

»Ja.«

»Sie werden am Telefon verlangt.«

Anawak runzelte die Brauen. Im Château war keiner von ihnen direkt erreichbar. Aber es gab eine Nummer, unter der Angehörige Nachrichten hinterlassen oder in dringenden Fällen anrufen konnten. Li hatte die Mitglieder des Stabs gebeten, sie sparsam zu verteilen.

Shoemaker hatte die Nummer. Wer noch?

»In der Halle«, sagte der Mann. »Oder möchten Sie das Gespräch auf Ihr Zimmer gestellt haben?«

»Nein, ist schon okay. Ich komme mit.«

»Bis gleich«, rief ihm Weaver nach.

Er folgte dem Sicherheitsbeamten durch die Halle. In einem der Seitenschiffe war eine Reihe provisorischer Telefonkabinen errichtet worden.

»Gleich die Erste«, sagte der Mann. »Ich lasse den Anruf durchstellen. Es wird klingeln. Heben Sie einfach ab, dann sind Sie mit Tofino verbunden.«

Tofino? Also Shoemaker.

Anawak wartete. Es klingelte. Er nahm den Hörer ab und meldete sich.

»Ah, Leon«, erklang Shoemakers Stimme. »Tut mir wirklich Leid. Ich weiß, ich störe dich bei was Wichtigem, aber...«

»Macht nichts, Tom. War ein schöner Abend gestern.«

»Oh ja. Und... das hier ist auch wichtig. Es ist... ähm...«

Shoemaker schien nach Worten zu ringen. Dann seufzte er leise.

»Leon, ich muss dir was Trauriges sagen. Wir haben einen Anruf aus Cape Dorset erhalten.«

Plötzlich, von einer Sekunde auf die andere, war es Anawak, als ziehe ihm jemand den Boden unter den Füßen weg. Er wusste, was ihn erwartete. Er wusste es, bevor Shoemaker die Worte sagte:

»Leon, dein Vater ist gestorben.«

Er stand wie gelähmt in der Zelle.

»Leon?«

»Alles okay, ich...«

Alles okay. Wie immer. Alles okay. Alles okay.

Was sollte er tun?

Nichts war okay!

»Außerirdische?«

Der Präsident war merkwürdig gefasst.

»Nein«, sagte Li zum wiederholten Male. »Keine Außerirdischen. Bewohner dieses Planeten. Konkurrenz, wenn Sie so wollen.«

Die Offutt Airforce Base und das Château waren zusammengeschaltet. Außer dem Präsidenten nahmen in Offutt der Verteidigungsminister, der erste Sicherheitsberater, der Minister für Heimatschutz und die Außenministerin teil sowie der Direktor der CIA. Inzwischen bestand kein Zweifel mehr daran, dass Washington das Schicksal New Yorks teilen würde. Die Stadt wurde evakuiert. Das Kabinett war größtenteils nach Nebraska umgezogen. Erste Todesfälle unterstrichen die Dramatik der Situation, aber der Rückzug ins Landesinnere erfolgte geschlossen und weitgehend nach Plan. Diesmal war man besser vorbereitet.

Im Château hatten sich Li, Vanderbilt und Peak versammelt. Li wusste, dass die in Offutt es hassten, dort herumsitzen zu müssen. Der CIA-Direktor vermisste sein Amtszimmer im sechsten Stock der Zentrale am Potomac. Insgeheim beneidete er seinen Direktor für Terrorismusbekämpfung, der sich schlicht geweigert hatte, seine Mitarbeiter zu evakuieren.

»Bringen Sie Ihre Leute in Sicherheit«, hatte er dem Mann befohlen.

»Das ist eine Krise, die von jemandem gesteuert wird«, war die Antwort gewesen. »Eine terroristische Krise. Die Leute im Global Response Center müssen an ihren Computern sitzen bleiben und arbeiten. Sie haben eine entscheidende Aufgabe zu erfüllen. Sie sind die Augen, mit denen wir den internationalen Terrorismus beobachten. Die können wir nicht evakuieren.«

»Es sind biologische Killer, die New York angreifen«, hatte der CIA-Direktor erwidert. »Schauen Sie, was dort los ist. In Washington wird es nicht anders sein.«

»Das Global Response Center wurde nicht ins Leben gerufen, um in einer solchen Situation das Weite zu suchen.«

»Gut, aber Ihre Leute könnten sterben.«

»Dann sterben sie eben.«

Auch der Verteidigungsminister hätte die Lage lieber vom Schreibtisch seines wuchtigen Arbeitszimmers aus dirigiert, und der Präsident war ohnehin jemand, den man festbinden musste, damit er nicht den nächsten Jet kaperte und zurück zum Weißen Haus flog. Man konnte ihm vieles nachsagen, aber nicht, dass er feige war. Genau genommen war er so mutig, dass manche seiner Gegner den Verdacht hegten, er sei einfach zu ignorant, um Angst zu empfinden.

Dabei war die Offutt Airforce Base wie ein zweiter Regierungssitz ausgestattet. Aber sie hatten dorthin fliehen *müssen*. Darin lag das Problem. Und darum, schätzte Li, nahmen sie die Hypothese von der intelligenten Macht im Meer spontan positiv auf. Vor menschlichen Gegnern zurückweichen zu müssen, denen man nichts entgegenzusetzen hatte als Ratlosigkeit, hätte eine unerträgliche Schmach für die Administration bedeutet. Johansons Theorie warf ein völlig neues Licht auf die Angelegenheit. Sie nahm rückwirkend den Druck von den Sicherheitsberatern, vom Verteidigungsministerium, vom Präsidenten.

»Was halten Sie davon?«, fragte der Präsident in die Runde. »Ist so etwas möglich?«

»Was ich persönlich für möglich halte und was nicht, spielt keine Rolle«, sagte der Verteidigungsminister barsch. »Die Experten sitzen im Château. Wenn sie zu einer solchen Schlussfolgerung gelangen, müssen wir sie ernst nehmen und fragen, was als Nächstes zu tun ist.«

»Sie wollen das *ernst nehmen*?«, fragte Vanderbilt entgeistert. »Aliens? Grüne Männchen?«

»Keine Außerirdischen«, wiederholte Li geduldig.

»Wir werden ein ganz anderes Problem bekommen«, bemerkte die Außenministerin. »Nehmen wir an, die Theorie stimmt. Wie viel davon können wir der Öffentlichkeit zumuten?«

»Was? Nichts!« Der CIA-Direktor schüttelte energisch den Kopf. »Wir hätten sofort ein weltweites Chaos.«

»Das haben wir ohnehin.«

»Trotzdem. Die Medien würden uns schlachten. Sie würden uns für verrückt erklären. Erstens werden sie uns nicht glauben, zweitens werden sie uns nicht glauben *wollen*. Die Existenz einer solchen Rasse würde die Bedeutung der Menschheit in Frage stellen.«

»Das ist ein vorwiegend religiöses Problem«, winkte der Verteidigungsminister ab. »Politisch nicht relevant.«

»Es gibt keine Politik mehr«, sagte Peak. »Nichts, was man losgelöst betrachten kann von Angst und Elend. Fahren Sie mal nach Manhattan. Machen Sie sich ein Bild. Was meinen Sie, was da gebetet wird von Leuten, die in ihrem Leben nie in einer Kirche gewesen sind.«

Der Präsident richtete einen nachdenklichen Blick zur Decke.

»Wir müssen uns fragen«, sagte er, »was Gottes Pläne in der Sache sind.«

»Gott sitzt nicht in Ihrem Kabinett, Sir, wenn ich das anmerken darf«, sagte Vanderbilt. »Er ist auch nicht auf unserer Seite.«

»Das ist kein guter Standpunkt, Jack«, sagte der Präsident mit zusammengezogenen Brauen.

»Ich habe aufgehört, Standpunkte nach gut oder schlecht zu unterteilen, solange sie sinnvoll sind. Jeder hier ist offenbar der Meinung, an dieser Theorie sei was dran. Ich frage mich also, wer von uns bescheuert ist …«

»Jack«, sagte der CIA-Direktor warnend.

»… aber ich bin bereit einzugestehen, dass ich es bin. Trotzdem werde ich erst einlenken, wenn ich *Beweise* sehe. Wenn ich mit diesen Knilchen gesprochen habe, diesem Gezücht im Wasser. Bis dahin warne ich eindringlich davor, die Möglichkeit eines groß angelegten terroristischen Anschlags auszuschließen und unsere Wachsamkeit zu vernachlässigen.«

Li legte ihm die Hand auf den Unterarm.

»Jack, warum sollten Menschen einen solchen Weg wählen?«

»Um Leute wie Sie glauben zu machen, E. T. hätte es auf uns abgesehen. Und es funktioniert. Zum Teufel, es funktioniert!«

»Niemand hier ist naiv«, sagte der Sicherheitsberater ärgerlich. »Wir werden in unserer Wachsamkeit nicht nachlassen, aber mal ehrlich, mit Ihrer Terrorismuspsychose kommen wir doch keinen Zoll weiter. Wir können ohne Ende nach durchgeknallten Mullahs oder schwerreichen Superverbrechern Ausschau halten, und derweil rutschen noch ein paar Hänge ab, und unsere Städte werden überspült, unschuldige Amerikaner sterben, also was ist eigentlich Ihr *Vorschlag*, Jack?«

Vanderbilt verschränkte zornig die Arme über seinem Bauch. Er sah aus wie ein schmollender Buddha.

»Ich habe da einen Vorschlag herausgehört«, sagte Li langsam.

»Nämlich?«

»Mit den Knilchen zu reden. Kontakt aufzunehmen.«

Der Präsident legte die Fingerspitzen aufeinander. Dann sagte er bedächtig: »Dies ist eine Prüfung. Eine Prüfung für die menschliche Rasse. Vielleicht hat Gott diesen Planeten für zwei Rassen bestimmt. Vielleicht hat aber die Bibel Recht, wenn sie vom Tier spricht, das aus dem Meer steigt. Gott sagt, macht euch die Erde untertan, und er hat es nicht zu irgendwelchen Wesen im Meer gesagt.«

»Nein, absolut nicht«, murmelte Vanderbilt. »Er hat es zu den Amerikanern gesagt.«

»Vielleicht ist dies der Kampf gegen das Böse, die oft vorausgesagte große Schlacht.« Der Präsident richtete sich ein Stück auf. »Und wir sind auserkoren, sie zu schlagen und zu gewinnen.«

»Vielleicht«, griff Li den Gedanken auf, »wird, wer diese Schlacht gewinnt, die Welt gewinnen.«

Peak sah sie von der Seite her an und schwieg.

»Wir sollten Johansons Theorie offen mit den Regierungen der NATO-Staaten und der EU erörtern«, schlug die Außenministerin vor. »Dann sollten wir die Vereinten Nationen einbeziehen.«

»Und ihnen zugleich klar machen, dass sie kaum in der Lage sein werden, eine solche Operation durchzuführen«, sagte Li schnell. »Ich meine, nutzen wir ruhig das Know-how und die Kreativität ihrer besten Köpfe. Ich schlage vor, auch befreundete arabische und asiatische Staaten einzubinden. Das macht auf alle Fälle einen guten Eindruck. Aber zugleich wird es Zeit, dass wir die Gelegenheit wahrnehmen, uns an die Spitze der Weltengemeinschaft zu stellen. – Dies ist kein Meteoriteneinschlag, der uns alle vom Angesicht der Erde fegen wird. Es ist eine schreckliche Bedrohung, derer wir Herr werden können, wenn wir jetzt keinen Fehler machen.«

»Greifen Ihre Gegenmaßnahmen?«, fragte der Sicherheitsberater.

»Überall auf der Welt laufen die Forschungen nach einem Immunstoff auf Hochtouren. Wir versuchen, etwas gegen das Eindringen der Krabben und gegen die Angriffe durch Wale zu unternehmen und diese Würmer einzufangen, was sich schwierig gestaltet. Wir tun eine ganze Menge, um die Risiken einzudämmen, aber es wird nicht reichen, wenn wir weiter konventionell verfahren. Der Stopp des Golfstroms verdammt uns zur Hilflosigkeit. Der Methan-GAU ist nicht aufzuhalten. Selbst wenn es uns gelingt, Millionen dieser Würmer aus dem Meer zu fischen, können wir nicht sehen, wo sie sich angesiedelt haben, und es werden neue kommen. Nachdem es unmöglich geworden ist, Roboter, Sonden und Tauchboote nach unten zu schicken, sind wir blind geworden. Wir haben nicht die geringste Ahnung, was da unten vorgeht. Heute Nachmittag hörte ich, dass wir vor der Georges Bank zwei riesige Schleppnetze verloren haben. Zu drei Trawlern, die in Höhe des Laurentiusgrabens unterwegs waren, um den Grund abzuweiden, haben wir jeden Kontakt verloren. Suchflugzeuge sind unterwegs, aber das ist schwieriges Terrain. Östlich davon liegen die Bänke von Neufundland. Eine Zone permanenten Nebels, und seit zwei Tagen tobt dort ein ziemlicher Sturm.« Sie machte eine Pause. »Das sind zwei Beispiele von tausenden. Fast alle Meldungen spiegeln unser Versagen wider. Die Drohnenaufklärung arbeitet gut, mehrfach konnten wir Krabbenheere mit Flammenwerfern eindämmen, aber dafür kommen sie dann anderswo rausgekrochen. Wir müssen einsehen, dass wir auf dem Meer wenig zu melden haben. Es war schon wenig genug, als von dort noch keine Gefahr ausging, aber jetzt ...«

»Und die Sonarattacken?«

»Wir setzen sie fort, aber sie versprechen keinen wirklichen Erfolg. Es funktioniert nur, wenn wir die Tiere töten. Die Wale fliehen nicht vor dem Lärm, wie es jedes Tier tun würde, das seine Instinkte beisammen hat. Ich schätze, dass sie fürchterlich leiden, aber sie sind fremdgesteuert. Der Terror geht weiter.«

»Da Sie von Planung sprechen, Jude«, sagte der Verteidigungsminister. »Erkennen Sie eine Strategie hinter alldem?«

»Ich denke schon. Fünfstufig und verzahnt. Schritt eins ist die Vertreibung des Menschen von der Meeresoberfläche und aus den Meerestiefen. – Schritt zwei gipfelt in der Vernichtung und Vertreibung der Küstenpopulationen. Siehe Nordeuropa. – Schritt drei umfasst die Vernichtung unserer Infrastruktur. Ebenfalls Nordeuropa, wo die Offshore-Industrie empfindlich getroffen wurde. Das Lahmlegen des Fischfangs wird uns zudem ein gewaltiges Ernährungsproblem bescheren, speziell der Dritten Welt. – Schritt vier, Vernichtung der Stützpfeiler unserer Zivilisation, der Großstädte, durch Tsunamis, bakteriologische Vergiftung, Zurückdrängen der Bevölkerung ins Landesinnere. – Und schließlich der fünfte und letzte Schritt: Das Klima kippt, die Erde wird für Menschen unbewohnbar. Sie vereist oder ertrinkt, wird aufgeheizt oder abgekühlt oder beides – das wissen wir noch nicht im Einzelnen.«

Eine Weile herrschte beklommenes Schweigen.

»Aber wird die Erde dann nicht auch unbewohnbar für die gesamte Tierwelt?«, fragte der Sicherheitsberater.

»An der Oberfläche – ja. Oder sagen wir, ein großer Teil der Tierwelt dürfte dabei hopsgehen. Aber ich habe mir sagen lassen, so was sei vor 55 Millionen Jahren schon mal passiert, und im Endeffekt hat es nur dazu geführt, dass eine Menge Tiere und Pflanzen ausstarben und Platz für neue Arten machten. Ich denke, diese Wesen werden sich sehr genau überlegt haben, wie sie selber eine solche Katastrophe unbeschadet überstehen.«

»Eine derartige Vernichtungsschlacht, das ist ...« Der Minister für Heimatschutz rang nach Worten. »Das ist unverhältnismäßig, unmenschlich ...«

»Es sind keine Menschen«, sagte Li geduldig.

»Aber wie können wir sie dann stoppen?«

»Indem wir herausfinden, wer sie sind«, sagte Vanderbilt.

Li wandte ihm den Kopf zu.

»Höre ich da späte Einsicht?«

»Mein Standpunkt bleibt derselbe«, sagte Vanderbilt gleichmütig. »Erkenne den Zweck einer Handlung, und du weißt, wer sie vollbringt. In diesem Fall gestehe ich zu, dass Ihre Fünf-Stufen-Strategie augenblicklich die einleuchtendste ist. Also müssen wir den nächsten Schritt gehen. Wer sind sie, wo sind sie, wie denken sie?«

»Was kann man gegen sie tun«, fügte der Verteidigungsminister hinzu.

»Das Böse«, sagte der Präsident mit stark zusammengekniffenen Lidern. »Wie kann man das Böse besiegen?«

»Reden wir mit ihnen«, sagte Li.

»Kontaktaufnahme?«

»Man kann auch mit dem Teufel verhandeln. Ich sehe augenblicklich keinen anderen Weg. Johanson vertritt die These, dass sie uns auf Trab halten, um uns daran zu hindern, Lösungen zu finden. So viel Zeit dürfen wir ihnen nicht geben. Noch sind wir handlungsfähig, also sollten wir sie suchen und Kontakt aufnehmen. – Dann schlagen wir zu.«

»Gegen Tiefseewesen?« Der Minister für Heimatschutz schüttelte den Kopf. »Du lieber Himmel.«

»Sind wir eigentlich alle der Ansicht, dass an der Theorie was dran ist?«, fragte der CIA-Direktor in die Runde. »Ich meine, wir reden darüber, als seien sämtliche Zweifel ausgeräumt. Wollen wir uns ernsthaft auf den Gedanken einlassen, dass wir die Erde mit einer zweiten intelligenten Rasse teilen?«

»Es gibt nur *eine* göttliche Rasse«, betonte der Präsident entschieden. »Und das ist die Menschheit. *Wie* intelligent diese Lebensform im Meer ist, steht auf einem anderen Blatt. Ob sie das *Recht* hat, diesen Planeten ebenso zu beanspruchen wie wir, darf zutiefst bezweifelt werden. Die Schöpfungsgeschichte sieht solche Wesen *nicht* vor. Die Erde ist die Welt der Menschen, sie wurde für die Menschen geschaffen, und Gottes Plan ist unser Plan. – Aber *dass* eine fremdartige Lebensform für all dies verantwortlich ist, scheint mir akzeptabel.«

»Nochmal«, wollte die Außenministerin wissen. »Was sagen wir der Welt?«

»Es ist zu früh, der Welt etwas zu sagen.«

»Sie wird Fragen haben.«

»Erfinden Sie Antworten. Dafür sind Sie Diplomatin. Wenn wir der Welt damit kommen, im Meer wohne eine zweite Menschheit, wird sie schon am Schock eingehen.«

»Übrigens«, sagte der CIA-Direktor an Li gewandt. »Wie sollen wir diese kranken Hirne im Ozean überhaupt nennen?«

Li lächelte. »Johanson hatte einen Vorschlag: Yrr.«

»Yrr?«

»Y und zwei r. Es ist ein zufälliger Name. Das Resultat unbewusster Fingerarbeit auf dem Laptop.«

»Albern.«

»Er meint, der Name sei so gut wie jeder andere, und da gebe ich ihm Recht. Ich finde, wir sollten sie Yrr nennen.«

»Gut, Li.« Der Präsident nickte. »Wir werden sehen, was an dieser Theorie dran ist. Wir müssen alle Optionen in Erwägung ziehen, alle Möglichkeiten. Aber wenn wir am Ende wirklich feststellen, dass wir eine Schlacht gegen Wesen zu schlagen haben, die wir meinethalben Yrr nennen wollen, werden wir eben die Yrr besiegen. Dann gibt es Krieg gegen die Yrr.« Er sah in die Runde. »Dies ist eine Chance. Eine sehr große Chance. Ich will, dass sie genutzt wird.«

»Mit Gottes Hilfe«, sagte Li.

»Amen«, nuschelte Vanderbilt.

WEAVER

Zu den Vorzügen des Châteaus in Zeiten der Belagerung gehörte, dass alles durchgehend geöffnet hatte. Niemand hier ging den Gewohnheiten der üblichen Gästeschaft nach. Li hatte geltend gemacht, dass insbesondere die Wissenschaftler Tag und Nacht würden arbeiten müssen und möglicherweise morgens um vier Lust auf T-Bone-Steak bekämen. Als Folge gab es rund um die Uhr warme Mahlzeiten, Restaurants, Bar und Aufenthaltsräume waren besetzt, und sämtliche Sportanlagen inklusive Sauna und Schwimmbad hatten vierundzwanzig Stunden geöffnet.

Weaver hatte eine halbe Stunde lang im Pool ihre Bahnen gezogen. Mittlerweile war es nach eins. Barfuß und mit nassen Haaren, in einen weichen Bademantel gehüllt, durchquerte sie die Lobby zu den Aufzügen, als sie aus dem Augenwinkel Leon Anawak bemerkte. Er saß am Tresen der Hotelbar, ein Platz, wo er ihrer Meinung nach am allerwenigsten hinpasste. Verloren hockte er vor einer unangetasteten Cola und einer Schale Erdnüsse, pickte alle paar Sekunden eine heraus, sah sie an und ließ sie zurückfallen.

Sie zögerte.

Seit der abgebrochenen Unterhaltung vom Vormittag hatte sie ihn nicht mehr gesehen. Vielleicht wollte er ungestört sein. Immer noch herrschte Geschäftigkeit in der Halle und den angrenzenden Räumen, nur die Bar war nahezu leer. In einer Ecke saßen zwei Männer in dunklen Anzügen, in gedämpfte Unterhaltung vertieft. Ein Stück weiter starrte eine Frau im Drillich konzentriert in ihren Laptop. Leise Westcoastmusik wob die Szene in Belanglosigkeit.

Anawak sah nicht eben glücklich aus.

Während sie noch überlegte, ihre Suite aufzusuchen, betrat sie schon die Bar. Ihre Füße patschten leicht auf dem Parkett. Sie ging ans Ende des Tresens, wo er saß, und sagte:

»Hi!«

Anawak drehte den Kopf. Sein Blick war vollkommen leer.

Unwillkürlich blieb sie stehen. Man konnte die Intimsphäre eines Menschen schneller verletzen, als es einem auffiel, und dann hatte man für alle Zeiten den Ruf weg, aufdringlich zu sein. Sie lehnte sich gegen den Tresen und zog den Bademantel enger um die Schultern. Zwei Barhocker standen zwischen ihnen.

»Hi«, sagte Anawak. Sein Blick flackerte. Erst jetzt schien er sie richtig wahrzunehmen.

Sie lächelte.

»Was ... ähm, machen Sie?« Blöde Frage. Was machte er? Er saß an einer Theke und spielte mit Erdnüssen rum. »Sie waren plötzlich verschwunden heute Morgen.«

»Ja. Tut mir Leid.«

»Nein, muss es nicht«, sagte sie eilig. »Ich meine, ich wollte nicht stören, es ist nur, dass ich Sie hier sitzen sah und dachte ...«

Irgendetwas stimmte nicht. Am besten, sie machte sich schleunigst wieder davon.

Anawak schien vollständig aus seiner Starre zu erwachen. Er griff nach seinem Glas, hob es hoch und stellte es wieder ab. Sein Blick fiel auf den Barhocker neben ihm.

»Lust, was zu trinken?«, fragte er.

»Störe ich Sie wirklich nicht?«

»Nein, überhaupt nicht.« Er zögerte. »Ich heiße übrigens Leon. Wir sollten uns duzen, oder?«

»Gut, dann ... Ich heiße Karen, und ... Baileys auf Eis, bitte.«

Anawak winkte den Barmann heran und gab die Bestellung auf. Sie trat näher, ohne sich zu setzen. Tropfen kalten Wassers liefen aus ihren Haaren den Hals hinunter und sammelten sich zwischen ihren Brüsten. Im Allgemeinen hatte sie keine Probleme damit, halb nackt herumzulaufen, aber plötzlich fühlte sie sich unbehaglich.

Sie sollte austrinken und schnell wieder verschwinden.

»Und wie geht's dir?«, fragte sie, während sie an der cremigen Flüssigkeit nippte.

Anawak legte die Stirn in Falten. »Ich weiß es nicht.«

»Du weißt es nicht?«

»Nein.« Er griff nach einer Erdnuss, legte sie vor sich hin und schnippte sie weg. »Mein Vater ist gestorben.«

Ach du Scheiße.

Sie hatte es gewusst. Sie hätte nicht hineingehen sollen. Jetzt stand sie hier und trank Baileys mit jemandem, der sich dermaßen ostentativ ans hintere Ende der Bar verzogen hatte, dass er ebenso gut ein Schild hätte aufstellen können mit dem Hinweis, sich fern zu halten.

»Woran?«, fragte sie vorsichtig.

»Keine Ahnung.«

»Die Ärzte wissen es noch nicht?«

»*Ich* weiß es noch nicht.« Er schüttelte den Kopf. »Und ich bin mir nicht sicher, ob ich es wissen *will*.«

Er schwieg eine Weile. Dann sagte er: »Ich bin heute Nachmittag durch die Wälder gelaufen. Stundenlang. Manchmal geschlichen, dann wieder gerannt wie ein Wahnsinniger. Auf der Suche nach einer ... Empfindung. Ich dachte, es muss doch irgendeinen Gefühlszustand geben, der zur Situation passt, aber ich habe mir die ganze Zeit über nur selber Leid getan.« Er sah sie an. »Kennst du das? Wo immer du gerade bist, willst du sofort wieder weg. Alles scheint dich zu bedrängen, und plötzlich merkst du, dass es gar nicht an dir selber liegt. Du bist es nicht, der weg will. Es sind die Orte, die dich loswerden wollen. Sie scheinen dich abzustoßen, dir zu sagen, dass du da nicht hingehörst. Aber keiner erklärt dir, *wo* du hingehörst, und du rennst und rennst ...«

»Klingt komisch.« Sie dachte darüber nach. »Ich kenne so was Ähnliches vom Betrunkensein. Wenn du dermaßen voll bist, dass dir in jeder Lage kotzübel wird, egal wie du dich drehst und legst und wendest.« Sie stockte. »Entschuldige. Dumme Antwort.«

»Nein, gar nicht! Du hast Recht. Dir geht's erst besser, wenn du gekotzt hast. Genau so fühle ich mich. Ich müsste wahrscheinlich kotzen, aber ich weiß nicht, wie.«

Sie fuhr mit dem Finger über den Rand ihres Glases. Die Musik dudelte unablässig vor sich hin.

»Hattest du kein gutes Verhältnis zu deinem Vater?«

»Ich hatte *gar kein* Verhältnis zu ihm.«

»Tatsächlich?« Weaver runzelte die Stirn. »Gibt es das? Kann man gar kein Verhältnis zu jemandem haben, den man kennt?«

Anawak zuckte die Achseln.

»Und du?«, fragte er. »Was machen deine Eltern?«

»Sie sind tot.«

»Das ... oh. Das tut mir Leid.«

»Schon in Ordnung. Ist ja nichts dabei. Ich meine, Menschen sterben, auch Eltern. Meine sind gestorben, als ich zehn war. Tauchunfall vor Australien. Ich war im Hotel, als es passierte. Starke Bodenströmung. Eine Weile ist alles ruhig, und plötzlich wirst du fortgerissen und ins offene Meer gezogen. An sich waren sie vorsichtig und erfahren, aber ... na ja.« Sie zuckte die Achseln. »Das Meer ist immer anders.«

»Hat man sie gefunden?«, fragte Anawak leise.

»Nein.«

»Und du? Wie bist du damit zurechtgekommen?«

»Eine Zeit lang war es ziemlich hart. Ich hatte eine wunderbare Kindheit, weißt du. Wir sind ständig nur gereist. Sie waren beide Lehrer und fasziniert vom Wasser. Alles haben wir gemacht, Segeln auf den Malediven, Tauchen im Roten Meer, Höhlentauchen in Yucatan. Sogar vor Schottland und Island sind wir runter. Natürlich blieben sie näher an der Oberfläche, wenn ich dabei war, aber ich hab trotzdem alles gesehen. Nur auf die gefährlichen Tauchgänge haben sie mich nicht mitgenommen. – Und den einen haben sie dann auch nicht überlebt.« Sie lächelte. »Aber du siehst ja, es ist noch was aus mir geworden.«

»Ja.« Er lächelte zurück. »Nicht zu übersehen.«

Es war ein trauriges, hilfloses Lächeln. Eine Weile sah er sie einfach nur an. Dann rutschte er von seinem Hocker. »Ich glaube, ich sollte es mal mit Schlafen versuchen. Morgen fliege ich zur Beerdigung.« Er zögerte. »Also, gute Nacht und ... danke.«

»Wofür?«

Danach saß sie vor ihrem halb ausgetrunkenen Baileys und dachte an ihre Eltern und an den Tag, als die Leute von der Hotelleitung gekommen waren und die Managerin ihr gesagt hatte, sie müsse jetzt ganz tapfer sein. Tapferes, kleines Mädchen. Starke, kleine Karen.

Sie ließ den Likör im Glas hin- und herschwappen.

Wie hart es gewesen war, hatte sie Anawak nicht erzählt. Nichts davon, wie ihre Großmutter sie zu sich genommen hatte, ein verstörtes, verängstigtes Kind, das seine Trauer in Wut umsetzte, sodass die alte Frau nicht mit ihr fertig wurde. Wie sich ihre Leistungen in der Schule rapide verschlechterten, zeitgleich mit ihrem Umgang. Nichts vom ständigen Ausreißen und Herumziehen, von den ersten Joints und den härteren Sachen, von der Zeit als Punk auf der Straße und wie es war, ständig betrunken oder bekifft zu sein und mit jedem zu schlafen, der nicht Nein sagte. Und Nein gesagt hatte eigentlich keiner. Dann kleinere Diebstähle, Schulverweis, eine schlampig durchgeführte Abtreibung, härtere Drogen, Autoknacken, Jugendamt. Ein halbes Jahr im Heim für schwer Erziehbare. Den Körper voller Piercings. Glatze und Narben. Seelisch und körperlich ein Schlachtfeld.

Tatsächlich hatte der Unfall ihrer Liebe zum Meer keinen Abbruch getan. Im Gegenteil. Mehr denn je übte es eine dunkle Faszination auf sie aus, schien sie zu rufen, hinab zum Grund, wo ihre Eltern warteten. So heftig lockte die See, dass sie eines Nachts per Anhalter nach Brighton gefahren und weit hinausgeschwommen war, und als das ölig schwarze, mondbeschienene Wasser die Lichter des Badeorts beinahe verschluckte, hatte sie sich langsam unter die Oberfläche sinken lassen und versucht zu ertrinken.

Aber man ertrank nicht so einfach.

Sie hatte in der Lichtlosigkeit des Kanals gehangen, mit angehaltenem Atem, und ihre Herzschläge gezählt, bis sie in den Ohren dröhnten. Anstatt ihre Lebenskraft in sich aufzunehmen, hatte das Meer sie ihr gezeigt: so stark, dieses Herz! So trotzig dagegen anschlagend, dass sie sich der kalten Umarmung ergeben wollte, und plötzlich hatte der Atemreflex eingesetzt und sie gezwungen, Wasser in ihre Lungen aufzunehmen. Was nun geschah, davon hatte sie ihren Vater oft genug reden hören. Schaum würde sich in der Lunge bilden, das filigrane Netzwerk aus Bläschen in sich zusammenfallen, akuter Sauerstoffmangel zum Tod führen. Zwei Minuten bis zum Krampfstadium des Zwerchfells, keine Atmung mehr möglich. Fünf Minuten bis zum Herztod.

Sie war nach oben geschossen und aufgetaucht aus dem Alptraum, der mit ihrem zehnten Lebensjahr begonnen hatte und mit ihrem sechzehnten endete, unmittelbar neben einem Kutter. Man brachte sie mit einer schweren Unterkühlung ins Krankenhaus, wo sie genügend Zeit fand, Mut und Entschlossenheit in einen Plan zu binden. Nach ihrer Entlassung betrachtete sie ihren Körper eine Stunde lang im Spiegel und beschloss, ihn nie wieder so sehen zu wollen. Sie entfernte die Piercings, hörte auf, ihren Schädel zu rasieren, versuchte zehn Liegestütze und brach zusammen.

Nach einer Woche gelangen ihr zwanzig.

Mit aller Macht versuchte sie zurückzuerlangen, was ihr verloren gegangen war. Die Schule nahm sie wieder auf unter der Bedingung, dass sie sich einer Therapie unterzog, und sie willigte ein. Zeigte sich lernwillig und diszipliniert. War zuvorkommend und freundlich zu jedermann. Las, was immer sie in die Finger bekommen konnte, vorzugsweise über das Ökosystem Erde und die Ozeane. Kein Tag verging, an dem sie nicht trainierte. Seit der Kanal sie freigegeben hatte, lief, schwamm, boxte und kletterte sie, um die letzten Spuren der verlorenen Zeit zu tilgen, bis nichts mehr an das dünne, hohläugige Mädchen erinnerte, das sie gewesen war. Als sie mit neunzehn und einjähriger Verspätung einen glänzenden Collegeabschluss hinlegte und sich an der Universität für Biologie und Sport einschrieb, glich ihr Körper den Darstellungen hellenischer Wettkämpfer.

Karen Weaver war ein neuer Mensch geworden.

Mit einer alten Sehnsucht.

Um die Welt zu verstehen, wie sie funktionierte, belegte sie außerdem Informatik. Die Darstellung komplexer Zusammenhänge durch Computer begeisterte sie, und sie ruhte nicht eher, bis sie selber in der Lage war, Abläufe in Ozean und Atmosphäre virtuell darzustellen. Ihre erste Arbeit gab ein umfassendes Bild der Meeresströmungen wieder, das dem allgemeinen Wissen zwar nichts Neues hinzufügte, nur dass es von großer Brillanz und Stimmigkeit war: eine Hommage an zwei Menschen, die sie geliebt und zu früh verloren hatte. Indem sie den Kopf unter Wasser steckte und forschte, gab sie etwas zurück von dem, was sie im Überfluss erhalten hatte: Liebe und Wissen. Sie gründete ihr PR-Büro *Deepbluesea*, schrieb für *Science* und *National Geographic*, erhielt Kolumnen in populärwissenschaftlichen Titeln und zog das Interesse der Institute auf sich, die sie zu Expeditionen einluden, weil sie eine Stimme brauchten, um ihren Ideen Gestalt zu geben. Mit der *MIR* reiste sie zur *Titanic*, die *Alvin* brachte sie zu den hydrothermalen Schloten des Atlantischen Tiefseerückens, die *Polarstern* zum Überwintern in die Antarktis. Überall war sie mit dabei, und aus allem machte sie das Beste, weil sie seit der Nacht im Kanal keine Furcht mehr kannte. Nichts und niemand machte ihr mehr Angst.

14. mai

Das Motorengeräusch begann ihn langsam, aber sicher einzuschläfern.

Nachdem er sich endlich zu der Reise durchgerungen hatte, war Anawak von Schwierigkeiten ausgegangen. Er hatte gedacht, Li würde ihn vielleicht nicht gehen lassen, aber sie hatte ihn regelrecht gedrängt, das nächste Flugzeug zu nehmen.

»Wenn ein Elternteil stirbt oder ein Kind, muss man zu seiner Familie. Sie würden es sich nie verzeihen, wenn Sie hier blieben. Die Familie ist das Wichtigste im Leben. Nur in der Familie herrscht Verlass. Seien Sie erreichbar. Das ist alles, worum ich Sie bitte.«

Jetzt, als Anawak im Flugzeug saß, fragte er sich, ob Li überhaupt Familie besaß.

Und er? Besaß er Familie?

Absurd. Jemand, der möglicherweise keine Beziehung zu seiner Familie hatte, sang jemandem, der ebenso wenig eine hatte, das Hohelied der engeren Verwandtschaft.

Sein Sitznachbar, ein Klimaforscher aus Massachusetts, begann leise zu schnarchen. Anawak stellte die Lehne seines Sitzes ein Stück nach hinten und sah aus dem Fenster. Er war seit Stunden mit sich und seinen Gedanken allein, und noch war er nicht sicher, ob es ihm gut tat. Eine Boeing der Canadian Airlines International hatte ihn von Vancouver zuerst zum Toronto Pearsons Airport geflogen, wo gelandete Maschinen in langen Reihen auf ihre Abfertigung warteten. Über Toronto war ein ungewöhnlich heftiges Gewitter niedergegangen und hatte den Flugbetrieb vorübergehend lahm gelegt. Anawak war es vorgekommen wie ein böses Omen. Voller Unruhe saß er in der Abfertigungshalle des Toronto Airport, während draußen eine Maschine nach der anderen an den ziehharmonikaförmigen Fingern festmachte, bis es mit zweistündiger Verspätung endlich weiterging nach Montreal.

Von da an war alles glatt verlaufen. Er hatte in der Nähe des Dorval Airport ein Zimmer in einem Holiday Inn gebucht und früh wieder im Warteraum gesessen. Erste Anzeichen deuteten darauf hin, dass er in eine andere Welt übertrat. Eine Gruppe von Männern stand mit dampfenden Kaffeebechern am großen Panoramafenster. Sie trugen die Embleme von Ölfirmen auf ihren Overalls und schienen nur etwas Handgepäck mit sich zu führen. Zwei von ihnen hatten Gesichter wie Anawak. Breitflächig und dunkel, mit mongolisch geschnittenen Augen. Draußen verschwanden riesige, voll gepackte Paletten, festgezurrt mit Packnetzen, im Bauch der Canadian North Airlines Boeing 737, eine nach der anderen. Noch während sie von den Hebebühnen geschoben wurden, erging der Aufruf an die Passagiere. Sie überquerten das Flugfeld zu Fuß und betraten die Maschine über die Leiter unter dem Heck. Die Sitzreihen waren auf das vordere Drittel beschränkt, alles andere hatte dem Stauraum weichen müssen.

Seit über zwei Stunden war Anawak nun wieder unterwegs. Von Zeit zu Zeit ruckelte es leicht. Den größten Teil der Strecke waren sie über dichte Wolkenfelder geflogen. Jetzt, kurz vor der Hudson Strait, schoben sich die aufgetürmten Massen auseinander und legten die schwarzbraune Tundralandschaft unter ihnen frei, bergig und zerklüftet, gefleckt von Schneefeldern und immer wieder durchbrochen von Seen, auf denen große Eisschollen trieben. Dann kam die Küste in Sicht. Die Hudson Strait schob sich unter sie, und Anawak spürte, wie er die letzte Grenze überschritt. Ein wildes Durcheinander von Gefühlen brach über ihn herein und riss ihn aus seiner Dösigkeit. In jedem Vorhaben gab es einen *point of no return*. Streng genommen war Montreal dieser Punkt gewesen, aber symbolisch war es die Hudson Strait. Jenseits der Wasserstraße begann die Welt, in die er nie wieder hatte zurückkehren wollen.

Anawak war unterwegs in das Land seiner Geburt, in seine Heimat am Saum des Polarkreises, nach Nunavut.

Er sah weiter hinaus und versuchte, jedes Denken auszuschalten. Nach einer weiteren halben Stunde überflogen sie wieder Land, dann eine gleißende, eisüberzogene Fläche, die Frobisher Bay im Südosten von Baffin Island. Die Maschine legte sich in eine Rechtskurve und ging schnell tiefer. Ein knallgelbes Gebäude mit einem gedrungenen Lotsenturm kam ins Bild. In die hügelige, dunkle Landschaft gekauert, wirkte es wie der menschliche Außenposten auf einem fremden Planeten, aber es war nur der Flughafen von Iqaluit, der »Schule der Fische«, Nunavuts Hauptstadt.

Die Boeing setzte auf und rollte langsam aus.

Anawak musste nicht lange auf die Gepäckausgabe warten. Er nahm seinen hoch gepackten Rucksack in Empfang und schlenderte durch die Abfertigungshalle. Eine Ausstellung warb für Inuit-Kunst mit Wandbehängen und Specksteinskulpturen. In der Mitte der Halle gewahrte er eine überlebensgroße Figur, kompakt, mit Stiefeln und traditioneller

Kleidung angetan, eine flache Trommel mit der Rechten hoch über den Kopf erhoben, in der anderen Hand den Klöppel. Der steinerne Trommler hatte den Mund im Gesang weit geöffnet. Er strahlte Spannkraft und Selbstvertrauen aus. Anawak blieb einen Moment davor stehen und las die Inschrift unter der Skulptur: *Wo immer Menschen aus der Arktis aus besonderem Anlass zusammenkommen, finden Trommeltanz und Throat Singing statt.* Dann trat er zum Abfertigungsschalter der First Air und gab seinen Rucksack nach Cape Dorset auf. Die Frau, die das Gepäck in Empfang nahm, erklärte ihm, die Maschine werde mit einstündiger Verspätung abfliegen.

»Vielleicht haben Sie ja noch was in der Stadt zu erledigen«, sagte sie freundlich.

Anawak zögerte. »Eigentlich nicht. Ich kenne die Stadt kaum.«

Sie sah ihn einigermaßen erstaunt an. Offenbar wunderte es sie, dass jemand, der dem Äußeren nach ein Inuk war, die Hauptstadt nicht kannte. Dann lächelte sie wieder.

»Iqaluit hat einiges zu bieten. Sie sollten sich die Zeit nehmen. Gehen Sie ins Nunatta-Sunaqutangit-Museum, das schaffen Sie locker. Es gibt dort eine schöne Ausstellung über traditionelle und zeitgenössische Kunst.«

»Oh ja … natürlich.«

»Oder ins Unikkaarvik-Besucherzentrum. Und machen Sie einen Abstecher zur anglikanischen Kirche. Sie sieht aus wie ein Iglu, die einzige Kirche der Welt, die aussieht wie ein Iglu!«

Anawak betrachtete die Frau. Sie war eine Einheimische, klein, mit schwarzem Pony und Pferdeschwanz. Ihre Augen blitzten, als sich ihr Lächeln verbreiterte.

»Ich hätte schwören können, Sie sind aus Iqaluit«, sagte sie.

»Nein.« Einen Moment lang fühlte er sich versucht zu sagen, er stamme aus Cape Dorset, dann sagte er: »Vancouver. Ich komme aus Vancouver.«

»Oh, ich liebe Vancouver!«, rief sie.

Anawak sah sich um. Er fürchtete, den Verkehr aufzuhalten, aber offenbar war er der Einzige, der an diesem Tag weiterflog.

»Sie waren schon mal dort?«

»Nein, ich war noch nie so weit. Aber im Internet gibt es Bilder und jede Menge Informationen. Eine schöne Stadt.« Sie lachte. »Ein bisschen größer als Iqaluit, nicht wahr?«

Er lächelte zurück. »Ja, ich denke schon.«

»Oh, so klein sind wir allerdings auch nicht mehr. Iqaluit hat immerhin schon 6 000 Einwohner. Und wir arbeiten dran. In wenigen Jahren werden wir so groß sein wie Vancouver. Haha! Na ja, fast so groß. Entschuldigen Sie.«

Ein Ehepaar war hinter ihm aufgetaucht. Er war doch nicht allein auf seinem Weiterflug. Rasch verabschiedete er sich und ging nach draußen, bevor die Frau auf die Idee kam, ihm die Stadt zu zeigen.

Iqaluit.

Seine letzte Erinnerung lag so lange zurück. Einiges schien ihm vertraut, aber das meiste erkannte er nicht wieder. Die Wolken waren in Quebec geblieben, hier stand die Sonne an einem stahlblauen Himmel und sorgte für angenehme Temperaturen. Anawak schätzte, dass es nicht kälter als plus 10° Celsius war. Seine Daunenjacke über dem dicken Pullover war eindeutig zu warm. Er zog sie aus, band sie um die Hüften und stapfte die staubige Straße zum Ortszentrum entlang. Es herrschte erstaunlich viel Verkehr. Er konnte sich nicht erinnern, dass früher auch nur annähernd so viele Geländewagen und ATVs, kleine, mehrachsige Gefährte mit Motorradsitzen, unterwegs gewesen waren. Zu beiden Seiten der Straße lagen die typischen Holzhäuser der Arktis, wegen des Permafrostbodens auf niedrigen Pfählen gebaut. Alle Gebäude der Arktis wurden auf solchen Pfählen errichtet. Hätte man sie direkt auf den Untergrund gesetzt, wäre er durch die abgestrahlte Hitze aufgetaut und abgesackt.

Je weiter Anawak voranschritt, desto stärker drängte sich ihm das Bild der Hand Gottes auf, wie sie eines Tages einen Haufen Bauwerke durcheinander geschüttelt und planlos verstreut hatte. Grellweiße, kubistisch anmutende Baukolosse ohne Fenster erhoben sich zwischen traditionellen, olivgrün oder rostrot gestrichenen Baracken. Die Schule sah aus wie ein gelandetes Ufo. Manche der Wohnhäuser leuchteten in kräftigem Petrol und Aquamarin. Ein Stück weiter stieß er auf das Commissioner's House, eine Kreuzung aus gemütlicher Gartenvilla und Wohnkuppel für Astronauten. Ganz in der Nähe erhob sich ein elegantes, dreistöckiges Gebäude mit großen Fenstern und einem imposanten Eingang, das in jede Weltstadt gepasst hätte, sah man von den typischen Stelzen und den hoch führenden Treppen ab. Anawak versuchte, die Eindrücke nicht zu sehr an sich heranzulassen, aber seit es ihn halb tot aus einem versinkenden Flugzeug geschwemmt hatte, war ihm die Fähigkeit abhanden gekommen, sich mit Gleichgültigkeit zu betäuben. Die wilde architektonische Mischung vermittelte einen unbekümmerten, beinahe fröhlichen Eindruck, gegen den er tief sitzendes Misstrauen empfand, aber sie ließ ihn nicht unberührt.

Er fragte sich, was hier geschehen war. Das war nicht das depressive Iqaluit aus den Siebzigern. Menschen grüßten ihn auffallend freundlich auf Inuktitut. Er grüßte zurück, knapp und verschlossen. Ohne stehen zu bleiben, lief er eine Stunde durch die Stadt und ging nur einmal ins Besucherzentrum Unikkaarvik, wo er eine noch gewaltigere Kopie des Trommeltänzers vorfand.

Der Trommeltänzer. Als er klein gewesen war, hatte es oft Trommeltanz gegeben. Vor langer Zeit, als die Dinge noch in Ordnung waren.

Unsinn! Wann wäre hier jemals etwas in Ordnung gewesen!

Er ging zurück auf die Straße und lief weiter, während ihm heiß wurde im kristallenen Sonnenlicht. Die anglikanische Kirche sah tatsächlich aus wie ein Iglu, mit hochgezogener Spitze. Er ließ sie links liegen. Nach einer guten Stunde war er wieder in der Abfertigungshalle des Flughafens und verzog sich mit einer Zeitung auf eine Bank. Außer ihm wartete nur das Ehepaar auf den Weiterflug. Er klappte die Zeitung so auf, dass sie ihn von allen äußeren Einflüssen abschirmte, las die Artikel, ohne ihre Inhalte aufzunehmen, und warf sie schließlich weg.

Die junge Frau vom Schalter bat sie, ihr zu folgen. Sie traten durch einen Nebenausgang des Flughafens aufs Rollfeld, wo eine kleine zweimotorige Propellermaschine vom Typ Piper wartete. Anawak stieg zusammen mit dem Ehepaar über zwei Stufen ins enge Kabineninnere. Die Maschine hatte nur sechs Plätze. Im hinteren Teil war hinter Netzen das Gepäck verstaut. Eine Abtrennung der Kanzel zum Passagierraum gab es nicht. Sie rollten zur Startbahn und mussten einen Moment warten, bis eine andere Maschine gleicher Bauart gelandet war, dann nahmen sie einen kurzen, schnellen Anlauf und hoben etwas wackelig ab. Der Flughafen wurde kleiner und verschwand. Unter ihnen glitzerte die Frobisher Bay. Über teils noch schnee- und eisbedeckte, von Gletschern geschliffene Berge flogen sie nach Westen. Zur Linken gleißte das Sonnenlicht auf der Hudson Strait, rechts funkelte es auf der Oberfläche eines Sees, dessen Name Anawak spontan wieder einfiel: Amadjuak Lake.

Dort waren sie manchmal gewesen.

So vieles kam zurück, in rasender Geschwindigkeit. Erinnerungen manifestierten sich wie Schemen in einem Schneesturm und zogen ihn in die Vergangenheit.

Er wollte nicht dorthin zurück.

Das Land wurde flacher, endete. Zwanzig Minuten lang führte sie ihre Route übers Meer, dann war durch die Cockpitfenster wieder gebirgiges Land zu erkennen. Die Bucht von Tellik Inlet mit ihren sieben Inseln schob sich ins Blickfeld. Über eine davon zog sich die dünne Linie der Landebahn von Cape Dorset.

Sie setzten auf.

Anawak fühlte sein Herz nach draußen drängen. Er war zu Hause. Er war dort, wohin er niemals hatte zurückkommen wollen. Widerwille und Neugier mischten sich mit Angst, während die Piper dem Empfangsgebäude entgegenrollte.

Cape Dorset: das New York des Nordens, wie es mit seinen knapp 1 200 Einwohnern halb bewundernd, halb scherzhaft genannt wurde, eines der ausgewiesenen Zentren für Inuit-Kunst.

Jetzt war es so.

Damals war alles anders gewesen.

Cape Dorset: Kinngait in der Sprache der Inuit, *Hohe Berge*, gelegen in der weiteren Umgebung von Sikusiilaq, *wo kein Eis auf dem Meer entsteht*, weil selbst in den strengsten Wintern milde Strömungen verhinderten, dass die Meeresoberfläche rund um die Foxe Peninsula, Baffin Islands südwestlichen Ausleger, gänzlich zufror. Namen fluteten Anawaks Hirn. Da war diese winzige Insel nahe Cape Dorset, Mallikjuaq, ein Naturschutzgebiet voller kleiner Wunder, mit Fuchsfallen aus dem 19. Jahrhundert, Resten der uralten Thule-Kultur, legendenumwobenen Gräbern und einem romantischen See, an dem sie oft gecampt hatten. Anawak erinnerte sich an den kleinen Kajakstand. Dort war er gerne gewesen, auf Mallikjuaq. Dann sah er in seiner Erinnerung seinen Vater und seine Mutter, und er wusste wieder, was ihn fortgetrieben hatte aus dem Land, das damals noch nicht Nunavut geheißen hatte, sondern Northwest Territories.

Er nahm seinen Rucksack in Empfang und kletterte aus der Piper.

Sofort stürmte ein Mann auf das Ehepaar zu. Offenbar kannte man sich. Die Begrüßung war überschwänglich, aber das war sie bei den Inuit fast immer. Man kannte jede Menge Wörter zu Begrüßung und kein einziges für *good bye*. Auch zu Anawak hatte niemand ein Wort des Abschieds gesagt vor 19 Jahren, nicht einmal der Mann, der plötzlich klein und verwittert auf dem Rollfeld stand, als das Ehepaar und ihr einheimischer Freund schwatzend abzogen. Einen Moment lang hatte Anawak Mühe, ihn wieder zu erkennen – Ijitsiaq Akesuk war sichtlich gealtert, und er trug einen dünnen grauen Schnurrbart, den er früher nicht gehabt hatte. Aber er war es. Das zerknautschte Gesicht verbreitete sich zu einem Lächeln. Er eilte Anawak entgegen und umarmte ihn mitsamt seinem Rucksack. Dabei entsprudelte seinen

Lippen ein Wortschwall auf Inuktitut. Dann besann er sich und sagte auf Englisch:

»Leon. Mein Junge. Was für ein gut aussehender junger Doktor.«

Anawak ließ die Umarmung geschehen und klopfte Akesuk halbherzig auf den Rücken.

»Onkel Iji. Wie geht's dir?«

»Wie soll es gehen bei allem, was passiert? Hattest du einen angenehmen Flug? Du musst ja eine Ewigkeit unterwegs gewesen sein, ich weiß gar nicht, wo du überall hinfliegen musstest, um herzukommen …«

»Ich musste ein paar Mal umsteigen.«

»Toronto? Montreal?« Akesuk ließ ihn los und strahlte ihn an. Anawak sah die für Inuit typische Zahnlücke in seinem Oberkiefer. »Natürlich Montreal. Du kommst viel herum, nicht wahr? Ich freue mich. Du musst mir vieles erzählen. Natürlich wohnst du bei mir, Junge, es ist alles hergerichtet. Hast du noch weiteres Gepäck?«

»Nein. Ähm, Onkel Iji …«

»Iji, nur Iji, lass den blöden Onkel. Du bist zu alt, um Onkel zu sagen.«

»Ich habe mich im Hotel eingebucht.«

Akesuk wich ein Stück zurück. »Wo denn?«

»In der Polar Lodge.«

Der alte Mann wirkte eine Sekunde lang enttäuscht. Dann strahlte er wieder.

»Das bestellen wir ab. Ich kenne den Manager. Du weißt doch, hier kennt jeder jeden. Kein Problem.«

»Ich will dir keine Umstände machen«, sagte Leon. Ich bin hier, um meinen Vater unters Eis zu bringen, dachte er. Und um dann schleunigst wieder zu verschwinden.

»Du machst keine Umstände«, sagte Akesuk. »Du bist mein Neffe. Wie lange hast du dich eingebucht?«

»Zwei Nächte. Ich denke, das reicht, oder?«

Akesuk legte die Stirn in Falten und musterte ihn von oben bis unten. Dann nahm er Anawak beim Arm und zog ihn in die Halle.

»Da reden wir nochmal drüber. Hast du keinen Hunger?«

»Doch.«

»Wunderbar. Mary-Ann hat ein Karibu-Stew gemacht, und es gibt Robbensuppe mit Reis. Ganz was Feines. Wann hast du so was das letzte Mal gegessen, Robbensuppe, hm?«

Anawak ließ sich mitschleppen. Vor dem Flughafengebäude parkten mehrere Fahrzeuge. Akesuk steuerte zielstrebig auf einen Pick-up zu.

»Leg deinen Rucksack hinten drauf. Kennst du Mary-Ann? Natürlich nicht. Du warst schon weg, als sie von Salluit rüberzog und wir geheiratet haben. Es war ja nicht zum Aushalten mit dem Alleinsein. Sie ist jünger als ich. Das finde ich ganz in Ordnung, muss ich dir sagen. Hast du eine Frau? Du lieber Himmel, was werden wir uns alles zu erzählen haben nach der Ewigkeit, die du nicht mehr hier warst.«

Anawak rutschte auf den Beifahrersitz und schwieg. Akesuk schien beschlossen zu haben, ihn in Grund und Boden zu reden. Er versuchte sich zu erinnern, ob der Alte früher auch so gesprächig gewesen war.

Dann kam ihm der Gedanke, dass sein Onkel möglicherweise ebenso nervös war wie er.

Der eine schwieg. Der andere redete. Jeder hatte seinen Weg.

Sie rumpelten die Hauptstraße entlang. Cape Dorset war durch diverse Höhenzüge in Ortschaften gegliedert. Dem eigentlichen Kinngait schlossen sich Itjurittuq im Nordosten, Kuugalaaq im Westen und Muliujaq im Süden an. Gewohnt hatten sie damals in Kuugalaaq. Seine, Anawaks Familie, hatte dort gelebt. Akesuk, der Bruder seiner Mutter, war in Kinngait zu Hause gewesen.

Anawak fragte ihn nicht, ob er immer noch dort wohnte. Er würde es ohnehin herausfinden.

Sie kurvten durch den ganzen Ort. Sein Onkel erläuterte nahezu jedes Gebäude, an dem sie vorbeifuhren, bis Anawak schlagartig klar wurde, dass Akesuk eine Ortsbesichtigung mit ihm vornahm.

»Onkel Iji, ich kenne das alles«, sagte er.

»Nichts kennst du. Du warst 19 Jahre nicht mehr hier. Alles Mögliche ist neu. Da drüben, erinnerst du dich an den Supermarkt?«

»Nein.«

»Siehst du. Wie auch? Alles neu! Und wir haben noch einen größeren dazubekommen. Früher sind wir immer zum Polar Supply Store gegangen, das hast du doch nicht vergessen, oder? – Da hinten ist unser neues Schulgebäude, na, so neu ist es auch wieder nicht, aber für dich ja schon. – Guck mal rechts! Das kannst du gar nicht kennen, die Tiktaliktaq-Festhalle. Weißt du, wer da schon alles zum Throat Singing war und zum Trommeltanz? Bill Clinton und Jaques Chirac und Helmut Kohl, das war übrigens ein Riese, dieser Kohl, wir sahen daneben aus wie Zwerge, wann war der noch hier, warte mal …?«

Und so weiter und so fort. Sie besichtigten die anglikanische Kirche mit dem Friedhof, auf dem sein Vater beerdigt werden sollte. Anawak sah eine Inuit-Frau vor ihrem Haus an einer Skulptur arbeiten, die einen riesigen Vogel zeigte. Das Wesen erinnerte ihn an die Kunst der

Nootka. Ein zweistöckiges, blaugraues Gebäude mit futuristischem Eingangsbereich erwies sich als Regierungssitz. Die dezentralisierte Verwaltung Nunavuts führte dazu, dass in jeder größeren Gemeinde ein solches Gebäude zu stehen hatte. Anawak ergab sich in sein Schicksal, zumal er feststellte, dass das Cape Dorset seiner Kindheit tatsächlich ein anderes gewesen war als dieses.

Und plötzlich hörte er sich sagen:

»Fahr zum Hafen, Iji.«

Akesuk riss das Steuer herum. Sie bretterten über eine abschüssige Straße in Richtung Wasser. Holzhäuser aller Größen und Farben verteilten sich scheinbar ungeordnet über die schwarzbraune Landschaft. Vereinzelt waren ein paar Flecken robusten Tundragrases zu sehen, hier und da eine Schneefläche. Cape Dorsets Hafen war wenig mehr als ein Pier mit Verladekränen, wo ein- bis zweimal im Jahr das Versorgungsschiff mit überlebenswichtigen Gütern vor Anker ging. Unweit davon konnte man bei Ebbe das Tellik Inlet durchqueren, um auf die Nachbarinsel zu gelangen – nach Mallikjuaq, zu jenem kleinen Nationalpark mit seinen Gräbern und dem Kajakstand und dem See, an dem sie so oft ihr Camp aufgeschlagen hatten.

Sie hielten an. Anawak stieg aus, ging den Pier entlang und schaute hinaus auf das polarblaue Wasser. Akesuk folgte ihm ein Stück, ohne zu ihm aufzuschließen.

Der Pier war das Letzte, was Anawak gesehen hatte, als er Cape Dorset verlassen hatte. Nicht per Flugzeug, sondern mit dem Versorgungsschiff. Zwölf Jahre war er alt gewesen. Das Schiff hatte ihn und seine neue Familie mitgenommen, die voller Hoffnung und Vorfreude auf die neue Welt das Land verließ, und zugleich voller Heimweh nach dem Paradies im Eis, das schon so lange verloren war.

Nach fünf Minuten ging er mit langsamen Schritten zurück zum Pick-up und stieg wortlos ein.

»Ja, unser alter Hafen«, sagte Akesuk leise. »Der alte Hafen. Werd ich nie vergessen. Du bist damals auf und davon, Leon. Es hat allen das Herz gebrochen ...«

Anawak sah ihn scharf an.

»Wem hat es das Herz gebrochen?«, fragte er.

»Nun ja, deinem ...«

»Meinem Vater? Euch? Irgendwelchen Nachbarn?«

Akesuk startete den Wagen.

»Komm«, sagte er. »Wir fahren nach Hause.«

Akesuk wohnte immer noch in dem kleinen Siedlungshaus. Es sah hübsch aus und gepflegt, hellblau mit dunkelblauem Dach. Dahinter stiegen die Hügel sanft an und gipfelten in einigen Kilometern Entfernung im Kinngait, dem *hohen Berg*, dessen Oberfläche von Schneeadern durchzogen war. Wie ein Gebirge aus Marmor lag er da, mehr ein gedrungener Höhenzug als ein hoher Berg. In Anawaks Erinnerung reichte der Kinngait in den Himmel. Dieser Gebirgskamm lud ein, ihn zu Fuß zu erkunden, versehen mit einer guten Ausrüstung.

Akesuk schaffte es, vor Anawak an der Ladefläche zu sein und den Rucksack herunterzuwuchten. So klein und schmächtig er war, schien es ihm nicht das Geringste auszumachen. Er hielt den Sack mit einer Hand und öffnete mit der anderen die Tür zu seinem Haus, ohne anzuklopfen.

»Mary-Ann«, rief er ins Innere. »Er ist da! Der Junge ist da!«

Ein Hundebaby kam nach draußen getapst. Akesuk stieg darüber hinweg, verschwand im Haus und kehrte Sekunden später in Begleitung einer fülligen Frau zurück, deren freundliches Gesicht sich auf ein imposantes Doppelkinn stützte. Sie umarmte Anawak und begrüßte ihn auf Inuktitut.

»Mary-Ann spricht kein Englisch«, sagte Akesuk entschuldigend. »Ich hoffe, du verstehst noch ein bisschen von deiner Sprache.«

»Meine Sprache ist Englisch«, sagte Anawak.

»Ja, natürlich ... mittlerweile.«

»Aber ich verstehe noch eine ganze Menge. Ich verstehe, was sie sagt.«

Mary-Ann fragte ihn, ob er hungrig sei.

Anawak bejahte auf Inuktitut. Sie entblößte ein lückenhaftes Gebiss, nahm den Hund, der an Anawaks Stiefeln schnupperte, und bedeutete ihm, ihr zu folgen. Im Vorraum standen mehrere Paar Schuhe. Anawak streifte mechanisch seine Trekkingstiefel ab und stellte sie dazu.

»Deine gute Erziehung hast du jedenfalls nicht verlernt«, lachte sein Onkel. »Ein Quallunaaq bist du nicht geworden.«

Quallunaaq, Mehrzahl Quallunaat, war die Sammelbezeichnung für alle Nicht-Inuit. Anawak schaute an sich herab, zuckte die Achseln und folgte Mary-Ann in die Küche. Er sah einen modernen Elektroherd, elektrische Geräte, die es in jeder ordentlichen Küche in Vancouver auch gab, nichts, was ihn an den desolaten Zustand seines damaligen Zuhauses erinnert hätte. Unter dem Fenster stand ein runder Esstisch, daneben führte eine Tür auf den Balkon. Akesuk wechselte ein paar Worte mit seiner Frau und schob Anawak aus der Küche in einen behaglich eingerichteten Wohnraum. Schwere Polstermöbel gruppierten sich um einen Turm mit Fernseher, Videorecorder, Radio- und CB-Funkgerät. Eine offene Durchreiche wies zur Küche. Akesuk zeigte ihm das Badezimmer mit der Toilette, den angrenzenden Waschmaschinenraum, den dahinter liegenden Vorratsraum, das Schlafzimmer und ein kleines Zimmer mit einem einzelnen Bett. Auf dem Nachttisch standen frische Blumen, Arktischer Mohn, Purpursteinbrech und Glockenheide.

»Mary-Ann hat sie gepflückt«, sagte Akesuk. Es klang wie eine Einladung, es sich bequem zu machen.

»Danke, ich ...« Anawak schüttelte den Kopf. »Ich denke, es ist besser, wenn ich im Hotel übernachte.«

Er hatte erwartet, dass sein Onkel verletzt reagieren würde, aber Akesuk sah ihn nur einige Sekunden sinnierend an.

»Ein Drink?«, fragte er.

»Ich trinke nicht.«

»Ich auch nicht. Wir trinken Fruchtsaft zum Essen. Willst du?«

»Ja. Gerne.«

Akesuk mischte in zwei Gläsern Saftkonzentrat mit Wasser, und sie gingen mit ihren Drinks auf den Balkon, wo sich der Onkel eine Zigarette ansteckte. Mary-Ann war noch nicht restlos zufrieden mit dem Zustand ihres Stews und hatte angekündigt, vor Ablauf einer Viertelstunde gäbe es nichts zu essen.

»Ich soll im Haus nicht rauchen«, sagte Akesuk. »Dafür heiratet man nun. Ein Leben lang habe ich im Haus geraucht. – Aber es ist besser so. Gesund ist es ja nicht. Wenn man nur davon lassen könnte.« Er lachte und sog mit sichtlicher Befriedigung den Rauch in seine Lungen. »Lass mich raten, mein Junge – du rauchst nicht.«

»Nein.«

»Und du trinkst nicht. Gut, gut.«

Sie blickten eine Weile schweigend auf das Panorama der Bergrücken mit ihren Schneeadern. Hoch am Himmel schimmerten streifige Wolken. Strahlend weiße Elfenbeinmöwen segelten darunter hinweg und stießen von Zeit zu Zeit steil nach unten.

»Wie ist er gestorben?«, fragte Anawak.

»Er ist einfach umgefallen«, sagte Akesuk. »Wir waren auf dem Land. Er sah einen Hasen, wollte ihm hinterher und fiel um.«

»Du hast ihn zurückgebracht?«

»Seinen Körper, ja.«

»Hat er sich totgesoffen?«

Die Bitterkeit, mit der er die Frage stellte, jagte Anawak einen Schrecken vor sich selbst ein. Akesuk sah an ihm vorbei auf die Berge und hüllte sich in Rauch.

»Er hatte einen Herzinfarkt, sagt der Arzt aus Iqaluit. Er hat sich zu wenig bewegt und zu viel geraucht. – Getrunken hat er seit zehn Jahren keinen einzigen Schluck mehr.«

Der Karibu-Eintopf war köstlich. Er schmeckte nach Kindheit. Robbensuppe war hingegen nie nach Anawaks Geschmack gewesen, aber er langte kräftig zu. Mary-Ann saß mit zufriedenem Gesicht dabei. Anawak versuchte, sein Inuktitut wiederzubeleben, aber das Resultat war eher jämmerlich. Er verstand fast alles, dafür haperte es mit dem Sprechen. Also unterhielten sie sich vorwiegend auf Englisch über die Geschehnisse der letzten Wochen, über Walangriffe und die Katastrophe in Europa und was sonst noch bis nach Nunavut drang. Akesuk übersetzte. Mehrfach hatte er das Gespräch auf den toten Vater bringen wollen, aber Anawak ging nicht darauf ein. Die Beisetzung sollte am späten Nachmittag auf dem kleinen Friedhof der anglikanischen Kirche erfolgen. Um diese Jahreszeit brachte man seine Toten schnell unter die Erde, während sie im Winter oft in einer Hütte nahe der Begräbnisstätte verwahrt wurden, wenn der Boden zu hart war, um ein Grab zu schaufeln. In der natürlichen Kälte der Arktis hielten sich die Toten erstaunlich lange, aber die Lagerschuppen mussten mit der Waffe in der Hand bewacht werden. Nunavut war wild. Wölfe und Polarbären, zumal von Hunger getrieben, machten vor den Lebenden ebenso wenig Halt wie vor den Toten.

Nach dem Essen zog Anawak rüber in die Polar Lodge. Akesuk bestand nicht länger darauf, dass er unter ihrem Dach campierte. Er holte die Blumen aus dem kleinen Zimmer nach vorn und stellte sie auf den Esstisch.

»Du kannst es dir ja noch überlegen«, sagte er nur.

Anawak blieben zwei Stunden Zeit bis zur Bestattung, in denen er das Hotelzimmer nicht verließ, sondern auf dem Bett lag und versuchte, etwas Schlaf zu finden. Er wusste nicht, was er tun sollte. Genau genommen hätte er es schon gewusst. Er hätte nach Mallikjuaq fahren können, vielleicht sogar hinüberlaufen – das Tellik Inlet war noch vereist und würde ihn tragen. Oder Akesuk fragen. Der wäre sicherlich mit Begeisterung darangegangen, ihn durch halb Cape Dorset zu schleifen und jedem einzeln vorzustellen. In einer Inuit-Siedlung waren alle irgendwie untereinander versippt und verschwägert. Speziell in Cape Dorset, der Welthauptstadt der Inuit-Kunst, wäre ein solcher Rundgang einer einzigen Vernissage gleichgekommen. Jeder zweite Einwohner der Siedlung galt als Künstler, viele stellten ihre Arbeiten in Galerien rund um den Globus aus. Aber Anawak wusste, dass es etwas vom verlorenen Sohn gehabt hätte, dieses Herumzeigen seiner Person, und niemand hier sollte glauben, er kehre heim. Er war entschlossen, die schützende Distanz zu wahren. Etwas von dieser Welt an sich herankommen zu lassen, hätte nur Wunden aufgerissen, also lag er reglos auf dem Bett und starrte Löcher in die Decke, bis er schließlich wegdämmerte.

Sein Reisewecker riss ihn aus dem Schlaf.

Als er vor die Polar Lodge trat, stand die Sonne deutlich tiefer, aber sie schien immer noch hell und freundlich. Über die Eisflächen des Inlet sah er Mallikjuaq zum Greifen nahe. Die Lodge lag im äußersten Nordosten von Cape Dorset, der Friedhof auf der entgegengesetzten Seite des Orts. Anawak sah auf die Uhr. Reichlich Zeit. Er hatte mit Akesuk vereinbart, dass ihn der Onkel in seinem Pick-up mitnahm. Gleich neben der Lodge an der Straße, die zum Strand führte, lag der *Polar Supply Store*. Bei näherem Hinsehen fiel Anawak auf, dass der Laden zugleich örtliche Paketauslieferung, Fahrzeugverleih und Autoreparaturwerkstatt war. Das Gebäude war ihm von früher in Erinnerung, aber das Schild war neu, und als Anawak eintrat, kamen ihm die zwei Männer hinter der Theke fremd vor. Sie waren beide keine Inuit. Er stöberte ein bisschen herum. Es war gemütlich und ramschig im Innern, und es gab fast alles, von getrockneten Karibu-Würsten bis zu warmen Stiefeln. Im hinteren Teil stapelten sich Lithographien und Skulpturen.

Nicht seine Welt.

Er ging und schlenderte die Straße entlang in Richtung Zentrum. Vor einem Haus saß ein alter Mann an einem fußhohen Lattengestell und bearbeitete die Statuette eines Seetauchers, ein Stück weiter war eine Frau damit befasst, einen Falken aus weißem Marmor zu schleifen. Beide grüßten ihn, und Anawak grüßte im Weitergehen zurück. Er spürte, wie ihre Blicke ihm folgten. Seine Ankunft musste wie ein Lauffeuer durch den Ort gegangen sein. Ihn vorzustellen wäre gar nicht nötig gewesen. Jeder wusste, dass der Sohn des verstorbenen Manumee Anawak in Cape Dorset eingetroffen war, und vermutlich zerfetzten sie sich bereits die Mäuler darüber, warum er im Hotel wohnte und nicht unter dem Dach seines Onkels.

Akesuk wartete vor dem Haus auf ihn. Sie fuhren die paar hundert Meter zur anglikanischen Kirche, vor der sich bereits eine ziemliche Menschenmenge versammelt hatte.

Anawak fragte, ob sie alle seines Vaters wegen da wären.

Akesuk sah ihn verwundert an. »Natürlich. Was dachtest du denn?«

»Ich wusste nicht, dass er so viele … Freunde hat.«

»Es sind die Menschen, mit denen er lebte. Ob Freunde oder nicht, was spielt das für eine Rolle? Wenn jemand stirbt, geht er von allen, und alle gehen das letzte Stück mit ihm.«

Die Beisetzung war kurz und unsentimental. Anawak hatte im Vorfeld viele Hände zu schütteln. Leute, die er nie zuvor gesehen hatte, kamen auf ihn zu und umarmten ihn. Ein Reverend las aus der Bibel und sprach ein Gebet, dann wurde der Sarg in eine flache Grube gelassen, eben tief genug, um ihn aufzunehmen, und mit blauer Kunststofffolie abgedeckt. Männer begannen Steine darauf zu schichten. Das Kreuz am Ende der Grube saß windschief im harten Boden wie alle Kreuze auf dem Friedhof. Akesuk drückte Anawak eine kleine Holzkiste mit verglastem Deckel in die Hand, in der ein paar verschossene Kunstblumen nebst einem Päckchen Zigaretten und dem in Metall gefassten Zahn eines Bären lagen. Er stupste ihn an, und gehorsam trottete Anawak zum Grab und legte die Kiste unter das Kreuz.

Akesuk hatte wissen wollen, ob er seinen Vater noch einmal zu sehen wünsche, aber Anawak hatte abgelehnt. Während der Reverend sprach, versuchte er sich vorzustellen, wer der Mann war, der in dem Sarg lag, und dass überhaupt jemand darin lag. Plötzlich wurde ihm bewusst, dass der Tote keinen weiteren Fehler mehr begehen konnte. Sein Vater hatte sich endgültig in die Nichtexistenz verabschiedet und damit in ein Stadium jenseits aller Schuld und Unschuld. Was immer er zu Lebzeiten getan oder versäumt hatte, verlor jede Bedeutung angesichts des schmucklosen Sarges in der kalten Erde. Schon zuvor hatte es keine Rolle mehr gespielt. Für Anawak war der alte Mann vor so vielen Jahren gestorben, dass ihm die Beisetzung lediglich als überfälliges Zeremoniell erschien.

Er gab sich keine Mühe, etwas zu empfinden. Er wünschte nur, so schnell wie möglich von hier fortzukommen.

Zurück nach Hause.

Wo war das?

Mit einem Mal, während die Gemeinde um ihn herum ein Lied anstimmte, beschlich ihn ein eisiges Gefühl von Verlassenheit und Panik.

Es lag nicht an der arktischen Kälte, dass es ihn zu schütteln begann. Er hatte an Vancouver und Tofino gedacht, aber da war kein Zuhause.

Anawak blickte in ein schwarzes Loch.

Sein Gesichtsfeld begann sich einzuengen, Spiralen drehten sich vor seinen Augen. Die Schwärze kam über ihn wie eine Woge, gewaltig und unabwendbar. Wie ein Tier saß er in der Falle, ohne Ausweg, und musste mit ansehen, wie sie sich auf ihn herabsenkte.

»Leon.«

Rasende Angst durchfuhr ihn.

»Leon!«

Akesuk hatte ihn am Arm gepackt. Anawak sah verwirrt in das faltige Gesicht mit dem silberfarbenen Schnurrbart.

»Ist alles in Ordnung, Junge?«

»Ja, sicher«, murmelte er.

»Guter Gott! Kannst dich ja kaum auf den Beinen halten«, sagte Akesuk mitleidig. Viele der Trauergäste schauten herüber.

»Es geht schon. Danke, Iji. Es geht.«

Er sah den Leuten an, was sie dachten, und sie lagen meilenweit daneben. Aus ihren Blicken sprach Trauerroutine. An Gräbern geliebter Menschen bricht man eben zusammen. Auch wenn man ein Inuk ist und stolz darauf, vor nichts und niemandem zu kapitulieren.

Außer vielleicht vor Alkohol und Drogen.

Anawak fühlte, wie ihm übel wurde.

Er wandte sich ab und verließ den Friedhof mit schnellen Schritten. Sein Onkel hielt ihn nicht zurück. Vor der Kirche, als er das fest gestampfte Erdreich der Straße unter seinen Füßen spürte, überkam ihn der Drang wegzulaufen, aber er lief nicht. Er ging ein paar Schritte hierhin, dorthin, mit wild schlagendem Herzen. Er wusste nicht, wohin er hätte laufen sollen. Keine Richtung war für ihn bestimmt.

Er nahm ein frühes Abendessen in der Polar Lodge ein. Mary-Ann hatte etwas vorbereitet, aber Anawak erklärte seinem Onkel, er wolle allein sein. Der Alte nickte nur knapp und fuhr ihn zum Hotel. Er sah traurig aus und nicht so, als kaufe er Anawak den Wunsch nach stiller Einkehr mit sich und seinem Vater ab.

Stundenlang lag Anawak auf einem der beiden Einzelbetten in seinem Zimmer und starrte in den laufenden Fernseher. Er fragte sich, wie er einen weiteren Tag in Cape Dorset überstehen und sich zugleich die Erinnerungen vom Leib halten sollte. Er hatte sich für zwei Nächte eingebucht, weil damit zu rechnen war, dass es einen Nachlass und irgendwelche Formalitäten zu regeln gab, aber Akesuk hatte sich bereits um alles gekümmert. Im Grunde war er nutzlos. Ebenso gut konnte er sofort wieder abreisen.

Er beschloss, die zweite Nacht zu canceln. Ein Rückflug nach Iqaluit würde sich kurzfristig einrichten lassen. Mit etwas Glück ergatterte er einen Platz in der Boeing, die ihn zurück nach Montreal flog. Einmal dort, war es ihm egal, wie lange er auf den Anschlussflug zu warten hatte. Montreal war sehenswert und vor allen Dingen weit weg von diesem schrecklichen Ende der Welt namens Cape Dorset.

Schließlich überkam ihn der Schlaf.

Anawak schlief, aber sein Geist versuchte weiterhin, Nunavut zu entrinnen. Er sah sich im Flugzeug sitzen und über Vancouver kreisen. Unablässig kreisten und kreisten sie und warteten auf die Erlaubnis, tiefer gehen zu dürfen, aber der Tower verweigerte die Landung. Der Pilot drehte sich zu Anawak um und sagte:

»Wir dürfen hier nicht landen. Sie können nicht nach Vancouver, und nach Tofino können Sie auch nicht.«

»Warum?«, rief Anawak. »Warum können wir nicht landen?«

»Die Bodenkontrolle meint, es sei Ihretwegen. Die sagen, Sie sind hier nicht zu Hause.«

»Aber ich lebe in Vancouver. Ich wohne in Tofino auf einem Schiff.«

»Wir haben nachgefragt. Sie wohnen nirgendwo dort. Kein Leon Anawak ist da unten bekannt. Die Bodenkontrolle sagt, ich soll Sie nach Hause bringen, also wohin soll ich fliegen?«

»Ich weiß es nicht.«

»Sie müssen doch wissen, wo Sie zu Hause sind.«

»Da unten ist mein Zuhause.«

»Gut.«

Die Maschine sackte ab und setzte zur Landung an. Sie drehten mehrere Kurven. Die Lichter der Stadt kamen näher, aber es waren zu wenige für Vancouver, viel zu wenige. Das war nicht Vancouver. Überall lag Schnee, Eisschollen trieben auf einer schwarzen See, im Hintergrund erhob sich ein marmoriertes Gebirge.

Sie landeten in Cape Dorset.

Plötzlich war er wieder zu Hause bei seinen Eltern, die beide noch lebten und ein Fest mit ihm feierten. Es war sein Geburtstag. Viele Kinder aus der Nachbarschaft waren gekommen, alle tanzten ausgelassen um ihn herum, und sein Vater schlug vor, einen Wettlauf durch den Schnee zu machen. Er überreichte Anawak ein riesiges, grob verschnürtes Paket und erklärte ihm, dies sei sein einziges Geschenk und sehr kostbar.

»Darin findest du alles, was du für dein späteres Leben brauchst«, sagte er. »Aber du musst es mitnehmen, wenn wir draußen laufen.«

Anawak versuchte, das Riesenpaket mit beiden Armen über seinem Kopf zu balancieren. Sie gingen nach draußen, wo der Schnee in der Dunkelheit leuchtete, und eine Stimme flüsterte ihm zu, dass ihm keine Wahl bliebe, als das Rennen zu gewinnen, weil die anderen beschlossen hätten, ihn sonst zu töten. Niemand habe sich getraut, es ihm zu verraten, aber unzweifelhaft hätten sie es vor. Bei Nacht würden sie sich allesamt in Wölfe verwandeln und ihn in Stücke reißen, wenn er nicht rasch genug unten am Wasser wäre, also sollte er besser die Beine in die Hand nehmen.

Anawak begann zu weinen. Er konnte sich nicht vorstellen, warum jemand ihm so etwas antun sollte. Er verwünschte seinen Geburtstag, weil er wusste, dass er bald erwachsen sein würde, und er wollte nicht erwachsen sein und zerrissen werden. Seine Finger in das Paket gekrallt, begann er zu laufen. Der Schnee war hoch, er versank mit beiden Beinen darin, bis zur Hüfte reichte er, sodass Anawak kaum vorankam. Er sah sich nach allen Seiten um, aber niemand lief mit ihm. Er war allein. Nur das Haus seiner Eltern lag ein Stück hinter ihm, mit verschlossener Tür, verdunkelt. Ein kalter Mond stand darüber, und mit einem Mal herrschte Totenstille.

Anawak blieb stehen.

Er überlegte, ob er zurück ins Haus gehen sollte, aber da war offenbar niemand mehr. Unheimlich und abstoßend erschien es ihm, ein Ort der Ungewissheit. Keine Menschenseele war zu sehen in der eisigen, mondbeschienenen Nacht, kein Laut erklang. Die Verheißung von den hungrigen Wölfen kam ihm in den Sinn, die darauf warteten, ihn bei lebendigem Leib zu fressen. Waren sie in dem Haus? Hatten sie schon ein Gemetzel angerichtet unter den Gästen? Aber nichts ließ darauf schließen. Cape Dorset und das Haus schienen auf geheimnisvolle Weise jenseits aller Naturgesetze zu liegen. Es war derselbe Platz, an dem eben noch seine Geburtstagsfeier stattgefunden hatte, aber zu einer anderen Zeit, in ferner Zukunft oder noch fernerer Vergangenheit. – Oder vielleicht stand die Zeit auch still, und er blickte auf ein gefrorenes Universum, in dem kein Leben möglich war.

Seine Angst gewann die Oberhand. Er drehte sich um und begann hinunter zum Wasser zu stapfen. Kein Pier wartete dort wie im echten Cape Dorset, sondern nur eine Eiskante. Das Paket war geschrumpft, er konnte es mühelos mit einer Hand greifen, und jetzt kam er auch viel besser voran, sodass er nach wenigen Schritten die Kante erreicht hatte.

Er sah hinaus.

Mondlicht schimmerte auf schwarzen kräuseligen Wellen und treibenden Eisplatten. Der Himmel war voller Sterne. Jemand rief seinen Namen. Die Stimme drang schwach aus einer Schneewehe herüber, und Anawak, hin- und hergerissen zwischen Furcht und Neugier, näherte sich mit zögernden Schritten, bis er sehen konnte, dass es gar keine Wehe war, sondern zwei eng beieinander liegende Körper, von Schnee überpudert. Es waren seine Eltern. Sie starrten mit leerem Blick zum Himmel und waren entweder tot oder außerstande, mit ihm zu sprechen oder ihn wahrzunehmen.

Ich bin erwachsen, dachte er. Ich muss dieses Paket auspacken.

Er betrachtete es in seiner Handfläche.

Winzig war es geworden. Er begann es auszuwickeln, aber im Innern war nur noch mehr Papier. Nichts kam zum Vorschein. Er rupfte das knitterige Zeug auseinander, zerknüllte Schicht um Schicht, warf es weg, bis es kein Päckchen mehr gab und keine reglos hingestreckten Eltern, sondern nur noch die Eiskante und das schwarze Wasser.

Ein gewaltiger Buckel teilte die Wellen und verschwand wieder.

Anawak wandte langsam den Kopf. Er erblickte ein kleines, schäbiges Haus, mehr eine Wellblechbaracke. Die Tür stand offen.

Sein Zuhause.

Nein, dachte er. Nein! Er begann zu weinen. Irgendetwas war schief gelaufen. Das war unmöglich sein Leben. Nicht sein Platz! So war das alles nicht geplant gewesen!

Er hockte im Schnee und starrte auf die Hütte. Er konnte nicht aufhören zu weinen. Namenloses Elend erfasste ihn. Sein Schluchzen zerriss ihm fast die Brust, hallte vom Himmel wider, erfüllte die ganze Welt mit seiner Klage, eine Welt, in der niemand außer ihm existierte.

Nein. Nein!

Licht.

Sein Zimmer in der Polar Lodge.

Aufrecht saß Anawak im Bett. Er zitterte am ganzen Körper. Sein Wecker zeigte 2.30 Uhr. Es dauerte eine Weile, bis er sich so weit beruhigt hatte, dass er aufstehen und den kleinen Kühlschrank öffnen konnte. Seine Zunge klebte am Gaumen. Er sah Wasser, Cola und Bier, griff nach einer Cola, öffnete sie und trank mit langen durstigen Schlucken. Die Dose in der Rechten trat er zum Fenster, zog den Vorhang beiseite und sah hinaus.

Das Hotel lag auf einer Anhöhe, sodass er den Ortsteil Kinngait und Teile der angrenzenden Viertel überblicken konnte. Es war klar und wolkenlos wie in seinem Traum, aber statt des unermesslichen Sternenhimmels lag nächtliches Zwielicht auf Cape Dorset und tauchte Häuser, Tundra, Schneeflächen und Meer in unwirkliches Rosagold. Es wurde nicht dunkel um diese Zeit, nur die Konturen erschienen weicher und die Farben sanfter.

Mit einem Mal wurde Anawak klar, wie schön es hier war.

Er schaute verzaubert auf diesen unglaublichen Himmel, ließ seinen Blick über die Berge schweifen und über die Bucht. Das Eis der Tellik Bay schimmerte wie ausgegossenes Silber. Schwarz und bucklig lag Mallikjuaq vor der Küste wie ein schlafender Wal.

Er sah weiter hinaus und trank von Zeit zu Zeit einen Schluck aus seiner Dose.

Was sollte er tun?

Er erinnerte sich seiner Gefühle vor wenigen Tagen, als er mit Shoemaker und Delaware zusammengesessen hatte. Wie fremd ihm plötzlich die Station geworden war, Tofino, alles. Wie überall ein Zimmer zu fehlen schien, um sich vor der Welt zurückzuziehen. Etwas Bedeutungsvolles hatte sich angekündigt, davon war er überzeugt gewesen. Voller Hochgefühl und Furcht hatte er darauf gewartet, als solle die Verheißung über ihn kommen.

Stattdessen war sein Vater gestorben.

War es das? Dieses Ereignis von Bedeutung? Dass er in die Arktis hatte zurückkehren müssen, um seinen Vater zu beerdigen?

Sicher, er stand vor größeren Herausforderungen. Vor einer der größten, denen sich die Menschheit je ausgesetzt gesehen hatte. Er und einige wenige. Das war an Bedeutsamkeit kaum noch zu überbieten. Aber es hatte nichts mit seinem Leben zu tun. Sein Leben vollzog sich in einem anderen Gefüge. Tsunamis, Methankatastrophen und Seuchen spielten darin keine Rolle. Sein Leben hatte sich mit einer Todesbotschaft in den Vordergrund gedrängt. Und erstmals, seit sie ihn erreicht hatte, begann Anawak zu ahnen, dass sich ihm hier in Nunavut die Chance bot, Tod in neues Leben umzuwandeln. Er selber war tot gewesen. Er musste neu geboren werden.

Nach einer Weile zog er sich an, streifte seine gefütterte Mütze über beide Ohren und ging hinaus in die erleuchtete Nacht. Niemand außer ihm war unterwegs. Eine gute Stunde lief er durch den Ort, bis er neue Müdigkeit kommen fühlte, weit schwerer und freundlicher als die Betäubung durch den laufenden Fernseher. Er kehrte zurück in die warme

Lodge, warf seine Kleidung achtlos auf den Boden, rollte sich im Bett zusammen und war eingeschlafen, kaum dass sein Kopf das Kissen berührte.

Am folgenden Morgen rief er Akesuk an.

»Hast du Lust, mit mir zu frühstücken?«, fragte er.

Sein Onkel schien überrascht.

»Mary-Ann und ich sitzen selber gerade beim Frühstück. Ich hatte nicht mit dir gerechnet.«

»Okay. Kein Problem.«

»Nein, warte mal ... Wir haben eben erst angefangen. Warum kommst du nicht vorbei und lässt dir eine ordentliche Portion Rührei mit Schinken schmecken?«

»Gut. Bis gleich.«

Die Portion, die Mary-Ann für ihn auftischte, war wirklich ordentlich zu nennen. Sie war so ordentlich, dass Anawak vom Hinschauen satt wurde, aber er langte tapfer zu. Mary-Ann strahlte übers ganze Gesicht. Er fragte sich, was Akesuk ihr erzählt hatte. Irgendeinen triftigen Grund musste er wohl erfunden haben, warum Anawak ihr Abendessen ausgeschlagen hatte. Verstimmt schien sie nicht zu sein.

Es war seltsam, diese Hand zu ergreifen, die Akesuk und seine Frau ihm reichten. Sie zog ihn zurück in die Familie. Anawak wusste noch nicht, ob ihm das gefiel. Der Zauber der Mondnacht war verflogen, und seinen inneren Frieden hatte er bei weitem nicht mit Nunavut gemacht. Er beschloss, sich vorsichtig auf alles Weitere einzulassen.

Nach dem Frühstück räumte Mary-Ann das Geschirr ab und empfahl sich zu Einkäufen in den Ort. Akesuk drehte an den Knöpfen eines Transistorradios, lauschte eine Minute und sagte:

»Das ist gut.«

»Was ist gut?«, fragte Anawak.

»IBC meldet gutes Wetter für die nächsten Tage. Man darf sie nicht zu sehr beim Wort nehmen, aber wenn nur die Hälfte davon stimmt, können wir aufs Land fahren.«

»Ihr wollt aufs Land?«

»Ja, für eine Weile. Morgen. Wenn dir danach ist, können wir heute was zusammen unternehmen. – Bei der Gelegenheit, was sind überhaupt deine Pläne? Oder willst du vorzeitig zurück nach Kanada?«

Der alte Fuchs hatte es geahnt.

Anawak verrührte umständlich Milch in seinem Kaffee.

»Ehrlich gesagt, gestern Abend stand ich kurz davor.«

»Das ist keine Überraschung«, konstatierte Akesuk trocken. »Und jetzt?«

Anawak zuckte die Achseln.

»Ich weiß nicht so recht. Ich dachte, vielleicht besuche ich Mallikjuaq oder fahre raus zum Inuksuk Point. – Ich fühle mich in Cape Dorset einfach nicht wohl, Iji. Nimm's mir nicht krumm. Es ist nun mal kein Ort, an den man sich gerne erinnert mit einem ... so einem ...«

»Mit einem Vater wie deinem«, ergänzte sein Onkel. Er strich sich über den Schnurrbart und nickte. »Was mich wundert, ist, dass du überhaupt gekommen bist. Du hast 19 Jahre lang keinen Kontakt gehabt, zu niemandem von uns. Und jetzt bin ich der Letzte aus deiner Sippe. Ich habe angerufen, weil ich es für richtig hielt, dich zu informieren, aber ich hatte mich insgeheim damit abgefunden, dass wir dich hier nicht zu Gesicht bekommen werden. Warum also bist du hier?«

»Keine Ahnung, Iji. Nichts hat mich hergezogen. Eher glaube ich, dass Vancouver mich für eine Weile loswerden wollte.«

»Dummes Zeug.«

»An meinem Vater hat es jedenfalls nicht gelegen! Du weißt verdammt genau, dass ich ihm keine Träne nachweine.« Es klang unnötig schroff, aber er konnte es nicht ändern. »Und es wird auch nicht passieren.«

»Du bist zu hart.«

»Er hat falsch gelebt, Iji!«

Akesuk sah ihn lange an.

»Ja, dein Vater hat falsch gelebt, Leon. Aber ein richtiges Leben war damals nicht im Angebot. Das hast du vergessen zu erwähnen.«

Anawak schwieg.

Sein Onkel schlürfte geräuschvoll den letzten Rest aus seiner Kaffeetasse. Dann lächelte er unvermittelt. »Weißt du was? Ich mache dir einen Vorschlag. Mary-Ann und ich werden schon heute abreisen. Wir wollen diesmal ganz woandershin, in den Nordwesten nach Pond Inlet. – Und du kommst mit uns.«

Anawak starrte ihn an.

»Das geht nicht«, sagte er. »Ihr werdet wochenlang unterwegs sein. Ich kann unmöglich so lange fortbleiben. – Abgesehen davon, dass ich es auch nicht will.«

»Du verstehst mich falsch. Du kommst mit, und nach ein paar Tagen fliegst du alleine wieder zurück. Ich muss dir ja nicht überall die Hand halten, du bist erwachsen. In ein Flugzeug wirst du hoffentlich von alleine finden.«

»Viel zu viele Umstände, Iji, ich ...«

»Du bereitest mir erhebliche Langeweile mit deinen Umständen. Was soll umständlich daran sein, dich mit ins Eis zu nehmen? Wir schließen uns da oben einer Gruppe an. Alles ist vorbereitet, und für deinen zivilisierten Hintern finden wir schon noch ein Plätzchen.« Er zwinkerte ihm zu. »Aber bilde dir bloß nicht ein, es wäre eine reine Vergnügungsfahrt. Du wirst ebenso zur Bärenwache eingeteilt wie alle anderen.«

Anawak lehnte sich zurück und grübelte darüber nach. Die Einladung erwischte ihn unvorbereitet. Auf diesen weiteren Tag hatte er sich eingestellt. Auf diesen einen. Nicht auf drei oder vier.

Wie sollte er das Li klarmachen?

Andererseits hatte Li ihm zu verstehen gegeben, dass er so lange fortbleiben könne, wie er wolle.

Pond Inlet. Drei Tage.

So viel war das eigentlich nicht. Der Flug von Cape Dorset würde maximal zwei Stunden in Anspruch nehmen. Drei Tage auf dem Land, zwei Stunden zurück, direkt nach Iqaluit.

»Und was versprichst du dir davon?«, fragte er.

Akesuk lachte.

»Na, was schon? Dich heimzubringen, Junge.«

Auf dem Land.

In diesen drei Worten drückte sich die ganze Lebensphilosophie der Inuit aus. Auf dem Land zu sein bedeutete, der Siedlung zu entfliehen und die Sommertage in Zeltcamps zu verbringen, an Stränden oder nahe der Meereiskante, um Narwale zu erlegen, Robben und Walrosse zu jagen und um zu fischen. Der Walfang für den Eigenbedarf war den Inuit gestattet. Man nahm mit, was man für ein Überleben jenseits der Zivilisation brauchte, lud Kleidung, Ausrüstung und Jagdutensilien auf ATVs, Schlitten oder Boote. Wild war das Land, auf das man sich begab, ein riesiges Areal, das Menschen seit Jahrtausenden durchstreift hatten, bevor eine unerwünschte Entwicklung sie zwang, sesshaft zu werden.

Auf dem Land gab es keine Zeit, und die fest gefügte Weltordnung der Städte und Siedlungen hörte auf zu existieren. Entfernungen wurden nicht in Kilometern oder Meilen ausgedrückt, sondern in Zeiteinheiten. Zwei Tage war es bis hierhin, ein halber Tag bis dorthin, vielleicht auch einer. Welchen Sinn hatte es, von fünfzig Kilometern zu sprechen, wenn es mittendrin unvorhergesehene Barrieren zu überwinden gab, Packeis und Gräben? Die Natur unterwarf sich keiner Planung. Auf dem Land lebte man ausschließlich in der Gegenwart, weil schon der nächste Moment voller Unwägbarkeiten steckte. Das Land folgte seinem eigenen Rhythmus, dem man sich willig unterwarf. In Jahrtausenden des Nomadentums hatten die Inuit gelernt, dass in dieser Unterwerfung die Beherrschung lag. Bis in die Mitte des 20. Jahrhunderts hatten sie ungebunden das Land durchstreift, und immer noch entsprach dieses Leben weit mehr ihrer Natur als ein Dasein in festen Häusern und an festen Plätzen.

Mittlerweile, das wurde Anawak mit jeder Minute klarer, hatte sich einiges geändert. Dass die Welt auch von den Inuit erwartete, geregelten Tätigkeiten nachzugehen, um ihren Platz in einer industrialisierten Gesellschaft zu behaupten, schien Akzeptanz gefunden zu haben. Aber im Gegensatz zu damals, als Anawak ein Kind gewesen war, hatte die Welt begonnen, die Inuit zu akzeptieren. Sie gab ihnen etwas von dem zurück, was sie ihnen genommen hatte, und vor allem gab sie ihnen eine Perspektive. Westliche Standards fanden darin ebenso ihren Platz wie uralte Traditionen.

Anawak hatte sein Land verlassen, als es kein Land mehr war, sondern eine Region ohne Wertgefühl und eigene Identität. Er war geflohen mit dem Bild eines zutiefst deprimierten, aller Kraft beraubten Volkes, dem so lange der Respekt verweigert worden war, bis es selber keinen mehr vor sich hatte. Wenn damals überhaupt jemand dieses Bild hätte korrigieren können, dann sein Vater. Aber ausgerechnet der war maßgeblich dafür verantwortlich. Der Mann, der nun auf dem kleinen Friedhof von Cape Dorset lag, war zum Symbol der Resignation geworden – ein zerstörter, ständig alkoholisierter, greinender Choleriker, dem alles misslungen war, zuletzt sogar, seine Familie zu schützen. Anawak hatte an Bord des Schiffes gestanden, das ihn fortbrachte, und als Cape Dorset entrückte, hatte er diesen einen Satz in den Nebel hinausgeschrien, den niemand außer ihm hören konnte und der ihm jetzt noch in den Ohren dröhnte, gedacht für seinen Vater, bezogen auf sein ganzes Volk:

»Warum bringt ihr euch nicht alle um, damit sich niemand mehr für euch schämen muss?«

Eine Sekunde lang hatte er mit dem Gedanken gespielt, seiner Empfehlung als Erster zu folgen und über Bord zu springen.

Stattdessen war er Westkanadier geworden. Seine Pflegefamilie hatte sich in Vancouver niedergelassen, freundliche Leute, die seine Ausbildung nach Kräften unterstützten, ohne dass man sich je wirklich aneinander gewöhnte. Es blieb eine Zweckgemeinschaft. Als Leon 24 wurde, siedelten sie um nach Anchorage, Alaska. Einmal im Jahr schrieben sie eine Karte, die er mit wenigen, unverbindlichen Zeilen beantwortete. Besucht hatte er sie nie, und sie schienen es auch nicht zu erwarten. Wahrscheinlich, wäre er nach Anchorage gefahren, hätten sie sich eher gewundert. Man konnte nicht sagen, dass sie sich fremd geworden waren – sie waren sich einfach nie nahe gewesen.

Sie waren nicht seine Familie.

Akesuks Vorschlag, gemeinsam aufs Land zu fahren, hatte neue Erinnerungen in Anawak wachgerufen. Die langen Abende am Feuer, wenn jemand eine Geschichte erzählte und die ganze Welt belebt schien. Als er klein gewesen war, hatte es wie selbstverständlich die Schneekönigin gegeben und den Bärengott. Er hatte den Männern und Frauen gelauscht, die noch in Iglus zur Welt gekommen waren, und sich vorgestellt, wie er als erwachsener Mann über das Eis ziehen würde, jagend und im Einklang mit sich und dem Mythos Arktis. Schlafen, wenn man müde wird. Arbeiten und jagen, wenn es die Witterung gestattet oder schlicht, wenn einem danach ist. Essen, wenn der Magen es verlangt und nicht irgendwelche Mittagspausen. Manchmal dauerte die Jagd einen Tag und eine Nacht, wenn man eigentlich nur kurz aus dem Zelt hatte gehen wollen. Manchmal rüstete man sich, und die Jagd fand nicht statt. Den Quallunaat war diese augenscheinliche Unorganisiertheit der Inuit immer suspekt gewesen. Quallunaat verstanden einfach nicht, wie man außerhalb geregelter Zeitpläne und Leistungsschemata existieren konnte und überhaupt durfte. Quallunaat bauten sich Welten außerhalb der Welt. Sie schlossen die natürlichen Abläufe zugunsten künstlicher aus, und alles, was nicht in ihr Konzept passte, wurde ignoriert oder ausgemerzt.

Anawak dachte an das Château und an die Aufgaben, die sie dort zu lösen versuchten. Er dachte an Jack Vanderbilt. Wie zwanghaft der Stellvertretende CIA-Direktor an der Vorstellung festhielt, die Geschehnisse der letzten Monate ließen sich auf menschliches Planen und Handeln zurückführen. Wer die Inuit verstehen wollte, musste lernen, sich von der Kontrollpsychose zu lösen, die den zivilisierten Gesellschaften eigen war.

Aber wenigstens hatte man es noch mit Menschen zu tun. Die unbekannte Macht hingegen hatte nichts Menschliches. Mittlerweile war Anawak der festen Überzeugung, dass Johanson Recht hatte. Dieser Krieg drohte an menschliche Ordnungs- und Wertvorstellungen verloren zu gehen. Leute wie Vanderbilt würden ihn schon darum verlieren, weil sie außerstande waren, Mentalitäten zu begreifen. Möglicherweise war dem CIA-Mann dieses Manko sogar bewusst, aber er würde nicht über den Schatten springen können, den ein aufrechter amerikanischer Bürger warf, geschweige denn den Weg der Verständigung mit einer nichtmenschlichen Spezies beschreiten.

Ein Delphin war schon nicht zu begreifen. Wie dann eine Rasse, die Johanson in dadaistischer Einsicht die Yrr genannt hatte?

Plötzlich wurde Anawak bewusst, dass sie die Aufgabe nicht würden lösen können, solange sie nicht das richtige Team beisammen hatten.

Jemand fehlte. Und er wusste auch, wer.

Während Akesuk Vorbereitungen für den Aufbruch traf, bemühte sich Anawak in der Polar Lodge um eine Verbindung ins Château. Nach einigen Minuten schaltete man ihn auf einen abhörsicheren Kanal und leitete ihn mehrfach um. Li war nicht im Hotel, sondern befand sich an Bord eines Navy-Kreuzers vor Seattle. Er musste geschlagene fünfzehn Minuten warten, bis er sie endlich in der Leitung hatte.

Er fragte, ob sie weitere drei bis vier Tage auf ihn verzichten könne. Sie räumte ihm die Frist ein, nachdem er vorgeschoben hatte, sich um seine Angehörigen kümmern zu müssen. Dabei nagte das schlechte Gewissen an ihm, aber er sagte sich, dass die Rettung der Welt unmöglich davon abhängen konnte, ob er die nächsten drei Tage zur Verfügung stand oder nicht. Im Übrigen stand er ja zur Verfügung. Sein Kopf arbeitete auch im hohen Norden.

Li erklärte ihm, sie gingen mit Sonarattacken gegen die Wale vor.

»Ich weiß, dass Sie das nicht gerne hören«, sagte sie.

»Und, funktioniert es?«, fragte er.

»Wir stehen kurz vor der Einstellung der Experimente. Sie zeigen nicht die gewünschte Wirkung. Aber wir müssen alles versuchen. Solange wir uns die Tiere vom Leibe halten, haben wir bessere Chancen, Taucher und Equipment nach unten zu schicken.«

»Sie wollen die Chancen vergrößern? Dann erweitern Sie das Team.«

»Um wen?«

»Um drei Leute.« Er machte eine Pause, dann entschloss er sich, offensiv zu werden. »Ich will, dass sie rekrutiert werden. Wir brauchen mehr Mitarbeiter, die sich mit Verhaltensforschung und Intelligenz beschäftigen. Und ich brauche jemanden, der mir assistiert und dem ich vertrauen kann. Ich will, dass Alicia Delaware mit ins Boot geholt wird. Sie wohnt den Sommer über in Tofino. Eine Studentin, die sich mit Intelligenzforschung beschäftigt.«

»In Ordnung«, sagte Li überraschend schnell. »Zweitens?«

»Ein Mann aus Ucluelet. Wenn Sie Einsicht in die Akten der MK-Programme nehmen, werden Sie ihn unter Jack O'Bannon finden. Er kann mit Meeressäugern umgehen. Und er weiß einiges, was uns von Nutzen sein könnte.«

»Ist er Akademiker?«

»Nein. Ex-Ausbilder der US-Army. *Marine Mammal System.*«

»Verstehe«, sagte Li. »Das werden wir besprechen müssen. Wir haben selber eine Reihe Experten auf diesem Gebiet. Warum wollen Sie ausgerechnet ihn?«

»Ich will ihn einfach.«

»Und die dritte Person?«

»Sie ist die wichtigste von allen. Wir haben es hier gewissermaßen mit Aliens zu tun. Sie werden jemanden brauchen, der sich ausschließlich Gedanken darüber macht, wie man mit Wesen kommunizieren kann, die keine Menschen sind. Nehmen Sie Kontakt zu Dr. Samantha Crowe auf. Sie leitet das SETI-Projekt in Arecibo.«

Li lachte leise.

»Sie sind ein kluger Bursche, Leon. Wir hatten ohnehin vor, jemanden von SETI mit hinzuzuziehen. Kennen Sie Dr. Crowe?«

»Ja. Sie ist in Ordnung.«

»Gut.«

»Werden Sie meine Wünsche berücksichtigen?«

»Ich sehe, was sich tun lässt.« Jemand rief im Hintergrund Lis Namen. »Machen Sie's gut, Leon. Kommen Sie heil zu uns zurück. Ich muss wieder an die Front.«

Die Turbo-Prop Hawker Siddeley flog nicht auf direktem Wege in den Norden, sondern erst ein Stück ostwärts. Akesuk hatte den Piloten zu dem kleinen Umweg überredet, damit Anawak die Great Plain of Koukdjuak bewundern konnte, ein Wildschutzgebiet voller kreisrunder Wassertümpel, in dem die größte Gänsekolonie der Welt zu Hause war. Weitere Passagiere aus Cape Dorset und Iqaluit saßen in der Maschine, die alle nach Pond Inlet aufs Land wollten. Die meisten kannten die Aussicht und dösten vor sich hin.

Anawak hingegen konnte sich nicht satt sehen.

Ihm war, als erwache er aus einem jahrelangen Schlaf.

Sie flogen ein Stück die Küste entlang und kreuzten den nördlichen Polarkreis. Geographisch begann hier die Arktis. Unter ihnen lag die eisige Mondlandschaft des Foxe-Beckens mit ihren großen und kleinen

Eisaufbrüchen, unterbrochen von Flächen freien Wassers. Nach kurzer Strecke hatten sie wieder Land unter sich, zerklüftet und mit schroffen Berghängen und senkrechten Steinpalisaden. Schnee glitzerte am Grund tiefer, schattiger Schluchten. In gefrorene Seen ergossen sich Rinnsale von Schmelzwasser. Die Landschaft im Licht der tiefer sinkenden Sonne gewann zunehmend an Großartigkeit. Schartige, braune Berge wechselten mit verschneiten Tälern, Gebirgszüge reckten sich ihnen entgegen, fast zur Gänze bedeckt mit Schneeverwehungen. Plötzlich, beinahe übergangslos, zog der Flieger über eine bläulich weiß abgesetzte Uferlinie hinweg, und sie blickten auf eine geschlossene Decke aus Meereis, den Eclipse Sound.

Anawak vergaß alles um sich herum.

Er schaute die bizarre Schönheit der hohen Arktis. Riesige, schneeweiße Kristallgebilde ragten aus der weißen Ebene des Sound hervor. Eisberge, die festgefroren waren. Unter ihnen liefen winzig zwei Polarbären dahin, wie gejagt vom Schatten der Turbo-Prop auf der Eisoberfläche. Schimmernde Punkte stoben auf, Möwen. Ein ganzes Stück weiter erhoben sich die gewaltigen Steilhänge und Gletscher der Insel Bylot. Dann hielten sie tiefer gehend auf ein neues Ufer zu, braun marmorierte Landschaft kam näher, Häuser einer Siedlung, eine Landepiste – Pond Inlet, Mittimatalik in der Sprache der Inuit, *Wo Mittimata sich befindet*.

Grell stand die Sonne über dem nordwestlichen Horizont. Sie würde nicht untergehen um diese Jahreszeit, nur gegen zwei Uhr morgens für wenige Minuten den Horizont berühren. Es war neun Uhr abends, als sie ihr Ziel erreichten, aber Anawak hatte jegliches Zeitgefühl verloren. Er sah auf die Plätze seiner Kindheit, und etwas Schweres schien von seiner Brust genommen.

Akesuk hatte Recht gehabt. Sein Onkel hatte geschafft, was Anawak noch vor vierundzwanzig Stunden für unmöglich gehalten hätte.

Er hatte ihn heimgebracht.

Pond Inlet war von ähnlicher Größe und Einwohnerzahl wie Cape Dorset und dennoch ganz anders als der Süden. Seit über 4 000 Jahren war die Region ununterbrochen besiedelt gewesen. Niemand hier hatte sich zu architektonischen Wagnissen verstiegen wie in Iqaluit. Akesuk erklärte, dass die Inuit in diesem Teil Nunavuts wesentlich mehr Wert auf Traditionen legten als irgendwo sonst. Vorsichtig fügte er hinzu, dass hier oben auch der Schamanismus noch eine gewisse Rolle spiele, obwohl natürlich alle gläubige Christen seien! Als Anawak nicht darauf einging, ließ er das Thema fallen und begann, eine Reihe von Dingen aufzuzählen, die sie tags drauf in den Supermärkten des Ortes zu erstehen hätten.

Sie blieben die Nacht über im Hotel. Früh morgens weckte ihn Akesuk, und sie gingen zum Ufer hinunter. Der Onkel sah witternd hinaus und meinte, sie würden das gute Wetter behalten und einer ordentlichen Jagd entgegensehen.

»Der Frühling hat nicht lange auf sich warten lassen«, stellte er befriedigt fest. »Im Hotel sagen sie, bis zur Packeisgrenze ist es ein halber Tag. Vielleicht einer, je nachdem.«

»Je nach was?«

Akesuk zuckte die Achseln.

»Alles Mögliche kann passieren. Je nachdem halt. Du wirst eine Menge Tiere zu sehen bekommen, Wale, Robben, Polarbären. Der Eisaufbruch ist in diesem Jahr früher gekommen als sonst.«

Das wundert mich nicht, dachte Anawak, bei dem, was augenblicklich geschieht.

Die Gruppe umfasste zwölf Leute. Einige kannte Anawak aus dem Flugzeug, andere lernte er in Pond Inlet kennen. Akesuk besprach sich mit den beiden Führern. Sie stellten das Gepäck für die Tour zusammen und deponierten im Lagerraum des Hotels, was sie nicht unmittelbar brauchten. Inzwischen standen vier Qamutiks bereit, die für die Reise vorbereitet worden waren. In Anawaks Erinnerung waren die traditionellen Schlitten von Hunden gezogen worden, jetzt hatte man Schneemobile, Skidoos, mit Doppelseilen vorgespannt. Die Qamutiks selber sahen aus wie früher: Vier Meter lang, mit zwei hölzernen, hochgebogenen Kufen und einer Vielzahl stramm verknüpfter Querlatten, wiesen sie nirgendwo eine einzige Schraube oder einen Nagel auf. Der komplette Schlitten wurde von Seilen und Riemen zusammengehalten, was Reparaturen erheblich vereinfachte. Auf drei Qamutiks waren hölzerne, nach oben offene Kabinen als Wetterschutz montiert, der vierte diente als Packschlitten.

»Du bist nicht warm genug angezogen«, gab Akesuk mit Blick auf Anawaks Anorak zu verstehen.

»Wieso? Ich hab aufs Thermometer gesehen. Es sind sechs Grad über null.«

»Du vergisst den Fahrtwind. Hast du zwei Paar Socken in deinen Stiefeln? Wir sind hier nicht in Vancouver.«

Er hatte tatsächlich so vieles vergessen. Das Gefühl dafür, wie es war, in die Kälte hinauszufahren, stellte sich erst allmählich wieder ein. Es war beinahe beschämend. Natürlich waren kalte Füße das Hauptproblem, sie waren es immer gewesen. Er streifte ein zweites Paar Socken über und einen weiteren Pullover, bis er sich vorkam wie eine wandelnde Tonne. Alle Teilnehmer der Reise hatten etwas von Astronauten mit ihrer Schutzkleidung und den Schneebrillen.

Akesuk ging mit den Führern ein letztes Mal die Ausrüstung durch.

»Schlafsäcke, Karibufelle ...«

Seine Augen glänzten. Der dünne, graue Schnurrbart schien sich zu sträuben vor Vergnügen. Anawak sah ihm zu, wie er geschäftig von Schlitten zu Schlitten lief. Ijitsiaq Akesuk war ganz anders als sein Vater. In seiner Gesellschaft kam den Inuit und ihrer Lebensweise plötzlich wieder Bedeutung zu.

Seine Gedanken wanderten zu der Macht tief unten im Meer.

Mit dem Beginn ihrer Reise übers Eis würden sie einzig den Regeln der Natur folgen. Um hier draußen zu bestehen, brauchte man eine gewisse pantheistische Grundhaltung. Man durfte sich nicht wichtig nehmen. Man *war* nicht wichtig, sondern Bestandteil der beseelten Welt, die sich in Tieren, Pflanzen und im Eis manifestierte und gelegentlich auch in Menschen.

Und in den Yrr, dachte er. Wer immer sie sind, wie immer sie aussehen, wie und wo immer sie leben.

Es gab einen leichten Ruck, als das Schneemobil anfuhr, in dessen Schlitten Anawak, Akesuk und seine Frau Platz gefunden hatten, und sie glitten über das vereiste und verschneite Meer. Vereinzelt waren breite Wasserlachen zu sehen. Der Schmelzprozess hatte schon hier und da eingesetzt, aber er beschränkte sich auf die oberen Schichten. Sie umrundeten den Uferhügel von Pond Inlet und hielten weiter auf Nordosten zu, bis sie einige Kilometer Abstand zwischen sich und die Küste Baffin Islands gebracht hatten, die südlich aus der Eisfläche wuchs. Auf der gegenüberliegenden Seite reckten sich die Felsen von Bylot Island in den Himmel, umgeben von Eisbergen. Eine gewaltige Gletscherzunge erstreckte sich aus den Gipfeln hinunter zum Ufer. Anawak machte sich klar, dass sie nicht Land, sondern die gefrorene Kruste des Meeres überquerten. Unter ihnen schwammen Fische. Hin und wieder hoben die Kufen des Qamutik ab, wenn sie über Unebenheiten rumpelten und knallten hart wieder auf, aber der Schlitten federte den Aufprall ab.

Nach einer Weile änderten die beiden Inuit in dem zuvorderst fahrenden Qamutik die Fahrtrichtung, und der Tross folgte. Einen Moment war Anawak verwirrt, dann sah er, dass sie eine klaffende Eisspalte umfuhren, die zu groß war, als dass man sie mit den Schlitten hätte überqueren können. Jenseits der bläulichen Kante war schwarzes, unergründliches Meerwasser zu erkennen.

»Das kann ein bisschen dauern«, meinte Akesuk.

»Ja, es kostet Zeit«, nickte Anawak, der sich erinnerte, wie oft sie an solchen Spalten entlanggefahren waren.

Akesuk krauste die Nase.

»Nein. Warum sollte es welche kosten? Wir opfern keine Zeit. Wir behalten sie, ob wir nun direkt nach Osten fahren oder erst ein Stück weiter nördlich. Hast du alles vergessen? Hier oben ist nicht wichtig, wie schnell du ankommst. Wenn du einen Umweg fährst, findet dein Leben trotzdem statt. Keine Zeit ist verloren.«

Anawak schwieg.

»Vielleicht«, fügte sein Onkel lächelnd hinzu, »war das unser größtes Problem im vergangenen Jahrhundert, dass uns die Quallunaaq die Zeit gebracht haben. Wir mussten lernen, dass es auch vergeudete Zeit gibt. Die Quallunaaq denken, Warten sei verlorene Zeit und damit verlorene Lebenszeit. Ich schätze, als du klein warst, haben wir das alle geglaubt. Auch dein Vater hat es geglaubt, und weil er keine Möglichkeit sah, etwas Sinnvolles und Wertvolles zu tun, kam er zu der Überzeugung, sein Leben sei wertlos, weil es aus ungenutzter, vergeudeter Zeit bestand. Wertlose Lebenszeit. Ein wertloses Leben.«

Anawak sah ihn an.

»Du solltest nicht ihn bedauern, sondern meine Mutter«, sagte er.

»*Sie* hat ihn auch bedauert«, gab Akesuk zurück und begann eine Unterhaltung mit Mary-Ann.

Tatsächlich mussten sie mehrere Kilometer fahren, bis sich die Spalte so weit verengte, dass sie auf die andere Seite wechseln konnten. Einer der Inuit-Führer koppelte sein Schneemobil ab und jagte es mit hoher Geschwindigkeit hinüber. Von dort warf er den Qamutiks nacheinander Seile zu, zog sie über die Spalte, und es ging weiter. Anawaks Onkel schob gleichmütig einen dünnen, speckigen Streifen in den Mund und hielt Anawak die Dose mit den übrigen Streifen hin.

Zögernd griff Anawak zu. Es war Narwalhaut. Wenn sie früher auf dem Eis unterwegs gewesen waren, hatten sie immer Vorräte an Narwalhaut mitgenommen. Er wusste, dass sie große Mengen Vitamin C enthielt, mehr als jede Zitrone oder Orange. Er kaute darauf herum und schmeckte das Aroma frischer Nüsse.

Der Geschmack löste eine Kettenreaktion von Bildern und Empfindungen aus. Er hörte Stimmen, aber es waren nicht die Stimmen der

Expeditionsteilnehmer, sondern die anderer Menschen, mit denen er vor über zwanzig Jahren unterwegs gewesen war. Er spürte die Hand seiner Mutter, die ihm übers Haar strich.

»Meereisspalten, Presseisbarrieren ...« Der Onkel lachte. »Das ist kein Highway hier, Junge. Mal ehrlich, hast du nichts von alledem jemals vermisst?«

Falls Akesuk die sentimentale Stimmung bemerkt hatte, in die er unvermittelt geraten war, und versuchte, sie mit seiner Frage zu verstärken, bewirkte er das Gegenteil. Anawak schüttelte den Kopf. Vielleicht war es bloßer Trotz, aber er sagte nur knapp:

»Nein.«

Im selben Moment schämte er sich seiner Antwort.

Akesuk zuckte die Achseln.

Wer den größten Teil seines Lebens auf Vancouver Island verbracht hatte, noch dazu als Erforscher marinen Lebens, stand der Natur näher als jeder menschlichen Errungenschaft. Dennoch war es etwas anderes, im Clayoquot Sound Wale zu beobachten, als über die konturlose Weiße dieses Meerarms dahinzugleiten, immer weiter hinaus, braune Tundra zur Rechten und die gletscherbedeckten Gipfel von Bylot Island zur Linken. Während das Klima im Westen Kanadas für Menschen wie geschaffen schien, präsentierte sich die Arktis als spektakuläre Hölle. Wunderschön zwar, aber sich selber genug und tödlich für jeden, der sich der Illusion menschlicher Vorherrschaft ergab. Die Siedlungen wirkten wie trotzige Versuche, etwas in Besitz zu nehmen, was sich nicht besitzen ließ. Die Reise auf den Qamutiks zur Meereiskante geriet zum Trip ins Unbewusste. Anawaks letzter Rest Zeitgefühl hatte sich nach einer weiteren sonnenbeschienenen Nacht davongemacht. Sie reisten zum Urgrund der Welt. Selbst einem Rationalisten, der keinen Gott anbetete und jeder wissenschaftlichen Erklärung den Vorzug gab, kam es plötzlich einleuchtend vor, warum der Polarbär, wie die Inuit einander an langen Abenden erzählten, so melancholisch dahertrottete. Weil er in Liebe zu einer verheirateten Menschenfrau blind geworden war für die Realität. Die Frau hatte ihrem Mann, der wochenlang glücklos auf der Jagd gewesen war, aus Mitleid das Versteck ihres Liebhabers verraten, obgleich der Bär sie eindringlich gewarnt hatte, ihm von ihren geheimen Zusammenkünften zu erzählen. Doch der Bär hörte mit, während sie ihn verriet, und als der Jäger nach ihm Ausschau hielt, schlich er sich zum Iglu seiner Geliebten, um sie zu töten. Er hob die Pranke, doch dann überkam ihn Trauer. Welchen

Sinn sollte es haben, ihr Leben zu zerstören? Der Verrat war begangen. Er wanderte einsam und mit schweren Schritten davon.

Die Luft prickelte kalt auf Anawaks Haut.

Wo die Natur sich dem Menschen genähert hatte, war sie verraten worden. Seither, sagten die Legenden, fielen Bären Menschen an. Hier draußen war ihr Reich. Sie waren die Stärkeren. Dennoch hatte der Mensch sie besiegt und sich selber gleich mit. Auch wenn Anawak seiner Heimat zwei Jahrzehnte lang den Rücken gekehrt hatte, wusste er sehr genau, dass Industriechemikalien wie DDT oder hochgiftiges PCB aus Asien, Nordamerika und Europa mit Winden und Meeresströmungen bis ins Nordpolarmeer gelangten. Die toxische Fracht reicherte sich im Gewebe von Walen, Robben und Walrossen an, von denen sich Eisbären und Menschen ernährten, und alle wurden krank. In der Muttermilch von Inuitfrauen waren PCB-Werte gemessen worden, die bis um das 20-fache über dem lagen, was die Weltgesundheitsorganisation als Grenzwert angab. Kinder litten unter neurologischen Störungen und schnitten bei Intelligenztests immer schlechter ab. Die Wildnis wurde vergiftet, weil die Quallunaat das Prinzip nicht verstanden oder verstehen wollten, nach dem der Planet Erde funktionierte – eine gewaltige Umwälzpumpe aus Luft- und Meeresströmungen, in der früher oder später alles überallhin verteilt wurde.

War es ein Wunder, dass jemand da unten beschlossen hatte, alldem ein Ende zu setzen?

Nach zwei Stunden Fahrt steuerten sie erneut die Küste von Baffin Island an. Verspannt vom langen Sitzen und Abfedern der Kufenstöße, stapften sie über das flache Presseis an Land und die schneefreie Tundra hinauf, vorbei an flechtenbewachsenen Felsbrocken. Zwischen moosigen und wasserdurchzogenen Morastflächen leuchteten vereinzelt Blüten auf, purpurroter Steinbrech und Fingerkraut. Sie hatten Glück mit der Jahreszeit. Später im Sommer würden hier Milliarden Mücken unterwegs sein.

Das Gelände stieg sanft an. Einer der Skidoo-Fahrer führte sie auf ein Plateau mit Blick auf das Meer und die weißen Berge, zeigte ihnen die Relikte alter Behausungen aus der Thule-Zeit und zwei schlichte Kreuze. Deutsche Walfänger lagen hier begraben. Mehrere Siksiks, arktische Erdhörnchen, jagten einander über die Hochebene und verschwanden in Erdlöchern. Mary-Ann fand ein paar Steine und begann damit auf geschickte Weise zu jonglieren. Anawak sah ihr zu, und plötzlich erinnerte er sich auch daran. Eine Inuit-Sportart, so alt wie die Welt. Er versuchte es ihr nachzutun, das Ergebnis war jämmerlich und rief kollektives Gelächter hervor. So waren die Inuit. Ein albernes Volk, das sich ausschüttete vor Lachen, bloß wenn jemand ausrutschte.

Nach einem kurzen Lunch mit Sandwiches und Kaffee fuhren sie weiter, bezwangen eine noch größere Wasserspalte und hielten auf Bylot Island zu. Unter den Antriebsraupen der Skidoos spritzte Schmelzwasser nach allen Seiten. Packeis türmte sich zu bizarren Barrieren und zwang sie zu neuerlichen Umwegen. Nach kurzer Fahrt glitten sie unterhalb der Klippen von Bylot Island dahin. Die Luft war erfüllt vom Kreischen der Vögel. Dreizehenmöwen nisteten zu tausenden in den Felsspalten, ganze Schwärme flogen an und ab. Schließlich wurde der Konvoi langsamer und hielt erneut.

»Machen wir einen Spaziergang«, sagte Akesuk.

»Wir haben doch gerade einen gemacht«, wunderte sich Anawak.

»Der ist drei Stunden her, Junge.«

Drei Stunden? Du lieber Himmel.

Im Gegensatz zur sanft ansteigenden Tundra von Baffin Island erwies sich Bylot Island schon in der Uferregion als ziemlich steil. Der Spaziergang geriet mehr zu einer Kletterpartie. Akesuk zeigte ihm eine weiße Spur aus Vogelexkrementen in einer Gesteinsspalte hoch über ihren Köpfen.

»Gerfalken«, sagte er. »Schöne Tiere.«

Er begann eine Reihe sonderbarer Lockpfiffe auszustoßen, aber die Falken ließen sich nicht blicken.

»Weiter innen hätten wir gute Chancen, sie zu sehen. Und auf Füchse, Schneegänse, Eulen, Falken und Bussarde zu stoßen.« Akesuk grinste spöttisch. »Oder auch nicht. So ist die Arktis. Man kann einfach keine Verabredungen treffen. Unzuverlässiges Pack, Tiere wie Inuit. Nicht wahr, Junge?«

»Ich bin kein Quallunaaq, wenn du das meinst«, konterte Anawak.

»Oh.« Sein Onkel sah witternd in die Luft. »Nun gut. Ich denke, wir sparen uns einen weiteren Aufstieg. Wir holen es nach. Du wirst irgendwann wiederkommen, nun, da du kein Quallunaaq mehr bist. Fahren wir zur Eiskante, das müssten wir schaffen bei dem schönen Wetter.«

Von nun an hörte die Zeit endgültig auf zu existieren.

Während sie nach Osten vorstießen und Bylot Island hinter sich ließen, wurde das Eis rauer, und die Stöße der Kufen nahmen an Wucht zu. Hier hatten kalte Winde dafür gesorgt, dass die Schmelzwasserpfützen wieder leicht überfroren waren. Es klirrte, als führen sie durch Glas. Anawak richtete sich auf und entdeckte eine kleine Wasserspalte.

Er machte den Fahrer des Qamutik darauf aufmerksam, aber der Mann hatte die Spalte schon gesehen. Er drehte sich zu Anawak um, während er mit unverminderter Geschwindigkeit weiter über das Eis drosch, und grinste anerkennend.

»Du hast ja doch nicht alles verlernt«, lachte Akesuk.

Anawak sah ihn einen Moment lang unentschlossen an. Dann lachte er mit. Er war stolz. Nicht zu fassen. Er war stolz darauf, diese dämliche Spalte gesehen zu haben.

Der Nachmittag zauberte Sonnenhunde an den Himmel. So nannten die Inuit die seltsamen Erscheinungen beiderseits der Sonne, große strahlende Ringe, wenn sich das Licht an winzigen Eiskristallen brach. In der Ferne stapelte sich Packeis zu riesigen, stark zerklüfteten Barrieren. Dann plötzlich lag glattes, offenes Wasser zu ihrer Rechten. Eine Robbe tauchte auf, schaute kurz herüber, verschwand. Ein Stück weiter erschien ihr Kopf erneut, neugierig starrend. Sie ließen das Wasserloch hinter sich und hielten auf ein weiteres zu, riesig in seinen Ausmaßen, bis Anawak erkannte, dass es gar kein Wasserloch war, sondern die Eiskante. Dahinter begann das offene Meer.

Nach einer Weile stießen sie auf ein Zeltlager. Der Tross hielt an. Herzliche Begrüßung. Einige kannten sich, die anderen wurden ausführlich vorgestellt. Die Camper stammten aus Pond Inlet und Igloolik. Sie hatten einen Narwal erlegt, ihn zerteilt und die Kadaverreste weiter östlich nahe der Eiskante gelassen, ungefähr dort, wohin Anawaks Gruppe unterwegs war. Stücke der Haut wurden herumgereicht, man fachsimpelte über die Jagd. Zwei Jäger stießen hinzu, die mit ihren Skidoos von der Eiskante kamen und nach Hause wollten. Sie hatten Jagdkanus auf ihren Qamutiks festgezurrt und zwei am Vortag geschossene Robben. Einer der beiden meinte, die Tiere würden dem zurückweichenden Eis früher zu ihren Nahrungsgründen und Brutstätten folgen als sonst um diese Zeit. Dabei schwenkte er eine Winchester 5.6 und empfahl ihnen, Vorsicht walten zu lassen. Auf seiner Mütze stand: *Arbeit ist nur was für Menschen, die nichts vom Jagen verstehen.* Anawak fragte ihn, ob ihm am Verhalten der Wale etwas aufgefallen sei, ob sie besonders aggressiv reagierten oder gar angriffen, was die Jäger verneinten. Plötzlich scharte sich das ganze Camp um sie. Alle kannten die Berichte, jeder wusste bis ins Kleinste, was die Welt in Atem hielt, aber es schien, als sei die Arktis bislang von jeglicher Anomalie verschont geblieben.

Gegen Abend verließen sie das Camp.

Die beiden Jäger fuhren zurück nach Pond Inlet, Anawaks Tross bewegte sich weiter auf die Kante zu. Nach einer Weile passierten sie die Überreste des erlegten Narwals. Scharen von Vögeln balgten sich lautstark um die Fleischfetzen. Sie fuhren weiter, um möglichst viel Abstand zwischen sich und den Kadaver zu legen, hielten schließlich aber doch in Sichtweite. Etwa 30 Meter von der Eiskante schlugen die Führer das Lager auf. Boxen wurden von den Schlitten gelöst, der Funkmast aufgestellt, um den Kontakt zur Außenwelt nicht zu verlieren. Binnen kurzem hatten die Führer fünf Zelte errichtet, vier für die Reisenden und ein Küchenzelt, mit Bodenbrettern und Isoliermatten ausgelegt. Drei weiß gestrichene Sperrholzplatten ergaben ein provisorisches Toilettenhäuschen, im Innern ein Eimer, ausgehängt mit einem blauen Plastiksack und versehen mit einer zerkratzten Emaillebrille.

»Wurde auch Zeit«, strahlte Akesuk.

Er verschwand als Erster auf dem Honigtopf, wie die Inuit ihre Wanderklos nannten, während das Camp weiter aufgebaut wurde. Die Inuit-Führer schlugen vor, mit den abgekoppelten Skidoos ein Rennen zu veranstalten. Anawak ließ sich die nötigen Handgriffe zeigen, aber Skidoo-Fahren erwies sich als einfach. Nach kurzer Zeit rasten sie in wilden Kurven über das glitzernde Eis, und er fühlte sein Herz leichter werden.

Er liebte es, hier zu sein.

Sie fuhren mehrere Rennen, bis ein Mann aus Igloolik als Sieger aus dem Turnier hervorging. Hunger meldete sich. Mary-Ann scheuchte sie aus dem Küchenzelt, also rotteten sie sich draußen zusammen, dick eingepackt gegen die Kälte, gegen die Schlitten gelehnt, und eine junge Frau begann eine Inuit-Geschichte zu erzählen von der Sorte, die immer wieder und wieder ein bisschen anders erzählt werden. Anawak erinnerte sich, wie sich solche Geschichten mitunter über Tage hingezogen hatten. Die Inuit waren nicht der Meinung, dass man alles in einem Schwung zu Ende erzählen müsse. Die Tage auf dem Eis waren lang. Geschichten waren lang. Warum sie nicht verteilen?

Es ging auf Mitternacht, als Mary-Ann das Dinner auftischte. Sie hatte sich selber übertroffen. Es duftete verführerisch nach gegrilltem Wandersaibling, Karibu-Chops mit Reis und gebratenen Eskimo-Potatoes, einer lokalen Wurzelart. Dazu gab es literweise heißen schwarzen Tee. Das Küchenzelt war darauf angelegt, allen Teilnehmern Platz zu bieten, aber es hielt sein Versprechen nicht und erwies sich als zu klein. Akesuk wurde ärgerlich und schimpfte auf den Mann, der ihnen das Zelt vermietet hatte. Davon wurde es nicht größer, also stellten sie ihre Essteller auf Schlittenrahmen und Vorratskisten und aßen, bis sie beinahe platzten.

Gegen halb zwei, als einer nach dem anderen müde wurde, förderte Akesuk eine Flasche Champagner aus den Tiefen seines Gepäcks. Er zwinkerte Anawak listig zu. Mary-Ann krauste die Nase und ging schlafen. Schließlich waren nur noch Anawak und sein Onkel wach und der Mann, der Gewehr bei Fuß auf einer hochgedrückten Packeisscholle stand und für die Bärenwache eingeteilt war.

»Dann trinken wir sie eben«, sagte Akesuk.

Anawak schüttelte den Kopf. »Ich trinke nicht.«

»Ach richtig!« Akesuk warf einen Blick des Bedauerns auf die Flasche. »Bist du sicher? Ich hatte sie extra eingesteckt, um sie bei einer besonderen Gelegenheit zu öffnen. Die besondere Gelegenheit ... na ja, du bist heimgekommen, und ich dachte ...«

»Ich will die Kontrolle nicht verlieren, Iji.«

»Über was? Über dein Leben oder diesen Augenblick?« Er zuckte die Achseln und steckte die Flasche wieder weg. »Na schön. Es gibt andere besondere Gelegenheiten. Vielleicht machen wir reiche Ernte. Möglich, dass wir einen Weißwal erlegen oder ein dickes, saftiges Walross. Was ist, laufen wir noch ein Stück, bevor wir uns aufs Ohr hauen?«

»Gerne, Iji.«

Sie schlenderten bis zur Meereiskante. Anawak ließ seinem Onkel den Vortritt. Der alte Mann wusste besser, wo das Eis stabil war und wo man Gefahr lief einzubrechen. Die Inuit kannten hunderte von Wörtern für jede Art von Eis und Schnee, nur keines, das einfach Schnee oder Eis bedeutete. Derzeit bewegten sie sich auf elastischem Eis. Während Eisberge aus Süßwasser bestanden, weil das Salz komplett ausfror, fanden sich in Treibeis und Meereis Reste davon. Je schneller das Eis fror, desto höher war sein Salzgehalt. Das Eis wurde dadurch elastischer, was im Winter von Vorteil war, da es weniger schnell brach, und im beginnenden Frühling nachteilhaft, weil die Abbruchgefahr nun immer größer wurde. Ein Sturz ins kalte Wasser konnte einen Menschen töten, aber noch gefährlicher war es, wenn einen die Strömung unter die Eisdecke trieb.

Sie fanden einen Platz nahe der Kante und lehnten sich gegen einen Packeisblock. Vor ihnen erstreckte sich die silbrige See. Dicht unter Wasser sah Anawak Äschen mit stahlblauen Rücken dahinflitzen. Eine Weile schaute er einfach nur hinaus. Auch Akesuk hüllte sich in Schweigen. Sie ließen Zeit verstreichen, und plötzlich – als habe die Natur beschlossen, sie für ihr Ausharren zu belohnen – ragten zwei schraubig gedrehte Einhörner aus dem Wasser wie gekreuzte Degen. Zwei Narwalmännchen zeigten sich wenige Meter von der Kante entfernt. Runde, dunkelgrau gefleckte Köpfe kamen zum Vorschein, dann tauchten die Tiere langsam wieder ab. In spätestens einer Viertelstunde würden sie hier wieder auftauchen. Das war ihr Rhythmus.

Anawak war fasziniert. Narwale bekam man vor Vancouver Island so gut wie gar nicht zu Gesicht. Lange Zeit hatten sie kurz vor der Ausrottung gestanden. Ihre Hörner, eigentlich verlängerte Stoßzähne, bestanden aus purem Elfenbein, dessentwegen sie jahrhundertelang abgeschlachtet worden waren. Immer noch standen sie auf der Liste der gefährdeten Arten, aber mittlerweile hatte sich ihr Bestand zwischen Nunavut und Grönland wieder auf 10 000 erhöht.

Das Eis knarrte und ächzte leise, wenn es vom Wasser bewegt wurde. Ein Stück entfernt kreischten Vögel über den Kadaverresten des erlegten Wals. Mildes Licht lag auf den Felsen und Gletschern von Bylot Island und zeichnete Schatten über das gefrorene Meer. Dicht über dem Horizont hing eine blasse, eisige Sonne.

»Du hast mich gefragt, ob ich das alles vermisst habe«, sagte Anawak.

Akesuk schwieg.

»Ich habe es gehasst, Iji. Ich habe es gehasst und verachtet. Du wolltest eine Antwort. Da hast du sie.«

Sein Onkel seufzte.

»Du hast deinen Vater verachtet«, sagte er.

»Mag sein. Aber erklär einem zwölfjährigen Jungen den Unterschied zwischen seinem Vater und seinem Volk, wenn beide sich in ihrem Elend überbieten. Mein Vater war kraftlos und ständig betrunken. Er hat gejammert und rumgeheult und meine Mutter so tief zu sich heruntergezogen, bis sie keinen Ausweg mehr sah, als sich umzubringen. Nenn mir eine Familie, die damals keinen Selbstmord zu beklagen hatte. Alle waren so. Es ist schön und gut, wenn sie dir ständig irgendwelche Geschichten erzählen über das stolze, unabhängige Volk der Inuit, aber *ich* habe davon nicht viel mitbekommen.« Er sah Akesuk an. »Wenn Vater und Mutter innerhalb weniger Jahre zu Wracks werden, drogensüchtig, ohne Lebensmut, wie sollst du das ertragen? Wenn deine Mutter sich erhängt, weil sie sich selber nicht ertragen kann. Und dein Vater hat nichts anderes zu tun, als zu wimmern und sich zu besaufen. Ich bin zu ihm gegangen und habe gesagt, dass er damit aufhören soll. Dass meine Kraft für zwei reicht. Ich habe ihn angeschrien, dass ich arbeiten werde, irgendetwas tun werde, ich wollte ihm helfen, Hauptsache, er legt die Flasche aus der Hand und bekommt wieder ein paar klare Gedanken

zusammen wie früher, aber er hat mich nur angeglotzt und weiterge-
wimmert!«

»Ich weiß.« Akesuk schüttelte den Kopf. »Er war nicht mehr Herr
seiner selbst.«

»Er hat mich zur Adoption freigegeben«, sagte Anawak. Die Bitterkeit von Jahren lag ihm auf der Zunge. »Ich wollte bei ihm bleiben, und
dieser Jammerlappen gibt mich frei.«

»Er ist nicht mit dir fertig geworden. Er wollte dich schützen.«

»Na und? Hat er sich darum gekümmert, wie *ich* damit fertig werde?
Einen Scheiß hat er! Meine Mutter ist an ihren Depressionen zugrunde
gegangen, mein Vater hat sich mit Alkohol abgeschossen, sie haben
mich beide aus ihrem Leben geworfen. Hat *mir* einer geholfen? – Nein!
Alle waren viel zu sehr damit beschäftigt, Löcher in den Schnee zu starren und die Not der Inuit zu beklagen. – Auch du, ich erinnere mich
genau. Du warst der lustige Onkel Iji, du warst immer für irgendwelche
Geschichten gut, aber auf die Reihe bekommen hast du auch nichts.
Immer nur Legenden heraufbeschwören, das ist alles, was dir eingefallen ist. Märchenstunde vom freien Volk der Inuit. Ein edles Volk! Ein
stolzes Volk! Blabla!«

»Das war es«, nickte Akesuk. »Ein stolzes Volk.«

»Wann?«

Er wartete darauf, dass Akesuk wütend werden würde, aber sein Onkel fuhr sich nur ein paar Mal über den Schnurrbart.

»Vor deiner Geburt«, sagte er. »Die Menschen meiner Generation
sind noch in Iglus geboren worden, und es war selbstverständlich, dass
jeder eines bauen konnte. Wenn wir Feuer gemacht haben, benutzten wir
Flintsteine statt Streichhölzer. Ein Karibu wurde nicht geschossen, sondern mit Pfeil und Bogen erlegt. Vor einen Qamutik spannte man kein
Skidoo, sondern Hunde. Klingt das nicht alles sehr romantisch? Nach
längst vergangenen Zeiten?« Akesuk schüttelte den Kopf. »Dabei ist es
gerade mal ein halbes Jahrhundert her. – Schau dich um, Junge. Wie
leben wir heute? Ich meine, es hat auch sein Gutes, kaum ein Volk weiß
so viel über die Welt wie wir. In jedem zweiten Haus findest du einen
Computer mit Internetanschluss, auch in meinem. Wir haben einen eigenen Staat bekommen.« Er kicherte. »Neulich gab es ein Rätsel zu knacken auf *nunavut.com*, ganz amüsant auf den ersten Blick. Kennst du
noch die alten kanadischen Zwei-Dollar-Noten? Vorne siehst du Königin Elisabeth II. abgebildet, hinten drauf eine Gruppe Inuit. Einer der
Männer steht vor dem Kajak, mit der Harpune in der Hand. Sehr idyllisch. Die Frage war: Was zeigt diese Szene wirklich? – Weißt du es?«

»Ich fürchte, nein.«

»Aber ich. Sie zeigt das Bild einer Vertreibung, Junge. Die Regierung von Ottawa hatte ein feineres Wort dafür, sie nannte es Umsiedlung. Ein Motiv des Kalten Krieges. Ottawa hatte Angst, die USA oder die Sowjetunion könnten auf die Idee kommen, die unbewohnte kanadische Arktis zu beanspruchen, also siedelten sie die nomadisierenden Inuit von ihren Stammplätzen in der südlichen Polarzone um nach Resolute und Grise Fiord nahe dem Nordpol. Man hat ihnen vorgelogen, dort seien die Jagdgründe besser, aber das Gegenteil war der Fall. Die Inuit mussten in Blech gestanzte Registriernummern tragen, wie Hundemarken. Wusstest du das?«

»Ich erinnere mich nicht mehr.«

»Viele deiner Generation, viele der Kinder heute haben keine Ahnung von ihren Eltern und deren Lebensumständen. Und dass es eigentlich noch früher begonnen hat, Mitte der zwanziger Jahre, als die weißen Trapper kamen und das Gewehr mitbrachten. Karibus und Robben wurden dramatisch dezimiert. Von beiden übrigens, Quallunaat und Inuit. Gewehrkugeln statt Pfeil und Bogen, du verstehst. – Die Armut kam über die Inuit. Sie hatten nie sonderlich viel mit Krankheiten zu tun gehabt, aber jetzt traten Polio, Tuberkulose, Masern und Diphtherie auf, also verließen sie ihre Camps und zogen in Siedlungen. Ende der fünfziger Jahre starben unsere Leute reihenweise an Hunger und Infektionskrankheiten, ohne dass die offiziellen Regierungsstellen das zur Kenntnis nahmen. Das Militär begann, Interesse an den nordwestlichen Territorien zu zeigen, und errichtete geheime Nachrichtenstationen in den traditionellen Jagdgründen. Die Inuit, die dort noch siedelten, standen natürlich im Weg. Sie wurden auf Veranlassung der kanadischen Behörden in Flugzeuge gepackt und Hunderte Kilometer weiter nördlich deportiert, unter Zurücklassung ihrer Zelte, Kajaks, Kanus und Schlitten. Auch ich wurde umgesiedelt als junger Mann, und ebenso deine Eltern. Man hat diese Maßnahme damit begründet, hoch im Norden seien die Überlebensmöglichkeiten für die hungernden Inuit besser als in der Nähe der Militärstationen. In Wirklichkeit lagen die neuen Gebiete weit abseits aller Karibu-Wanderrouten und der Plätze, wo die Tiere im Sommer zu kalben pflegten.«

Akesuk machte eine Pause. Er schwieg lange. Zwischendurch tauchten wieder Narwale auf. Anawak sah ihnen bei ihren Degenfechtereien zu, bis sein Onkel wieder das Wort ergriff:

»Nachdem wir umgesiedelt worden waren, hat man die Bulldozer in die alten Jagdgründe geschickt. Alles, was an unser Leben hier erinnerte, wurde dem Erdboden gleichgemacht, um uns jeden Gedanken an Rückkehr auszutreiben. Und natürlich blieben die Karibus aus im hohen Norden. Kein Essen, keine Kleidung. Was nützt dir der allergrößte Mut, wenn du nur ein paar Siksiks, Hasen und Fische erbeuten kannst? Wenn du dein Volk sterben siehst und nichts dagegen tun kannst mit all deiner Kraft und Entschlossenheit? – Ich will dir die Einzelheiten ersparen. Innerhalb weniger Jahrzehnte wurden wir ein Fall für die Sozialhilfe. Unser Leben konnten wir nicht wieder aufnehmen, und anders zu leben hatten wir nie gelernt. – Etwa um die Zeit, als du geboren wurdest, fühlte sich die Regierung wieder für uns verantwortlich, also baute sie Kästen für uns, Häuser. Für die Quallunaat eine natürliche Sache. Sie leben in Kästen. Wenn sie sich bewegen, setzen sie sich in einen Kasten, für den sie ebenfalls einen Kasten haben, um ihn darin abzustellen. Sie essen in öffentlichen Kästen, ihre Hunde leben in Kästen, und die Kästen, in denen sie selber leben, sind von weiteren Kästen umgeben, von Mauern und Zäunen. Das war ihr Leben, nicht unseres, aber nun lebten auch wir in Kästen. – Und wozu führt verlorenes Selbstbewusstsein? Zu Alkohol, Drogen und Selbstmord.«

»Hat mein Vater damals für die Rechte der Inuit gekämpft?«, fragte Anawak leise.

»Das haben wir alle. Ich war ein junger Mann, als wir vertrieben wurden. Ich habe mitgestritten um Wiedergutmachung. 30 Jahre lang haben wir prozessiert und gerungen. Auch dein Vater. Aber er ist am Ende daran zerbrochen. Nun haben wir seit 1999 unseren Staat, Nunavut, *unser Land*. Niemand redet uns mehr rein, niemand siedelt uns um. Aber unser Leben, das einzige Leben, das je für uns gemacht war, ist unwiederbringlich verloren.«

»Also müsst ihr euch ein neues suchen.«

»Du hast sicher Recht. Was hilft alles Jammern? Wir waren immer Nomaden und ungebunden, aber wir haben uns mit der Vorstellung eines begrenzten Territoriums arrangiert. Bis vor wenigen Jahrzehnten kannten wir keine Organisationsform außer losen Familienverbänden, wir duldeten weder Häuptlinge noch Führer, und jetzt herrschen Inuit über Inuit, wie es sich für einen modernen Verwaltungsstaat gehört. Wir kannten keinen Besitz, jetzt gehen wir den Weg einer modernen Industrienation. Wir beleben die Traditionen wieder, manche schaffen sich Schlittenhunde an, das Iglubauen wird wieder gelehrt und das Feuermachen mit Flintsteinen. Es ist schön, dass diese Werte erneuert werden, aber damit halten wir die Zeit nicht auf. – Und ich will dir sagen,

Junge, dass ich gar nicht unzufrieden bin. Die Welt bewegt sich. Heute leben wir als Nomaden im Internet, durchstreifen das Netz der Datenhighways, jagen und sammeln Informationen. Wir nomadisieren durch die ganze Welt. Die jungen Leute chatten mit Menschen aus allen Erdteilen und erzählen ihnen von Nunavut. Immer noch bringen sich viele Menschen in diesem Land um, zu viele. Nun, wir haben ein Trauma zu verarbeiten. Man sollte uns Zeit geben und die Hoffnung der Lebenden nicht den Toten opfern, was meinst du?«

Anawak sah zu, wie die Sonne sacht den Horizont berührte.

»Du hast Recht«, sagte er.

Und dann, einem Impuls folgend, erzählte er Akesuk alles, was sie im Château herausgefunden hatten, woran der Stab arbeitete und welche Vermutung sie hegten über die fremde Intelligenz im Meer. Es sprudelte nur so aus ihm heraus. Er wusste, dass er damit gegen Lis ehernes Gebot verstieß, aber es war ihm gleich. Er hatte ein Leben lang geschwiegen. Akesuk war der letzte Rest Familie, den er noch besaß.

Sein Onkel lauschte.

»Möchtest du den Rat eines Schamanen?«, fragte er schließlich.

»Nein. Ich glaube nicht an Schamanen.«

»Ja, wer tut das noch? Aber dieses Problem könnt ihr nicht mit Wissenschaft lösen, Junge. Ein Schamane würde dir sagen, dass ihr es mit Geistern zu tun bekommen habt, den Geistern der belebten Welt, die in den Wesen wandern. Die Quallunaat haben begonnen, das Leben zu vernichten. Sie haben die Geister gegen sich aufgebracht, die Meeresgöttin Sedna. Wer immer deine Wesen im Meer sind, ihr werdet nichts erreichen, wenn ihr versucht, gegen sie vorzugehen.«

»Sondern?«

»Begreift sie als Teil von euch. Jeder ist des anderen Außerirdischer auf diesem angeblich so vernetzten Planeten. Nehmt Kontakt auf. So wie du Kontakt aufgenommen hast zum fremden Volk der Inuit. Wäre es nicht gut, wenn alles wieder zusammenwüchse?«

»Es sind keine Menschen, Iji.«

»Darum geht es nicht. Sie sind Teil derselben Welt, wie deine Hände und Füße Teile desselben Körpers sind. Der Kampf um Herrschaft lässt sich nicht gewinnen. Schlachten kennen nur Opfer. Wen interessiert es denn, wie viele Rassen sich die Erde teilen und wie intelligent sie sind? Lernt, sie zu verstehen, anstatt sie zu bekämpfen.«

»Klingt nach christlicher Doktrin. Linke Wange, rechte Wange.«

»Nein«, kicherte Akesuk. »Es ist der Rat eines Schamanen. So was haben wir hier nämlich noch, aber wir machen kein Aufhebens drum.«

»Welcher Schamane sollte mir ...« Anawak hob die Brauen. »Doch nicht etwa du?«

Akesuk zuckte die Achseln und grinste. »Einer muss sich ja um geistlichen Beistand kümmern«, sagte er. »Schau mal!«

In einiger Entfernung hatte sich ein riesiger Polarbär über die letzten Reste des Narwals hergemacht und die Vögel aufgescheucht. Sie stoben um ihn herum oder trippelten in respektvoller Entfernung übers Eis. Ein Sturmvogel stieß immer wieder auf den Eindringling herab. Der Bär zeigte sich unbeeindruckt. Er war weit genug vom Camp entfernt, dass der Wachposten keinen Warnruf auszustoßen brauchte, aber der Mann hatte das Gewehr hochgenommen und sah aufmerksam zu der Stelle hinüber.

»Nanuq«, sagte Akesuk. »Er riecht alles. Auch uns.«

Anawak beobachtete den Bären beim Fressen. Er empfand keine Angst. Nach einer Weile verlor der Koloss das Interesse und machte sich behäbig davon. Einmal drehte er sich um, äugte neugierig zum Camp herüber und verschwand schließlich hinter einer Barriere aus Packeis.

»Wie gemütlich er sich gibt«, flüsterte der Onkel. »Aber er kann laufen, Junge! Er kann laufen!« Akesuk kicherte, griff in seinen Anorak und brachte eine kleine Skulptur zum Vorschein, die er Anawak in den Schoß legte. »Darauf habe ich gewartet. Weißt du, jedes Geschenk braucht seine Zeit. Vielleicht ist jetzt der richtige Moment, dir das zu geben.«

Anawak nahm die Plastik und betrachtete sie. Ein menschliches Gesicht mit Federhaaren, dessen Hinterkopf in einen Vogelkörper auslief.

»Ein Vogelgeist?«

»Ja.« Akesuk nickte. »Toonoo Sharky hat ihn gemacht, ein Nachbar von mir. Ganz angesehener Künstler mittlerweile, hat es bis ins *Museum of Modern Arts* geschafft. Nimm ihn. Dir steht vieles bevor. Du wirst ihn brauchen, Junge. Er wird deine Gedanken in die richtige Richtung lenken, wenn es so weit ist.«

»Wenn was so weit ist?«

»Dein Bewusstsein wird fliegen.« Akesuk formte die Hände zu Schwingen, ließ sie flattern und grinste. »Aber du bist lange fort gewesen von hier. Ein bisschen aus der Übung. Vielleicht brauchst du einen Mittler, der dir verrät, was der Vogelgeist sieht.«

»Du sprichst in Rätseln.«

»Das ist das Privileg der Schamanen.«

Ein Vogel strich über sie hinweg.

»Eine Rosenmöwe«, lachte Akesuk. »Na, du hast wirklich Glück, Leon, wirklich Glück! Wusstest du, dass jedes Jahr Tausende Vogelliebhaber aus aller Welt anreisen, nur um diese Möwe zu sehen? So selten ist sie. – Nein, du solltest dich nicht sorgen, wirklich nicht. Die Geister haben dir ein Zeichen gesandt.«

Später, als sie endlich in ihre Schlafsäcke gefunden hatten, lag Anawak noch eine Weile wach. Die nächtliche Sonne erhellte die Zeltwand. Einmal hörte er den Ruf der Bärenwache: »Nanuq, Nanuq!« Er dachte an das tiefe, schwarze Nordpolarmeer unter sich, und seine Gedanken, körperlos, schienen durch die Eisdecke hinabzusinken in die unbekannte Welt. Ruhig atmend trieb er auf einer See aus Schlaf dahin und schließlich auf dem Plateau eines gewaltigen Eisbergs, geboren im grönländischen Gletscher, herübergetrieben an die Ostküste von Bylot Island, festgehalten von der zufrierenden See und endlich dem aufbrechenden Eis wieder entrissen von Wind und Wellen und nach Süden getrieben. In seinem Traum stieg Anawak über einen schmalen, verschneiten Pfad bis zum Gipfel des Berges und sah, dass sich dort ein smaragdgrüner Binnensee aus Schmelzwasser gebildet hatte. So weit das Auge reichte, erstreckte sich spiegelglattes, blaues Meer. Der Eisberg würde zerfließen, und er würde hinabsinken in diese stille See zum Urgrund allen Lebens, wo ein Rätsel darauf wartete, gelöst zu werden.

Und vielleicht ein Schamane, ihm dabei zu helfen.

24. mai

Frost war wie üblich anderer Meinung.

Die Hauptmethanvorkommen lagerten nach Einschätzung der roh-stofffördernden Industrie im Pazifik entlang der Westküste Nord-amerikas und vor Japan, außerdem im Ochotskischen Meer sowie im Beringmeer und weiter nördlich in der Beaufortsee. Im Atlantik hatten die USA das meiste davon vor der Haustür. Es gab größere Vorkommen in der Karibik und vor Venezuela und starke Konzentrationen im Ge-biet der Drake-Straße zwischen Südamerika und der Antarktis. Auch von den norwegischen Hydraten hatte man gewusst, und ebenso be-kannt war die Existenz von Lagerstätten im östlichen Mittelmeer und im Schwarzen Meer.

Nur vor der Nordwestküste Afrikas waren sie offenbar dünn gesät. Ganz besonders im Umfeld der Kanarischen Inseln.

Und das wollte Frost nicht einleuchten.

Denn dort stieg kaltes Wasser aus der Tiefe hoch, beladen mit Nähr-stoffen für Planktonalgen, die ihrerseits wiederum die Grundlagen für die exzellenten kanarischen Fischgründe schufen. Daran gemessen hät-ten im Gebiet der Kanaren sogar sehr große Hydratmengen lagern müssen – überall, wo organisches Leben in großer Vielfalt vorkam, bil-dete sich früher oder später Methan in der Tiefsee.

Das Problem mit den Kanaren war, dass sich die verwesenden Reste der Lebewesen nirgendwo absetzen konnten. Nachdem die Inseln Jahr-millionen zuvor aus Vulkanen entstanden waren, ragten sie steil wie Türme vom Meeresboden in die Höhe: Teneriffa, Gran Canaria, La Palma, Gomera und Ferro. Sie alle wuchsen aus Tiefen zwischen drei und dreieinhalb Kilometern zur Oberfläche, vulkanische Felsnadeln, an denen Sedimente und organische Rückstände einfach vorbeitrudel-ten, anstatt sich festzusetzen. Die gängigen Karten verzeichneten dar-um im Gebiet der Kanaren gar keine Methanvorkommen. Was nach Ansicht von Stanley Frost die erste Fehlannahme war.

Zweitens ahnte er, dass die Vulkankegel, als deren Spitzen die Inseln aus der See ragten, längst nicht so steil waren, wie es allgemein hieß. Natürlich waren sie steil, aber nicht glatt und senkrecht wie Häuser-wände. Frost hatte sich hinreichend mit der Entstehung und dem Wachstum von Vulkanen beschäftigt, um zu wissen, dass selbst der steilste Kegel Grate und Terrassen aufwies. Er war der festen Überzeugung, dass rund um die Inseln eine ganze Menge Methan lagerte und dass bis jetzt lediglich keiner so genau nachgesehen hatte. Dieses Hydrat würde nicht in großen Brocken vorkommen, aber das Gestein als Netz feiner Äderchen durchziehen. Auf den sedimentbedeckten Graten hatte es sich auf alle Fälle angelagert.

Da er zwar Vulkanologe, aber kein Experte für Hydrate war, hatte er im Château Gerhard Bohrmann zu Rate gezogen. Sie waren übereingekommen, der Sache auf den Grund zu gehen. Frost hatte daraufhin eine Liste von Inseln erstellt, die ihm gefährdet erschienen. Dazu gehörten außer La Palma auch Hawaii, die Kapverden, Tristan de Cunha weiter südlich und Réunion im Indischen Ozean. Jede davon war eine potenzielle Zeitbombe, aber La Palma war und blieb ohne Beispiel. Wenn zutraf, was Frost befürchtete, und diese Wesen in der Tiefsee tatsächlich so schlau waren, wie der norwegische Professor meinte, hing die Cumbre-Vieja-Vulkankette auf La Palma über Millionen Menschen wie ein zweitausend Meter hohes Damoklesschwert.

Dank Bohrmanns Bemühungen erhielten Frost und sein Team die berühmte *Polarstern* für ihre Expedition. Das deutsche Forschungsschiff hatte ebenso wie die *Sonne* einen *Victor 6000* an Bord. Die *Polarstern* war groß genug, dass ihr Wale nicht gefährlich werden konnten, und außerdem mit Unterwasserkameras nachgerüstet worden, um Angriffe durch Muschelschwärme, Medusen oder andere Organismen rechtzeitig erkennen zu können. Frost hatte keine Vorstellung davon, ob er den *Victor* je wieder sehen würde, wenn er ihn einmal hinuntergelassen hatte, nachdem dort unten alles Mögliche verschwand. Es war ein Versuch auf gut Glück, aber niemand sperrte sich dagegen.

Der *Victor* tauchte an der Westseite von La Palma. Die *Polarstern* lag in Sichtweite vom Festland, als er runterging. Der Roboter suchte die steile Flanke des Vulkankegels systematisch ab, bis er in knapp 400 Metern Tiefe auf eine Anordnung überkragender Terrassen stieß, die wie Balkone aus der Wand standen und weitflächige Sedimentbedeckungen aufwiesen.

Dort fand er die Hydratvorkommen, die Frost vorausgesagt hatte.

Sie verschwanden unter wimmelnden, rosaweißen Leibern mit Zangenkiefern.

8. juni

»Warum arbeiten diese Würmer so eifrig am Fundament einer Ferieninsel, wo sie doch vor Japan oder vor unserer Haustür viel mehr anrichten könnten?«, sagte Frost. »Ich meine, die Ostsee war ein Ballungsraum. Die amerikanische Ostküste und Honshu sind es auch, aber da reichen die Wurmpopulationen bei weitem noch nicht aus, um es richtig rappeln zu lassen. Und jetzt entdecken wir sie hier. Vor einer Urlaubsinsel im afrikanischen Westen. Also was soll das alles? Machen die Viecher Urlaub?«

Er stand, wie gewohnt mit Baseballkappe und Ölarbeiteroverall angetan, hoch oben an der Westseite des Zentralgebirges, das sich über die gesamte Insel zog. Während die Felsen im Norden den berühmten Erosionskrater Caldera de Taburiente umschlossen, setzte sich der Gebirgskamm mit unzähligen Vulkanen bis zur Südspitze fort.

Frost war in Begleitung von Bohrmann und zwei Repräsentanten der De-Beers-Unternehmensgruppe, einer Geschäftsführerin und einem Technischen Leiter mit Namen Jan van Maarten. Der Hubschrauber parkte ein Stück abseits der Sandpiste, auf der sie standen. Sie überblickten eine begrünte Kraterlandschaft von beeindruckender Schönheit. Ein Kegel reihte sich an den nächsten. Schwarze Lavafelder wälzten sich hinab zur Küste, gesprenkelt mit erstem zarten Grün. Die Vulkane La Palmas spuckten nicht regelmäßig Lava, allerdings konnte der nächste Ausbruch jederzeit bevorstehen. Erdgeschichtlich waren die Inseln junges Land. Erst 1971 war im äußersten Süden ein neuer Vulkan entstanden, der Teneguia, der die Insel um einige Hektar vergrößert hatte. Genau genommen bildete der komplette Kamm einen einzigen großen Vulkan mit vielen Auslässen, weshalb man bei Ausbrüchen meist einfach nur vom Cumbre Vieja sprach.

»Die Frage ist«, sagte Bohrmann, »wo man ansetzen muss, um den meisten Schaden anzurichten.«

»Sie glauben tatsächlich, da hat sich jemand solche Gedanken gemacht?« Die Geschäftsführerin runzelte die Stirn.

»Es ist alles hypothetisch«, sagte Frost. »Aber wenn wir voraussetzen, dass ein intelligenter Geist dahinter steckt, geht er strategisch sehr geschickt vor. Nach dem Desaster in der Nordsee hat natürlich jeder angenommen, das nächste Unheil drohe in unmittelbarer Nähe dicht besiedelter Küsten und Industrielandschaften. Und tatsächlich haben wir Würmer dort gefunden, aber in eher kleiner Anzahl. Daraus könnte man schließen, dass die Truppenstärke des Feindes, um es mal so zu nennen, nachgelassen hat. Oder dass er Zeit braucht, um mehr von diesen Würmern zu produzieren. Man lenkt unsere Aufmerksamkeit ständig auf die falschen Punkte. Gerhard und ich sind mittlerweile der Überzeugung, dass diese halbherzigen Invasionen vor Nordamerika und Japan Ablenkungsmanöver sind.«

»Aber was bringt es, die Hydrate vor La Palma zu zerstören?«, fragte die Frau. »Hier ist ja nun tatsächlich nicht viel los.«

Die De-Beers-Leute waren ins Spiel gekommen, als Frost und Bohrmann auf die Suche nach einem schon existierenden System gegangen waren, mit dem man die Eis fressenden Würmer absaugen konnte. Vor Namibia und Südafrika wurde der Meeresboden seit Jahrzehnten nach Diamanten abgesucht. Mehrere Gesellschaften waren daran beteiligt, allen voran der internationale Diamantenriese De Beers, der von Schiffen und seegestützten Plattformen aus bis in Tiefen von 180 Metern baggerte. Vor einigen Jahren hatte De Beers begonnen, neue Konzepte zu entwickeln, die tiefer kamen, ferngesteuerte Unterwasser-Bulldozer mit Saugrüsseln, die Sand und Gestein durch Rohrleitungen in Begleitschiffe pumpten. Eine der jüngsten Entwicklungen sah ein flexibles System vor, das völlig ohne Grundgefährt auskam – ein ferngesteuerter Saugrüssel, der auch an Steilhängen operieren konnte. Theoretisch war das System in der Lage, bis in Tiefen von mehreren tausend Metern vorzustoßen, aber dafür musste man den Rüssel überhaupt erst mal in einer solchen Länge bauen.

Der Stab hatte beschlossen, die mit dem Projekt befasste Gruppe auf Seiten des Diamantenkonzerns einzuweihen. Die beiden De-Beers-Vertreter wussten zu diesem Zeitpunkt nur, dass ihr System vor dem Hintergrund der weltweiten Naturkatastrophen eine wichtige Rolle spielen könnte und dass man sehr schnell einen Saugrüssel von mehreren Hundert Meter Länge benötigen würde. Frost hatte vorgeschlagen, auf den Cumbre zu fliegen, weil er den Leuten ein möglichst klares Bild dessen vermitteln wollte, was auf die Menschheit zukommen würde, wenn die Mission scheiterte.

»Täuschen Sie sich nicht«, sagte er. »Hier ist jede Menge los.«

Sein Haar, das unordentlich unter der Kappe hervorkringelte, zitterte im kühlen Passatwind. Der Himmel spiegelte sich in seiner getönten Brille. Er glich wie üblich einer Mischung aus Fred Feuerstein und Terminator, wie er da stand, und seine Stimme donnerte mitten hinein in die Stille des Hangs mit seinen friedlichen Kiefernhainen, als wolle er die nächsten zehn Gebote verteilen.

»Wir stehen hier, weil der Vulkanismus die Kanaren vor zwei Millionen Jahren ins Meer gespien hat. Alles hier macht einen sehr idyllischen Eindruck, aber das täuscht. Unten in Tijarafe – hübsches kleines Nest übrigens, köstliche *quesos de almendras*! – feiern sie am 8. September das Teufelsfest, und der Teufel rennt krachend und Feuer spuckend über den Dorfplatz. Warum tut er das? Weil die Inselbewohner ihren Cumbre kennen. Weil Krachen und Feuerspucken zum Alltag gehören. Die Intelligenz, der wir das Gewürm verdanken, weiß es ebenfalls. Sie weiß, wie die Insel entstanden ist. – Und wer solche Dinge weiß, kennt im Allgemeinen auch die Schwachstellen.«

Frost ging ein paar Schritte zur Kante des Hangs. Das bröckelige Lavagestein knirschte unter seinen Doc-Martens-Stiefeln. Tief unter ihnen brachen sich glitzernd die Atlantikwellen.

»1949 ist der Cumbre Vieja nochmal so richtig schön zum Leben erwacht, der alte, schlafende Hund, genauer gesagt einer seiner Krater, der Vulkan von San Juan. Mit bloßem Auge ist es kaum auszumachen, aber seitdem durchzieht ein mehrere Kilometer langer Riss den Westhang zu unseren Füßen. Möglicherweise reicht er bis in die untere Struktur La Palmas. Teile des Cumbre Vieja sind damals etwa vier Meter in Richtung Meer abgesackt. Ich habe das Gebiet in den letzten Jahren oft vermessen. Es ist sehr wahrscheinlich, dass die Westflanke mit der nächsten Eruption vollends wegbricht, weil einige Gesteinsschichten enorm viel Wasser enthalten. Sobald neue, heiße Magma im Vulkanschlot hochsteigt, wird sich dieses Wasser stoßartig ausdehnen und verdampfen. Der entstehende Druck könnte die instabile Seite mühelos absprengen, außerdem drücken die Ost- und die Südflanke dagegen. Als Folge würden rund 500 Kubikkilometer Gestein abrutschen und ins Meer stürzen.«

»Davon habe ich gelesen«, sagte van Maarten. »Offizielle Vertreter der Kanaren halten die Theorie für fragwürdig.«

»Fragwürdig«, donnerte Frost wie die Posaunen von Jericho, »ist höchstens, dass sie sich in allen offiziellen Verlautbarungen um eine klare Stellungnahme drücken, um keine Touristen zu verschrecken. Der Menschheit wird dieses Kapitel nicht erspart bleiben. Ein paar kleinere Beispiele hat es schon gegeben. 1741 explodierte in Japan der Oshima-Oshima und erzeugte 30 Meter hohe Wellen. Ähnlich hoch waren sie, als 1888 auf Neu Guinea Ritter Island kollabierte, und der damals abgestürzte Fels betrug gerade mal ein Prozent dessen, was wir hier zu erwarten hätten! Der Kilauea auf Hawaii wird schon seit Jahren durch ein Netz von GPS-Stationen überwacht, die jede kleinste Bewegung registrieren, und er bewegt sich! Die Südostflanke rutscht zehn Zentimeter pro Jahr zu Tal, und wehe, wenn sie Fahrt aufnimmt. Das mag sich keiner von uns vorstellen. Nahezu jeder Inselvulkan neigt dazu, mit zunehmendem Alter immer steiler zu werden. Wenn er zu steil wird, bricht ein Teil von ihm ab. Die Regierung von La Palma stellt sich blind und taub. Die Frage ist nicht, *dass* es passiert, sondern *wann* es passiert. In hundert Jahren? In tausend? Einzig das wissen wir nicht. Die hiesigen Vulkanausbrüche pflegen sich nicht anzukündigen.«

»Was geschieht, wenn der halbe Berg ins Meer stürzt?«, fragte die Repräsentantin.

»Die Gesteinsmasse wird Unmengen von Wasser verdrängen«, sagte Bohrmann, »die sich immer höher auftürmen. Der Aufprall erfolgt mit schätzungsweise 350 Stundenkilometern. Das Geröll würde 60 Kilometer weit ins offene Meer hineinreichen, wodurch das Wasser nicht einfach über das Gestein zurückfluten kann. Es kommt zur Bildung einer riesigen Luftblase, die noch weit mehr Wasser verdrängt als der abstürzende Fels. Was nun geschieht, darüber gehen die Meinungen tatsächlich ein bisschen auseinander, allerdings gibt keine der Varianten Anlass zu guter Laune. In unmittelbarer Nähe von La Palma wird der Abbruch eine Riesenwelle erzeugen, deren Höhe zwischen 600 und 900 Metern liegen dürfte. Sie rast mit etwa 1 000 Stundenkilometern los. Im Gegensatz zu Erdbeben sind Bergstürze und Erdrutsche Punktereignisse. Die Wellen werden sich radial über den Atlantik ausbreiten und ihre Energie verteilen. Je weiter sie sich vom Ausgangspunkt entfernen, desto flacher werden sie.«

»Klingt tröstlich«, murmelte der Technische Leiter.

»Nur bedingt. Die Kanarischen Inseln werden im selben Augenblick ausgelöscht. Eine Stunde nach dem Abbruch trifft ein 100 Meter hoher Tsunami auf die afrikanische West-Sahara-Küste. Zum Vergleich: Der in Nordeuropa hat in den Fjorden 40 Meter erreicht, und das Ergebnis ist bekannt. Sechs bis acht Stunden später überrollt eine 50 Meter hohe Welle die Karibik, verwüstet die Antillen und überschwemmt die Ostküste der USA zwischen New York und Miami. Unmittelbar darauf prallt sie mit gleicher Wucht gegen Brasilien. Kleinere Wellen erreichen Spanien, Portugal und die Britischen Inseln. Die Auswirkungen wären verheerend, auch für Zentraleuropa, wo die komplette Ökonomie zusammenbrechen würde.«

Die De-Beers-Leute wurden blass. Frost grinste in die Runde. »Hat zufällig jemand *Deep Impact* gesehen?«

»Den Film? Diese Welle war aber doch viel höher«, sagte die Repräsentantin. »Mehrere hundert Meter.«

»Um New York auszulöschen, reichen 50 Meter. Beim Aufprall wird so viel Energie freigesetzt, wie die gesamten Vereinigten Staaten in einem Jahr verbrauchen. Die Höhe der Häuser müssen Sie in Ihrer Betrachtung vernachlässigen, ein Tsunami ist ein Problem für die Fundamente. Der Rest stürzt einfach ein, wie hoch er auch gebaut sein mag. Und keiner von uns ist Bruce Willis, wenn ich das hinzufügen darf.« Er machte eine Pause und zeigte den Hang hinab. »Um die hiesige Westflanke zu destabilisieren, brauchen Sie entweder einen Ausbruch des Cumbre Vieja oder eine unterseeische Rutschung. Daran arbeiten die Würmer. Sozusagen an einer Miniausgabe dessen, was sie in Nordeuropa angerichtet haben, aber es dürfte reichen, um einen Teil der untermeerischen Vulkansäule abrutschen und in die Tiefe stürzen zu lassen. Die Folge wäre ein kleines Erdbeben, genug, um die Statik des Cumbre durcheinander zu bringen. Möglicherweise führt dieses Erdbeben sogar zu einer Eruption, auf alle Fälle wird der Westhang seinen Halt verlieren. So oder so, es wird rappeln. Die Katastrophe wird eintreten. Vor Norwegen haben die Würmer ein paar Wochen gebraucht, hier könnte es schneller gehen.«

»Wie viel Zeit bleibt uns?«

»So gut wie keine. Die raffinierten kleinen Biester haben sich Stellen im Ozean gesucht, auf die man nicht gleich kommt. Sie nutzen die Fortpflanzungsfähigkeit von Impulswellen im offenen Meer. Die Nordsee war ein Treffer, aber so richtig dreckig geht's der menschlichen Zivilisation erst, wenn am anderen Ende der Welt ein harmlos aussehendes kleines Inselchen kollabiert.«

Van Maarten rieb sich das Kinn.

»Wir haben einen Prototyp des Rüssels gebaut, der auf 300 Meter runtergehen kann. Er funktioniert. Mit größeren Tiefen haben wir bis jetzt keine Erfahrungen gemacht, aber…«

»Wir könnten den Rüssel verlängern«, schlug die Repräsentantin vor.

»Das müssten wir praktisch aus dem Hut zaubern. Aber gut, wenn wir alles andere stoppen … Was mir eher Sorgen bereitet, ist das dazugehörige Schiff.«

»Ich glaube kaum, dass Sie mit einem Schiff auskommen werden«, sagte Bohrmann. »Ein paar Milliarden Würmer ergeben eine gewaltige Biomasse. Die müssen Sie irgendwohin pumpen.«

»Das ist nicht unser Problem. Wir können einen Pendelverkehr einrichten. Ich meine das Schiff, von dem aus wir den Rüssel steuern. Wenn wir ihn auf 400 oder 500 Meter verlängern, müssen wir ihn irgendwo lagern. Das ist ein halber Kilometer Schlauch! Bleischwer und um einiges dicker als ein Tiefseekabel, das Sie einfach in einem Schiffsbauch zusammenrollen können. Außerdem, wenn der Rüssel bewegt wird, muss das Schiff stabil genug sein, um diese Bewegungen auszugleichen. Angriffe sollten uns nicht weiter ängstigen, aber die Hydrostatik birgt ihre Tücken. Sie können den Schlauch nicht einfach backbord oder steuerbord raushängen lassen, ohne die Schwimmstabilität zu gefährden.«

»Also ein Baggerschiff?«

»Nicht in der Größe.« Der Mann überlegte. »Vielleicht ein Bohrschiff? Nein, zu schwerfällig. Besser eine schwimmende Plattform. Wir arbeiten ja schon mit so was. Ein Pontonsystem, am besten eine klassische Halbtaucher-Konstruktion wie in der Offshoretechnik, nur dass wir sie nicht mit Trossen verankern werden, sondern wie ein richtiges Schiff über die See bewegen. Das Ding muss manövrierfähig sein.« Er ging ein Stück abseits und begann etwas von Resonanzfrequenzen und Seegangserregung vor sich hin zu murmeln. Dann kam er zurück. »Ein Halbtaucher ist gut. Höchste Seegangsstabilität, flexibel, der ideale Träger für einen Kranausleger, der ordentlich was stemmen muss. Vor Namibia liegt so ein Ding, das wir schnell umbauen könnten. Es verfügt über 6 000-V-Düsenpropeller, und ein paar Seitenstrahler bekommen wir notfalls auch noch angeschraubt.«

»Die *Heerema*?«, fragte die Geschäftsführerin.

»Richtig.«

»Wollten wir die nicht ausmustern?«

»Schrottreif ist sie nicht. Die *Heerema* verfügt über zwei Hauptverdrängungskörper, das Deck ruht auf sechs Säulen, also alles, wie es sein muss. Gut, sie stammt von 1978, aber für diesen Zweck dürfte es reichen. Es wäre der schnellste Weg. Wir haben keinen Bohrturm, sondern zwei Kranausleger. Über einen davon werden wir den Schlauch runterlassen. Das Hochpumpen ist ebenfalls kein Problem. Und wir können Schiffe anlanden, um die Würmer fortzuschaffen.«

»Klingt nett«, sagte Frost. »Wann können wir damit rechnen?«

»Unter normalen Umständen in einem halben Jahr.«

»Und unter diesen?«

»Ich kann nichts versprechen. Sechs bis acht Wochen, wenn wir sofort loslegen.« Der Techniker sah ihn an. »Wir werden alles tun, was in

DRITTER TEIL

iNDEPENDENCE

Ich bin der Überzeugung, dass es – ebenso wie mathematische Grundregeln – universelle, vom Menschen
unabhängige Rechte und Werte gibt, allen voran das
Recht auf Leben. Das Dilemma ist, wo stehen sie
geschrieben? Und wer anders könnte sie verleihen als
der Mensch? Wir mögen akzeptieren, dass außerhalb
unserer Wahrnehmung Rechte und Werte existieren,
aber wir können uns nicht außerhalb unserer
Wahrnehmung stellen. Es ist, als solle die Katze
darüber befinden, ob Mäuse gefressen werden
dürfen oder nicht.

Leon Anawak, aus »Selbsterkenntnis und Bewusstsein«

12. august

Samantha Crowe legte ihre Notizen aus der Hand und schaute hinaus.

Der *CH-53 Super Stallion* ging schnell tiefer. Eine steife Brise rüttelte den 30 Meter langen Transporthubschrauber durch. Er schien auf die helle Plattform im Meer zuzufallen, und Crowe fragte sich, wie ein derart riesiges Ding überhaupt die Meere befahren konnte – und zugleich: Wie kann man auf etwas so Kleinem landen?

950 Kilometer nordöstlich von Island lag die *USS Independence LHD-8* über dem Grönländischen Tiefseebecken, eine schwimmende Stadt, fremd und schroff, mit der Ausstrahlung eines Raumgleiters aus *Alien*. Zwei Hektar Freiheit und 97 000 Tonnen Diplomatie, wie es die Navy ausdrückte. Der größte taktische Helikopterträger der Welt würde für die nächsten Wochen ihr Zuhause sein, ihre neue Adresse würde lauten: *USS Independence LHD-8*, 75° nördlicher Breite, 3 500 Meter über dem Meeresboden.

Ihr Auftrag: ein Gespräch zu führen.

Die Maschine kurvte. Mit Schwung drehte der *Super Stallion* auf den Landepunkt ein und setzte federnd auf. Durchs Seitenfenster sah sie einen Mann in gelber Arbeitsjacke, der den Helikopter in seine Parkposition winkte. Jemand von der Crew half ihr, die Gurte zu lösen und ihre Ausrüstung abzulegen, den Helm mit Kopfhörern, Rettungsweste, Schutzbrille. Der Flug war rau gewesen, und Crowe fühlte sich wackelig auf den Beinen. Mit unsicheren Schritten verließ sie die Maschine über die Rampe im Heck, trat unter den Schwanz des *Super Stallion* hervor und schaute sich um.

Nur wenige Maschinen waren auf dem Flugdeck zu sehen. Die Leere steigerte den surrealen Eindruck. Sie erblickte eine schier endlose asphaltierte Fläche, gesprenkelt mit Befestigungspunkten, 257,25 Meter lang und 32,6 Meter breit. Crowe wusste das sehr genau. Sie war Mathematikerin mit einem Faible für exakte Zahlen, also hatte sie im Vorfeld versucht, so viel wie möglich über die *USS Independence* herauszubekommen, aber soeben kapitulierte die Theorie vor der Wirklichkeit. Die echte *Independence* hatte nichts mit Schemazeichnungen und technischen Daten zu tun. Ein schwerer Geruch von Öl und Kerosin lag in der Luft, heißes Gummi und Salz mischten sich hinein, und alles wurde von einem scharfen Wind übers Deck gefegt, der an ihrem Overall zerrte.

Kein Ort, an den man gerne reiste.

Männer in farbigen Jacken und Ohrenschützern liefen umher. Einer kam auf sie zu, während Soldaten ihr Gepäck ins Freie schleppten. Er trug eine weiße Jacke. Crowe versuchte sich zu erinnern. Weiß, das waren die Sicherheitsverantwortlichen. Die Gelben dirigierten die Hubschrauber an Deck, rot Gekleidete sorgten für Treibstoff und Gefechtsmaterial. Gab es nicht auch Braune? Und welche in Lila? Wofür waren die Braunen noch gleich zuständig?

Die Kälte fuhr ihr unter die Haut.

»Folgen Sie mir«, schrie der Mann gegen den Lärm der langsamer werdenden Rotorflügel an. Er zeigte hinüber zu dem einzigen Aufbau des Trägers. Wie ein mehrstöckiger, von überdimensionalen Antennen und Sensoren gekrönter Häuserblock entwuchs er der Steuerbordseite. Crowes Rechte tastete mechanisch zur Hüfte, während sie hinter ihm her ging. Dann fiel ihr ein, dass sie durch den Overall nicht an ihre Zigaretten kam. Auch im Hubschrauber hatte sie nicht rauchen dürfen. Es machte ihr nichts aus, bei windigem Wetter in die Arktis zu fliegen, aber der stundenlange Verzicht auf Nikotin war ganz und gar nicht nach ihrem Geschmack.

Ihr Begleiter öffnete ein Luk. Crowe betrat die Insel, wie der Aufbau im Navy-Jargon hieß. Nachdem sie eine Doppelschleuse passiert hatte, schlug ihr frische, saubere Luft entgegen. Wie eine Höhle wirkte die Insel auf Crowe, erstaunlich eng. Der Deckverantwortliche übergab sie einem hoch gewachsenen Schwarzen in Uniform, der sich als Major Salomon Peak vorstellte. Sie schüttelten einander die Hände. Peak wirkte steif, als sei er den Umgang mit Zivilisten nicht gewohnt. Crowe hatte während der letzten Wochen mehrfach mit ihm konferiert, allerdings nur telefonisch. Sie durchschritten einen winkligen Flur und kletterten über steile, leiterartige Niedergänge tiefer ins Innere des Schiffs, gefolgt von den Soldaten mit dem Gepäck. An einer Wand prangte in großen Lettern LEVEL 02.

»Sie werden sich frisch machen wollen«, sagte Peak und öffnete eine von vielen identisch aussehenden Türen zu beiden Seiten. Dahinter lag ein überraschend geräumiges, ansprechend eingerichtetes Zimmer, mehr eine kleine Suite. Crowe hatte gelesen, dass privater Raum an Bord eines Hubschrauberträgers auf das erträgliche Minimum reduziert war und die Soldaten in Schlafsälen nächtigten. Peak hob die Brauen, als sie eine entsprechende Bemerkung machte.

»Wir würden Sie wohl kaum zu den Marines stecken«, sagte er. Dann umspielte ein Lächeln seine Mundwinkel. »Auch die Navy weiß, was sie ihren Gästen schuldig ist. Das hier ist Flaggland.«

»Flaggland?«

»Unser Excelsior. Quartiere für Admiräle und ihre Stäbe, wenn welche an Bord kommen. Augenblicklich laufen wir nicht unter voller Besatzung, wir haben also allen Platz der Welt. Die weiblichen Teilnehmer der Expedition sind in Flaggland untergebracht, die männlichen im Offiziersland. Darf ich?« Er ging an ihr vorbei und stieß eine weitere Tür auf. »Eigenes Bad und WC.«

»Ich bin beeindruckt.«

Die Soldaten trugen ihr Gepäck herein.

»Es gibt eine kleine Bar unter dem Fernseher«, sagte Peak. »Nicht-alkoholisch. Reicht Ihnen eine halbe Stunde, bis ich Sie zu einem Rundgang abhole?«

»Vollauf.«

Crowe wartete, bis er die Tür hinter sich geschlossen hatte. Hastig ging sie auf die Suche nach einem Aschenbecher. Sie fand ihn in einem Sideboard, wurstelte sich aus dem Overall und kramte nach den Zigaretten in ihrer Sportjacke. Erst als sie dem zerdrückten Päckchen eine entnommen, sie angezündet und den ersten Zug inhaliert hatte, fühlte sie sich wieder wie ein vollständiger Mensch.

Paffend saß sie auf der Bettkante.

Eigentlich war es traurig. Zwei Päckchen am Tag waren verflucht traurig, und auch, dass sie nicht aufhören konnte. Zweimal hatte sie es versucht. Zweimal nicht geschafft.

Vielleicht wollte sie es auch einfach nicht schaffen.

Nach der zweiten Zigarette ging sie unter die Dusche. Anschließend schlüpfte sie in Jeans, Turnschuhe und Sweatshirt, rauchte noch eine und schaute in sämtliche Schubladen und Schränke. Als es klopfte, hatte sie das Innenleben ihrer Kabine so gründlich studiert, dass sie eine vollständige Inventarliste hätte anfertigen können. Sie wusste eben einfach gern Bescheid.

Vor der Tür stand nicht Peak. Es war Leon Anawak.

»Ich sagte doch, wir sehen uns wieder«, grinste er.

Crowe lachte.

»Und ich sagte, Sie finden Ihre Wale wieder. Schön, Sie zu sehen, Leon. Der Mann, dem ich mein Hiersein verdanke, richtig?«

»Wer sagt das?«

»Li.«

»Ich glaube, Sie wären auch ohne mich hier. Aber ich hab ein bisschen nachgeholfen. Sie müssen wissen, ich habe von Ihnen geträumt.«

»Meine Güte!«

»Keine Bange, Sie erschienen mir als guter Geist. Wie war der Flug?«

»Rumpelig. Ich bin die Letzte, was?«

»Wir anderen sind schon in Norfolk an Bord gegangen.«

»Ja, ich weiß. Aber ich kam einfach nicht weg aus Arecibo. Man soll's nicht glauben, aber es kann auch Arbeit machen, ein Projekt *nicht* zu betreiben. SETI ist erst mal eingemottet. Im Moment hat keiner Geld, um den Weltraum nach grünen Männchen abzusuchen.«

»Wir werden vielleicht mehr grüne Männchen finden, als uns lieb ist«, sagte Anawak. »Kommen Sie. Peak wird in einer Minute hier sein. Wir zeigen Ihnen, was die *Independence* alles drauf hat. Danach sind Sie dran. Alle sind sehr gespannt. Ihren Spitznamen haben Sie übrigens schon weg.«

»Meinen Spitznamen? Wie heiße ich denn?«

»Miss Alien.«

»Du lieber Himmel. Eine Zeit lang nannten mich alle Miss Foster, nachdem Jodie mich in diesem Film gespielt hat.« Crowe schüttelte den Kopf. »Na ja, warum nicht? Hab ich meine Autogrammkarten eingesteckt? Gehen wir, Leon.«

Peak führte sie durch die Welt von LEVEL 02. Sie hatten ihre Wanderung im Vorschiff begonnen und bewegten sich nun wieder in Richtung Mitte. Crowe hatte den riesigen Fitness-Raum im Bug bewundert, voll gestellt mit Laufbändern und Kraftmaschinen und so gut wie leer.

»Normalerweise herrscht hier enormes Gedränge«, sagte Peak. »Die *Independence* bietet Quartier für dreitausend Mann. Jetzt sind wir nicht mal 200 Leute an Bord.«

Sie spazierten durch den Wohntrakt der jüngeren Offiziere, Abteilungen für je vier bis sechs Mann, mit bequemen Kojen, reichlich Stauraum, Klapptischen und Stühlen.

»Gemütlich«, sagte Crowe.

Peak zuckte die Achseln.

»Ansichtssache. Wenn auf dem Dach richtig Betrieb ist, bekommen Sie so schnell kein Auge zu. Wenige Meter über Ihnen starten und landen Helikopter und Jets. Die größten Probleme haben wir natürlich mit den Neulingen. Zu Anfang sind alle vollkommen übermüdet.«

»Und wann gewöhnt man sich an den Krach?«

»Nie. Aber man gewöhnt sich daran, nicht mehr durchzuschlafen.

Ich war mehrere Male auf einem Träger, jedes Mal monatelang. Nach einer Weile ist es ganz normal, in einer Art ständiger Bereitschaft dazuliegen. Dafür verlernen Sie, in Ruhe zu schlafen. Die erste Nacht zu Hause ist die Hölle. Sie warten auf das Brüllen von Turbinen, das Aufknallen von Fahrwerk und Befestigungshaken, das Rumrennen in den Gängen, die ständigen Durchsagen, aber stattdessen tickt nur irgendwo ein Wecker.«

Vorbei an der riesigen Messe gelangten sie mittschiffs an ein Schott mit Zahlenschloss. Dahinter lag ein großer, abgedunkelter Raum. Es war der erste Bereich, den Crowe bevölkert sah. Vor Konsolen mit blinkenden Lämpchen saßen Männer und Frauen und starrten auf Großbildschirme, die sich entlang der Wände aneinander reihten.

»Auf LEVEL 02 finden sich die meisten Befehls- und Führungsräume«, erklärte Peak. »Früher war alles im Inselaufbau untergebracht, aber so was birgt Risiken. Die Sucher feindlicher Raketensysteme schalten sich meist auf die heißesten und größten Strukturen eines Schiffes. Dazu gehört natürlich auch die Insel. Ein paar Treffer, und es ist, als ob Ihnen einer den Kopf von den Schultern schießt, also haben wir einen Großteil der Kommandoräume unters Dach verlegt.«

»Dach?«

»Navy-Sprache. Das Flugdeck.«

»Und was genau tun Sie hier?«

»Nun, dieser Raum ist das CIC ...«

»Ach ja. Das *Combat Information Center.*«

Die Augen in dem schmalen Ebenholzgesicht blitzten kurz auf. Crowe lächelte und nahm sich vor, fortan den Mund zu halten.

»Das CIC ist das Nervenzentrum unserer Sensorik«, sagte Peak. »Sämtliche Daten laufen in diesem Raum zusammen, schiffseigene Systeme, Satelliten, alles in Echtzeit, versteht sich. Luft- und Schiffsabwehr, Schadenbehebung, Kommunikation ... im Gefechtsfall ist hier der Teufel los. Die leeren Plätze dort drüben, ich schätze, da werden Sie viel Zeit verbringen, Dr. Crowe.«

»Samantha. Oder einfach Sam.«

»Von dort schauen und horchen wir unter Wasser«, fuhr Peak fort, ohne auf ihr Angebot einzugehen. »U-Boot-Überwachung, SOSUS-Sonarnetz, *Surtass LFA* und Verschiedenes mehr. Was immer sich der *Independence* nähert, wir bekommen es mit.« Peak zeigte auf einen riesigen Monitor unter der Decke. Ein Patchwork von Diagrammen und Karten war darauf zu sehen. »Das Big Picture. Es fasst alle Daten zusammen, die im Schiff auflaufen, und erstellt ein Panorama. Das Gleiche sieht der Skipper auf den Monitoren der Brücke in verkleinerter Form.«

Peak führte sie weiter durch die angrenzenden Räume. Fast alle lagen im Dämmerlicht, nur erleuchtet durch Großschirmanzeigen, Monitore und Displays. An das CIC schloss sich das LFOC an, das *Landing Force Operations Center.* »Es fungiert als Einsatzzentrale für Landungstruppen. Jede Gefechtseinheit verfügt über ihre eigene Konsole. Satellitenaufnahmen und Aufklärungsflieger zeigen im Ernstfall die Position feindlicher Brigaden an.« Unüberhörbar schwang Stolz in Peaks Stimme mit. »Im LFOC lassen sich blitzschnell Truppen verschieben und Strategien entwickeln. Der Zentralcomputer verbindet den Kommandeur zu jeder Zeit mit seinen Einheiten vor Ort.«

Auf einigen Bildschirmen erkannte Crowe das Flugdeck. Eine Frage drängte sich auf, die Peak vielleicht sauer aufstoßen würde, aber sie stellte sie trotzdem:

»Was nützt uns das alles, Major? Unser Feind sitzt in der Tiefsee.«

»Richtig.« Peak sah sie irritiert an. »Dann werden wir von hier aus eben Tiefseeoperationen leiten. Wo ist das Problem?«

»Ich bitte um Verzeihung. Ich war wohl zu lange im Weltraum.«

Anawak grinste. Er hatte sich bisher jeden Kommentars enthalten und trottete einfach mit. Crowe empfand es als wohltuend, ihn dabeizuhaben. Peak zeigte ihnen weitere Kontrollräume. Dem CIC benachbart lag das JIC, das *Joint Intelligence Center.*

»Die Daten sämtlicher nachrichtendienstlicher Systeme werden hier entschlüsselt und interpretiert«, sagte Peak. »Nichts nähert sich der *Independence,* was nicht genauestens in Augenschein genommen wurde, und wenn es den Jungs nicht gefällt, wird es abgeschossen.«

»Hohe Verantwortung«, murmelte Crowe.

»Einiges interpretiert der Computer vor. Aber Sie haben natürlich Recht.« Peak machte eine umfassende Handbewegung. »CIC und JIC sind wissenschaftlicher Arbeitsbereich, außerdem laufen pausenlos Nachrichten aus aller Welt ein, flimmern uns CNN und NBC über die Bildschirme und ein Dutzend weiterer relevanter Fernsehsender. Sie werden Zugriff auf jede erdenkliche Information und sämtliche Datenbanken der *Defense Mapping Agency* haben. Das heißt, Sie kommen in den Genuss, mit den Tiefseekarten der Navy zu arbeiten – bei weitem genauer als alles, was der freien Forschung zur Verfügung steht.«

Weiter ging es abwärts. Nacheinander besichtigten sie das bordeigene Einkaufszentrum, leere Schlafsäle und Aufenthaltsräume und den riesigen Sanitätsbereich auf LEVEL 03, ein antiseptisches, verlassenes Areal mit 600 Betten, sechs OPs und einer überdimensionierten Intensivstation. Crowe stellte sich vor, was hier in Kriegszeiten los sein musste. Blutende, schreiende Menschen, dahinhastende Ärzte und Schwestern. Zunehmend kam ihr die *Independence* wie ein Geisterschiff vor – nein, eher eine Geisterstadt. Sie stiegen zurück auf LEVEL 02 und gingen weiter nach achtern, bis sie zu einer Rampe gelangten, breit genug, dass Autos darauf fahren konnten.

»Der Tunnel führt vom Bauch des Schiffes im Zickzack in die Insel«, sagte Peak. »Die *Independence* ist so konstruiert, dass man sich mit einem Jeep über die strategisch wichtigen Ebenen bewegen kann. Auch die Marines marschieren durch den Tunnel aufs Deck. Wir gehen abwärts.«

Ihre Schritte hallten von den Stahlwänden wider. Crowe fühlte sich an ein Parkhaus erinnert, dann öffnete sich der Rampentunnel zu einem riesigen Hangar. Crowe wusste, dass er mindestens ein Drittel der gesamten Schiffslänge und die Höhe zweier Decks einnahm. Es war zugig hier. Zu beiden Seiten öffneten sich gewaltige Hangartore und führten auf außen liegende Plattformen. Fahlgelbe Beleuchtung mischte sich mit dem eindringenden Tageslicht zu einer diffusen Stimmung. Zwischen den Seitenspanten lagen kleine, verglaste Büros und Kontrollpunkte. Ein schienenartiges Beförderungssystem mit Haken zog sich die Decke entlang. Crowe sah große Gabelstapler und zwei Hummer-Geländefahrzeuge im Hintergrund.

»Im Allgemeinen steht das Hangardeck voller Fluggerät«, meinte Peak. »Aber auf dieser Mission kommen wir mit den sechs *Super-Stallion*-Helikoptern aus, die auf dem Dach geparkt sind. Jeder evakuiert im Notfall fünfzig Personen. Außerdem haben wir zwei *Super-Cobra*-Kampfhubschrauber für schnelle Einsätze an Bord.« Er zeigte auf die torartigen Durchlässe zu beiden Seiten. »Die Außenplattformen sind Lifts, mit denen wir gewöhnlich Fluggerät von hier aufs Dach fahren. Jeder trägt über 30 Tonnen.«

Crowe trat zum Hangartor auf der Steuerbordseite und sah hinaus aufs Meer. Grau und eisig erstreckte es sich bis zu einem leeren Horizont. Eisberge verirrten sich selten in diese Gegend. Der Ostgrönlandstrom trieb sie die Küste entlang, mehr als 300 Kilometer entfernt. Hier zogen nur gelegentlich Felder matschigen Treibeises durch.

Anawak gesellte sich neben sie.

»Eine von vielen möglichen Welten, stimmt's?«

Crowe nickte stumm.

»Gibt es unter Ihren Szenarien für außerirdische Zivilisationen auch eine Unterwasservariante?«

»Wir haben alles im Repertoire, Leon. Sie werden lachen, aber wenn ich über außerirdische Lebensformen nachdenke, schaue ich zuallererst auf unseren Planeten. Ich schaue in die Tiefsee und ins Erdinnere, zu den Polen, in die Luft. Solange Sie Ihre eigene Welt nicht kennen, können Sie sich von anderen keine Vorstellung machen.«

Anawak nickte. »Ich denke, das ist unser größtes Problem.«

Sie folgten Peak die Rampe abwärts. Sie verband die Ebenen wie ein riesiges Treppenhaus. Der Tunnel mündete in einen ebenerdigen Flur, der ins Heck führte. Sie waren nun tief im Herzen der *Independence*. Seitlich stand ein Schott offen, aus dem kaltes Kunstlicht drang. Beim Eintreten erkannte Crowe die Biologin, mit der sie im Verlauf der letzten Wochen über Videotelefon gesprochen hatte. Sue Oliviera stand an einem von mehreren Labortischen im Gespräch mit zwei Männern, die sich als Sigur Johanson und Mick Rubin vorstellten.

Das komplette Deck schien zu einem Labor umfunktioniert worden zu sein. Tische und Gerätschaften waren inselartig gruppiert. Crowe sah Wasserbecken und Kühltruhen. Zwei große, miteinander verbundene Container waren mit Biohazard-Warnschildern gekennzeichnet, offenbar ein Hochsicherheitstrakt. Dazwischen erhob sich etwas von den Ausmaßen eines kleinen Hauses, umspannt von einem Rundlauf. Stählerne Steigleitern führten hinauf. Dicke Rohre und Kabelstränge verbanden die Wände des Kastens mit schrankartigen Apparaturen. Ein großes, ovales Fenster bot Einblick ins diffus beleuchtete Innere, das mit Wasser gefüllt zu sein schien.

»Sie haben ein Aquarium an Bord?«, fragte Crowe. »Wie hübsch.«

»Ein Tiefseesimulator«, erklärte Oliviera. »Das Original steht in Kiel. Um einiges größer. Dafür hat dieser hier ein Panoramafenster aus Panzerglas. Der Druck im Innern würde Sie umbringen, andere hält er am Leben. Augenblicklich bevölkern ein paar Hundert weiße Krabben den Tank, die vor Washington gefangen und sofort in Hochdruckbehälter verfrachtet wurden. Es ist das erste Mal, dass es uns gelungen ist, die Gallerte am Leben zu halten. Zumindest glauben wir das. Sie hat sich bislang nicht blicken lassen, aber wir sind sicher, dass sie in diesen Krabben steckt und sie steuert.«

»Faszinierend«, sagte Crowe. »Aber der Simulator ist nicht nur wegen der Krabben an Bord, oder?«

Johanson lächelte geheimnisvoll. »Man weiß nie, was einem ins Netz geht.«

»Also ein Kriegsgefangenenlager.«

»Kriegsgefangenenlager!« Rubin lachte. »Gute Idee.«

Crowe sah sich um. Die Halle war nach allen Seiten hermetisch abgeschlossen.

»Ist das hier nicht üblicherweise ein Fahrzeugdeck?«, fragte sie.

Peak hob die Brauen. »Ja. Wenn wir dieses Schott durchqueren, gelangen wir in die hintere Hälfte der *Independence* und haben den Flugzeughangar über uns. Sie haben viel gelesen, kann das sein?«

»Ich bin neugierig«, sagte Crowe bescheiden.

»Bleibt zu hoffen, dass Sie Ihre Neugier in Erkenntnisse umsetzen.«

»Was für ein Muffel«, flüsterte Crowe Anawak zu, während sie das Labor verließen und dem ebenerdigen Tunnel ins Heck folgten.

»Nicht wirklich.« Anawak schüttelte den Kopf. »Der gute Sal ist eigentlich ganz in Ordnung. Lediglich ein bisschen unvertraut mit besserwisserischen Zivilisten.«

Der Tunnel mündete in eine Halle, noch höher und länger als das Hangardeck. Sie betraten ein künstliches Gestade, das zu einem tiefer gelegenen, holzgeplankten Becken abfiel. Wie ein riesiger, ausgelaufener Swimmingpool lag es vor ihnen. Eine rechteckige, gläserne Kuppel war in der Mitte eingelassen, bestehend aus zwei aneinander grenzenden Schotts. Seitlich davon erhob sich ein raumgreifendes Bassin, dessen kräuselige Wellen die Hallenbeleuchtung spiegelten. Crowe sah schlanke, torpedoförmige Körper unter der Oberfläche dahinziehen.

»Delphine«, rief sie überrascht.

»Ja.« Peak nickte. »Unsere Spezialstaffel.«

Ihr Blick wanderte nach oben. Auch hier lief ein verzweigtes Schienensystem über die Decke. Futuristisch aussehende Gebilde hingen darin, als hätte jemand überdimensionierte Sportwagen mit Tauchbooten und Flugzeugen gekreuzt. Beiderseits des Beckens setzte sich das Gestade in Form von pierartigen Laufgängen fort. Boxen für Ausrüstung und Material stapelten sich entlang der Wände. Dazwischen sah Crowe Sonden, Messgeräte und Tauchanzüge in offenen Spinden. In regelmäßigen Abständen führten Steigleitern zum Hallenboden.

Vier Zodiacs lagen im vorderen Beckenbereich auf dem Trockenen.

»Da hat jemand den Stöpsel gezogen, was?«

»Ja, gestern Abend. Der Stöpsel ist übrigens dort.« Peak deutete auf die Kuppel. Crowe schätzte sie auf mindestens acht mal zehn Meter. »Die Schleuse, unser Tor ins Meer. Sie ist doppelt gesichert, im Hallenboden mit Glasschotts, in der Außenhülle mit massiven Stahlschotts. Dazwischen erstreckt sich ein Schacht von drei Meter Höhe. Das System ist narrensicher, es funktioniert wechselseitig. Sobald ein Boot im

Schacht ist, schließen wir die Glasabdeckung und öffnen die Stahlschotts. Will es zurück ins Schiffsinnere, verfahren wir genauso. Das Boot steigt in die Schleuse, die Stahlschotts fahren zu, und wir können durch die Glasabdeckung sehen, ob irgendwas mit hineingelangt ist, das uns nicht gefällt. Gleichzeitig wird das Wasser einer chemischen Analyse unterzogen. Das Schleuseninnere ist bestückt mit Sensoren, die es auf Verunreinigungen und Toxine untersuchen. Die Ergebnisse werden auf zwei Displays übertragen, eines am Schleusenrand und eines am Kontrollpult. Etwa eine Minute lang ist das Boot im Schacht gefangen. Erst wenn alles im grünen Bereich liegt, öffnet sich das Glasdach und entlässt es zurück ins Deck. Auf gleiche Weise lassen wir die Delphine raus und rein. Kommen Sie.«

Sie schritten den Steuerbordpier entlang. Auf halber Länge ragte eine Konsole aus dem Boden, dicht an die Kante gesetzt und bestückt mit Monitoren und diversen Bedienfunktionen. Ein knochiger Mann mit stechenden Augen und ausladendem Schnauzbart kam ihnen aus einer Gruppe Uniformierter entgegen.

»Colonel Luther Roscovitz«, stellte Peak ihn vor. »Leiter der Tauchstation.«

»Sie sind Miss Alien, stimmt's?« Roscovitz entblößte lange, gelbliche Zähne. »Willkommen auf der Kreuzfahrt. Wo haben Sie so lange gesteckt?«

»Mein Raumschiff hatte Verspätung.« Crowe sah sich um. »Schickes Pult.«

»Es erfüllt seinen Zweck. Wir nutzen es zur Bedienung der Schleuse und zum Hoch- und Runterfahren der Tauchboote. Außerdem werden die Pumpen von hier gesteuert, um das Deck unter Wasser zu setzen.«

Crowe rief sich in Erinnerung, was sie über die *Independence* wusste. Sie machte eine Kopfbewegung zur heckwärtigen Stahlwand, die das Deck abschloss. »Das ist ein Schott, nicht wahr?«

»Genau«, schmunzelte Roscovitz. »Wir können die Heckklappe der *Independence* absenken und das Schiff tiefer legen, indem wir die achterlichen Ballasttanks fluten. Meerwasser dringt ein, und schon haben wir einen hübschen Hafen, komplett mit Einfahrt.«

»Netter Arbeitsplatz. Gefällt mir.«

»Täuschen Sie sich nicht. Normalerweise drängen sich hier Landungsboote aneinander, Schwerlastschlepper und Hovercrafts. Aus einer großen Halle wird im Nu ein enger Affenstall. Aber für diese Mission mussten wir ohnehin alles umkrempeln. Sie erfordert keine Landungsboote. Wir brauchten ein Schiff, das schwer genug ist, um nicht durch irgendwelches Viehzeug versenkt zu werden, Riesenwellen verkraften kann, über das komplette Angebot moderner Kommunikationstechnologie verfügt und Platz bietet für Fluggerät und eine Tauchbasis. Es war schieres Glück, dass die *LHD-8* gerade im Bau war. Das größte und mächtigste amphibische Schiff aller Zeiten, so gut wie fertig gestellt, plus die Möglichkeit, ein paar Veränderungen vorzunehmen, besser hätte es nicht kommen können. Die Werft in Mississippi ist enorm fortschrittlich. Sie konzipierten das Welldeck in kürzester Zeit um, bauten Schleusen ein und veränderten das Pumpsystem. Jetzt können wir das Becken fluten, ohne die Klappe zu öffnen. Wir brauchen sie ohnehin nur für den Fall, dass wir mit den Zodiacs raus wollen.«

Crowe sah ins Becken hinab. Zwei Leute in Neoprenanzügen standen am Rand des Bassins, eine zierliche, rothaarige Frau und ein athletisch gebauter Riese mit langer, schwarzer Mähne. Sie beobachtete, wie eines der Tiere zum Rand geschwommen kam und den Kopf aus dem Wasser steckte. Es gab keckernde Geräusche von sich. Der Riese strich ihm mit der Hand über die glatte Stirn. Einige Sekunden ließ sich der Delphin die Liebkosung gefallen, dann tauchte er wieder ab.

»Und wer ist *das*?«, wollte Crowe wissen.

»Sie kümmern sich um die Delphinstaffel«, sagte Anawak. »Alicia Delaware und ...« Er zögerte. »Und Greywolf.«

»Greywolf?«

»Ja. Oder auch Jack.« Anawak zuckte die Achseln. »Nennen Sie ihn, wie Sie wollen. Er hört auf beides.«

»Wozu ist die Staffel gut?«

»Lebende Kameras. Sie bannen Film auf Magnetband, wenn sie draußen unterwegs sind. Der Hauptgrund ist allerdings, dass Delphine weit ausgeprägtere Sinne besitzen als wir. Ihr Sonar erfasst andere Lebewesen, lange bevor unsere Systeme sie sehen. Mit einigen der Tiere hat Jack schon während seiner aktiven Zeit gearbeitet. Sie beherrschen ein ausgeprägtes Vokabular. Verschiedene Pfiffe. Einen für Orca, einen für Grauwal, einen anderen für Buckelwal, und so weiter und so fort. Sie können nahezu jedes größere Lebewesen, das ihnen bekannt ist, identifizieren, außerdem Schwärme klassifizieren, und was sie nicht kennen, melden sie als unbekannte Lebensform.«

»Beachtlich.« Crowe lächelte. »Und der schöne Mann da unten mit den langen Haaren versteht tatsächlich die Sprache der Delphine?«

Anawak nickte. »Besser als unsere. Manchmal.«

Das Treffen fand im Flagg-Besprechungs- und Lageraum gegenüber dem LFOC statt. Die meisten Anwesenden kannte Crowe inzwischen persönlich oder von den Videokonferenzen. Nun lernte sie noch Murray Shankar kennen, den Chefakustiker von SOSUS, Karen Weaver und Mick Rubin, außerdem den Skipper der *Independence,* einen drahtigen, weißhaarigen Mann namens Craig C. Buchanan, der aussah, als habe er das Militär erfunden, sowie Floyd Anderson, den Ersten Offizier. Sie schüttelte eifrig Hände und stellte fest, dass sie Anderson mit seinem Bullennacken und den schwarzen Knopfaugen nicht mochte. Als Letzter begrüßte sie ein fettleibiger Mann, der einige Minuten zu spät kam und sehr stark schwitzte. Er trug eine Baseballkappe und Turnschuhe. Über seinen Bauch spannte sich ein knallgelbes T-Shirt mit der Aufschrift: *Küss mich, ich bin ein Prinz.*

»Jack Vanderbilt«, stellte er sich vor. »Ehrlich gesagt, die Mutter von E.T. hab ich mir anders vorgestellt.«

»Tochter wäre charmanter gewesen«, erwiderte Crowe trocken.

»Erwarten Sie keine Komplimente von einem, der aussieht wie ich.« Vanderbilt gluckste. »Ist das nicht wunderbar, Dr. Crowe? Sie haben endlich Gelegenheit, Ihr ganzes nutzlos in den Weltraum abgestrahltes Hoffen und Bangen in freudige Erwartung umzusetzen.«

Alle suchten ihre Plätze auf. Li hielt eine kleine Ansprache, in der sie zusammenfasste, was ohnehin jeder wusste. Dass die Vereinigten Staaten einen Antrag in die UNO eingebracht und im Verlauf einer geheimen Sitzung einstimmig das Mandat erhalten hatten, die logistische und technologische Führungsrolle im Kampf gegen die unbekannte Macht zu übernehmen. Japan und einige Länder Europas waren inzwischen zu ähnlichen Schlüssen gelangt wie das Château-Team: Nicht Menschen bedrohten die Menschheit, sondern eine fremde Lebensform. So oder so schien jeder erleichtert, dass man die Vereinigten Staaten nicht lange hatte bitten müssen.

»Einiges spricht dafür, dass wir unmittelbar vor der Entdeckung eines Mittels stehen, das die Menschheit gegen die Toxine der Killeralgen immunisiert, allerdings bekommen wir die Nebenwirkungen nicht unter Kontrolle, und anderswo tauchen Krabben mit mutierten Erregern auf. In den meisten der stark betroffenen Länder ist die Infrastruktur zusammengebrochen. Amerika hat die Verantwortung gerne übernommen, aber unglücklicherweise müssen wir erkennen, dass wir kaum in der Lage sind, unsere eigenen Küsten zu schützen. Währenddessen sammeln sich Würmer an den Kontinentalhängen und – viel schlimmer – im Umfeld vulkanischer Inseln wie La Palma, wo Dr. Frost und

Dr. Bohrmann gerade versuchen, die befallenen Hänge mit einer Art Tiefseestaubsauger zu säubern. Was die Wale angeht: Sonarattacken richten nichts aus bei Tieren, deren Natur von einem Fremdorganismus vergewaltigt wird. Aber selbst wenn, würden wir damit weder den Methan-GAU verhindern noch den Golfstrom wieder in Schwung bringen. Die Bekämpfung von Symptomen löst keine Probleme, und zur Ursache konnten wir bislang nicht vorstoßen, nachdem Unterwasseroperationen systematisch sabotiert werden. Wir erlangen keine Erkenntnisse mehr über das, was unten geschieht. Unterdessen geht ein Tiefseekabel nach dem anderen verloren. Die niederschmetternde Bilanz in diesem Krieg ist, dass wir blind und taub geworden sind. Sagen wir ruhig, wir haben ihn verloren.« Li machte eine Pause. »Wen sollen wir angreifen? Was nützt jeder Kampf, wenn La Palma abrutscht und Wasserberge die Küsten Amerikas, Afrikas und Europas überrollen? – Kurz, wir kommen keinen Schritt weiter, solange wir unseren Gegner nicht besser kennen, und wir kennen ihn *überhaupt* nicht. Der Sinn unserer Mission ist darum nicht der Kampf, sondern die Verhandlung. Wir wollen Kontakt aufnehmen zu der fremden Lebensform und sie dazu bringen, den Terror gegen die menschliche Rasse zu stoppen. Meiner Erfahrung nach lässt sich mit jedem Gegner verhandeln, und vieles deutet darauf hin, dass er sich genau hier aufhält – in der Grönländischen See.« Sie lächelte. »Unsere Hoffnung ruht auf einer friedlichen Lösung. Ich freue mich jedenfalls, als letztes Mitglied unserer Expedition Dr. Samantha Crowe willkommen zu heißen.«

Crowe stützte die Ellbogen auf den Konferenztisch.

»Danke für die nette Begrüßung.« Sie warf Vanderbilt einen kurzen Blick zu. »Wie Sie vielleicht wissen, war SETI bis heute nicht sonderlich erfolgreich. Angesichts einer räumlichen Ausdehnung von über zehn Milliarden Lichtjahren, die wir für das beobachtbare Universum annehmen, ist alles denkbarer, als zufällig in die richtige Richtung zu senden und jemanden zu erreichen, der gerade zuhört. Insofern sind wir diesmal besser dran. Erstens spricht einiges dafür, dass es die anderen gibt. Zweitens haben wir eine ungefähre Vorstellung davon, wo sie leben, nämlich irgendwo in den Ozeanen und wahrscheinlich direkt unter uns. Aber selbst wenn sie am Südpol hausen würden, hätten wir sie eingegrenzt. Die Meere können sie nicht verlassen, und ein starker Schallimpuls aus der Arktis wird noch jenseits von Afrika gehört werden. Das alles ist ermutigend. – Der wichtigste Punkt scheint mir jedoch, dass wir bereits Kontakt *haben*. Seit Jahrzehnten schicken wir Botschaften in ihren Lebensraum. Unglücklicherweise haben sie dessen

Zerstörung zum Inhalt, also antworten sie nicht mit Gesandten, sondern überziehen uns kommentarlos mit Terror. Das ist in höchstem Maße lästig. Machen wir uns trotzdem vorübergehend frei von negativen Gefühlen und sehen wir in dem Terror eine Chance.«

»Eine Chance?«, echote Peak.

»Ja. Wir müssen ihn als das nehmen, was er ist – als Botschaft einer fremden Lebensform, aus der wir auf ihr Denken schließen können.«

Sie legte die Hand auf einen Stapel Kladden.

»Ich habe unsere Vorgehensweise für Sie zusammengefasst. Zugleich muss ich Ihre Hoffnungen auf einen schnellen Erfolg dämpfen. Jeder von Ihnen wird sich in den letzten Wochen über der Frage gegruselt haben, *wer* eigentlich da unten sitzt und uns die sieben Plagen schickt. Sie kennen die einschlägigen Filme: *Unheimliche Begegnung der Dritten Art, E.T., Alien, Independence Day, The Abyss, Contact*, und so weiter. Entweder haben wir es darin mit Monstern zu tun oder mit Heiligen. Denken Sie alleine an die Schlusssequenz von *Unheimliche Begegnung*: Viele Menschen finden Trost in der Vorstellung, dass überlegene Himmelswesen zu ihnen herabsteigen, um sie einer besseren, lichten Zukunft entgegenzuführen. Sollte das irgendjemandem bekannt vorkommen ... Ja, die Sache hat unter der Oberfläche eine religiöse Dimension. Auch SETI hat diese Dimension. Und sie macht uns blind für die schlichte Andersartigkeit fremder Intelligenzen.«

Crowe ließ die Worte einen Moment wirken. Sie hatte lange überlegt, wie sie das Projekt anpacken sollte. Schließlich war sie zu der Überzeugung gelangt, dass es von vornherein scheitern würde, wenn es ihr nicht gelang, den Teilnehmern der Expedition die Flausen zu nehmen.

»Was ich meine, ist, dass eine seriöse Beschäftigung mit der Andersartigkeit fremder Kulturen in der Science-Fiction so gut wie nicht stattfindet. Tatsächlich tauchen Außerirdische fast immer als ins Groteske übersteigerter Ausdruck menschlicher Hoffnungen und Ängste auf. Die Aliens in *Unheimliche Begegnung* symbolisieren unsere Sehnsucht nach dem verloren gegangenen Paradies. Im Grunde sind sie Engel, und so verhalten sie sich auch. Einige Auserwählte werden zum Licht geführt. Eine etwaige Kultur dieser Außerirdischen interessiert dabei niemanden. Sie bedienen simpelste religiöse Vorstellungen. Alles an ihnen ist zutiefst menschlich, weil menschgewollt, bis hin zur Dramaturgie ihres Auftretens – weißes, gleißendes Licht, ätherische Erscheinungen, ganz so, wie wir's gerne hätten. – Ebenso wenig sind die Außerirdischen in *Independence Day* wirklich außerirdisch. Sie sind böse, indem sie unsere Vorstellungen von Bösartigkeit erfüllen. Auch ihnen wird keine wirkliche Andersartigkeit zugestanden. Gut und böse sind von Menschen postulierte Werte. Kaum eine Fiktion findet Interesse, die sich darüber hinwegsetzt. Wir tun uns nun mal schwer mit der Vorstellung, dass unsere Werte nicht auch die Werte anderer sein sollen und dass deren Vorstellungen von Gut und Böse vielleicht nicht den unseren entsprechen könnten. Dafür müssen Sie nicht mal in den Weltraum horchen. Jede Nation, jede menschliche Kultur hat ihre eigenen Aliens vor der Haustür, nämlich immer die jenseits der Grenze. – Bevor wir das nicht verinnerlicht haben, werden wir kaum eine Kommunikation mit einer fremden Intelligenz zuwege bringen. Denn aller Wahrscheinlichkeit nach wird es keine gemeinsame Wertebasis geben, kein universelles Gut und Böse, möglicherweise nicht einmal kompatible Sinnesapparate, über die man sich austauschen könnte.«

Crowe gab den Stapel Kladden an Johanson weiter, der neben ihr saß, und bat darum, die Exemplare zu verteilen.

»Wenn wir beginnen wollen, über wirkliche Kontakte mit Außerirdischen nachzudenken, sollten wir uns vielleicht einen Ameisenstaat vorstellen. Vorweg, Ameisen sind hoch organisiert, nicht wirklich intelligent. Aber unterstellen wir, sie wären es. Dann stünden wir vor der Aufgabe, uns mit einer Kollektivintelligenz auszutauschen, die kranke und verletzte Artgenossen verspeist, ohne es moralisch anfechtbar zu finden, die Kriege führt, ohne unsere Idee von Frieden zu verstehen, für die individuelle Fortpflanzung etwas vollkommen Unerhörtes darstellt und für die der Austausch und Verzehr von Exkrementen zum guten Ton gehört behandelt – kurz, die in jeder Hinsicht vollkommen anders funktioniert, die aber *funktioniert*! Und nun gehen Sie noch einen Schritt weiter: Stellen Sie sich vor, dass wir eine fremde Intelligenz vielleicht nicht einmal als solche erkennen! Leon hier zum Beispiel würde gerne wissen, ob Delphine intelligent sind, also führt er aufwändige Tests durch, aber gibt ihm das Gewissheit? Und umgekehrt, wie sehen uns die anderen? Die Yrr bekämpfen uns, aber halten sie uns für *intelligent*? – Ich hoffe, ich habe mich klar ausgedrückt. Was immer wir hier tun: Eine Annäherung an die Yrr wird uns nicht gelingen, solange wir unser Werteverständnis als Nabel der Welt und des Universums betrachten. Wir müssen uns auf das reduzieren, was wir *de facto* sind – eine von unzähligen möglichen Lebensformen ohne besondere Ansprüche an das große Ganze.«

Crowe bemerkte, dass Lis Blick abschätzend auf Johanson ruhte. Es kam ihr vor, als versuche sie, in seinen Kopf zu kriechen. Interessante Konstellationen an Bord, dachte sie. Sie fing einen Blickkontakt zwischen Jack O'Bannon und Alicia Delaware auf und wusste im selben Augenblick, dass die beiden etwas miteinander hatten.

»Dr. Crowe«, sagte Vanderbilt, während er sein Exemplar der Ausführungen durchblätterte. »Was ist denn Ihrer Meinung nach überhaupt Intelligenz?«

Er stellte die Frage wie eine Falle.

»Ein Glücksfall«, sagte Crowe.

»Ein Glücksfall? Finden Sie?«

»Das Resultat vieler fein aufeinander abgestimmter Bedingungen. Wie viele Definitionen wollen Sie hören? Einige meinen, Intelligenz sei das, was in einer Kultur als wesentlich eingeschätzt wird. Genau da liegt der Hase im Pfeffer. Es gibt mindestens so viele Definitionen wie Kulturen und Mentalitäten. Die einen erforschen die grundlegenden Prozesse geistiger Leistung, andere versuchen Intelligenz statistisch zu messen. Dann die Frage, ist sie angeboren oder erworben? Zu Beginn des 20. Jahrhunderts vertrat man die Ansicht, Intelligenz spiegele sich in der Art und Weise, wie eine spezifische Situation bewältigt wird. Einige greifen das heute wieder auf und definieren Intelligenz als Anpassungsfähigkeit an die Erfordernisse einer sich wandelnden Umgebung. Demnach wäre sie nicht angeboren, sondern erlernt. Viele halten dagegen, Intelligenz sei im menschlichen Konzept verankert und eine angeborene Fähigkeit, die uns hilft, unser Denken auf immer neue Situationen einzustellen. Ihrer Meinung nach ist Intelligenz die Fähigkeit, aus Erfahrung zu lernen und sich den Erfordernissen der Umgebung anzupassen. Und dann gibt es noch die schöne Definition, Intelligenz sei die Fähigkeit zu hinterfragen, was Intelligenz sei.«

Vanderbilt nickte langsam.

»Verstehe. Das heißt, Sie wissen es nicht.«

Crowe grinste.

»Nun, gestatten Sie mir eine Bemerkung im Hinblick auf Ihr T-Shirt, Mr. Vanderbilt. – Nur an der äußeren Erscheinung wird man ein intelligentes Wesen wahrscheinlich nicht als solches erkennen.«

Gelächter brandete rings um den Tisch auf und ebbte schnell wieder ab. Vanderbilt starrte sie an.

Dann grinste auch er.

»Wo Sie Recht haben, sollen Sie Recht behalten«, sagte er.

Nachdem das Eis gebrochen war, kamen sie schnell voran. Crowe skizzierte die nächsten Schritte. Sie hatte das Konzept in den vergangenen Wochen zusammen mit Murray Shankar, Judith Li, Leon Anawak und einigen NASA-Leuten aus dem Boden gestampft. Es basierte auf den wenigen Versuchen zur Kontaktaufnahme mit außerirdischen Lebensformen, die es bislang gegeben hatte.

»Der Weltraum macht es uns leicht«, erklärte Crowe. »Man kann im Mikrowellenbereich ungeheure Datenmengen gezielt verschicken. Licht ist gut sichtbar und reist mit 300 000 Sekundenkilometern. Sie brauchen keine Drähte und Kabel. Unter Wasser ist alles anders, weil die Energie kurzwelliger Signale von den Molekülen absorbiert wird und langwellige Signale riesige Antennen erfordern würden. Kommunikation via Licht funktioniert zwar, aber nicht auf größere Distanzen. Bleibt die Akustik. Aber auch die birgt ein Problem, das wir Nachhall-Effekt nennen – akustische Signale werden an allen möglichen Stellen reflektiert, was Interferenzen zur Folge hat. Die Botschaft wird von sich selber überlagert und unverständlich. Um das zu vermeiden, bedienen wir uns eines speziellen Modems.«

»Das Prinzip haben wir den Meeressäugern abgeguckt«, sagte Anawak. »Delphine nutzen es, indem sie Nachhall und Interferenzen gewissermaßen austricksen: Sie singen.«

»Ich dachte, das tun nur Wale«, sagte Peak.

»Dass Wale singen, ist eine menschliche Interpretation«, erwiderte Anawak. »Sie haben möglicherweise nicht mal eine Vorstellung von Musik. Aber Sam meint etwas anderes. Singen heißt in diesem Fall, dass die Tiere unablässig ihre Frequenz und ihr Obertonspektrum modulieren. Damit schließen sie nicht nur Interferenzen aus, sie erweitern auch erheblich das Potenzial zur Übermittlung digitalisierter Information unter Wasser. Wir benutzen also ein Modem, das ebenfalls singt. Im Augenblick schaffen wir 30 KB bei einer Reichweite von drei Kilometern, das entspricht der halben Leistung einer ISDN-Leitung. Es reicht, um sogar Bilder in hoher Qualität zu übertragen.«

»Und was erzählen wir denen?«, fragte Peak.

»Die Gesetze der Physik, der kosmische Code, liegen in Form von Mathematik vor«, sagte Crowe. »Kosmische Ordnung hat die Evolution von Bewusstsein ermöglicht und es in die Lage versetzt, seinerseits die Mathematik neu zu erschaffen, um auf kompakte und kreative Weise den eigenen Ursprung erklären zu können. Mathematik ist die einzige universelle Sprache, die jedes intelligente Wesen versteht, das innerhalb der gültigen physikalischen Rahmenbedingungen existiert, und die werden wir benutzen.«

»Was wollen Sie tun? Mathematikaufgaben stellen?«

»Nein, Gedanken in Mathematik verpacken. 1974 haben wir ein

hoch energiereiches irdisches Radiosignal gebündelt und in einen Kugelsternhaufen im Sternbild Herkules geschickt. Wir mussten einen Weg finden, die Botschaft so zu verschlüsseln, dass sie auf einem fremden Planeten verstanden wird, und vielleicht waren wir ein bisschen übereifrig – man muss schon sehr weit entwickelt sein, um den Code zu knacken. Aber mit mathematischen Methoden funktioniert es. Insgesamt verschickten wir 1 679 Zeichen im Binärsystem, also Punkt und Strich wie beim Morsen. Jetzt wird's vertrackt. Ein Mathematiker weiß die Zahl 1 679 zu interpretieren, weil sie nur aus dem Produkt von 23 und 73 gebildet werden kann, beides Primzahlen, die nur durch 1 oder sich selbst geteilt werden können. Damit versteht der Empfänger schon mal die Basis menschlicher Zahlensysteme. Die Anordnung der 1 679 Zeichen erfolgte in 73 Spalten zu je 23 Zeichen, und so weiter. Sie sehen, man kann viel unterbringen in ein bisschen Mathematik, und wenn Sie nun Punkt und Strich in Schwarz und Weiß umwandeln – oh Wunder! –, erhalten Sie ein Muster.«

Sie hielt ein Blatt mit einer Grafik hoch. Der Eindruck war der eines grob gepixelten Computerausdrucks. Manches wirkte abstrakt, anderes ließ deutliche Formen erkennen.

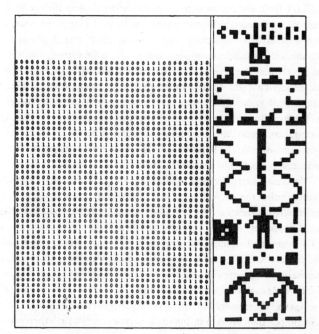

»Die obersten Zeilen geben Auskunft über die Zahlen 1 bis 10 und damit über unser Rechensystem. Darunter kommen die Ordnungszahlen chemischer Elemente: Wasserstoff, Kohlenstoff, Stickstoff, Sauerstoff und Phosphor. Sie sind von wesentlicher Bedeutung für unseren Planeten und das irdische Leben. Danach geht's weiter mit einer umfangreichen Aufschlüsselung irdischer Biochemie, Formeln von Zuckern und Basen, Struktur der Doppelhelix, und so weiter. Der Umriss im unteren Drittel zeigt einen Menschen, direkt verbunden mit der DNA-Struktur, was Auskünfte über die hiesige Evolution erteilt. Ein außerirdischer Empfänger wird sich kaum mit irdischen Maßeinheiten auskennen, also haben wir die durchschnittliche Körpergröße eines Menschen über die Wellenlänge der übertragenen Radiosignale ausgedrückt. Dann folgt noch eine Darstellung unseres Sonnensystems, und zum guten Schluss skizzierten wir Aussehen, Arbeitsweise und Größe des Arecibo-Teleskops, von dem das alles abgeschickt wurde.«

»Hübsche Einladung, eben mal herzufliegen und uns aufzufressen«, bemerkte Vanderbilt.

»Ja, damit hat uns Ihre Behörde schon immer in den Ohren gelegen. Und jedes Mal haben wir geantwortet, dass es dieser Einladung nicht bedarf. Seit Jahrzehnten werden Radiowellen in den Weltraum abgestrahlt. Unser gesamter Funkverkehr, auch der geheimdienstliche. Man muss diese Wellen nicht entziffern, um zu begreifen, dass sie nur von einer technischen Zivilisation stammen können.« Crowe legte das Diagramm aus der Hand. »Die Arecibo-Botschaft wird 26 000 Jahre unterwegs sein, also erhalten wir die Antwort frühestens in 52 000 Jahren. Ich kann Sie beruhigen, diesmal geht's schneller. Wir werden mehrstufig vorgehen. Unsere erste Botschaft wird einfach sein, tatsächlich nur zwei Mathematikaufgaben. Wenn die da unten Sportsgeist haben, antworten sie. Dieser erste Austausch hat die Funktion, die Existenz der Yrr nachzuweisen und festzustellen, ob ein Dialog überhaupt zustande kommen kann.«

»Warum sollten sie antworten?«, fragte Greywolf. »Sie wissen doch schon alles über uns.«

»Sie wissen vielleicht einiges, aber nicht unbedingt das Wichtigste, nämlich dass wir intelligent sind.«

»Wie bitte?« Vanderbilt schüttelte den Kopf. »Die zerstören unsere Schiffe! Also wissen sie, dass wir so was bauen können. Wie sollten sie an unserer Intelligenz zweifeln?«

»Dass wir technische Konstruktionen herstellen, ist kein Beweis für Intelligenz. Werfen Sie einen Blick auf einen Termitenhügel – eine architektonische Glanzleistung.«

»Das ist was anderes.«

»Kommen Sie runter von Ihrem hohen Ross. Sollte es zutreffen, dass die Kultur der Yrr, wie Dr. Johanson sagt, einzig auf Biologie fußt, müssen wir bezweifeln, dass sie uns gezielten und strukturierten Denkens überhaupt für fähig halten.«

»Sie meinen, die halten uns für …« Vanderbilt verzog angewidert die Lippen. »Tiere?«

»Für Schädlinge vielleicht.«

»Pilzbefall«, grinste Delaware. »Vielleicht haben wir es ja mit Kammerjägern zu tun.«

»Sehen Sie, ich habe mich der Mühe unterzogen, deren Denkstruktur zu ergründen und daraus auf ihre Lebensweise zu schließen«, sagte Crowe. »Ich weiß, das ist alles furchtbar spekulativ, aber irgendwie müssen wir unsere Versuche der Kontaktaufnahme ja eingrenzen. Ich habe also darüber nachgedacht, warum den vielen kriegerischen Kontakten ihrerseits kein einziger diplomatischer vorausging. Es kann heißen, dass sie keinen Wert auf Diplomatie legen. Es kann aber auch bedeuten, dass ihnen gar nicht erst der Gedanke gekommen ist. Gut, auch ein Heer roter Wanderameisen würde mit einem Tier, über das sie herfallen, keine diplomatischen Höflichkeiten austauschen. Allerdings folgen Ameisen ausgeklügelten Instinkten. Die Yrr hingegen weisen sich durch planerisches Vorgehen aus, das von Erkenntnisfähigkeit geprägt ist. Sie entwickeln kreative Strategien. Wenn sie also intelligent und sich ihrer Intelligenz bewusst sind, scheint das keineswegs einherzugehen mit gängigen Vorstellungen von Moral und Ethik, Gut und Böse. In ihrer Logik ist es vielleicht nur konsequent, unsere Spezies mit aller Härte zu bekämpfen. Und solange wir ihnen keinen Grund geben, diese Konsequenz zu überdenken, werden sie es auch nicht tun.«

»Wozu überhaupt eine Nachricht, wenn sie ohnehin schon unsere Tiefseekabel anfressen?«, fragte Rubin. »Daraus müssten die Biester doch alle Informationen saugen können.«

»Da bringen Sie was durcheinander«, lächelte Shankar. »Sam's Arecibo-Botschaft ist für Außerirdische nur darum verständlich, weil sie so aufgebaut wurde, dass ein fremder Geist sie dechiffrieren kann. Die Mühe machen wir uns bei unserem täglichen Datenaustausch nicht. Für eine fremde Intelligenz kommt da nicht mehr raus als ein Heidendurcheinander.«

»Stimmt«, sagte Johanson. »Aber schauen wir mal weiter. Ich hatte diese Idee mit der Biotechnologie, und Sam greift sie auf. Warum? Weil sie offensichtlich ist. Keine Maschinen, keine Technik. Stattdessen pure

Genetik, Organismen als Waffen, gezielte Mutationen. Die Yrr müssen der Natur in ganz anderer Weise verhaftet sein als wir. Ich könnte mir vorstellen, dass sie ihrer natürlichen Umwelt bei weitem nicht so entfremdet sind wie wir.«

»Also edle Wilde?«, fragte Peak.

»Edel würde ich nicht sagen. Ich meine, es ist verwerflich, die Luft mit Maschinenabgasen zu verpesten. Es kann ebenso verwerflich sein, Tiere zu züchten und genetisch zu verändern, wie es einem gerade in den Kram passt. Ich treffe nur Aussagen darüber, wie sie die Bedrohung ihres Lebensraums durch uns empfinden. Wir machen uns Gedanken über die Abholzung des Regenwaldes. Die einen sind dagegen, die anderen tun es trotzdem. Sie *sind* vielleicht der Regenwald, im übertragenen Sinne. Dafür spricht, wie sie mit Biologie umgehen – und an diesem Punkt kommt etwas hinzu, das mir auffällig erscheint. Sieht man von den Walen ab, bedienen sie sich in fast allen Fällen massenhaft auftretender Lebensformen. Würmer, Medusen, Großquallen, Muscheln, Krabben – alles Schwarmwesen. Sie opfern Millionen davon zur Erreichung ihrer Ziele. Der Einzelne gilt ihnen nichts. Würden Menschen so denken? Wir züchten Viren und Bakterienkulturen, aber vornehmlich setzen wir auf künstliche Waffen in überschaubarer Stückzahl. Biologische Massenvernichtungsmittel sind nicht wirklich unser Ding. Die Yrr hingegen scheinen sehr damit vertraut zu sein. Warum? Weil sie vielleicht selber Schwarmwesen sind?«

»Sie glauben …«

»Ich denke, dass wir es mit einer Kollektivintelligenz zu tun haben.«

»Und wie fühlt eine Kollektivintelligenz?«, fragte Peak.

»Wie fühlt ein Fischer, würde sich ein Fisch im Netz fragen, wenn er zu solcher Reflektion befähigt wäre«, sagte Anawak. »Warum müssen er und Millionen andere ersticken? Ist das nicht Massenmord?«

»Nein«, sagte Vanderbilt. »Das sind Fischstäbchen.«

Crowe hob die Hände.

»Ich stimme Dr. Johanson zu«, sagte sie. »Und die Schlussfolgerung ist, dass die Yrr einen Kollektivbeschluss gefasst haben, in dem die Frage nach moralischer Verantwortung und Mitgefühl nicht aufkommt. Wir können ihnen nicht mit unschuldigen Kulleraugen kommen, was im Film noch bei dem widerlichsten kosmischen Schleimbeutel klappt. Wir können nur eines versuchen: Ihr Interesse dafür zu wecken, lieber mit uns zu kommunizieren als uns umzubringen. Ohne physikalische und mathematische Kenntnisse hätten die Yrr nicht vollbringen können, was sie bislang vollbracht haben, also fordern wir sie zu einem mathematischen Duell heraus – bis zu dem Punkt, da ihnen ihre Logik oder meinethalben ihre unbegreifliche Moral gebieten wird, ihr Handeln zu überdenken.«

»Dass wir intelligent sind, *muss* ihnen klar sein«, beharrte Rubin. »Wenn sich jemand durch die Beherrschung von Physik und Mathematik auszeichnet, dann ja wohl wir.«

»Ja, aber sind wir eine bewusste Intelligenz?«

Rubin blinzelte verwirrt. »Wie meinen Sie das?«

»Ich meine, sind wir uns unserer Intelligenz bewusst?«

»Na sicher!«

»Oder sind wir ein lernfähiger Computer? Wir kennen die Antwort, aber kennen die anderen sie auch? Theoretisch können Sie ein komplettes Hirn durch elektronische Pendants ersetzen, dann erhalten Sie künstliche Intelligenz. Die kann alles, was sie auch können. Sie konstruiert Ihnen ein Raumschiff und trickst die Lichtgeschwindigkeit aus. Aber ist dieses Computerhirn sich seiner Leistungen bewusst? 1997 hat *Deep Blue*, ein IBM-Computer, den amtierenden Weltmeister Garri Kasparow im Schach geschlagen. Verfügt *Deep Blue* deswegen über Bewusstsein? Hat der Computer gesiegt, ohne zu wissen, warum? Muss man zwangsläufig annehmen, wir seien Lebewesen von bewusster Intelligenz, nur weil wir Städte bauen und Tiefseekabel verlegen? Bei SETI haben wir jedenfalls nie ausgeschlossen, auf eine Maschinenzivilisation zu stoßen, die ihre Konstrukteure überdauert und sich seit Jahrmillionen selbständig weiterentwickelt hat.«

»Und die da unten? Ich meine, wenn es stimmt, was Sie sagen – vielleicht sind die Yrr ja auch nur Ameisen mit Flossen. Ohne Werte, ohne … ohne …«

»Richtig. Das ist der Grund, warum wir mehrstufig vorgehen«, sagte Crowe lächelnd. »Erst mal will ich wissen, *ob* da jemand ist. Zweitens, ob man in einen Dialog mit ihm treten kann. Drittens, ob sich die Yrr des Dialogs und ihrer selbst überhaupt bewusst sind. Erst dann, wenn ich zu dem Schluss gelange, dass sie neben all ihrem Wissen und ihren Fähigkeiten auch noch Vorstellungsvermögen und Verständnis mitbringen, bin ich bereit, sie als intelligente Wesen zu betrachten. Erst dann hat es Sinn, über Werte nachzudenken, und *selbst dann* sollte keiner hier im Raum erwarten, dass sie deckungsgleich mit unseren sind.«

Eine Weile herrschte Schweigen.

»Ich will mich nicht in wissenschaftliche Diskussionen einmischen«, sagte Li schließlich. »Pure Intelligenz ist kalt. Intelligenz gekoppelt mit

Bewusstsein ist etwas anderes. Meines Erachtens *müssen* daraus Werte entstehen. Wenn die Yrr eine bewusste Intelligenz darstellen, müssen sie zumindest *einen* Wert anerkennen, nämlich den des Lebens. Und das tun sie, denn sie versuchen, sich zu schützen. Also haben sie Werte. Die Frage ist also, ob es irgendwo vielleicht doch eine Schnittmenge mit menschlichen Werten gibt, und sei sie noch so klein.«

Crowe nickte.

»Ja«, sagte sie. »Und sei sie noch so klein.«

Am späten Nachmittag schickten sie den ersten, gebündelten Schall-impuls in die Tiefe. Sie wählten einen Frequenzbereich, den Shankar festgelegt hatte und der im Spektrum des unidentifizierten Geräuschs lag, das die SOSUS-Leute *Scratch* getauft hatten.

Das Modem modulierte die Frequenz. Das Signal wurde hier und da zurückgeworfen, es kam zu Interferenzen. Crowe und Shankar saßen im CIC und modulierten wiederum die Modulationen, bis sie zufrieden waren. Nach einer Stunde war Crowe sicher, dass die Botschaft für je-manden, der Schallwellen verarbeiten konnte, eindeutig zu verstehen war. Ob die Yrr einen Sinn darin entdecken würden, stand auf einem anderen Blatt.

Und ob sie es für notwendig erachten würden, darauf zu antworten.

Crowe saß im dämmrigen CIC auf der Kante ihres Sessels und emp-fand ein seltsames Hochgefühl bei dem Gedanken, wie nah sie plötz-lich dem Kontakt war, den sie jahrzehntelang herbeigesehnt hatte. Zu-gleich empfand sie Furcht. Sie spürte eine erdrückende Verantwortung auf sich und den Mitgliedern der Expedition lasten. Das hier war kein Abenteuer wie Arecibo und SETI. Es war der Versuch, eine Katastro-phe zu stoppen und die Menschheit zu retten.

Der akademische Traum war zum Alptraum geworden.

FREUNDE

Anawak kletterte aus dem Schiffsinnern hoch in die Insel, durchquerte die schmalen Gänge und betrat das Flugdeck.

Das Dach hatte sich im Verlauf der Reise zu einer Art Promenade entwickelt. Wer immer Zeit fand, sich die Beine zu vertreten, schlen-derte dort herum, hing seinen Gedanken nach oder besprach sich mit anderen. So paradox es scheinen mochte, hatte sich ausgerechnet die Start- und Landefläche des größten Helikopterträgers der Welt zu einem Ort der Ruhe und des Ideenaustauschs entwickelt. Die sechs

Super-Stallions und zwei *Super-Cobra*-Kampfhubschrauber standen verloren in der asphaltierten Weite.

Greywolf pflegte sein Exotendasein auch an Bord der *Independence*, wenngleich Delaware eine zunehmende Rolle darin spielte. Eher unspektakulär wuchsen die beiden zusammen. Delaware ließ ihm klugerweise seine Ruhe, was dazu führte, dass er es war, der ihre Gesellschaft suchte. Nach außen hin gaben sie sich als Freunde. Aber Anawak entging nicht, wie das Vertrauen auf beiden Seiten wuchs. Die Signale waren unverkennbar. Immer seltener assistierte Delaware nun ihm, sondern kümmerte sich zusammen mit Greywolf um die Pflege der Delphine.

Anawak fand Greywolf an der Bugkante, wo er im Schneidersitz hockte, den Blick seewärts gewandt. Er setzte sich neben ihn und sah, dass Greywolf an etwas schnitzte.

»Was ist das?«, fragte er.

Greywolf reichte es ihm. Es war ziemlich groß und fast vollendet, ein kunstvoll gearbeitetes Stück Zedernholz. Eine Seite mündete in einem Griff. Der weit größere Teil zeigte ineinander verschlungene Figuren. Anawak erkannte zwei Tiere mit mächtigen Gebissen, einen Vogel und einen Menschen, der offenbar zum Spielball der Kreaturen wurde. Er strich mit den Fingern über das Material.

»Schön«, sagte er.

»Es ist eine Replik.« Greywolf grinste. »Ich mache nur Repliken. Für Originale fehlt mir das Blut.«

»Das reine Blut der Indianer.« Anawak lächelte. »Verstehe schon.«

»Du verstehst wie immer *nicht*.«

»Schon gut. Was zeigt es?«

»Das, was du siehst.«

»Sei nicht so verdammt überheblich. Erklär's mir einfach oder lass es bleiben.«

»Es ist eine Zeremonienkeule. Tla-o-qui-aht. Das Original ist aus Walknochen gemacht. Entstammt einer privaten Sammlung aus dem späten neunzehnten Jahrhundert. Was du siehst, ist eine Geschichte aus der Zeit der Vorfahren. Ein Mann stieß eines Tages auf einen geheimnisvollen Käfig mit allen möglichen Kreaturen und nahm ihn mit in sein Dorf. Kurz darauf wurde er krank. Ein starkes Fieber packte ihn, gegen das niemand etwas tun konnte. Keiner wusste, was dazu geführt hatte, dass der Mann so krank war, aber dann träumte er selber den Grund. Er sah, dass die Kreaturen im Käfig schuld waren. In seinen Träumen griffen sie ihn an, weil sie nämlich nicht einfach Tiere waren, sondern Transformer, Gestaltwandler.« Greywolf zeigte auf ein gedrungenes Wesen, das zur Hälfte Säugetier und zur Hälfte Wal war. »Hier siehst du einen Wolf-Killerwal. Im Traum fiel er über den Mann her und packte ihn beim Kopf. Dann kam ein Donnervogel und versuchte den Mann zu retten. Du kannst sehen, wie er die Krallen in die Seiten des Wolf-Killerwals schlägt, aber während sie kämpften, erschien ein Bär-Killerwal, dem es gelang, die Füße des Kranken zu packen. Der Mann erwachte und erzählte seinem Sohn, was er geträumt hatte. Kurz darauf starb er. Der Sohn schnitzte diese Keule und erschlug damit 6 000 Gestaltwandler, um den Tod seines Vaters zu rächen.«

»Und was ist der tiefere Sinn?«

»Muss alles einen tieferen Sinn haben?«

»In diesem Fall wird es einen haben. Es ist der ewige Kampf, nicht wahr? Zwischen den Kräften des Guten und des Bösen.«

»Nein.« Greywolf strich sich das Haar aus der Stirn. »Die Geschichte erzählt vom Leben und vom Sterben. Das ist alles. Am Ende stirbst du, so viel steht fest, und bis dahin ist es ein einziges Auf und Ab. Du selber bist machtlos. Du kannst dein Leben gut oder schlecht leben, aber was mit dir geschieht, bestimmen höhere Kräfte. Wenn du im Einklang mit der Natur lebst, wird sie dich heilen, stellst du dich gegen sie, wird sie dich vernichten, aber die wichtigste Erkenntnis ist, dass nicht du die Natur beherrschst, sondern sie dich.«

»Der Sohn des Mannes scheint diese Erkenntnis nicht geteilt zu haben«, sagte Anawak. »Warum sonst hat er sich für den Tod seines Vaters rächen wollen?«

»Die Geschichte sagt nicht, dass er richtig gehandelt hat.«

Anawak gab Greywolf die Zeremonienkeule zurück, griff in seinen Anorak und förderte die Skulptur des Vogelgeists zutage.

»Kannst du mir auch dazu was erzählen?«

Greywolf betrachtete das Stück. Er nahm es in die Hände und drehte es.

»Das stammt nicht von der Westküste«, sagte er.

»Nein.«

»Marmor. Es kommt ganz woanders her. Aus deiner Heimat?«

»Cape Dorset.« Anawak zögerte. »Ich habe es von einem Schamanen bekommen.«

»*Du* lässt dir was von einem Schamanen schenken?«

»Er ist mein Onkel.«

»Und was hat *er* dir dazu erzählt?«

»Wenig. Er meinte, der Vogelgeist würde meine Gedanken in die richtige Richtung tragen, wenn es so weit wäre. Und er sagte, dass ich dafür möglicherweise einen Mittler brauche.«

Greywolf schwieg eine Weile.

»Es gibt Vogelgeister in allen Kulturen«, sagte er. »Der Donnervogel ist ein alter indianischer Mythos, er repräsentiert viele Facetten. Er ist Teil der Schöpfung, ein Naturgeist, ein höheres Wesen, aber er steht auch für die Identität eines Clans. Ich kenne eine Familie, die ihren Namen auf einen Donnervogel zurückführt, den ihre Vorfahren einst auf dem Gipfel eines Berges in der Nähe von Ucluelet gesehen haben. Aber es gibt noch andere Bedeutungen für Vogelgeister.«

»Sie tauchen immer in Verbindung mit Köpfen auf, nicht?«

»Ja. Erstaunlich, was? Auf alten ägyptischen Darstellungen findest du oft das Bild eines vogelähnlichen Kopfschmucks. Dort hat der Vogelgeist die Bedeutung von Bewusstsein. Es ist im Schädelraum gefangen wie in einem Käfig. Sobald der Schädel geöffnet wird – im übertragenen Sinne –, kann es entkommen, aber du kannst es auch wieder zurück in den Schädel locken. Dann bist du wieder bei Bewusstsein oder wach.«

»Das heißt, im Schlaf geht mein Bewusstsein auf Reisen.«

»Du träumst, aber deine Träume sind keine Phantasien. Sie zeigen dir, was das Bewusstsein in den höheren Welten sieht, die dir normalerweise verborgen bleiben. Hast du mal die Federkrone eines Cherokee-Häuptlings gesehen?«

»In Wildwestfilmen, um ehrlich zu sein.«

»Macht nichts. Mit der Federkrone bringt er zum Ausdruck, dass sein unsichtbarer Geist in seinem Kopf Feder um Feder Gestalten schreibt. Einfacher gesagt, der Kopf hatte eine Reihe guter Einfälle, und darum ist er Häuptling.«

»Die beflügelten Gedanken.«

»Durch Federn, ja. Bei anderen Stämmen reicht oft eine einzige Feder, sie hat dieselbe Bedeutung. Der Vogelgeist repräsentiert das Bewusstsein. Darum durften Indianer auf keinen Fall ihren Skalp oder ihre Skalpfeder verlieren, weil sie zugleich ihr Bewusstsein verloren, schlimmstenfalls für immer.« Greywolf runzelte die Brauen. »Wenn ein Schamane dir diese Skulptur gegeben hat, dann hat er dich auf dein Bewusstsein hingewiesen, auf die Kraft deiner Ideen. Du sollst sie nutzen, aber dafür musst du deinen Geist öffnen. Er muss auf Wanderschaft gehen, und das heißt, er muss sich mit dem Unbewussten zusammenschließen.«

»Warum hast du eigentlich keine Feder im Haar?«

Greywolf verzog die Mundwinkel.

»Weil ich, wie du so treffend bemerkt hast, kein richtiger Indianer bin.«

Anawak schwieg.

»Ich hatte einen Traum in Nunavut«, sagte er nach einer Weile.

Greywolf erwiderte nichts.

»Sagen wir, mein Geist ging auf Reisen. Ich sank durch das Meereis in die schwarze See. Dann verwandelte sich die See in einen Himmel, und ich stieg einen Eisberg hinauf, bis ich sehen konnte, dass er im blauen Meer trieb. Nach allen Seiten war nichts als Wasser. Wir reisten zusammen über dieses Meer, und ich dachte, der Eisberg wird schmelzen. Komisch, ich empfand keine Angst, nur Neugierde. Ich wusste, dass ich versinken würde, wenn es so weit war, aber ich fürchtete nicht zu ertrinken. Es kam mir eher so vor, als ob ich eintauchen würde in etwas Neues, Unbekanntes.«

»Was hast du erwartet, dort unten vorzufinden?«

Anawak dachte nach.

»Leben«, sagte er.

»Was für Leben?«

»Ich weiß nicht. Einfach nur Leben.«

Greywolf blickte auf die kleine, grüne Marmorskulptur des Vogelgeists in seiner riesigen Hand.

»Mal ehrlich, warum sind wir eigentlich an Bord, Licia und ich?«, fragte er unvermittelt.

Anawak schaute aufs Meer hinaus.

»Weil man euch braucht.«

»Nicht wirklich, Leon. Mich vielleicht, weil ich mit Delphinen zurechtkomme, aber ebenso gut hättet ihr jeden anderen Trainer der Navy nehmen können. Und Licia hat überhaupt keine Funktion.«

»Sie ist eine hervorragende Assistentin.«

»Setzt du sie ein? Brauchst du sie?«

»Nein.« Anawak seufzte. Er legte den Kopf in den Nacken und schaute in den Himmel. Wenn man nur lange genug hineinsah und sich vorstellte, dass es genau umgekehrt sei – dass man selber in Wirklichkeit oben war und die Wolken eine tief unten liegende Landschaft bildeten, und dass man nicht auf Dunstberge, sondern auf Hügel, Täler, Flüsse und Seen schaute –, dann glaubte man es irgendwann. Man glaubte es so sehr, dass man sich festhalten musste, um nicht in die Tiefe zu stürzen, die über einem hing. »Nein, ihr seid an Bord, weil ich es mir gewünscht habe.«

»Du hast es dir gewünscht. Warum?«

»Weil ihr meine Freunde seid.«

Eine Weile herrschte wieder Schweigen. Anawak erkannte immer mehr Details in den Wolken. Details einer Welt, die viele Kilometer entfernt lag. Unendlich viel weiter als die Welt der Yrr.

»Ich schätze, das sind wir«, nickte Greywolf.

Anawak lächelte. »Weißt du, ich bin eigentlich mit allen Menschen gut ausgekommen, aber ich kann mich nicht erinnern, jemals Freunde gehabt zu haben. Richtige Freunde. Schon gar nicht hätte ich gedacht, dass ich eine anstrengende kleine Doktorandin als Freundin bezeichnen würde, die alles besser weiß. Oder einen baumlangen Spinner, mit dem ich mich fast geprügelt hätte.«

»Die kleine Doktorandin hat getan, was Freunde auszeichnet.«

»Und das wäre?«

»Sie hat sich für dein dämliches Leben interessiert.«

»Ja. Das hat sie allerdings.«

»Und wir beide sind immer Freunde gewesen. Wahrscheinlich waren nur …« Greywolf zögerte, dann hielt er die Skulptur hoch und grinste. »… nur unsere Köpfe eine Weile verschlossen.«

»Was meinst du, warum träumt man so was?«

»Dein Eisberg-Traum?«

»Ich habe mir den Kopf darüber zerbrochen, und du weißt, ich bin alles, nur kein Esoteriker. Ich hasse diesen Scheiß. Aber irgendetwas war da in Nunavut, das ich nicht erklären kann. Etwas ist mit mir passiert. Spätestens draußen auf dem Eis, als ich diesen Traum hatte.«

»Was glaubst du denn selber?«

»Diese unbekannte Macht, diese Bedrohung, sie lebt unter Wasser. In der Tiefsee. Vielleicht werde ich sie dort treffen. Vielleicht ist es meine Aufgabe, runterzugehen und …«

»Die Welt zu retten?«

»Ach, vergiss es.«

»Willst du wissen, was ich glaube, Leon?«

Anawak nickte.

»Ich denke, du liegst völlig daneben. Jahrelang hast du dich verbuddelt und dein blödes Eskimo-Trauma mit dir rumgeschleppt. Du bist dir und allen auf den Sack gegangen. Vom Leben hast du gar nichts verstanden. Dein Eisberg, auf dem du einsam dahingetrieben bist, das warst du selber. Ein eisiger, unnahbarer Klotz. Aber du hast Recht, irgendwas ist dort mit dir passiert, und der Klotz hat angefangen zu schmelzen. Dieser Ozean, in den du sinken wirst, ist nicht das Meer, in dem die Yrr wohnen. Es ist das Leben der Menschen. Da gehörst du hin. Das ist das Abenteuer, das auf dich wartet. Freundschaften, Liebe, all das. Und auch Feinde, Hass und Wut. – Deine Rolle ist nicht, den Helden zu spielen. Du musst niemandem beweisen, dass du Mut hast. Die Heldenrollen in dieser Geschichte sind bereits verteilt, und es sind Rollen für Tote. – Du gehörst in die Welt der Lebenden.«

NACHT

Jeder von ihnen ruhte anders.

Crowe, klein und zierlich, hatte sich fest in ihr Bettzeug gerollt. Ihr eisgrauer Schopf schaute zur Hälfte heraus. Sie verschwand fast in den Laken, während Weaver auf dem Bauch schlief, nackt und ohne Decke, den Kopf seitwärts gedreht, den Unterarm als Kissen benutzend. Die kastanienfarbenen Locken ringelten sich üppig nach allen Seiten, sodass nur der halb geöffnete Mund zu sehen war. Shankar gehörte augenscheinlich zu den Leuten, deren Betten am nächsten Morgen jedes Mal so aussahen, als hätten sich die Alpträume vieler Nächte darin abgesetzt. Er war ein Wühler, der im Schlaf das halbe Bettzeug umsortierte und dabei sporadisches, ersticktes Schnarchen und Gemurmel von sich gab.

Rubin war die meiste Zeit wach.

Auch Greywolf und Delaware schliefen wenig, weil sie beständig Sex hatten, vornehmlich auf dem Kabinenboden. Meist lag Greywolf auf dem Rücken, kupferbraun und mächtig wie ein mythisches Tier, und trug Delawares milchweißen Körper. Zwei Kabinen weiter ruhte Anawak auf der Seite, bekleidet mit einem T-Shirt. Auch Oliviera ließ konventionelles Schlafgebaren erkennen. Beide atmeten ruhig, drehten sich im Verlauf der Nacht ein- bis zweimal um, und das war's.

Johanson lag auf dem Rücken, die Arme weit von sich gestreckt, Handflächen nach außen. Nur die Betten in Flaggland und Offiziersland ließen derart raumgreifende Gewohnheiten zu. Die Pose war dem Norweger so sehr zu Eigen, dass ihn eine Verehrerin vor Jahren mitten in der Nacht geweckt hatte, nur um ihm zu sagen, er schlafe wie ein Großgrundbesitzer. Er hatte die Geschichte an einem Abend im Château zum Besten gegeben, und tatsächlich schlief er jede Nacht so – ein Mann, der noch mit geschlossenen Augen wirkte, als wolle er das Leben umarmen.

Sie alle schliefen oder wachten auf einer Reihe glimmender Bildschirme. Jeder der Monitore überblickte eine komplette Kabine.

Zwei Männer in Uniform saßen im Halbdunkel davor und beobachteten die Wissenschaftler. Hinter ihnen standen Li und der Stellvertretende CIA-Direktor.

»Die reinsten Engelchen«, sagte Vanderbilt.

Li sah mit unbewegter Miene zu, wie Delaware zum Höhepunkt kam. Der Ton war leise gestellt, trotzdem drang einiges von der Konzertierung des Liebesakts in die kühle Atmosphäre des Kontrollzentrums.

»Freut mich, dass es Ihnen gefällt, Jack.«

»Der kleine Muskelprotz da wäre mehr nach meinem Geschmack«, sagte Vanderbilt und zeigte auf Weaver. »Bemerkenswerter Arsch, finden Sie nicht?«

»Verliebt?«

Vanderbilt grinste. »Ich muss doch sehr bitten.«

»Setzen Sie Ihren Charme ein«, sagte Li. »Immerhin haben Sie gut zwei Zentner davon.«

Der CIA-Direktor tupfte sich den Schweiß von der Stirn. Sie sahen noch eine Weile zu. Wenn Vanderbilt Gefallen an dem Geschehen fand, sollte er sich ruhig amüsieren. Li war es gleichgültig, ob die Leute auf den Monitoren schnarchten, miteinander schliefen oder das Rad schlugen. Ihretwegen hätten sie sich mit den Füßen an die Decke hängen oder geifernd übereinander herfallen können.

Hauptsache, man wusste, wo sie waren, was sie taten und was sie miteinander sprachen.

»Weitermachen«, sagte sie und wandte sich ab. Im Hinausgehen fügte sie hinzu: »Und in *alle* Kabinen schauen.«

13. august

Die Antwort blieb aus.

Unablässig war die Nachricht ins Meer abgestrahlt worden, bislang ohne Ergebnis. Um 07.00 Uhr hatte sie der Weckruf aus den Kojen geworfen. Die meisten waren unausgeschlafen. Normalerweise lullten einen die Bewegungen des Riesenschiffes ein, und da keine Flugeinsätze stattfanden, drang vom Dach kein Lärm nach unten. Das CPS sorgte mit leichtem Brummen für angenehm gleich bleibende Temperaturen, und die Betten waren wirklich bequem. Hin und wieder ließen sich auf den Gängen Schritte vernehmen, wenn jemand von der Besatzung unterwegs war. Im Bauch des Schiffes hummelten leise die Generatoren. Man hätte wunderbar schlummern können, wäre da nicht diese Erwartungshaltung gewesen. So fanden die meisten nur zu halb wachen Grübeleien wie Johanson, der sich vorzustellen versuchte, was die Botschaft in den Tiefen der Grönländischen See auslösen mochte, bis ihn die wildesten Phantasien heimsuchten.

Dass sie überhaupt vor Grönland lagen und nicht weiter südlich, verdankte sich seinem Plädoyer und der Unterstützung durch Weaver und Bohrmann. Anawak, Rubin und einige andere hatten vorgeschlagen, den Kontakt unmittelbar über den Vulkanketten des Mittelatlantischen Rückens zu suchen. Rubins entscheidendes Argument war die Ähnlichkeit der dort ansässigen Schlotkrabben mit den Krabben gewesen, die New York und Washington überfallen hatten. Zudem gab es sonst kaum Plätze in der Tiefsee, die Voraussetzungen für höher entwickeltes Leben boten. An den Vulkangräben hingegen waren sie ideal. Heißes Wasser trat aus meterhohen Felskaminen und förderte alle möglichen Mineralien und lebenswichtigen Stoffe zutage. Würmer, Muscheln, Fische und Krabben lebten dort unter Bedingungen, die sich durchaus mit denen auf einem fremden Planeten vergleichen ließen – warum also nicht auch die Yrr?

Johanson hatte Rubin in den meisten Punkten Recht gegeben. Aber zwei Gründe sprachen gegen Rubins Vorschlag. Einer war, dass die Vulkanketten zwar den lebensfreundlichsten Bereich der Tiefsee darstellten, zugleich aber auch den lebensfeindlichsten – in kurzen Abständen brach sich flüssiges Gestein dort Bahn, wenn die ozeanischen Platten auseinander strebten. Es kam zu Eruptionen, in deren Verlauf die Biotope vollständig vernichtet wurden. Wenig später fasste neues Leben dort Fuß. Eine komplexe, intelligente Zivilisation, schlussfolgerte Johanson, würde sich dennoch kaum in einer derartigen Zone ansiedeln.

Der zweite Grund war, dass die Chance der Kontaktaufnahme wuchs, je näher man den Yrr kam. Wo genau sie zu finden waren, darüber gingen die Meinungen auseinander. Jeder hatte wahrscheinlich auf seine Weise Recht. Einiges sprach dafür, dass sie im Benthos lebten, in den tiefsten Meeresregionen. Viele Phänomene der jüngeren Zeit waren in unmittelbarer Nähe solcher Tiefseegräben aufgetreten. Ebenso viel sprach für die Abyssale, die gewaltigen Tiefseebecken, und natürlich waren Rubins Hinweise auf die Leben spendende Umgebung der mittelozeanischen Oasen nicht von der Hand zu weisen. Am Ende hatte Johanson darum vorgeschlagen, das Augenmerk nicht auf den natürlichen Lebensraum der Yrr zu lenken, sondern eine Stelle auszuwählen, an der sie definitiv sein *mussten*.

In der Grönländischen See war der Absturz der kalten Wassermassen gestoppt worden. Als Folge erlahmte der Golfstrom. Nur zwei Ursachen konnten dieses Phänomen erklären: eine unmittelbare Erwärmung des Meeres oder ein Überangebot an Süßwasser, das von der Arktis südwärts floss und das salzige Nordatlantikwasser verdünnte, sodass es zu leicht wurde um abzustürzen. Beides deutete auf eine rege und umfangreiche Manipulation der Verhältnisse vor Ort hin. Irgendwo in der Arktis waren die Yrr damit beschäftigt, diese ungeheuren Umwälzungen voranzutreiben.

Irgendwo ganz in der Nähe.

Blieb der Sicherheitsaspekt. Selbst Bohrmann, der sich angewöhnt hatte, das Schlimmste zu befürchten, räumte ein, dass die Gefahr durch einen Methan-Blowout im grönländischen Tiefseebecken eher gering war. Bauers Schiff hatte es in Landnähe vor Svalbard erwischt, wo massenhaft Hydrat im Kontinentalhang lagerte. Unter dem Kiel der *Independence* erstreckten sich jedoch dreieinhalbtausend Meter Wassertiefe. So weit unten lagerte vergleichsweise wenig Methan, jedenfalls kaum genug, um ein Schiff von der Größe der *Independence* zu versenken. Dennoch, für alle Fälle, hatte die *Independence* im Verlauf ihrer Fahrt regelmäßige seismische Messungen durchgeführt, um Methanvorkommen im Meeresboden nachzuweisen, und auf diese Weise einen Standort gefunden, der weitgehend frei davon schien. Selbst ein Tsunami, wie hoch er an Land auch werden mochte, würde sich hier draußen kaum bemerkbar machen – sofern nicht La Palma abrutschte.

Aber dann war ohnehin alles zu spät.

Aus diesen Gründen waren sie nun hier, im ewigen Eis.

Sie saßen in der riesigen, gähnend leeren Offiziersmesse bei Rühreiern und Speck. Anawak und Greywolf fehlten. Johanson hatte nach dem Weckruf einige Minuten mit Bohrmann telefoniert, der in La Palma eingetroffen war und den Einsatz des Saugrüssels vorbereitete. Die Kanaren lagen eine Zeitzone zurück, aber Bohrmann war schon mehrere Stunden auf den Beinen gewesen.

»Ein 500 Meter langer Staubsauger macht nun mal Arbeit«, hatte er lachend gesagt.

»Saugen Sie auch in den Ecken«, empfahl Johanson.

Er vermisste den Deutschen. Bohrmann war ein feiner Kerl. Andererseits mangelte es an Bord der *Independence* nicht an bemerkenswerten Persönlichkeiten. Gerade unterhielt er sich mit Crowe, als Floyd Anderson hereinkam, der Erste Offizier. Er trug einen topfgroßen Thermosbecher mit der Aufschrift *USS Wasp LHD-8* vor sich her, ging hinüber zur Getränkebar und füllte ihn randvoll mit Kaffee.

»Wir haben Besuch«, bellte er in die Runde.

Alle schauten ihn an.

»Kontakt?«, fragte Oliviera.

»Das wüsste ich.« Crowe schob gelassen eine Riesenportion Speck in den Mund. Im Aschenbecher qualmte ihre dritte oder vierte Zigarette. »Shankar sitzt im CIC. Er hätte uns informiert.«

»Was dann? Ist jemand gelandet?«

»Kommen Sie raus aufs Dach«, sagte Anderson geheimnisvoll. »Dann sehen Sie's.«

FLUGDECK

Draußen legte sich eine Maske aus Kälte über Johansons Gesicht. Der Himmel war von diffusem Weiß. Graue Wellen schoben sich zu gischtigen Kämmen auf. Der Wind hatte über Nacht zugelegt und blies stecknadeldünne Eiskristalle über die asphaltierte Fläche des Decks. Johanson sah eine Gruppe dick vermummter Personen an der Steuerbordseite stehen. Im Näherkommen erkannte er Li, Anawak und Greywolf. Gleich darauf wurde ihm klar, was ihre Aufmerksamkeit fesselte.

In einigem Abstand zur *Independence* schoben sich die Silhouetten spitz zulaufender Schwerter durch die See.

»Orcas«, sagte Anawak, als Johanson neben ihn trat.

»Was tun sie?«

Anawak kniff die Augen gegen den Eispartikelregen zusammen. »Seit etwa drei Stunden umkreisen sie das Schiff. Die Delphine haben sie gemeldet. Ich würde sagen, dass sie uns beobachten.«

Shankar kam aus der Insel gelaufen und gesellte sich an ihre Seite.

»Was ist los?«

»Jemand ist auf uns aufmerksam geworden«, sagte Crowe. »Vielleicht eine Antwort.«

»Auf unsere Botschaft?«

»Worauf denn sonst?«

»Komische Antwort auf eine Mathematikaufgabe«, meinte der Inder. »Ich würde ein paar handfeste Gleichungen bevorzugen.«

Die Orcas hielten respektvollen Abstand zum Schiff. Es waren viele. Hunderte, schätzte Johanson. Sie schwammen in gleichmäßigem Tempo und hoben von Zeit zu Zeit ihre schwarz glänzenden Rücken aus den Wellen. Das Ganze machte tatsächlich den Eindruck einer Patrouille.

»Könnten sie befallen sein?«, fragte er.

Anawak wischte sich Wasser aus den Augen.

»Möglich.«

»Sagt mal …« Greywolf rieb sich das Kinn. »Wenn dieses Zeug ihre Hirne kontrolliert … Habt ihr mal darüber nachgedacht, dass es uns dann auch sehen kann? Und hören?«

»Du hast Recht«, sagte Anawak. »Es nutzt ihre Sinnesorgane.«

»Eben. Auf diese Weise verschafft sich der Glibber Augen und Ohren.«

Sie starrten weiter hinaus.

»Wie auch immer.« Crowe zog an ihrer Zigarette und blies Rauch in die eisige Luft. Er trieb in Fetzen davon. »Sieht jedenfalls ganz so aus, als hätte es begonnen.«

»Was?«, fragte Li.

»Das Kräftemessen.«

»Auch gut.« Ein dünnes Lächeln umspielte Lis Lippen. »Wir sind für alles gerüstet.«

»Für alles, was wir kennen«, fügte Crowe hinzu.

LABOR

Auf dem Weg nach unten – Rubin und Oliviera im Schlepptau – fragte sich Johanson, wann eine Psychose wohl begann, ihre eigene Wirklichkeit zu erzeugen.

Er hatte den Stein ins Rollen gebracht. Gut – wäre er nicht gewesen, hätte jemand anderer die Theorie aufgestellt. Jedenfalls schufen sie Fakten auf der Basis einer Hypothese. Ein Rudel Orcas umrundete die *Independence*, und sie sahen die Augen und Ohren von Aliens darin. Überall sahen sie Aliens. Als Folge wurden Botschaften ins Meer geschickt und Erwartungen an einen Kontakt geknüpft, der vielleicht nie zustande kommen würde, weil sie auf einen marinen Schimmelpilz hereingefallen waren.

Der fünfte Tag. Nur eine Phantasie, die sich selbständig gemacht hatte? Benahmen sie sich wie die Idioten?

Wir kommen nicht richtig weiter, dachte er frustriert. Irgendetwas muss geschehen. Etwas, das uns Gewissheit gibt, damit wir nicht von Theorien verblendet in die völlig falsche Richtung laufen.

Mit hallenden Schritten gingen sie die Rampe hinunter, passierten das Hangardeck und stiegen weiter hinab. Die Stahltür zum Laborraum war verschlossen. Johanson gab einen Zahlencode ein, und sie glitt mit leisem Zischen auf. Nacheinander schaltete er die Decken- und Standbeleuchtung ein. Kaltes weißes Licht überflutete die Arbeitsinseln. Vom Simulator drang das Summen der elektrischen Systeme herüber.

Sie erstiegen den Rundgang des Hochdrucktanks und traten vor das große, ovale Fenster. Von hier überblickte man den gesamten Beckenraum. Über den künstlichen Meeresboden verteilten sich im Licht der Innenscheinwerfer kleine weiße Körper mit Spinnenbeinen. Einige bewegten sich zögerlich und offenbar ohne Orientierung. Sie liefen im Kreis oder blieben nach wenigen Schritten wieder stehen, als sei ihnen nicht ganz klar, wohin sie eigentlich wollten. Je tiefer man in den Tank hineinsah, desto mehr trübte das Wasser den Blick auf Details. Nahaufnahmen lieferten Kameras im Innern und übertrugen sie auf die Monitore eines vorgelagerten Kontrollpults.

Ratlos betrachteten sie die Krabben.

»Viel hat sich nicht getan seit gestern«, bemerkte Oliviera.

»Nein, sie hocken da und geben uns Rätsel auf.« Johanson rieb sich den Bart. »Wir sollten ein paar öffnen und sehen, was passiert.«

»Krabben knacken?«

»Warum nicht? Dass sie unter hohem Druck weiterleben, wissen wir. Die Erkenntnis wird mit keinem Tag spannender.«

»Weitervegetieren«, korrigierte ihn Oliviera. »Wir haben nicht mal hinreichend geklärt, ob man das Leben nennen kann.«

»Das Zeug in ihrem Innern lebt«, sagte Rubin nachdenklich. »Der Rest ist nicht lebendiger als ein Auto.«

»Einverstanden«, sagte Oliviera. »Aber was ist mit diesem Innenleben? Warum unternimmt es nichts?«

»Was sollte es denn unternehmen, Ihrer Meinung nach?«

»Rumlaufen.« Oliviera zuckte die Achseln. »Mit den Scheren wackeln. Was weiß ich. Die Panzer verlassen. Sehen Sie sich die Biester an. Ich meine, wenn sie darauf programmiert sind, sich an Land zu begeben, um dort Schaden anzurichten und anschließend zu krepieren, stellt sie diese Situation vor echte Schwierigkeiten. Keiner kommt, um ihnen neue Order zu erteilen. Sie sind quasi im Leerlauf.«

»Eben«, sagte Johanson ungeduldig. »Sie sind lethargisch und langweilig, und sie verhalten sich wie batteriegetriebenes Spielzeug. Ich bin Micks Ansicht. Diese Krabbenkörper sind schon tot gezüchtet worden, da ist lediglich ein bisschen Nervenmasse drin, ein Armaturenbrett für die Insassen. Und die will ich jetzt endlich aus der Reserve locken, versteht ihr? Ich will wissen, wie sie sich unter Tiefseebedingungen verhält, wenn man sie zwingt, die Panzer zu verlassen.«

»Gut«, nickte Oliviera. »Schreiten wir zum Gemetzel.«

Sie verließen den Rundlauf, kletterten hinab und traten zur Steuerkonsole. Der Computer bot ihnen die Kontrolle über mehrere Arbeitsroboter im Innern des Tanks an. Johanson wählte eine kleine, zweikomponentige ROV-Einheit namens *Spherobot*. Über einem Bedienpult mit zwei Joysticks flammten mehrere hoch auflösende Monitore auf. Einer zeigte das Innere des Simulators. Lang und diffus lag es vor ihnen. Das Weitwinkelobjektiv des *Spherobot* vermochte den kompletten Tank zu überblicken, übertrug das Bild als Folge jedoch in Fischaugenverzerrung.

»Wie viele öffnen wir?«, wollte Oliviera wissen.

Johansons Hände glitten über die Tastatur des Bedienmanuals, und der Blickwinkel der Kamera verschob sich leicht nach oben.

»Wie bei einem guten Scampi-Essen«, sagte er. »Mindestens ein Dutzend.«

Eine der Schmalseiten im Innern des Tanks glich einer zweistöckigen, offenen Garage, in der alles mögliche Tiefsee-Equipment untergebracht war. Mehrere Unterwasser-Roboter unterschiedlicher Größe und Funktion waren darin geparkt, die sich von außen steuern ließen. Anders konnte man in der künstlichen Welt nicht operieren, und ganz nebenbei bot die Garage den Erbauern von AUVs und ROVs die Möglichkeit, ihre Konstruktionen unter den Extrembedingungen der Tiefsee zu testen.

Im Moment, da Johanson die Steuerung aktivierte, flammten an der Unterseite eines Roboters starke Lichter auf, und zwei Propeller begannen sich zu drehen. Ein kastenförmiger Schlitten von der Größe eines Einkaufswagens schwebte langsam aus der Garage hinaus. Sein oberer Bereich war abgedeckt, voll gepackt mit Technik, der untere bestand aus einem leeren Korb mit feinmaschigen Gitterwänden. Er glitt über den künstlichen Meeresboden auf die Krabben zu und stoppte kurz vor einer kleinen Gruppe reglos dahockender Tiere. Klar und deutlich waren die augenlosen, gebogenen Schalen mit den kräftigen Scheren zu sehen.

»Ich schalte um auf die Sphäre«, sagte Johanson.

Das verzerrte Bild wich einer klaren und gestochen scharfen Detailaufnahme.

Aus dem Schlitten, der bewegungslos über den Krebsen hing, schob sich eine rot lackierte Kugel, nicht größer als ein Fußball. Sie war der eigentliche Namensgeber des Gefährts. Wie sie nach draußen schwebte, nur über Kabel mit dem größeren Gerät verbunden, das glänzende Auge des Kameraobjektivs starr geradeaus gerichtet, erinnerte sie an den fliegenden Kampfroboter aus *Krieg der Sterne*, mit dem Luke Skywalker den Lichtschwertkampf hatte trainieren müssen. Tatsächlich war der *Spherobot* mit seinen sechs kleinen Steuerdüsen dem cineastischen Vorbild bis ins Detail nachempfunden. Nach kurzer Fahrt sank er langsam tiefer, bis er dicht über den Krabben verharrte. Keines der Tiere ließ sich von dem merkwürdigen roten Ball aus der Ruhe bringen, auch nicht, als Teile seiner Unterseite auseinander glitten und sich aus dem Innern zwei schlanke, mehrgelenkige Arme entfalteten.

Am Ende der Arme begannen Arsenale mit Instrumenten zu rotieren. Dann schob sich links eine Zange hervor und rechts eine kleine Säge. Johansons Hände umspannten die beiden Joysticks und bewegten sie vorsichtig nach vorne, und die Arme des Roboters im Tank folgten seinen Bewegungen.

»*Hasta la vista, baby*«, sagte Oliviera mit Schwarzenegger-Akzent.

Die Zange fuhr nach unten, packte eine der Krabben um Bauch und Rücken und hob sie vor die Linse der Kamera. Auf dem Monitor hatte das Tier die Größe eines Monsters. Seine Mundwerkzeuge bewegten sich, die Beine strampelten, aber die Scheren hingen schlaff herab. Johanson ließ die Zange um 360° rotieren und beobachtete aufmerksam das Verhalten des sich drehenden Tiers.

»Motorik einwandfrei«, sagte er. »Laufapparat funktioniert.«

»Dafür keine arttypischen Reaktionen«, bemerkte Rubin.

»Nein. Kein Spreizen der Scheren, keine Drohgebärden. Das ist einfach nur ein Automat, eine Laufmaschine.« Er bewegte den zweiten Joystick und drückte einen Knopf an der Oberseite. Die Kreissäge begann sich zu drehen und fuhr seitlich in den Panzer. Kurz zuckten die Beine der Krabbe wie wild.

Der Panzer brach auf.

Etwas Milchiges flutschte nach draußen und hing einen Moment lang zitternd über dem zerstörten Tier.

»Mein Gott«, entfuhr es Oliviera.

Das Ding hatte mit nichts Ähnlichkeit, weder mit einer Qualle noch mit einem Tintenfisch. Es war ganz und gar formlos. Wellen durchliefen seine Ränder, der Körper blähte und verflachte sich. Johanson kam es vor, als zucke ein Blitz durch sein Inneres, aber im grellen Schein der Tankbeleuchtung konnte das auch eine Sinnestäuschung gewesen sein. Während er noch darüber nachdachte, verformte sich das Wesen plötzlich zu etwas Langem, Schlangenartigem und schoss davon.

Er fluchte, hob die nächste Krabbe hoch und schnitt sie auf. Diesmal ging alles noch viel schneller, und der gallertige Insasse machte sich davon, bevor sie ihn richtig anschauen konnten.

»Oh, Mann!« Rubin war offensichtlich begeistert. »Absolut irre! Was ist das bloß für ein Zeug?«

»Etwas, das uns durch die Lappen geht«, knurrte Johanson. »Zu blöde. Wie kriegen wir diese Schleimbeutel bloß eingefangen?«

»Wieso? Wir haben sie doch eingefangen.«

»Ja, zwei tennisballgroße Flatschen ohne Form und Farbe in einem Schwimmbad. Viel Spaß beim Suchen.«

»Ich würde den nächsten direkt im Korb des Trägerroboters öffnen«, schlug Oliviera vor.

»Der ist nach vorne offen. Es wird abhauen.«

»Nein, wird es nicht. Der Korb lässt sich schließen. Sie müssen nur schnell genug sein.«

»Ich weiß nicht, ob ich das hinkriege.«

»Probieren Sie's einfach.«

Oliviera hatte Recht. Vorne am Käfig des Trägerroboters war eine vergitterte Klappe. Johanson packte ein weiteres Tier, drehte den *Spherobot* um 180° und ließ ihn auf den Trägerroboter zufahren, bis er seine elektronischen Arme ins Innere des Käfigs strecken konnte. Dort stieß er die Kreissäge in die Seite der Krabbe.

Der Panzer zerbarst.

Nichts geschah.

»Leer?«, wunderte sich Rubin.

Sie warteten einige Sekunden, dann fuhr Johanson den kugelförmigen Roboter langsam wieder zurück.

»Scheiße!«

Das Gallertwesen schnellte aus dem Krabbenkörper hervor, aber es hatte die falsche Richtung gewählt. Heftig prallte es gegen die Käfigrückwand, zog sich zu einem zitternden Ball zusammen und taumelte vor dem Gitter auf und ab. Seine Verwirrung, falls es so etwas wie Verwirrung kannte, währte nur einen Augenblick. Es streckte sich.

»Es will abhauen!«

Johanson ließ den *Spherobot* zurückfahren. Er schlug gegen die Seitenwand des Käfigs, dann war er draußen. Einer der Arme bekam die Drahtklappe zu fassen und warf sie hoch.

Das Ding verflachte sich vollends und kam herangeschossen. Wenige Zentimeter vor der Klappe prallte es zurück, wobei es erneut die Form veränderte. Seine Ränder breiteten sich nach allen Seiten aus, bis es wie eine transparente Glocke im Wasser hing und fast den halben Käfig einnahm. Der Körper bog sich. Für Sekunden sah es aus wie eine Qualle, dann rollte es sich zusammen. Im nächsten Moment schwebte wieder eine Kugel im Käfig.

»Absolut irre«, flüsterte Rubin.

»Seht euch das mal an«, rief Oliviera. »Es schrumpft.«

Tatsächlich zog sich die Kugel zusammen und verlor dabei zunehmend an Transparenz. Sie wurde milchiger.

»Das Gewebe kontraktiert«, sagte Rubin. »Das Ding kann seine molekulare Dichte ändern.«

»Erinnert euch das an irgendwas?«

»Frühe Formen von sehr einfachen Polypen.« Rubin überlegte. »Kambrium. Es gibt immer noch Organismen, die so was können. Die meisten Tintenfische lassen ihr Gewebe kontraktieren, aber sie verändern nicht die Form. – Wir müssen noch welche einfangen. Wir müssen sehen, wie sie reagieren.«

Johanson lehnte sich zurück.

»Nochmal gelingt mir das nicht«, sagte er. »Beim zweiten Versuch wird das hier entwischen. Sie sind zu schnell.«

»Auch gut. Eines reicht ja vorläufig zur Beobachtung.«

»Ich weiß nicht.« Oliviera schüttelte den Kopf. »Beobachten ist schön und gut, aber ich will das Zeug untersuchen, nicht immer nur in Auflösung befindliche Reste. Vielleicht sollten wir das Ding einfrieren und in Scheiben schneiden.«

»Sicher.« Rubin starrte fasziniert auf den Monitor. »Aber nicht sofort. Erst beobachten wir es eine Weile.«

»Wir haben immer noch die beiden anderen. Sieht jemand zufällig eines?«

Johanson schaltete nacheinander sämtliche Monitore ein. Das Innere des Tanks erschien aus verschiedenen Blickwinkeln.

»Verschwindibus.«

»Quatsch. Sie müssen irgendwo sein.«

»Na schön, knacken wir noch ein paar«, sagte Johanson. »Wollten wir ohnehin. Je mehr von dem Glibber im Tank unterwegs ist, desto größer ist die Chance, dass wir was davon zu Gesicht bekommen. Unseren Kriegsgefangenen hier lassen wir zur Sicherheit erst mal im Käfig. Später sehen wir weiter.« Er grinste und legte die Finger um die Joysticks. »Knick knack. Macht ja auch irgendwie Spaß, oder?«

Sie öffneten noch ein Dutzend Krabben, ohne den Versuch zu unternehmen, die entschlüpfenden Substanzen einzufangen. Die Gallertwesen flitzten davon, kaum dass die Panzer aufbrachen, und verloren sich irgendwo in den Weiten des Tanks.

»Auf jeden Fall machen ihnen die *Pfiesterien* nichts aus«, stellte Oliviera fest.

»Natürlich nicht«, sagte Johanson. »Die Yrr werden dafür gesorgt haben, dass sich das eine mit dem anderen verträgt. Die Gallerte steuert die Krabben, die *Pfiesterien* sind die Fracht. Logisch, dass sie kein Taxi losschicken, in dem der Gast den Fahrer tötet.«

»Glauben Sie, diese Gallerte ist auch eine Züchtung?«

»Keine Ahnung. Möglicherweise war sie schon vorher da. Möglicherweise wurde sie gezüchtet.«

»Und wenn es … die Yrr sind?«

Johanson schwenkte den *Spherobot*, sodass die Kamera den Käfig erfasste. Er starrte auf das gefangene Exemplar. Es hatte seine Kugelgestalt beibehalten und lag wie ein glasig weißer Tennisball auf dem Boden des Käfigs.

»Diese Dinger?«, fragte Rubin ungläubig.

»Warum nicht?«, rief Oliviera. »Wir haben welche in den Köpfen der Wale gefunden, sie saßen im Bewuchs der *Barrier Queen*, im Innern der Blauen Wolke, sie sind überall.«

»Ja, eben, die Blaue Wolke. Was ist damit?«

»Sie hat irgendeine Funktion. Die Dinger verstecken sich darin.«

»Mir scheint eher, die Gallerte ist genauso wie die Würmer und die anderen Mutationen eine biologische Waffe.« Rubin zeigte auf den reglosen Ball im Käfig. »Glaubt ihr, es ist tot? Es rührt sich nicht mehr. Vielleicht zieht es sein Gewebe zur Kugel zusammen, wenn es stirbt.«

Im selben Moment ertönte ein pfeifendes Signal aus den Deckenlautsprechern, und sie hörten Peaks Stimme über das bordeigene Durchsagesystem:

»Guten Morgen. Da wir mit dem Eintreffen von Dr. Crowe nun vollzählig sind, haben wir für 10.30 Uhr ein Treffen im Welldeck anberaumt. Wir wollen Sie mit den Tauchbooten und der Ausrüstung vertraut machen, es wäre also nett, wenn Sie erscheinen. Außerdem möchte ich daran erinnern, dass wir um 10.00 Uhr unsere routinemäßige Zusammenkunft im Flagg-Besprechungsraum abhalten. Danke.«

»Gut, dass er uns dran erinnert«, sagte Rubin eilig. »Ich hätt's glatt vergessen. Ich vergesse Zeit und Raum, wenn ich forsche. Mein Gott, entweder ist man Forscher oder keiner! Oder?«

»Richtig«, sagte Oliviera gelangweilt. »Bin gespannt, ob es was Neues aus Nanaimo gibt.«

»Warum rufen Sie Roche nicht an«, schlug Rubin vor. »Erzählen Sie ihm von unseren Erfolgen. Vielleicht hat er ja auch was vorzuweisen.« Er grinste und stupste Johanson vertraulich an. »Vielleicht erfahren wir es noch vor Li und können im Meeting damit glänzen.«

Johanson lächelte zurück. Er mochte Rubin nicht sonderlich. Der Mann war gut in seinem Job, aber ein Schleimer. Johanson schätzte, dass er seine Großmutter verkauft hätte, wenn es seiner Karriere dienlich gewesen wäre. Oliviera trat zur Sprechfunkeinheit gleich neben dem Steuerpult und ließ die Automatik wählen. Die Satellitenschüssel hoch oben auf der Insel ermöglichte jede Art der elektronischen Datenkommunikation. Überall auf dem Schiff konnte man eine Vielzahl von Fernsehsendern empfangen, Handfernseher oder Radiogeräte einstöpseln und Laptops anschließen, und natürlich telefonierte man auf abhörsicheren Kanälen in alle Welt. Auch Nanaimo im fernen Kanada war mühelos zu erreichen.

Oliviera sprach eine Weile mit Fenwick und dann mit Roche, die wiederum mit einer Vielzahl von Wissenschaftlern rund um den Globus in Verbindung standen. Wie es aussah, hatten sie das Mutationsspektrum der *Pfiesterien* eingegrenzt, aber ein Durchbruch war nicht in Sicht. Stattdessen waren Heerscharen von Krabben über Boston hergefallen. Oliviera gab ihre eigenen Erkenntnisse weiter und legte auf.

»Schöner Mist«, fluchte Rubin.

»Vielleicht helfen uns ja unsere Freunde im Tank«, sagte Johanson. »Irgendwas schützt sie schließlich vor den Algen. Legen wir eine Runde Sicherheitslabor ein. Sobald wir wissen, was unser Gefangener…«

Er starrte auf den Videoschirm.

Das Wesen im Käfig war verschwunden.

Oliviera und Rubin folgten seinem Blick und rissen die Augen auf.

»Das gibt's doch nicht!«

»Wie ist der denn rausgekommen?«

Auf den Bildschirmen war nichts zu sehen außer Krebsen und Wasser.

»Die Dinger sind weg.«

»Quatsch. Wo sollen sie denn hin sein?«

»Moment mal! Wir haben inzwischen über ein Dutzend von denen da rumsausen. So unsichtbar können die sich gar nicht machen.«

»Sie werden schon da sein. Aber wo ist das aus dem Käfig?«

»Hat sich dünnegemacht.«

Johanson betrachtete den Schirm, und seine Miene hellte sich auf.

»Dünne? Gar kein schlechter Hinweis«, sagte er langsam. »Natürlich. Es kann seine Form verändern. Die Maschen sind dicht, aber für etwas sehr Langes und Dünnes wahrscheinlich nicht dicht genug.«

»Was für ein unglaubliches Zeug«, flüsterte Rubin.

Sie begannen, den Tank abzusuchen. Sie teilten sich auf, übernahmen jeder einen Monitor, um das komplette Becken simultan unter Kontrolle zu bringen, ließen die Kameras zoomen, aber nirgendwo war etwas von den Gallertklumpen zu sehen. Schließlich ließ Johanson nacheinander die Tauchroboter aufsteigen und aus der Garage fahren, aber auch dort hatte sich nichts versteckt.

Die Wesen waren verschwunden.

»Haben wir vielleicht ein Problem mit dem Leitungssystem«, fragte Oliviera. »Stecken sie in einem der Wasserrohre?«

Rubin schüttelte den Kopf. »Kann nicht sein.«

»Wie auch immer«, knurrte Johanson, »wir müssen hoch zur Besprechung. Vielleicht fällt uns ja oben ein, wo sie sein könnten.«

Verwirrt und frustriert schalteten sie die Lichter im Simulator aus und gingen nach draußen. Rubin löschte die Laborbeleuchtung und machte Anstalten, ihnen zu folgen.

Aber er kam nicht.

Johanson sah ihn in der offenen Schleuse stehen und in das dunkle Labor starren. Er konnte erkennen, dass Rubins Mund weit offen stand. Langsam ging er zurück, gefolgt von Oliviera, und sah, was Rubin sah.

Hinter dem ovalen Fenster des Tiefseesimulators leuchtete etwas. Ein schwaches, diffuses Leuchten.

Blau.

»Die Blaue Wolke«, flüsterte Rubin.

Zugleich rannten sie durch die Dunkelheit zum Simulator, ohne auf Hindernisse zu achten, hasteten die Stiege hinauf und drängten sich vor die Panzerglasscheibe.

Das blaue Leuchten hing im Nichts. Eine kosmische Wolke in der Lichtlosigkeit der Weltraums, nur dass der Weltraum ein Tank und gefüllt mit Wasser war. Ihre Ausdehnung umfasste einige Quadratmeter. Sie pulsierte. Die Ränder waberten.

Johanson kniff die Augen zusammen und sah genauer hin. Was war jenseits der Ränder los? Ihm schien, als entstünden dort winzige Lichtpunkte, die ins Innere der Wolke strömten, immer schneller. Wie Materiepartikel im Gravitationsfeld eines schwarzen Lochs.

Das Blau wurde intensiver.

Dann kollabierte es.

Einem rückwärts verlaufenden Urknall gleich stürzte die Wolke in sich zusammen. Alles strebte auf das Innere zu, das heller und dichter wurde. Lichtblitze zuckten darin auf, bildeten komplizierte Muster. In rasender Geschwindigkeit wurde die Wolke in ihr eigenes Zentrum gesaugt, in einen turbulenten Wirbel, und dann ...

»Ich glaub's nicht«, sagte Oliviera.

Vor ihren Augen hing ein kugelförmiges Ding von der Größe eines Fußballs. Ein blau leuchtendes Etwas aus kompakter Materie. Pulsierende Gallerte.

Sie hatten die Wesen wieder gefunden.

Die Wesen waren eins geworden.

FLAGG-BESPRECHUNGSRAUM

»Einzeller!«, rief Johanson. »Es sind Einzeller.«

Er war ungeheuer aufgeregt. Die Gruppe starrte ihn schweigend an. Rubin rutschte auf seinem Stuhl herum und nickte heftig, während Johanson auf und ab ging. Er hätte nie im Leben auf seinem Hintern sitzen können in dieser Situation.

»Wir haben die ganze Zeit geglaubt, die Gallerte und die Wolke seien zwei verschiedene Dinge, aber sie sind ein und dasselbe. Das Zeug ist ein Verbund aus Einzellern. Die Gallerte kann nicht nur nach Belieben ihre Form ändern, sie löst sich vollständig auf und schließt sich ebenso rasch wieder zusammen.«

»Diese Wesen lösen sich auf?«, echote Vanderbilt.

»Nein, nein! Nicht die Wesen, ich meine, die Einzeller sind die Wesen, und sie verschmelzen miteinander. Wir haben Krabben aufgeschnitten und einige dieser Gallertklumpen zum Vorschein gebracht, die alle in irgendeinen Winkel des Simulators entwischten. Einen hatten wir festgesetzt. Dann waren plötzlich alle verschwunden, restlos. Nichts war mehr übrig – Herrgott, ich Idiot, dass ich nicht gleich darauf gekommen bin! –, weil man Einzeller natürlich nicht in einem Käfig halten kann, und um sie mit bloßem Auge wahrzunehmen, sind die meisten zu klein. Und weil der Simulator von innen beleuchtet war, konnten wir keine Biolumineszenz wahrnehmen, nichts. Das gleiche Problem hatten wir vor Norwegen, wo uns dieses Riesending vor die Kamera geriet. Damals haben wir nur die helle Oberfläche gesehen, angestrahlt von den Scheinwerfern des *Victor*, aber in Wirklichkeit leuchtete es. Es leuchtete, es war ein riesiger Zusammenschluss aus biolumineszierenden Mikroorganismen. Das, was jetzt da unten im Tank schwimmt, ist die Summe der Substanzen, die wir aus den Krabben geholt haben, es kommt genau hin.«

»Das erklärt einiges«, sagte Anawak. »Das formlose Wesen am Rumpf der *Barrier Queen*, die blaue Wolke vor Vancouver Island ...«

»Die Aufnahmen des *URA*, genau! Ein großer Teil der Zellen schwebte frei im Wasser, aber im Zentrum hatten sie sich verfestigt. Die Masse bildete Tentakel. Sie injizierte sich selber in die Köpfe der Wale.«

»Augenblick.« Li hob die Hand. »Da war sie doch schon drin.«

»Dann ...« Johanson überlegte. »Nun, irgendeine Verbindung fand statt. Jedenfalls schätze ich, dass sie auf diese Weise hineingelangt ist. Vielleicht wurden wir Zeuge eines Austauschs. Alte Gallerte raus, neue rein. Oder es fand so etwas wie eine Kontrolle statt. Vielleicht gab das Zeug in den Köpfen etwas an die Gesamtmasse weiter.«

»Informationen«, sagte Greywolf.

»Ja«, rief Johanson. »Ja!«

Delaware zog die Nase kraus. »Das heißt, sie nehmen jede beliebige Größe an? So viel, wie gerade erforderlich ist?«

»Jede Größe und jede Form«, nickte Oliviera. »Um einen Krebs zu steuern, reicht eine Hand voll. Das Ding vor Vancouver Island, um das sich die Wale versammelten, hatte die Größe eines Hauses, und ...«

»Das ist das Entscheidende an unserer Entdeckung«, fuhr ihr Rubin dazwischen. Er sprang auf. »Die Gallerte ist ein Rohmaterial, um definierte Aufgaben zu bewältigen.«

Oliviera wirkte verärgert.

»Ich habe mir die Aufnahmen vom norwegischen Kontinentalhang sehr genau angesehen«, sagte Rubin atemlos. »Ich glaube, ich weiß, was da passiert ist! Wenn dieses Zeug nicht den letzten Anstoß für das Abrutschen der Hänge gegeben hat, will ich nicht geboren sein. Wir stehen kurz davor, die ganze Wahrheit zu begreifen!«

»Sie haben eine Masse gefunden, die einen Haufen Drecksarbeit erledigt«, sagte Peak unbeeindruckt. »Schön. – Und wo sind die Yrr?«

»Die Yrr sind …« Rubin stockte. Plötzlich war seine Selbstsicherheit verflogen. Sein Blick wanderte unsicher zu Johanson und Oliviera. »Nun ja …«

»Glauben Sie, das *sind* die Yrr?«, fragte Crowe.

Johanson schüttelte den Kopf. »Keine Ahnung.«

Eine Weile herrschte Schweigen.

Crowe spitzte die Lippen und zog an ihrer Zigarette. »Wir haben noch keine Antwort erhalten. Wer könnte uns antworten? Ein intelligentes Wesen oder ein Verbund aus intelligenten Wesen? Was meinen Sie, Sigur, benehmen sich die Dinger im Tank intelligent?«

»Sie wissen selber, dass die Frage müßig ist«, erwiderte Johanson.

»Ich wollte es von Ihnen hören«, lächelte Crowe.

»Wie sollen wir das erkennen? Wie sollte eine außerirdische Intelligenz eine Hand voll menschlicher Kriegsgefangener in einem Lager beurteilen, die nichts von Mathematik verstehen, Angst haben, frieren, jammern oder apathisch in der Ecke sitzen?«

»Du lieber Himmel«, stöhnte Vanderbilt leise. »Jetzt haut er uns die Genfer Konvention um die Ohren.«

»Gilt die auch für Außerirdische?«, grinste Peak.

Oliviera bedachte ihn mit einem verächtlichen Blick.

»Wir werden die Masse im Tank weiteren Tests unterziehen«, sagte sie. »Nebenbei gesagt verstehe ich nicht, dass wir so lange gebraucht haben, um die Sache zu kapieren. Leon, was ist dir aufgefallen, als du im Trockendock der *Barrier Queen* rumspioniert hast?«

Anawak sah sie an.

»Kurz bevor sie mich rausfischten? Ein blaues Leuchten.«

»Das meine ich«, sagte Oliviera zu Li gewandt. »Sie wollten ja unbedingt Ihren Alleingang, General, dort im Dock, als Sie wochenlang im Rumpf der *Barrier Queen* herumgestochert haben, ohne etwas zu erreichen. Nun, halb daneben ist auch vorbei. Ihre Leute müssen etwas

Entscheidendes übersehen haben, als sie die Wasserproben aus dem Trockendock untersuchten. Ist keinem dieses Leuchten aufgefallen? Oder ein Haufen Einzeller in den Wasserproben?«

»Doch«, sagte Li. »Natürlich haben wir Wasser zur Untersuchung entnommen.«

»Und?«

»Nichts. Normales Wasser.«

»Na schön«, seufzte Oliviera. »Können Sie mir den Bericht noch einmal zukommen lassen? Inklusive aller Laborergebnisse.«

»Natürlich.«

»Dr. Johanson.« Shankar hob die Hand. »Was schätzen Sie, wie diese Verschmelzung zustande kommt? Ich meine, was löst sie aus?«

»Und noch dazu gleichzeitig«, wunderte sich Roscovitz. Es war das erste Mal, dass er das Wort ergriff. »Wie soll das gehen? Zu welchem Zweck? Irgendeine von diesen Zellen muss doch sagen, hey, Leute, kommt mal alle her, wir feiern 'ne Party.«

»Nicht unbedingt«, sagte Vanderbilt schlau. »Den höchsten Grad der Zusammenarbeit findet man bei menschlichen Körperzellen, richtig? Und da sagt auch keine, wo's langgeht.«

»Reden Sie von der Organisationsstruktur der CIA?«, lächelte Li.

»Vorsicht, Suzie Wong.«

»Hey!« Roscovitz hob die Hände. »Leute, ich bin nur U-Boot-Fahrer. Ich will das hier kapieren. Beim Menschen, da pappen die Zellen doch wohl immer hübsch zusammen, das ist was anderes. Wir lösen uns nicht von Zeit zu Zeit in Wohlgefallen auf, und außerdem gibt es ein zentrales Nervensystem, das Boss ist bei der ganzen Sache.«

»Bei Körperzellen läuft die Kommunikation über chemische Botenstoffe«, sagte Delaware.

»Und was heißt das? Müssen wir uns diese Zellen wie einen Fischschwarm vorstellen, wo alle gleichzeitig in dieselbe Richtung schwimmen?«

»Fischschwärme verhalten sich nur scheinbar simultan«, erklärte Rubin. »Das Verhalten von Schwärmen hat was mit Druck zu tun.«

»Das weiß ich, Mann, ich wollte nur…«

»An der Seite der Fischkörper sitzen Lateralorgane«, belehrte ihn Rubin unbeirrt weiter. »Verändert ein Körper seine Position, gibt er eine Druckwelle an seinen Nachbarn weiter, der dreht sich automatisch in die gleiche Richtung, und so fort, bis der ganze Schwarm die Drehung mitvollzieht.«

»Ich sagte doch, das weiß ich!«

»Aber natürlich!« Delawares Miene erhellte sich. »Das ist es!«

»Was?«

»Druckwellen. Damit könnte eine größere Masse dieser Gallerte ganze Schwärme einfach umleiten. Ich meine, wir haben uns gefragt, welche Zauberei vonnöten ist, dass Fischschwärme nicht mehr in Netze schwimmen, aber das wäre eine Erklärung.«

»Einen ganzen Schwarm umleiten?«, sagte Shankar zweifelnd.

»Doch, sie hat Recht«, rief Greywolf. »Sie hat verdammt Recht damit! Wenn die Yrr Millionen Krebse steuern und Abermillionen Würmer an Hänge transportieren können, lenken sie auch Schwärme um. Mit einer Druckwelle kann man so was machen. Druckempfindlichkeit ist praktisch der einzige Schutz, über den ein Schwarm verfügt.«

»Du meinst, diese Einzeller unten im Tank reagieren auf Druck?«

»Nein.« Anawak schüttelte den Kopf. »Das wäre zu einfach. Fische mögen Druck erzeugen, aber Einzeller?«

»Aber irgendwie *muss* die Verschmelzung ausgelöst werden.«

»Wartet mal«, sagte Oliviera. »Es gibt ähnliche Formen der Kommunikation bei Bakterien. *Myxococcus xanthus* zum Beispiel. Eine bodenlebende Art. Sie setzt sich aus kleinen, lockeren Verbänden zusammen. Wenn einzelne Zellen nicht genug zu fressen finden, geben sie eine Art Hungersignal ab. Anfangs reagiert die Kolonie kaum darauf, aber je mehr Zellen hungern, desto intensiver wird das Signal, bis es eine gewisse Schwelle überschreitet. Die Mitglieder der Kolonie beginnen sich zusammenzuscharen. Nach und nach formt sich ein komplexes vielzelliges Gebilde, ein Fruchtkörper, den man mit bloßem Auge sehen kann.«

»Worin besteht dieses Signal?«, fragte Anawak.

»Es ist ein Stoff, den sie abgeben.«

»Also ein Duft?«

»Ja. Gewissermaßen.«

Die Unterhaltung geriet ins Stocken. Jeder legte die Stirn in Falten, setzte die Fingerspitzen aufeinander, schürzte die Lippen.

»Gut«, sagte Li. »Ich bin beeindruckt. Das ist ein großer Erfolg. Wir sollten unsere Zeit jetzt nicht damit vertun, Laienwissen auszutauschen. Was sind die nächsten Schritte?«

»Ich hätte einen Vorschlag«, sagte Weaver.

»Bitte.«

»Leon hatte im Château eine Idee, erinnert ihr euch? Es ging um die Navy-Versuche mit Delphingehirnen. Um Implantate, die nicht aus simplen Mikrochips bestehen, sondern aus dicht gepackten, künstlichen Nervenzellen, die Teile des Hirns bis ins Detail nachbilden und durch elektrische Impulse miteinander kommunizieren. Ich dachte gerade, wenn die Gallerte wirklich ein Verbund aus Einzellern ist und diese Einzeller die Funktion der Hirnzellen gewissermaßen übernehmen, beziehungsweise ersetzen – dann können sie untereinander kommunizieren. Sie müssen es sogar. Andernfalls wären sie nicht in der Lage, zu verschmelzen und die Form zu ändern. Vielleicht erschaffen sie tatsächlich ein künstliches Gehirn einschließlich chemischer Botenstoffe. Vielleicht ...« Sie zögerte. » ... übernehmen sie ja sogar Emotionen, Eigenschaften und Wissen ihres Wirts und lernen auf diese Weise, ihn zu beherrschen.«

»Dafür müssten sie lernfähig sein«, sagte Oliviera. »Aber wie sollen Einzeller lernen?«

»Leon und ich könnten versuchen, einen Schwarm solcher Einzeller im Computer künstlich zu erschaffen und mit Eigenschaften zu versehen. So lange, bis er beginnt, sich wie ein Gehirn zu verhalten.«

»Eine künstliche Intelligenz?«

»Unter biologischen Vorzeichen.«

»Das klingt brauchbar«, beschied Li. »Machen Sie das. Weitere Vorschläge?«

»Ich versuche mal, in der Prähistorie nach einer verwandten Lebensform zu kramen«, sagte Rubin.

Li nickte. »Bei Ihnen was Neues, Sam?«

»Nicht wirklich«, erklang Crowes Stimme aus einer Rauchwolke. »Wir arbeiten an der Entschlüsselung alter *Scratch*-Signale, solange wir keine Antwort erhalten.«

»Vielleicht sollten Sie Ihren Yrr was Anspruchsvolleres schicken als Rechenaufgaben«, meinte Peak.

Crowe sah ihn an. Der Rauch verzog sich, und ihr schönes, altes Gesicht mit den tausend kleinen Fältchen war zu einem Lächeln verzogen.

»Nur die Ruhe, Sal.«

»Sie sind verdammt optimistisch, was?«, sagte Peak.

»Ich habe Geduld.«

WELLDECK

Roscovitz gehörte zu den Leuten, die ihr Leben bei der US Navy verbrachten und keine Pläne hatten, das zu ändern. Er war der Meinung, jeder solle tun, was er am besten könne, und weil es ihm unter Wasser gefiel, hatte er eine Laufbahn als U-Boot-Fahrer eingeschlagen und es bis zum Commander gebracht.

Aber Roscovitz war auch der Meinung, dass unter allen Eigenschaften, die einen Menschen auszeichneten, Neugier zu den hervorstechendsten gehörte. Er hatte viel übrig für Treue, Pflichterfüllung und Vaterland, aber nichts für dumpfes Kommissgehabe. Eines Tages war ihm klar geworden, dass die meisten U-Boot-Fahrer eine Welt durchkreuzten, über die sie nichts wussten, also hatte er begonnen, sich darüber schlau zu machen. Deswegen war er zwar kein Biologe geworden. Aber sein Interesse an den Dingen machte die Runde bis in die wissenschaftlichen Stellen der Navy, wo man Leute suchte, die Soldat genug waren, um sich wie einer zu verhalten, und flexibel genug im Denken, um eine Exekutivfunktion in der Forschung übernehmen zu können.

Nachdem entschieden war, die *Independence* für die Grönlandmission umzurüsten, hatte man ihn beauftragt, dem Schiff das Nonplusultra einer Tauchbasis zu verschaffen. Für nichts war Geld übrig, nirgendwo auf der Welt – bis auf die Forschung. Vielen galt die *Independence* als letzte Hoffnung der Menschheit, also wurde an nichts gespart. Roscovitz bekam kein Budget, sondern einen Freibrief. Er sollte einkaufen, was er fand und was ihm geeignet erschien, und wenn es einigermaßen schnell ging, sollte er konstruieren lassen, was es noch nicht gab und wonach ihm der Sinn stand.

Niemand hatte erwartet, dass der Mann ernsthaft über bemannte Tauchboote nachdenken würde. Das Hauptaugenmerk lag auf ROVs, den verkabelten, fernsteuerbaren Unterwasserrobotern wie dem *Victor*, der die Würmer vor Norwegen aufgespürt hatte. Es gab zudem eine Reihe von Fortschritten in der Konstruktion von AUVs zu verzeichnen, Robotern, die nicht einmal mehr eine Kabelverbindung zum Schiff benötigten. Die meisten dieser Automaten verfügten über hoch auflösende Kameras und irgendeine Form von Greifarm bis hin zu sensiblen künstlichen Gliedmaßen. Niemand wollte Menschenleben gefährden, nachdem Taucher angegriffen und getötet worden waren und sich keiner mehr in Wasser traute, das höher ging als bis zu den Knöcheln.

Roscovitz hatte zugehört und gesagt, dass sie es unter diesen Umständen vergessen könnten.

Er sagte: »Haben wir je einen Krieg gewonnen ausschließlich mit Maschinen? Wir können intelligente Bomben abfeuern und unbemannte Drohnen über feindliches Gebiet fliegen lassen, aber die Entscheidungen, die ein Pilot in einem Kampfjet trifft, kann ihm keine Maschine abnehmen. Es wird irgendwann im Verlauf dieser Mission eine Situation geben, in der wir selber nach dem Rechten schauen müssen.«

Sie fragten ihn, was er wolle. Er sagte, natürlich ROVs und AUVS, aber auch bemannte, bewaffnete Boote. Er bat außerdem um eine Delphinstaffel und erfuhr zu seiner Befriedigung, dass die Aufnahme von MK-6 und MK-7 bereits angeordnet war, nachdem ein Mitglied des Wissenschaftlichen Stabs den Vorschlag unterbreitet hatte. Als er hörte, wer die Betreuung der Staffeln übernehmen sollte, war seine Freude noch größer geworden.

Jack O'Bannon.

Roscovitz kannte O'Bannon nicht persönlich. Aber der Ex-Soldat war in gewissen Kreisen ein Begriff. Manche meinten, er sei der beste Trainer, den die Staffeln je gehabt hatten. Später hatte er der Navy abgeschworen wie dem Teufel. Roscovitz wusste sehr gut, was es mit O'Bannons angeblicher Herzschwäche auf sich hatte. Umso mehr erstaunte es ihn zu hören, dass der Mann wieder an Bord war.

Seine Vorgesetzten versuchten, ihm die bemannten Boote auszureden. Er blieb hartnäckig. Sie argumentierten mit den nicht abzuschätzenden Risiken, er wiederholte ein ums andere Mal denselben Satz: »Wir werden sie brauchen.« Bis sie ihm schließlich grünes Licht erteilten.

Dann überraschte er sie ein weiteres Mal.

Wahrscheinlich war das Marineministerium davon ausgegangen, er würde das Heck des riesigen Helikopterträgers voll stopfen mit Tauchbooten, die eine Menge Eindruck machten wie die russischen MIR-Boote, die japanische *Shinkai* und die französische *Nautile*. Weltweit gab es nur ein halbes Dutzend Boote, die tiefer kamen als 3 000 Meter, und diese gehörten dazu, ebenso wie die gute alte *Alvin*. Aber Roscovitz setzte auf Neuerung. Er wusste, dass ihm derartige Boote nicht viel nützen würden. Mit der *Shinkai* gelangte man zwar auf 6 500 Meter Tiefe, aber sie konnte ihre Vertikalbewegungen nur durch Fluten und Leerpumpen von Ballasttanks steuern, ebenso wie die MIR-Boote und *Nautile*. Roscovitz dachte nicht über eine klassische Tiefsee-Exploration nach, er dachte an Krieg und einen unsichtbaren Feind, und er stellte sich vor, wie es wäre, eine Luftschlacht mit Heißluftballons zu führen. Die meisten Tiefseetauchboote waren einfach zu schwerfällig. Was er brauchte, waren Tiefsee-Jets.

Kampfjets.

Nach einer Weile stieß er auf ein Unternehmen, dessen Produkte seinen Vorstellungen entgegenkamen. *Hawkes Ocean Technologies* im kalifornischen Point Richmond genoss nicht nur einen tadellosen Ruf in der Branche, sondern wurde auch regelmäßig zu Hollywood-

Produktionen herangezogen, um den Spekulationen einen soliden Unterbau zu verschaffen. Graham Hawkes, ein namhafter Ingenieur und Erfinder, hatte die Firma Mitte der neunziger Jahre gegründet, um sich den Traum vom Fliegen zu ermöglichen – unter Wasser.

Roscovitz legte einen Wunschzettel und eine größere Menge Geld auf den Tisch und machte zur Bedingung, dass die Konstrukteure jeden noch so eng gefassten Zeitrahmen unterboten.

Das Geld tat das Seine.

Als die Wissenschaftler um 10.30 Uhr den Pier des Welldecks betraten, jeder in einen Wärme speichernden Neoprenanzug gehüllt, der nur das Gesicht frei ließ, freute sich Roscovitz, zur Abwechslung diesen klugen Leuten was erzählen zu können. Die Soldaten und die Besatzung hatten ihre Einweisung schon in Norfolk erhalten. Die meisten von ihnen waren Navy-SEALS mit Schwimmhäuten zwischen Fingern und Zehen. Aber Roscovitz war fest entschlossen, auch die Wissenschaftler fahr- und gefechtstauglich zu machen. Er wusste, dass im Verlauf solcher Expeditionen Dinge geschehen konnten, an deren Ende vielleicht ein Zivilist die entscheidende Rolle spielte.

Er gab Browning Anweisung, eines der vier Tauchboote von der Decke zu lassen und sah zu, wie *Deepflight 1* langsam herabsank. Von unten glich das Boot einem überdimensionalen Ferrari ohne Räder, bestückt mit vier langen, schlanken Röhren. Er wartete, bis es auf Augenhöhe hing, vier Meter über dem geplankten Boden des Decks und genau über der Bassin-Abdeckung. Auch aus dieser Perspektive hatte es wenig Ähnlichkeit mit einem klassischen Tauchfahrzeug. Flach und breit, von annähernder Rechteckform, mit vier Antriebs- und Steuerdüsen an der Rückseite und zwei teilverglasten Körperröhren, die schräg aus der Oberfläche wuchsen, erinnerte das *Deepflight* eher an ein kleines Raumschiff. Unterhalb der transparenten Kuppeln entsprangen mehrgelenkige Greifarme.

Das Auffälligste waren die Stummelflügel zu beiden Seiten.

»Sie finden, es sieht aus wie ein Flugzeug«, sagte Roscovitz. »Und da haben Sie Recht. Es *ist* ein Flugzeug und ebenso wendig. Die Tragflächen erfüllen dieselbe Funktion, mit dem kleinen Unterschied, dass ihre Profile in die entgegengesetzte Richtung wirken. Beim Flugzeug sorgen sie für Auftrieb. Die Flügel eines *Deepflight* hingegen erzeugen einen Sog nach unten und wirken dem Auftrieb entgegen. Auch der Steuermechanismus ist der Luftfahrt abgeguckt. Man sinkt nicht wie ein Stein, sondern bewegt sich in einem Neigungswinkel bis 60 Grad, fliegt elegante Kurven, gelangt blitzschnell runter oder rauf, wusch,

wusch!« Er machte es mit der flachen Hand vor und deutete auf die Körperhüllen. »Der Hauptunterschied zum Flugzeug ist, dass man nicht sitzt, sondern liegt. So bleiben wir bei drei mal sechs Metern Kantenlänge unter einer Höhe von einem Meter vierzig.«

»Wie tief taucht dieses Flugzeug?«, fragte Weaver.

»So tief Sie wollen. Sie könnten geradewegs zum Grund des Marianengrabens fliegen und würden keine anderthalb Stunden dafür brauchen. Das Baby legt zwölf Knoten vor. Es hat eine Hülle aus Keramik, die Sichtkuppeln bestehen aus Acryl, eingefasst von Titaniumhüllen, absolut tiefentauglich. Man genießt einen sensationellen Rundumblick, was in unserem Fall heißt, rechtzeitig verschwinden oder feuern zu können, je nachdem.« Er zeigte zur Unterseite. »Wir haben unsere *Deepflight*s mit vier Torpedos ausgestattet. Zwei von den Dingern haben eine begrenzte Sprengkraft. Sie können einem Wal böse Wunden beibringen und ihn möglicherweise töten. Die anderen zwei reißen größere Löcher. Sie sprengen Stahl und Gestein und können einem ganzen Rudel zusetzen. Das Feuern überlassen Sie bitte dem Piloten, es sei denn, er ist tot oder bewusstlos und lässt Ihnen keine andere Wahl.«

Roscovitz klatschte in die Hände.

»Okay. Sie können sich nun darum balgen, wer als Erster einsteigt und Probe fährt. – Ach ja, was Sie noch interessieren dürfte: Der Sprit reicht für acht Stunden Flugzeit. Sollten Sie irgendwo hängen bleiben, versorgen Sie die lebenserhaltenden Systeme 96 Stunden lang mit Sauerstoff. Aber keine Angst: Bis dahin hat die Navy, Gottes eigene Armee, Sie längst gerettet. – Wer will?«

»Ohne Wasser?«, fragte Shankar und sah skeptisch nach unten.

Roscovitz grinste. »Wären Ihnen 15 000 Tonnen genug?«

»Ich, äh … denke schon.«

»Gut. Fluten wir das Deck.«

COMBAT INFORMATION CENTER

Zwei Funker hatten die Plätze von Crowe und Shankar eingenommen, solange die Wissenschaftler in Roscovitz' Reich weilten. Sie schlugen die Zeit tot. Streng genommen hätten sie den Mund halten und die Ohren aufsperren müssen, aber sie hatten ja ihren Computer, und sie hatten Shankars SOSUS-Crew auf dem Festland. Was immer aus den Tiefen des Meeres drang, wurde dort von diversen elektronischen Systemen und menschlichen Sinnesorganen erfasst, vorselektiert, ausgewertet und kommentiert per Satellit zur *Independence* geschickt. Obschon Crowes Botschaft vom Schiff aus gesendet worden war und die *Independence* mitlauschte, war sie nur einer von vielen Horchposten. Eine mögliche Antwort der Yrr würde sämtliche atlantischen Hydrophone erreichen. Aus der räumlichen Verteilung und der Verschiebung von Zeitintervallen beim Eintreffen würde der Computer den Punkt errechnen, von dem das Signal ausging, es ins CIC schicken und dabei unmissverständlich auf sich aufmerksam machen.

Im festen Vertrauen auf die Technik hatten die Männer begonnen, über Musik zu diskutieren. Bald bekam die Auseinandersetzung etwas Hitziges. Nachdem sich die Temperamente an der Glaubwürdigkeit weißer Hip-Hop-Künstler entzündeten, warf keiner überhaupt noch einen Blick auf die Monitore, bis einer der beiden nach seinem Kaffee griff und dabei zufällig den Kopf wandte. Sein Blick blieb hängen.

»Hey. Was ist das denn?«

Über zwei Monitore zuckten farbige Frequenzlinien.

Der andere riss die Augen auf. »Wie lange sind die schon da?«

»Weiß nicht.« Der Funker starrte auf die Linien. »Wir hätten was reinbekommen müssen vom Festland. Warum melden die sich nicht? Sie müssen das doch auch empfangen haben.«

»Ist das die Frequenz, auf der Crowe gesendet hat?«

»Keine Ahnung, was die gesendet hat. Man hört nichts. Muss irgendwas im Ultra- oder Infraschallbereich sein.«

Der andere überlegte.

»Okay. Das nächste Hydrophon sitzt vor Neufundland. Schall braucht seine Zeit. Die anderen haben es noch nicht empfangen, also sind wir die Ersten, bei denen es einläuft. Das kann nur heißen ...«

Sein Partner sah ihn an.

»Es kommt von hier.«

DEEPFLIGHT

Lautstark arbeitete die Hydraulik, als die achterlichen Ballasttanks geflutet wurden. Das Heck der *Independence* sank langsam tiefer, während Meerwasser ins Innere strömte.

»Wir könnten das Wasser durch die Schleuse einlassen«, erklärte Roscovitz mit gehobener Stimme, um den Lärm zu übertönen. »Aber dafür müssten wir sämtliche Schotts gleichzeitig öffnen, was wir aus Sicherheitsgründen vermeiden. Stattdessen bedienen wir uns eines speziellen Pumpsystems. Ein separater Rohrkreislauf leitet Wasser ins Innere des Decks. Es wird mehrfach gefiltert. Ebenso wie die Schleuse ist das Becken mit hoch empfindlichen Sensoren bestückt, die uns sagen, ob wir in der großen Badewanne bedenkenlos plantschen dürfen.«

»Testen wir die Boote im Deck?«, rief Johanson.

»Nein. Wir gehen raus.«

Nachdem die Delphine den Rückzug der Orcas gemeldet hatten, war Roscovitz zu der Überzeugung gelangt, dass man ein paar echte Tauchgänge riskieren könnte.

»Du lieber Himmel.« Rubin starrte wie paralysiert ins Becken, das sich schäumend füllte. »Das ist ja, als ob wir sinken.«

Roscovitz grinste ihn an.

»Sie machen sich falsche Vorstellungen. Ich bin schon mal mit einem Kriegsschiff gesunken. Glauben Sie mir, es ist anders!«

»Und wie?«

Roscovitz lachte. »Das wollen Sie nicht wissen. Nicht wirklich.«

Meter um Meter sackte das Heck des riesigen Schiffes ab. Die *Independence* war zu groß, als dass man wirklich etwas von der Schräglage gespürt hätte. Aufs Ganze gesehen war sie minimal, ein Fall für die Wasserwaage, der Effekt jedoch umso verblüffender. Immer höher stieg die Flut, bis sie an die Ränder der Piers schwappte. Innerhalb weniger Minuten hatte sich das Deck in einen Pool mit vier Metern Bodentiefe verwandelt. Auch das Delphinarium lag unter Wasser, womit den Tieren nunmehr das komplette Becken zur Verfügung stand. Über dem künstlichen Gestade trieben gut vertäut die Zodiacs. *Deepflight 1* schaukelte sanft auf den Wellen.

Browning ließ ein weiteres Tauchboot von der Decke. Sie stand an der Konsole und bewegte einen Joystick. Nacheinander manövrierte sie die Boote über das Schienensystem bis zur Pierkante und öffnete die Abdeckungen der Körperröhren. Wie Düsenjetkuppeln klappten sie nach oben.

»Jede Röhre lässt sich separat öffnen und schließen«, erklärte sie. »Einsteigen ist simpel. Trotzdem, wer's nicht gewohnt ist, holt sich schon mal nasse Füße. Das Wasser im Becken ist während des Pumpvorgangs aufgeheizt worden und hat jetzt verträgliche 15 Grad Celsius, was Sie nicht auf die Idee bringen sollte, auf Ihre Schutzanzüge zu verzichten. Falls es Sie aus irgendeinem Grund in die offene See verschlägt und Sie haben kein Neopren und kein Tauchboot um sich herum, werden Sie ziemlich schnell tot sein. Das Wasser vor Grönland hat maximal zwei Grad.«

»Noch Fragen?« Roscovitz teilte die Gruppen ein, je ein Pilot und ein Wissenschaftler. »Dann los. Wir bleiben nah am Schiff. Unsere feucht-fröhlichen Freunde von der Delphinstaffel meinen zwar, wir sollten uns keine Sorgen machen, aber das kann sich ändern. Leon, zu mir. Wir nehmen *Deepflight 1*.«

Er sprang auf das Boot. Es schaukelte heftig. Anawak tat es ihm nach, verlor das Gleichgewicht und landete kopfüber im Wasser. Eiseskälte schlug ihm ins Gesicht und raubte ihm den Atem. Prustend kam er an die Oberfläche und erntete kollektives Gelächter.

»Genau das meinte ich«, sagte Browning trocken.

Anawak zog sich auf den Rumpf und schlüpfte bäuchlings ins Innere der Röhre. Zu seiner Überraschung erwies sie sich als bequem und geräumig. Man lag nicht ganz in der Horizontalen, sondern leicht ansteigend, sodass die Körperhaltung eher der eines Skispringers im Anflug glich. Vor ihm lag ein übersichtliches Instrumentenpult. Roscovitz' startete die Systeme, und die Abdeckungen schlossen sich lautlos.

»Es ist nicht gerade 'ne Suite im Ritz, Leon.«

Die Stimme des Colonels drang aus Lautsprechern an Anawaks Ohr. Er drehte den Kopf. Einen Meter neben ihm schaute Roscovitz aus seiner Acrylglaskuppel herüber und grinste. »Sehen Sie den Joystick vor Ihnen? Ich sagte ja, es ist ein Flugzeug, und so verhält es sich auch. Sie müssen lernen, wie mit einem Flugzeug auf- und abzusteigen und Kurven zu fliegen, also Rollbewegungen in alle vier Richtungen zu vollziehen. Außerdem gibt es vier Strahler an der Unterseite, die genügend Rückstoß erzeugen, um das *Deepflight* eine Weile in der Schwebe zu halten. Die erste Runde fliege ich, dann übernehmen Sie, und ich werde Ihnen sagen, was Sie alles verkehrt gemacht haben.«

Plötzlich kippten sie nach vorn weg. Wasser schwappte über die Acrylkuppel, und sie fuhren in sanftem Winkel abwärts. Am Bug und an den Tragflächen flammten Scheinwerfer auf. Anawak sah den Plankenboden des Decks unter sich hinwegziehen, dann waren sie über der Schleuse. Die Glasschotts fuhren auseinander. Er blickte in einen mehrere Meter tiefen, erleuchteten Schacht, an dessen Grund sich dunkler Stahlboden erstreckte. Gemächlich sank das *Deepflight* in die Schleuse, und die Glasschotts schlossen sich über ihnen.

Ein mulmiges Gefühl überkam ihn.

»Keine Bange«, sagte Roscovitz. »Raus geht's schneller als rein.«

Rumpelnd setzten sich die Stahlschotts in Bewegung. Die gewaltigen Platten fuhren auseinander und gaben den Blick in die dunkle, konturlose See frei. Das *Deepflight* fiel aus dem Rumpf der *Independence* ins Unbekannte.

Roscovitz beschleunigte und flog eine Kurve. Das Boot legte sich auf die Seite. Anawak war fasziniert. Er hatte schon kleinere Tauchboote konventioneller Bauart gesteuert, die alle für den Einsatz in den oberen Wasserschichten konzipiert waren. Das hier war etwas völlig anderes. Das *Deepflight* verhielt sich tatsächlich wie ein Sportflugzeug. Und es war schnell! In einem Auto mochten zwanzig Stundenkilometer, die Entsprechung von zwölf Knoten, langsam erscheinen, aber für ein Unterwasserfahrzeug legte das *Deepflight* eine geradezu spektakuläre Geschwindigkeit vor. Fasziniert beobachtete er, wie sie unter dem Rumpf der *Independence* hervorkamen und die bewegte Wasseroberfläche in Sicht geriet. Roscovitz senkte die Nase des Tauchboots in steilerem Winkel. Er flog eine weitere Kurve, hielt auf das Heck des Helikopterträgers zu und tauchte darunter ab. Über ihren Köpfen zog das gewaltige Ruderblatt hinweg.

»Beeindruckt?«, fragte Roscovitz.

»Schon«, sagte Anawak mit unsicherer Stimme.

»Ich weiß, was Sie denken. Sie haben Angst. Haben wir alle. Aber im Welldeck ist es zu eng zum Üben. Zu wenig Tiefe. Wir wollen die Babys ja nicht gleich schrottreif fahren.«

Die nächste Kurve nahm Roscovitz enger. Anawak erwartete jeden Moment, das runde, schwarzweiße Gesicht eines Orca vor sich auftauchen zu sehen, aber stattdessen kamen zwei Delphine herangeschwommen und lugten in die Kuppeln. Sie trugen Kameras auf den Köpfen und kapriolten übermütig um das Tauchboot.

»Lächeln, Leon!«, lachte Roscovitz. »Wir werden gefilmt.«

Ein Licht blinkte auf und bedeutete Anawak, dass er jetzt die Kontrolle über das *Deepflight* hatte.

»Sie übernehmen«, sagte Roscovitz. »Wenn was kommt und uns fressen will, servieren wir ihm Torpedos zum Frühstück. Das mache dann aber ich, verstanden? Sie steuern.«

Anawak war einen Moment ratlos. Unwillkürlich packte er den Joystick fester. Roscovitz hatte ihm nicht gesagt, was er tun sollte, also fuhr er fürs Erste weiter geradeaus.

»Hey, Leon! Nicht einschlafen. Busfahren ist aufregender.«

»Was soll ich tun?«

»Egal. Machen Sie irgendwas. Fliegen Sie uns zum Mond!«

Und der Mond ist in diesem Fall unten, dachte Anawak. Na schön.

Er schob den Joystick nach vorne.

Ruckartig kippte die Schnauze des *Deepflight* weg, und sie strebten der Tiefe zu. Anawak starrte in die Dunkelheit. Er zog den Stick zurück, diesmal vorsichtiger. Das Boot richtete sich auf. Er probierte eine Kurve, nahm sie zu eng, flog eine weitere. Er wusste, dass er viel zu ruckelig steuerte, aber im Grunde war es tatsächlich einfach. Reine Übungssache.

Ein Stück weiter sah er das zweite *Deepflight*. Plötzlich fand er Geschmack an der Sache. Er hätte stundenlang weiterfliegen können.

»Ganz manierlich, Leon. Auf die Dauer kann einem zwar schlecht werden bei Ihrem Fahrstil, aber das lernen Sie noch. Jetzt gehen Sie in die Waagerechte. Gut so. Langsam treiben lassen. Ich zeige Ihnen, wie man die Greifarme bedient. Das ist noch einfacher.«

Nach fünf Minuten übernahm Roscovitz wieder und steuerte das Boot langsam zurück in die Schleuse. Die Minute zwischen den geschlossenen Schotts verging quälend langsam, dann waren sie frei und tauchten auf. Anawak fühlte sich irgendwie erleichtert. Ungeachtet seiner Begeisterung bereitete ihm der Gedanke an die Orcas, die das Schiff am Morgen umkreist hatten, Unbehagen – ganz zu schweigen von den Überraschungen, die das Meer für unvorsichtige Tauchbootfahrer noch bereithalten mochte.

Roscovitz öffnete die Kuppeln. Sie stemmten sich aus ihren Röhren und sprangen auf den Pier.

Floyd Anderson stand vor ihm.

»Na, wie war's?«, fragte er ohne sonderliches Interesse.

»Es macht Spaß.«

»Leider muss ich den Spaß unterbrechen.« Der Erste Offizier sah zu, wie das zweite Boot auftauchte. »Kaum stecken Sie den Kopf unter Wasser, passiert was. Wir haben ein Signal empfangen.«

»Was?« Crowe trat hinzu. »Ein Signal? Welcher Art?«

»Schätze, das müssen Sie uns sagen.« Anderson sah gleichgültig an ihr vorbei. »Aber es ist sehr laut. Und ziemlich nahe.«

COMBAT INFORMATION CENTER

»Es ist ein Signal im niederfrequenten Bereich«, sagte Shankar. »Ein *Scratch*-Muster.«

Er und Crowe waren sofort ins CIC geeilt. Inzwischen hatten sie die Bestätigung der Bodenstation erhalten. Den Berechnungen zufolge lag die Quelle tatsächlich im näheren Umfeld der *Independence*.

Li kam herein.

»Können Sie was damit anfangen?«

»Vorerst nicht.« Crowe schüttelte den Kopf. »Wir müssen den Computer fragen. Er wird es zerpflücken und auf Muster untersuchen.«

»Dann also bis nächstes Jahr.«

»Höre ich da Kritik?«, knurrte Shankar verärgert.

»Nein, aber ich frage mich gerade, wie Sie innerhalb weniger Tage ein Signal entschlüsseln wollen, an dem sich Ihre Leute seit Anfang der Neunziger die Zähne ausbeißen.«

»Das fragen Sie sich *jetzt*?«

»Kein Streit, Kinder.« Crowe fingerte ihre Zigaretten zutage und zündete sich in aller Ruhe eine an. »Ich sagte doch, es ist was anderes, wenn jemand versucht, sich Außerirdischen verständlich zu machen. Wahrscheinlich haben wir den Yrr gestern die erste Botschaft geschickt, die sie entschlüsseln konnten. Sie werden in gleicher Manier antworten.«

»Sie glauben tatsächlich, die antworten in gleicher Codierung?«

»*Wenn* es die Yrr sind, *wenn* es eine Antwort ist, *wenn* sie den Code verstanden haben, *wenn* sie Interesse an einem Dialog haben – ja.«

»Warum antworten sie mit Infraschall und nicht gleich in unserer Frequenz?«

»Warum sollten sie?«, fragte Crowe überrascht.

»Diplomatie.«

»Warum antworten Sie einem Russen, der Sie in leidlichem Englisch anspricht, nicht auf Russisch?«

Li zuckte die Achseln. »Gut. Und weiter?«

»Wir werden unsere Botschaft vorerst aussetzen, um ihnen zu signalisieren, dass wir ihre Antwort erhalten haben. Sollten sie unseren Code benutzen, dürften wir das ziemlich schnell wissen. Sie werden bemüht sein, uns die Entschlüsselung so einfach wie möglich zu machen. – Ob unser Intellekt ausreicht, die Antwort zu verstehen, ist eine andere Frage.«

JOINT INTELLIGENCE CENTER

Weaver hatte sich das Unmögliche vorgenommen. Sie versuchte die Erkenntnisse über die Entstehung intelligenten Lebens zu ignorieren und gleichzeitig zu bestätigen.

Crowe hatte ihr auseinander gesetzt, dass alle Hypothesen über außerirdische Zivilisationen in den immer gleichen Fragen gipfelten. Eine davon lautete: Wie groß oder klein kann ein intelligentes Wesen überhaupt werden? In SETI-Kreisen, wo man auf die Möglichkeiten interstellarer Kommunikation setzte, wurde vorwiegend über Wesen philosophiert, die ihren Blick himmelwärts richteten, sich der Existenz anderer Welten bewusst wurden und irgendwann beschlossen, Kontakt aufzunehmen. Solche Wesen lebten mit an Sicherheit grenzender Wahrscheinlichkeit auf festem Boden, was ihrem Größenwachstum klare Grenzen setzte.

Aktuell gelangten Astronomen und Exobiologen zu dem Schluss, dass ein Planet nicht weniger als 85 Prozent und nicht mehr als 133 Prozent der Erdmasse besitzen durfte, um Oberflächentemperaturen zu entwickeln, innerhalb derer sich im Verlauf von ein bis zwei Milliarden Jahren intelligentes Leben überhaupt entwickeln konnte. Aus den Größen dieser fiktiven Planeten resultierten verschiedene Szenarien für die Schwerkraft, die wiederum Rückschlüsse auf den Körperbau dort lebender Spezies zuließen. Theoretisch konnte ein Lebewesen auf einem erdähnlichen Planeten ins Uferlose wachsen. Praktisch endete sein Wachstum dort, wo es zu schwer wurde, um sein eigenes Gewicht zu tragen. Natürlich hatten Dinosaurier überproportional große Knochen besessen, aber irgendwie war dabei das Gehirn zu kurz gekommen – der ganze Organismus schien einzig darauf ausgerichtet, sich durch die Gegend zu schleppen und zu fressen. Für bewegliche, intelligente Wesen galt darum die Faustregel, dass sie vermutlich nicht größer als zehn Meter wurden.

Spannender gestaltete sich die Frage nach der Untergrenze des Wachstums. Konnten Ameisen Intelligenz entwickeln? Bakterien? Viren?

SETI-Leute und Exobiologen hatten eine ganze Reihe von Gründen, sich damit auseinander zu setzen. Es war so gut wie sicher, dass im heimischen galaktischen Sektor keine menschenähnlichen Zivilisationen vorkamen, zumindest nicht im eigenen Sonnensystem. Umso mehr hoffte man, auf dem Mars oder auf einem der Jupitermonde wenigstens ein paar Sporen und vielleicht sogar Einzeller zu entdecken. Also suchte man nach der kleinsten funktionstüchtigen Einheit, die sich als Leben bezeichnen ließ, womit man zwangsläufig bei einem komplexen organischen Molekül landete, der winzigsten vorstellbaren Informations- und Speichereinheit mit eigener Infrastruktur – und bei der Frage, ob ein Molekül Intelligenz entwickeln konnte.

Eindeutig konnte ein Molekül so etwas nicht.

Aber intelligent war auch nicht die einzelne Nervenzelle in einem menschlichen Gehirn. Um einen Menschen im Verhältnis zu seiner Körpergröße intelligent zu machen, musste es sich aus etwa 100 Milliarden Zellen aufbauen. Ein kleineres intelligentes Wesen als der Mensch würde vielleicht weniger Zellen brauchen, aber die Größe der

Moleküle, aus denen die Zellen aufgebaut waren, blieb gleich, und unterhalb einer gewissen Anzahl Zellen reichte es nicht mehr zum intelligenten Funken. Das war das Problem mit Ameisen, denen man zwar eine unbewusste Intelligenz bescheinigte, deren Hirne aber einfach über eine zu geringe Anzahl von Zellen verfügten, um höhere Intelligenz hervorzubringen. Weil Ameisen zudem nicht durch Lungen atmeten, sondern den Sauerstoff direkt über ihre Köperfläche in die Zellen leiteten, konnten sie nicht wachsen – ab einer gewissen Größe funktionierte die Körperatmung nicht mehr – und keine größeren Hirne entwickeln. So landeten sie samt allen übrigen Insekten in einer Sackgasse der Evolution. Die Wissenschaft schlussfolgerte, dass die körperliche Untergrenze für ein intelligentes Wesen bei zehn Zentimetern liege, womit die Chance, einem krabbelnden Aristoteles zu begegnen, gegen null ging, von einem einzelligen ganz zu schweigen.

All das war Weaver bewusst, als sie den Computer darauf programmierte, Einzeller und Intelligenz sinnvoll zusammenzureimen.

Wenige Stunden nach der Entdeckung im Labor herrschte auf der *Independence* Skepsis vor, ob die Gallerte wirklich intelligent war. Einzeller waren nicht kreativ und entwickelten kein Ich-Bewusstsein. Eine größere Masse aus Einzellern entsprach zwar theoretisch einem Gehirn oder Körper mit Körperzellen. Das Ding vor Vancouver Island, zu dem die Wale geschwommen waren, hatte unzweifelhaft aus Milliarden von Zellen bestanden. Aber konnte es deswegen denken? Und selbst wenn! – Wie lernte es? Wie tauschten sich die Zellen aus? Was führte dazu, dass aus einem Konglomerat von Zellen ein höheres Ganzes entstand?

Was hatte beim Menschen dazu geführt?

Entweder war diese Gallerte tatsächlich nur eine dumpfe Masse – oder sie verfügte über einen Trick.

Sie hatte es fertig gebracht, Wale und Krebse zu steuern.

Es musste einen Trick geben!

Kurzweil Technologies hatte Computerprogramme zum Aufbau künstlicher Intelligenz aus Milliarden elektronischer Speichereinheiten entwickelt, die Neuronen und damit ein Gehirn simulierten. Mit künstlicher Intelligenz wurde rund um den Globus bereits in unterschiedlichen Stadien gearbeitet. Sie war lernfähig und in gewisser Weise zu eigener, kreativer Weiterentwicklung fähig. Bis heute nahm keiner der Forscher für sich in Anspruch, so etwas wie Bewusstsein erschaffen zu haben, aber die Frage stand im Raum, ab wann eine Zusammenballung kleinster identischer Einheiten zu Leben wurde. Und ob es überhaupt möglich war, Leben auf diese Weise zu erschaffen.

Weaver hatte mit Ray Kurzweil Kontakt aufgenommen, sodass sie nun über ein künstliches Hirn der letzten Generation verfügte. Sie legte eine Sicherheitskopie an, zerpflückte das Original in seine einzelnen elektronischen Komponenten, kappte die Informationsbrücken und verwandelte es in einen unstrukturierten Schwarm kleinster Einheiten. Sie stellte sich vor, wie es wäre, wenn man ein menschliches Gehirn ebenfalls auf diese Weise zerlegen würde und was geschehen müsste, damit sich die Zellen wieder zu einem denkenden Ganzen fänden. Nach einer Weile bevölkerten Milliarden elektronischer Neuronen ihren Computer, winzige Speicherplätze ohne Anbindung aneinander.

Dann stellte sie sich vor, es wären keine Speicherplätze, sondern Einzeller.

Milliarden von Einzellern.

Sie durchdachte die nächsten Schritte. Je näher sie an der Realität blieb, desto besser. Nach einigem Überlegen programmierte sie einen dreidimensionalen Raum und versah ihn mit den physikalischen Eigenschaften von Wasser. Wie sahen Einzeller aus? Sie hatten alle möglichen Formen, stäbchenartig, dreieckig, sternförmig gezackt, mit und ohne Geißeln, aber am besten war wohl, sich vorerst für das Einfachste zu entscheiden. Rund war gut. Also rund. Jetzt hatten sie eine Form. Solange die im Labor zu keinen anderen Erkenntnissen gelangten, blieben sie erst mal rund.

Nach und nach verwandelte sich der Computer in einen Ozean. Weavers virtuelle Einzeller bewohnten eine Welt, durch die sie trudeln konnten. Vielleicht sollte sie darangehen, Strömungen einzuprogrammieren, bis der virtuelle Raum in allen Einzelheiten der Tiefsee entsprach. Aber das hatte Zeit. Vorrangig musste sie die Kernfragen beantworten.

Weaver starrte auf den Bildschirm.

So viele Einheiten. Wie konnte daraus ein denkendes Wesen entstehen? Die Größe spielte keine Rolle. Für wasserlebende Wesen galt die Faustregel von der maximalen Körpergröße nicht, weil dort andere Gewichtsverhältnisse herrschten. Ein intelligentes Wasserwesen konnte ungleich größer werden als jeder landlebende Organismus. In den SETI-Szenarien kamen Wasserzivilisationen kaum vor, weil sie mit Radiowellen nicht zu erreichen waren und wahrscheinlich kein Interesse am Weltraum und anderen Planeten entwickeln würden – oder sollten sie den Weltraum in fliegenden Aquarien durchqueren? Doch jetzt war es genau das Szenario, das sie brauchten.

Als Anawak eine halbe Stunde später das JIC betrat, fand er sie immer noch starrend, die Stirn voller Falten. Sie freute sich, ihn zu sehen. Nach seiner Rückkehr aus Nunavut hatten sie viel miteinander gesprochen, über seine und ihre Vergangenheit. Anawak wirkte selbstbewusst und voller Zuversicht. Der traurige Indianer von der Hotelbar des Châteaus war irgendwo in der Arktis verloren gegangen.

»Wie weit bist du?«, fragte er.

»Knoten im Hirn.« Sie schüttelte den Kopf. »Ich weiß nicht, wo ich anfangen soll.«

»Wo liegt das Problem?«

Sie erzählte ihm, was sie getan hatte. Anawak hörte zu, ohne sie zu unterbrechen. Dann sagte er: »Klar, dass du nicht weiterkommst. Du bist hervorragend in Computersimulationen, aber dir fehlen ein paar Grundkenntnisse über Biologie. Was ein Hirn zur denkenden Einheit macht, ist sein Aufbau. Die Neuronen unseres Gehirns sind weitgehend gleichartig, es ist die Art und Weise der Verknüpfung, die sie zum Denken bringt. Es ist wie … Hm. – Pass auf! Stell dir einen Stadtplan vor.«

»Okay. London.«

»Und nun, dass alle Häuser und Straßen plötzlich den Zusammenhalt verlieren und wild durcheinander trudeln. Ein Tohuwabohu. Jetzt setzt du sie wieder zusammen. Dafür gibt es unendlich viele Varianten, aber nur aus einer wird London.«

»Schön. Woher weiß aber jedes Haus, wo es hingehört?« Weaver seufzte. »Nein, lass uns anders anfangen. Ganz gleich, wie die Zellen im Hirn miteinander verknüpft sind – warum ergeben sie zusammengenommen etwas, das mehr kann als die Summe seiner Teile?«

Anawak rieb sich das Kinn.

»Wie soll ich dir das erklären? Okay, geh zurück in unsere angenommene Stadt. Da wird ein Hochhaus gebaut von … sagen wir mal, tausend Arbeitern. Sie sind alle gleich, meinetwegen geklont.«

»Oh Gott. Das ist nicht London.«

»Jeder von denen hat eine spezielle Aufgabe, bestimmte Handgriffe, die er verrichten muss. Aber keiner kennt den ganzen Plan. Trotzdem bauen sie zusammen das Haus. Wenn du welche austauschen würdest, gäbe es Pannen. Zehn Arbeiter, die eine Kette bilden, um einander Steine zuzuwerfen, kommen durcheinander, wenn einer von ihnen plötzlich durch jemanden ersetzt wird, der Schrauben anziehen soll.«

»Verstehe. Solange jeder an seinem Platz ist, klappt die Sache.«

»Sie wirken zusammen.«

»Und trotzdem gehen sie abends nach Hause.«

»Trudeln auseinander. Jeder in seine Richtung. Am nächsten Morgen erscheinen sie alle wieder auf der Baustelle, und es geht weiter. Du kannst sagen, das funktioniert, weil jemand die Arbeiter einteilt, aber ohne Arbeiter könnte er das Haus nicht bauen. Eines bedingt das andere. Aus dem Plan entsteht das Zusammenwirken, und daraus wiederum entsteht der Plan.«

»Also gibt es einen Planer.«

»Oder die Arbeiter *sind* der Plan.«

»Dann müsste jeder Arbeiter ein bisschen anders codiert sein als sein Kollege. Was er ja auch ist.«

»Richtig. Die Arbeiter sind also nur scheinbar gleich. Also fang noch weiter vorne an. Okay, es gibt einen Plan. Okay, sie sind codiert. Aber was brauchst du, damit daraus ein Netzwerk wird?«

Weaver überlegte.

»Den Willen mitzumachen?«

»Einfacher.«

»Hm.« Plötzlich begriff sie, was Anawak meinte. »Kommunikation. In einer Sprache, die alle verstehen. Eine Botschaft.«

»Und wie heißt die, wenn morgens alle aus den Betten kriechen?«

»Ich geh zum Bau, arbeiten.«

»Und?«

»Ich weiß, wo ich hingehöre.«

»Richtig. Gut, es sind Arbeiter, wenig geeignet für komplexe Konversation. Hart arbeitende Burschen. Sie schwitzen ständig, selbst nachts im Bett schwitzen sie und morgens, wenn sie aufstehen, den ganzen Tag lang. Woran erkennen sie einander?«

Weaver sah ihn an und verzog das Gesicht.

»Am Schweißgeruch.«

»Bingo!«

»Du hast vielleicht Phantasien.«

Anawak lachte. »Das ist Oliveras Schuld. Sie hat vorhin von diesem Bakterium erzählt, das Kolonien bildet ...*Myxococcus xanthus*. Weißt du noch, es sondert einen Duftstoff ab, und alle rücken zusammen.«

Weaver nickte. Das machte Sinn. Duft war eine Möglichkeit.

»Das durchdenke ich im Schwimmbad«, sagte sie. »Kommst du mit?«

»Schwimmen? Jetzt?«

»Schwimmen? Jetzt?«, äffte sie ihn nach. »Hör zu, ich bin normalerweise nicht in einen Raum eingeschlossen und sitze starr auf der Stelle.«

»Ich dachte, das wäre normal bei Computerfreaks.«

»Sehe ich aus wie ein Computerfreak? Blass und wabbelig?«

»Oh, du bist mit Sicherheit die blasseste und wabbeligste Erscheinung, die mir jemals untergekommen ist«, grinste Anawak.

Sie bemerkte das Funkeln in seinen Augen. Der Mann war klein und kompakt, weiß Gott nicht George Clooney, aber auf Weaver wirkte er in diesem Moment groß, selbstbewusst und gut aussehend.

»Idiot«, sagte sie lächelnd.

»Danke.«

»Bloß weil du dein halbes Leben im Wasser verbringst, glaubst du, Computerleute sind an ihren Stühlen festgewachsen. Das meiste mache ich in freier Natur. Mit meinem Kopf, Leon! Laptop ins Gepäck, Abmarsch. Schreiben kannst du auch in einer Felswand. So was hier verspannt mich, ich bekomme davon Schultern wie Stahlträger.«

Anawak stand auf und trat hinter sie. Einen Moment lang glaubte Weaver, er wolle gehen. Dann spürte sie plötzlich seine Hände auf ihren Schultern. Seine Finger strichen über die Stränge der Nackenmuskulatur, die Daumen kneteten den Bereich um die Schulterblätter.

Er massierte sie.

Weaver fühlte, wie sie sich verkrampfte. Sie war sich nicht sicher, ob ihr das gefiel.

Doch, es gefiel ihr. Sie wusste nur nicht recht, ob sie es wollte.

»Du bist nicht verspannt«, sagte Anawak.

Er hatte Recht. Warum hatte sie es dann gesagt?

Im Moment, da sie sich etwas zu ruckartig aus ihrem Sessel erhob und seine Hände von ihr abglitten, wusste sie, dass sie einen Fehler machte. Dass es ihr besser gefallen hätte, sitzen zu bleiben und ihn weitermachen zu lassen. Aber dafür hatte sie das Ganze wohl zu rüde beendet.

»Ich geh dann mal«, sagte sie verlegen. »Schwimmen.«

ANAWAK

Unsicher fragte er sich, was schief gelaufen war. Er wäre gern mitgegangen ins Schwimmbad, aber die Stimmung war plötzlich umgekippt. Vielleicht hätte er fragen sollen, bevor er anfing, ihre Schultern zu massieren. Vielleicht hatte er die ganze Sache auch nur von Grund auf falsch eingeschätzt.

Du bist eben ungeschickt in so was, dachte er. Bleib bei deinen Walen. Blöder Eskimo.

Er ließ sie ziehen und überlegte, Johanson aufzusuchen und mit ihm die Erörterung der Einzeller-Intelligenz fortzusetzen. Aber irgendwie war ihm plötzlich die Lust daran vergangen. Also beschloss er, nebenan im CIC vorbeizuschauen. Greywolf und Delaware verbrachten dort große Teile ihrer Zeit mit der Beobachtung und Lautauswertung der Delphinstaffeln. Aber im CIC gab es nichts zu sehen als die Übertragungen der Rumpfkameras. Die Monitore zeigten dunkles Wasser. Wenig hatte sich getan, seit die Orcas am Morgen das Schiff umrundet hatten, und die Orcas waren fort, wie es schien. Shankar saß einsam mit einem Paar überdimensionaler Kopfhörer vor dem Monitor, über dessen Oberfläche Zahlenreihen huschten, und lauschte in die Tiefe. Einer der Männer an den Bildschirmen erklärte ihm, Greywolf und Delaware seien im Welldeck, um MK-6 gegen MK-7 auszutauschen.

Also marschierte er den Rampentunnel hinunter und gelangte auf das leere Hangardeck. Es war kalt und zugig dort. Er wollte weitergehen, aber etwas hielt ihn zurück. Obwohl Tageslicht durch die torgroßen Öffnungen der Außenfahrstühle hereindrang, dominierte das fahle, gelbliche Zwielicht der Natriumdampfbeleuchtung die Atmosphäre. Er versuchte sich vorzustellen, wie die riesige Halle gedrängt voll stand mit Hubschraubern und Harrier Jets, Fahrzeugen, Fracht und Ausrüstung, zentimeternah aneinander geparkt, sodass eben genug Platz blieb, um durch eine Tür, ein Fenster oder eine Klappe hineinzuschlüpfen. Wie Jeeps und Gabelstapler laut und ratternd die Rampen hoch- und runterfuhren. Wie Hunderte emsiger Marines, sobald sich das Fluggerät auf dem Dach befand, hier Waffen und Ausrüstung überprüften, schnell und konzentriert, wie die ganze, gewaltige Maschinerie der *Independence* ineinander griff.

Absurd, dieser Riesenraum in seiner Leere. Nutzlos. Die Büros zwischen den Spanten unbesetzt. Die gelben Lampen im Stahlträgermuster der hohen, düsteren Decke beleuchteten vornehmlich sich selber. Rohrleitungen entlang der Wände führten ins Nichts. Und überall Warnschilder – für wen?

»Manchmal, wenn es im Fitnessraum eng wird, stellen wir hier noch ein paar Laufbänder mit rein«, hatte Peak gesagt, als sie in Norfolk zusammen durch das Schiff gewandert waren. »Dann wird es erst richtig gemütlich.« Er hatte stirnrunzelnd dagestanden, als suche er nach etwas. Und dann hatte er hinzugefügt: »Ich hasse es, wenn der Hangar so leer ist. Ich hasse diese Verlassenheit von Räumen, die nicht leer sein dürften. Irgendwie hasse ich diese ganze Mission.«

Es war das einzige Mal, dass er Peak so erlebt hatte.

Der leerste Raum, dachte Anawak, ist immer in einem selber.

Ohne Eile ging er quer durch die Halle und trat hinaus auf die Plattform des Backbordaufzugs. Der Lift ragte über die Wellen wie eine großzügig bemessene Sonnenterrasse. Beiderseitig der Toröffnung ruhte er in senkrechten Laufschienen. Zwei große Hubschrauber mit zusammengelegten Rotorblättern fanden auf der über 140 Quadratmeter großen Fläche Platz, um vom Hangardeck hinauf aufs Dach gestemmt zu werden. Anawak kniff die Augen zusammen. Der Wind blies ihn ordentlich durch. Eine starke Bö konnte einen unvermittelt von den Füßen hebeln und über die Kante wehen, und nirgendwo gab es ein Gitter. Stattdessen zogen sich Auffangnetze um den Lift. Ein ganzer Ring solcher Netze umgab das Schiff, damit einen der Sturm oder der Ausstoß von Flugzeugabgasen nicht in die See warf.

Riskant war es trotzdem.

Zehn Meter unter ihm wogte die See.

Immer noch herrschten diffuse Sichtverhältnisse, aber der Eispartikelregen hatte aufgehört. So weit das Auge reichte, war das Wasser marmoriert von streifiger Gischt. Schieferfarbenes, weiß geädertes Meer in stetigem Auf und Ab. Eine Wüste.

Wie seltsam. Mehr als die Hälfte seines Lebens war er im gemäßigten Klima der kanadischen Westküste untergekrochen. Jetzt hatte ihn das Schicksal gleich zweimal hintereinander ins Eis verschlagen.

Der Wind zerrte an seinen Haaren. Allmählich fühlte er seine Haut taub werden von der Kälte. Er hielt die Hände wie eine Muschel vor seinen Mund und blies seinen warmen Atem hinein.

Dann ging er zurück ins Innere.

LABOR

Johanson hatte Oliviera versprochen, sie zu einem *richtigen* Hummeressen einzuladen, wenn alles überstanden sei. Dann fischte er mit Hilfe des *Spherobot* eine Krabbe aus dem Simulator. Der kugelförmige Roboter schwebte, das fast bewegungslose Tier in seiner Greifzange haltend, zurück in die Garage, wo hermetisch verschließbare Boxen mit PVC-Lackierung bereitstanden. Es sah merkwürdig aus, wie der Automat die Krabbe mit augenscheinlichem Ekel von sich weg hielt, ins Innere einer der Boxen fallen ließ und sie verschloss.

Ein kleiner Roboter, von den Umständen angewidert.

Die Box wurde durch eine Schleuse in einen Trockenraum gefahren und mit Peressigsäure besprüht, mit Wasser abgewaschen, einem Schwall Natronlauge ausgesetzt und über eine weitere Schleuse aus dem Simulator hinausbefördert. Wie tödlich das Wasser im Tank auch vergiftet sein mochte, die Box war jetzt sauber.

»Sind Sie sicher, dass Sie alleine klarkommen?«, fragte Johanson. Er hatte sich zur Telefonkonferenz mit Bohrmann verabredet, der auf La Palma den Einsatz des Saugrüssels vorbereitete.

»Kein Problem.« Oliviera nahm den Behälter mit der Krabbe an sich. »Falls doch, werde ich schreien. In der Hoffnung, dass Sie mir helfen kommen und nicht dieser Affenarsch von Rubin.«

Johanson schmunzelte.

»Sollten wir da eine Abneigung teilen?«

»Ich hab nicht wirklich was gegen Mick«, sagte Oliviera. »Er ist nur so gottverdammt bemüht, den Nobelpreis zu kriegen.«

»Scheint mir auch so. Und Sie?«

»Was soll mit mir sein?«

»Keine Lust auf Lorbeeren? Ein bisschen berühmt werden wir wohl alle, wenn wir das hier überleben.«

»Gegen ein paar Groupies hätte ich nichts einzuwenden. Die Wissenschaft ist trocken genug.« Oliviera hielt inne. »Bei der Gelegenheit, wo ist er eigentlich?«

»Wer? Rubin?«

»Ja. Er wollte hier sein, wenn ich die DNA-Analyse im Hochsicherheitslabor durchführe.«

»Seien Sie doch froh.«

»Ich bin froh. Ich frage mich trotzdem, wo er sich rumtreibt.«

»Irgendwas Sinnvolles wird er schon tun«, sagte Johanson versöhnlich. »Ich meine, er ist ja kein schlechter Kerl. Er riecht nicht, hat niemanden umgebracht und eine Menge Auszeichnungen im Regal stehen. Wir müssen den Typ nicht mögen, solange er uns weiterbringt.«

»Tut er das? Finden Sie, er hat bis jetzt irgendwas Sinnvolles geleistet?«

»Aber gnädige Frau.« Johanson breitete die Hände aus. »Ist es einer guten Idee nicht scheißegal, wer sie hat?«

Oliviera grinste.

»Die Lebenslüge der zweiten Garnitur.« Sie zuckte die Achseln. »Na ja. Soll er machen, was er will. Wer weiß, wofür es gut ist.«

SEDNA

Anawak trat an den Beckenrand.

Das Deck war immer noch geflutet. Er sah Delaware und Greywolf mit Neoprenanzügen bekleidet im Wasser paddeln und den Delphinen das Geschirr abnehmen. Lärm erfüllte die Halle. Weiter heckwärts wurde eines der *Deepflight*-Tauchboote von der Decke gelassen. Roscovitz und Browning überwachten den Vorgang vom Kontrollpult aus. Langsam sank der flache, raumschiffartige Rumpf abwärts, bis er die Oberfläche berührte und sanft schaukelnd auflag. Im kräuseligen Wasser leuchtete die Schleuse am Grund.

Roscovitz schaute zu ihm herüber.

»Fahren Sie raus?«, rief Anawak.

»Nein.« Der Leiter der Tauchstation zeigte auf das Boot. »Dieses Baby hat 'ne Macke. Irgendwas mit der Vertikalsteuerung.«

»Schlimm?«

»Keine große Sache, aber nachschauen ist besser.«

»Mit dem waren wir doch draußen, oder?«

»Keine Angst, Sie haben nichts kaputtgemacht.« Roscovitz lachte. »Möglicherweise ein Defekt in der Software. In wenigen Stunden ist alles wieder heile.«

Ein Schwall Wasser traf Anawaks Beine.

»He, Leon!« Delaware grinste ihn aus dem Becken an. »Was stehst du da rum? Komm rein.«

»Gute Idee«, meinte Greywolf. »Du könntest was Sinnvolles tun.«

»Wir tun eine Menge Sinnvolles da oben«, erwiderte Anawak.

»Zweifellos.« Greywolf streichelte einen der Delphine, der sich an ihn schmiegte und leise schnatternde Laute von sich gab. »Schnapp dir einen der Anzüge.«

»Ich wollte nur kurz nach euch sehen.«

»Nett von dir.« Greywolf versetzte dem Delphin einen Klaps und sah zu, wie er davonschnellte. »Nun hast du uns gesehen.«

»Gibt's irgendwas Neues?«

»Wir machen die zweite Staffel fertig«, sagte Delaware. »MK-6 hat nichts Außergewöhnliches registriert, abgesehen von heute Morgen, als sie die Anwesenheit der Orcas meldeten.«

»Und zwar, *bevor* die Elektronik sie gesehen hat«, bemerkte Greywolf nicht ohne Stolz.

»Ja, ihr Sonar ist ...«

Anawak bekam einen weiteren Schwall ab, als diesmal eines der

Tiere wie ein Torpedo aus dem Wasser stieg und ihn nass spritzte. Offenbar fand der Delphin großes Vergnügen daran. Er quiekte und schnatterte und reckte die Schnauze.

»Gib dir keine Mühe«, sagte Delaware zu dem Tier, als könne es sie verstehen. »Leon kommt nicht rein. Er würde sich den Arsch abfrieren, weil er nämlich gar kein richtiger Inuk ist, sondern ein Angeber. Er kann überhaupt kein Inuk sein. Sonst wäre er längst ...«

»Okay, okay!« Anawak hob die Hände. »Wo ist der verdammte Anzug?«

Fünf Minuten später half er Delaware und Greywolf, den Tieren der zweiten Staffel die Kameras und Sender anzulegen. Plötzlich fiel ihm ein, wie Delaware ihn gefragt hatte, ob er ein Makah sei.

»Wie bist du damals eigentlich darauf gekommen?«, wollte er wissen.

Sie zuckte die Achseln. »Du hast dich ausgeschwiegen. Irgendwas Indianisches musstest du sein. Wie ein Friese hast du jedenfalls nicht ausgesehen. Jetzt, wo ich's besser weiß ...« Sie strahlte ihn an. »... hab ich auch was für dich!«

»Du hast was für mich?«

Sie zurrte einen Riemen um die Brust eines Delphins.

»Ich bin im Internet darauf gestoßen. Dachte, ich mache dir eine Freude. Hab's auswendig gelernt, willst du wissen, was es ist?«

»Raus damit!«

»Die Geschichte deiner Welt!« Es klang wie von Fanfarenstößen begleitet.

»Du lieber Himmel.«

»Kein Interesse?«

»Doch«, sagte Greywolf. »Leon interessiert sich brennend für seine geliebte Heimat, er würde es nur ums Verrecken nicht zugeben.« Er kam herbeigeschwommen, flankiert von zwei Delphinen. In seinem gepolsterten Anzug sah er aus wie ein mittelgroßes Seeungeheuer. »Lieber lässt er sich für einen Makah halten.«

»Du hast's gerade nötig«, bemerkte Anawak.

»Kein Streit, Kinder!« Delaware legte sich auf den Rücken und ließ sich treiben. »Ich meine, wusstet ihr, wo all die Wale und Delphine und die Robben herkommen? Wollt ihr die wahre Erklärung hören?«

»Spann uns nicht auf die Folter.«

»Also, es beginnt in frühester Zeit, als Menschen und Tiere noch eins waren. Da lebte in der Nähe von Arviat ein Mädchen.«

Anawak horchte auf. Das also hatte sie gefunden! Als Heranwachsender hatte er die Geschichte in allen möglichen Varianten gehört, aber dann war sie ihm zusammen mit seiner Kindheit verloren gegangen.

»Wo ist Arviat?«, wollte Greywolf wissen.

»Arviat ist die südlichste Siedlung von Nunavut«, erwiderte Anawak. »War der Name des Mädchens Talilayuk?«

»Oh ja, sie hieß Talilayuk, so hieß sie«, fuhr Delaware mit einigem Pathos fort. »Sie hatte schönes Haar, und viele Männer zeigten großes Interesse an Talilayuk, aber erst ein Hundemann konnte ihr Herz gewinnen. Talilayuk wurde schwanger und gebar Inuit und Nicht-Inuit, alles durcheinander. Bis eines Tages, als der Hundemann gerade Fleisch holen war, ein unglaublich gut aussehender Sturmvogelmann in einem Kajak vor Talilayuks Camp erschien. Er lud sie ein, zu ihm ins Boot zu steigen, und wie das so geht – sie brannten miteinander durch.«

»Das Übliche.« Greywolf inspizierte das Objektiv einer Kamera. »Und wann kommen die Wale ins Spiel?«

»Langsam. – Irgendwann erscheint Talilayuks Vater auf Besuch, aber seine Tochter ist verschwunden, und der Hundemann heult rum. Der Alte rudert auf dem Meer umher, bis er zum Camp des Sturmvogelmannes kommt. Da sieht er sie schon von weitem vor dem Zelt sitzen und macht ein Riesentheater, sie solle sich auf der Stelle nach Hause scheren. Talilayuk steigt folgsam zu Papa ins Boot, und sie paddeln heimwärts. Nach einiger Zeit bemerken sie plötzlich, wie das Meer zu wogen beginnt. Die Wellen werden immer höher, und plötzlich bricht ein gewaltiger Sturm los! Weit und breit kein Land in Sicht. Brecher schlagen ins Boot, und der Alte bekommt es mit der Angst zu tun, sie könnten sinken. Es ist die Rache des Sturmvogels, die über sie gekommen ist, und Papa denkt, deswegen will ich nicht ersaufen. Und weil er ohnehin einen Rochus hat auf seine Tochter, die an dem ganzen Schlamassel schuld ist, packt er Talilayuk und stürzt sie über Bord. Das Mädchen klammert sich verzweifelt an den Bootsrand. Der Alte schreit, lass los, aber Talilayuk klammert sich nur noch fester an die Reling. Da packt ihn der Wahnsinn, er greift zum Beil, holt aus und schlägt ihr die vorderen Fingerglieder ab! Aber kaum berühren die das Wasser, was glaubst du? Sie verwandeln sich in Narwale und die Fingernägel in Narwalstoßzähne. Talilayuk will nicht loslassen, also haut der Alte ihr auch noch die mittleren Fingerglieder ab, und sie werden zu Weißwalen, zu Belugas. Immer noch hängt das Mädchen an der Reling. Die letzten Fingerglieder müssen dran glauben, und es entstehen lauter

Robben daraus. Talilayuk gibt nicht auf. Selbst mit ihren Handstümpfen bringt sie es irgendwie noch fertig, sich ans Boot zu klammern, und es beginnt voll zu laufen. Da packt den Alten das Grauen! Er stößt ihr das Paddel mitten ins Gesicht, haut ihr das linke Auge raus, und endlich lässt sie los und versinkt in den Wellen.«

»Rüde Sitten.«

»Aber Talilayuk stirbt nicht, jedenfalls nicht richtig. Sie verwandelt sich in die Meeresgöttin Sedna und herrscht seitdem über die Tiere des Meeres. Einäugig gleitet sie durchs Wasser, die Armstümpfe von sich gestreckt, und sie hat immer noch sehr schönes Haar, das sie ohne Hände leider nicht kämmen kann. Darum ist es oft durcheinander, woran man sieht, dass sie zürnt. – Doch wer es schafft, ihr Haar zu kämmen und zu einem Zopf zu flechten, der kann Sedna besänftigen, und dem gibt sie ihre Meerestiere zur Jagd frei.«

»Als ich klein war, in den langen Winternächten, ist diese Geschichte oft erzählt worden, immer ein bisschen anders«, sagte Anawak leise.

»Hat sie dir gefallen?«

»Es hat mir gefallen, dass du sie erzählt hast.«

Sie lächelte zufrieden. Anawak fragte sich, was sie auf die Idee gebracht hatte, die alte Legende von Sedna für ihn auszugraben. Ihm schien mehr dahinter zu stecken als ein zufälliger Fund im Internet. Sie hatte nach so etwas gesucht. Es war tatsächlich ein Geschenk an ihn. Ein Beweis ihrer Freundschaft.

Irgendwie war er gerührt.

»Blödsinn.« Greywolf pfiff den letzten Delphin heran, der noch nicht mit Kamera und Hydrophonen ausgestattet war. »Leon ist ein Mann der Wissenschaft. Dem kannst du mit Meeresgöttinnen nicht kommen.«

»Euer dämlicher Kleinkrieg«, sagte Delaware kopfschüttelnd.

»Außerdem stimmt die Geschichte nicht. Wollt ihr wissen, wie wirklich alles entstanden ist? Es gab kein Land. Es gab nur einen Häuptling, der unter Wasser eine Hütte bewohnte. Er war ein fauler Sack, weil er niemals aufstand, sondern immer nur mit dem Rücken zum Feuer lag, in dem irgendwelche Kristalle verbrannten. Er lebte ganz alleine da unten, und sein Name war ›Der Wunderbare Macher‹. Eines Tages kam sein Gehilfe hereingeplatzt und meinte, die Geister und übernatürlichen Wesen fänden kein Land, um sich darauf niederzulassen, und er solle seinem Namen gerecht werden und was dagegen machen. Als Antwort hob der Häuptling zwei Steine vom Boden und gab seinem Gehilfen beide mit der Anweisung, er solle sie ins Wasser werfen. Der tat, wie ihm geheißen, und die Steine wuchsen und formten die Queen Charlotte Islands und das ganze Festland.«

»Danke«, grinste Anawak. »Endlich mal eine streng wissenschaftliche Erklärung.«

»Die Erzählung stammt aus einem alten Haida-Zyklus: *Hoyá Káganas*, die Reisen des Raben«, sagte Greywolf. »Bei den Nootka gibt es ähnliche Geschichten. Viele drehen sich um das Meer. Entweder du entstammst ihm, oder es vernichtet dich.«

»Vielleicht sollten wir besser hinhören«, meinte Delaware. »Falls wir mit der Wissenschaft nicht weiterkommen.«

»Seit wann interessierst du dich für Mythen?«, wunderte sich Anawak.

»Es macht Spaß.«

»Du bist doch noch empirischer als ich.«

»Na und? Jedenfalls sagen die Mythen ziemlich klar, wie man friedlich mit der Natur zusammenlebt. Wen interessiert's, ob ein Wort davon wahr ist? Du nimmst was und gibst was zurück. Das ist die ganze Wahrheit.«

Greywolf grinste und tätschelte den Delphin. »Dann hätten wir die Probleme ja im Griff, was, Licia? Du musst einfach ein bisschen mehr Körpereinsatz zeigen.«

»Wieso denn das?«

»Ich kenne zufällig ein paar alte Bräuche aus der Beringsee. Die haben es wie folgt gemacht: Bevor die Jäger in See stachen, musste der Harpunenwerfer mit der Tochter des Kapitäns schlafen, um ihren Vaginalgeruch anzunehmen. Nur der zog den Wal in die Nähe des Boots und besänftigte ihn, sodass er sich töten ließ.«

»Auf so was können wirklich nur Männer kommen«, sagte Delaware.

»Männer, Frauen, Wale ...«, lachte Greywolf. »*Hishuk ish ts'awalk* – Alles ist eins.«

»Okay«, rief Delaware. »Tauchen wir zum Meeresgrund, suchen Sedna und kämmen ihre Haare.«

Alles ist eins, echote es in Anawaks Kopf.

Akesuk hatte gesagt: *Dieses Problem könnt ihr nicht mit Wissenschaft lösen. Ein Schamane würde dir sagen, dass ihr es mit Geistern zu tun bekommen habt, den Geistern der belebten Welt, die in den Wesen wandern. Die Quallunaat haben begonnen, das Leben zu vernichten. Sie haben die Geister gegen sich aufgebracht, die Meeresgöttin Sedna. Wer immer deine Wesen im Meer sind, ihr werdet nichts erreichen, wenn ihr versucht, gegen sie vorzugehen. Vernichtet sie, und ihr ver-*

nichtet euch selber. Begreift sie als Teil von euch, und ihr teilt dieselbe
Welt. Der Kampf um die Herrschaft lässt sich nicht gewinnen.

Hier schwammen sie mit Delphinen, während Roscovitz und Browning ein Stück weiter das *Deepflight* reparierten, und erzählten einander alte Legenden von Geistern und Meeresgöttinnen. Lachend paddelten sie umher, und ganz allmählich, unmerklich, verloren ihre Körper die Wärme an das Meerwasser, trotz Temperierung und schützender Anzüge.

Wie sollten sie das Haar der Meeresgöttin kämmen?

Bis heute hatten die Menschen nur Toxine und Atommüll nach Sedna geworfen. Eine Ölpest nach der anderen verklebte ihr Haar. Ohne zu fragen, hatten sie ihre Tiere gejagt und viele davon ausgerottet.

Anawak spürte sein Herz klopfen im eisigen Wasser. Ihn fröstelte. Etwas sagte ihm, dass dieser Moment des Glücks von kurzer Dauer sein würde. Er hatte seinen Frieden mit so vielem gemacht, hatte Freunde gewonnen, fühlte sich befreit vom Ballast falsch verstandenen Daseins.

Dumpf überkam ihn die Ahnung, dass soeben etwas zu Ende ging. Nie wieder würden sie so zusammenkommen.

Greywolf überprüfte den Sitz des Geschirrs am sechsten und letzten Tier der Staffel und nickte befriedigt.

»In Ordnung«, sagte er. »Lassen wir sie raus.«

HOCHSICHERHEITSLABOR

»Ich blöde Kuh. Ich muss blind gewesen sein!«

Oliviera starrte den Bildschirm an, auf dessen Oberfläche das Fluoreszenzmikroskop die Vergrößerung der Probe übertrug. In Nanaimo hatte sie die Gallerte mehrfach untersucht, beziehungsweise das, was davon übrig geblieben war, nachdem sie das Zeug aus den Hirnen der Wale gepult hatten. Auch den Fetzen, der nach dem Tauchgang unter der *Barrier Queen* an Anawaks Messer hängen geblieben war, hatte sie unter die Lupe genommen. Aber nie wäre sie auf die Idee gekommen, von einer zerfallenden Substanz auf einen Zusammenschluss aus Einzellern zu folgern.

Es war geradezu peinlich!

Dabei hätte sie es längst schon wissen können. Aber in der *Pfiesteria*-Hysterie hatten alle nur noch Killeralgen vor Augen gehabt. Selbst Roche war entgangen, dass die zerflossene gallertige Substanz gar nicht verschwunden, sondern auf dem Objektträger seines Mikroskops zu sehen gewesen war, die ganze Zeit über, in Gestalt einzelliger, toter oder sterbender Organismen. Im Innern der Hummer und Krabben war bereits alles vertreten gewesen, und alles hatte sich miteinander gemischt, Killeralgen, Gallerte – und Meerwasser.

Meerwasser!

Vielleicht wäre Roche der fremdartigen Substanz auf die Schliche gekommen, hätte nicht ein einziger Tropfen davon Universen an Lebensformen beherbergt. Jahrhundertelang hatte man vor lauter Fischen, Säugern und Crustaceen 99 Prozent des marinen Lebens schlicht übersehen. In Wahrheit beherrschten nicht Haie, Wale und Riesenkraken die Ozeane, sondern Heerscharen mikroskopischer Winzlinge. In einem einzigen Liter Oberflächenwasser wuselten Dutzende Milliarden Viren, eine Milliarde Bakterien, fünf Millionen tierische Einzeller und eine Million Algen bunt durcheinander. Selbst Wasserproben aus der lichtlosen und lebensfeindlichen Tiefe jenseits 6000 Meter förderten noch Millionen Viren und Bakterien zutage. In dem Getümmel die Übersicht zu behalten, war so gut wie aussichtslos. Je tiefer die Forschung vordrang in den Kosmos des Allerkleinsten, desto unüberschaubarer bot er sich dar. Meerwasser? Was sollte das sein? Ein genauer Blick durch ein modernes Fluoreszenzmikroskop legte den Schluss nahe, es eher mit einer Art dünnem Gel zu tun zu haben. Wie Hängebrücken durchzog ein Flechtwerk untereinander verknüpfter Makromoleküle jeden Tropfen. Zwischen Bündeln transparenter Fäden, Häutchen und Filme fanden unzählige Bakterien ihre ökologische Nische. Um zwei Kilometer ausgespannter DNA-Moleküle, 310 Kilometer Proteine und 5600 Kilometer Polysaccharide zu messen, brauchte man eben mal einen Milliliter. Und irgendwo dazwischen verbargen sich die Mitglieder einer möglicherweise intelligenten Lebensform. Sie verbargen sich, indem sie sich offen präsentierten als Allerweltsmikroben. So bizarr sich die Gallerte ausnahm, bestand sie keineswegs aus exotischen Lebewesen, sondern aus hundsordinären Tiefseeamöben.

Oliviera stöhnte auf.

Es lag offen zutage, warum Roche nichts begriffen hatte, sie selber nicht, keiner der Leute, die das Wasser aus dem Trockendock analysiert hatten. Niemand war auf die Idee gekommen, Tiefseeamöben könnten zu Kollektiven verschmelzen, die Krabben und Wale steuerten.

»Es kann nicht sein«, beschied Oliviera.

Ihre Worte klangen seltsam kraftlos. Ohne Nachhall blieben sie unter der Haube ihres Schutzanzugs stecken. Erneut verglich sie die taxonomischen Resultate miteinander, aber es änderte nichts an dem, was sie schon wusste. Augenscheinlich setzte sich die Gallerte aus Vertretern einer Amöbenart zusammen. Wissenschaftlich beschrieben. Eine Spezies, die größtenteils unterhalb von 3 000 Metern vorkam und bisweilen höher, und das in unvorstellbaren Massen.

»Blödsinn«, zischte Oliviera. »Du verarschst mich doch, Kleines. Hast dich verkleidet. Siehst aus wie eine Amöbe. Ich glaub dir nichts, ich glaub dir gar nichts! Was zum Teufel *bist du wirklich?*«

DNA

Nach Johansons Rückkehr machten sie sich gemeinsam daran, einzelne Zellen der Gallerte zu isolieren. Ohne Unterlass vereisten und erhitzten sie die Amöben, bis die Zellwände platzten. Nach Zugabe von Proteinase zerbrachen die Eiweißmoleküle in Ketten von Aminosäuren. Sie mischten Phenol bei und zentrifugierten die Proben, ein aufwändiges und langwieriges Procedere, befreiten die Lösung von Eiweißtrümmern und Zellwandbestandteilen, nahmen die Fällung vor und erhielten endlich eine wenig klare, wässrige Flüssigkeit, den Schlüssel zum Verständnis des fremden Organismus.

Reine DNA-Lösung.

Der zweite Schritt forderte ihre Geduld noch mehr. Um die DNA zu entschlüsseln, mussten sie Teile davon isolieren und vervielfältigen. Als Ganzes war das Genom nicht lesbar, weil zu komplex, also stürzten sie sich in Sequenzanalysen bestimmter Teilabschnitte.

Es war eine Heidenarbeit, und von Rubin hieß es, er sei krank.

»Dieses Arschloch«, schimpfte Oliviera. »Jetzt hätte er wirklich helfen können. Was fehlt ihm überhaupt?«

»Migräne«, sagte Johanson.

»Der Gedanke hat allerdings was Tröstliches. Migräne tut weh.«

Oliviera pipettierte die Proben in die Sequenziermaschine. Es würde einige Stunden dauern, sie durchzurechnen. Einstweilen konnten sie nichts tun, also ließen sie den obligatorischen Säureregen über sich ergehen und traten aufatmend ins Freie. Oliviera schlug eine Zigarettenpause auf dem Hangardeck vor, solange die Maschine rechnete, aber Johanson hatte eine bessere Idee. Er verschwand in seiner Kabine und kehrte fünf Minuten später mit zwei Gläsern und einer Flasche Bordeaux zurück.

»Gehen wir«, sagte er.

»Wo haben Sie die denn aufgetrieben?«, staunte Oliviera, während sie die Rampe emporschritten.

»So was treibt man nicht auf«, schmunzelte Johanson. »So was bringt man mit. Ich bin ein Meister im Mitführen verbotener Dinge.«

Sie beäugte neugierig die Flasche.

»Ist der gut? Ich verstehe nicht so furchtbar viel davon.«

»Ein 90er *Château Clinet*. Pomerol. Lockert den Geldbeutel und die Gesinnung.« Johanson erspähte eine metallene Kiste neben einem der Spantenbüros und hielt darauf zu. Sie setzten sich. Weit und breit war kein Mensch zu sehen. Ihnen gegenüber klaffte das Tor zur Steuerbordplattform und gab den Blick frei aufs Meer. Ruhig und glatt erstreckte es sich im Dämmer der polaren Nacht, überzogen von Schleiern aus Dunst und Frost, eisfrei. Es war kalt im Hangar, aber nach den vielen Stunden im Hochsicherheitslabor brauchten sie dringend frische Luft. Johanson entkorkte die Flasche, goss ein und stieß sein Glas leicht gegen ihres. Ein helles Ping verlor sich in der düsteren Weite.

»Schmeckt!«, beschied Oliviera.

Johanson schmatzte mit den Lippen.

»Ich habe ein paar Flaschen für besondere Anlässe mitgenommen«, sagte er. »Und das *ist* ein besonderer Anlass.«

»Sie glauben, wir kommen diesen Dingern auf die Spur?«

»Vielleicht sind wir es ja schon.«

»Den Yrr?«

»Tja, das ist die Frage. Was haben wir da im Tank? Kann man sich eine Intelligenz vorstellen, die aus Einzellern besteht? Aus Amöben?«

»Wenn ich mir die Menschheit so anschaue, frage ich mich bisweilen, was uns sonderlich von Amöben unterscheidet.«

»Komplexität.«

»Ist das von Vorteil?«

»Was glauben Sie?«

Oliviera zuckte die Achseln. »Was soll schon einer glauben, der sich seit Jahren mit nichts anderem als Mikrobiologie beschäftigt. Ich habe keinen Lehrstuhl wie Sie. Ich tausche mich nicht mit zornigen jungen Studenten aus, teile mich keiner breiten Öffentlichkeit mit, leide unter mangelnder Distanz zu mir selber. Eine Laborratte in Menschengestalt. Wahrscheinlich trage ich Scheuklappen, aber ich sehe überall nur Mikroorganismen. Wir leben im Zeitalter der Bakterien. Seit über drei Milliarden Jahren behalten sie ihre Form unverändert bei. Menschen sind eine Modeerscheinung, aber wenn die Sonne explodiert, wird es immer noch irgendwo ein paar Mikroben geben. Sie sind das wahre Erfolgsmodell des Planeten, nicht wir. Ich weiß nicht, ob Menschen Vorteile gegenüber Bakterien haben, aber wenn wir jetzt noch den

Beweis erbringen, dass Mikroben Intelligenz besitzen, stecken wir meines Erachtens ganz tief in der Scheiße.«

Johanson nippte an seinem Glas.

»Ja, es wäre fatal. Alleine, was die christlichen Kirchen ihren Gläubigen zu erklären hätten. Dass Gottes Schöpfung ihren Höhepunkt am fünften Tag hatte und nicht am siebten.«

»Darf ich Sie was Persönliches fragen?«

»Sicher.«

»Wie kommen Sie eigentlich mit alldem hier klar?«

»Solange es ein paar seltene Bordeaux gibt, sehe ich keine nennenswerten Schwierigkeiten.«

»Empfinden Sie keine Wut?«

»Auf wen?«

»Auf die da unten.«

»Sollten wir dieses Problem mit Wut lösen?«

»Keineswegs, o Sokrates!« Oliviera grinste schief. »Es interessiert mich wirklich. Ich meine, die haben Ihnen Ihr Zuhause genommen.«

»Ja. Einen Teil davon.«

»Vermissen Sie es nicht schrecklich? Ihr Haus in Trondheim.«

Johanson schwenkte den Inhalt seines Glases.

»Weniger, als ich dachte«, sagte er nach einer Weile des Schweigens. »Sicher, es war ein wunderschönes Haus, voller wunderbarer Sachen – aber es enthielt nicht mein Leben. Man ist verblüfft, wie leicht man sich von so einem Weinkeller lösen kann und von einer gut sortierten Bibliothek. Außerdem, so merkwürdig es klingt, ich hatte beizeiten losgelassen. Am Tag, als ich auf die Shetlands flog, muss ich mich wohl von meinem Haus verabschiedet haben, irgendwie, ohne es zu merken. Ich hab die Türe geschlossen und bin weggefahren, und in meinem Kopf war ebenfalls etwas abgeschlossen. Ich dachte, wenn du jetzt sterben müsstest, was würdest du am meisten vermissen? – Und es war nicht das Haus. Nicht dieses.«

»Gibt es noch eines?«

»Ja.« Johanson trank. »An einem See im Hinterland. Wenn man dort auf der Veranda sitzt und aufs Wasser schaut, Sibelius oder Brahms im Ohr, ein Schluck von diesem Zeug hier ... das ist ganz was anderes. Diesen Platz vermisse ich wirklich.«

»Klingt schön.«

»Wissen Sie, warum ich das alles hier heil überstehen möchte? Um dorthin zurückzukehren.« Johanson griff nach der Flasche und füllte ihre Gläser auf. »Sie müssen dort gewesen sein und den Abendstern gesehen haben, wie er sich im Wasser spiegelt. Das vergessen Sie nicht. Ihre ganze Existenz bündelt sich in diesem einsamen Funkeln. Das Universum wird nach beiden Seiten durchlässig. – Eine außerordentliche Erfahrung, aber man kann sie nur alleine machen.«

»Sind Sie nochmal dort gewesen nach der Welle?«

»Nur in der Erinnerung.«

Oliviera trank.

»Ich hatte Glück bis jetzt«, sagte sie. »Keine Verluste zu beklagen. Freunde und Familie wohlauf, alles steht noch.« Sie hielt inne und lächelte. »Dafür hab ich kein Haus am See.«

»Jeder hat ein Haus am See.«

Es schien ihr, als wolle Johanson noch etwas hinzufügen. Stattdessen ließ er einfach nur den Wein in seinem Glas kreisen. So saßen sie da, tranken Bordeaux und sahen zu, wie der Dunst übers Meer zog.

»Ich habe eine Freundin verloren«, sagte Johanson schließlich.

Oliviera schwieg.

»Sie war ein bisschen kompliziert. Hat alles im Laufschritt gemacht.« Er lächelte. »Komisch, eigentlich haben wir uns erst so richtig gefunden, nachdem wir einander aufgegeben hatten. Na ja. Lauf der Dinge.«

»Das tut mir Leid«, sagte Oliviera leise.

Johanson nickte. Er sah sie an und dann an ihr vorbei. Sein Blick bekam etwas Starres. Oliviera runzelte die Stirn und wandte den Kopf.

»Ist irgendwas?«

»Ich hab Rubin da gesehen.«

»Wo?«

»Da drüben.« Johanson zeigte zur mittschiffs gelegenen Wand des Hangars. »Er ist da reingegangen.«

»Reingegangen? Da ist nichts, wo man reingehen könnte.«

Das Ende der Halle lag in düsterem Zwielicht. Eine mehrere Meter hohe Wand schottete den Hangar zu den dahinter liegenden Decks ab. Oliviera hatte Recht. Nirgendwo dort gab es eine Tür.

»Ist vielleicht was in dem Wein?«, frotzelte sie.

Johanson schüttelte den Kopf. »Ich könnte schwören, dass es Rubin war. Er tauchte kurz auf und war verschwunden.«

»Da sind Sie ganz sicher?«

»Ziemlich sicher.«

»Hat er uns gesehen?«

»Kaum. Wir sitzen hier im schattigen Eckchen. Er hätte schon sehr genau hinschauen müssen.«

»Fragen wir ihn doch einfach, wenn er wieder auf dem Damm ist.«

Johanson sah weiterhin zur Wand. Dann zuckte er die Achseln.

»Ja. Fragen wir ihn.«

Als sie zurück ins Labor gingen, hatten sie die Flasche Bordeaux zur Hälfte geleert, aber Oliviera fühlte sich nicht im Mindesten betrunken. Irgendwie wirkte das Zeug nicht in der kalten Luft. Sie war nur wunderbar beschwingt und von dem Gedanken beseelt, phantastische Entdeckungen zu machen.

Und die machte sie auch.

Im Hochsicherheitslabor hatte die Maschine ihre Arbeit beendet. Sie ließen sich das Ergebnis auf die Computerkonsole außerhalb des Labors legen. Der Bildschirm zeigte eine Reihe von Basensequenzen. Olivieras Pupillen bewegten sich im Zickzack hin und her, während sie die Zeilen von oben nach unten durchging, und mit jeder Zeile sackte ihr Unterkiefer ein weiteres Stück nach unten.

»Das gibt's doch nicht«, sagte sie leise.

»Was gibt's nicht?« Johanson beugte sich über ihre Schulter. Er las es. Zwischen seinen Brauen bildeten sich zwei steile Falten. »Sie sind alle unterschiedlich!«

»Ja.«

»Unmöglich! Identische Wesen haben identische DNA.«

»Wesen einer Spezies – ja.«

»Aber das *sind* Wesen einer Spezies.«

»Die natürliche Mutationsrate ...«

»Vergessen Sie's!« Johanson wirkte fassungslos. »Die ist weit überschritten. Das da sind unterschiedliche Wesen, allesamt! Keine DNA ist exakt wie die andere.«

»Auf jeden Fall sind es keine normalen Amöben.«

»Nein. An denen ist überhaupt nichts normal.«

»Was dann?«

Er starrte auf die Ergebnisse.

»Ich weiß es nicht.«

»Ich auch nicht.« Oliviera rieb sich die Augen. »Ich weiß nur eines. Dass in der Flasche noch was drin ist. Und dass ich es jetzt brauchen könnte.«

JOHANSON

Eine Weile surfte sie durch die Datenbanken, um die Sequenzanalyse der Gallert-DNA mit anderswo beschriebenen Analysen zu vergleichen. Direkt zu Anfang stieß Oliviera auf ihren eigenen Befund vom Tag, als sie das Zeug in den Walköpfen untersucht hatte. Damals hatte sie keine Unterschiede in der Abfolge der Basenpaare feststellen können.

»Ich hätte mehr von diesen Zellen untersuchen müssen«, fluchte sie.

Johanson schüttelte den Kopf.

»Vielleicht wären Sie auch dann nicht drauf gestoßen.«

»Dennoch!«

»Wie hätten Sie ahnen sollen, dass wir es mit Verschmelzungen von Einzellern zu tun haben. Kommen Sie, Sue, das ist müßig. Denken Sie vorwärts.«

Oliviera seufzte. »Ja, Sie haben Recht.«

Sie warf einen Blick auf die Uhr. »Okay, Sigur. Gehen Sie schlafen. Es reicht, wenn sich einer die Nacht um die Ohren schlägt.«

»Und Sie?«

»Ich mache weiter. Ich will wissen, ob dieses DNA-Chaos schon anderswo beschrieben wurde.«

»Wir können uns die Arbeit teilen.«

»Auf keinen Fall.«

»Es macht mir nichts aus.«

»Wirklich, Sigur! Hauen Sie sich aufs Ohr. Sie brauchen Ihren Schönheitsschlaf, ich nicht. Als ich vierzig wurde, hat mir die Natur Falten und Tränensäcke verpasst. Bei mir macht's keinen Unterschied, ob ich wach oder müde aus der Wäsche gucke. Gehen Sie, und nehmen Sie den Rest Ihres köstlichen Rotweins mit, bevor ich meine wissenschaftliche Objektivität damit vertrinke.«

Johanson hatte den Eindruck, als wolle sie die Sache lieber allein durchfechten. Sie war unzufrieden mit sich selber. Natürlich hatte sie nicht die geringste Veranlassung, sich etwas vorzuwerfen, aber vermutlich tat er besser daran, sie in Ruhe zu lassen.

Er nahm die Flasche und verließ das Labor.

Draußen stellte er fest, dass er kein bisschen müde war. Jenseits des Polarkreises ging die Zeit verloren. Die vorherrschende Helligkeit dehnte den Tag zur Endlosschleife, unterbrochen von wenigen Stunden Dämmerlicht. Soeben kroch die Sonne, den Blicken entzogen, dicht unter dem Horizont dahin. Mit etwas gutem Willen ließ sich das als Nacht bezeichnen. Psychologisch die beste Gelegenheit, schlafen zu gehen.

Aber Johanson hatte keine Lust.

Stattdessen stapfte er die Rampe hinauf.

Die Ausmaße des riesigen Hangardecks verloren sich in kubistischen Schatten. Immer noch war niemand zu sehen. Er warf einen Blick auf die Stelle, wo sie die Flasche geöffnet hatten, und fand die Kiste in der Dunkelheit verborgen.

Rubin konnte sie nicht gesehen haben.

Aber er hatte Rubin gesehen!

Wozu schlafen? Er sollte sich diese Wand noch einmal ansehen.

Zu seiner Enttäuschung und Verwunderung blieb die Inspektion ergebnislos. Mehrfach schritt er sie ab, fuhr mit den Fingern über die vernieteten Stahlplatten, über Rohre und Kästen, aber Oliviera schien Recht zu behalten. Er musste einer Täuschung zum Opfer gefallen sein. Da war nichts, weder eine Tür noch irgendeine Form von Durchgang.

»Ich täusche mich aber nicht«, sagte er leise zu sich selber.

Sollte er doch schlafen gehen? Aber dann würde ihm die Sache im Kopf umherwandern. Vielleicht empfahl es sich, jemanden zu fragen. Li zum Beispiel oder Peak, Buchanan oder Anderson. Aber was, wenn er sich tatsächlich getäuscht hatte?

Irgendwie peinlich.

Du bist Forscher, dachte er trotzig. Dann forsche.

Ohne Eile zog er sich in den heckwärtigen Teil des Hangars zurück, setzte sich auf die Kiste, die Oliviera und ihm als provisorische Kneipe gedient hatte, und wartete. Der Platz war nicht schlecht. Selbst wenn man am Ende zu der Einsicht gelangte, dass migränegeplagte Kollegen nicht durch Wände gingen, ließ es sich hier eine Weile aushalten mit Blick auf die See.

Er trank einen Schluck aus der Flasche.

Der Bordeaux erwärmte ihn. Seine Augenlider begannen schwerer zu werden. Mit jeder Minute legten sie einige Gramm zu, bis er sie kaum noch offen halten konnte. Tatsächlich war er doch müde, nur dass Johanson zu den Menschen zählte, die sich weigerten, der Natur Verfügungsgewalt über ihren Körper zu geben. Irgendwann, als nichts mehr in der Flasche war, dämmerte er schließlich weg, und sein Geist trieb hinaus auf die dunstbedeckte grönländische See.

Ein leises, metallisches Geräusch schreckte ihn auf.

Zuerst wusste er nicht, wo er war. Dann spürte er die Stahlwand des Hangars schmerzhaft im Kreuz. Über dem Meer hatte sich der Himmel aufgehellt. Er rappelte sich hoch und sah zur Wand hinüber.

Ein Teil davon stand offen.

Benommen rutschte Johanson von seiner Kiste. Da hatte sich ein Tor aufgetan, vielleicht drei Meter im Quadrat. Leuchtend hob es sich gegen den dunklen Stahl ab.

Sein Blick wanderte zu der leeren Flasche auf der Kiste.

Träumte er?

Langsam begann er, auf das helle Quadrat zuzugehen. Im Näher-kommen erkannte er, dass dort ein Gang mit nackten Wänden mündete. Neonröhren verstrahlten kaltes Licht. Nach wenigen Metern stieß der Gang gegen eine Wand und knickte seitlich ab.

Johanson spähte ins Innere und lauschte.

Von jenseits erklangen Stimmen und Geräusche. Unwillkürlich trat er einen Schritt zurück. Er überlegte, ob es nicht besser wäre, schnellst-möglich von hier zu verschwinden. Immerhin befand er sich auf einem Kriegsschiff. Irgendeine Funktion würde der Bereich schon haben. Et-was, das man Zivilisten nicht unbedingt auf die Nase band.

Dann dachte er an Rubin.

Nein! Wenn er jetzt das Weite suchte, würde ihm nur pausenloses Grübeln bevorstehen.

Rubin war hier gewesen!

Johanson ging hinein.

14. august

Bohrmann versuchte, das schöne Wetter zu genießen, aber es gab nichts zu genießen. Nicht mit Millionen Würmern vierhundert Meter unter sich und Abermilliarden Bakterien, die sich in beängstigend kurzer Zeit ihren Weg durch die feinen Hydratverästelungen im Vulkankegel La Palmas bahnten.

Er ging über die Plattform zum Haupthaus.

Die *Heerema* war ein Halbtaucher, eine schwimmende Plattform von mehrfacher Fußballfeldgröße. Das rechteckige Deck ruhte auf sechs quer verstrebten Säulen, die massigen Pontons entwuchsen. Auf dem Trockenen glich die Insel einem überdimensionierten, plumpen Katamaran. Jetzt waren die Pontons teilgeflutet und nicht zu sehen unter der Wasseroberfläche. Nur ein Teil der sechs Säulen ragte aus den Wellen. Mit 21 Meter Tiefgang und einer Verdrängung von über 100 000 Tonnen befand sich die schwimmende Insel in einer äußerst stabilen Position. Halbtaucher steckten selbst in schweren Stürmen die leidigen Tauch- und Stampfbewegungen weg. Vor allem waren sie wendig und vergleichsweise schnell. Zwei Düsenpropeller befähigten die *Heerema* zu einer Transitgeschwindigkeit von immerhin sieben Knoten, mit denen sie sich in den vergangenen Wochen von Namibia nach La Palma hochgearbeitet hatte.

Im Heck lag ein zweistöckiges Gebäude, das Mannschaftsquartiere, Messe und Küche, Brücke und Kontrollraum in sich vereinte. Frontseitig ragten zwei gewaltige Kräne in die Höhe. Jeder davon hob 3 000 Tonnen. Über den rechten Kran wurde der Saugrüssel in die Tiefe gelassen, der andere senkte das dazugehörige Beleuchtungssystem ab, eine separate Einheit mit integrierten Kameras. Vier Leute in den hoch gelegenen Führerhäusern waren ausschließlich damit befasst, Rüssel und Lichtinsel zu koordinieren und zu steuern.

»Gärraad!«

Frost kam von einem der Kräne zu ihm herübergelaufen. Bohrmann hatte ihm angeboten, ihn der Einfachheit halber Gerd zu nennen, aber Frost bestand in breitestem Texanisch auf der korrekten Form. Gemeinsam betraten sie das Heckgebäude und den abgedunkelten Kontrollraum. Einige Leute aus Frosts Team und Techniker von De Beers waren anwesend, auch Jan van Maarten. Der Technische Leiter hatte innerhalb kürzester Zeit das versprochene Wunder vollbracht. Der erste Tiefseewurmstaubsauger der Menschheitsgeschichte war einsatzbereit.

»Gut, Leute«, trompetete Frost, während sie hinter den Technikern Aufstellung nahmen. »Der Herr sei mit uns. Wenn das hier klappt, nehmen wir uns Hawaii vor. Gestern war ein Roboter unten und entdeckte an der Südostflanke Gewürm in rauen Mengen. Danach brach die Verbindung ab. Auch andere Vulkaninseln werden gezielt attackiert, ganz wie ich's mir dachte. Aber dem Bösen keine Chance! Wir putzen sie weg mit unserem Rüssel. Wir säubern die ganze Welt von dem Geschmeiß!«

»Schöne Idee«, sagte Bohrmann leise. »Wir haben hier ein überschaubares Gebiet. Willst du mit dieser einen Konstruktion den kompletten amerikanischen Kontinentalhang säubern?«

»Quatsch!« Frost sah ihn erstaunt an. »Hab ich doch nur wegen der Motivation gesagt.«

Bohrmann hob die Brauen und richtete seine Blicke wieder auf die Monitore. Er hoffte, dass die ganze Sache überhaupt funktionierte. Selbst wenn sie die Würmer da unten wegbekamen, stand immer noch die Frage im Raum, wie viele der Bakterienkonsortien schon ins Eis gelangt waren. Insgeheim quälte ihn die Sorge, dass es längst zu spät war, den Absturz des Cumbre Vieja zu verhindern. Nachts träumte er von einem gigantischen Wasserdom, der sich bis in die Wolken hob und über den Ozean auf ihn zu raste, und er wachte jedes Mal schweißgebadet auf. Dennoch übte sich Bohrmann in Optimismus. Es würde schon klappen. Und vielleicht schafften sie es ja an Bord der *Independence*, die unbekannte Macht zum Einlenken zu bewegen. Wenn die Yrr zur Zerstörung eines ganzen Abhangs fähig waren, konnten sie ihn wohl auch wieder reparieren.

Frost hielt eine weitere flammende Ansprache gegen alle Feinde der Menschheit und lobte das De-Beers-Team über den grünen Klee. Dann gab er das Zeichen, den Rüssel und die Lichtinsel runterzulassen.

Die Lichtinsel war ein mehrfach gefalteter, gigantischer Flutlichtstrahler. Im Augenblick, da sie am Kranausleger über den Wellen hing, bildete sie ein kompaktes Bündel aus Stangen und Streben, zehn Meter lang und angefüllt mit Leuchten und Kameraobjektiven. Nun wurde sie abgesenkt und verschwand im Meer, über Glasfaser mit der

Heerema verbunden. Nach zehn Minuten blickte Frost auf die Anzeige des Tiefenmessers und sagte: »Stopp.«

Van Maarten gab den Befehl an den Piloten weiter.

»Aufklappen«, fügte er hinzu. »Erst mal halbe Fläche. Wenn wir nirgendwo anecken, komplett.«

In vierhundert Metern Tiefe vollzog sich eine elegante Metamorphose. Das Bündel entfaltete sich zu einer filigranen Konstruktion. Als die Gestänge keinen Widerstand fanden, klappte die Insel weiter auseinander, bis ein gitterartiges Element von den Ausmaßen eines halben Fußballfeldes in der Tiefe hing.

»Einsatzbereit«, meldete der Pilot.

Frost warf einen Blick auf die Instrumente. »Wir müssten dicht vor einer Wand sein.«

»Beleuchtung und Kameras«, befahl van Maarten.

An der Konstruktion flammten Reihen um Reihen starker Halogenlampen auf. Zugleich nahmen die acht Kameras ihre Arbeit auf und übertrugen ein trübes Panorama auf den Monitor. Plankton trieb durchs Bild.

»Näher ran«, sagte van Maarten.

Das Flutlichtelement rückte, von kleinen, schwenkbaren Propellern angetrieben, langsam vor. Nach wenigen Minuten schälte sich eine schartige Struktur aus der Dunkelheit. Im Näherkommen wurde sie zu einer schwarzen, bizarr geformten Lavawand.

»Runter.«

Die Insel sank weiter. Der Pilot navigierte mit äußerster Vorsicht, bis das Sonar einen terrassenförmigen Vorsprung anzeigte. Übergangslos tauchte zum Greifen nah ein breiter Grat auf. Die Oberfläche war übersät mit zuckenden Leibern. Bohrmann starrte auf die acht Monitore und fühlte Mutlosigkeit in sich aufsteigen. Hier begegnete er dem Alptraum wieder, der ihn seit dem Kollaps des norwegischen Kontinentalhangs begleitete. Wenn es überall so aussah wie auf diesen 40 Metern, die das Lichtelement der Dunkelheit abtrotzte, konnten sie ebenso gut wieder fahren.

»Miese kleine Dreckswürmer«, knurrte Frost.

Wir sind zu spät gekommen, dachte Bohrmann.

Dann schämte er sich seiner Angst. Es war nicht gesagt, dass die Würmer ihre Bakterienfracht schon vollständig entladen hatten und ob es überhaupt genug waren. Außerdem gab es da noch diesen rätselhaften Faktor, der die Rutschung letztendlich ausgelöst hatte. Es war nicht zu spät. Sie würden sich nur fürchterlich beeilen müssen.

»Na schön«, sagte Frost. »Kippen wir die Insel um 45 Grad und heben sie ein Stück an, um bessere Draufsicht zu erhalten. Und dann runter mit dem Rüssel. Ich hoffe, das Ding hat ordentlich Appetit.«

»Es hat einen Mordshunger«, sagte van Maarten.

Voll ausgefahren, reichte der Saugrüssel einen halben Kilometer in die Tiefe, ein segmentiertes, kautschukisoliertes Ungetüm von drei Metern Durchmesser, das in einem schlundartigen Maul endete. Rings um das Maul waren Scheinwerfer, zwei Kameras und mehrere schwenkbare Propeller angebracht. Per Fernsteuerung konnte das Ende des Rüssels hoch und runter, vorwärts, rückwärts und seitwärts navigiert werden. Im Pilotenstand liefen die Kamerabilder von Lichtinsel und Rüssel zusammen und boten einen großzügigen Blick auf Panorama und Details. Ungeachtet der guten Sicht erforderte die Arbeit mit den Joysticks Fingerspitzengefühl und einen Copiloten, der aufpasste, dass der Steuermann nichts übersah.

Eine ganze Weile fiel der Rüssel durch undurchdringliches Dunkel. Die Scheinwerfer blieben ausgeschaltet. Dann kam das Flutlichtelement in Sicht. Erst nur ein Schimmer im Schwarz der tiefen See, erglühte es immer stärker, nahm seine rechteckige Form an und arbeitete schließlich die Hangterrasse heraus. Es war so groß, dass Bohrmann sich an eine Raumstation erinnert fühlte. Weiter sank der Schlauch und näherte sich dem Gewimmel der Würmer, bis sie geschlossen die Monitore überzogen. Jeder der borstigen Körper war deutlich und in allen Einzelheiten zu erkennen. Huschend, sich windend, mit ausgestülpten, hakenbewehrten Kiefern.

Im Kontrollraum herrschte atemlose Stille.

»Phantastisch«, flüsterte van Maarten.

»Die Putzfrau wird sich doch wohl nicht vom Hausstaub faszinieren lassen.« Frost schüttelte grimmig den Kopf. »Werfen Sie endlich Ihren Staubsauger an, und putzen Sie die Meute weg.«

Der Saugrüssel war genauer gesagt eine Saugpumpe, die Unterdruck erzeugte und dadurch alles, was ihr vor den Schlund geriet, in sich hineinschlang. Als sie zu arbeiten begann, passierte jedoch erst mal gar nichts. Offenbar brauchte die Pumpe eine Weile, um in Fahrt zu kommen. Zumindest hoffte Bohrmann, dass es so war. Weiterhin gingen die Würmer ihrer zerstörerischen Tätigkeit nach, ohne dass etwas geschah. Im Kontrollraum breitete sich langsam aber sicher Enttäuschung aus. Obwohl niemand etwas sagte, war sie mit Händen greifbar. Bohrmann sah unverwandt auf die beiden Monitore der Rüsselkameras und fühlte die Hoffnungslosigkeit zurückkehren.

Woran lag es? War die Konstruktion zu lang? Die Pumpe zu schwach?

Während er noch darüber nachgrübelte, vollzog sich auf den Monitoren eine Veränderung. Etwas schien an den Tieren zu zerren. Ihre Hinterteile hoben sich, ragten senkrecht empor, zitterten ...

Plötzlich rasten sie auf die Kameras zu und daran vorbei.

»Es klappt!« Bohrmann reckte die Fäuste. Ganz entgegen seiner sonstigen Gewohnheit schrie er. Am liebsten wäre er quer durch den Raum getanzt und hätte ein Rad geschlagen.

»Halleluja!« Frost nickte heftig. »Das ist ein wunderbares Spielzeug! Oh Herr, lass uns die Welt vom Bösen reinigen! Scheiße aber auch!« Er riss seine Baseballkappe vom Kopf, fuhr sich durch die Locken und setzte sie wieder auf. »Damit machen wir sie fertig!«

Mehr Würmer folgten. Sie wurden derart schnell und zu so vielen in den Schlauch gesaugt, dass auf den Bildschirmen bald nur noch verwaschenes Flackern zu sehen war. Auch die Kameras der Lichtinsel zeigten deutlich, was sich am unteren Ende des Saugrüssels abspielte. Sediment wurde mit angesaugt und wirbelte hoch.

»Weiter nach links«, sagte Bohrmann. »Oder nach rechts. Egal, einfach weitermachen.«

»Wir gehen zu einer langsamen Zickzackbewegung über«, schlug van Maarten vor. »Von einem Ende der erleuchteten Zone bis zum anderen. Sobald wir den sichtbaren Bereich leer geräumt haben, fahren wir mit Insel und Rüssel weiter und nehmen uns die nächsten 40 Meter vor.«

»Sehr gut! Tun Sie das.«

Der Sauger begab sich auf Wanderschaft, während er unablässig Wurmkörper in sein Inneres riss. Wo er gewütet hatte, war das Wasser so trübe, dass man den Untergrund nicht erkennen konnte.

»Erfolge werden wir erst sehen, wenn sich die Brühe geklärt hat«, meinte van Maarten. Er wirkte ungeheuer erleichtert. Mit einem tiefen Seufzer wich die Anspannung von Wochen, und er lehnte sich beinahe gelassen zurück. »Aber ich schätze, wir werden alle außerordentlich zufrieden sein.«

Donnnggg!

Trondheims Glocken an einem Sonntagvormittag. Der Kirchturm in der Kirkegata. Sonnenbeschienen reckt er sich gen Himmel, kleiner selbstbewusster Turm, wirft seinen Schatten auf das ockerfarbene Giebeldachhäuschen mit der weiß gestrichenen Vortreppe, beansprucht Gehör.

Dingdong, heile Welt. Aufstehen.

Kissen über den Kopf. Wer lässt sich von einer Kirche vorschreiben, wann er aufzustehen hat. Er doch nicht. Verdammte Kirche! Gestern zu viel getrunken mit Kollegen und Studenten? Kann ja nur so sein.

Donnnggg!

»Es ist acht Uhr.«

Das Durchsagesystem.

Es gab keine zeitentrückte Kirkegata mehr, keine selbstbewusste kleine Kirche, kein ockerfarbenes Haus. In seinem Schädel hämmerten nicht Trondheims Glocken, sondern unseliger Kopfschmerz.

Was war los?

Johanson schlug die Augen auf und fand sich in zerwühlten Laken auf einem fremden Bett liegen. Weitere Betten standen drum herum, alle leer. Der Raum war groß, mit Apparaturen voll gestopft, fensterlos, und wirkte antiseptisch. Ein Krankenzimmer.

Was um Himmels willen tat er in einem Krankenzimmer?

Sein Kopf kam hoch und fiel zurück aufs Kissen. Die Augen schlossen sich von selber wieder. Alles war besser als das Dröhnen in seinem Schädel. Und schlecht war ihm auch.

»Es ist neun Uhr.«

Johanson setzte sich auf.

Er war nach wie vor in dem Zimmer. Inzwischen ging es ihm bedeutend besser. Die Übelkeit war verschwunden, der schraubstockartige Schmerz einem dumpfen, aber erträglichen Druck gewichen.

Nur wie er hierher gekommen war, wusste er immer noch nicht.

Er sah an sich hinunter. Hemd, Hose, Socken, alles von letzter Nacht. Seine Daunenjacke und sein Pullover lagen auf dem Bett nebenan, davor standen die Schuhe, akkurat nebeneinander platziert.

Er schwang die Beine über die Bettkante.

Sofort ging eine Tür auf, und Sid Angeli kam herein, der Leiter der medizinischen Versorgung. Angeli war ein kleiner Italiener mit Haarkranz und scharfen Mundwinkelfalten, der den ödesten Job auf dem Schiff hatte, weil niemand krank wurde. Das schien sich seit kurzem geändert zu haben. »Wie geht es Ihnen?« Angeli legte den Kopf schief. »Alles in Ordnung?«

»Weiß nicht.« Johanson griff in seinen Nacken und zuckte heftig zusammen.

»Das wird noch eine Weile wehtun«, sagte Angeli. »Machen Sie sich nichts draus. Hätte schlimmer kommen können.«

»Was ist denn überhaupt passiert?«

»Haben Sie keine Erinnerung?«

Johanson dachte nach, aber Nachdenken brachte nur den Schmerz zurück. »Ich glaube, ich könnte zwei Aspirin vertragen«, stöhnte er.

»Sie wissen nicht, was vorgefallen ist?«

»Keine Ahnung.«

Angeli kam näher und schaute ihm prüfend ins Gesicht. »Tja. Sie wurden auf dem Hangardeck gefunden heute Nacht. Müssen ausgerutscht sein. Ein Segen, dass hier alles videoüberwacht wird, sonst lägen Sie immer noch da. Sind wahrscheinlich mit Genick und Hinterkopf auf eine Bodenverstrebung geknallt.«

»Hangardeck?«

»Ja. Wissen Sie nicht mehr?«

Natürlich, er war auf dem Hangardeck gewesen. Mit Oliviera. Und danach ein weiteres Mal, allein. Er konnte sich erinnern, dass er dorthin zurückgekehrt war, aber nicht mehr, warum. Und schon gar nicht, was dann passiert war.

»Hätte ein böses Ende nehmen können«, sagte Angeli. »Sie ... ähm ... haben da nicht zufällig was getrunken?«

»Getrunken?«

»Wegen der leeren Flasche. Da lag eine leere Flasche rum. Miss Oliviera meinte, Sie hätten dort gemeinsam was getrunken.« Angeli spreizte die Finger. »Verstehen Sie mich nicht falsch, Dottore, das ist überhaupt nicht schlimm. Aber Flugzeugträger sind gefährliche Orte. Nass und dunkel. Man kann stürzen oder ins Meer fallen. Besser, nicht allein aufs Deck zu gehen, vor allem nicht, wenn man ... äh ...«

»Wenn man was getrunken hat«, ergänzte Johanson. Er stellte sich auf die Füße. Schwindel durchraste seinen Kopf. Angeli eilte hinzu und nahm seinen Ellbogen.

»Danke, es geht.« Johanson schüttelte ihn ab. »Wo bin ich hier überhaupt?«

»Auf der Krankenstation. Kommen Sie zurecht?«

»Wenn Sie mir die Aspirin geben würden ...«

Angeli ging zu einem weiß lackierten Schubladenschrank und entnahm ihm ein Päckchen Schmerztabletten.

»Hier. Ist nur eine dicke Beule. Wird Ihnen bald besser gehen.«

»Okay. Danke.«

»Fühlen Sie sich wirklich gut?«

»Ja.«

»Und Sie erinnern sich an nichts?«

»Nein, zum Teufel.«

»*Va bene.*« Angeli lächelte breit. »Beginnen Sie den Tag langsam, Dottore. Und wenn irgendetwas ist, scheuen Sie sich nicht, sofort herzukommen.«

FLAGG-BESPRECHUNGSRAUM

»Hypervariable Bereiche? Ich verstehe kein Wort.«

Vanderbilt versuchte mitzukommen. Oliviera merkte, dass sie Gefahr lief, ihre Zuhörerschaft zu überfordern. Peak schaute irritiert drein. Li ließ sich nichts anmerken, aber es stand zu befürchten, dass der Vortrag ihr Wissen über Genetik arg strapazierte.

Johanson saß zwischen ihnen wie ein Gespenst. Er war verspätet erschienen, ebenso wie Rubin, der verlegen murmelnd Platz genommen und sich für seinen Ausfall entschuldigt hatte. Im Gegensatz zu Rubin sah Johanson wirklich schlecht aus. Sein Blick flackerte. Er schaute um sich, als müsse er sich alle paar Minuten versichern, dass die Personen ringsum echt waren und keine Einbildung. Oliviera nahm sich vor, nach dem Meeting mit ihm zu sprechen.

»Ich will es am Beispiel einer normalen menschlichen Zelle deutlich machen«, sagte sie. »Sie ist im Grunde nichts weiter als ein Sack voller Informationen mit einer Membran drum herum. Der Kern enthält die Chromosomen, die Gesamtheit aller Gene. Sie bilden zusammen das Genom oder die DNA, diese spiralige Doppelhelix, Sie wissen schon. Salopp ausgedrückt, unseren Bauplan. Je höher ein Organismus entwickelt ist, desto differenzierter fällt dieser Bauplan aus. Anhand einer DNA-Analyse können Sie einen Mörder überführen oder verwandtschaftliche Verhältnisse klären, aber im Großen und Ganzen ist der Plan bei allen Menschen gleich: Füße, Beine, Torso, Arme, Hände, und so weiter. Das heißt, die Analyse einer individuellen DNA sagt uns zweierlei – im Allgemeinen: Dies ist ein Mensch. Im Besonderen, um welche Person es sich handelt.«

Sie sah Interesse und Verständnis in den Gesichtern der anderen. Offenbar war es eine gute Idee gewesen, mit einem Grundkurs in Genetik zu beginnen.

»Natürlich sind zwei Menschen individuell unterschiedlicher als zwei Einzeller desselben Stammes. Meine DNA weist statistisch rund eine Million kleiner Unterschiede zu jeder anderen Person im Raum auf. Alle 1 200 Basenpaare differieren menschliche Wesen voneinander. Wiederum, wenn Sie die Zellen von ein und derselben Person untersuchen, werden Sie auch dort minimale Unterschiede feststellen, biochemische Abweichungen in der DNA, entstanden durch Mutation. Entsprechend unterschiedlich können die Ergebnisse ausfallen, wenn Sie etwa eine Zelle von meiner linken Hand und eine von meiner Leber analysieren. Dennoch sagt jede davon eindeutig: Es handelt sich um Sue Oliviera.« Sie machte eine Pause. »Bei Einzellern stellen sich solche Fragen weniger. Es gibt nur eine einzige Zelle. Sie bildet das gesamte Wesen. Es gibt also auch nur ein Genom, und weil sich Einzeller durch Teilung vermehren statt durch Paarung, findet auch keine Chromosomenvermischung von Mama und Papa statt, sondern das Wesen dupliziert sich mitsamt seiner genetischen Information, und das war's.«

»Das heißt, auf Einzeller bezogen – sobald man eine DNA kennt, kennt man alle«, sagte Peak mit Worten, die auf einem Hochseil zu balancieren schienen.

»Ja.« Oliviera schenkte ihm ein Lächeln. »Das wäre nur natürlich. Eine Population von Einzellern wird sich durch weitgehend identische Genome ausweisen. Die geringe Mutationsrate außer Acht gelassen, ist die DNA in jedem Individuum gleich.«

Sie sah, wie Rubin unruhig auf seinem Stuhl hin- und herzurutschen begann und seinen Mund auf- und zuklappte. Normalerweise hätte er spätestens an dieser Stelle versucht, den Vortrag an sich zu reißen. Wie dumm, dachte Oliviera befriedigt, dass du mit Migräne im Bett gelegen hast. Zur Abwechslung weißt du mal nicht, was wir wissen. Du musst die Schnauze halten und zuhören.

»Aber genau hier beginnt unser Problem«, fuhr sie fort. »Die Zellen der Gallerte wirken auf den ersten Blick identisch. Es sind Amöben, wie man sie in der Tiefsee findet. Nicht mal sonderlich exotisch. Um ihre ganze DNA zu beschreiben, müssten wir diverse Computer zwei

Jahre lang rechnen lassen, also beschränken wir uns auf Stichproben. Wir isolieren kleine Abschnitte der DNA und erhalten Teile des genetischen Codes, technisch ausgedrückt sogenannte Amplicons. Jedes Amplicon zeigt uns eine Reihe von Basenpaaren, genetisches Vokabular. Analysieren wir Amplicons aus dem jeweils gleichen Abschnitt der DNA unterschiedlicher Individuen und vergleichen sie miteinander, erhalten wir interessante Informationen. Die Amplicons mehrerer Einzeller derselben Population etwa sollten folgendes Bild ergeben.«

Sie hielt einen Ausdruck hoch, den sie für das Meeting vergrößert hatte.

A1: AATGCCAATTCCATAGGATTAAATCGA
A2: AATGCCAATTCCATAGGATTAAATCGA
A3: AATGCCAATTCCATAGGATTAAATCGA
A4: AATGCCAATTCCATAGGATTAAATCGA

»Sie sehen, die analysierten Sequenzen sind auf ganzer Strecke identisch. Vier identische Einzeller.« Sie legte das Blatt zur Seite und zeigte ein zweites. »Stattdessen haben wir das hier erhalten.«

A1: AATGCCA **CGATGCTACCTG** AAATCGA
A2: AATGCCA **ATTCCATAGGATT** AAATCGA
A3: AATGCCA **GGAAATTACCCG** AAATCGA
A4: AATGCCA **TTTGGAACAAAT** AAATCGA

»Das sind die Basenabfolgen der Amplicons von vier Exemplaren unserer Gallertspezies. Die DNA ist identisch – bis auf kleine, hypervariable Bereiche, in denen es drunter und drüber geht. Keinerlei Gemeinsamkeiten. Wir haben Dutzende der Zellen untersucht. Manche differieren innerhalb der hypervariablen Zonen nur leicht, andere sind völlig unterschiedlich. Durch natürliche Mutation ist so was nicht mehr zu erklären. Anders gesagt: Das kann kein Zufall sein.«

»Vielleicht sind es doch unterschiedliche Arten«, sagte Anawak.

»Nein. Es ist definitiv dieselbe Spezies. Und definitiv ist jedem Lebewesen zu Eigen, dass seine genetische Codierung zu Lebzeiten nicht verändert werden kann. Der Bauplan kommt immer als Erstes. Erst danach wird gebaut, und was fertig gebaut ist, kann nur diesem Plan entsprechen und keinem anderen.«

Lange Zeit sagte niemand etwas.

»Wenn diese Zellen trotzdem unterschiedlich sind«, sagte Anawak, »müssen sie also einen Weg gefunden haben, ihre DNA zu verändern, *nachdem* sie sich geteilt haben.«

»Aber zu welchem Zweck?«, fragte Delaware.

»Menschen«, sagte Vanderbilt.

»Menschen?«

»Sind denn hier alle blind? Die Natur macht so was nicht, sagt Dr. Oliviera, die es wissen muss, und von Dr. Johanson höre ich auch keinen Einspruch. Also wer hat Grips genug, sich so was auszudenken, he? Das Zeug ist eine Biowaffe. Nur Menschen bringen so was fertig.«

»Einspruch«, sagte Johanson. Er fuhr sich durchs Haar. »Es ergibt keinen Sinn, Jack. Der Vorteil von Biowaffen ist, dass man nur ein Basisrezept braucht. Der Rest ist Reproduktion ...«

»Es kann durchaus von Vorteil sein, wenn Viren Mutationen durchlaufen, oder nicht? Das AIDS-Virus mutiert am laufenden Band. Jedes Mal, wenn man glaubt, ihm auf die Schliche gekommen zu sein, hat es sich schon wieder verändert.«

»Das ist was anderes. Wir haben hier einen Superorganismus, keine virale Infektion. Es muss einen anderen Grund haben, warum sie unterschiedlich sind. Irgendetwas geschieht mit ihrer DNA nach der Teilung. Sie werden anders codiert, unterschiedlich. Wen interessiert, *wer* dafür verantwortlich ist? Wir müssen rausfinden, welchen *Sinn* es hat.«

»Es hat den Sinn, uns alle zu töten!«, sagte Vanderbilt gereizt. »Dieses Zeug ist dazu da, die freie Welt zu vernichten.«

»Schön«, knurrte Johanson. »Dann erschießen Sie es doch. Sollen wir nachsehen, ob es muslime Zellen sind? Vielleicht ist Ihre DNA islamisch fundamentalistisch. Würde die Sache legitimieren.«

Vanderbilt starrte ihn an.

»Auf welcher Seite stehen Sie eigentlich?«

»Auf der des Verstehens.«

»Verstehen Sie auch, warum Sie gestern Nacht auf den Kopf gefallen sind?« Vanderbilt grinste süffisant. »Nach dem Genuss einer Flasche Bordeaux, wohlgemerkt. Wie geht es Ihnen, Doktor? Kopfschmerzen? Warum halten Sie nicht eine Weile Ihren Mund?«

»Damit Sie nicht zu oft Gelegenheit haben, Ihren zu öffnen.«

Vanderbilt atmete schwer. Er schwitzte. Li bedachte ihn mit einem spöttischen Blick aus den Augenwinkeln und beugte sich vor.

»Sie sagen, es handelt sich um unterschiedliche Codierungen, richtig?«

»Richtig«, nickte Oliviera.

»Ich bin keine Wissenschaftlerin. Aber wäre es nicht denkbar, dass die Codierung den gleichen Zweck erfüllt wie Codes bei Menschen? Codes im Kriegsfall zum Beispiel.«

»Ja«, nickte Oliviera. »Das wäre denkbar.«

»Codes, um einander zu erkennen.«

Weaver kritzelte etwas auf ein Blatt und schob es Anawak hin. Er las es, nickte kurz und legte es wieder beiseite.

»Zu welchem Zweck sollten sie einander erkennen?«, fragte Rubin. »Und warum auf derart komplizierte Weise?«

»Ich denke, das liegt auf der Hand«, sagte Crowe.

Einen Moment lang war nur das Knistern des Zellophans zu hören, das sie von ihrer Zigarettenpackung zog.

»Und was glauben Sie?«, fragte Li.

»Ich glaube, es dient der Kommunikation«, sagte Crowe. »Diese Zellen kommunizieren untereinander. Es ist eine Form der Unterhaltung.«

»Sie meinen, dieses Zeug …« Greywolf starrte sie an.

Crowe hielt die Flamme ihres Feuerzeugs an die Zigarette, paffte und blies den Rauch aus.

»Es tauscht sich aus. Ja.«

RAMPE

»Was war denn los letzte Nacht?«, fragte Oliviera, als sie zum Labor hinuntergingen.

Johanson zuckte die Achseln. »Ich habe nicht die blasseste Ahnung.«

»Und wie geht es Ihnen jetzt?«

»Seltsam. Die Kopfschmerzen lassen nach, aber in meiner Erinnerung klafft eine Lücke von der Größe des Hangardecks.«

»So ein dämlicher Zufall, was?« Rubin drehte sich im Gehen um und bleckte die Zähne. »Da bekommen wir beide Kopfschmerzen. Alle beide! Gott, ich war so platt, dass ich mich nicht mal mehr abmelden konnte. Muss mich wirklich entschuldigen, aber wenn man einmal daliegt … Bäng! Koma!«

Oliviera betrachtete Rubin mit undefinierbarer Miene.

»Migräne?«

»Ja. Schrecklich! Kommt und geht. Es passiert nicht oft, aber wenn, ist alles zu spät. Da hilft nur, Zäpfchen rein und Licht aus.«

»Durchgeschlafen bis heute Morgen?«

»Klar.« Rubin sah schuldbewusst drein. »Tut mir Leid. Aber man verliert jede Kontrolle, im Ernst. Sonst hätte ich mich doch mal blicken lassen.«

»Haben Sie das nicht?«

Es klang komisch, wie sie die Frage stellte. Rubin lächelte irritiert.

»Nein.«

»Bestimmt nicht?«

»Das sollte ich eigentlich wissen.«

In Johansons Kopf machte etwas Klick. Wie ein kaputter Diaprojektor. Der Schlitten versuchte ein Bild zu greifen und rutschte ab.

Wozu stellte Oliviera diese Fragen?

Sie machten vor der Labortür Halt, und Rubin gab den Zahlencode ein. Die Tür schwang auf. Während er ins Innere ging und das Licht anmachte, sagte Oliviera leise zu Johanson:

»He, was ist los? Sie waren der festen Überzeugung, ihn gestern Nacht gesehen zu haben.«

Johanson starrte sie an. »Ich war was?«

»Als wir weintrinkenderweise auf der Kiste saßen und darauf warteten, dass die Sequenzmaschine ihren Job macht«, flüsterte Oliviera. »Sie sagten, Sie hätten ihn gesehen.«

Klick. Der Schlitten versuchte das Dia zu greifen. Klick.

Sein Kopf war wie mit Watte angefüllt. Sie hatten Wein getrunken, daran erinnerte er sich. Und sich unterhalten. Und dann hatte er ... was gesehen?

Klick.

Oliviera hob eine Braue.

»Menschenskind«, sagte sie im Hineingehen. »Sie hat's ja vielleicht erwischt.«

NEURONENCOMPUTER

Sie saßen im JIC vor Weavers Computer.

»Pass auf«, erklärte sie. »Die Sache mit der Codierung, das gibt uns einen völlig neuen Anhaltspunkt.«

Anawak nickte. »Die Zellen sind nicht alle gleich. Sie sind nicht wie Neuronen.«

»Und es ist nicht alleine die Art und Weise, *wie* sie verknüpft sind. Wenn ihre DNA codierte Sequenzen aufweist, könnte es sein, dass eben darin der Schlüssel zur Verschmelzung liegt.«

»Nein. Die Verschmelzung muss durch etwas anderes ausgelöst werden. Etwas mit Fernwirkung.«

»Gestern waren wir bei Duft angelangt.«

»Okay«, sagte Anawak. »Probier das. Programmier sie so, dass sie einen Duftstoff erzeugen, der ›Verschmelzen‹ signalisiert.«

Weaver dachte nach. Sie rief über das Bordtelefon im Labor an. »Sigur? Hi! Wir sitzen an der Simulation. Habt ihr inzwischen eine Idee, wie diese Zellen miteinander verschmelzen?« Sie hörte eine Weile zu. »Genau. – Wir probieren das durch. – In Ordnung. Sag mir Bescheid.«

»Was meint er?«, wollte Anawak wissen.

»Sie versuchen einen Phasentest. Sie wollen die Gallerte dazu bringen, sich aufzulösen und wieder zu verschmelzen.«

»Sie glauben also auch, dass die Zellen einen Duft ausstoßen?«

»Ja.« Weaver runzelte die Stirn. »Das Problem ist, welche Zelle fängt damit an? Und warum? Wenn eine Kettenreaktion erfolgt, muss jemand der Urheber sein.«

»Ein genetisches Programm.« Anawak nickte. »Nur bestimmte Zellen können die Verschmelzung in die Wege leiten.«

»Ein Teil des Hirns, der mehr als andere Teile kann …«, sinnierte Weaver. »Bestechend. Trotzdem, irgendwie reicht's noch nicht.«

»Warte mal! Möglicherweise sind wir immer noch auf der falschen Fährte. Ich meine, wir gehen ständig davon aus, dass diese Zellen zusammen ein großes Hirn bilden.«

»Ich bin überzeugt davon, dass sie es tun.«

»Ich auch. Mir kam nur gerade der Gedanke, dass …«

»Was?«

Anawak dachte fieberhaft nach.

»Findest du es nicht auch komisch, dass sie sich voneinander unterscheiden? Mir fällt nur ein Grund für so eine Art der Codierung ein. Jemand programmiert ihre DNA, damit sie spezifische Aufgaben übernehmen können. Aber wenn das stimmt – dann wäre jede dieser Zellen ein kleines Hirn für sich.« Er überlegte weiter. Das wäre phantastisch! Und er hatte nicht die geringste Ahnung, wie das gehen sollte. »Es würde bedeuten, die DNA jeder Zelle *ist* das Hirn.«

»Eine DNA, die denken kann?«

»Irgendwie ja.«

»Dann müsste sie auch lernen können.« Sie sah ihn an, ihr Gesicht ein einziger Zweifel. »Ich bin ja bereit, einiges zu glauben, aber das?«

Sie hatte Recht. Es war abwegig. Die Konsequenz wäre eine völlig neuartige Biochemie. Etwas, das es nicht gab.

Aber wenn es nun doch funktionieren würde …

»Nochmal, wodurch lernt ein Neuronencomputer?«, fragte er.

»Durch immer komplexeres, gleichzeitiges Rechnen. Mit der Erfahrung wächst die Zahl der Handlungsalternativen.«

»Und wie behält er all das?«

»Er speichert es.«

»Dafür muss jede Einheit Speicherplatz zur Verfügung haben. In der Vernetzung der Speicherplätze entsteht dann künstliches Denken.«

»Worauf willst du hinaus?«

Anawak erklärte es ihr. Sie hörte zu, schüttelte hin und wieder den Kopf und ließ es sich ein zweites Mal erklären.

»Du schreibst die Biologie um, soweit ich das beurteilen kann.«

»Tu ich. Kannst du trotzdem etwas programmieren, das auf ähnliche Weise funktionieren würde?«

»Oh Gott.«

»Im Kleinen vielleicht.«

»Im Kleinen ist immer noch groß genug. Mensch, Leon! Was für eine abgedrehte Theorie. Aber okay. – Okay! Ich mach's.«

Sie reckte die braun gebrannten Arme. Goldfarbene Härchen flimmerten auf ihren Unterarmen. Unter dem Stoff des T-Shirts spannte sich die Muskulatur. Anawak dachte, wie sehr ihm dieses breitschultrige, kompakte Mädchen gefiel.

Im selben Moment sah sie ihn an.

»Das kostet dich aber was«, sagte sie drohend.

»Spuck's aus.«

»Schultern und Rücken. Entspannungsmassage.« Sie grinste. »Und zwar *avanti*. Während ich programmiere.«

Anawak war beeindruckt. Ganz schamlos von sich selber. Ob seine Theorie nun einen Sinn ergab oder nicht – es hatte sich auf jeden Fall gelohnt, sie auszusprechen.

RUBIN

Zum Mittagessen gingen sie gemeinsam hoch in die Offiziersmesse. Johansons Zustand hatte sich augenscheinlich gebessert, und außerdem verstand er sich blendend mit Oliviera.

Beide schienen nicht sonderlich traurig zu sein, als Rubin ihnen erklärte, nach dem Migräneanfall keinen Hunger zu verspüren.

»Ich werde auf dem Dach spazieren gehen«, sagte er und versuchte, einigermaßen Mitleid erweckend dreinzuschauen.

»Passen Sie auf sich auf«, grinste Johanson. »Man kommt hier schnell ins Stolpern.«

»Keine Bange«, lachte Rubin. Dabei dachte er: Wenn du wüsstest, wie sehr ich die ganze Zeit aufpasse, würde dir die Kinnlade bis ins Welldeck knallen. »Ich werde mich von der Kante fern halten.«

»Wir brauchen Sie noch, Mick.«

»Na ja«, hörte er Oliviera leise sagen, während sie mit Johanson weiterging.

Na ja?

Rubin ballte die Fäuste. Sollten sie sich ruhig alle miteinander das Maul zerreißen. Am Ende würde er bekommen, was ihm zustand. Das Verdienst, die Menschheit gerettet zu haben, würde seinem Konto gutgeschrieben werden. Er hatte lange genug darauf gewartet, aus dem Schatten der CIA hervortreten zu dürfen. Wenn sie die Sache erst mal hinter sich gebracht hatten, gab es keinen Grund mehr, seine Leistungen der Welt vorzuenthalten. Jegliche Geheimhaltung würde sich erübrigen. Er würde nach Herzenslust publizieren können, getragen von der Anerkennung aller.

Seine Laune besserte sich, während er die Rampe hochschritt. Auf LEVEL 03 nahm er eine Abzweigung und gelangte vor eine schmale, verschlossene Tür. Er gab einen Zahlencode ein. Die Tür schwang auf, und Rubin betrat einen dahinter liegenden Gang. Er ging bis ans Ende, wo er auf eine weitere verschlossene Türe stieß. Als er diesmal den Code eintippte, blinkte auf der Konsole ein grünes Lämpchen auf. Darüber war ein Objektiv hinter einer Glasscheibe eingelassen. Rubin trat bis dicht davor und schaute mit dem rechten Auge in die Linse, die seine Netzhaut scannte und ein Okay in das System leitete.

Mit erfolgter Autorisierung öffnete sich auch diese Tür für ihn. Er blickte in einen großen, dämmrigen Raum voller Computer und Monitore, der große Ähnlichkeit mit dem CIC aufwies. Uniformierte und Zivilisten saßen an den Steuerpulten. Beständiges Summen brachte die Luft zum Schwingen. An einem großen, von innen erleuchteten Kartentisch standen Li, Vanderbilt und Peak zusammen.

Peak schaute auf. »Kommen Sie rein«, sagte er.

Rubin trat näher. Plötzlich fühlte er seine Selbstsicherheit wanken. Seit der Nacht hatten sie nur miteinander telefoniert und knappe Informationen ausgetauscht. Der Tonfall war sachlich gewesen. Jetzt war er ins Frostige umgeschlagen.

Rubin entschloss sich für die Flucht nach vorne.

»Wir kommen gut weiter«, sagte er. »Wir sind immer einen Schritt voraus und ...«

»Setzen Sie sich«, sagte Vanderbilt. Er wies mit knapper Geste auf einen Stuhl an der gegenüberliegenden Seite des Tisches. Rubin gehorchte. Die drei blieben stehen, sodass er sich in einer Rolle wiederfand, die ihm nicht behagte. Er fühlte sich wie bei einem Tribunal.

»Das mit letzter Nacht war natürlich dumm«, fügte er hinzu.

»Dumm?« Vanderbilt stützte sich mit den Knöcheln auf die Tischplatte. »Sie blöder Idiot. Unter anderen Umständen würde ich Sie über die Planke schicken.«

»Augenblick mal, ich ...«

»Warum mussten Sie ihn *niederschlagen*?«

»Was hätte ich denn machen sollen?«

»Besser aufpassen. Sie Flasche! Ihn gar nicht erst reinlassen.«

»Das ist ja wohl nicht mein Fehler«, fuhr Rubin auf. »Es sind Ihre Leute, die zuschauen, wer sich im Schlaf am Hintern kratzt!«

»Warum haben Sie das verdammte Schott geöffnet?«

»Weil ... nun ja, ich dachte, wir brauchen vielleicht ... es gab da eine Überlegung hinsichtlich ...«

»Was?«

»Passen Sie mal auf, Rubin«, sagte Peak. »Das Schott zum Hangardeck hat nur eine einzige Funktion, und das wissen Sie sehr genau. Sperriges Material rein- und rausfahren.« Seine Augen blitzten auf. »Also was hatten Sie letzte Nacht so Wichtiges vor, dass Sie unbedingt das Schott öffnen mussten?«

Rubin biss sich auf die Lippen.

»Sie waren schlicht zu faul, den Weg durchs Schiffsinnere zu nehmen, das ist der Punkt.«

»Wie können Sie so etwas sagen?«

»Weil es stimmt.« Li kam um den Tisch herum und setzte sich rittlings vor Rubin auf die Kante. Sie sah ihn nachsichtig, fast freundlich an. »Sie sagten zu den anderen, Sie gingen Luft schnappen.«

Rubin sackte in seinem Stuhl zusammen. Natürlich hatte er das gesagt. Und natürlich hatten die Überwachungssysteme es aufgezeichnet.

»Und später sind Sie wieder Luft schnappen gegangen.«

»Es sah nicht so aus, als sei jemand an Deck«, verteidigte er sich. »Und Ihre Leute haben nichts Gegenteiliges gemeldet.«

»Wie auch, Mick? Die Überwachung hat nichts gemeldet, weil sie keine Anfrage erhalten hat. Sie sind aber verpflichtet, sich jedes Öffnen des Schotts genehmigen zu lassen. Das ist zweimal hintereinander nicht geschehen. Die konnten Ihnen keine Meldung geben.«

»Tut mir Leid«, murmelte Rubin.

»Ich will der Fairness halber zugeben, dass hier oben auch nicht alles nach Plan gelaufen ist. Johansons zweiter Spaziergang auf dem Hangardeck wurde verpennt. Weiterhin haben wir bei der Vorbereitung der Mission den Fehler begangen, kein lückenloses Abhörsystem zu installieren. – Wir wissen zum Beispiel nicht, was Oliviera und Johanson besprochen haben, als sie auf dem Hangardeck ihre kleine Party feierten, und leider können wir auch nicht die Unterhaltungen auf der Rampe und auf dem Dach abhören. – Aber das alles ändert nichts daran, dass Sie sich wie der dümmste Trottel verhalten haben.«

»Ich verspreche, es kommt nicht mehr ...«

»Sie sind ein Sicherheitsrisiko, Mick. Ein hirnloses Arschloch. Und wenn ich auch mit Jack nicht immer einer Meinung bin, werde ich ihm dabei helfen, Sie über die Planke zu jagen, wenn so etwas noch ein einziges Mal vorkommt. Ich werde höchstpersönlich ein paar Haie zu diesem Zweck anlocken und mit Freuden zusehen, wie sie Ihnen das Herz herausreißen. Haben Sie das verstanden? Ich werde Sie töten.«

Immer noch blickten die wasserblauen Augen in Lis Gesicht freundlich, aber Rubin ahnte, dass sie keinen Moment zögern würde, ihre Drohung wahr zu machen.

Er hatte Angst vor dieser Frau.

»Ich sehe, Sie haben es kapiert.« Li schlug ihm auf die Schulter und ging wieder zu den anderen. »Gut, Schadensbegrenzung. Wirkt die Droge?«

»Wir haben Johanson zehn Milliliter gespritzt«, sagte Peak. »Mehr hätte ihn aus der Bahn geworfen, und das können wir uns derzeit nicht erlauben. Das Zeug wirkt wie ein Radiergummi im Hirn, aber es gibt uns keine Garantie, dass er sich nicht doch erinnert.«

»Wie groß ist das Risiko?«

»Schwer zu sagen. Ein Wort, eine Farbe, ein Geruch – wenn das Hirn einen Anknüpfpunkt findet, ist es zur vollständigen Rekonstruktion fähig.«

»Das Risiko ist sogar ziemlich groß«, knurrte Vanderbilt. »Wir haben bis heute keine Droge gefunden, die Erinnerungen in allen Fällen unterdrückt. Wir wissen zu wenig über die Funktionsweise des Hirns.«

»Also müssen wir ihn beobachten«, sagte Li. »Was meinen Sie, Mick? Wie lange, schätzen Sie, werden wir noch auf Johanson angewiesen sein?«

»Oh, wir liegen weit vorne«, sagte Rubin eifrig. Hier konnte er Boden wieder gutmachen. »Weaver und Anawak hatten die Idee einer pheromonischen Verschmelzung. Auch Oliviera und Johanson sind auf die Möglichkeit eines Dufts gestoßen. Wir werden heute Nachmittag Phasentests durchführen, um den Beweis dafür zu erbringen. Wenn es zutrifft, dass die Verschmelzung über einen Duft erfolgt, haben wir einen Ansatzpunkt, der uns schnell ans Ziel unserer Wünsche bringen dürfte.«

»Falls. Wenn. Dürfte. Könnte.« Vanderbilt schnaubte. »*Bis wann* haben Sie das verdammte Mittel?«

»Das hier ist Forschungsarbeit, Jack«, sagte Rubin. »Damals hat auch keiner bei Alexander Fleming auf dem Schoß gesessen und gefragt, wie lange er noch braucht, um das Penicillin zu entdecken.«

Vanderbilt wollte etwas erwidern, als eine Frau von ihrer Konsole aufstand und zu ihnen herüberkam.

»Im CIC haben sie das Signal entschlüsselt«, sagte sie.

»*Scratch*?«

»Sieht so aus. Crowe sagte zu Shankar, sie hätten es entschlüsselt.«

Li schaute zu der Konsole hinüber, an der die Gespräche und Bilder aus dem CIC eintrafen. Man sah Shankar, Crowe und Anawak aus der Perspektive der Deckenkamera im Gespräch. Soeben kam Weaver hinzu.

»Dann werden wir ja gleich Nachricht erhalten«, sagte sie. »Alsdann. Geben wir uns angemessen überrascht, meine Herren.«

COMBAT INFORMATION CENTER

Alles drängte sich um Crowe und Shankar, um die Antwort zu sehen. Nicht mehr in Form eines Spektrogramms, sondern als optische Umsetzung des Signals, das sie am Vortag empfangen hatten.

»Ist es eine Antwort?«, fragte Li.

»Gute Frage«, sagte Crowe.

»Was ist *Scratch* überhaupt?«, wollte Greywolf wissen, der sich, Delaware im Schlepp, ebenfalls eingefunden hatte. »Eine Sprache?«

»*Scratch* vielleicht ja, aber sicher nicht die Art und Weise, wie es in diesem Fall codiert wurde«, erklärte Shankar. »Es ist genauso wie mit der Arecibo-Botschaft. Kein Mensch auf der Erde unterhält sich im binären Code. Im Grunde haben nicht wir eine Nachricht ins All geschickt, sondern unsere Computer haben es getan.«

»Was wir herausfinden konnten«, sagte Crowe, »ist die Struktur von *Scratch*. Warum es sich anhört, als wenn man eine Nadel über eine Schallplatte zieht. Es ist ein Stakkato im niederfrequenten Bereich, geeignet, einen ganzen Ozean zu durchqueren. Niederfrequente Wellen legen die größten Entfernungen zurück. Ein enorm schnelles Stakkato zudem. Das Problem mit Infraschall ist, dass wir Geräusche unterhalb 100 Hertz auf ein Vielfaches beschleunigen müssen, um sie hörbar zu machen, womit wir das Stakkato noch mehr beschleunigen würden. Der Schlüssel zum Verständnis liegt aber in der Verlangsamung.«

»Wir mussten es zerdehnen«, sagte Shankar, »um Einzelheiten unterscheiden zu können. Also haben wir es extrem verlangsamt, bis aus dem Kratzgeräusch eine Abfolge unterschiedlich langer und intensiver Einzelimpulse wurde.«

»Klingt nach Morsealphabet«, sagte Weaver.

»So ähnlich scheint es auch zu funktionieren.«

»Und wie stellen Sie das dar?«, fragte Li. »Über Spektrogramme?«

»Einerseits. Aber das reicht nicht. Wenn es ums Hören geht, sind wir immer noch am besten, wenn wir *wirklich* etwas hören. Dafür greifen wir zu einem Trick, ähnlich wie in der Darstellung von Satellitenbildern, wo man Radarerfassungen über Falschfarben sichtbar macht. In diesem Fall ersetzen wir jedes Signal unter Beibehaltung seiner Länge und Intensität durch eine Frequenz, die wir hören können. Wenn das Original unterschiedliche Frequenzhöhen aufweist, rechnen wir auch das entsprechend um. Auf diese Weise sind wir mit *Scratch* verfahren.« Crowe gab einen Befehl in die Tastatur. »Was wir empfangen haben, klingt jetzt so.«

Die Laute wummerten wie eine unter Wasser geschlagene Trommel. Schnell aufeinander folgend, fast zu schnell, um sie auseinander halten zu können, aber eindeutig eine differenzierte Abfolge unterschiedlich lauter und langer Impulse.

»Klingt tatsächlich wie ein Code«, sagte Anawak. »Was bedeutet es?«

»Wir wissen es nicht.«

»Sie wissen es nicht?«, fragte Vanderbilt. »Ich dachte, Sie hätten es entschlüsselt?«

»Wir wissen nicht, was das für eine Sprache ist«, sagte Crowe geduldig, »wenn sie unter normalen Umständen gesprochen wird. Wir haben nicht die geringste Ahnung, was die bisher aufgezeichneten *Scratch*-Signale aus den letzten Jahren zu bedeuten haben. Aber das ist nicht wichtig.« Sie blies Rauch durch ihre Nasenlöcher. »Wir haben was viel Besseres, nämlich Kontakt. Murray, zeig ihnen den ersten Teil.«

Shankar klickte ein Computerbild an. Es überzog den Bildschirm mit endlosen Reihen von Zahlen. Ganze Kolonnen davon waren gleich.

»Wir hatten, wie Sie sich erinnern, ein paar Hausaufgaben nach unten geschickt«, sagte Shankar. »Mathearbeit. Wie beim Intelligenztest. Es ging darum, Dezimalreihen fortzusetzen, Logarithmen zu entschlüsseln, fehlende Elemente zu ersetzen. Im besten Fall, haben wir uns ausgemalt, werden die da unten Spaß an der Sache finden und uns die Antworten schicken, womit sie signalisieren: Wir haben euch gehört – Wir sind da – Wir verstehen Mathematik und sind in der Lage, damit umzugehen.« Er zeigte auf die Zahlenreihen. »Das sind die Ergebnisse. Note eins mit Auszeichnung. Sie haben jede Aufgabe richtig gelöst.«

»Oh Mann«, flüsterte Weaver.

»Das zeigt uns zweierlei«, sagte Crowe. »Zum einen, *Scratch* ist tatsächlich eine Art Sprache. Mit hoher Wahrscheinlichkeit enthalten *Scratch*-Signale komplexe Informationen. Zum anderen – und das ist entscheidend! – beweist es, dass sie in der Lage sind, *Scratch* so umzubauen, dass es für uns einen Sinn ergibt. Das ist eine Leistung erster Güte. Es zeigt, dass sie uns in nichts nachstehen. Sie können nicht nur decodieren, sondern auch codieren.«

Eine Weile starrten alle nur auf die Zahlenkolonnen. Es herrschte Schweigen, angesiedelt zwischen Ergriffenheit und Beklommenheit.

»Aber was genau beweist es?«, sagte Johanson in die Stille hinein.

»Ist doch klar«, antwortete Delaware. »Dass da jemand denkt und antwortet.«

»Ja, aber könnte ein Computer nicht dieselben Antworten geben?«

»Du meinst, wir unterhalten uns mit einem Computer?«

»Er hat Recht«, sagte Anawak. »Es zeigt uns, dass jemand brav seine Rechenaufgaben gemacht hat. Das ist in höchstem Maße beeindruckend, aber nicht unbedingt ein Beweis für selbstbewusstes, intelligentes Leben.«

»Wer soll denn sonst derartige Antworten ablassen?«, fragte Greywolf entgeistert. »Makrelen?«

»Quatsch, nein. Aber denk doch mal nach. Was wir hier erleben, ist der gekonnte Umgang mit Symbolen. Höhere Intelligenz lässt sich darüber nicht nachweisen. Ein Chamäleon vollzieht, salopp gesagt, eine hochkomplexe rechnerische Leistung, wenn es sich seiner Umgebung anpasst. De facto merkt es nicht mal was davon. Jemand, der nicht weiß, wie intelligent ein Chamäleon ist, könnte zu dem Schluss gelangen, dass es verdammt intelligent sein muss, um ein Programm zu beherrschen, das sein Äußeres heute einem Blätterwald und morgen einer Felswand angleicht. Man würde ihm ein hohes Maß an Erkenntnisfähigkeit unterstellen, weil es sozusagen den Code seiner Umgebung entschlüsselt, und kreatives Vorgehen, weil es seinen eigenen Code darauf abstimmen kann.«

»Also was haben wir dann hier?«, fragte Delaware ratlos. Sie wirkte enttäuscht.

Crowe schmunzelte.

»Leon hat Recht«, sagte sie. »Das Manipulieren von Symbolen bietet keinerlei Gewähr, dass die Symbole auch verstanden werden. Echter Geist und Kreativität weisen sich durch Vorstellungskraft und Wissen über die Zusammenhänge in der wirklichen Welt aus. Durch tieferes Verständnis. Eine Rechenmaschine, und sei sie noch so leistungsfähig, kennt nicht den Umgang mit der Faustregel, nicht das Handeln wider die Logik, sie setzt sich nicht mit der Umwelt auseinander und macht keine Erfahrungen. – Ich schätze, das haben sich die Yrr auch gesagt, als sie ihre Antwort formulierten. Sie haben nach etwas gesucht, um uns zu zeigen, dass sie zu höherem Verständnis fähig sind.« Crowe zeigte auf das Computerbild. »Das sind die Ergebnisse der beiden Rechenaufgaben. Wenn Sie genau hinsehen, stellen Sie fest, dass Ergebnis eins elfmal hintereinander erscheint, dann dreimal Ergebnis zwei, einmal Ergebnis eins, wiederum neunmal Ergebnis zwei, und so weiter. An einer Stelle wiederholt sich Ergebnis zwei fast dreißigtausend Mal. Aber warum? Es macht Sinn, uns jedes Resultat mehr als einmal zu schicken, einfach schon, damit die Nachricht lang genug ist, um registriert zu werden. Aber wozu diese scheinbar chaotische Abfolge?«

»Hier kam Miss Alien ins Spiel«, sagte Shankar und grinste geheimnisvoll in die Runde.

»Mein Alter Ego Jodie Foster«, nickte Crowe. »Ich muss gestehen, dass mir die Antwort einfiel, als ich an den Film dachte. Die Abfolge ist ebenfalls ein Code. Wenn man sie richtig zu lesen weiß, erhält man ein Bild aus schwarzen und weißen Pixeln – also nichts anderes als das, was wir bei SETI auch machen.«

»Hoffentlich nicht Adolf Hitler«, sagte Rubin.

Diesmal hatte er einen Lacher. Mittlerweile hatten alle den Film *Contact* mit Jodie Foster gesehen. Darin schickten die Aliens ein Bild zur Erde, dessen Pixel Teile einer Bauanleitung enthielten. Sie hatten einfach irgendein Bild aus dem Fundus dessen genommen, was die Menschheit im Verlauf ihrer technischen Evolution in den Weltraum abgestrahlt hatte, und sich ausgerechnet für ein Foto von Hitler entschieden.

»Nein«, sagte Crowe. »Es ist nicht Hitler.«

Shankar gab dem Computer einen Befehl ein. Die Zahlenkolonnen verschwanden und wichen einer Grafik.

»Was ist das denn?« Vanderbilt beugte sich vor.

»Sie erkennen es nicht?« Crowe lächelte in die Runde. »Hat sonst irgendjemand eine Idee?«

»Sieht aus wie ein Wolkenkratzer«, sagte Anawak.

»Das Empire State Building«, schlug Rubin vor.

»Blödsinn«, sagte Greywolf. »Woher sollen sie das Empire State Building kennen? Es sieht aus wie eine Rakete.«

»Und woher kennen sie Raketen?«, sagte Delaware.

»Weil jede Menge davon im Meer rumliegen. Versehen mit nuklearen Sprengköpfen, chemischen Kampfstoffen ...«

»Was ist dieses Drumherum da?«, fragte Oliviera. »Wolken?«

»Vielleicht Wasser«, meinte Weaver. »Vielleicht ist es was aus der Tiefsee. Eine Formation.«

»Wasser ist schon mal gut«, sagte Crowe.

Johanson rieb seinen Bart. »Es macht eher den Eindruck eines

Monuments. Möglicherweise ist es ein Symbol. Etwas ... Religiöses.«

»Menschlich, allzu menschlich.« Crowe schien das Ganze diebische
Freude zu bereiten. »Warum fragen Sie sich nicht einfach, ob man das
Bild auch anders betrachten kann.«

Sie starrten weiter darauf. Plötzlich zuckte Li zusammen.

»Können Sie es um 90 Grad kippen?«

Shankars Finger glitten über die Tastatur, und das Gebilde erschien
in Seitenlage.

»Ich sehe immer noch nicht, was das sein soll«, sagte Vanderbilt.
»Ein Fisch? Ein großes Tier?«

Li schüttelte den Kopf. Sie stieß ein leises Lachen aus.

»Nein, Jack. Die Muster drum herum sind Wellen. Meereswellen.
Eine Momentaufnahme, von unten gesehen. Aus der Tiefe gegen die
Wasseroberfläche.«

»Was? Und das schwarze Ding?«

»Ganz einfach. Das sind wir. Es ist unser Schiff.«

HEEREMA, VOR LA PALMA, KANAREN

Vielleicht hätten sie nicht ganz so euphorisch sein sollen.
Während der letzten sechzehn Stunden hatte der Sauger ununterbrochen gearbeitet und Tonnen rosaweißer Leiber ans Tageslicht befördert, denen der rapide Ortswechsel augenscheinlich schlecht bekam.

Die meisten trafen aufgeplatzt ein, der Rest wand sich in Krämpfen und verendete mit ausgestülptem Rüssel und zuckenden Kiefern. Gleich zu Anfang war Frost nach draußen gelaufen, wo die Polychäten zusammen mit dem hoch gepumpten Meerwasser in einer gewaltigen Fontäne aus dem Schlauch spritzten und in weit gespannte Netze plumpsten, während das Wasser nach unten ablief. Über Rutschen fanden sie in den Bauch eines Frachters, der neben der *Heerema* lag und sich stetig füllte. Frost hatte begeistert in die Masse gegriffen und war schleimverschmiert mit einem Dutzend Kadaver zurückgekehrt, die er triumphierend in die Höhe hielt.

»Nur ein toter Wurm ist ein guter Wurm«, donnerte er. »Höret meine Worte! Yeah!«

Alle hatten applaudiert, auch Bohrmann.

Nach einer Weile hatte sich der aufgewirbelte Schlamm gelegt, und sie blickten auf marmoriertes Lavagestein. Vereinzelt stiegen dünne Blasenschnüre daraus hervor. Die Kameras der Lichtinsel zoomten, sodass Bohrmann ziemlich genau erkannte, was es mit der Marmorierung auf sich hatte.

»Bakterienmatten«, sagte er.

Frost sah ihn an. »Und was heißt das?«

»Schwer zu sagen.« Bohrmann rieb seine Fingerknöchel an seinem Kinn. »Solange sie die Oberfläche besiedeln, droht keine Gefahr. Ich weiß nicht, wie viel von dem Zeug bereits ins Innere des Sediments vorgedrungen ist. Die schmutzig grauen Linien dazwischen, das ist übrigens Hydrat.«

»Es existiert also noch.«

»Was wir sehen, existiert. Aber wir wissen nicht, wie viel vorher da war und wie viel zersetzt wurde. Der Blasenaustritt hält sich im tolerierbaren Bereich. Ich würde mit einiger Vorsicht sagen, dass wir zumindest nicht unerfolgreich waren.«

»Doppelte Verneinung ist auch ein Ja«, nickte Frost befriedigt und stand auf. »Ich hole uns einen Kaffee.«

Anschließend hatten sie stundenlang weiter zugesehen, wie der Sauger das Plateau abgraste, bis ihnen die Augen brannten. Schließlich scheuchte van Maarten Frost ins Bett, damit er sich ausruhte. Frost und Bohrmann hatten drei Nächte lang kaum geschlafen. Während Frost noch protestierte, fielen ihm die Augen zu, und er wankte mit letzter Kraft in seine Kammer.

Bohrmann blieb mit van Maarten zurück. Es war 23.00 Uhr.

»Sie sind der Nächste, der schlafen geht«, bemerkte der Holländer.

»Ich kann nicht schlafen gehen.« Bohrmann fuhr sich über die Augen. »Außer mir kennt sich niemand hinreichend mit Hydraten aus.«

»Doch, wir kennen uns aus.«

»Es dauert ja nicht mehr lange«, sagte Bohrmann.

Er war wirklich am Ende. Die Pilotenteams waren schon dreimal ausgetauscht worden. Aber in wenigen Stunden würde Erwin Suess mit dem Helikopter aus Kiel eintreffen, und so lange musste er eben noch durchhalten.

Er gähnte. Mittlerweile war die Nacht hereingebrochen. Leises Summen erfüllte den Raum. Die Lichtinsel und der Sauger waren im Verlauf der letzten Stunden langsam, aber stetig nach Norden vorgerückt. Wenn die Daten der *Polarstern*-Expedition zutrafen, tummelten sich die Würmer nur auf dieser Terrasse. Er schätzte, dass es noch einige Tage dauern würde, um sie gänzlich abzusaugen, aber inzwischen regte sich wieder Hoffnung in ihm. Der Blasenaustritt lag über dem zu erwartenden Wert, gab jedoch nicht wirklich Anlass zur Besorgnis. Wenn die Würmer und die Bakterienhorden verschwanden, würden sich angefressene Hydrate vielleicht wieder stabilisieren.

Mit gesenkten Lidern beobachtete er die Monitore.

Seine Müdigkeit war schuld, dass die Veränderungen erst in sein Bewusstsein drangen, nachdem er schon eine Weile darauf gestarrt hatte. Er beugte sich vor.

»Da glitzert was«, sagte er. »Nehmen Sie den Sauger weg.«

Van Maarten kniff die Augen zusammen. »Wo?«

»Schauen Sie auf die Monitore. In dem Gewühl blitzte eben was auf. – Da, schon wieder!«

Auf einmal war er hellwach. Jetzt zeigten auch die Kameras der Lichtinsel, dass etwas nicht stimmte. Die obligatorische Sedimentwolke um den Schlund des Saugers hatte sich aufgebläht. Dunkle Brocken und Blasen wirbelten darin herum und trieben nach oben.

Die Saugerbildschirme wurden schwarz. Der Schlund des Rüssels schlug zur Seite aus.

»Verdammt, was passiert da?«

Aus dem Lautsprecher drang die Stimme des Piloten:

»Wir ziehen größere Sachen in uns rein. Der Sauger wird instabil. Ich weiß nicht, ob …«

»Weg damit!«, rief Bohrmann. »Weg vom Hang!«

Schon wieder, dachte er verzweifelt. Wie damals auf der *Sonne*. Ein Blowout. Sie hatten zu lange auf dieselbe Stelle gehalten, und hier war das Plateau instabil geworden. Der Unterdruck riss das Sediment auseinander.

Nein, kein Blowout. Schlimmer noch.

Der Saugrüssel versuchte sich aus der Sedimentwolke zurückzuziehen. Sie blähte sich weiter auf, und plötzlich schien sie regelrecht zu explodieren. Eine Druckwelle erschütterte die Lichtinsel. Das Bild schwankte auf und nieder.

»Wir haben eine Rutschung«, schrie der Pilot.

»Schalten Sie den Sauger ab.« Bohrmann sprang auf. »Zurückfahren.«

Jetzt erkannte er, wie von oben größere Felsbrocken herabfielen. Lavagestein stürzte auf die Terrasse. Irgendwo in der Schlamm- und Trümmerwolke wand sich kaum noch sichtbar der Schlauch des Saugrüssels.

»Sauger ist ausgeschaltet«, bestätigte van Maarten.

Mit weit aufgerissenen Augen beobachteten sie den Verlauf der Rutschung. Mehr und mehr Gestein prasselte herab. Wenn sich der Effekt in der fast senkrechten Wand des Vulkankegels fortsetzte, würden sich immer größere Brocken lösen. Vulkangestein war porös. Aus einer kleinen Rutschung würde in Minutenschnelle eine große werden, und am Ende würde genau das eintreffen, was sie zu verhindern gesucht hatten.

Wir sollten uns in Gelassenheit fügen, dachte Bohrmann. Um zu fliehen, ist es ohnehin zu spät.

Ein sechshundert Meter hoher Wasserberg ...

Das Geprassel hörte auf.

Lange Zeit sagte niemand etwas. Sie hielten ihre Blicke nur stumm auf die Monitore geheftet. Über der Terrasse stand eine diffuse Wolke, die das Licht der Halogenlampen streute und zurückwarf.

»Es hat aufgehört«, sagte van Maarten mit unmerklich zitternder Stimme.

»Ja.« Bohrmann nickte. »Sieht so aus.«

Van Maarten rief die Piloten.

»Die Lichtinsel hat ordentlich gewackelt«, meldete das Beleuchterteam. »Ein Spot ist ausgefallen. Macht sich allerdings nicht bemerkbar, wenn man's nicht weiß.«

»Und der Rüssel?«

»Scheint festzuhängen«, war der Bescheid aus dem anderen Kran. »Die Systeme erhalten nach wie vor ihre Befehle, aber sie sind offenbar nicht in der Lage, sie auszuführen.«

»Schätze, der Schlund ist unter Trümmern verschüttet«, mutmaßte der andere Pilot.

»Wie viel kann da draufgefallen sein?«, fragte van Maarten leise.

»Erst muss sich die Wolke setzen«, erwiderte Bohrmann. »Sieht so aus, als seien wir mit einem blauen Auge davongekommen.«

»Gut. Dann müssen wir warten.« Van Maarten sprach ins Mikrophon. »Keine weiteren Versuche, den Rüssel frei zu bekommen. Kaffeepause. Ich will da unten keine unnötigen Erschütterungen. Wir warten eine Weile und sehen dann weiter.«

Drei Stunden später sahen sie weiter. Stellenweise zwar nur wenige Meter, denn das Sediment hatte sich immer noch nicht vollständig abgesetzt, aber die Mündung des Rüssels war einigermaßen gut zu erkennen. Inzwischen hatte sich auch Frost wieder eingefunden. Sein Haar stand in Korkenzieherlocken nach allen Himmelsrichtungen ab.

»Hat sich böse verkeilt«, konstatierte van Maarten.

»Ja.« Frost kratzte sich den Schädel. »Aber kaputt sieht er nicht aus.«

»Die Motoren sind blockiert.«

»Und wie kriegen wir ihn wieder frei?«

»Wir können einen Roboter runterschicken, der das Zeug beiseite räumt«, schlug Bohrmann vor.

»Heiliger Zorn Gottes und aller Engel!«, zeterte Frost. »Das kostet uns elend viel Zeit. Wo's gerade so gut lief.«

»Wir müssen uns halt beeilen.« Bohrmann wandte den Kopf zu van Maarten. »Wie schnell können wir *Rambo* klarmachen?«

»Sofort.«

»Dann los. Versuchen wir's.«

Rambo verdankte seinen Namen ganz unwissenschaftlich den Filmen mit Sylvester Stallone. Das ROV sah aus wie eine kleinere Version des *Victor 6000*, verfügte über vier Kameras, diverse Heck- und Seitenstrahler zur Stabilisierung und zwei überaus kräftige, gelenkige Greifarme. Das Gerät taugte nur für Tiefen bis 800 Meter, war jedoch in der Offshore-Szene sehr beliebt. Innerhalb einer Viertelstunde war *Rambo* einsatzbereit. Kurze Zeit später schwebte er am Vulkankegel entlang nach unten auf die Terrasse zu, über ein elektrooptisches Kabel mit dem Pilotenstand auf der *Heerema* verbunden. Die Lichtinsel kam in Sicht. Der Roboter sank weiter, nahm Fahrt auf und manövrierte zu dem eingeklemmten Saugschlund. Aus der Nähe war deutlich zu erkennen, dass die Motoren und Videosysteme des Rüssels intakt waren, allerdings hatten sich einige Brocken des Vulkangesteins so unglücklich verkeilt, dass er hoffnungslos feststeckte.

Rambos Greifarme begannen, die Brocken abzuräumen. Zu Anfang sah es so aus, als könne der Roboter den Rüssel freibekommen. Er trug die Trümmer nacheinander ab, bis er an einen schräg stehenden Zacken geriet, der sich ins Terrassensediment gebohrt hatte und den Rüssel gegen einen Felsvorsprung drückte. Die Arme fuhren aus und ein, drehten sich, versuchten den Zacken zu lösen. Es war illusorisch.

»Das schafft kein Automat«, beschied Bohrmann. »Er kann keinen Impuls entwickeln.«

»Na wunderbar«, zischte Frost.

»Und wenn die Piloten den Rüssel einfach einholen?«, schlug Bohrmann vor. »Unter der Spannung muss er sich ja irgendwann lösen.«

Van Maarten schüttelte den Kopf.

»Zu riskant. Der Schlauch könnte reißen.«

Sie versuchten ihr Glück, indem sie den Roboter aus verschiedenen Winkeln mit dem Brocken kollidieren ließen. Um Mitternacht war klar, dass die Maschine es nicht schaffen würde. Unterdessen bedeckte sich die gesäuberte Fläche wieder mit Würmern, die von allen Seiten aus der Finsternis heranwimmelten.

»Das gefällt mir überhaupt nicht«, knurrte Bohrmann. »Gerade hier, wo es instabil ist. Wir müssen zusehen, dass wir den Rüssel freibekommen, sonst sehe ich schwarz.«

Frost legte die Stirn in Falten. Nach einer Weile sagte er: »Gut. Dann sehen wir eben schwarz. Und zwar höchstpersönlich.«

Bohrmann sah ihn fragend an.

»Na ja.« Frost hob die Schultern. »Tief unten im Meer ist es schwarz, oder? Will sagen, wenn es *Rambo* nicht kann, bleibt nur einer, um runterzugehen. Die verrutschte Krone der Schöpfung. Das sind vierhundert Meter. Dafür haben wir Spezialanzüge an Bord.«

»Du willst selber da runter?«, fragte Bohrmann entgeistert.

»Natürlich.« Frost reckte die Arme, dass es knackte. »Wo ist das Problem?«

15. august

Crowe hatte die Antwort der Yrr zum Anlass genommen, eine zweite, weit komplexere Nachricht in die Tiefe zu entsenden. Sie enthielt Informationen über die menschliche Rasse, über deren Evolution und Kultur. Vanderbilt war nicht besonders glücklich damit, aber Crowe brachte ihn schließlich zu der Einsicht, dass sie ohnehin nichts mehr verkehrt machen konnten. Die Yrr standen kurz davor, den Kampf zu gewinnen.

»Wir haben nach wie vor nur eine Chance«, sagte sie. »Wir müssen ihnen klar machen, dass wir es wert sind, weiter zu existieren. Das geht nur, indem wir ihnen möglichst viel von uns erzählen. Vielleicht ist ja was dabei, das sie bis jetzt nicht in Erwägung gezogen haben. Das sie zum Nachdenken bringt.«

»Eine Schnittmenge der Werte«, sagte Li.

»Und sei sie noch so klein.«

Oliviera, Johanson und Rubin hatten sich im Labor vergraben. Sie wollten das Gallertwesen im Tank dazu bringen, sich zu teilen oder vollständig zu diffundieren. Unablässig konferierten sie mit Weaver und Anawak. Weaver hatte ihre virtuellen Yrr mit einer künstlichen DNA versehen und einen pheromonischen Botenstoff eingebaut. Es funktionierte. Theoretisch hatten sie damit bewiesen, dass die Einzeller zur Verschmelzung einen Duft benutzten, aber die Gallerte zeigte sich jeglicher Kooperation abgeneigt, was die praktische Beweisführung anbetraf. Das Wesen – genauer gesagt, die Summe der Wesen – hatte sich in einen breiten Fladen verwandelt und war auf den Boden des Tanks gesunken.

Delaware und Greywolf werteten unterdessen die Filmaufnahmen der Delphinstaffeln aus, ohne etwas anderes zu erblicken als den Rumpf der *Independence*, vereinzelte Fische und weitere Delphine, die sich gegenseitig filmten. Sie verbrachten ihre Zeit abwechselnd vor den Monitoren des CIC oder im Welldeck, wo Roscovitz und Browning immer noch mit der Reparatur des *Deepflight* beschäftigt waren.

Li wusste, dass selbst die besten Leute irgendwann Gefahr liefen, sich festzufressen oder zu verzetteln, wenn man sie nicht von Zeit zu Zeit aus ihrer Arbeit riss und auf andere Gedanken brachte. Sie ließ sich die Wetterdaten übermitteln und holte Prognosen über deren Zuverlässigkeit ein. Alles sah danach aus, dass es bis zum folgenden Morgen ruhig und windstill sein würde. Jetzt schon waren die Wellenberge im Vergleich zum Tagesbeginn abgeschwollen.

Also hatte sie Anawak um einige Minuten seiner Zeit gebeten und festgestellt, dass er überraschend wenig über die Küche des hohen Nordens wusste. Sie delegierte die Verantwortung an Peak weiter, der sich nun erstmals in seiner militärischen Laufbahn ums Essen zu kümmern hatte.

Im Folgenden führte Peak eine Reihe von Telefonaten. Zwei Hubschrauber starteten zur grönländischen Küste. Am späten Nachmittag gab Li bekannt, dass der Küchenchef um 21.00 Uhr zu einer Party lud. Die Hubschrauber kehrten zurück und brachten alles Mögliche mit, um ein grönländisches Diner auf die Beine zu stellen. Auf dem Flugdeck vor der Insel wurden Tische, Stühle und ein Buffet platziert, man schleppte eine Musikanlage nach draußen und ordnete rings um den Platz Heizstrahler an, um die Kälte fern zu halten.

In der Küche begann ein Riesenwirbel. Li war dafür bekannt, absonderliche Ideen aus dem Hut zu zaubern und darauf zu beharren, dass sie innerhalb kürzester Zeit umgesetzt wurden. Karibufleisch wanderte in Töpfe und Pfannen. Maktaaq, knusprige Narwalhaut, wurde aufgeschnitten, aus Robbenstew eine Suppe zubereitet und Eiderenteneier wurden gekocht. Der Bäcker der *Independence* versuchte sich an Bannock, einem ungesäuerten, flachen und recht schmackhaften Fladenbrot, dessen fachgerechte Zubereitung die Inuit zu jährlichen Backwettbewerben trieb. Lachs und Wandersaibling wurden filettiert und zusammen mit Kräutern gebraten, gefrorenes Walrossfleisch in eine Art Carpaccio verwandelt, Berge von Reis gegart. Peak, in kulinarischen Dingen restlos überfordert, hatte einfach alles kommen lassen, was nicht schon vorrätig war, und sich dabei blind auf die grönländischen Berater verlassen. Nur eine Spezialität war ihm suspekt erschienen: Roher Walrossdarm, wenngleich heiß angepriesen, gehörte nun wirklich zu den Dingen, auf die man seiner Ansicht nach verzichten konnte.

Für Brücke und Maschinenraum hatte er eine Notbesetzung eingeteilt, ebenso für das CIC. Ansonsten erschien pünktlich um 21.00 Uhr die vollzählige Bewohnerschaft der *Independence* an Deck: Crew, Wissenschaftler und Soldaten. So leer sich die Räume des Riesenschiffs tagsüber ausnahmen, so voll wurde es nun auf dem Dach. Rund 160 Menschen nahmen ihren alkoholfreien Begrüßungscocktail in Empfang und verteilten sich an Steh- und Sitztischen, bis das Buffet eröffnet wurde, und irgendwann begann jeder mit jedem zu reden.

Es war eine seltsame Party, die Li da ins Leben gerufen hatte – das stählerne Hochhaus der Insel im Rücken und ringsum der Blick auf die einsame Weite des Meeres. Der Dunst war zurückgewichen und hatte am Horizont surreale Wolkenberge geformt, zwischen denen sich immer wieder der tief stehende Sonnenball hervorschob. Die Luft prickelte kalt und klar, und über allem wölbte sich ein tiefblauer Himmel.

Eine Weile schien jeder bemüht, die Themen auszuklammern, derentwegen sie hier waren. Es tat gut, sich über andere Dinge zu unterhalten. Zugleich hatte es etwas Verkrampftes, beinahe Verzweifeltes, wie alle versuchten, die Konversation an der Oberfläche zu halten, als seien sie per Zufall auf einer Vernissage zusammengetroffen. Kurz vor Mitternacht, im beginnenden Dämmerlicht, brach dann der spröde Schutz, der sie vom Zweck ihres Hierseins abschirmte. Inzwischen duzten sich die meisten. Die Windlichter auf den Tischen entfalteten ihre gravitative Kraft. Man scharte sich zu Grüppchen, versammelte sich um die Schamanen der Aufklärung, um sich Trost zu holen, den diese nicht bieten konnten.

»Jetzt mal im Ernst«, sagte Buchanan kurz nach 1.00 Uhr zu Crowe. »Sie glauben doch nicht wirklich an intelligente Einzeller?«

»Und warum nicht?«, fragte Crowe.

»Na ja, ich bitte Sie. Wir reden von intelligentem Leben, richtig?«

»Sieht so aus.«

»Also …« Buchanan rang nach Worten. »Ich erwarte ja nicht, dass die uns ähnlich sehen, aber schon was Komplexeres als Einzeller. Man sagt, Schimpansen seien intelligent, Wale und Delphine, und sie haben alle einen komplexen Körperbau und ein großes Gehirn. Ameisen, haben wir gelernt, sind zu klein, um echte Intelligenz hervorzubringen. Wie soll das bei Einzellern funktionieren?«

»Werfen Sie da nicht einiges durcheinander, Käpt'n?«

»Was?«

»Das, was funktionieren würde, und das, was Ihnen behagen würde.«

»Ich verstehe nicht, was Sie meinen.«

»Sie meint«, sagte Peak, »wenn wir uns schon mit dem Gedanken anfreunden müssen, dass der Mensch die Vorherrschaft abgibt, dann wenigstens an einen starken und gewaltigen Gegner. Groß und gut aussehend und mit Muskeln.«

Buchanan schlug mit der flachen Hand auf den Tisch.

»Ich glaube es einfach nicht. Ich glaube nicht daran, dass primitive Organismen diesen Planeten beherrschen sollten und dass sie es an Intelligenz mit Menschen aufnehmen. Das funktioniert nicht! Menschen sind fortschrittliche Wesen ...«

»Fortschritt? Komplexität?« Crowe schüttelte den Kopf. »Was meinen Sie? Ist Evolution Fortschritt?«

Buchanan sah gequält drein.

»Gut, schauen wir mal«, sagte Crowe. »Evolution, das ist der Kampf ums Dasein, das Überleben des Stärksten, um bei Darwin zu bleiben. Beides resultiert aus Widrigkeiten, entweder aus dem Kampf gegen andere Lebewesen oder gegen Naturkatastrophen. Es gibt also eine Weiterentwicklung durch Auslese. Aber führt das automatisch zu höherer Komplexität? Und ist höhere Komplexität ein Fortschritt?«

»Ich bin nicht sehr bewandert in Evolution«, sagte Peak. »Mir stellt es sich so dar, dass die meisten Lebewesen im Verlauf der Naturgeschichte immer größer und komplexer geworden sind. Auf jeden Fall die menschliche Rasse. Aus meiner Sicht ganz klar das Resultat eines Trends.«

»Ein Trend? Falsch. Wir sehen nur einen kleinen historischen Ausschnitt, innerhalb dessen gerade mit Komplexität experimentiert wird, aber wer sagt uns, dass wir nicht als Sackgasse der Evolution enden? Es ist unsere Selbstüberschätzung, mit der wir uns als vorläufigen Höhepunkt eines natürlichen Trends betrachten. Sie alle wissen, wie ein Evolutionsstammbaum aussieht, dieses verzweigte Gebilde mit Haupt- und Nebenästen. Also, Sal, wenn Sie sich so einen Baum vorstellen, wo würden Sie die Menschheit sehen? In einem Haupt- oder Nebenast?

»Zweifellos als Hauptast.«

»Das hatte ich erwartet. Es entspricht der menschlichen Sichtweise. Wenn viele Arme einer Tierfamilie auseinander streben und eine überlebt, während alle anderen aussterben, neigen wir dazu, den Überlebenden zum Hauptarm zu erklären. Warum? Nur weil er – noch – überlebt? Vielleicht sehen wir aber nur eine unbedeutende Nebenlinie, die es ein bisschen länger schafft als die anderen. Wir Menschen sind die einzige verbliebene Art eines einst üppigen Evolutionsbusches. Der Rest einer Entwicklung, deren übrige Zweige verdorrt sind, der letzte Überlebende eines Experiments mit Namen *Homo. Homo Australopithecus*: ausgestorben. *Homo habilis*: ausgestorben. *Homo sapiens neanderthalensis*: ausgestorben. *Homo sapiens sapiens*: noch da. Vorübergehend haben wir die Vorherrschaft über den Planeten errungen, aber Vorsicht! – Parvenüs der Evolution sollten Vorherrschaft nicht mit innerer Überlegenheit und längerfristigem Überleben verwechseln. Wir könnten schneller wieder verschwunden sein, als uns lieb ist.«

»Möglicherweise haben Sie Recht«, sagte Peak. »Aber Sie lassen etwas Entscheidendes außer Acht. Diese einzige überlebende Art besitzt auch als einzige Spezies ein hoch entwickeltes Bewusstsein.«

»Einverstanden. Aber betrachten Sie diese Entwicklung bitte vor dem Gesamtpanorama der Natur. Erkennen Sie da wirklich einen Fortschritt oder einen herausragenden Trend? 80 Prozent aller Vielzeller erfreuen sich eines weit größeren Evolutionserfolgs als der Mensch, ohne dass sie diesen angeblichen Trend zu höherer Nervenkomplexität ausgebildet hätten. Unsere Ausstattung mit Geist und Bewusstsein ist ein Fortschritt einzig aus unserer subjektiven Weltsicht. Dem Ökosystem Erde hat diese bizarre, unwahrscheinliche Randerscheinung Mensch bisher nur eines eingebracht: einen Haufen Ärger.«

»Ich bin nach wie vor überzeugt, dass Menschen hinter allem stecken«, sagte Vanderbilt am Nebentisch. »Aber gut, ich lasse mich belehren. Wenn es doch keine sind, werden wir eben Yrr-Aufklärungsarbeit betreiben. Wir werden das widerliche Geschleime so lange unter CIA-Beobachtung stellen, bis wir wissen, wie es denkt und was es plant.«

Er stand mit Delaware und Anawak zusammen, umringt von Soldaten und Mannschaftsmitgliedern.

»Vergiss es«, sagte Delaware. »Das schafft nicht mal deine CIA.«

»Pah, Mädchen!«, lachte Vanderbilt. »Du schlüpfst in jeden Schädel, wenn du geduldig bist. Selbst wenn er einem verdammten Einzeller gehört. Alles eine Frage der Zeit.«

»Nein, eine Frage der Objektivität«, sagte Anawak. »Was voraussetzt, dass du in der Lage bist, die Rolle eines objektiven Beobachters einzunehmen.«

»Können wir. Darum sind wir ja intelligent und zivilisiert.«

»Du magst intelligent sein, Jack. Aber du bist nicht in der Lage, die Natur objektiv wahrzunehmen.«

»Genau genommen bist du ebenso subjektiv und unfrei wie ein Tier«, ergänzte Delaware.

»An was für eines hattet ihr denn gedacht?«, kicherte Vanderbilt. »Ein Walross?«

Anawak lachte leise. »Ich meine es ernst, Jack. Wir sind der Natur immer noch näher, als wir glauben.«

»Ich nicht. Ich bin in der Großstadt aufgewachsen. War nie auf dem Land. Mein Vater auch nicht.«

»Spielt keine Rolle«, sagte Delaware. »Ich geb dir ein Beispiel:

Schlangen. Sie werden einerseits gefürchtet und zugleich verehrt. Oder Haie, es gibt eine Unzahl von Haigottheiten. Diese emotionale Bindung des Menschen an andere Lebensformen ist angeboren, vielleicht sogar genetisch festgelegt.«

»Ihr redet von Naturvölkern. Ich rede von Stadtmenschen.«

»Okay.« Anawak überlegte einen Moment. »Hast du eine Phobie? Irgendwas, das sich als Phobie bezeichnen ließe?«

»Na ja, nicht unbedingt eine Phobie ...«, begann Vanderbilt.

»Einen Abscheu?«

»Ja.«

»Wovor?«

»Gott, es ist nicht sonderlich originell. Hat wahrscheinlich jeder. Vor Spinnen. Ich hasse die Biester.«

»Warum?«

»Weil ...« Vanderbilt zuckte die Achseln. »Sie sind halt ekelhaft. Findest du nicht, dass sie ekelhaft sind?«

»Nein, aber darum geht's nicht. Der Punkt ist, dass die Hauptursachen für Phobien in unserer zivilisierten Welt fast immer Gefahren sind, die uns drohten, *bevor* wir in Städten lebten. Wir entwickeln Phobien gegen lastende Felswände, Gewitter, reißende Gewässer, undurchdringliche Wasseroberflächen, gegen Schlangen, Hunde und Spinnen. Warum nicht gegen Stromkabel, Revolver, Schnappmesser, Autos, Sprengstoff und Steckdosen, die allesamt viel gefährlicher sind? Weil unserem Hirn eine Regel eingeprägt ist: Vor schlangenförmigen Objekten und Wesen mit vielen Beinen musst du auf der Hut sein.«

»Das menschliche Hirn hat sich in einer natürlichen Umgebung entwickelt, nicht in einer maschinellen«, sagte Delaware. »Unsere geistige Evolution vollzog sich über zwei Millionen Jahre in denkbar engstem Kontakt zur Natur. Vielleicht haben sich die Überlebensregeln dieser Zeit sogar genetisch eingeprägt, jedenfalls spielte sich lediglich ein winziger Bruchteil unserer Evolutionsgeschichte in der so genannten Zivilisation ab. Glaubst du wirklich, bloß weil dein Vater und dein Großvater ausschließlich in Städten gelebt haben, seien damit all die archaischen Informationen in deinem Hirn ausgelöscht? Warum fürchten wir uns vor kleinen, im Gras kriechenden Tieren, warum ekelst du dich vor Spinnen? Weil wir dieser Furcht im Verlauf der Menschheitsentwicklung das Leben verdanken. Weil Menschen, die furchtsamer sind als andere, seltener in Gefahr geraten und mehr Nachkommen zeugen können. Das ist es. Habe ich Recht, Jack?«

Vanderbilt sah von Delaware zu Anawak.

»Und was hat das mit den Yrr zu tun?«, fragte er.

»Es hat was damit zu tun, dass sie vielleicht aussehen wie Spinnen«, erwiderte Anawak. »Huh! Also erzähl uns nichts von Objektivität. Solange wir uns vor den Yrr ekeln, wie immer sie aussehen mögen, vor einer Gallerte, vor Einzellern und giftigen Krebsen, werden wir nichts über ihr Denken erfahren, weil wir es gar nicht können. Wir werden nur daran interessiert sein, das Andersartige zu vernichten, damit es nachts nicht in unsere Höhle kriechen und unsere Kinder rauben kann.«

Ein Stück abseits stand Johanson in der Dunkelheit und versuchte, sich an die Einzelheiten der letzten Nacht zu erinnern, als Li zu ihm trat. Sie reichte ihm ein Glas. Es war Rotwein darin.

»Ich dachte, wir bleiben alkoholfrei«, wunderte sich Johanson.

»Bleiben wir auch.« Sie stieß mit ihm an. »Aber nicht dogmatisch. Außerdem nehme ich Rücksicht auf die Vorlieben meiner Gäste.«

Johanson kostete. Der Wein war gut. Er war sogar erlesen.

»Was sind Sie eigentlich für ein Mensch, General?«, fragte er.

»Nennen Sie mich Jude. Jeder tut das, der nicht vor mir strammstehen muss.«

»Ich werde nicht schlau aus Ihnen, Jude.«

»Wo liegt das Problem?«

»Ich traue Ihnen nicht.«

Li lächelte amüsiert und trank.

»Das beruht auf Gegenseitigkeit, Sigur. Was war los mit Ihnen gestern Nacht? Sie wollen mir weismachen, dass Sie sich an nichts erinnern?«

»Ich erinnere mich an gar nichts.«

»Was wollten Sie so spät auf dem Hangardeck?«

»Ausspannen.«

»Mit Oliviera waren Sie auch ausspannen.«

»Ja, das muss hin und wieder sein, wenn man viel arbeitet.«

»Mhm.« Li blickte an ihm vorbei aufs Meer. »Wissen Sie noch, worüber Sie gesprochen haben?«

»Über unsere Arbeit.«

»Sonst nichts?«

Johanson sah sie an. »Was wollen Sie eigentlich, Jude?«

»Diese Krise meistern. Und Sie?«

»Ich weiß nicht, ob ich es auf dieselbe Art und Weise will wie Sie«, sagte Johanson nach einigem Zögern. »Was soll übrig bleiben, wenn die Krise gemeistert ist?«

»Unsere Werte. Die Werte unserer Gesellschaft.«

»Meinen Sie die menschliche Gesellschaft? Oder die amerikanische?«

Sie wandte ihm den Kopf zu. Die blauen Augen in ihrem schönen asiatischen Gesicht schienen zu leuchten.

»Ist das ein Unterschied?«

Crowe hatte sich in Rage geredet, unterstützt von Oliviera. Im Augenblick versammelten beide das größte Publikum um sich. Peak und Buchanan waren eindeutig in die Defensive geraten, aber während Peak immer nachdenklicher wurde, kochte Buchanan vor Zorn.

»Wir sind nicht das zwingende Resultat irgendeiner Höherentwicklung der Natur«, sagte Crowe gerade. »Der Mensch ist ein Zufallsprodukt. Wir sind das Ergebnis eines kosmischen Glücksfalls, als ein Riesenmeteorit die Erde traf und die Saurier aussterben ließ. Ohne dieses Ereignis würde die Welt heute vielleicht von intelligenten Sauroiden bewohnt werden oder einfach nur von irgendwelchen Tieren. Natürliche Begünstigungen haben uns entstehen lassen, keine Folgerichtigkeit. Unter Millionen denkbarer Entwicklungen, seit die kambrische Evolution die ersten Vielzeller hervorbrachte, gibt es vielleicht nur eine, in der Menschen vorkommen.«

»Aber Menschen beherrschen den Planeten«, beharrte Buchanan. »Ob Sie es wollen oder nicht.«

»Sicher? Im Augenblick beherrschen ihn die Yrr. Kommen Sie endlich in der Wirklichkeit an, wir sind nur eine kleine Gruppe aus der Spezies der Säugetiere, die von der Evolution längst noch nicht als Erfolg verbucht wurde. Die erfolgreichsten Säuger sind Fledermäuse, Ratten und Antilopen. Wir repräsentieren nicht das letzte, krönende Stück Erdgeschichte, sondern nur irgendeines. Es existiert kein Trend zu krönenden Epochen in der Natur, nur Auslese. Die Zeit mag eine vorübergehende Zunahme körperlicher und geistiger Komplexität bei *einer* Spezies dieses Planeten verzeichnen, aber das ist aufs Gesamte betrachtet kein Trend und schon gar kein Fortschritt. Allgemein zeigt das Leben keinen Impuls in Richtung Fortschritt. Es fügt dem ökologischen Raum ein komplexes Element hinzu, während es zugleich die simple Form der Bakterien seit drei Milliarden Jahren bewahrt. Das Leben hat keinen Grund, etwas verbessern zu wollen.«

»Wie vereinbaren Sie das, was Sie da sagen, mit Gottes Plan?«, fragte Buchanan beinahe drohend.

»Wenn es einen Gott gibt und er ein intelligenter Gott ist, hat er es so eingerichtet, wie ich es schildere. Dann sind wir nicht sein Meisterstück, sondern eine Variante, die nur überleben wird, wenn sie sich ihrer Rolle als Variante bewusst wird.«

»Und dass er den Menschen nach seinem Ebenbild geschaffen hat? Wollen Sie das auch in Abrede stellen?«

»Sind Sie so verhaftet in Ihrer Borniertheit, dass Sie nicht einmal in Erwägung ziehen, er könnte die Yrr nach seinem Bild erschaffen haben?« Buchanans Augen blitzten auf. Crowe ließ ihm keine Gelegenheit, zu Wort zu kommen, sondern blies ihm einen Schwall Zigarettenrauch entgegen. »Aber die ganze Diskussion ist obsolet, lieber Freund. Nach welchem Plan sollte Gott denn seine bevorzugte Rasse schaffen, wenn nicht nach dem bestmöglichen? Nun, Menschen sind verhältnismäßig groß. Ist ein größerer Körper ein besserer Körper? Einige Arten scheinen tatsächlich im Zuge der Auslese immer größer zu werden, aber die meisten kommen klein ganz prächtig klar. In Zeiten des Massenaussterbens jedenfalls überleben kleinere Arten besser, also verschwinden die großen alle zig Millionen Jahre, die Evolution setzt wieder an der Größenuntergrenze ein, das Wachstum beginnt erneut, bis der nächste Meteorit heransaust. Patsch! *Das* ist Gottes Plan!«

»Das ist Fatalismus.«

»Nein, Realismus«, sagte Oliviera. »Es sind die hoch spezialisierten Typen wie der Mensch, die unter extremen Veränderungen aussterben, weil sie nicht zur Anpassung fähig sind. Ein Koalabär ist komplex und kann nur Eukalyptusblätter fressen. Was tut er, wenn der Eukalyptus ausstirbt? Er gibt ebenfalls den Löffel ab. Die meisten Einzeller hingegen vertragen Eiszeiten und Vulkanausbrüche, Überschüsse an Sauerstoff oder Methan, sie können Jahrtausende in einen Beinahetod übergehen und wieder zum Leben erwachen. Bakterien existieren kilometertief im Gestein, an kochend heißen Quellen, in Gletschern. Ohne sie könnten wir nicht überdauern, aber sie sehr gut ohne uns. Selbst heute ist der Sauerstoff in der Luft ein Produkt der Bakterien. Alle Elemente, die unser Leben bestimmen, Sauerstoff, Stickstoff, Phosphor, Schwefel, Kohlenstoff, werden uns erst durch die Aktivität von Mikroorganismen wieder zunutze gemacht. Bakterien, Pilze, Einzeller, kleine Aasfresser, Insekten und Würmer verarbeiten abgestorbene Pflanzen und Tiere und überführen ihre chemischen Bestandteile wieder in das Gesamtsystem des Lebens. Im Ozean ist das nicht anders als an Land. Mikroorganismen sind die beherrschende Lebensform der Meere. Diese Gallerte in unserem Tank ist mit Sicherheit älter und vielleicht auch klüger als wir, ob Ihnen das nun passt oder nicht.«

»Sie können ein menschliches Wesen nicht mit einer Mikrobe vergleichen«, knurrte Buchanan. »Ein Mensch *hat* eine andere Bedeutung. Wenn Sie das nicht begreifen, wofür stehen Sie dann eigentlich ein in diesem Team?«

»Dafür, das Richtige zu tun!«

»Sie verraten die Sache der Menschheit doch schon mit Worten.«

»Nein, der Mensch verrät die Sache der Welt, indem er ein Missverhältnis schafft zwischen den Lebensformen und ihrer Bedeutung. Er ist die einzige Spezies, die das tut. Wir werten. Es gibt böse Tiere, wichtige Tiere, nützliche Tiere. Wir beurteilen die Natur nach dem, was wir sehen, aber wir sehen nur einen winzigen Ausschnitt, dem wir übersteigerte Bedeutung beimessen. Unsere Wahrnehmung ist auf große Tiere und auf Wirbeltiere ausgerichtet, und hauptsächlich auf uns selber. Also sehen wir überall Wirbeltiere. Tatsächlich liegt die Gesamtzahl der wissenschaftlich beschriebenen Wirbeltierarten bei knapp 43 000, darunter mehr als 6 000 Reptilienarten, zirka 10 000 Vogelarten und rund 4 000 Säugetierarten. Demgegenüber sind bis heute fast eine Million Wirbellose beschrieben worden, darunter alleine 290 000 Käferarten, die damit schon mal alle Wirbeltierarten um das Siebenfache übertreffen.«

Peak sah Buchanan an. »Sie hat Recht, Craig«, sagte er. »Nimm es zur Kenntnis. Sie haben beide Recht.«

»Wir sind nicht erfolgreich«, sagte Crowe. »Wenn Sie Erfolge sehen wollen, betrachten Sie die Haie. Sie existieren in unveränderter Form seit dem Devon, seit 400 Millionen Jahren. Sie sind hundertmal älter als jeder Urahne des Menschen, und es gibt 350 Arten. Aber möglicherweise sind die Yrr noch älter. Wenn es Einzeller sind, und wenn sie einen Trick gefunden haben, im Kollektiv zu denken, sind sie uns eine Ewigkeit voraus. Diesen Vorsprung können wir nie einholen. Allenfalls können wir sie töten. – Aber wollen Sie das riskieren? Wissen wir, welche Bedeutung sie für unsere Existenz haben? – Vielleicht können wir ja *mit* diesem Feind ebenso wenig leben wie *ohne* ihn.«

»Sie wollen amerikanische Werte verteidigen, Jude?« Johanson schüttelte den Kopf. »Dann werden wir scheitern.«

»Was haben Sie gegen amerikanische Werte?«

»Nichts. Aber Sie haben doch gehört, was Crowe sagt: Intelligente Lebensformen auf anderen Planeten sind vielleicht weder menschenähnlich noch säugetierähnlich, vielleicht basieren sie nicht mal auf der DNA, also wird ihr Wertesystem ein völlig anderes sein als unseres. Was glauben Sie, welchem moralischen und sozialen Modell Sie da unten begegnen werden, in der Tiefsee? Bei einer Rasse, deren Kultur möglicherweise auf Zellteilung und kollektiver Aufopferung besteht. Wie wollen Sie zu einer Verständigung gelangen, wenn Sie einzig die Wahrung von Werten im Auge haben, auf die sich nicht mal die Menschen verständigen können?«

»Sie schätzen mich falsch ein«, sagte Li. »Mir ist schon klar, dass wir die Moral nicht gepachtet haben. Die Frage ist: *Müssen* wir um jeden Preis verstehen, wie die anderen denken? Oder ist es nicht besser, einfach alle Kraft in den Versuch einer Koexistenz zu investieren?«

»Innerhalb derer jeder den anderen in Frieden lässt?«

»Ja.«

»Späte Einsicht, Jude«, sagte Johanson. »Ich denke, die Ureinwohner Amerikas, Australiens, Afrikas und der Arktis hätten Ihren Standpunkt begrüßt. Diverse Tierarten, die wir ausgerottet haben, ebenfalls. Fest steht, dass die Situation viel komplizierter ist. Wir werden kaum verstehen *können*, wie die anderen denken. Trotzdem müssen wir den Versuch wagen, weil wir einander schon zu sehr in die Quere gekommen sind. Unser gemeinsamer Lebensraum ist zu eng geworden für ein Leben nebeneinander, es bleibt uns nur ein Miteinander. Das funktioniert einzig und alleine, wenn wir unsere vermeintlich gottgegebenen Ansprüche weit zurückschrauben.«

»Und wie soll das Ihrer Meinung nach aussehen? Indem wir uns die Lebensgewohnheiten von Einzellern zu Eigen machen?«

»Natürlich nicht. Es wäre uns genetisch gar nicht möglich. Selbst was wir als Kultur bezeichnen, ist unseren Genen eingegeben. Die kulturelle Evolution beginnt in prähistorischen Zeiten, da wurden in unseren Köpfen die Weichen gestellt. Kultur ist biologisch, oder wollen wir annehmen, es seien neue Gene hinzugekommen, um Kriegsschiffe zu konstruieren? Wir bauen Flugzeuge, Helikopterträger und Opernhäuser, aber wir tun es, um auf so genanntem zivilisierten Niveau unseren uralten Aktivitäten nachzugehen, seit die erste Steinaxt gegen ein Stück Fleisch getauscht wurde: Krieg, Stammestreffen, Handel. Kultur ist Teil unserer Evolution. Sie dient dazu, uns in einem stabilen Zustand zu halten …«

» … bis ein stabilerer Zustand sich als überlegen erweist. Ich verstehe, worauf Sie hinauswollen, Sigur. In prähistorischen Zeiten hat das

Erbgut die Kultur geprägt und uns entsprechend genetisch verändert. Also steuern die Gene unser Verhalten. Sie schaffen uns beiden die Grundlage für diese Unterhaltung, sosehr wir den Gedanken auch hassen mögen. Unser ganzer intellektueller Fundus, auf den wir so stolz sind, ist das Resultat genetischer Steuerung, und Kultur nichts weiter als soziales Verhaltensrepertoire, gekoppelt an den Kampf ums Überleben.«

Johanson schwieg.

»Habe ich was Falsches gesagt?«, fragte Li.

»Nein. Ich lausche ergriffen und betört. Sie haben vollkommen Recht. Die menschliche Evolution ist ein Wechselspiel aus genetischer Veränderung und kulturellem Wandel. Es waren genetische Veränderungen, die zum Wachstum unseres Gehirns geführt haben. Es war pure Biologie, die uns das Sprechen ermöglicht hat, als die Natur unseren Kehlkopf vor 500 000 Jahren umstrukturierte und die Sprachzentren in der Großhirnrinde ausbildete. Aber dieser genetische Wandel führte zum kulturellen Aufbau. Sprache formulierte Erkennen, Vergangenheit, Zukunft und Vorstellungsvermögen. Kultur ist das Resultat biologischer Prozesse, und biologischer Wandel erfolgt als Reaktion auf kulturelle Weiterentwicklung. Sehr verzögert zwar, aber genau so ist es.«

Li lächelte.

»Wie schön, dass ich vor Ihnen bestehen konnte.«

»Ich hatte nichts anderes erwartet«, sagte Johanson charmant. »Aber Sie haben es selber eingeräumt, Jude: Unsere viel gepriesene kulturelle Vielfalt stößt an genetische Grenzen. Und die werden dort gezogen, wo die Kultur intelligenter Nichtmenschen ihren Anfang nimmt. Wir haben eine Vielzahl von Kulturen ausgebildet, aber sie alle basieren auf der Notwendigkeit, unsere Art in Sicherheit zu bringen. Wir werden nicht die Werte einer Spezies übernehmen können, deren Biologie der unseren entgegensteht und die natürlicherweise unser Feind sein muss im Kampf um Lebensräume und Ressourcen.«

»Sie glauben nicht an die Galaktische Föderation, in der sich wandelnde Bienenstöcke mit unsereinem an die Theke stellen?«

»*Krieg der Sterne*?«

»Ja.«

»Ein wunderbarer Film. Nein. Ich glaube, das würde erst funktionieren nach einer sehr, sehr langen Zeit der Überwindung. Wenn unserem genetischen Programm der kulturelle Austausch mit dem Andersartigen eingebrannt ist.«

»Also habe ich Recht! Wir sollten nicht den Versuch unternehmen, die Yrr zu verstehen. Wir sollten einen Weg finden, einander in Ruhe zu lassen.«

»Sie haben Unrecht. Denn sie lassen *uns* nicht in Ruhe.«

»Dann haben wir verloren.«

»Warum?«

»Waren wir uns nicht darüber einig, dass Menschen und Nichtmenschen keinen Konsens erreichen können?«

»Man war sich auch darüber einig, dass Christen und Muslime keinen Konsens erreichen können. Hören Sie zu, Jude: Wir können und müssen die Yrr nicht verstehen. Aber wir müssen dem, was wir nicht verstehen, Platz einräumen. Das ist etwas anderes, als den Werten der einen wie der anderen Seite uneingeschränkt das Wort zu reden. Die Lösung liegt im Zurückweichen, und augenblicklich ist unser Zurückweichen gefragt. Dieser Weg kann funktionieren. Er führt nicht über emotionales Verständnis – das gibt es nicht. Aber dafür über eine veränderte Sichtweise. Über ein Weltverständnis, das umfassender wird, je weiter wir uns von der eigenen Art entfernen, Schritt für Schritt, und Distanz zu uns selber suchen. Ohne diese Distanz werden wir nicht in der Lage sein, den Yrr einen anderen Blick auf uns zu verschaffen, als sie bereits haben.«

»Versuchen wir nicht gerade zurückzuweichen? Alleine, indem wir den Kontakt zu ihnen suchen.«

»Und was soll dabei herauskommen, soweit es Sie betrifft?«

Li schwieg.

»Jude, verraten Sie mir ein Geheimnis. Wie kommt es, dass ich Sie so sehr schätze und Ihnen so wenig vertraue?«

Sie sahen einander an.

Von den Stehtischen drang der Lärm der Unterhaltung herüber. Er schwoll an wie eine Woge, die das Deck überspülte und mit Macht über sie hereinbrach. Aus den Unterhaltungsfetzen wurden Rufe, dann Schreie. Im selben Moment hallte eine Stimme aus dem Durchsagesystem übers Deck:

»Delphinwarnung! – Achtung! – Delphinwarnung!«

Li löste sich als Erste aus dem Duell der Blicke. Sie wandte den Kopf und sah auf das dämmrige Meer hinaus.

»Mein Gott«, flüsterte sie.

Das Meer war nicht mehr dämmrig.

Es hatte zu leuchten begonnen.

Nach allen Seiten fluoreszierten die Wellen. Dunkelblaue Inseln stiegen aus der Tiefe zur Wasseroberfläche, breiteten sich aus und flossen ineinander, dass es aussah, als ergieße sich der Himmel ins Meer.

Die *Independence* schwebte in Licht.

»Wenn das die Antwort auf deine letzte Botschaft ist«, sagte Greywolf zu Crowe, ohne den Blick von dem Schauspiel lösen zu können, »musst du da unten jemanden schwer beeindruckt haben.«

»Es ist wunderschön«, flüsterte Delaware.

»Sehen Sie!«, rief Rubin.

In die leuchtende Fläche kam Bewegung. Das Licht begann zu pulsieren. Riesige Wirbel entstanden darin, drehten sich erst langsam, dann immer schneller, bis sie wie Spiralgalaxien rotierten und Ströme von Blau in sich hineinsaugten. Die Zentren verdichteten sich. Tausende funkelnder Sterne schienen darin aufzuglühen und wieder zu vergehen …

Plötzlich ein Blitz.

Ein Aufschrei vom Flugdeck.

Schlagartig veränderte sich das Bild. Grelle Entladungen durchzuckten das Wasser und verästelten sich zwischen den dahinrasenden Wirbeln. Ein lautloses Gewitter tobte unter der Wasseroberfläche. Im nächsten Moment begannen sich die Wirbel vom Rumpf der *Independence* zurückzuziehen. Die blaue Wolke strebte dem Horizont zu, mit atemberaubender Geschwindigkeit, und entzog sich den Blicken.

Greywolf löste sich als Erster aus seiner Erstarrung.

Er rannte auf die Insel zu.

»Jack!« Delaware lief ihm hinterher. Die anderen folgten. Greywolf hangelte sich die Niedergänge hinunter, durchmaß mit langen Schritten den Flur des Sicherheitstrakts und stürmte ins CIC, Peak und Li auf den Fersen. Die Monitore der Rumpfkameras zeigten nichts als dunkelgrünes Wasser, dann kamen zwei Delphine ins Bild.

»Was ist los?«, rief Peak. »Was sagt das Sonar?«

Einer der Männer drehte sich um.

»Da draußen ist was Großes, Sir. Irgendwas, ich weiß nicht … schwer zu sagen … Irgendwie …«

»Irgendwas, irgendwie?« Li packte den Mann an der Schulter. »Machen Sie Meldung, Sie Vollidiot! Präzise! Was passiert da?«

Der Mann erbleichte. »Es ist … es sind … wir hatten nichts auf dem

Schirm, und dann entstanden Flächen. Sie kamen aus dem Nichts, ich schwör's, das Wasser hat sich plötzlich in Materie verwandelt. Sie haben sich zu einer Wand verbunden, zu einer... es ist überall ...«

»Die *Cobras* sollen aufsteigen. Sofort. Weiträumiger Erkundungsflug.«

»Was bekommt ihr von den Delphinen rein?«, fragte Greywolf.

»Unbekannte Lebensform«, meldete eine Soldatin. »Sie haben es zuerst erfasst.«

»Lokalisierung?«

»Überall zugleich. Entfernt sich. Jetzt einen Kilometer weit draußen, zieht sich weiter zurück. Das Sonar zeigt in allen Richtungen massive Präsenz an.«

»Wo sind die Delphine jetzt?«

»Unter der *Independence*, Sir. Sie drängen sich vor den Schleusen. Ich glaube, sie haben Angst! Sie wollen rein.«

Immer mehr Menschen kamen ins CIC.

»Legen Sie das Satellitenbild auf den Großmonitor«, befahl Peak.

Das Big Picture zeigte die *Independence* aus der Perspektive des KH-12. Sie lag über dunklem Wasser. Von blauem Licht und Blitzen keine Spur.

»Eben noch war dort unten alles hell«, sagte der Mann, der für die Satellitenauswertung zuständig war.

»Können wir Bilder von anderen Satelliten bekommen?«

»Im Augenblick nicht, Sir.«

»Okay. KH-12 soll aufzoomen.«

Der Mann gab den Befehl an die Kontrollstation weiter. Wenige Sekunden darauf schrumpfte die *Independence* auf dem Monitor. Der Satellit hatte den Ausschnitt vergrößert. Nach allen Seiten erstreckte sich bleiern die Grönländische See. Aus den Lautsprechern drang das Pfeifen und Klicken der Delphine. Immer noch meldeten sie die Präsenz einer unbekannten Lebensform.

»Das reicht noch nicht.«

Der KH-12 zoomte weiter auf. Das Objektiv erfasste nun einen Ausschnitt von einhundert Quadratkilometern. Die *Independence* mit ihren gut 250 Metern Länge nahm sich darin aus wie ein Stück Treibholz.

Mit angehaltenem Atem starrten sie auf den Monitor.

Jetzt sahen sie es.

In weitem Umkreis hatte sich ein dünner, blau leuchtender Ring gebildet. Entladungen blitzten darin auf.

»Wie groß ist das Ding?«, flüsterte Peak.

»Vier Kilometer im Durchmesser«, sagte die Frau am Monitor. »Etwas mehr sogar. Scheint eine Art Schlauch zu sein. Was wir auf dem Satellitenbild sehen, ist die Öffnung, aber es zieht sich bis hinab in die Tiefsee. Wir sitzen sozusagen im ... Schlund.«

»Und *was* ist es?«

Johanson war neben ihm aufgetaucht. »Gallerte, würde ich sagen.«

»Na bravo«, keuchte Vanderbilt. »Was, verdammt nochmal, haben Sie denen da unten geschickt?«, fuhr er Crowe an.

»Wir haben sie aufgefordert, sich zu zeigen«, sagte Crowe.

»War das eine gute Idee?«

Shankar wandte sich ärgerlich zu ihm um.

»Wir wollten doch Kontakt aufnehmen, oder? Was beschweren Sie sich? Haben Sie gedacht, die schicken reitende Boten?«

»Wir bekommen ein Signal rein!«

Alle fuhren zu dem Sprecher herum. Es war der Mann, der die akustischen Anzeigen überwachte. Shankar eilte zu ihm und beugte sich über die Monitore.

»Was ist es?«, rief Crowe ihm zu.

»Dem spektrographischen Muster nach ein *Scratch*-Signal.«

»Eine Antwort?«

»Ich weiß nicht, ob ...«

»Der Ring. Er zieht sich zusammen!«

Alle Köpfe ruckten hoch zum Big Picture. Der leuchtende Ring hatte begonnen, sich langsam wieder auf das Schiff zuzubewegen. Zugleich strebten zwei winzige Punkte von der *Independence* fort. Die beiden Kampfhubschrauber hatten ihren Erkundungsflug aufgenommen. Das Pfeifen und Quieken in den Lautsprechern verstärkte sich.

Plötzlich begannen alle durcheinander zu reden.

»Maul halten«, schnauzte Li. Sie lauschte mit gefurchter Stirn den Stimmen der Delphine. »Da ist noch ein anderes Signal.«

»Ja.« Delaware horchte mit gesenkten Lidern. »Unbekannte Lebensform, und außerdem ...«

»Orcas!«, rief Greywolf.

»Mehrere große Körper nähern sich von unten«, bestätigte die Frau am Sonar. »Kommen aus dem Innern der Röhre.«

Greywolf sah Li an.

»Das schmeckt mir nicht. Wir sollten die Delphine ins Schiff holen.«

»Warum gerade jetzt?«

»Ich will das Leben der Tiere nicht riskieren. Außerdem brauchen wir die Kamerabilder.«

Li zögerte einen Moment.

»In Ordnung. Holen Sie sie rein. Ich gebe Roscovitz Bescheid. Peak, nehmen Sie vier Mann und begleiten Sie O'Bannon ins Welldeck.«

»Leon«, sagte Greywolf. »Licia.«

Sie eilten hinaus. Rubin sah ihnen nach. Er beugte sich zu Li hinüber und sagte etwas in gedämpftem Ton. Sie hörte zu, nickte und wandte sich wieder den Monitoren zu.

»Wartet auf mich!«, rief Rubin der Gruppe nach. »Ich komme mit.«

WELLDECK

Roscovitz traf noch vor den Wissenschaftlern im Welldeck ein, begleitet von Browning und einem weiteren Techniker. Er fluchte lautstark, als er das defekte *Deepflight* sah. Sie hatten es immer noch nicht repariert. Mit offenen Einstiegshauben trieb es auf der Wasseroberfläche, nur durch eine Kette gesichert, die sich zur Decke spannte.

»Konnte das nicht längst schon fertig sein?«, fuhr er Browning an.

»Die Sache ist komplizierter, als wir dachten«, verteidigte sich die Cheftechnikerin, während sie den Pier entlangliefen. »Die Steuerautomatik hat ...«

»Ach, Scheiße.« Roscovitz musterte das Boot. Es lag halb über der Schleuse, die sich in vier Metern Tiefe abzeichnete. »Allmählich beginnt es mich zu stören. Jedes Mal, wenn wir die Viecher rein- oder rauslassen, stört es mich mehr.«

»Bei allem Respekt, Sir, es stört nicht, und wenn wir es fertig repariert haben, wird es wieder zur Decke gezogen.«

Roscovitz knurrte etwas Unverständliches und stellte sich hinter das Bedienpult. Direkt vor seiner Nase lag das Boot. Aus dieser Perspektive versperrte es ihm den Blick auf die Bodenschleuse. Er war auf die Pultmonitore angewiesen. Erneut fluchte er und benutzte ein paar kraftvollere Ausdrücke. In der Eile, mit der die *Independence* umgerüstet worden war, hatten sie geschludert! Warum, zum Teufel, musste alles, was nicht funktionierte, immer erst in der Praxis Probleme machen? Wozu testeten sie jeden Mist im virtuellen Raum, wenn hinterher ein schwimmendes Tauchboot den Blick auf die Schleuse versperrte?

Schritte hallten im Hangardeck wider. Greywolf, Delaware, Anawak und Rubin kamen die Rampe herunter, gefolgt von Peak und seinen Männern. Die Soldaten verteilten sich beiderseits der Kais. Rubin und Peak gingen zu Roscovitz, während Greywolf und die anderen in ihre Neoprenanzüge schlüpften und die Sichtbrillen aufsetzten.

»Fertig«, sagte Greywolf. Er schloss Daumen und Zeigefinger zu einem Kreis, dem Taucherzeichen für Okay. »Holen wir sie rein.«

Roscovitz nickte und schaltete die Lockrufautomatik ein. Er sah die Wissenschaftler ins Becken springen, die Körper angeleuchtet von den Unterwasserscheinwerfern. Sie schwammen näher heran. Auf Höhe der Schleuse tauchten sie nacheinander ab.

Er öffnete die unteren Schotts.

Delaware sank kopfüber auf die Instrumentenanzeige am Schleusenrand zu. Noch während sie abtauchte, setzten sich die mächtigen Stahlplatten drei Meter unter der gläsernen Abdeckung in Bewegung. Sie sah zu, wie die Schotts auseinander fuhren und den Blick in die Meerestiefe freigaben. Sofort huschten zwei Delphine ins Innere. Sie wirkten nervös und stießen mit den Schnauzen gegen das Glas. Greywolf machte das Zeichen, noch zu warten. Ein weiterer Delphin schwamm in die Schleuse.

Mittlerweile hatten sich die Stahlschotts vollständig geöffnet. Unter der Glaskuppel gähnte der Abgrund. Delaware spähte angestrengt in die Dunkelheit. Noch war nichts Außergewöhnliches zu sehen, kein Leuchten, keine Blitze, keine Orcas und keiner der übrigen drei Delphine. Sie ließ sich tiefer sinken, bis ihre Hände die Glasfläche berührten, und suchte die Tiefe nach den anderen ab. Plötzlich schoss ein viertes Tier heran, drehte sich um seine Achse und schwamm ins Schleusenbecken. Greywolf nickte, und Delaware gab das Signal an Roscovitz. Langsam rückten die Stahlplatten wieder aufeinander zu und schlossen sich mit dumpfem Dröhnen. Im Innern der Schleuse nahmen die Messfühler ihre Arbeit auf und untersuchten das Wasser auf Verunreinigungen und Kontaminate. Nach wenigen Sekunden gab die Sensorik grünes Licht und leitete die Freigabe an Roscovitz' Konsole weiter. Lautlos glitten die beiden Glasschotts auseinander.

Kaum war der Spalt breit genug, drängten sich die Tiere hindurch und wurden von Greywolf und Anawak in Empfang genommen.

Peak sah zu, wie Roscovitz das gläserne Dach wieder schloss. Sein Blick ruhte auf den Monitoren. Rubin war an den Rand des Beckens getreten und starrte hinab auf die Schleuse.

»Da waren's nur noch zwei«, summte Roscovitz.

Aus den Lautsprechern drangen Pfiffe und Klicklaute der Delphine, die noch draußen waren. Sie wurden zusehends nervöser. Greywolfs

Kopf erschien an der Wasseroberfläche, dann tauchten Anawak und Delaware auf.

»Was sagen die Tiere?«, wollte Peak wissen.

»Immer noch dasselbe«, erwiderte Greywolf. »Unbekannte Lebensform und Orcas. Irgendwas Neues auf den Monitoren?«

»Nein.«

»Das muss nichts heißen. Holen wir die letzten beiden rein.«

Peak stutzte. Die Bildschirme hatten an den Rändern tiefblau zu leuchten begonnen.

»Ich glaube, Sie sollten sich beeilen«, sagte er. »Es kommt näher.«

Die Wissenschaftler tauchten erneut zur Schleuse. Peak rief das CIC.

»Was seht ihr da oben?«

»Der Ring zieht sich weiter zusammen«, schnarrte Lis Stimme aus den Boxen der Konsole. »Die Piloten sagen, das Gebilde taucht ab, aber auf dem Satellitenbild ist es noch deutlich zu erkennen. Scheint, als wolle es unter das Schiff. Es müsste bald heller werden bei euch da unten.«

»Es *wird* hell. Womit haben wir es zu tun? Mit der Wolke?«

»Sal?« Das war Johanson. »Nein, ich glaube nicht, dass es noch Wolkenform hat. Die Zellen sind verschmolzen. Das ist ein kompakter Schlauch aus Gallerte, und er kontraktiert. Ich weiß nicht, was da passiert, aber ihr solltet wirklich zusehen, dass ihr fertig werdet.«

»Wir haben's gleich. Rosco?«

»Schon passiert«, sagte Roscovitz. »Ich öffne das Schott.«

Anawak hing wie gebannt über dem Glasdach. Diesmal war es anders, als die Stahlplatten auseinander wichen. Beim ersten Mal hatten sie in dunkelgrüne Düsternis gestarrt. Jetzt war die Tiefe von einem schwachblauen Leuchten erfüllt, das langsam an Intensität zunahm.

Das hier sieht anders aus als die Wolke, dachte er. Eher wie Lichtschein, der ringsum abgestrahlt wird. Er dachte an die Satellitenaufnahme, die sie im CIC gesehen hatten. An den Schlund der gewaltigen Röhre, in deren Zentrum die *Independence* lag.

Plötzlich wurde ihm klar, dass er ins Innere dieser Röhre sah. Der Gedanke an die Ausmaße des Schlauchs ließ seinen Magen rotieren. Überfallartig überkam ihn Angst. Als wie aus dem Nichts der Körper des fünften Delphins ins Becken schnellte, fuhr er zurück, kaum fähig, seinen Fluchttrieb zu unterdrücken. Der Delphin drängte sich unter die Glasabdeckung. Anawak zwang sich zur Ruhe. Im nächsten Moment war das sechste Tier in der Schleuse. Die Stahlplatten glitten zusammen. Die Sensoren prüften die Wasserqualität, schickten ihr Okay an Roscovitz, und die Glashälften öffneten sich.

Browning sprang mit einem Riesensatz auf das *Deepflight*.

»Was soll das?«, wollte Roscovitz wissen.

»Die Tiere sind drin. Ich mache meine Arbeit, das soll es.«

»Hey, so war das doch eben nicht gemeint.«

»Doch, so war es gemeint.« Browning ging in die Hocke und öffnete eine Klappe im Heck. »Ich repariere das verdammte Ding jetzt fertig.«

»Es gibt Wichtigeres, Browning«, sagte Peak ungehalten. »Lassen Sie das Rumgezicke.« Er konnte seinen Blick nicht von den Monitoren lösen. Es wurde immer heller darauf.

»Sal, seid ihr fertig da unten?«, erklang Johansons Stimme.

»Ja. Was ist oben los?«

»Der Rand der Röhre schiebt sich unter das Schiff.«

»Kann uns das Zeug was anhaben?«

»Kaum. Ich kann mir keinen Organismus vorstellen, der die *Independence* auch nur zum Erzittern bringen könnte. Nicht mal dieses Ding. Es ist Gallerte. Wie muskulöses Gummi.«

»Und es ist unter uns«, sagte Rubin vom Rand des Beckens her. Er drehte sich um. Seine Augen leuchteten. »Öffnen Sie nochmal die Schleuse, Luther. Schnell.«

»Was?« Roscovitz riss die Augen auf. »Sind Sie wahnsinnig?«

Rubin war mit wenigen Schritten neben ihm.

»General?«, rief er ins Mikrophon der Konsole.

Es knackte in der Leitung. »Was gibt's, Mick?«

»Hier tut sich gerade eine traumhafte Chance auf, in den Besitz größerer Mengen dieser Gallerte zu kommen. Ich habe angeregt, die Schleuse ein weiteres Mal zu öffnen, aber Peak und Roscovitz ...«

»Jude, das Risiko können wir nicht eingehen«, sagte Peak. »Wir können das nicht kontrollieren.«

»Wir öffnen nur das Stahlschott und warten eine Weile«, sagte Rubin. »Vielleicht ist der Organismus neugierig. Wir fangen ein paar Brocken davon ein und schließen das Schott wieder. Eine hübsche Portionsmenge Forschungsmaterial, was halten Sie davon?«

»Und wenn es verseucht ist?«, sagte Roscovitz.

»Herrgott, überall Bedenkenträger! Das finden wir doch raus. Wir lassen die Glasabdeckung natürlich geschlossen, bis wir es wissen!«

Peak schüttelte den Kopf. »Ich halte das für keine gute Idee.«

Rubin verdrehte die Augen.

»General, das ist eine *einmalige Gelegenheit*!«

»Okay«, sagte Li. »Aber seid vorsichtig.«

Peak sah unglücklich drein. Rubin lachte auf, trat an den Beckenrand und wedelte mit den Armen.

»He, werdet fertig«, rief er Greywolf, Anawak und Delaware zu, die den Tieren unter Wasser die Geschirre abnahmen. »Macht, dass ihr…« Sie konnten ihn nicht hören. »Ach, egal. Kommen Sie, Luther, öffnen Sie das verdammte Schott. Es kann ja nichts passieren, solange die Abdeckung geschlossen bleibt.«

»Sollten wir nicht warten, bis…«

»Wir können nicht warten«, fuhr ihn Rubin an. »Sie haben gehört, was Li gesagt hat. Wenn wir warten, ist es verschwunden. Lassen Sie einfach ein bisschen von der Gallerte in die Schleuse und machen Sie wieder zu. Mir reicht ein Kubikmeter oder so.«

Impertinentes Arschloch, dachte Roscovitz. Am liebsten hätte er Rubin ins Wasser geworfen, aber der Mistkerl hatte die Autorisierung von Li.

Sie hatte es angeordnet.

Er drückte auf die Bedienung für das Schott.

Delaware hatte es mit einem besonders aufgeregten Exemplar zu tun. Zappelig und ungeduldig. Beim Versuch, ihm die Kamera abzunehmen, war der Delphin ausgebüxt und zur Schleuse abgetaucht, wobei er das halbe Geschirr hinter sich herschleppte. Sie sah ihn über der Glasabdeckung kreisen und folgte ihm mit kräftigen Schwimmstößen nach unten.

Von dem, was oben besprochen wurde, bekam sie nichts mit.

Was hast du denn?, dachte sie. Komm her. Du musst doch keine Angst haben.

Dann sah sie, was los war.

Das Stahlschott öffnete sich wieder.

Einen Moment lang war sie so verblüfft, dass sie zu schwimmen vergaß und tiefer sank, bis ihre Zehenspitzen das Glas berührten. Unter ihr glitt das Schott weiter auf. Die See leuchtete in kräftigem Blau. Blitzartige Entladungen zuckten in der Tiefe.

Was zum Teufel machte Roscovitz denn da? Warum öffnete er das Schott?

Der Delphin kreiste wie wild über der Schleuse. Er kam zu ihr herübergeschwommen und stupste sie an. Offenbar versuchte er sie von dem Schott wegzudrängen. Als Delaware nicht sofort reagierte, pirouettierte er und schoss davon.

Sie starrte in den leuchtenden Abgrund.

Was war da unten? Schemenhaft erkannte sie huschende Schatten, dann einen Fleck, der sich näherte und größer wurde.

Sehr schnell näherte.

Der Fleck bekam eine Form, nahm Gestalt an.

Plötzlich begriff sie, was da auf sie zukam. Sie erkannte den riesigen Kopf mit der schwarzen Stirn und der weißen Unterseite, die gleichmäßig gereihten Zähne zwischen den halb geöffneten Lippen. Es war das größte Exemplar, das sie je gesehen hatte. Senkrecht raste es aus der Tiefe heran und schien dabei immer schneller zu werden, offenbar ohne die geringste Absicht auszuweichen. Ihre Gedanken jagten einander. Innerhalb von Sekundenbruchteilen fügte sich zusammen, was sie wusste. Dass die Glasschotts dick und robust waren, aber nicht stark genug, um einer lebenden Bombe standzuhalten. Dass dieses Tier über zwölf Meter lang sein musste. Dass es sich mit Spitzengeschwindigkeiten bis zu 56 Stundenkilometern in die Höhe katapultieren konnte.

Dass es viel zu schnell war.

Sie unternahm einen verzweifelten Versuch, von der Schleuse wegzukommen.

Wie ein Torpedo krachte der Orca durch die gläserne Abdeckung. Die Druckwelle warf Delaware um ihre eigene Achse. Undeutlich sah sie Trümmer des Stahlrahmens und Scherben heranwirbeln und den weißen Bauch des Wals, der sich aus der zerstörten Glaskuppel erhob, kaum gebremst durch den Aufprall. Etwas traf sie schmerzhaft zwischen den Schulterblättern. Sie schrie auf und bekam Wasser in die Lungen, schlug um sich und verlor jedes Gefühl für oben und unten.

Panik erfasste sie.

Roscovitz fand kaum Zeit, die Situation zu begreifen. Der Pier dröhnte und erzitterte unter seinen Füßen, als der Orca das Schott durchbrach. Ein gewaltiger Wasserberg hob das *Deepflight* in die Höhe. Er sah Browning taumeln und mit den Armen rudern, während der Orca kurz absackte und aus dem Stand erneut beschleunigte.

»Das Schott!«, schrie Rubin. »Schließ das Schott!«

Der Kopf des Orca rammte gegen das Tauchboot und warf es hoch. Mit einem hellen Knall zersprang die Halterung der Kette. Brownings Körper wurde durch die Luft geschleudert und krachte gegen das Bedienpult. Einer ihrer Stiefel traf Roscovitz gegen die Brust und warf ihn nach hinten. Er prallte gegen die Hangarwand, Peak mit sich reißend.

»Das Boot!«, schrie Rubin. »Das Boot!«

Browning kippte mit blutender Stirn zurück ins Wasser. Über ihr stellte sich das Heck des *Deepflight* senkrecht, als das Tauchboot in Sekundenschnelle voll lief und sank. Roscovitz rappelte sich hoch und versuchte, das Pult zu erreichen. Etwas zischte ihm entgegen. Er schaute auf und sah die losgerissene Kette wie eine Peitsche heranschwingen. Hastig versuchte er auszuweichen, fühlte, wie das Ende an seiner Schläfe vorbeischrammte und sich um seinen Hals wickelte. Die Luft blieb ihm weg.

Er wurde nach vorne gezogen und rutschte über die Kante.

Greywolf war zu weit entfernt, um zu erkennen, was die Katastrophe ausgelöst hatte, und weil er im Wasser trieb, bekam er von der Erschütterung nichts mit. Er sah, wie das Tauchboot aus seiner Halterung gerissen wurde und was mit Browning und Roscovitz passierte. Rubin stand schreiend und gestikulierend neben dem Steuerpult. Irgendwo hinter ihm erschien Peaks Kopf. Die Soldaten hatten ihre Waffen hochgenommen und rannten auf die Unglücksstelle zu.

Hastig suchte sein Blick die Oberfläche nach Delaware ab. Anawak war direkt neben ihm, aber Delaware konnte er nirgendwo finden.

»Licia?«

Keine Antwort.

»Licia!«

Eisige Furcht stach in sein Herz. Mit einem gewaltigen Schwung tauchte er hinab und schnellte auf die Schleuse zu.

Delaware schwamm in die falsche Richtung. Ihr Rücken schmerzte höllisch, und sie fürchtete zu ersticken. Plötzlich fand sie sich direkt über der Schleuse wieder. Die beiden Hälften der Glasabdeckung waren herausgerissen, die Stahlschotts begannen sich eben zu schließen. Das Meer darunter war ein einziges Leuchten.

Sie drehte sich auf den Rücken.

Oh nein!

Das *Deepflight* fiel mit offen stehenden Luken auf sie zu, Bug voran. Es sank wie ein Stein. Aus Leibeskräften begann sie mit den Füßen zu schlagen. Es würde auf sie stürzen. Sie sah die zusammengelegten Greifarme näher kommen, streckte sich wie ein Otter, aber es reichte nicht. Schmerzhaft rammte das Boot ihre Körpermitte. Sie spürte, wie ihre Rippen brachen, öffnete den Mund, schrie und schluckte noch mehr Wasser. Unbarmherzig drückte das Boot sie nach unten, durch die Schleuse hindurch und hinaus ins offene Meer. Die Kälte drang schockartig in ihre Knochen. Halb besinnungslos sah sie die Stahl-schotts mit hohlem Klonk gegen das Tauchboot prallen, und das *Deepflight* hörte auf zu sinken. Es steckte fest, aber Delaware sank weiter. Sie streckte die Arme aus, versuchte sich an dem entschwinden-den Boot festzuhalten, aber ihre Finger glitten ab. Sie hatte keine Kraft mehr, und ihre Lungen waren wie Brei. In ihrer Bauchhöhle schien alles zerquetscht zu sein.

Bitte, dachte sie, ich will zurück. Zurück ins Schiff. Ich will nicht sterben.

Irgendwo zwischen den blockierten Schotts und dem eingeklemmten Boot sah sie verschwommen Greywolfs Gesicht, aber ebenso gut mochte es ein Wunschbild sein, ein schöner Traum, gerettet zu werden.

Etwas Dunkles, Großes kam von der Seite. Klaffende Kiefer, Reihen kegelförmiger Zähne.

Der Biss des Orcas zerbrach ihr den Brustkorb.

Sie sah nicht mehr die leuchtende Masse an sich vorbeischießen. Als der Organismus durch die Schleuse drang, war Delaware schon tot.

Peak schlug vor Wut mit der Faust auf das Kontrollpult. Sein Versuch, das Schott zu schließen, war fehlgeschlagen. Das *Deepflight* blockierte die beiden Stahlplatten. Entweder ließ er sie wieder auseinander fahren und opferte das Boot, oder er riskierte, dass Gott weiß was ins Innere gelangte.

Von Browning war nichts zu sehen. Roscovitz hing zuckend an der Kette, mit den Beinen im Wasser, die Hände um den Hals geklam-mert.

Wo war der verdammte Orca?

»Sal«, heulte Rubin.

Das Wasser brodelte und schäumte. Die Soldaten hasteten durch-einander, ohne Plan. Greywolf war untergetaucht. Von Anawak keine Spur. Und Delaware? Was war mit Delaware?

Jemand stieß ihn in die Seite.

»Sal, verdammt nochmal!« Rubin drängte ihn von der Konsole weg. Seine Hände flatterten über die Tastatur, drückten auf Knöpfe. »Wa-rum schließen Sie nicht endlich die verdammte Schleuse?«

»Sie blödes Arschloch«, schrie Peak. Er holte aus und rammte Rubin die Faust mitten ins Gesicht. Der Biologe wankte und kippte ins Was-ser. Es spritzte auf, und inmitten der Gischt sah Peak die schwertartige Rückenfinne des Wals emporsteigen und auf sich zukommen.

Prustend tauchte Rubins Kopf aus den Fluten.

Auch er sah die Finne. Er begann zu schreien.

Peak drückte auf den Knopf, um die Stahlschotts zu öffnen und das *Deepflight* in die Tiefe zu entlassen.

Eine Kontrolllampe hätte aufleuchten müssen.

Nichts geschah.

Greywolf glaubte, den Verstand zu verlieren.

Unter der *Independence* zog ein Rudel Orcas hindurch. Eines der Tiere hatte nach Delaware geschnappt und ihren Körper außer Sichtweite gezerrt. Ohne nachzudenken schwamm er auf die Lücke zwischen den verkeilten Schotts zu und sah etwas aus der Tiefe heranrasen. Vor seinen Augen erstrahlten Blitze und funkenartige Entladungen, dann wurde er wie von einer riesigen Faust getroffen und nach hinten geschleudert. Das Unterste kehrte sich zuoberst. Links von ihm tauchte kurz Anawak auf, verschwand wieder. Dort ein paar strampelnde Beine im Wasser. Ein Körper, der auf ihn zustürzte. Ein weißer Bauch – der Orca, der ins Schiff gelangt war, über ihn hinwegziehend. Dann wieder die Schleuse mit dem eingeklemmten Tauchboot ...

Und das Ding, das zwischen den auseinander klaffenden Schotts ins Innere drang.

Es sah aus wie der Fangarm eines überdimensionalen Polypen. Nur dass kein Polyp über solche Arme verfügte. Kein Polyp war groß genug für einen Arm von drei Metern Durchmesser. Eine formlose Masse strömte ins Welldeck, rasend schnell, immer mehr davon. Ein gallertiger Muskel, der sich, kaum dass er die Schleuse passiert hatte, zu dünneren Strängen verzweigte, über deren glatte Oberfläche lumineszierende Muster flackerten.

Rubin schwamm um sein Leben.

Die Finne folgte ihm. Hustend und spuckend erreichte er den Pier und versuchte sich in wilder Panik hochzuziehen. Seine Ellbogen knickten ein. Er hörte Schüsse, geriet wieder unter Wasser und sah sich einem unglaublichen Schauspiel gegenüber. Schlagartig wurde ihm klar, dass sein Wunsch soeben in Erfüllung ging. Der fremde Organismus war eingedrungen, nur unter völlig anderen Umständen, als er erwartet hatte.

Leuchtende Tentakel überall. Dick wie Bäume.

Dazwischen der geöffnete Rachen des Orca.

Rubin kam hoch. Unmittelbar vor ihm peitschte ein Paar Beine das Wasser. Roscovitz starrte mit hervorquellenden Augen auf ihn herab. Es sah aus, als hinge er an einem Galgen. Seine Hände versuchten, die Kette um seinen Hals zu lösen.

Ein schreckliches Gurgeln kam über seine Lippen.

Oh mein Gott, dachte Rubin. Barmherziger Gott! Da war die Finne, fast schon bei ihm, drehte ab ...

In einem Berg aus Gischt stieg der Orca empor, das Maul weit geöffnet. Roscovitz' Beine verschwanden darin. Die Kiefer klappten zusammen. Einen Moment lang hing das Tier reglos in der Luft, sackte wieder nach unten ...

Roscovitz' bluttriefender Torso baumelte über der Wasseroberfläche, und Rubin konnte nicht aufhören, ihn anzustarren. Er hörte ein lang anhaltendes Schreien und begriff, dass er selber es war, der schrie.

Er schrie und schrie.

Und da war wieder die Finne.

COMBAT INFORMATION CENTER

Li glaubte ihren Augen nicht zu trauen. Innerhalb weniger Sekunden war im Welldeck das Chaos ausgebrochen. Entgeistert sah sie Peak den Pier entlanglaufen, die Soldaten blind ins Wasser feuern, Roscovitz' zerfetzten Körper.

»Funkverbindung herstellen«, befahl sie.

Plötzlich hallte die Kommandozentrale von Schüssen und Schreien wider. Auf den Gesichtern ringsum spiegelte sich Entsetzen. Alle begannen durcheinander zu reden, dem Chaos im Welldeck folgte seine Entsprechung im CIC. Fieberhaft überlegte sie, was zu tun war. Verstärkung schicken, natürlich. Mit Explosivgeschossen diesmal. Was ballerten die da unten auch mit konventioneller Munition herum?

Sie mussten die Kontrolle zurückgewinnen.

Sie würde selber runtergehen.

Wortlos lief sie nach nebenan ins LFOC. Im Kriegsfall diente es als Befehlszentrale für die amphibischen Operationen. Man konnte von hier aus die Ballasttanks fluten oder leer pumpen und die Heckklappe öffnen, wenn im Welldeck die Kontrollen versagten. Einzig die Bodenschleusen ließen sich vom LFOC aus nicht kontrollieren, ein weiterer dummer Fehler beim überhasteten Umbau der *Independence*.

»Okay«, erklärte sie dem entsetzten Personal an den Konsolen. »Achterliche Ballasttanks leer pumpen. Heck trockenlegen.« Sie dachte nach. War die Schleuse im Boden des Welldecks verschlossen oder offen? Konnte das Wasser ablaufen? Das Inferno auf den Monitoren ließ keine Aussagen darüber zu. Im Allgemeinen reichte es, das Heck des Schiffes einfach anzuheben, und das Wasser des künstlichen Hafens floss durch die offene Schleuse oder durch die heruntergelassene Heckklappe nach draußen. Für den Fall, dass beides blockiert war, gab es das Notpumpsystem. Es brauchte ein bisschen länger, erfüllte aber denselben Zweck.

Li gab Order, die Pumpen anzuwerfen, und rannte zurück ins CIC.

WELLDECK

Die Schotts reagierten nicht. Warum, darüber konnte er sich vorerst keine Gedanken machen. Atemlos rannte Peak zu einem der Waffenschränke und riss eine Harpune mit Sprengkapsel heraus. Die Soldaten feuerten wild ins Wasser. Etwas Gewaltiges, Krakenartiges kam durch die offene Schleuse ins Schiff und schlängelte sich dicht unter der Oberfläche dahin, und der Orca hatte Roscovitz die Beine abgebissen.

Aus den Augenwinkeln sah er, wie sich Rubin aus dem Wasser zog. Peak war erleichtert und angewidert zugleich. Er hasste den Biologen, aber er hätte sich nicht dazu hinreißen lassen dürfen, ihn ins Wasser zu stoßen. Rubins Leben musste unter allen Umständen geschützt werden. Er musste seine Aufgabe zu Ende bringen.

Die Finne bewegte sich vom Pier weg. Weiter hinten schwammen Anawak und Greywolf. Sie strebten der gegenüberliegenden Seite zu. Leuchtende Tentakel folgten ihnen, aber eigentlich waren die Dinger überall und zuckten in sämtliche Richtungen, während es der Orca eindeutig auf die Fliehenden abgesehen hatte.

Er musste das Vieh erledigen, bevor es noch jemanden tötete.

Plötzlich fühlte sich Peak im Innersten ruhig werden. Alles andere konnte warten. Das Wichtigste war jetzt, diese Masse Fleisch mit Zähnen zu erledigen.

Er hob die Harpune und peilte.

Anawak sah den Orca näher kommen. Das Wasser in dem künstlichen Hafenbecken schäumte und spritzte, schien selber lebendig geworden zu sein. Eine wogende, blau schimmernde Masse, durch die sich der Orca zielstrebig auf ihn und Greywolf zubewegte.

Der schwarze Schädel kam zum Vorschein, als das Tier stoßartig seinen Atem ausblies. Es war wenige Meter entfernt. Sie würden es nicht bis zum Pier schaffen, so viel stand fest. Irgendetwas mussten sie tun.

Beim Angriff der Orcas im Clayoquot Sound war zur rechten Zeit Greywolf mit dem Boot da gewesen, aber Greywolf ging es gerade nicht viel besser als Anawak. Sie mussten den Orca austricksen.

Der Wal tauchte ab.

»Wir lassen ihn durch!«, schrie er Greywolf zu.

Nicht sehr präzise, dachte er. Keine Ahnung, ob Jack was damit anfangen kann. Aber für Erklärungen war es ohnehin zu spät.

Anawak holte Atem und ließ sich unter Wasser sinken.

Peak fluchte.

Das Biest war verschwunden, von Greywolf und Anawak nichts mehr zu sehen. Er rannte weiter den Pier entlang und suchte den massigen Körper, aber das Becken hatte sich in ein surrealistisch bewegtes Inferno verwandelt, in dem Licht, undefinierbare Formen und spritzende Gischt keinen klaren Blick mehr zuließen. Vor ihm feuerte einer der Soldaten auf die schlangenartigen Dinger im Wasser, offenbar ohne Wirkung.

»Lassen Sie den Quatsch!« Peak stieß den Mann in Richtung Kontrollpult. »Geben Sie Alarm. Versuchen Sie, das Schott zu öffnen und das Tauchboot loszuwerden.« Sein Blick suchte die Wasseroberfläche ab. »Und dann machen Sie die verdammte Schleuse zu.«

Der Soldat hörte auf zu schießen und lief los.

Peak trat an den Rand des Piers und kniff die Augen zusammen. Die Harpune lag schwer in seiner Hand.

Wo war der Orca?

Er war nicht mehr zu sehen.

Dafür zuckende, sich windende Masse, blaues und weißes Licht. Im Moment, da Anawak sich unter die Oberfläche hatte sinken lassen, war der grelle Lärm dumpfem Rauschen und Poltern gewichen. Greywolf hing rudernd neben ihm. Luftblasen entwichen seinem Mund. Immer noch hielt Anawak den Arm des Halbindianers gepackt, nachdem er ihn mit herabgezogen hatte. Er wusste nicht, ob seine Idee funktionieren würde, aber an der Oberfläche waren sie auf jeden Fall verloren.

Etwas wogte ihm entgegen, das einer riesigen, kopflosen Schlange glich. Über das halb transparente, blau schimmernde Gewebe pulsten streifige Lichter. Hunderte dünner, peitschenartiger Ausleger wuchsen daraus hervor und strichen über den Boden des Decks, und plötzlich wurde Anawak klar, was das Ding tat. Es scannte seine Umgebung. Die Peitschen erfassten jeden Punkt des Beckens. Während er noch zusah, entsetzt und fasziniert zugleich, entsprossen dem Schlangenkörper weitere Ausleger und wimmelten in seine Richtung.

Zwischen ihnen klaffte das offene Maul des Orcas.

In Anawak ging eine Veränderung vor. Ein Teil von ihm kapselte sich ab und stellte in aller Ruhe Fragen. Wie viel von dem Angreifer war noch Wal, wie viel Gallerte? Was hatten sie von einem Lebewesen zu erwarten, das nicht mehr seiner Natur gemäß handelte, sondern in einem fremden Bewusstsein aufgegangen war? Er musste den Orca als Teil der leuchtenden Masse sehen, nicht mehr als Wal mit natürlichen Reflexen. Aber vielleicht war genau das von Vorteil. Vielleicht gelang es ihnen, das Tier zu verwirren.

Pfeilschnell war der Orca heran.

Anawak wich aus, gab Greywolf einen Stoß und sah ihn in entgegengesetzter Richtung davonschnellen. Er hatte den Zuruf verstanden! Der Wal schoss zwischen ihnen hindurch, nachdem sich seine Beute überraschend geteilt hatte.

Ein paar Sekunden gewonnen.

Ohne dem Orca einen weiteren Blick zu widmen, schwamm Anawak mitten in das Tentakelgewirr hinein.

Rubin kroch nach Luft schnappend und auf allen vieren über den Pier. Der Soldat sprang über ihn hinweg und hastete zum Kontrollpult. Er warf einen Blick auf die Anzeigen, orientierte sich und drückte auf den Knopf, um die Stahlschotts zu öffnen.

Das System blockierte.

Wie jeder in seiner Truppe war der Soldat in allen technischen Systemen des Schiffs geschult worden und kannte deren Funktionsweise. Das Bild von Browning hatte sich ihm eingebrannt, wie ihr Körper gegen das Pult geschleudert worden war. Er bückte sich und nahm den Knopf genauer in Augenschein.

Verklemmt. Seitlich verzogen.

Vielleicht durch einen Stiefeltritt Brownings. Viel war es nicht, was er zu korrigieren hatte. Er packte sein Gewehr und schlug mit dem Kolben dagegen.

Der Knopf rastete ein.

Anawak schwebte in einer fremden Welt.

Um ihn herum wanden sich Vorhänge dünner Tentakel. Er war keineswegs sicher, ob es eine gute Idee gewesen war, in das Gewimmel hineinzuschwimmen, aber die Frage hatte sich erübrigt. Vielleicht würde die Gallerte aggressiv reagieren, vielleicht gar nicht. Möglicherweise war das Zeug auch kontaminiert. Dann waren sie sowieso alle tot.

Auf jeden Fall hatte es der Orca hier vorübergehend schwerer, ihn zu finden.

Die lumineszierenden Ausleger bogen sich in seine Richtung. Alles geriet in Bewegung. Anawak wurde hin und her geschleudert. Das Tentakelgeflecht verdichtete sich, und plötzlich spürte er eines der Peitschendinger über sein Gesicht streichen.

Er wischte es beiseite.

Weitere schlängelten sich heran, tasteten über seinen Kopf und seinen Körper. In seinem Schädel pochte und dröhnte es. Allmählich begannen seine Lungen zu schmerzen. Wenn er nicht bald Gelegenheit fand aufzutauchen, konnte er sich gleich dem Zeug überlassen.

Mit beiden Händen griff er in die Masse und riss sie auseinander. Es war, als kämpfe er gegen ein Bündel Nattern. Der Organismus war wie ein fester, hochflexibler Muskel und zudem in ständiger Metamorphose begriffen. Tentakel, die sich eben noch um ihn gewunden hatten, deformierten sich, zogen sich zurück und gingen in der großen Masse auf, die im selben Moment andere Extremitäten gebar. Das Zeug war völlig unberechenbar, und offenbar entwickelte es gerade ein verstärktes Faible für Leon Anawak.

Er musste hier wieder raus.

Neben ihn huschte ein schlanker, eleganter Körper.

Ein lächelndes Gesicht. Einer der Delphine. Anawak griff instinktiv nach der Rückenflosse. Ohne innezuhalten schoss der Delphin aus der Tentakelmasse heraus und riss ihn mit sich. Plötzlich hatte er wieder freie Sicht. Er klammerte sich fest und sah den Orca von der Seite heranrasen. Der Delphin schnellte nach oben. Hinter ihnen schnappten die riesigen Kiefer zu, verfehlten sie knapp, dann durchbrachen sie die Wasseroberfläche und hielten auf das künstliche Gestade zu.

Der Soldat drückte den Knopf.

Es war nur eine Reparatur mit einem Gewehrkolben gewesen, aber von Erfolg beschieden. Langsam setzten sich die stählernen Schotts in Bewegung und gaben das Tauchboot frei. Es begann wieder zu sinken, vorbei an dem Organismus, der sich durch die Schleuse schob. Lautlos fiel das *Deepflight* aus dem Schiff hinaus und verschwand in der Tiefe des Meeres.

Für den Bruchteil einer Sekunde kamen dem Soldaten Zweifel, ob es nicht besser wäre, die Schleuse geöffnet zu lassen, aber sein Befehl lautete anders. Er sollte sie schließen, also gehorchte er. Diesmal blockierte kein Tauchboot die Schotts. Die Platten, angetrieben von den starken Motoren der Schleuse, schoben sich in den baumdicken Organismus und quetschten ihn zusammen.

Peak riss die Harpune hoch.

Eben hatte er Anawak gesehen. Der Orca schien ihn erwischt zu haben, aber dann war der Mann wieder zum Vorschein gekommen, während sich das Vieh zur gegenüberliegenden Seite bewegte. Die Soldaten beschossen den schwarzen Rücken, und der Orca sank unter die Wasseroberfläche.

Hatten sie ihn erledigt?

»Schott schließt sich«, rief der Soldat vom Kontrollpult herüber.

Peak hob die Hand zum Zeichen, dass er verstanden hatte, und schritt langsam den Pier entlang. Sein Blick suchte die gegenüberliegende Seite ab. Gegen das Krakending halfen keine Gewehrkugeln, und Sprengkörper in die Gallerte zu schießen, traute er sich nicht. Immer noch waren Menschen in dem Becken.

Er trat an die Kante.

Greywolf war Anawaks Beispiel gefolgt und zwischen die Tentakel geschwommen. Aus Leibeskräften kraulte er zur anderen Seite des Beckens. Nach einigen Metern versperrte ihm die Körpermasse des Organismus den Weg, und er musste die Richtung wechseln.

Er hatte jede Orientierung verloren.

Tentakel ringelten sich auf ihn zu und wanden sich um seine Schulter. Greywolf fühlte Ekel in sich hochsteigen. Er war völlig verstört. Auf seiner Netzhaut hatte sich die Sequenz von Delawares Tod verewigt, wie ein Film lief sie immer wieder darauf ab. Er riss die Auswüchse der Gallerte von sich herunter, wirbelte herum und versuchte wegzukommen.

Plötzlich schwebte er über der Schleuse. Das Tauchboot war verschwunden. Er sah, wie sich die Schotts schlossen, in das Gallertgewebe fuhren und den meterdicken Strang glatt durchtrennten.

Die Reaktion des Wesens war unmissverständlich.

Es gefiel ihm nicht.

Ein Wasserschwall schlug Peak entgegen. Unmittelbar vor ihm stieg der Orca empor. Zu überrascht, um Angst zu empfinden, blickte Peak in den rosa Rachen. Er prallte zurück, während im selben Moment das komplette Deck auseinander zu fliegen schien. Der Organismus tobte. Wild gewordene Riesenschlangen wirbelten bis zur Decke, klatschten gegen die Wände und fegten die Piers entlang. Peak hörte die Soldaten schreien und schießen, sah Körper durch die Luft wirbeln und im Becken verschwinden, dann schlug ihm etwas die Beine weg, und er prallte auf den Rücken. Schmerzhaft entwich alle Luft aus seinen Lungen. Der Körper des Orcas kippte auf ihn zu. Peak stöhnte, packte unwillkürlich die Harpune fester und wurde mit einem Ruck ins Becken gezogen.

In einem Strudel aus Luftblasen sank er nach unten. Seine Beine steckten in einer blau schimmernden Masse. Er stieß mit der Harpune dagegen, und der Klammergriff löste sich. Über ihm klatschte der Orca zurück ins Wasser. Eine gewaltige Druckwelle erfasste Peak und wirbelte ihn mehrfach um seine Achse. Er sah die Zahnreihen des Wals auseinander klappen, keinen Meter entfernt, stieß ihm die Harpune ins Maul und drückte ab.

Einen Moment schien alles stillzustehen.

Aus dem Kopf des Orcas drang eine dumpfe Detonation. Sie war nicht besonders laut, aber die Welt färbte sich rot. Peak wurde in einer Masse aus Blut und Fleischfetzen nach hinten geschleudert. Er schlug einen Salto, prallte gegen die Seitenwand und zog sich mit einer einzigen schwungvollen Bewegung wieder auf den Pier. Keuchend robbte er von der Kante weg. Überall war Blut. Rote Schmiere mischte sich mit Fettgewebe und Knochensplittern. Er versuchte, hochzukommen, rutschte aus und fiel wieder auf den Hintern. Schmerz durchzuckte ihn. Sein linker Fuß stand in einem Winkel ab, der nichts Gutes verhieß, aber im Augenblick interessierte ihn nicht mal das.

Ungläubig starrte er auf die Szenerie, die sich ihm bot.

Der Organismus schien in Raserei verfallen zu sein. Die Tentakel peitschten wild durcheinander. Regale stürzten um, Ausrüstung flog durch die Luft. Von den Soldaten war nur einer auszumachen, der feuernd den Pier entlanglief, bis ihn einer der Arme ins Wasser beförderte. Peak duckte sich, als ein halb transparentes Gebilde dicht über ihn hinwegfegte, das keine Schlange und kein Fangarm war, nichts, das er schon mal gesehen hatte. Mit aufgerissenen Augen gewahrte er, wie sich die Spitze des Gebildes im Flug veränderte und für eine Sekunde das Aussehen eines Fischkörpers annahm, bevor sie sich in züngelnde Fäden verästelte. Große Tiere schienen im Becken unterwegs zu sein, Rückenflossen wuchsen heraus und verschwanden wieder, deformierte Köpfe reckten ihre Schnauzen in die Höhe, seltsam glibberig und unfertig, verformten sich und klatschten als konturlose Klumpen zurück ins Wasser.

Peak rieb sich die Augen. Täuschte er sich, oder war der Wasserspiegel gesunken? Das Dröhnen von Maschinen mischte sich in den allgemeinen Lärm, und er begriff: Sie pumpten das Deck leer! Das Wasser wurde aus den Ballasttanks gepresst. Unmerklich hob sich das Heck der *Independence*, während der Inhalt des künstlichen Hafenbeckens zurück ins Meer floss. Die umherpeitschenden Auswüchse zogen sich zurück. Plötzlich war das Wesen wieder zur Gänze untergetaucht. Peak schob sich die Wand hoch, belastete seinen linken Fuß und knickte ein. Bevor er stürzen konnte, packten ihn zwei Hände.

»Festhalten«, sagte Greywolf.

Peak klammerte sich an die Schulter des Hünen und versuchte mitzuhumpeln. Selber nicht eben klein, kam er sich neben Greywolf schmächtig und kraftlos vor. Er stöhnte auf. Greywolf hob ihn kurz entschlossen in die Höhe und lief mit ihm den Pier entlang zum künstlichen Gestade.

»Stopp«, keuchte Peak. »Das reicht. Runterlassen.«

Greywolf ließ ihn sanft zu Boden sinken. Sie waren unmittelbar vor dem Tunnel, der zum Laboratorium führte. Von hier aus konnte man das gesamte Becken überblicken. Peak erkannte, dass die Seitenwände des Delphinariums wieder sichtbar wurden. Unverändert dröhnten die Pumpen. Er dachte an die Menschen in dem Becken, die wahrscheinlich alle tot waren, an die Soldaten, an Delaware und Browning …

An Anawak!

Sein Blick suchte das Wasser ab. Wo war Anawak?

Prustend tauchte er auf, unmittelbar vor dem Gestade. Greywolf sprang hinzu und half ihm aufs Trockene. Sie sahen zu, wie das Wasser weiter absank. Nun konnten sie ein großes Wesen erkennen, das mattblaues Licht abstrahlte und das Becken durchstreifte, als suche es einen Weg nach draußen. Seine Form erinnerte an einen schlanken Wal oder eine gedrungene Seeschlange. Keine Lichtblitze zuckten mehr über seinen Körper, keine Tentakel entwuchsen der Masse. Es schwamm in jede Ecke, schlängelte sich an den Wänden entlang, suchte schnell und systematisch nach dem Ausweg, den es nicht gab.

»Verdammtes Scheißvieh!«, keuchte Peak. »Jetzt wird es trockengelegt.«

»Nein. Wir müssen es retten.«

Das war Rubins Stimme. Peak wandte den Kopf und sah den Biologen im Tunnel auftauchen. Er zitterte und hielt die Arme um seinen

Körper geschlungen, aber in seinen Augen flackerte wieder das Leuchten, als er darauf bestanden hatte, die Gallerte ins Schiff zu lassen.

»Retten?«, echote Anawak.

Rubin kam in zögerlichen Schritten näher. Er schaute wachsam auf das Becken, in dem die Kreatur immer schneller ihre Runden drehte. Der Wasserspiegel betrug noch maximal zwei Meter. Das Wesen verbreitete seine Körperfläche, wohl um seinen Tiefgang zu verringern.

»Das ist eine einmalige Chance«, sagte er. »Versteht ihr denn nicht? Wir müssen sofort den Hochdrucksimulator dekontaminieren. Die Krebse raus, frisches Wasser rein und möglichst viel von diesem Ding. Das ist viel besser als die Krebse. Damit können wir ...«

Mit einem Sprung war Greywolf bei ihm, legte beide Hände um Rubins Hals und drückte zu. Der Biologe riss Mund und Augen auf. Seine Zunge kam zum Vorschein.

»Jack!« Anawak versuchte, Greywolfs Arme nach hinten zu ziehen. »Hör auf damit!«

Peak stemmte sich hoch. Sein linker Fuß hielt der Belastung stand. Offenbar war er nicht gebrochen, aber er schmerzte höllisch, sodass er kaum einen Schritt gehen konnte. Dennoch. Er musste etwas für das Arschloch tun, ob er wollte oder nicht.

»Jack, das bringt nichts«, rief er. »Lassen Sie den Mann los.«

Greywolf reagierte nicht. Er hob Rubin hoch. Dessen Gesicht begann sich ins Bläuliche zu verfärben.

»Das reicht, O'Bannon!«

Li kam aus dem Tunnel, in Begleitung einiger Soldaten.

»Ich bringe ihn um«, sagte Greywolf ruhig.

Die Kommandantin trat einen Schritt näher und umfasste Greywolfs rechtes Handgelenk. »Nein, O'Bannon, das werden Sie nicht tun. Mir ist egal, welche Rechnung Sie mit Rubin offen haben, aber seine Arbeit ist wichtig.«

»Jetzt nicht mehr.«

»O'Bannon! Bringen Sie mich nicht in die missliche Lage, Ihnen wehtun zu müssen.«

Greywolfs Blick flackerte. Seine Augen hefteten sich auf Li. Offenbar kam er zu der Einsicht, dass sie es ernst meinte, denn er ließ Rubin langsam wieder herunter und löste die Hände von seinem Hals. Der Biologe fiel röchelnd auf die Knie. Er würgte und spuckte.

»Seinetwegen ist Licia gestorben«, sagte Greywolf tonlos.

Li nickte. Plötzlich veränderten sich ihre Gesichtszüge. »Jack«, sagte sie beinahe sanft. »Es tut mir Leid. Ich verspreche Ihnen, sie wird nicht umsonst gestorben sein.«

»Sterben ist immer umsonst«, erwiderte Greywolf tonlos. Er wandte sich ab. »Wo sind meine Delphine?«

Li marschierte mit ihren Männern hinaus auf den Pier. Peak war ein solcher Idiot. Warum hatte er seine Leute nicht von vorneherein mit Explosivgeschossen bewaffnet? Weil man so was nicht hätte voraussehen können? Blödsinn! Es war genau das, was sie vorausgesehen hatte. Einen Haufen Probleme. Sie hatte nicht gewusst, auf welche Weise sie auftreten würden, aber *dass* sie auftreten würden, war ihr klar gewesen. Sie hatte es gewusst, bevor die ersten Wissenschaftler im Château eingetroffen waren, und entsprechende Vorkehrungen getroffen.

Im Becken schwappten nur noch ein paar Pfützen. Der Anblick war verheerend. Direkt zu ihren Füßen, vier Meter tiefer, lag der Kadaver des Orcas. Wo der Kopf mit dem zähnestarrenden Maul gewesen war, breitete sich rötlicher Matsch aus. Ein Stück weiter sah sie die reglosen Körper einiger Soldaten. Von den Delphinen war bis auf drei nicht das Geringste zu entdecken. Wahrscheinlich hatten die anderen es in ihrer Panik vorgezogen, das Schiff zu verlassen, solange die Schleuse noch offen gestanden hatte.

»Das ist ja eine gewaltige Sauerei«, sagte sie.

Das gestaltlose Ding in der Mitte des Beckens rührte sich kaum noch. Es hatte einen fahlweißen Ton angenommen. An den Rändern, wo der letzte Rest Wasser die Masse umspülte, bildeten sich kurze Tentakel, die wie Nattern über den Boden krochen. Das Wesen starb. So unheimlich seine Fähigkeit war, die Form zu ändern und Fangarme über Wasser auszuwerfen, so aussichtslos schien seine Lage jetzt. Die Oberseite des Gallertbergs zeigte erste Auflösungserscheinungen. Wachsklare Flüssigkeit tropfte daran herab.

Li rief sich in Erinnerung, dass der gestrandete Koloss kein Einzelwesen war, sondern ein Konglomerat aus Abermilliarden Einzellern, die soeben ihren Zusammenhalt verloren. Rubin hatte Recht. Sie mussten so viel wie möglich davon in Sicherheit bringen. Je schneller sie handelten, desto größere Mengen des Kollektivs würden überleben.

Anawak gesellte sich wortlos an ihre Seite. Li suchte weiter das Becken ab. Roscovitz' baumelnden Körper, genauer gesagt das, was davon übrig war, beachtete sie nicht. Aus den Augenwinkeln gewahrte sie eine Bewegung am Grund des Beckens, ging bis zum Ende des Piers und kletterte eine Stiege hinunter. Anawak folgte ihr. Irgendetwas hatte ihre Aufmerksamkeit erregt, das sich nun ihren Blicken entzog. Sie schritt in respektvollem Abstand an dem Torso entlang, dem ein unangenehmer Geruch zu entströmen begann, als sie Anawak von der anderen Seite rufen hörte. Eilig lief sie um den Berg herum und stolperte fast über Browning.

Die Technikerin lag mit aufgerissenen Augen halb unter dem schmelzenden Wesen.

»Helfen Sie mir«, sagte Anawak.

Gemeinsam zogen sie die Frau unter der Masse hervor. Das Zeug löste sich nur zäh und widerwillig von ihren Beinen. Die Tote erschien Li ungewöhnlich schwer. Ihr Gesicht glänzte wie lackiert, und Li beugte sich darüber, um die Sache genauer in Augenschein zu nehmen.

Brownings Oberkörper richtete sich auf.

»Scheiße!«

Li sprang zurück und sah, wie Brownings Gesicht epileptisch zu zucken begann und Grimassen produzierte. Die Technikerin warf die Arme hoch, öffnete den Mund und kippte wieder zurück. Ihre Finger formten sich zu Krallen. Sie schlug mit den Beinen aus, bog den Rücken durch und schüttelte mehrmals hintereinander heftig den Kopf.

Unmöglich! Vollkommen unmöglich!

Li war hartgesotten, aber jetzt packte sie nacktes Entsetzen. Sie starrte auf den lebenden Leichnam, während Anawak mit sichtlichem Widerwillen neben Browning in die Hocke ging.

»Jude«, sagte er leise. »Das sollten Sie sich ansehen.«

Li überwand ihren Ekel und trat näher heran.

»Hier«, sagte Anawak.

Sie sah genauer hin. Der glänzende Überzug auf Brownings Gesicht begann abzutropfen, und plötzlich erkannte sie, was es war. Klumpige, schmelzende Stränge zogen sich über Schultern und Hals der Technikerin und verschwanden in ihren Ohren …

»Es ist eingedrungen«, flüsterte sie.

»Das Zeug versucht, sie zu übernehmen.« Anawak nickte. Er war grauweiß im Gesicht, für einen Inuk ein bemerkenswerter Farbwechsel. »Wahrscheinlich kriecht es überall rein und macht sich mit den Gegebenheiten vertraut. Aber Browning ist nun mal kein Wal. Ich schätze, ein bisschen Restelektrizität in ihrem Hirn reagiert auf den Übernahmeversuch.« Er machte eine Pause. »Es wird jeden Moment vorbei sein.«

Li schwieg.

»Es steuert alle möglichen Hirnfunktionen an«, sagte Anawak. »Aber es begreift keinen Menschen.« Er richtete sich auf. »Browning ist tot, General. Was wir sehen, ist ein zu Ende gehendes Experiment.«

HEEREMA, VOR LA PALMA, KANAREN

Skeptisch musterte Bohrmann die Anzüge in der kleinen Tauchstation. Silbrig glänzende Körperhüllen mit verglasten Helmen, Segmentgelenken und Greifzangen. Wie leblose Puppen hingen sie in einem großen, offenen Stahlcontainer und starrten ins Nichts.

»Ich dachte eigentlich nicht, dass wir zum Mond fliegen«, sagte er.

»Gäärraaad!« Frost lachte. »In vierhundert Metern Tiefe ist es ähnlich wie auf dem Mond. Du wolltest unbedingt mit, also beschwer dich nicht.«

Eigentlich hatte Frost van Maarten mit auf den Tauchgang nehmen wollen, aber Bohrmann hatte zu bedenken gegeben, dass der Holländer sich am besten mit den Systemen der *Heerema* auskannte und oben gebraucht wurde. Unausgesprochen gab er damit der Möglichkeit Ausdruck, dass es unten zu Schwierigkeiten kommen könnte.

»Außerdem«, hatte er angemerkt, »ist es mir nicht recht, euch da rumfuhrwerken zu sehen. Ihr mögt exzellente Taucher sein, aber den Blick für Hydrate habe immer noch ich.«

»Darum sollst du ja hier bleiben«, konterte Frost. »Du bist unser Hydratexperte. Wenn dir was passiert, haben wir keinen mehr.«

»Doch. Wir haben Erwin. Er kennt sich ebenso gut aus wie ich. Besser sogar.«

Inzwischen war Suess aus Kiel eingetroffen.

»Ein Tauchgang ist aber kein Spaziergang«, sagte van Maarten. »Haben Sie schon getaucht?«

»Diverse Male.«

»Ich meine, waren Sie richtig tief unten?«

Bohrmann zögerte. »Ich war auf 50 Meter. Konventionelles Flaschentauchen. Aber ich bin in ausgezeichneter Verfassung. – Und blöde bin ich auch nicht«, fügte er trotzig hinzu.

Frost dachte nach.

»Zwei kräftige Männer werden reichen«, sagte er. »Wir nehmen kleine Sprengladungen und ...«

»Da geht's schon los«, rief Bohrmann entsetzt. »Sprengladungen.«

»Okay, okay!« Frost hob die Hände. »Ich sehe, das wird nichts ohne dich. Du kommst mit. Aber wehe, du heulst mir die Ohren voll, wenn's ungemütlich wird.«

Jetzt standen sie im Innern des backbordigen Pontons, 18 Meter unter der Wasseroberfläche. Die Pontons waren geflutet, aber van Maarten hatte einen kleinen Bereich ausgespart, der über Steigleitern mit der Plattform verbunden war. Von hier war auch der Roboter heruntergelassen worden. Weil van Maarten wusste, dass auch bemannte Tauchgänge nicht auszuschließen waren und sie in einigen Hundert Metern Tiefe stattfinden würden, hatte er sich mit konventionellem Tauchgerät gar nicht erst abgegeben und Anzüge bei Nuytco Research in Vancouver geordert, einem Unternehmen, das für bahnbrechende Innovationen bekannt war.

»Sehen schwer aus«, sagte Bohrmann.

»90 Kilogramm, vorwiegend Titanium.« Frost tätschelte einem der Helme beinahe liebevoll die verglaste Front. »Ein Exosuit ist ein schwerer Brocken, aber unter Wasser merkst du nichts davon. Du kannst nach Belieben rauf und runter. Der Anzug wird mit Atemluft gespeist und umhüllt dich komplett, es gibt also kein Ausperlen von Stickstoff im Blut. Damit sparst du dir die dämlichen Dekompressionspausen.«

»Er hat Flossen.«

»Genial, was? Statt zu sinken wie ein Stein, schwimmst du wie ein Froschmann.« Frost deutete auf die zahlreichen Gelenkringe. »Die Konstruktion ermöglicht dir noch in vierhundert Metern Tiefe volle Bewegungsfreiheit. Die Hände sind in Halbkugeln geschützt. Handschuhe waren nicht drin, zu empfindlich, aber beide Arme enden in einem computergesteuerten Greifsystem. Die Sensoren vermitteln eine Art künstlichen Tastsinn ins Innere. Du kannst dein Testament damit unterschreiben, so empfindlich reagieren sie.«

»Wie lange können wir unten bleiben?«

»48 Stunden«, sagte van Maarten. Als er Bohrmanns erschrockenen Gesichtsausdruck sah, grinste er. »Keine Angst, so lange werden Sie nicht brauchen.« Er deutete auf zwei torpedoförmige Roboter, jeder knapp einen Meter fünfzig Meter lang, mit Propeller und verglaster Spitze. Eine mehrere Meter lange Leine entsprang der Oberseite, die in einer Konsole mit Griff, Display und Tasten endete. »Das sind eure *Trackhounds*. Suchhunde, AUVs. Sie sind auf die Lichtinsel programmiert. Die Zielgenauigkeit beträgt wenige Zentimeter, also versucht nicht, euch zurechtzufinden, sondern lasst euch einfach ziehen. Die Dinger legen vier Knoten vor, ihr seid in drei Minuten unten.«

»Wie sicher ist die Programmierung?«, fragte Bohrmann skeptisch.

»Sehr sicher. *Trackhounds* haben diverse Sensoren zur Erfassung von Tauchtiefe und Eigenposition. Verfahren könnt ihr euch jedenfalls nicht, und wenn euch was in die Quere kommen sollte, weicht der *Trackhound* aus. Über die Bedienkonsole am Ende der Leine aktiviert ihr die Programmierung. Hinweg, Rückweg, ganz einfach. Die Taste mit der o startet den Propeller, ohne dass eine Programmierung wirksam wird. In diesem Fall könnt ihr den Trackhound mit dem Joystick darunter steuern, und das Hündchen läuft, wohin ihr wollt. – Noch Fragen?«

Bohrmann schüttelte den Kopf.

»Dann los.«

Van Maarten half ihnen in die Anzüge. Man stieg in den Exosuit durch eine Klappe im Rücken, auf der die beiden Atemlufttanks montiert waren. Bohrmann kam sich vor wie ein Ritter in vollem Ornat, der auf dem Mond spazieren gehen will. Als sich der Anzug schloss, war er kurz von allen Geräuschen abgeschlossen, dann hörte er wieder etwas. Durch die große, gebogene Sichtfläche sah er Frost in seinem Anzug sprechen und vernahm dessen dröhnende Stimme im Helm. Auch die Außengeräusche drangen wieder an sein Ohr.

»Sprechfunk«, erklärte Frost, »ist besser als Rumwedeln mit den Händen. Kommst du mit den Greifern zurecht?«

Bohrmann bewegte die Finger in der Kugel. Die künstliche Zangenhand machte jede Bewegung mit.

»Ich denke schon.«

»Versuch die Konsole zu greifen, die van Maarten dir anreicht.«

Es klappte beim ersten Versuch. Bohrmann atmete auf. Wenn alles so einfach war wie die Bedienung dieser Greifzangen, konnten sie drei Kreuze machen.

»Noch was. In Taillenhöhe siehst du ein rechteckiges Feld, einen flachen Schalter. Es ist ein POD.«

»Ein was?«

»Nichts, worüber du dir den Kopf zerbrechen oder dich beunruhigen müsstest. Eine Sicherheitsmaßnahme. Wir werden kaum in die Situation kommen, aber falls doch, sage ich dir, wofür es gut ist. Um es einzuschalten, musst du einfach kräftig dagegenschlagen. Okay?«

»Was ist ein POD?«

»Eine Erleichterung beim Tauchen. Ich erklär's dir irgendwann.«

»Ich wüsste wirklich gerne …«

»Später. Bist du bereit?«

»Bereit.«

Van Maarten öffnete den Schleusentunnel. Hellblaues, beleuchtetes Wasser schwappte zu ihren Füßen.

»Einfach reinfallen lassen«, sagte er. »Ich werfe den *Trackhound* hinterher. Wartet, bis ihr aus der Schleuse raus seid, dann schaltet eure *Trackhounds* ein. Nacheinander, Frost zuerst.«

Bohrmann schob die Flossen über die Kante. Jede kleinste Bewegung in dem Anzug kam einem Kraftakt gleich. Er holte tief Luft und ließ sich nach vorn kippen. Wasser schlug ihm entgegen. Er vollführte einen Purzelbaum, sah die Lichter der Schleuse über sich hinweghuschen und gelangte wieder in aufrechte Position. Langsam sank er nach unten und aus dem Schleusentunnel hinaus ins Meer, wo er mitten in einem Fischschwarm landete. Glitzernde Leiber stoben zu Tausenden nach allen Seiten weg, fanden sich zu einer lebenden Spirale und ballten sich zusammen. Mehrmals hintereinander veränderte der Schwarm seine Form, streckte sich und floh. Bohrmann sah den *Trackhound* neben sich und sank tiefer. Über ihm leuchtete die Schleuse im dunklen Rumpf des Pontons. Er schlug mit den Flossen und stellte fest, dass er seine Position stabilisierte. Vom Gewicht des Anzugs war nichts mehr zu spüren. Eigentlich fühlte er sich ausgesprochen wohl. Ein tragbares Unterseeboot.

Frost folgte in einem Kokon aus Luftblasen. Er sank auf Bohrmanns Höhe hinab und sah ihn durch die Glasscheibe des Helms an. Erst jetzt registrierte Bohrmann, dass der Amerikaner auch im Exosuit seine Baseballkappe aufbehalten hatte.

»Wie fühlst du dich?«, fragte Frost.

»Wie R2-D2's größerer Bruder.«

Frost lachte. Der Propeller seines *Trackhounds* begann sich zu drehen. Unvermittelt senkte der Roboter die Nase ab und zog den Vulkanologen in die Tiefe. Bohrmann betätigte die Programmierung. Es gab einen Ruck, und er kippte kopfüber. Schlagartig wurde es dunkler. Van Maarten hatte Recht. Es ging tatsächlich schnell. Schon nach kurzer Zeit herrschte schwärzeste Finsternis. Nichts war zu sehen außer dem diffusen Lichtschein, den die Hunde verstrahlten.

Zu seiner Überraschung bereitete ihm die Dunkelheit Unbehagen. Hunderte von Malen hatte er vor Bildschirmen gesessen und die Tauchgänge von Robotern überwacht, die in die Tiefen der Abyssale vorgestoßen waren oder noch weiter ins Benthos. Er war mit der *Alvin*, dem legendären Tauchboot, auf 4 000 Meter gewesen. Dennoch war es etwas gänzlich anderes, in diesem Anzug zu stecken und von einem elektronischen Hund ins Ungewisse gezogen zu werden.

Hoffentlich war das Ding in seiner Hand richtig programmiert, sonst landete er Gott weiß wo.

Der Scheinwerfer beleuchtete Planktonregen. Steil ging es weiter abwärts. In Bohrmanns Helm erklang das elektronische Summen des *Trackhounds*. Weiter vorn bemerkte er ein filigranes Wesen, das mit trägen, pulsierenden Bewegungen durch die Nacht trieb. Es war von unglaublicher Schönheit, eine Tiefseemeduse, die einem Raumschiff gleich ringförmige Lichtsignale aussandte. Bohrmann hoffte, dass es keine Angstsignale vor irgendeinem größeren Ungetüm waren, das ihr folgte. Dann war die Qualle seinen Blicken entschwunden. Weitere Quallen in größerer Entfernung leuchteten auf, und plötzlich breitete sich direkt vor ihm eine weiße, blitzende Wolke aus. Er schrak zusammen. Aber die Wolke war weiß und nicht blau, und der Urheber biolumineszierte schwach, bevor er darin verschwand. Bohrmann wurde klar, was er da vor sich hatte. Es war ein *Mastigotheutis*, ein Tintenfisch, der für gewöhnlich erst in etwa 1000 Meter Tiefe vorkam. Dass er weiße Tinte gegen Eindringlinge verströmte, ergab Sinn – schwarze Tinte in schwärzester Dunkelheit war keine Hilfe.

Der Hund zog und zog.

Bohrmann suchte die Tiefe vor sich nach dem Schein der Lichtinsel ab, aber da war nichts als Schwärze, abgesehen von dem hellen Punkt, der Frost vorauseilte. Sofern er überhaupt eilte. Er hätte ebenso gut stillstehen können. Zwei stillstehende Lichter, seines und Frosts, in einem sternenlosen Weltraum.

»Stanley?«

»Was gibt's?«

Die prompte Antwort beruhigte ihn.

»Wir müssten bald mal was sehen, oder?«

»Du bist ungeduldig, mein Freund. Schau auf dein Display. Das waren erst zweihundert Meter.«

»Oh. Klar, natürlich.«

Bohrmann traute sich nicht zu fragen, ob Frost der Programmierung des *Trackhounds* vertraute, also schwieg er und versuchte, seine aufkommende Nervosität zu unterdrücken. Er begann sich ein paar Medusen herbeizuwünschen, aber nichts ließ sich blicken. Der Roboter summte fleißig, und plötzlich änderte er spürbar die Richtung.

Da war etwas. Bohrmann sah genauer hin. In der Ferne dämmerte ein Lichtschein. Erst nur ahnbar, dann von diffus rechteckiger Form.

Tiefe Erleichterung durchströmte ihn. Brav, hätte er am liebsten gesagt. Braver Hund. Guter Hund.

Wie klein die Lichtinsel wirkte.

Während er noch darüber nachdachte, rückte sie näher, wurde heller und ließ Details erkennen, einzelne Spots, aufgereiht entlang des Gestänges. Sie trieben weiter darauf zu, und plötzlich hing die Insel riesig und strahlend über ihnen. Natürlich schwebten in Wirklichkeit sie über der Insel, aber der Flug kopfüber vertauschte oben und unten, sodass nun auch die Terrasse über ihren Köpfen hängend sichtbar wurde. Kurz war Frosts Gestalt auszumachen, ein Schatten, gezogen von einem Torpedo an der Leine, der dem lichtdurchströmten Fußballfeld entgegenstürzte. Alles lag deutlich vor ihnen. Die Hangterrasse, der Saugrüssel, dessen schwarzer Schlangenköper aus der Dunkelheit ragte, die Brocken, die seine Öffnung blockierten ...

Das Gewimmel der Würmer.

»Schalt deinen Hund aus, bevor du in die Lichtorgel rasselst«, sagte Frost. »Die letzten paar Meter schwimmen wir.«

Bohrmann bewegte die Finger der freien Hand und versuchte, mit dem Greifer das Tastenfeld zu bedienen. Diesmal war er weniger geschickt. Er schaffte es nicht auf Anhieb und flog an Frost vorbei, der langsamer geworden war.

»He, Gärraad! Wo willst du hin, zum Teufel?«

Er probierte es erneut. Der Greifer rutschte ab, dann endlich gelang es ihm, den Hund zu stoppen. Bohrmann schlug mit den Flossen und brachte sich in waagerechte Position. Er war der Lichtinsel tatsächlich ziemlich nahe gekommen. Endlos erstreckte sie sich nach allen Seiten. Nach einigen Sekunden kehrte sein Sinn für oben und unten zurück, und Insel und Hang lagen unter ihm.

Mit gleichmäßigen Bewegungen schwamm er zu dem eingekeilten Schlauch und ließ sich daneben niedersinken. Die Lichtinsel schwebte jetzt etwa fünfzehn Meter über ihm. Sofort begannen die Würmer, über seine Flossen zu kriechen. Er musste sich zwingen, sie zu ignorieren. Sie konnten dem Material des Anzugs nicht das Geringste anhaben, und im Übrigen waren sie einfach nur ekelhaft. Keinem Lebewesen seiner Größe würde so ein Wurm je gefährlich werden.

Andererseits, was wusste man schon von Würmern, die es gar nicht hätte geben dürfen?

Der *Trackhound* war neben ihm zu Boden gesunken. Bohrmann parkte ihn auf einem Felsvorsprung und sah am Schlauch empor. Mannshohe Brocken aus schwarzem Lavagestein blockierten die Propeller der Motoren. Damit ließ sich fertig werden. Sorgen bereitete ihm der größere Keil, der den Rüssel gegen die Felswand drückte. Er mochte etwa vier Meter hoch sein. Bohrmann bezweifelte, ob sie ihn zu zweit bewegen konnten, auch wenn unter Wasser alles weniger wog und Lavagestein porös und leicht war.

Frost gesellte sich an seine Seite.

»Widerlich«, sagte er. »Überall die Söhne Luzifers.«

»Wer, bitte?«

»Gewürm! Gekreuch! Die biblischen Plagen. Na ja, Schwamm drüber. Ich schlage vor, wir nehmen uns die kleineren Brocken vor und schauen, wie weit wir kommen. – Van Maarten?«, rief er.

»Hier«, erklang blechern van Maartens Stimme. Bohrmann hatte völlig vergessen, dass sie auch mit der *Heerema* verbunden waren.

»Wir werden jetzt ein bisschen aufräumen. Als Erstes legen wir die Motoren frei. Vielleicht reicht das ja, und der Schlauch kann sich aus eigenem Antrieb befreien.«

»In Ordnung. – Geht's Ihnen gut, Dr. Bohrmann?«

»Alles bestens.«

»Passt auf euch auf.«

Frost deutete auf ein annähernd rundes Stück Stein, welches das Drehgelenk eines der Propeller blockierte. »Damit fangen wir an.«

Sie machten sich daran, den Stein beiseite zu wälzen. Nachdem sie eine Weile daran gezerrt und gezogen hatten, rutschte er weg, gab das Motorengelenk frei und zerquetschte bei der Gelegenheit ein paar hundert Würmer unter sich.

»Yeah«, sagte Frost befriedigt.

Zwei weitere Brocken ließen sich auf die gleiche Weise verrücken. Der nächste Stein war größer, aber nach einiger Mühe kippte auch er schließlich zur Seite.

»Wie stark man doch unter Wasser ist«, freute sich Frost. »Jan, wir haben die Motoren bis auf einen frei. Sie sehen nicht beschädigt aus. Kannst du sie mal in den Gelenken drehen? Nicht einschalten, nur drehen!«

Es vergingen einige Sekunden, dann erklang ein schnurrendes Geräusch. Eine der Turbinen drehte sich in ihrem Gelenk hin und her. Gleich darauf bewegten sich auch die anderen.

»Sehr gut«, rief Frost. »Jetzt versucht's mal. Werft die Dinger an.«

Sie brachten einige Meter Sicherheitsabstand zwischen sich und den Schlauch und sahen zu, wie die Propeller starteten.

Der Schlauch ruckelte. Mehr geschah nicht.

»Fehlanzeige«, sagte van Maarten.

»Ja, das sehe ich selber.« Frost schaute missmutig drein. »Versucht es weiter. Dreht die Dinger in eine andere Richtung.«

Auch das funktionierte nicht, aber dafür begannen die Propeller Schlamm aufzuwirbeln. Vor ihren Augen wurde es trübe.

»Stopp!« Bohrmann wedelte mit seinen segmentierten Armen. »Aufhören da oben! Das hat keinen Zweck, ihr versaut uns nur die Sicht.«

Die Propeller kamen zur Ruhe. Die Schlammwolke verteilte sich und zog helle Schlieren. Vom unteren Schlauchende war kaum noch etwas zu erkennen.

»Na schön.« Frost öffnete eine flache Box seitlich des Exosuits und entnahm ihr zwei bleistiftgroße Gebilde. »Unser Problem ist der Riesenklotz da. Ich weiß, es wird dir nicht gefallen, Gärraad, aber wir müssen das Mistding wegsprengen.«

Bohrmanns Blick wanderte zu den Würmern, die den frei gesaugten Grund zunehmend wieder in Besitz nahmen.

»Das ist riskant«, sagte er.

»Wir nehmen eine kleine Sprengladung. Ich schlage vor, wir platzieren sie an der Basis, da, wo sich der Keil in den Grund gebohrt hat. Wir reißen ihm sozusagen die Beine weg.«

Bohrmann stieß sich ab, schwebte einen Meter in die Höhe und auf den Keil zu. Um ihn herum wurde es schlammig und trübe. Er schaltete die Helmbeleuchtung ein und ließ sich in die Sedimentwolke sinken. Vorsichtig ging er in die Knie und brachte seinen Helm so dicht wie möglich an die Stelle, wo der Brocken im Untergrund steckte. Mit den Greifern fegte er die Würmer beiseite. Einige stülpten blitzartig ihren Hakenschlund aus und versuchten, sich in den künstlichen Gliedmaßen zu verbeißen. Bohrmann schüttelte sie ab und untersuchte die Sedimentstruktur. Er sah feine, schmutzig weiße Adern. Als er mit dem Greifer hineinstieß, zersplitterte das umliegende Gestein, und feine Blasen trudelten ihm entgegen.

»Nein«, sagte er. »Das ist keine gute Idee.«

»Hast du eine bessere?«

»Ja. Wir nehmen eine größere Ladung, suchen im unteren Drittel des Brockens nach Einkerbungen und Spalten und sprengen ihn dort auseinander. Mit etwas Glück kippt der obere Teil ab, und wir ziehen den Untergrund nicht in Mitleidenschaft.«

»In Ordnung.«

Frost kam zu ihm in die Wolke. Sie stiegen ein Stück auf. Die Sicht wurde besser. Systematisch begannen sie den Keil auf geeignete Stellen zu untersuchen. Schließlich fand Frost eine tiefe Kerbe und drückte etwas hinein, das wie festes, graues Knetgummi aussah. Dann steckte er ein bleistiftdünnes Stäbchen in die Masse.

»Das müsste reichen«, sagte er befriedigt. »Wird ordentlich prasseln. Wir sollten weit genug weg sein.«

Sie schalteten die *Trackhounds* ein und ließen sich von ihnen bis zum Rand der beleuchteten Zone ziehen, wo sich der Hang nach wenigen Metern in völliger Schwärze verlor. Der Partikelflug hielt sich in Grenzen, sodass die Lichtwellen kaum von Algen und anderen Schwebstoffen reflektiert wurden, dennoch geschah der Übergang abrupt. Licht verschwand unter Wasser in der Reihenfolge seiner Wellenlängen – zuerst Rot nach zwei bis drei Metern, dann Orange, schließlich Gelb. Jenseits von zehn Metern behaupteten sich nur noch Grün und Blau, bis Absorption und Streuung auch diesen Restbetrag geschluckt hatten. Ab da hörte die Welt auf zu existieren.

Bohrmann widerstrebte es, sich aus der relativen Sicherheit des beleuchteten Abschnitts ins absolute Nichtvorhandensein zu wagen. Erleichtert registrierte er, dass Frost keinen größeren Sicherheitsabstand für nötig hielt. Wo sich das Blau im tintigen Schwarz verlor, entdeckte er schemenhaft einen Spalt in der Wand. Vielleicht lag eine Höhle dahinter. Er stellte sich vor, wie dieses Gestein damals rot glühend herabgeflossen war, ein zäher Brei, der langsam erkaltete und zu bizarren Formen erstarrte. Unwillkürlich wurde ihm kalt in seiner Rüstung. Kalt von der Vorstellung, hier unten ein Leben verbringen zu müssen.

Er sah hinauf zur Lichtinsel. Um die weißen Scheinwerfer im Gestänge erstrahlte nichts als eine blaue Aura.

»Gut«, sagte Frost. »Bringen wir's hinter uns.«

Er betätigte den Zünder.

Aus der Mitte des Keils platzte ein großer Schwall Luftblasen, vermischt mit Splittern und Staub. Es wummerte in Bohrmanns Helm. Ein dunkler Ring breitete sich aus, weitere Luftblasen folgten und trugen die Trümmerstücke nach allen Seiten davon.

Er hielt den Atem an.

Langsam, ganz langsam begann sich die obere Hälfte des Keils zu neigen.

»Yeah!«, schrie Frost. »Der Herr ist mein Zeuge!«

Immer schneller kippte der Keil, gezogen von seinem eigenen Gewicht. Er brach in der Mitte über die noch stehende Hälfte hinweg, schlug neben der Röhre auf und erzeugte eine neue, noch gewaltigere Sedimentwolke. Frost schaffte es, in seiner schweren Montur Sprünge zu vollführen und mit den Armen zu wedeln. Er sah aus wie Armstrong, der für Amerika über den Mond hüpfte.

»Halleluja! He, van Maarten! *Mijnheer*! Wir haben das Scheißding kleingekriegt. Los, versuchen Sie Ihr Glück.«

Bohrmann hoffte aus tiefstem Herzen, dass die Erschütterung keine weiteren Abbrüche nach sich ziehen würde. Im aufgewirbelten Schlamm hörte er die Motoren starten, und plötzlich bewegte sich der Schlauch. Er krümmte sich, dann hob sich der Schlund wie der Kopf eines gigantischen Wurms aus der Wolke und stieg langsam nach oben. Die Öffnung wandte sich in seine, dann in die entgegengesetzte Richtung, als erkunde das Ding sein Umfeld. Hätte Bohrmann nicht gewusst, was er da vor sich hatte, er wäre sich vorgekommen wie halb verspeist.

»Es klappt!«, schrie Frost.

»Ihr seid die Größten«, bemerkte van Maarten trocken.

»Das ist nichts Neues«, versicherte ihm Frost. »Schalten Sie ihn wieder ab, bevor er Gärraad und mich frisst. Wir sehen uns nochmal die Stelle an, wo er gelegen hat. Dann kommen wir hoch.«

Der Schlauch stieg ein weiteres Stück, ließ sein rundes Maul sinken und baumelte leblos im Licht. Frost schwamm los. Bohrmann folgte ihm. Sein Blick wanderte zur Insel und wieder zurück. Etwas irritierte ihn, ohne dass er zu sagen vermochte, was es war.

»Trübe Angelegenheit«, meinte Frost angesichts der Wolke. »Sieh mal nach dem Rechten, Gärraad. Du erkennst in der Brühe mehr als ich.«

Bohrmann schaltete den Scheinwerfer seines *Trackhounds* ein. Dann überlegte er es sich und schaltete ihn wieder aus.

Was war da? Spielten ihm seine Sinne einen Streich?

Sein Blick wanderte erneut zur Lichtinsel. Diesmal sah er länger hinauf. Es kam ihm vor, als verströmten die Strahler ein stärkeres Licht als zuvor, aber das war unmöglich. Sie hatten die ganze Zeit über ihre volle Leuchtkraft entfaltet.

Es waren nicht die Strahler. Es war die blaue Aura. Sie hatte sich vergrößert.

»Siehst du das?«, Bohrmann deutete mit dem Arm zur Insel. Frost folgte der Bewegung mit Blicken.

»Ich kann nichts …« Er stockte. »Na so was.«

»Das Licht«, sagte Bohrmann. »Das blaue Leuchten.«

»Ariel und Uriel«, flüsterte Frost. »Du hast Recht. Es breitet sich aus.«

Um die Insel hatte sich ein großer, dunkelblauer Hof gebildet. Entfernungen waren unter Wasser schwer einzuschätzen, zumal der Lichtbrechungsindex alles ein Viertel näher und ein Drittel größer erscheinen ließ, aber eindeutig lag die Quelle des blauen Leuchtens ein ganzes Stück hinter der Insel. Die Halogenlampen im Gestänge blendeten ihn. Dennoch war es Bohrmann, als sehe er Blitze zucken. Dann verlor das Blau plötzlich an Intensität, wurde schwächer und erlosch.

»Das gefällt mir nicht«, sagte Bohrmann. »Ich denke, wir sollten aufsteigen.«

Frost antwortete nicht. Er starrte weiter auf die Insel.

»Stan? Hörst du? Wir sollten ...«

»Nicht so hastig«, sagte Frost langsam. »Wir bekommen nämlich gerade Besuch.«

Er zeigte zum oberen Rand der Insel. Zwei längliche Schatten flitzten dort entlang. Blau beschienene Bäuche. Im nächsten Moment waren sie verschwunden.

»Was war das?«

»Ganz ruhig, Junge. Schalt dein POD ein.«

Bohrmann drückte gegen den Sensor am Bauch des Exosuits.

»Ich wollte dich nicht beunruhigen«, sagte Frost. »Ich dachte, wenn ich dir erzähle, wozu es gut ist, wirst du vielleicht nervös und hältst ständig nur Ausschau nach ...«

Weiter kam er nicht. Mitten aus dem Gestänge schossen zwei torpedoförmige Leiber hervor. Bohrmann sah bizarr geformte Köpfe. Die Tiere kamen geradewegs auf sie zu, mit unglaublicher Geschwindigkeit, die Kiefer vorgestülpt, die Mäuler weit offen. Wie eine Faust aus Eis schloss sich die Angst um sein Herz. Er stieß sich ab, trudelte nach hinten und hob schützend die Arme vor den Helm. Keine dieser Reaktionen ergab wirklich Sinn, aber soeben triumphierten die Instinkte der Frühzeit über seinen zivilisierten, hoch technisierten Geist. Sie befahlen ihm aufzuschreien, und Bohrmann gehorchte.

»Sie können dir nichts tun«, sagte Frost mit Nachdruck.

Dicht vor ihm drehten die Angreifer ab. Bohrmann schnappte nach Luft und kämpfte die Panik herunter. Frost schwamm mit schnellen Flossenschlägen an seine Seite.

»Wir haben das POD bereits getestet«, sagte er. »Es funktioniert.«

»Was zum Teufel ist denn ein POD?«

»Ein *Protective Ocean Device*. Der beste Schutz gegen Haie. Das POD baut ein elektrisches Feld auf, das dich wie ein Schutzwall umgibt. Sie kommen nicht näher als fünf Meter an dich heran.«

Bohrmann keuchte und versuchte, den Schock zu verwinden. Die Tiere waren in weitem Bogen hinter der Lichtinsel verschwunden.

»Die waren näher als fünf Meter«, sagte er.

»Nur beim ersten Mal. Jetzt haben sie ihre Lektion gelernt. Beruhige dich. Haie verfügen über hoch empfindliche elektrosensorische Organe. Das Feld überflutet sie mit Reizen und stört ihr Nervensystem. Es verursacht ihnen schmerzhafte Muskelkrämpfe. Wir haben Weißhaie und Tigerhaie mit Ködern angelockt und dann das POD aktiviert, und sie konnten das Feld nicht durchdringen.«

»Dr. Bohrmann? Stanley?« Van Maartens Stimme. »Seid ihr okay?«

»Alles in Ordnung«, sagte Frost.

»POD hin, POD her, ihr solltet hoch kommen.«

Bohrmanns Augen suchten nervös die Lichtinsel ab. Was Frost ihm da erzählte, wusste er zum größten Teil. Haie besaßen im vorderen Bereich ihres Kopfes kleine Gruben, so genannte Lorenzinische Ampullen. Selbst schwächste elektrische Impulse nahmen sie damit wahr, wie sie durch Muskelbewegungen anderer Tiere erzeugt wurden. Er hatte nur nicht gewusst, dass es ein POD gab, mit dem man den elektrischen Sinn stören konnte.

»Das waren Hammerhaie«, sagte er.

»Große Hammerhaie, ja. Jeder um die vier Meter, schätze ich.«

»Scheiße.«

»Bei Hammerhaien funktioniert es besonders gut.« Frost kicherte. »Guck dir ihren Quadratschädel an. Sie haben mehr Lorenzinische Ampullen als jeder andere Hai.«

»Und jetzt?«

Er sah eine Bewegung. Aus dem Dunkel hinter der Insel kamen die beiden Haie erneut zum Vorschein. Bohrmann rührte sich nicht. Er beobachtete, wie die Tiere zum Angriff übergingen. Zielstrebig, ohne die typischen pendelnden Kopfbewegungen, mit denen Haie Duftspuren im Wasser folgten, stießen sie herab, um plötzlich abzustoppen, als seien sie gegen eine Mauer geschwommen. Ihre Mäuler verzerrten sich. Verwirrt schwammen sie ein Stück in die entgegengesetzte Richtung, dann kehrten sie zurück und begannen die Taucher nervös, aber in respektvollem Abstand zu umkreisen.

Es funktionierte tatsächlich.

Frost durfte mit seiner Einschätzung richtig liegen. Jedes der Exemplare maß gut und gern vier Meter. Der Körper war haitypisch. Hingegen wies ihr Kopf eine höchst eigentümliche Form auf, die den Tieren ihren Namen eingetragen hatte. Die Seiten waren zu abgeflachten Flügeln verlängert, an deren äußeren Enden sich Augen und Nasenöffnungen befanden. Die Vorderkante des Hammers war glatt und gerade wie ein Beil.

Langsam begann er sich besser zu fühlen. Wahrscheinlich hatte er sich wie ein Idiot verhalten. Er schätzte, dass die Tiere nicht mal in der Lage waren, dem Exosuit etwas anzuhaben.

Dennoch wollte er weg.

»Wie lange brauchen wir nach oben?«, fragte er.

»Wenige Minuten mit dem *Trackhound*. Nicht länger als runter. Wir schwimmen über die Lichtinsel. Dort schalten wir die Programmierung ein und lassen uns hoch ziehen.«

»In Ordnung.«

»Nicht vorher einschalten, hörst du? Sonst rasselst du mir noch in die Beleuchtung!«

»Okay.«

»Geht's dir gut?«

»Ja, verdammt! Alles bestens. Wie lange hält der Schutz?«

»Das POD holt locker vier Stunden aus dem Akku.« Frost stieg mit gleichmäßigen Flossenschlägen nach oben, die Konsole des *Trackhounds* im Greifer des rechten Arms. Bohrmann folgte ihm.

»Tja, ihr Lieben«, sagte Frost. »Wir müssen euch leider verlassen.«

Die Haie nahmen die Verfolgung auf. Sie versuchten, näher heranzukommen. Ihre Körper zuckten, die Mäuler verzerrten sich. Frost lachte und paddelte weiter auf die Lichtinsel zu. Seine Silhouette hing klein und bläulich vor der riesigen, leuchtenden Fläche, die Konturen überstrahlt. Weiß und Blau, die Farben der Tiefe.

Bohrmann dachte an die blaue Wolke, die sie in der Ferne gesehen hatten.

Natürlich!

Plötzlich fiel sie ihm wieder ein. Vor lauter Schreck hatte er völlig vergessen, dass sie sich unmittelbar vor dem Erscheinen der Haie gebildet hatte. Dasselbe Phänomen war für die Veränderung der Wale verantwortlich gewesen und wahrscheinlich für eine ganze Reihe weiterer Anomalien und Katastrophen. Wenn das stimmte, hatten sie es nicht mit gewöhnlichen Haien zu tun.

Warum waren die Tiere überhaupt hier? Haie hörten ausgezeichnet. Vielleicht hatte sie der Krach angelockt. Aber warum griffen sie an? Weder er noch Frost sonderten irgendwelche Düfte ab. Sie passten nicht ins Beuteschema. Überhaupt waren Haiattacken auf Menschen im tiefen Wasser äußerst selten.

Sie näherten sich dem oberen Rand der Insel.

»Stan? Mit den beiden ist irgendwas nicht in Ordnung.«

»Sie können dir nichts tun.«

»Trotzdem.«

Einer der Haie drehte seinen flachen, breiten Kopf und schwamm ein Stück abseits.

»Obwohl, ganz Unrecht hast du nicht«, sinnierte Frost. »Was mich stutzig macht, ist die Tiefe. Große Hammerhaie sind nie tiefer als 80 Meter beobachtet worden. Ich frage mich, was sie hier ...«

Der Hai drehte um. Einen Moment stand er still, den Kopf leicht angehoben, den Rücken nach oben gewölbt, die klassische Drohstellung. Dann schlug er mehrmals heftig mit dem Schwanz und raste pfeilgerade auf Frost zu. Der Vulkanologe war so überrascht, dass er nicht einmal den Versuch einer Abwehr unternahm. Das Tier bäumte sich kurz und heftig auf, dann schwamm es in das Feld und rammte Frost mit der Breitseite seines Körpers.

Frost drehte sich wie ein Kreisel um seine Achse, Arme und Beine gespreizt.

»He!« Die Konsole entfiel seinem Greifer. »Was zum Donnerwetter ...«

Über dem Gestänge tauchte wie aus dem Nichts ein dritter Körper auf. Er schnellte über die obere Reihe der Scheinwerfer mit unheimlicher Eleganz. Dunkel, hohe Rückenflosse, hammerförmiger Kopf.

»Stan!«, schrie Bohrmann.

Der Neuankömmling war riesig, weit größer als die beiden anderen Haie. Sein Hammer klappte nach oben, als er die Zahnreihen vorstülpte und den Rachen weit aufriss. Er packte Frosts rechten Oberarm und begann daran zu rütteln.

»Scheiße«, zeterte Frost. »Was ist das denn für ein Vieh? Ausgeburt der Hölle! Lässt du mich wohl los, du ...«

Der Hammerhai schüttelte wild seinen großen, eckigen Kopf, wobei er mit der Schwanzflosse gegensteuerte. Er musste zwischen sechs und sieben Meter messen. Frost wurde hin- und hergewirbelt wie ein Blatt. Sein gepanzerter Arm war bis zur Schulter im Maul des Hais verschwunden.

»Hau ab!«, schrie er.

»Um Gottes willen, Stan«, rief van Maarten. »Schlag ihm auf die Kiemen. Versuch, seine Augen zu erreichen.«

Natürlich, dachte Bohrmann. Oben sehen sie zu. Sie sehen alles!

Er hatte sich mitunter gefragt, wie es wäre, einem solchen Riesen zu begegnen, von ihm angegriffen zu werden oder mitzuerleben, wie jemand anderer angegriffen wurde. Die Vorstellung versagte an der Wirklichkeit. Weder war Bohrmann ausgesprochen mutig noch besonders ängstlich. Manche fanden, er sei ein Abenteurer. Sich selber hätte er als couragiert beschrieben, als jemanden, der Risiken nicht scheute, aber auch nicht herausforderte. Aber wie immer die Charakterisierung in der Vergangenheit ausgefallen war, nichts davon galt mehr in diesem Moment, angesichts des kolossalen Angreifers.

Bohrmann floh nicht, er schwamm darauf zu.

Einer der kleineren Haie näherte sich ihm von der Seite. Seine Augen zuckten, die Kiefer blähten sich krampfartig. Offenbar kostete es ihn große Überwindung, in das elektrische Feld zu schwimmen. Dennoch beschleunigte er und rempelte Bohrmann an.

Es war, als kollidiere man mit einem heranrasenden Auto.

Bohrmann wurde auf die Seite geschleudert. Er trieb auf die Lichtinsel zu. Sein einziger Gedanke war, dass er die Konsole nicht loslassen durfte, ganz gleich, was passierte. Der *Trackhound* war seine Rückfahrkarte. Ohne die Kursprogrammierung würde er in der Dunkelheit umherirren, bis seine Sauerstoffreserven verbraucht waren.

Sofern er lange genug lebte.

Plötzlicher Wasserdruck erfasste ihn und drückte ihn in die Tiefe. Der Schwanz des großen Hais peitschte über ihn hinweg. Bohrmann versuchte, die Kontrolle über seine Bewegungen zurückzuerlangen, und sah die beiden kleineren Haie gemeinsam herankommen. Ihre Kiefer schnappten auf und zu. Sie waren der Lichtinsel nun so nahe, dass im ozeanischen Blau ihre natürliche Färbung zu sehen war. Über dem weißlichen Bauch spannte sich ein bronzefarbener Rücken. Zahnfleisch und Racheninneres leuchteten rosaorange wie frisch aufgeschnittenes Lachsfleisch, bestückt mit den charakteristischen dreieckigen Dolchen im Oberkiefer und spitzeren Fangzähnen unten. Fünf hintereinander liegende, stahlharte Reihen, bereit, alles zu zerkleinern, was zwischen sie geriet.

»Gäärrraaad!«, schrie Frost.

Bohrmann sah gegen das Licht der Halogenleuchten, wie Frost mit dem freien Greifer auf den Kopf des großen Hammerhais einschlug. Dann plötzlich riss der Hai mit einer einzigen Kopfbewegung den gepanzerten Arm des Exosuit aus der Schulterhalterung und schleuderte ihn von sich. Sauerstoff wirbelte in dicken Blasen aus der Öffnung hervor. Die Kiefer klappten auseinander, schlossen sich um

Frosts ungeschützten Arm und bissen ihn unterhalb des Schultergelenks ab.

Eine Wolke von Blut breitete sich dunkel aus, vermischt mit Blasen. Unglaublich viel Blut, das von den peitschenden Bewegungen des Hais sofort verteilt wurde. Frost schrie keine Worte mehr, nur noch unartikuliert und schrill, dann wurde ein Gurgeln daraus, als das Meerwasser in seinen Anzug schoss und ihn ausfüllte. Das Schreien verstummte. Die kleineren Haie verloren augenblicklich das Interesse an Bohrmann. Was immer sie steuerte, kurzzeitig übernahm der natürliche Fressrausch das Kommando über ihr Verhalten. Sie stürzten sich in den schäumenden Wirbel, verbissen sich im leblosen Körper des Vulkanologen, wirbelten ihn herum und versuchten, die Panzerung zu durchbeißen.

Auch van Maartens schrie, überlagert von Störgeräuschen.

Bohrmanns Gedanken überschlugen sich. Er fühlte den lähmenden Schock. Zugleich arbeitete ein Teil seines Verstandes glasklar und sagte ihm, dass er nicht auf die Instinkte der Tiere vertrauen durfte. Ihre Kraft und Fresslust wurden manipuliert. Es ging nicht ums Fressen. Der Instinkt brach sich Bahn, aber dem Zeug, das in ihren Köpfen sitzen musste, war einzig daran gelegen, die Menschen hier unten zu töten.

Er musste zurück zur Felswand.

Sein linker Greifer schlug gegen das Tastenfeld der Konsole. Wenn er jetzt den falschen Schalter erwischte, würde er die Programmierung aktivieren, die ihn rauf zur *Heerema* brachte. Dann wäre er verloren, nachdem das POD-Feld die Haie nicht mehr abhielt. Aber er drückte die richtige Taste. Der Propeller schnurrte los. Hastig bewegte er den Joystick so, dass ihn der Hund von der Lichtinsel weg- und auf die Felswand zuzog. Er spürte die Beschleunigung, doch im Gegensatz zum Abstieg, als ihm der kleine Roboter wendig und schnell vorgekommen war, schien er nun unerträglich langsam dahinzudümpeln.

Bohrmann schlug mit den Flossen und glitt ins Blaue, der Terrasse entgegen. Es gab nicht viel, was man in einer solchen Situation tun konnte, aber eine der Regeln für Taucher besagte, dass Felsen Rückendeckung gaben. Bohrmann trieb auf die schwarze Lavawand zu. Unmittelbar davor drehte er bei und starrte hoch zur Lichtinsel. Die Blutwolke hatte sich ausgebreitet, zuckende Schwänze und Flossen darin, schäumende Wirbel. Teile von Frosts Anzug sanken herab. Der Anblick war grauenhaft, aber was ihn wirklich entsetzte, war nicht das Gemetzel selber. Es war die Tatsache, dass nur noch zwei Haie daran beteiligt waren.

Der große fehlte.

Lähmende Furcht überkam Bohrmann. Er schaltete den Propeller aus und schaute sich um.

Der große Hammerhai stieß aus der Sedimentwolke hervor, das Maul weit gedehnt. Mit atemberaubender Geschwindigkeit glitt er heran. Diesmal setzte Bohrmanns Verstand aus. Er verfing sich in der Frage, ob er den *Trackhound* wieder einschalten sollte oder nicht, da prallte der keilförmige Kopf auch schon mit Gewalt gegen ihn. Der Aufprall schleuderte Bohrmann gegen die Felswand. Mit hohem Krachen landete er auf dem Gestein. Der Hai schwamm weiter, beschrieb einen engen Bogen und kehrte im Tempo eines Rennwagens zurück. Bohrmann schrie auf. Die Welt verwandelte sich in einen Abgrund aus Rachen und Zähnen, dann verschwand seine komplette linke Seite in dem klaffenden Maul, von der Schulter bis zur Hüfte.

Das war's, dachte er.

Ohne innezuhalten, glitt der Hai über den Hang und schob ihn durchs Wasser. Es rauschte und dröhnte in seinen Kopfhörern. Auf der Titaniumhülle des Exosuits knirschten vernehmlich die Zähne. Der Kopf des Hais pendelte hin und her, sodass der Helm mehrfach gegen den Felsen schlug und daran entlangschrammte. Alles drehte sich. Die Titaniumlegierung war robust genug, solche Schläge eine Zeit lang wegzustecken, aber dafür knallte Bohrmanns Kopf im Innern gegen die Innenseiten, dass ihm Hören und Sehen verging. Er war absolut hilflos, sein Schicksal besiegelt. Er würde zersäbelt und zerlegt werden. Sein Leben war keinen Atemzug mehr wert.

Und genau diese Hilflosigkeit entfachte seine Wut.

Noch atmete er.

Noch konnte er sich wehren!

Über ihm erstreckte sich die gerade Kontur des Hammers. Die Kopfbreite des Hais bemaß sich auf über ein Viertel seiner Körperlänge, sodass die seitlichen Auswölbungen weit auseinander standen. Bohrmann sah nur die Kante, kein Auge und kein Nasenloch. Er begann, mit der Konsole darauf einzuprügeln. Damit schien er keinen großen Eindruck auf das Tier zu machen. Der Hai stieß ihn weiter voran, der Lichtgrenze zu, dort, wo sie die Explosion abgewartet hatten. Wenn sie einmal im schwarzen Wasser waren, würde er das Tier nicht einmal mehr sehen können.

Sie durften das Licht nicht verlassen.

Bohrmanns Wut wuchs ins Maßlose. Sein linker Arm, der im Rachen steckte, fuhr hoch und schlug gegen die Gaumenplatte. Eigentlich konnte er von Glück sagen, dass der Hai gleich seine ganze Seite verschluckt hatte. Hätte er nur einen Arm oder ein Bein gepackt, wäre es ihm längst ergangen wie Frost, aber der Panzer um die Körpermitte wies keinerlei Schwachstellen wie Gelenkringe auf. Er war zu groß und zu massiv, um ihn einfach durchzubeißen, selbst für diesen Koloss. Auch der Hai schien das begriffen zu haben. Er schüttelte seinen Kopf noch stärker. Bohrmann war kurz davor, die Besinnung zu verlieren. Wahrscheinlich hatte er schon mehrere Rippenbrüche zu beklagen, aber je wilder ihn das Tier herumwirbelte, desto wütender wurde er. Er bog den rechten Arm nach hinten, wo der Hammerkopf endete, holte aus und ließ die Konsole mehrfach darauf niederkrachen …

Plötzlich war er frei.

Der Hai hatte ihn ausgespuckt. Offenbar hatte er eine empfindliche Stelle getroffen, ein Auge oder ein Nasenloch. Der riesige Körper schnellte aufwärts an ihm vorbei und schleuderte ihn gegen den Felsen. Für einen Moment sah es tatsächlich so aus, als ergreife der Hai die Flucht. Bohrmann überlegte fieberhaft, wie er die Situation nutzen konnte. Er gab sich keinen Illusionen darüber hin, was den Aufstieg zur *Heerema* betraf. Vorübergehend hatte er das Tier von sich abgebracht, aber ihm blieben allenfalls ein paar Sekunden. Hastig zog er den *Trackhound* zu sich heran und umklammerte die schlanke Röhre mit beiden Armen.

Um keinen Preis durfte er ihn verlieren.

Der Hai verschwand in der Dunkelheit und kam ein Stück weiter entfernt wieder daraus hervor, ein blauer Schemen.

Bohrmann sah gehetzt zur Wand.

Da war der Höhlenspalt!

In einiger Entfernung glitt der gewaltige Leib des Hammerhais tiefer in die offene See. Bohrmann schob sich entlang der Wand auf den Spalt zu. Unterhalb der Lichtinsel sah er die beiden anderen Haie immer noch um Frosts Überreste kämpfen. Die Gruppe sank abwärts, aus der beleuchteten Zone hinaus. Er fragte sich, wann sie von dem zerfetzten Körper ablassen und herüberschwimmen würden, und dann fragte er sich gar nichts mehr. Im Zwielicht vollzog der große Hai eine unglaublich schnelle Kehrtwendung und kam zurück.

Bohrmann schob sich in den Spalt.

Es war eng darin. Der Anzug mit den im Rückenteil verankerten Flaschen behinderte ihn, sodass er kaum hineinkam. Schraubstockartig wurden seine Arme an die Seiten gedrückt. Er versuchte, sich tiefer in die Höhle zu quetschen, und da war der Hai auch schon heran.

Die Knochenplatte des Hammers krachte gegen die Felsränder. Das Tier prallte zurück. Sein Kopf war zu breit, um hineinzugelangen. Es schwamm einen Kreis, der so eng war, dass es aussah, als verfolge es seinen eigenen Schwanz, und stieß ein weiteres Mal vor.

Lavabröckchen lösten sich in Wolken vom Höhleneingang und trübten die Sicht. Bohrmann presste die Arme noch dichter an den Körper. Er hatte keine Ahnung, wie weit der Spalt ins Gestein reichte. Der Hai wütete draußen am Felsen und wirbelte Sediment und Splitter auf. Die Wolke umhüllte Bohrmann in seiner Höhle. Das blaue, hereinscheinende Licht der Insel verschwand fast völlig.

»Dr. Bohrmann?«

Van Maarten. Sehr schwach.

»Bohrmann, um Himmels willen, antworten Sie!«

»Ich bin hier.«

Van Maarten stieß ein Geräusch aus, vielleicht einen Seufzer der Erleichterung. Er war kaum zu verstehen im Getöse, das der Hai veranstaltete. Lärm unter Wasser war etwas völlig anderes als an der Luft, ein dumpfes, hohl polterndes Gebräu aus allen möglichen, einander überlagernden Schwingungen. Bohrmann begann zu zittern, und plötzlich hörte der Ansturm auf. Er klemmte in seiner Spalte, blind im schwarzen Partikelnebel. Das Licht der Insel war nur zu ahnen.

»Ich stecke in einer Felsritze«, sagte er.

»Wir schicken die Roboter nach unten«, sagte van Maarten. »Und zwei Männer. Wir haben noch zwei Anzüge.«

»Vergessen Sie's. Das POD funktioniert nicht.«

»Ich weiß. Wir haben gesehen, was mit Frost ...« Van Maartens Stimme versagte. »Die Männer kommen trotzdem, sie haben Harpunen mit Explosivgeschossen dabei und ...«

»Explosivgeschosse? Was für eine glänzende Idee!«, sagte Bohrmann mit ätzender Stimme.

»Frost war überzeugt, dass ihr so was nicht braucht.«

»Nein. Schon klar.«

»Das POD hat immer einwandfrei ...«

Etwas rammte Bohrmann frontal und stieß ihn mit Wucht tiefer ins Innere des Spalts. Er war dermaßen überrascht, dass er zu schreien vergaß. Im trüben Restlicht sah er den Hammer. Er war senkrecht gegen ihn geprallt. Der Hai versuchte, auf der Seite liegend in die Höhle zu schwimmen.

Cleveres Kerlchen, dachte er grimmig. Sein Herz schlug ihm bis zum Halse. Aber das wird dir schlecht bekommen.

Er drosch auf den Hammer ein, bemüht, den Hund nicht loszulassen. Undeutlich sah er die Kiefer darunter auf- und zuklappen. Haie konnten nicht rückwärts schwimmen. Der eckige Kopf schlug auf und nieder, aber die Kiefer erreichten ihn nicht. Das Auge im oberen Ende rollte wild hin und her. Bohrmann hob den Greifer mit der Konsole und ließ sie darauf niedersausen.

Der Hammer zuckte zurück.

Allein wird er hier nicht rauskommen, dachte Bohrmann. Er begann, den *Trackhound* mit aller Kraft gegen den Schädel zu drücken. So tief konnte der Hai noch nicht eingedrungen sein. Wie weit ging die Kontrolle der Gallerte? Sie steuerte das Verhalten der Tiere, aber konnte sie einen Hai auch dazu bringen, rückwärts zu schwimmen?

Offenbar ja, denn der Hammer verschwand aus der Höhle.

Es war das große Tier gewesen.

Bohrmann wartete.

Wieder stieß etwas aus der Wolke. Dieser Hammer kam waagerecht herangesaust. Eines der kleineren Tiere. Sein Kopf donnerte gegen das gewölbte Sichtfenster des Helms. Die Kiefer klappten auseinander, Zahnreihen schrammten über das Plexiglas. Der Hai verdunkelte die Öffnung des Spalts so sehr, dass Bohrmann jetzt so gut wie gar nichts mehr sah, aber das bisschen reichte ihm. Er versuchte, sich noch weiter ins Innere des Spalts zu drücken, und plötzlich schienen die Wände nachzugeben. Er stürzte rückwärts ins Nichts.

Pechschwarze Finsternis.

Fahrig bewegte er den linken Greifer über die Konsole. Der Schalter für die Lampe des *Trackhounds* lag oberhalb der Programmiertasten. Eben hatte er doch noch ...

Wo war die verdammte Taste?

Da!

Der Scheinwerfer flammte auf. Im wandernden Licht erkannte er, dass sich der Spalt zu einer geräumigen Höhle geöffnet hatte. Er richtete den Lichtkegel auf die Öffnung und sah den Kopf des Hais darin auftauchen. Der Hammer schwenkte hin und her, aber das Tier kam nicht weiter ins Innere.

Was ist los?, dachte Bohrmann.

Dann begriff er.

Der Hai steckte fest.

Er holte aus und schlug wie wahnsinnig auf den kastenförmigen Schädel ein. Wahrscheinlich hing das Tier schon zur Hälfte im Spalt. Plötzlich wurde ihm bewusst, dass es keine gute Idee war, den Hai so sehr zu verletzen, dass er blutete, und er drückte mit seinem ganzen Körpergewicht dagegen. Unter Wasser war es damit nicht weit her, also stieß er sich ab und ließ sich gegen den schnappenden Kopf fallen, mit Brustkorb, Schultern und Armen, immer wieder, bis der Hai langsam zurückwich. Der Lichtkegel des *Trackhounds* zuckte hin und her, erhellte den rosa Schlund mit den pulsierenden Kiemenöffnungen.

Dein verdammtes Problem, wie du hier rauskommst, dachte Bohrmann. Aber ich *will*, dass du hier rauskommst! Das ist meine Höhle, also verpiss dich!

»Verpiss dich!«

»Dr. Bohrmann?«

Der Hai wich weiter zurück. Dann war er verschwunden.

Bohrmann ließ sich zurückfallen. Seine Arme zuckten. Er stand dermaßen unter Spannung, dass er einen Moment nicht wusste, wie er es schaffen sollte stillzuhalten. Plötzlich fühlte er namenlose Erschöpfung über sich kommen und sank in die Knie.

»Dr. Bohrmann?«

»Gehen Sie mir nicht auf den Sack, van Maarten.« Er hustete. »Tun Sie irgendwas, um mich hier rauszuholen.«

»Wir werden die Roboter und die Männer unverzüglich losschicken.«

»Wozu der Roboter?«

»Wir bringen alles nach unten, was die Tiere ängstigen und ablenken könnte.«

»Das sind keine Tiere. Das sind die Hüllen von Tieren. Sie wissen, was ein Roboter ist. Sie wissen ganz genau, was wir hier tun.«

»Haie?«

Frost hatte van Maarten offenbar nicht alles erzählt.

»Ja, Haie. Es sind ebenso wenig Haie, wie die Wale noch Wale sind. Etwas steuert sie. Die Männer sollen sich vorsehen.« Er musste erneut husten, diesmal heftiger. »Ich sehe nichts in der blöden Höhle. Was passiert da draußen?«

Van Maarten schwieg einen Moment.

»Mein Gott«, sagte er.

»He! Reden Sie mit mir.«

»Es sind weitere Tiere aufgetaucht. Dutzende. Hunderte! Sie zertrümmern die Scheinwerfer der Lichtinsel. Sie schlagen alles kurz und klein.«

Natürlich tun sie das, dachte Bohrmann. Darum geht es ja. Uns davon abzubringen, die Würmer wegzusaugen. Nur darum geht es.

»Dann vergessen Sie's.«

»Wie bitte?«

»Vergessen Sie Ihre Rettungsaktion, van Maarten.«

Es rauschte so sehr im Helm, dass van Maarten seine Antwort wiederholen musste.

»Aber die Männer sind bereit.«

»Sagen Sie denen, da unten erwarten sie intelligente Lebewesen. Diese Haie sind intelligent. Das Zeug in ihren Köpfen ist intelligent. Es wird nicht funktionieren mit zwei Tauchern und einem Blechkameraden. Denken Sie sich was anderes aus. Ich hab ja noch für knapp zwei Tage Sauerstoff.«

Van Maarten zögerte.

»In Ordnung. Wir beobachten die Sache. Vielleicht ziehen sich die Tiere in den nächsten Stunden zurück. Glauben Sie, dass Sie in Ihrer Höhle fürs Erste sicher sind?«

»Was weiß denn ich? Vor gewöhnlichen Haien bin ich sicher, aber der Einfallsreichtum unserer Freunde kennt keine Grenzen.«

»Wir holen Sie da raus, Gerhard! *Bevor* Ihnen die Luft ausgeht.«

»Ich bitte sehr darum.«

Allmählich fiel wieder etwas Licht in den Spalt. Die Strömung am Vulkansockel trug die Sedimentpartikel mit sich fort. Wenn es stimmte, was van Maarten sagte, würde das Licht bald erlöschen.

Dann wäre er allein in der finsteren See. Bis irgendwann jemand kam, um es mit ein paar Hundert Hammerhaien aufzunehmen.

Mit der fremden Intelligenz.

Kein Hai, der seine naturgegebenen Sinne beisammen hätte, wäre je in das elektrische Feld geschwommen. Kein Hammerhai hätte zwei Taucher in Exosuits angegriffen, und falls doch, hätte er schnell wieder von ihnen abgelassen. Hammerhaie galten als potenziell gefährlich und mitunter enervierend neugierig, meist aber machten sie einen Bogen um alles, was ihnen suspekt erschien.

Normalerweise schwammen sie auch nicht in Felsspalten.

Bohrmann kauerte in seiner Höhle, versehen mit Atemluft für weitere 20 Stunden und einem nicht funktionierenden Haiabwehrsystem. Er hoffte, es würde kein weiteres Gemetzel geben, wenn van Maartens Leute herunterkamen. *Wann* immer sie kamen.

Ein Gemetzel in lichtloser Finsternis.

Er schaltete den Scheinwerfer seines *Trackhounds* aus, um die Batterien zu schonen. Sofort umgab ihn tintige Schwärze. Nur sehr schwach drang Licht durch den Spalt.

Es wurde zusehends schwächer.

Johanson fand keine Ruhe.

Er war im Welldeck gewesen, wo Lis Männer unter der Aufsicht Rubins soeben die Überführung der Gallertmasse in den Simulator vorbereiteten. Der Tank wurde komplett geleert und dekontaminiert. Die *Pfiesteria*-verseuchten Krabben wanderten in flüssigen Stickstoff. Alles geschah unter höchsten Sicherheitsvorkehrungen. Johanson und Oliviera waren übereingekommen, mit den Phasentests zu beginnen, sobald sich die Masse im Tank befand. Während Crowe und Shankar über der Entschlüsselung des zweiten *Scratch*-Signals zusammensaßen, besprachen sie sich und legten die Testfolge fest.

»Der Schrecken sitzt tief«, hatte Li in einer kurzen, improvisierten Ansprache gesagt. »Wir alle sind zutiefst betroffen. Man hat versucht, uns zu demoralisieren, zu vernichten. Aber davon dürfen wir uns nicht lähmen lassen. Sie werden sich fragen, ob dieses Schiff noch sicher ist, und ich kann Ihnen antworten: Ja, es ist sicher! Solange wir dem Gegner keine Gelegenheit mehr geben einzudringen, haben wir an Bord der *Independence* nichts zu befürchten. – Aber dennoch ist Eile geboten. Wir dürfen nicht nachlassen in unseren Bemühungen, Kontakt herzustellen. Jetzt erst recht. Wir müssen die anderen davon überzeugen, den Terror gegen die menschliche Rasse zu stoppen!«

Johanson ging hinauf aufs Flugdeck, wo der Bordservice damit befasst war, die Überreste der abgebrochenen Party beiseite zu schaffen. Die Sonne stand wieder am Himmel, das Meer sah aus wie gewohnt. Kein blaues Leuchten, keine Blitze. Kein Traum aus Licht, der sich zum Alptraum wandelte.

Er kehrte zurück zum Ausgangspunkt seiner Gedanken, bevor Li ihm den Rotwein gebracht und versucht hatte, ihn über sein nächtliches Abenteuer auszuquetschen. Zweierlei hatte er sehr schnell begriffen. Erstens, Li wusste, was wirklich geschehen war. Zweitens, sie war nicht sicher, woran er sich erinnerte und ob er die Wahrheit sagte, und das bereitete ihr Sorgen.

Sie hatten ihn belogen. Er war nicht gestürzt.

Dabei hatte er kurz davor gestanden, es zu akzeptieren. Hätte Oliviera nicht auf der Rampe zu ihm gesagt, er habe in der vorangegangenen Nacht Rubin zu sehen geglaubt, wie er durch eine geheime Tür im Hangardeck ging, hätte er sich auch daran nicht mehr erinnert und sich folgsam mit der Erklärung zufrieden gegeben, die Angeli und die anderen ihm verordnet hatten. Aber Oliviera Bemerkung hatte etwas in

Gang gesetzt. Sein Gehirn begann sich zu reprogrammieren. Rätselhafte Bilder entstanden und vergingen. Während er die gleichförmig bewegte See anstarrte, richtete er seinen Blick nach innen. Plötzlich saß er wieder mit Oliviera auf der Kiste, sie tranken Wein, und er sah Rubin durch die Tür in der Hangarwand treten. Sie war ein Stück weit weg gewesen, diese Tür, aber ein anderes Bild suggerierte ihm, dicht davor zu stehen – für Johanson Beweis genug, dass es diesen rätselhaften Durchgang gab.

Aber was war danach geschehen?

Sie waren runter ins Labor gegangen. Dann war er zurückgekehrt ins Hangardeck. Wozu? Hatte es etwas mit dieser Tür zu tun gehabt?

Oder bildete er sich alles nur ein?

Du könntest alt und wunderlich geworden sein, ohne es zu merken, dachte er. Das wäre natürlich peinlich. Zu Li zu gehen und sie zur Rede zu stellen, um einsehen zu müssen, dass man sie nicht alle beieinander hatte. Keine erhebende Vorstellung.

Während er noch darüber nachgrübelte, hatte das Schicksal ein Einsehen. Es schickte ihm Weaver. Johanson freute sich, als er ihre kleine, kompakte Silhouette über das Deck zu sich herüberkommen sah. Sie hatten in letzter Zeit wenig Kontakt gehabt. War sie ihm zu Anfang als Verschworene erschienen, hatte er schnell einsehen müssen, dass sie keinen Ersatz für Lund darstellte. Sie verstanden sich gut, aber eine tiefere Bindung war nicht aufgekommen, weder im Château noch auf der *Independence*. Vielleicht hatte er gehofft, etwas von dem an ihr gutmachen zu können, was Lund zugestoßen war. Inzwischen lagen die Dinge anders. Johanson war bei weitem nicht mehr sicher, ob er wirklich eine Schuld abzutragen hatte, und auch nicht, ob zwischen ihm und Weaver je etwas von der Vertrautheit herrschen würde, die er mit Lund geteilt hatte. Derzeit kam es ihm eher so vor, als bahne sich etwas zwischen ihr und Anawak an, und eigentlich passten die beiden auch viel besser zusammen.

Vertrautheit würde es also nicht geben.

Aber Vertrauen. Etwas ganz anderes. Weaver Vertrauen zu schenken, konnte nur belohnt werden. Sie war viel zu nüchtern, um romantische Erfüllung in geheimnisvollen Begebenheiten zu finden. Sie würde ihn anhören und ihm klar zu verstehen geben, ob sie ihm glaubte oder ihn für verrückt hielt.

Er schilderte ihr in knappen Sätzen, woran er sich erinnern konnte, was ihn verwirrte, in welchen Punkten er sich selber misstraute und was er bei Lis Versuch, ihn auszuquetschen, empfunden hatte.

Nach einer Weile des Nachdenkens fragte Weaver:

»Warst du schon mal nachsehen?«

Johanson schüttelte den Kopf. »Ich hatte noch keine Gelegenheit.«

»Du hättest reichlich Gelegenheit gehabt. Du hast Angst nachzusehen, weil du fürchtest, nichts zu finden.«

»Wahrscheinlich hast du Recht.«

Sie nickte. »Gut. Dann gehen wir jetzt zusammen runter.«

Sie hatte den Nagel auf den Kopf getroffen. Tatsächlich empfand Johanson Angst und Unsicherheit mit jedem Schritt, den sie zum Hangardeck hinabstiegen. Was, wenn sie nun wirklich nichts entdeckten? Beinahe war er jetzt sicher, dass sie dort unten keine Tür finden würden, und dann müsste er sich mit dem Gedanken anfreunden, an Schizophrenie zu leiden. Er war 56 Jahre alt. Er war ein gut aussehender Mann, dem man Intelligenz, erotische Ausstrahlung und Charme attestierte, mit einer hohen Trefferquote bei Frauen.

Offenbar war er auch ein seniler Tattergreis.

Es kam, wie er es befürchtet hatte. Mehrfach schritten sie die Wand ab, aber er fand nichts, was auf einen Durchlass hindeutete.

Weaver sah ihn an.

»Schon gut«, murmelte er.

»Kein Problem«, erwiderte sie. Und dann fügte sie zu seiner großen Überraschung hinzu: »Die Wand ist genietet, überall laufen Rohre entlang und Schweißnähte, es gibt tausend Möglichkeiten, hier eine Tür einzubauen, die man nicht sieht. Versuch dich zu erinnern, wo *genau* du diese Tür gesehen hast!«

»Du *glaubst* mir?«

»Ich kenne dich ganz gut, Sigur. Du bist kein Spinner. Du säufst nicht wie ein Loch und nimmst keine Drogen. Du bist ein Genießer, und Genießer haben einen Blick für Details, die anderen verborgen bleiben. Ich bin mehr der Typ für *Fish 'n' Chips*. Wahrscheinlich würde ich diese Tür nicht sehen, wenn sie vor meiner Nase geöffnet würde, weil ich gar nicht auf die Idee käme, dass es so was Abgedrehtes gibt. Ich weiß ja nicht, *was* du gesehen hast, aber … ja, ich glaube dir.«

Johanson lächelte. Impulsiv gab er Weaver einen Kuss auf die Wange und ging einigermaßen beschwingt die Rampe hinunter zum Labor.

LABOR

Rubin war immer noch sehr blass, und wenn er redete, klang es wie das Krächzen eines Papageis. Tatsächlich hatte nicht viel gefehlt zu seinem Ableben. Greywolf war kurz davor gewesen, ihn ins Jenseits zu befördern. Der Biologe gab sich verständnisvoll. Er lächelte steif und kam Johanson vor wie Schwester Ratched in *Einer flog über das Kuckucksnest*, nachdem Jack Nicholson seine Hände um ihren Hals gelegt hatte. Wenn er nach rechts oder links schaute, drehte er seinen Oberkörper mit, ließ alle an seiner erbarmungswürdigen körperlichen Verfassung teilhaben und verkündete, Greywolf nicht böse zu sein.

»Die waren zusammen, stimmt's?«, röchelte er. »Das muss schrecklich für ihn sein. Und ich war es, der die Schleuse nochmal öffnen wollte. Ich meine, er hätte mich nicht angreifen dürfen, aber ich kann ihn *so* gut verstehen.«

Oliviera wechselte den einen oder anderen Blick mit Johanson und hielt ansonsten ihren Mund.

Im Tank trieben große Brocken der Masse. Sie hatten wieder zu leuchten begonnen. Was die drei Biologen im Augenblick mehr interessierte, war jedoch nicht die Gallerte selber, sondern die Wolke. Während Lis Leute zweieinhalb Tonnen von dem Zeug in den Simulator geschaufelt hatten, waren auch große Mengen zerschmolzener Substanz mit hineingewandert. Inmitten frei schwimmender Mikroorganismen und Materieklumpen war ein Roboter unterwegs, voll gestopft mit hoch empfindlichen Sensoren, die unablässig die chemische Zusammensetzung des Wassers maßen und die Daten auf die Monitore der Konsole weiterleiteten. Der Außenrand des Roboters war bestückt mit Röhren, die sich auf Knopfdruck ausfahren, öffnen, schließen und wieder einfahren ließen. Das ganze Ding war nicht viel größer als der *Spherobot* und extrem robust und wendig.

Johanson saß in der Pose eines Raumschiffkapitäns an der Konsole und wartete, die Hände um beide Joysticks gelegt. Sie hatten das Licht im Tank und im Labor auf das notwendige Minimum herabgedimmt, um die Vorgänge besser beobachten zu können. So wurden sie Zeuge, wie sich die Masse allmählich erholte. Die Gallertbrocken leuchteten intensiver, Ströme blauen Lichts pulsierten durch ihr Inneres.

»Ich glaube, es geht los«, flüsterte Oliviera. »Es reformiert sich.«

Johanson lenkte den Roboter unter einen der Brocken, öffnete ein Probenröhrchen und ließ es in die Masse hineinfahren. Der Rand des Röhrchens war messerscharf geschliffen. Es trennte etwas von der Gallerte ab, verschloss sich von selbst wieder und fuhr zurück in den Kranz. Der Brocken reagierte nicht auf die Punktierung. Er verformte sich leicht, eingehüllt in blaue Wolkenschwaden. Johanson wartete einige Sekunden und wiederholte die Prozedur an anderer Stelle.

Winzige Lichter blitzten in dem Gallertklumpen auf. Er hatte die Größe eines ausgewachsenen Tümmlers oder Delphins. Je länger Johanson hinsah, während er seine Probenröhrchen füllte, desto sicherer war er, dass diese Einschätzung exakt zutraf. Die Größe eines Delphins. Nein, mehr noch. Die Form eines Delphins.

Im gleichen Augenblick sagte Oliviera:

»Nicht zu glauben. Es sieht aus wie ein Delphin.«

Johanson vergaß beinahe, den Roboter zu lenken. Er beobachtete fasziniert, wie auch andere Brocken ihre Form veränderten. Einige erinnerten an Haie, andere schienen Kalmare nachzuahmen.

»Wie ist das möglich?«, röchelte Rubin.

»Programmierung«, sagte Johanson. »Es kann nur so sein.«

»Woher wissen die, wie das geht?«

»Sie wissen es einfach. Sie haben es gelernt.«

»Wie?«

»Wenn sie in der Lage sind, Formen und Bewegungsabläufe nachzuahmen«, sagte Oliviera, »müssen sie Meister der Tarnung sein. Was meint ihr?«

»Ich weiß nicht.« Johanson war skeptisch. »Ich bin nicht sicher, ob das, was wir da sehen, den Zweck von Mimikri hat. Es kommt mir eher so vor, als ob sie sich an etwas ... erinnern.«

»Erinnern?«

»Du weißt, was passiert, wenn wir denken. Bestimmte Neuronen leuchten auf, Gruppen und Verknüpfungen. Es entsteht ein Muster. Unser Hirn kann seine Gestalt nicht ändern, aber die neuronalen Muster ergeben schon irgendwie eine Form. Wenn man verstünde, sie zu lesen, könnte man ziemlich konkret sagen, woran der Betreffende gerade denkt.«

»Du meinst, sie *denken* an einen Delphin?«

»Das sieht nicht aus wie ein Delphin«, meinte Rubin.

»Doch, es ist ...« Johanson stutzte. Rubin hatte Recht. Die Form war eine andere geworden. Jetzt glich sie eher einer Art Rochen, der mit langsam schlagenden Flügeln im Tank aufwärts stieg. Aus den Flügelspitzen wuchsen dünne, tastende Fäden.

»Seht euch das an!«

Die Rochenform verging in etwas Schlangenartigem. Die Masse stob auseinander. Plötzlich schienen Tausende winziger Fische mit synchronen Bewegungen dahinzuflitzen, wuchsen wieder zusammen, das Gebilde veränderte in immer schnellerem Wechsel sein Aussehen, als laufe ein Programm ab. In Sekundenbruchteilen wechselten vertraute mit fremdartigen Formen. Sämtliche Gallertbrocken waren von dem Phänomen befallen. Gleichzeitig trieben sie aufeinander zu. Die schon vertrauten Blitze zuckten auf, und einen schrecklichen, unheimlichen Moment lang glaubte Johanson in dem rasend schnellen Gestaltwechsel einen menschlichen Umriss wahrzunehmen.

Alles strömte ineinander, Materie und Wolkenfetzen.

»Es verschmilzt!«, ächzte Rubin. Er schaute mit glänzenden Augen auf die Sichtfelder des Monitors vor ihm. Daten liefen darüber hinweg. »Das Wasser ist gesättigt mit einem neuen Stoff, einer chemischen Verbindung!«

Johanson kurvte mit dem Roboter durch das kollabierende Universum und entnahm in stetiger Folge Proben. Es war wie bei einer Rallye. Wie viel würde er zusammenbekommen? Wann empfahl es sich, den Rückzug anzutreten? Die Masse schien sich vollständig erholt zu haben. Ein Zentrum bildete sich. Alles stürzte in sich zusammen. Was sie im Kleinen schon einmal erlebt hatten, vollzog sich jetzt im Großen. Die Erschaffung eines Wesens aus einzelnen Zellen. Ein Organismus ohne sichtbare Augen, Ohren und sonstige Sinnesorgane, ohne Herz, Hirn und Innereien, ein homogener Klumpen, der dennoch zu komplexen Prozessen in der Lage war.

Etwas Riesiges entstand. Gut die Hälfte dessen, was ins Welldeck eingedrungen war, hatten die Pumpen zurück ins Meer befördert. Doch immer noch besaß der verbliebene Rest die Ausmaße eines Kleintransporters. Durch das ovale Fenster des Tanks sahen sie, wie die Gallerte sich zusammenballte und verfestigte. Johanson zog den Roboter in den Randbereich der Verschmelzung, wo unablässig blaue Schwaden dem Zentrum zustrebten. Drei der Röhrchen waren noch unbeprobt. Er ließ sie aus dem Kranz fahren und wagte einen erneuten Vorstoß in die Masse.

Blitzschnell zog sich das Wesen zurück und produzierte Dutzende von Tentakeln, die den Roboter packten. Johanson verlor die Herrschaft über die Maschine. Unbeweglich hing sie im Klammergriff des Wesens, das dem Boden des Tanks entgegensank und dabei eine Art klumpigen Fuß produzierte. Plötzlich erinnerte es an einen gewaltigen Pilz mit einem Kranz biegsamer Arme.

»Scheiße«, fluchte Oliviera. »Du warst zu langsam.«

Rubins Finger glitten über die Tastatur seines Rechners.

»Ich habe hier jede Menge Daten«, sagte er. »Ein molekularer Vollrausch. Das Zeug *benutzt* ein Pheromon! Ich lag also richtig.«

»Anawak lag richtig«, berichtigte ihn Oliviera. »Und Weaver.«

»Natürlich, ich wollte sagen …«

»Wir lagen alle richtig.«

»Das wollte ich sagen.«

»Etwas, das wir kennen, Mick?«, fragte Johanson, ohne den Blick von den Monitoren zu lassen.

Rubin schüttelte den Kopf. »Keine Ahnung. Die Zutaten sind bekannt. Über das Rezept kann ich nichts sagen. Wir brauchen die Proben.«

Johanson sah zu, wie sich aus der Oberseite des Wesens ein dicker Strang wand, dessen Spitze sich zu einem Busch feiner Fühler verzweigte. Der Strang bog sich zu dem Roboter hinab. Die Fühler betasteten die Maschine und die Probenbehälter.

Alles sah nach einer strukturierten, bedächtigen Untersuchung aus.

»Sehe ich das richtig?« Oliviera beugte sich vor. »Will es die Röhrchen öffnen?«

»Die sind so leicht nicht aufzukriegen.« Johanson versuchte die Kontrolle über den Roboter zurückzuerlangen. Die Fangarme, die ihn umklammert hielten, reagierten, indem sie sich noch fester um die Maschine schmiegten.

»Hat sich offenbar verliebt«, seufzte er. »Na schön. Warten wir's ab.«

Die Fühler setzten ihre Untersuchung fort.

»Kann es den Roboter eigentlich sehen?«, fragte Rubin.

»Womit?« Oliviera schüttelte den Kopf. »Es kann die Form wechseln, aber wohl kaum Augen ausbilden.«

»Vielleicht braucht es das ja gar nicht«, sagte Johanson. »Es *begreift* seine Welt.«

»Das tun Kinder auch.« Rubin sah ihn zweifelnd an. »Aber sie haben ein Gehirn, um das Begriffene abzuspeichern. Wie versteht dieses Zeug, was es begreift?«

Plötzlich gab die Masse den Roboter frei. Sämtliche Fühler und Fangarme bildeten sich zurück und verschwanden in der großen Struktur. Der Organismus verflachte sich, bis er den Boden des Tanks in einer dünnen Schicht vollständig bedeckte.

»Schwimmender Estrich«, spottete Oliviera. »Das kann es also auch.«

»*Arrivederci*«, sagte Johanson und fuhr den Roboter zurück in die Garage.

»Was wollt ihr uns eigentlich sagen?«

Crowe stützte das Kinn in die Hände. Zwischen Zeigefinger und Mittelfinger ihrer Rechten qualmte die obligatorische Zigarette vor sich hin, aber diesmal verbrannte sie fast ungeraucht. Crowe fand keine Zeit, daran zu ziehen. Sie versuchte, zusammen mit Shankar hinter die Botschaft zu kommen, die ihnen die Yrr geschickt hatten.

Eine Botschaft, die begleitet gewesen war von einem Angriff.

Nachdem der Computer die erste Nachricht decodiert hatte, war er mit der zweiten relativ schnell zurechtgekommen. Die Yrr hatten wie beim ersten Mal im binären Code geantwortet. Noch war unklar, ob die Daten wieder ein Bild ergaben. Bislang schien nur eine einzige Abfolge Sinn zu machen, eine Information, die sich vor dem Hintergrund des zu erwartenden fremdartigen Denkens geradezu lächerlich einfach ausnahm.

Es war die Darstellung eines Moleküls, eine chemische Formel.

H_2O.

»Sehr originell«, meinte Shankar säuerlich. »Dass sie im Wasser leben, wissen wir schon länger.«

Allerdings hatten die Yrr weitere Daten an die Wasserformel gekoppelt. Der Computer rechnete wie wild, und ganz allmählich ging Crowe ein Licht auf, was damit gemeint sein konnte.

»Vielleicht ist es eine Landkarte«, sagte sie.

»Was meinst du damit? Eine Karte des Meeresbodens?«

»Nein. Das würde bedeuten, dass sie auf dem Meeresboden leben. Wenn unser gewalttätiger Besucher im Simulator Teil der fremden Intelligenz ist, dürfte ihr Lebensraum eher freies Wasser sein. Die Tiefsee ist ein Universum, durch das man schwebt. Homogen und nach allen Seiten gleich.«

Shankar überlegte. »Es sei denn«, sagte er, »man nimmt es unter die Lupe und untersucht seine spezifische Zusammensetzung. Mineralstoffe, Säuren, Basen, und so weiter.«

»Die nicht überall gleich sind«, nickte Crowe. »Beim ersten Mal haben sie uns ein Bild aus zwei mathematischen Ergebnissen geschickt. Das hier liest sich ungleich komplizierter. Aber wenn wir richtig liegen, wird auch dieser Variantenreichtum begrenzt sein. Ich kann's nicht beschwören, aber ich denke, sie haben uns wieder ein Bild geschickt.«

Weaver fand Anawak am Computer sitzend. Virtuelle Einzeller trudelten über den Bildschirm, aber ihr schien, als schaue er nicht richtig hin.

»Tut mir Leid, was mit deiner Freundin passiert ist«, sagte sie leise.

Anawak sah zur Decke.

»Weißt du, was komisch ist?« Seine Stimme klang belegt. »Dass mir ihr Tod so nahe geht. Sterben hat mich nie sonderlich beeindruckt. Als meine Mutter starb, habe ich das letzte Mal geweint. Mein Vater ist gestorben, und mir wurde schlecht vor Entsetzen, dass ich seinen Tod nicht bedauern konnte. Du kennst die Geschichte. – Aber Licia? Mein Gott. Ich hatte nicht mal irgendwelche Ambitionen. Eine Studentin, die mir auf die Nerven gegangen ist, bevor ich mich daran gewöhnte, sie zu mögen.«

Weaver zögerte. Zaghaft berührte sie seine Schulter. Anawaks Finger strichen über ihre Hand.

»Deine Programmierung funktioniert übrigens«, sagte er.

»Das heißt, im Labor müssen sie jetzt nur noch die Biologie entsprechend umkrempeln.«

»Ja. Darin liegt das Problem. Es bleibt eine Hypothese.«

Sie hatten die virtuellen Einzeller mit einer lernfähigen DNA versehen, die in der Lage war, ständig zu mutieren. Im Grunde war jede einzelne Zelle nach diesem Modell ein autarker kleiner Computer, der sein Programm ständig umschrieb. Jede neue Information veränderte die Struktur des Genoms. Machte eine bestimmte Menge der Zellen eine Erfahrung, veränderte diese Erfahrung ihre genetische Struktur. Verschmolzen die veränderten Zellen mit anderen Zellen, gaben sie die neuen Informationen weiter, und die DNA der anderen glich sich entsprechend an. Auf diese Weise lernte das Kollektiv nicht nur ständig dazu, die Verschmelzung sorgte überdies für einen ständigen Informationsgleichstand. Jedes neue Wissen Einzelner bereicherte die Gesamterfahrung des Kollektivs.

Der Gedanke kam einer Revolution gleich. Er hätte bedeutet, dass Wissen vererbbar war. Nachdem sie die Sache mit Johanson, Oliviera und Rubin besprochen hatten, herrschte größere Ratlosigkeit denn je, weil die Idee einerseits begeistert aufgenommen wurde.

Andererseits hatte sie einen gewaltigen Haken.

»Wenn eine DNA mutiert, führt das zu einer Veränderung der genetischen Information«, erklärte Rubin. »Und das ist bei allen Lebewesen problematisch.«

Mitten in der Auswertung der Tests hatte er sich aus dem Labor gestohlen, angeblich, weil ihn wieder die Migräne überkam. Stattdessen saß er im geheimen Kontrollraum zusammen mit Li, Peak und Vanderbilt. Sie gingen die Abhörprotokolle durch. Natürlich wusste jeder im Raum von dem Programm, das Weaver und Anawak erstellt hatten, und auch von ihrer Theorie. Aber bis auf Rubin konnte keiner etwas damit anfangen.

»Ein Organismus ist darauf angewiesen, dass seine DNA intakt bleibt«, sagte Rubin. »Andernfalls erkrankt er, oder seine Nachkommen werden krank. Radioaktive Strahlung zum Beispiel ruft in der DNA irreparable Schäden hervor, mit dem Ergebnis, dass Mutanten geboren werden oder die Leute Krebs bekommen.«

»Aber was ist mit evolutiver Weiterentwicklung?«, fragte Vanderbilt. »Wenn wir uns vom Affen zum Menschen entwickelt haben, kann die DNA nicht immer gleich geblieben sein.«

»Richtig, aber die Evolution vollzieht sich über einen ziemlich langen Zeitraum. Und sie wählt immer diejenigen aus, bei denen die natürliche Mutationsrate zu einer optimalen Anpassung an die jeweils herrschenden Zustände führt. Von den Misserfolgen der Evolution ist kaum je die Rede, dennoch sondert die Natur eine Menge aus. Aber zwischen grundlegender genetischer Veränderung und Aussonderung liegt die Reparatur. Denken Sie an Sonnenbräune. Sonnenlicht verändert die Zellen der obersten Hautschichten, das führt zu Mutationen in der DNA. Wir werden braun, und wenn wir nicht aufpassen, werden wir rot und verbrennen. In diesem Fall stößt der Körper die zerstörten Zellen ab. Im anderen Fall repariert er sie. Gäbe es diese Reparaturen nicht, wären wir nicht lebensfähig. All die kleinen Mutationen würden sich aufschaukeln, keine Wunde würde verheilen, keine Krankheit ließe sich überstehen.«

»Verstanden«, sagte Li. »Aber wie sieht das bei Einzellern aus?«

»Genauso«, sagte Rubin. »Wenn ihre DNA mutiert, muss sie repariert werden. Schauen Sie, solche Zellen vermehren sich durch Teilung. Wenn die DNA nicht repariert würde, bliebe keine Spezies stabil. Egal, welche Zelle Sie nehmen, die Natur hat ein Interesse daran, die Mutationsrate auf einem erträglichen Niveau zu halten. – Nur, jetzt kommt der Haken in Anawaks Theorie. Ein Genom wird immer global repariert, auf ganzer Länge. Sie müssen sich vorstellen, dass Reparaturenzyme wie Polizeistreifen die gesamte DNA entlangpatrouillieren und nach Fehlern Ausschau halten. Sobald sie eine schadhafte Stelle entdecken, starten sie die Reparatur. Damit die Information, welches der ursprüngliche, richtige Zustand ist, erhalten bleibt, sind die Reparaturenzyme sozusagen die Hüter des genomischen Wissens. Sie erkennen auf ihren Kontrollgängen sofort, hier ist das ursprüngliche und dort das fehlerhafte Gen. – Als ob Sie einem Kind vergeblich das Sprechen beibringen wollten. Kaum lernt es ein Wort, kommen die Reparaturenzyme und programmieren das Hirn zurück auf den Originalzustand, also auf Unwissenheit. Ein Wissensaufbau ist nicht möglich.«

»Dann ist Anawaks Theorie Blödsinn«, konstatierte Li. »Sie würde nur funktionieren, wenn die Veränderungen in der Einzeller-DNA erhalten blieben.«

»Einerseits richtig. Jede neue Information würde von den Reparaturenzymen als Schaden angesehen, und ruckzuck würde das Genom repariert. Zurück auf null, sozusagen.«

»Ich vermute«, grinste Vanderbilt, »jetzt kommt das Andererseits.«

Rubin nickte zögernd.

»Es gibt ein Andererseits«, sagte er.

»Und das wäre?«

»Keine Ahnung.«

»Augenblick mal«, sagte Peak. Er richtete sich in seinem Stuhl auf und zuckte zusammen. Sein Fuß war bandagiert. Er sah überhaupt ziemlich mitgenommen aus. »Haben Sie nicht gerade …«

»Ich weiß! Aber die Theorie ist einfach wunderbar«, rief Rubin. Seine Stimme wurde immer quäkiger. Jedes Mal, wenn er längere Zeit am Stück redete, holten ihn die Folgen von Greywolfs Würgeattacke ein. »Sie würde alles erklären. Dann hätten wir Gewissheit, dass das Ding im Tank tatsächlich unser Feind ist. Wir hätten die Yrr vor Augen. Die Wesen, denen wir die ganze Scheiße verdanken! – Und ich bin sicher, sie sind es! Heute früh wurden wir Zeuge einzigartiger Vorgänge. Das Ding untersuchte einen Tauchroboter, und so, wie es geschah, hatte es nichts, aber auch gar nichts mit Instinktverhalten oder tierischer Neugierde zu tun. Das war pure, kognitive Intelligenz! Anawaks Erklärung *muss* zutreffen. Weavers Computermodell funktioniert.«

»Wer soll da noch mitkommen?«, seufzte Vanderbilt und tupfte sich die Stirn trocken.

»Na ja.« Rubin breitete die Hände aus. »Die Möglichkeit liegt in der Anomalie. Auch Reparaturenzyme machen Fehler. Selten zwar, aber pro 10000 Reparaturen vermasseln sie eine. Ein Basenpaar, das nicht in den Originalzustand zurückgeführt wird. Das ist wenig, aber es reicht, dass jemand als Bluter auf die Welt kommt oder mit Krebs oder offenem Rachen. Wir sehen darin Defekte, aber es beweist, dass das Reparaturprinzip nicht uneingeschränkt Gültigkeit hat.«

Li stand auf und durchmaß mit langsamen Schritten den Raum.

»Sie sind also der Überzeugung, dass die Einzeller und die Yrr identisch sind? Wir haben unseren Gegner gefunden?«

»Zwei Einschränkungen«, sagte Rubin schnell. »Erstens, wir müssen das DNA-Problem lösen. Zweitens, es *muss* so etwas wie eine Königin geben. Das Kollektiv kann so intelligent sein, wie es will – was wir da unten vor uns haben, ist meines Erachtens nur ein ausführender Teil des Ganzen.«

»Eine Königin? Wie muss man sich die vorstellen?«

»Gleichartig und doch anders. Nehmen Sie Ameisen. Auch die Königin ist eine Ameise, aber eine besondere. Von ihr geht alles aus. Die Yrr sind Schwarmwesen, Kollektive aus Mikroorganismen. Wenn Anawak Recht hat, verkörpern sie einen zweiten Weg der Evolution zu intelligentem Leben – aber irgendetwas muss sie steuern.«

»Wenn wir also diese Königin finden ...«, begann Peak.

»Nein.« Rubin schüttelte den Kopf. »Machen wir uns nichts vor. Es kann mehr als eine sein. Es können Millionen sein. Und wenn sie schlau sind, lassen sie sich in unserer Nähe nicht blicken.« Er machte eine Pause. »Aber um als Königinnen fungieren zu können, müssen sie mit den übrigen Yrr dieselben Prinzipien teilen. Die Verschmelzung und das genetische Gedächtnis. – Nun, wir sind dabei, einen Duftstoff zu extrahieren, den die Zellen absondern als Zeichen, dass sie verschmelzen wollen. Ein Pheromon, dessen Rezeptur Oliviera und Johanson dicht auf der Spur sind. Über dieses Pheromon, diesen Duft werden die Zellen unter Garantie auch mit der Königin verschmelzen. Der Duft ist der Schlüssel zur Kommunikation unter den Yrr.« Rubin lächelte selbstzufrieden. »Und er könnte der Schlüssel zur Lösung all unserer Probleme sein.«

»Gut, Mick.« Vanderbilt nickte ihm huldvoll zu. »Wir haben Sie wieder lieb. Einstweilen, auch wenn Sie im Welldeck einen fetten Bock geschossen haben.«

»Dafür konnte ich nichts«, sagte Rubin beleidigt.

»Sie sind bei der CIA, Mick. In meinem Verein. *Dafür kann ich nichts* gibt's da nicht. Haben wir das bei Ihrer Einstellung zu erwähnen vergessen?«

»Nein.«

Vanderbilt stopfte unbeholfen sein Taschentuch in die Hose.

»Das freut mich zu hören. Jude wird gleich mit dem Präsidenten sprechen. Sie kann ihm sagen, was Sie für ein braver Junge sind. Danke für Ihren Besuch. Zurück in die Salzminen, Kerl!«

FLAGG-BESPRECHUNGSRAUM

Crowe und Shankar wirkten weit weniger selbstsicher als bei der Entschlüsselung des ersten Signals. Eine gedrückte und gereizte Stimmung lastete auf der Truppe, die nicht allein von den schrecklichen Vorgängen im Welldeck herrührte. Es wurde immer offenkundiger, dass niemand das Vorgehen der Yrr verstand.

»Warum schicken sie Botschaften und greifen uns gleichzeitig an?«, fragte Peak. »Kein Mensch würde so etwas tun.«

»Hören Sie endlich auf, in diesen Kategorien zu denken«, sagte Shankar. »Es sind keine Menschen.«

»Ich will es ja nur kapieren.«

»Sie werden gar nichts kapieren, wenn Sie menschliche Logik zugrunde legen«, sagte Crowe. »Vielleicht ist die erste Botschaft eine Warnung gewesen. Wir wissen, wo ihr seid. Das jedenfalls haben sie uns geantwortet.«

»Kann es ein Täuschungsmanöver gewesen sein?«, schlug Oliviera vor.

»Worin sollte die Täuschung denn deiner Meinung nach bestanden haben?«, fragte Anawak.

»Uns abzulenken.«

»Von was? Davon, dass sie sich kurze Zeit später wie ein Weihnachtsbaum inszenieren?«

»Gar nicht so abwegig«, sagte Johanson. »Eines ist ihnen immerhin gelungen. Wir haben geglaubt, dass sie an einem Austausch interessiert sind. Sal hat Recht, kein Mensch würde so etwas tun. Vielleicht wissen sie das. Sie haben uns eingelullt, sich in aller Pracht gezeigt, wir erwarten freudig die kosmische Offenbarung und kriegen stattdessen was auf die Schnauze.«

»Vielleicht hätten Sie was anderes in die Tiefe schicken sollen als Ihre dämlichen Mathematikaufgaben«, sagte Vanderbilt zu Crowe.

Zum ersten Mal, seit Anawak sie kannte, schien Crowe ihre Ruhe zu verlieren. Sie funkelte den CIA-Direktor zornig an.

»Wissen Sie was Besseres, Jack?«

»Es ist nicht *meine* Aufgabe an Bord, was Besseres zu wissen, sondern *Ihre*«, sagte Vanderbilt angriffslustig. »In Ihrer Verantwortung liegt die Kommunikation mit denen.«

»Mit wem? *Sie* glauben doch immer noch, dass irgendwelche Mullahs dahinter stecken.«

»Wenn Sie Botschaften abschicken, die nichts anderes bewirken, als denen unsere Position zu verraten, ist das verdammt nochmal ein Problem, das *Sie* zu lösen haben. Sie haben detaillierte Informationen über die Menschheit in ihren blöden Schallimpuls gepackt. Sie haben denen eine Einladung geschickt, uns anzugreifen!«

»Sie müssen erst mal jemanden kennen lernen, um mit ihm zu reden!«, giftete Crowe zurück. »Begreifen Sie das eigentlich nicht, Sie Esel? Ich will wissen, wer die sind, also erzähle ich ihnen was über uns.«

»Ihre Botschaften sind eine Sackgasse ...«

»Mein Gott, wir haben gerade erst angefangen!«

»... so wie Ihr ganzes aufgeblasenes SETI eine Sackgasse ist. Gerade erst angefangen? Glückwunsch. Wie viele Leute werden denn sterben, wenn Sie erst mal richtig *loslegen*?«

»Jack«, sagte Li. Es klang wie ›Sitz‹ oder ›Platz‹.

»Dieses bescheuerte Kontaktprogramm ...«

»Jack, halten Sie die Klappe! Ich will keinen Streit, sondern Ergebnisse. Also wer in diesem Raum hat ein Ergebnis?«

»Wir«, sagte Crowe mürrisch. »Der Kern der zweiten Botschaft ist eine Formel: Wasser. H_2O. Was der Rest zu bedeuten hat, finden wir auch noch raus – solange uns keiner hetzt!«

»Wir sind auch ein Stück weitergekommen«, begann Weaver.

»Und wir!«, sagte Rubin schnell. »Wir sind einen großen Schritt weiter, dank ... äh ... der tatkräftigen Mithilfe von Sigur und Sue.« Er musste husten. Seine Stimme war immer noch nicht in Ordnung. »Vielleicht möchtest du es vortragen, Sue?«

»Brich dir bloß keinen ab«, zischte Oliviera ihm zu. Laut sagte sie: »Wir haben den Duftstoff extrahiert, über den die Zellen ihren Zusammenschluss herbeiführen. Es ist ein Pheromon, und wir wissen auch, wie es funktioniert. Das verdanken wir Sigur, der im todesmutigen Kampf mit dem Ungeheuer Gewebe- und Phasenproben ergattern konnte.«

Sie stellte ein durchsichtiges, verschlossenes Gefäß auf den Tisch. Es war zur Hälfte gefüllt mit einer wasserklaren Flüssigkeit.

»Der Duftstoff ist da drin. Wir haben ihn entschlüsselt und können ihn herstellen. Die Rezeptur ist überraschend einfach. Wie genau die Wesen darüber in Kontakt treten, lässt sich noch nicht mit hundertprozentiger Gewissheit sagen, auch nicht, wer oder was die Verschmelzung initiiert. Aber vorausgesetzt, etwas gibt den Anstoß – nennen wir es der Einfachheit halber die Königin –, bleibt die Aufgabe zu lösen, wie man Abermilliarden frei schwebender Einzeller, die keine Augen und keine Ohren haben, zusammenruft. Dazu dient das Pheromon. An sich ist Duft unter Wasser nicht geeignet zur Kommunikation, die Moleküle diffundieren zu schnell, aber auf kurze Distanzen funktioniert ein pheromonischer Ruf ganz prima. Und wie es aussieht, beschränkt sich die pheromonische Kommunikation der Zellen auf diesen einen Duftstoff. Es gibt kein Vokabular, sondern nur ein einziges Wort: Verschmelzen! Uns ist noch nicht klar, wie einmal verschmolzene Zellen untereinander kommunizieren. Fest steht, dass sie irgendeine Form des Austauschs benutzen. Das ist in einem Neuronencomputer oder einem menschlichen Gehirn nicht anders. Immer brauchen die Einheiten eine Art Boten. In der Biologie heißen solche Botenstoffe Liganden. Wenn eine Zelle einer anderen etwas mitteilen will, kann sie sie schlecht besuchen kommen, also schickt sie ihr eine Nachricht, und diese Nachricht wird von den Liganden zu der anderen Zelle transportiert. Die wiederum braucht wie jedes anständige Haus eine Tür mit Klingel, wissenschaftlich gesprochen, einen Rezeptor. Der Ligand klingelt, die Klingelbotschaft pflanzt sich über Signalkaskaden ins Innere der Zelle fort und bereichert das Genom um eine neue Information.«

Sie machte eine Pause.

»Wie es aussieht, kommunizieren die Mikroorganismen im Tank über Liganden und Rezeptoren. Natürlich ist das Bild von den Zellen, die wie Häuser eine Tür haben und einen freundlich lächelnden Boten losschicken, der klingelt, ein bisschen schief. Jede Zelle gibt eine ganze Wolke von Duftmolekülen ab, und sie hat nicht nur einen Rezeptor, sondern etwa 200 000 Rezeptoren. Damit nimmt sie die Pheromone auf und dockt am Kollektiv an. – 200 000 Klingeln, um mit den Nachbarzellen Informationen auszutauschen, das ist schon was. Der Prozess der Verschmelzung vollzieht sich nach Art des Staffellaufs: Eine Zelle empfängt Pheromone aus dem Kollektiv und koppelt an die Nachbarzellen an. Im Moment des Ankoppelns produziert sie selber Pheromone, um die nächstschwimmenden Zellen zu erreichen, und so weiter, und so fort. Der Prozess erfolgt von innen nach außen. Um das alles besser zu verstehen, greifen wir der finalen Beweisführung vor und nehmen an, dass es sich bei den Zellen, die wir untersucht haben, tatsächlich um unsere geschätzten Feinde handelt. Wir nennen sie darum in vorauseilender Gewissheit die Yrr.«

Sie legte die Fingerspitzen aufeinander.

»Was uns sofort auffiel, war, dass die Zellen nicht einfach über Rezeptoren verfügen, sondern über Rezeptorenpaare. Wir haben uns den Kopf darüber zerbrochen, warum das so ist, aber dann kamen wir drauf. Es hat etwas mit der Gesunderhaltung des Kollektivs zu tun. Wir haben den Rezeptoren darum Funktionsbezeichnungen gegeben. Der *Universalrezeptor* erkennt: Ich bin Yrr. Der *Spezialrezeptor* sagt: Ich bin ein funktionsfähiges, gesundes Yrr mit intakter DNA und geeignet für das Kollektiv, fürs große *Pow Wow.*«

»Ginge so was nicht auch über einen einzigen Rezeptor?«, fragte Shankar stirnrunzelnd.

»Nein. Wahrscheinlich nicht.« Oliviera überlegte. »Es ist ein sehr ausgeklügeltes System. Nach unserem Modell muss man sich eine Yrr-Zelle vorstellen wie ein Soldatencamp mit einem Schutzwall drum herum. Nähert sich ein Soldat von außen, weist er sich durch eine Universalkennung aus: die Uniform. Die sagt dem Soldaten im Camp: Ich bin einer von euch. Aber wir haben alle genügend Kriegsfilme mit Michael Caine gesehen, um zu wissen, dass in der Uniform ein Verräter stecken kann, und wenn der einmal reingekommen ist, schießt er alle über den Haufen. Darum musste sich Michael Caine zusätzlich durch eine Spezialkennung ausweisen. Er musste die Parole kennen. Habe ich das militärisch einigermaßen korrekt beschrieben, Sal?«

Peak nickte. »Einwandfrei.«

»Dann bin ich beruhigt. Also, wenn sich zwei Yrr zusammenschließen, geschieht Folgendes: Das bereits mit dem Kollektiv verschmolzene Yrr produziert ein Duftmolekül, ein Pheromon. Über dieses Pheromon koppeln die Zellen an ihren Universalrezeptoren an und initiieren die primäre Bindung. Der Erkennungsschritt ›Ich bin Yrr‹ hat stattgefunden. Im zweiten Schritt muss über die Kopplung der Spezialrezeptoren nun die Aussage erfolgen ›Ich bin ein gesundes Yrr‹. – So weit, so gut. Allerdings gibt es Yrr, die nicht funktionsfähig und gesund sind, anders gesagt, deren DNA Defekte aufweist. Unser Feind ist ein massenhaft auftretender Organismus, der sich offenbar ständig höher entwickelt und darum gezwungen ist, Zellen, die nicht zur Höherentwicklung befähigt sind, auszusondern. Der Trick scheint zu sein, dass zwar alle Zellen einen Universalrezeptor besitzen, aber nur gesunde, zur Höherentwicklung fähige Zellen den Spezialrezeptor ausbilden können. Kranke Yrr haben ihn einfach nicht. Und jetzt geschieht das eigentliche Wunder, das uns Angst machen muss. Das defekte Yrr verfügt nicht über die Parole. Es wird nicht zur Verschmelzung zugelassen, sondern abgestoßen. Das alleine reicht aber noch nicht – Yrr sind Einzeller, und wie alle Einzeller vermehren sie sich durch Teilung. Natürlich kann eine Spezies, die sich konstant höher entwickelt, nicht zulassen, dass eine defekte, zweite Population entsteht, also muss sie verhindern, dass die defekte Zelle Zeit findet, sich zu vermehren. An dieser Stelle übernimmt das Pheromon eine Doppelfunktion. Bei der Abstoßung bleibt es am Universalrezeptor des defekten Yrr hängen und wandelt sich zu einem schnell wirkenden Gift. Es leitet den so genannten Programmierten Zelltod ein, ein Phänomen, das bei Einzellern normalerweise unbekannt ist. Die defekte Zelle stirbt augenblicklich ab.«

»Wie wollen Sie erkennen, dass ein Einzeller tot ist?«, fragte Peak.

»Das ist einfach. Sein Stoffwechsel endet. Außerdem erkennt man ein abgestorbenes Yrr daran, dass es nicht mehr leuchtet. Leuchten ist für die Yrr eine biochemische Notwendigkeit. Ein bekanntes Beispiel dafür liefert Aequoria, eine Südseequalle. Um zu leuchten, produziert sie ein Pheromon.

Hier ist es ähnlich: Wir haben die Abgabe eines Duftstoffes und dadurch bedingt ein Aufleuchten, und die starken Lichtentladungen, die Blitze, kennzeichnen besonders heftige biochemische Reaktionen in den Zellverbänden. Wenn Yrr leuchten, kommunizieren und denken sie. Wenn sie sterben, hört das Leuchten auf.»

Oliviera sah in die Runde.

»Ich will Ihnen sagen, was uns daran Angst machen sollte. Die Yrr haben mit wenigen Mitteln ein komplexes Ausleseverfahren ermöglicht. Ist ein Yrr gesund und verfügt über ein intaktes Rezeptorenpaar, leitet das Pheromon die Verschmelzung ein. Besitzt es keinen Spezialrezeptor, entfaltet das Pheromon seine tödliche Wirkung. – Eine Spezies, die so funktioniert, sieht den Tod mit anderen ›Augen‹ als der Mensch. Der Tod ist in der Yrr-Gesellschaft eine zwingend erforderliche Angelegenheit. Niemals würden die Yrr auf die Idee kommen, defekte Yrr zu schonen. Es wäre aus ihrer Sicht unverständlich, geradezu idiotisch. Man *muss* töten, was die eigene Weiterentwicklung bedroht. Es ist nur logisch. Auf die Bedrohung des Kollektivs reagieren die Yrr mit der Logik des Todes. Es gibt kein um Gnade Bitten, kein Mitleid, keine Ausnahme, ebenso wenig wie die Logik des Tötens etwas mit Grausamkeit zu tun hat. Solche Überlegungen sind den Yrr völlig fremd. Sie werden ergo nicht begreifen, warum sie uns schonen sollen, da wir doch eine konkrete Bedrohung für sie darstellen.«

»Weil ihre Biochemie keine dahin gehende Ethik zulässt«, schlussfolgerte Li. »So intelligent sie auch sein mögen.«

»Also schön«, bemerkte Vanderbilt. »Was haben wir konkret davon, dass wir jetzt ihr kleines Chanel-No.-5-Geheimnis kennen? Wir können mit ihnen verschmelzen, wenn ich das richtig sehe. Toll. *Ich* könnte mit ihnen verschmelzen!«

Crowe musterte ihn mit einem langen Blick.

»Glauben Sie, die wollen das?«

»Sie können mich mal.«

»Es wäre nett, wenn ihr euch später prügelt«, sagte Anawak. »Karen und ich hatten nämlich eine Idee, wie man die Einzeller zum Denken bringen kann. Sigur, Mick und Sue raufen sich gerade die Haare darüber. Biologisch ist es ein Unding, aber es würde eine Menge Fragen beantworten.«

»Wir haben unsere virtuellen Zellen mit einer künstlichen DNA programmiert und es so eingerichtet, dass sie ständig mutiert«, griff Weaver den Faden auf. »Was nichts anderes heißt als Lernen. Plötzlich waren wir wieder dort angelangt, wo wir begonnen hatten, nämlich bei einem Neuronencomputer. Ihr erinnert euch, wir hatten ein solches Elektronengehirn in seine kleinsten programmierfähigen Speicherplätze zerlegt und uns gefragt, wie sie wieder zu einem denkenden Ganzen werden könnten. Es funktionierte so lange nicht, wie die einzelnen Zellen nicht selbständig lernen konnten. Aber der einzige Weg für eine biologische Zelle, zu Lebzeiten zu lernen, besteht nun mal in der Mutation der DNA, was eigentlich nicht sein kann. Dennoch haben wir die virtuellen Zellen mit der Möglichkeit versehen. Und mit einem Duft, wie Sue ihn gerade beschrieben hat.«

»Wir erhielten nicht nur unseren vollwertigen, funktionsfähigen Neuronencomputer zurück«, fuhr Anawak fort. »Wir hatten plötzlich auch echte, lebende Yrr unter natürlichen Bedingungen vor uns. Unsere kleine Schöpfung verfügt nämlich über ein paar Extras – die Zellen trudeln im dreidimensionalen Raum. Wir haben diesen Raum mit Eigenschaften versehen, wie man sie in der Tiefsee antrifft, also Druck, Strömung, Reibung, und so weiter. – Zuerst mussten wir allerdings eine Antwort auf die Frage finden, wie die Mitglieder eines Kollektivs einander erkennen. Der Duft ist nur die halbe Wahrheit. Die andere Hälfte besteht darin, die Größe eines Kollektivs zu begrenzen. Hier kommt ins Spiel, was Sue und Sigur herausgefunden haben – dass nämlich die Yrr-Amplicons in kleinen, hypervariablen Bereichen differierten. Ihr erinnert euch an die Konsequenz aus dieser Erkenntnis: Die Zellen müssen ihre DNA *nach* ihrer Geburt verändert haben. Wir glauben, genau das geschieht, und dass die hypervariablen Bereiche als Codierung dienen, um einander zu erkennen und zum Beispiel das Kollektiv zu begrenzen.«

»Yrr mit gleicher Codierung erkennen einander, und kleinere Kollektive wiederum können zu größeren verschmelzen«, schlussfolgerte Li.

»Genau«, sagte Weaver. »Wir haben also Zellen codiert. Jede Zelle verfügte zu diesem Zeitpunkt schon über eine Art Grundwissen, was ihren Lebensraum betraf. Jetzt erhielt sie zusätzliche Informationen, die nicht alle Zellen besaßen. Wie zu erwarten, verschmolzen als Erstes sämtliche Zellen gleicher Codierung zu Kollektiven. Dann probierten wir etwas Neues und versuchten, zwei Kollektive unterschiedlicher Codierung zusammenzukoppeln. Es klappte, und dann passierte das Unglaubliche: Die Verschmelzung gelang nicht nur, die Zellen der beiden Kollektive tauschten außerdem ihre individuellen Codierungen aus und brachten einander auf den gleichen Stand. Sie programmierten sich auf einen neuen, einheitlichen Code, einen nächsthöheren Stand des Wissens, den alle teilten. Am Ende waren die beiden Kollektive in einem aufgegangen. Dieses eine koppelten wir mit einem dritten Kollektiv, und wieder entstand etwas Neues, zuvor nicht da Gewesenes.«

»Im nächsten Schritt haben wir versucht, das Lernverhalten der Yrr zu beobachten«, sagte Anawak. »Wir formten zwei Kollektive unterschiedlicher Codierung. Eines versahen wir mit einer spezifischen Erfahrung. Wir simulierten den Angriff eines Feindes. Es ist nicht sonderlich originell, aber wir entschieden uns für einen Hai, der einen ordentlichen Haps aus dem Kollektiv herausbeißt, und brachten ihm dann bei, beim nächsten Mal auszuweichen. Wenn der Hai kommt, befahlen wir dem Kollektiv, gibst du deine kugelförmige Gestalt auf und machst dich flach wie eine Flunder. Dem anderen Kollektiv brachten wir den Trick nicht bei, und es wurde gebissen. Dann ließen wir beide Kollektive zu einem verschmelzen und schickten ihm den Hai auf den Hals – und es wich aus. Die gesamte Masse hatte dazugelernt. Anschließend teilten wir das Kollektiv in mehrere kleine Mengen auf, und alle wussten plötzlich, wie man einem Hai aus dem Weg zu gehen hat.«

»Also lernen sie über die hypervariablen Bereiche?«, sagte Crowe.

»Ja und nein«, sagte Weaver mit einem Blick auf ihre Notizen. »Es ist möglich, dass sie das tun, aber im Rechner dauert das alles zu lange. Die Masse, die im Welldeck angegriffen hat, ist jedenfalls sehr schnell in ihren Reaktionen, und wahrscheinlich denkt sie ebenso schnell. Ein supraleitendes Gebilde, ein riesiges, variables Gehirn. Nein, wir konnten uns nicht nur auf die kleinen Bereiche beschränken. Wir haben die vollständige DNA lernfähig programmiert und ihre Denkgeschwindigkeit damit enorm heraufgesetzt.«

»Und das Resultat?«, fragte Li.

»Stützt sich auf einige wenige Versuche, die wir kurz vor diesem Treffen durchgeführt haben. Aber es reicht für folgende Aussagen: Ein Yrr-Kollektiv, egal wie groß es ist, denkt in der Geschwindigkeit eines Simultanrechners der neuen Generation. Individuelles Wissen wird vereinheitlicht, Unbekanntes untersucht. Anfangs sind einige Kollektive neuen Herausforderungen nicht gewachsen, aber im Austausch lernen sie dazu. Bis zu einem gewissen Zeitpunkt verläuft die Lernentwicklung linear, darüber hinaus ist das Verhalten der Kollektive nicht mehr vorhersagbar...«

»Moment mal«, unterbrach sie Shankar. »Sie wollen sagen, das Programm beginnt, ein Eigenleben zu führen?«

»Wir haben völlig unbekannte Situationen für die Yrr herbeigeführt. Je komplexer das Problem, desto häufiger schlossen sie sich zusammen. Nach kurzer Zeit begannen sie, Strategien zu entwickeln, deren Grundlagen wir ihnen nicht einprogrammiert hatten. Sie wurden kreativ. Sie wurden neugierig. Und sie lernten exponenziell. Wir haben nur wenige Versuche durchführen können, und es ist immer noch *nur* ein Computerprogramm – aber unsere künstlichen Yrr haben gelernt, jede gewünschte Form anzunehmen, Formen anderer Lebewesen zu imitieren und zu variieren, Extremitäten auszubilden, gegen deren Sensitivität unsere zehn Finger Knüppel sind, Objekte auf Nanoebene zu untersuchen, *jede* dieser Erfahrungen mit *jeder* anderen Zelle auszutauschen und Probleme zu lösen, an denen Menschen scheitern würden.«

Einen Moment herrschte betroffenes Schweigen. Den meisten war anzusehen, dass sie sich die Vorgänge im Welldeck vor Augen riefen. Schließlich sagte Li:

»Geben Sie uns ein Beispiel für eine solche Problemlösung.«

Anawak nickte.

»Also, ich bin ein Yrr-Kollektiv, klar? Und ein kompletter Kontinentalhang ist von Würmern befallen, die ich gezüchtet, mit Bakterien voll gestopft und dorthin gebracht habe, damit sie das dortige Methanhydrat auf ganzer Linie destabilisieren. Mein Problem besteht darin, dass die Würmer und die Bakterien zwar eine Menge anrichten, ich für die große Rutschung aber einen letzten Kick brauche.«

»Stimmt«, sagte Johanson. »Die Nuss haben wir nie geknackt. Würmer und Bakterien leisten Vorarbeit, aber eine Kleinigkeit fehlt, um daraus eine Katastrophe zu machen.«

»Nämlich entweder eine leichte Absenkung des Meeresspiegels, was den erforderlichen Druck auf die Hydrate herabsetzen würde, oder eine Erwärmung des Wassers am Hang. Richtig?«

»Genau.«

»Um ein Grad?«

»Dürfte reichen. Aber sagen wir zwei.«

»Gut. Wir haben uns schlau gemacht. Vor dem norwegischen Kontinentalhang liegt in 1 250 Metern Tiefe der Håkon-Mosby-Schlammvulkan. Schlammvulkane spucken keine Lava, sondern befördern Gas, Wasser und Sedimente aus dem warmen Erdinnern an die Oberfläche des Meeresbodens. Das Wasser über einem Schlammvulkan ist nicht heiß, aber wärmer als anderswo. Ich schließe mich also zu einem großen Kollektiv zusammen. Zu einem sehr großen Kollektiv. Ich forme mich zu einem Schlauch mit zwei offenen Enden, und weil ich ein sehr großer Schlauch werden will, beschränke ich die Stärke meiner Außenwand auf wenige Zelllagen. Ich brauche dafür immer noch enorm viel meiner selbst, viele Milliarden Zellen, aber dünnwandig, wie ich bin, gelingt es mir, mich auf die Länge vieler Kilometer zu dehnen. Mein Umfang entspricht dem des Zenralkraters – rund 500 Meter. Ich nehme das warme Wasser des Schlammvulkans in mein Inneres auf und leite es wie eine kolossale Wasserleitung dorthin, wo Würmer und Bakterien zerstörerische Vorarbeit geleistet haben. Schon habe ich meine Rutschung. – Und es wäre durchaus möglich, dass ich auf diese Weise auch das Wasser vor Grönland erwärme oder an den Polkappen heize, was zum Abschmelzen der Gletscher und damit zum Erliegen des Golfstroms führt.«

»Wenn das die Yrr in Ihrem Computer können«, sagte Peak mit ungläubigem Gesicht, »was können dann die wirklichen Yrr?«

Weaver schürzte die Lippen und sah ihn an.

»Ich schätze, noch einiges mehr.«

SCHWIMMEN

Weaver fühlte sich innerlich und äußerlich verspannt. Als sie den Besprechungsraum verließen, fragte sie Anawak, ob er Lust auf eine Runde im Pool habe. Ihre Schultern waren ein einziger Schmerz. Und das, wo sie so ziemlich jede Sportart trieb, die man einem menschlichen Körper zumuten konnte.

Vielleicht ist das dein Problem, dachte sie. Vielleicht solltest du mal eine Sportart treiben, die keine Zumutung darstellt.

Anawak begleitete sie. Sie versorgten sich mit Badesachen, jeder in seiner Kabine, und trafen in Bademäntel gehüllt wieder zusammen. Weaver hätte gerne seine Hand genommen auf dem Weg zum Pool – überhaupt hätte sie gerne etwas anderes mit ihm getan in diesem Moment –, aber sie wusste nicht, wie man von so was anfing, ohne wie ein Idiot dazustehen. Früher, vor der Radikalkur ihres Lebens, hatte sie wahllos genommen, was kam, aber das hatte nie mit Liebe zu tun gehabt. Jetzt fühlte sie sich schüchtern und blockiert. Wie flirtete man? Wie ging man miteinander ins Bett, wenn in der Nacht zuvor Menschen gestorben waren und die ganze Welt in einen Abgrund stürzte?

Wie dämlich konnte man überhaupt sein?

Die Schwimmhalle der *Independence* war riesig und erstaunlich komfortabel für ein Kriegsschiff, und der Pool hatte die Ausmaße eines kleinen Sees. Als sie den Bademantel fallen ließ, spürte sie Anawaks Blicke in ihrem Rücken. Unvermittelt wurde ihr klar, dass er sie das erste Mal so sah. Der Badeanzug war knapp geschnitten und im Rücken tief dekolletiert, und natürlich sah er das Tattoo.

Verlegen trat sie an den Beckenrand, federte ab und tauchte mit einem eleganten Sprung ein. Die Arme von sich gestreckt, trieb sie dicht unter der Wasseroberfläche dahin und hörte, wie Anawak ihr nachkam. Vielleicht wird es hier passieren, dachte sie. Ein Fahrstuhl raste durch ihre Bauchhöhle. Zwischen Hoffen und Bangen, er könne sie einholen, begann sie, mit den Füßen zu schlagen und schneller zu schwimmen.

Angsthase! Warum denn nicht?

Einfach abtauchen und Liebe machen. Unter Wasser.

Verschmelzen …

Plötzlich kam ihr eine Idee.

Sie war geradezu lächerlich simpel und leider auch ziemlich pietätlos. Aber wenn sie funktionierte, war sie brillant. Dann konnte es gelingen, die Yrr auf friedliche Weise zum Rückzug zu bewegen. Oder wenigstens dazu, ihr Vorgehen zu überdenken.

War die Idee wirklich brillant?

Ihre Fingerspitzen berührten die Kachelwand des Pools. Sie tauchte auf und rieb das Wasser aus ihren Augen. Im nächsten Moment erschien ihr der Gedanke einfach nur vulgär. Dann wieder entfaltete er seinen verstörenden Reiz. Meter um Meter, den Anawak herankraulte, wurde sie unschlüssiger, was sie davon zu halten hatte, und als er fast heran war, kam ihr die Idee geradezu abscheulich vor.

Sie musste darüber schlafen.

Plötzlich war er ihr sehr nahe.

Sie drückte sich gegen den Beckenrand. Ihr Brustkorb hob und senkte sich. Wie damals schlug ihr Herz, als sie im eisigen Kanalwasser gehangen hatte – dieses Fahrstuhlgefühl und das Hämmern ihres Herzens, das zu sagen schien: Jetzt ... Jetzt ... Jetzt ...

Sie spürte eine Berührung an ihrer Taille und öffnete die Lippen.

Angst!

Sag was, dachte sie. Irgendwas muss es geben. Irgendein Thema, über das man reden kann.

»Sigur scheint's wieder besser zu gehen.«

Die Worte kamen herausgesprungen wie Kröten. In Anawaks Augen trat ein Anflug von Enttäuschung. Er trieb ein Stück von ihr weg, strich das nasse Haar zurück und lächelte.

»Ja, sein komischer Unfall.«

Du voll verblödete, verdammte Idiotin!

»Aber er hat ein Problem.« Sie legte die Ellbogen auf den Beckenrand und zog sich hoch. »Behalt's für dich. Er sollte nicht unbedingt wissen, dass ich damit hausieren gehe. Ich will nur deine Meinung hören.«

Sigur hat ein Problem? *Du* hast ein Problem! Idiotin! *Idiotin!!!*

»Was für ein Problem?«, fragte Anawak.

»Er hat was gesehen. Besser gesagt, er *meint*, es gesehen zu haben. So, wie er die Sache schildert, glaube ich ihm, aber dann wäre die Frage, was es zu bedeuten hat und ... pass auf, ich erzähl's dir.«

KONTROLLRAUM

Li hörte zu, wie Weaver Anawak über Johansons Zweifel ins Bild setzte. Reglos saß sie vor den Monitoren und lauschte dem Gespräch, das beide miteinander führten.

Was für ein schönes Paar, dachte sie amüsiert.

Der Inhalt des Gesprächs amüsierte sie weniger. Dieser dämliche Hund von Rubin hatte die ganze Mission gefährdet. Sie konnten nur hoffen, dass Johanson nicht noch mehr von dem einfiel, was die Droge aus seinen Hirnwindungen hatte tilgen sollen. Jetzt beschäftigte das Thema schon Weaver und Anawak!

Warum gebt ihr euch bloß mit solchen Geschichten ab, Kinderchen, dachte sie. Böse Ammenmärchen von Onkel Johanson! Warum geht ihr nicht endlich miteinander ins Bett? Jeder Blinde sieht, dass ihr es wollt, nur ihr selber kriegt nichts auf die Reihe. Li seufzte. Wie oft war sie schon diesen unbeholfenen Annäherungen begegnet, seit Frauen und Männer zusammen in der Navy dienten. Es war jedes Mal so offensichtlich! Öde und profan. Alle wollten irgendwann miteinander ins Bett. Fiel den beiden da im Pool nichts Besseres ein, als sich Johansons Kopf zu zerbrechen?

»Wir sollten uns mit dem Gedanken vertraut machen, dass Rubin auffliegt«, sagte sie zu Vanderbilt.

Der CIA-Mann stand, einen Becher Kaffee in der Hand, schräg hinter ihr. Sie waren die Einzigen im Raum. Peak war im Welldeck, um die Aufräumungsarbeiten voranzutreiben und den Zustand des Tauchequipments zu überprüfen.

»Und was dann?«

»Für den Fall gibt es klare Optionen.«

»So weit sind wir aber noch nicht, Judybaby, dass wir die wahrnehmen könnten. Rubin ist noch nicht so weit. Außerdem wäre es natürlich schöner, wenn wir es gar nicht müssten.«

»Was ist los, Jack? Skrupel?«

»Nur die Ruhe. Es mag Ihr verdammter Plan sein, aber mir obliegt die Garantie seines Gelingens. Sie können einen drauf lassen, dass sich meine Skrupel im kompatiblen Bereich bewegen.« Er kicherte. »Man hat schließlich einen Ruf zu verlieren.«

Li wandte sich zu ihm um. »Haben Sie denn einen?«

Vanderbilt schlürfte vernehmlich an seinem Becher.

»Wissen Sie, was ich so sehr an Ihnen schätze, Jude? Ihre Ekelhaftigkeit. Sie geben mir das Gefühl, ein netter Kerl zu sein. Und das will was heißen!«

COMBAT INFORMATION CENTER

Crowe und Shankar zerbrachen sich die Köpfe.

Der Rechner zeigte verschlungene Bilder. Parallele Linien, die plötzlich auseinander strebten, sich zu Kurven bogen, eins wurden. Dazwischen gähnten größere, unregelmäßig geformte Leerräume. *Scratch* bestand aus einer ganzen Serie solcher Graphiken, die aussahen, als ergäben sie zusammengelegt ein einziges Bild, nur dass es nicht hinkam. Sie passten nicht aneinander. Außerdem hatte Crowe immer noch nicht die leiseste Ahnung, was die Linien zu bedeuten hatten.

»Wasser ist die Basis«, grübelte Shankar. »An jedes Wassermolekül ist eine Zusatzinformation gekoppelt. Wofür steht sie? Für eine Eigenschaft des Wassers?«

»Möglich. Welche Eigenschaften könnten gemeint sein?«

»Temperatur.«

»Ja, zum Beispiel. Oder Salzgehalt.«

»Vielleicht geht es aber nicht um physikalische oder chemische Eigenschaften, sondern um die Yrr selber. Die Linien könnten ihre Populationsdichte darstellen.«

»Nach dem Motto, hier wohnen wir? So was?«

Shankar rieb sich das Kinn. »Irgendwie nicht, oder?«

»Ich weiß nicht, Murray. Würden wir denen denn mitteilen, wo unsere Städte sind?«

»Nein. Aber sie denken nicht wie wir.«

»Danke, dass du mich dran erinnerst.« Crowe produzierte einen Rauchring. »Gut, nochmal. H_2O. Wasser. Dieser Teil der Botschaft ist nicht schwer zu begreifen. Wasser ist unsere Welt.«

»Was eins zu eins die Antwort auf unsere Botschaft ist.«

»Stimmt. Wir haben ihnen verraten, dass wir an der frischen Luft leben. Dann haben wir unsere DNA beschrieben und unsere Form.«

»Nehmen wir an, sie beantworten unsere Botschaft wirklich eins zu eins«, sagte Shankar. »Könnten die Linien eine Darstellung ihrer Form sein?«

Crowe schürzte die Lippen. »Sie haben keine. Ich meine, Einzeller haben natürlich eine Form, aber sie werden sich kaum darüber definieren. Als Form empfinden sie sich wohl eher im Kollektiv, und darüber können sie sich erst recht nicht definieren. Die Gallerte hat tausend Formen und keine.«

»Gut. Form fällt flach. Welche Information könnte sonst von Interesse sein? Anzahl der Individuen?«

»Murray! Das ist irgendeine Zahl mit so vielen Nullen hinten dran, dass wir den Rumpf der *Independence* damit voll schreiben könnten. Außerdem teilen sie sich am laufenden Band, sie sterben am laufenden Band ... Wahrscheinlich dürften sie selber nicht in der Lage sein, uns ihre genaue Zahl mitzuteilen.« Crowe ließ die Zigarette zwischen ihren Zähnen wippen. »Nicht das Einzelwesen zählt. Es ist komplett unwichtig. Die Gesamtheit zählt. Die Yrr-Idee, wenn du so willst, das idealisierte Yrr. Das Yrr-Genom.«

Shankar sah sie über die Ränder seiner Brille an.

»Vergiss nicht, wir haben ihnen lediglich die Information geliefert, dass unsere Biochemie auf DNA basiert. Insofern müsste die Antwort lauten: unsere auch. Glaubst du im Ernst, sie sind darangegangen, ihr Genom für uns aufzuschlüsseln?«

»Könnte doch sein.«

»Warum sollten sie das tun?«

»Weil es genau genommen die einzige Aussage ist, die sie über sich treffen können. Genom und Verschmelzung sind die zentralen Punkte ihrer ganzen Existenz, alles lässt sich darauf zurückführen.«

»Ja, aber wie willst du eine DNA beschreiben, die fortwährend mutiert?«

Crowe blickte ratlos auf die Linienmuster.

»Vielleicht sind's doch Landkarten?«

»Landkarten wovon?«

»Na schön.« Sie seufzte. »Fangen wir nochmal an. – H_2O ist die Basis. Wir leben im Wasser...«

VIER AUGEN

Li hatte ihr Laufband auf höchste Geschwindigkeit gestellt. Unter anderen Umständen wäre sie im Fitnessraum gelaufen, des Zusammenhalts der Truppe wegen. Aber diesmal wollte sie ungestört sein. Sie führte ihr tägliches Gespräch mit der Offut Air Force Base.

»Wie ist die Moral, Jude?«

»Ausgezeichnet, Sir. Der Angriff hat uns schwer mitgenommen, aber wir haben alles im Griff.«

»Sind die Leute motiviert?«

»Motivierter denn je.«

»Ich mache mir Sorgen.« Der Präsident wirkte müde. Er saß mutterseelenallein im War Room des Stützpunkts. »Boston ist vollständig evakuiert. New York und Washington haben wir abgeschrieben. Und wir bekommen neue Horrormeldungen aus Philadelphia und Norfolk.«

»Ich weiß.«

»Das Land geht vor die Hunde, während alle Welt nur noch von einer nichtmenschlichen Intelligenz im Meer redet. Mich würde wirklich interessieren, wer da sein loses Maul nicht halten konnte.«

»Was spielt das für eine Rolle, Sir?«

»Was das für eine Rolle spielt?« Der Präsident schlug mit der flachen Hand auf den Tisch. »Wenn Amerika die Führung übernimmt, akzeptiere ich keine Alleingänge von irgendeinem Arschloch bei der UNO! Bloß weil da jeder meint, sein beschissenes kleines Land ins Spiel bringen zu müssen. Wissen Sie, was da draußen los ist, was das für eine Eigendynamik bekommt?«

»Ich weiß genau, was los ist.«

»Oder hat jemand aus Ihrem inneren Kreis gequatscht?«

»Bei allem Respekt, Sir, die Yrr-Hypothese ist nichts, worauf andere nicht auch kommen konnten. So viel ich höre, dreht sich der Großteil aller Vermutungen weltweit immer noch um natürliche Phänomene und internationalen Terrorismus. Heute Morgen hat irgendein Wissenschaftler aus Pjöngjang …«

»Er hat gesagt, wir wären die Schurken.« Der Präsident winkte ab. »Weiß ich alles. Wir würden mit ultraleisen U-Booten herumfahren und unsere eigenen Städte angreifen, um es unschuldigen Kommunisten in die Schuhe zu schieben. Was für ein Schwachsinn.« Er beugte sich vor. »Das ist mir im Grunde aber auch egal. Ich pfeife auf Beliebtheit. Ich will das Problem gelöst sehen, ich will neue Optionen auf den Tisch! Jude, verdammt nochmal, *kein* Land ist noch in der Lage, einem anderen zu helfen! Die Vereinigten Staaten von Amerika müssen selber um Hilfe bitten! Wir werden überrannt, vergiftet, unsere Bürger fliehen ins Landesinnere. Ich muss mich in einen Sicherheitstrakt zurückziehen wie ein Maulwurf. In den Städten herrschen Plünderung und Anarchie. Militär und Ordnungskräfte sind hoffnungslos überlastet. Die Menschen können wählen zwischen kontaminierten Lebensmitteln und wirkungslosen Medikamenten.«

»Sir …«

»Noch hält Gott seine schützende Hand über den Westen, sieht man davon ab, dass Ihnen garantiert irgendwas die Zehen abbeißen wird, sobald Sie Ihren Fuß ins Wasser halten. Die Wurmpopulationen vor Amerika und Asien werden dichter, und in La Palma stehen sie vor dem Aus. Ich bin nicht unglücklich darüber, dass verschiedene Regierungen hier und da wackeln, aber in wessen Hände dann die dortigen Waffensysteme fallen, dieser Frage können wir uns im Moment keinesfalls widmen.«

»Ihre letzte Ansprache …«

»Hören Sie bloß auf. Ich ergehe mich von morgens bis abends in leidenschaftlich bewegten Äußerungen. Keiner dieser Redenschreiber nimmt sie auf. Keiner von denen begreift, was ich diesem Land und der Welt vor Gott sagen will. Ich sage, verbreitet Zuversicht. Das amerikanische Volk soll die Entschlossenheit eines Oberbefehlshabers sehen, der alles tun wird, was nötig ist, um diese Schlacht zu gewinnen, und mag der Feind auch tausendmal sein Gesicht verdecken. Die Welt soll Kraft schöpfen. Nein, wir wollen niemanden einlullen, wir müssen uns auf das Schlimmste vorbereiten, aber wir werden *da durchfinden*! Das sage ich ihnen, aber wenn sie Zuversicht verbreiten, werden sie unglaubwürdig und pathetisch, und dazwischen mischt sich ihre eigene klamme Angst. Ich frage mich, ob mir von denen überhaupt einer zuhört!«

»Aber die Menschen *hören* Ihnen zu«, versicherte Li. »Sie sind im Augenblick einer der wenigen, auf den überhaupt jemand hört. Auf Sie und auf die Deutschen.«

»Ja, die Deutschen.« Die Augen des Präsidenten verengten sich. »Stimmt das übrigens? Die Deutschen planen eine eigene Mission?«

Li fiel fast vom Laufband. Was war das wieder für ein Quatsch?

»Nein, das tun sie *nicht*. *Wir* führen die Welt an. Wir sind legitimiert von den Vereinten Nationen. Deutschland koordiniert Europa, aber sie arbeiten eng mit uns zusammen. Schauen Sie nach La Palma.«

»Warum erzählt mir dann die CIA, es sei so?«

»Weil Jack Vanderbilt so was kolportiert.«

»Ach, Jude.«

»Doch, er ist und bleibt ein Intrigant.«

»Kind, wenn Sie so weit sind, Ihren wohl verdienten Platz einzunehmen, wird Vanderbilt nicht mal in der Nähe sein.«

Li ließ langsam ihren Atem entweichen. Sie war emotional geworden. Sie hatte sich aus der Deckung begeben und in diesem Moment vielleicht zu viel von sich preisgegeben. Das war nicht gut. Sie musste sich zur Souveränität mahnen.

»Natürlich«, sagte sie lächelnd, »sehe ich in Jack kein Problem, sondern einen Partner.«

Der Präsident nickte.

»Die Russen haben uns ein Team geschickt, das die CIA umfassend über die Verhältnisse an der Schwarzmeerküste informiert hat. Mit China stehen wir in engem Austausch. Das mit den Deutschen ist wahrscheinlich Quatsch. Ich habe eigentlich nicht den Eindruck, dass sie auf eigene Rechnung spielen, aber Sie wissen ja, was in solchen Zeiten an Gerüchten durch die Medien geistert. Nein, wir können zufrieden sein. Es ist schon großartig, wie viele Menschen unterschiedlicher Nationen sich in Gott finden, wenn der Teufel aus dem Meer steigt.« Er fuhr sich über die Augen. »Also wie weit sind wir? Ich wollte Sie das nicht vor den anderen fragen, Jude, ich will Sie nicht in die peinliche Situation bringen, etwas beschönigen zu müssen, aber seien Sie jetzt offen. – Wie – weit – sind – wir?«

»Wir stehen kurz vor dem Durchbruch.«

»Wie kurz ist kurz?«

»Rubin meint, wenn alles gut geht, kann er in ein bis zwei Tagen liefern. Wir hatten im Laboratorium einen Treffer. Es gibt einen Duftstoff, über den die Yrr kommunizieren. Sie haben das Zeug künstlich hergestellt und …«

»Ersparen Sie mir die Einzelheiten. Rubin sagt, er kriegt das hin?«

»Er ist ganz sicher, Sir«, sagte Li. »Und ich bin es auch.«

Der Präsident schürzte die Lippen.

»Ich verlasse mich auf Sie, Jude. Gibt es sonst irgendwelche Komplikationen mit Ihren Wissenschaftlern?«

»Nein«, log sie. »Alles läuft bestens.«

Wieso stellte er diese Frage? Hatte Vanderbilt …

Ruhig, Jude. Eine zufällige Formulierung. Das war nicht in Vanderbilts Interesse. Der Fettsack hatte zwar ein Schandmaul, aber Vanderbilt schoss sich nicht selber ins Knie.

»Sir«, sagte sie. »Wir liegen weit vorne. Ich habe Ihnen versprochen, die Sache in unser aller Sinne zu Ende zu bringen, und das werde ich auch. Wir werden die Welt retten. Die Vereinigten Staaten von Amerika werden sie retten. *Sie* werden die Welt retten.«

»So wie im Kino, was?«

»Besser.«

Der Präsident nickte düster. Dann lächelte er unvermittelt. Es war nicht ganz das strahlende Lächeln wie sonst. Aber etwas von dem unabdingbaren Siegeswillen lag darin, um dessentwillen sie ihn bewunderte und verehrte.

»Gott mit Ihnen, Jude«, sagte er.

Er schaltete ab. Li blieb auf ihrem Laufband zurück, und plötzlich fragte sie sich, ob sie es tatsächlich schaffen würden.

COMBAT INFORMATION CENTER

Was immer die Botschaft über den Feind im Meer verriet – von den Sachzwängen menschlicher Biochemie kündete Shankars knurrender Magen so beredt, dass Crowe es irgendwann nicht mehr mit anhören konnte und ihn zum Essen schickte.

»Ich muss nichts essen«, beharrte Shankar.

»Tu mir den Gefallen«, sagte Crowe.

»Wir haben keine Zeit, essen zu gehen.«

»Das weiß ich selber. Wir haben aber auch nichts davon, wenn man irgendwann unsere gebleichten Knochen findet. Ich ernähre mich wenigstens von Lucky Strike. Geh schon, Murray. Iss was, komm gestärkt zurück und lös unsere Probleme mit einem konstruktiven Aufstoßen.«

Shankar ging, und sie war allein.

Ein bisschen Alleinsein hatte sie gebraucht. Es ging nicht gegen Shankar. Er war brillant und eine große Hilfe. Aber Shankar wurzelte im Akustischen. Mit außermenschlichen Denkweisen tat er sich schwer, und Crowe war immer dann auf die besten Ideen gekommen, wenn sie nichts und niemanden um sich hatte außer Qualm.

Sie rauchte eine Zigarette und rollte die Sache neu auf.

H_2O. Wir leben im Wasser.

Die Botschaft nahm sich aus wie ein Tapetenmuster. Ein Rapport aus H_2O. Immer gleich, aber jedes H_2O gekoppelt mit irgendwelchen Zusatzdaten. Millionen solcher Datenpaare aneinander gereiht. In der graphischen Übersetzung wurden Bilder daraus, die Linien zeigten. Der Gedanke lag natürlich nahe, dass die Zusatzdaten Eigenschaften des Wassers beschrieben oder etwas, das darin lebte.

Vielleicht aber war dieser Gedanke falsch.

Was hatten die Yrr zu erzählen?

Wasser. Was noch?

Crowe überlegte. Plötzlich kam ihr ein Beispiel in den Sinn. Zwei Aussagen. Erstens, dies ist ein Eimer. Zweitens, dies ist Wasser. Zusammengenommen ein Eimer Wasser. Die Wassermoleküle waren alle gleich, die Daten, die den Eimer beschrieben, keineswegs. Sie differierten, was die Form des Eimers anging, seine Oberflächenstruktur, eventuelle Muster. Ein Datensatz, der einen Eimer beschrieb, in tausend unterschiedliche Einzelaussagen aufgeschlüsselt, war also eine differenzierte Angelegenheit. Nun die Aussage, dass der Eimer randvoll mit Wasser sei. Ganz einfach zu treffen, indem man jeder der Eimer-Aussagen die Zusatzaussage ›Wasser‹ anhängte.

Andersrum: H_2O wurde gekoppelt mit Daten, die etwas beschrieben, das mit Wasser nicht das Geringste zu tun hatte. Nämlich einen Eimer.

Wir leben im Wasser.

Und wo ist dieses Wasser? Wie kann man Aussagen über den Ort von etwas treffen, das selber keine Gestalt hat?

Indem man beschreibt, was es begrenzt.

Küsten und Meeresboden.

Die freien Flächen waren Festland, ihre Ränder Küsten.

Crowe ließ beinahe ihre Zigarette fallen. Sie begann dem Computer Befehle einzugeben. Mit einem Mal wusste sie, warum die Flächen zusammen kein Bild ergaben. Weil sie keinen zweidimensionalen Raum beschrieben, sondern einen dreidimensionalen. Man musste sie biegen, damit sie zusammenpassten. So lange biegen, bis sie etwas Dreidimensionales ergaben.

Eine Kugel.

Die Erde.

LABOR

Zur gleichen Zeit saß Johanson über den Proben, die er dem Yrr-Gewebe entnommen hatte. Oliviera war nach zwölf Stunden hoch konzentrierter Laborarbeit nicht mehr in der Lage gewesen, offenen Auges durch ein Mikroskop zu blicken. Sie hatte wenig geschlafen in den Nächten zuvor. Allmählich begann die Expedition, ihren Tribut zu fordern. Obwohl sie in Riesenschritten vorankamen, saß allen die Verunsicherung tief in den Knochen. Jeder reagierte auf seine Weise. Greywolf hatte sich ins Welldeck zurückgezogen. Er pflegte die verbliebenen drei Delphine, wertete ihre Daten aus und ging Kontakten aus dem Weg. Andere legten eine spürbare Gereiztheit an den Tag. Manche blieben stoisch, und Rubin kompensierte den Schrecken mit Migräne – neben Olivieras wohl verdientem Schönheitsschlaf der zweite Grund, warum Johanson allein in dem großen, dämmrigen Labor saß.

Er hatte die Hauptbeleuchtung ausgeschaltet. Tischleuchten und Computerbildschirme bildeten die einzigen Lichtquellen. Aus dem stetig vor sich hin summenden Simulator drang ein kaum wahrnehmbarer blauer Schein. Die Masse bedeckte unverändert den Boden. Man hätte sie für tot halten können, aber inzwischen wusste er es besser.

Solange sie leuchtete, war sie äußerst lebendig!

Auf der Rampe erklangen Schritte. Anawak steckte den Kopf herein.

»Leon.« Johanson sah von seinen Unterlagen auf. »Wie nett.«

Anawak lächelte. Er kam herein, zog einen Stuhl heran und setzte sich rittlings darauf, die Arme über die Lehne verschränkt. »Es ist drei Uhr morgens«, sagte er. »Was zum Teufel tust du hier?«

»Arbeiten. Was tust *du* hier?«

»Ich kann nicht schlafen.«

»Vielleicht sollten wir uns einen Schluck Bordeaux genehmigen. Was meinst du?«

»Oh, das ...« Anawak sah plötzlich verlegen aus. »Wirklich sehr freundlich von dir, aber ich trinke keinen Alkohol.«

»Nie?«

»Nie.«

»Komisch.« Johanson runzelte die Stirn. »Normalerweise fällt mir so was auf. Wir laufen alle ein bisschen neben der Spur, was?«

»Ja, kann man sagen.« Anawak machte eine Pause. Er schien über irgendetwas reden zu wollen, aber dann fragte er: »Und wie kommst du voran?«

»Gut«, erwiderte Johanson und fügte wie beiläufig hinzu: »Ich habe euer Problem gelöst.«

»Unser Problem?«

»Deines und Karens. Das Problem mit dem DNA-Gedächtnis. Ihr hattet Recht. Es funktioniert, und ich weiß auch, wie.«

Anawak machte große Augen. »Das sagst du so nebenbei?«

»Du musst entschuldigen. Ich bin zu müde für den erforderlichen Flicflac. Aber du hast natürlich Recht, man müsste es begießen.«

»Wie bist du dahinter gekommen?«

»Diese rätselhaften hypervariablen Bereiche, du erinnerst dich – es sind Cluster. Überall auf dem Genom finden sich solche Cluster, die bestimmte Proteinfamilien codieren. – Äh ... weißt du überhaupt, wovon ich rede?«

»Hilf mir auf die Sprünge.«

»Cluster sind Subklassen von Genen. Gene, die für irgendwas zuständig sind, zum Beispiel für die Ausbildung von Rezeptoren oder die Produktion irgendwelcher Stoffe. Wenn sich eine Zusammenballung dieser Gene auf einem Streckenabschnitt der DNA findet, nennt man das Cluster. Und davon hat das Yrr-Genom jede Menge. Der Witz an der Sache ist, dass die Yrr-Zellen durchaus repariert werden. Aber bei den Yrr startet die Reparatur nicht global für das ganze Genom, und die Enzyme suchen auch nicht die komplette DNA nach Fehlern ab, sondern reagieren nur auf spezifische Signale. Wie auf einer Eisenbahnstrecke. Erkennen sie ein Startsignal, beginnen sie zu reparieren, gelangen sie an ein Stoppsignal, hören sie auf. Denn dort beginnt ...«

»Das Cluster.«

»Genau. Und die Cluster sind geschützt.«

»Sie können Teile ihres Genoms vor der Reparatur schützen?«

»Durch Reparatur-Repressoren. Biologische Türsteher, wenn du so willst. Sie schirmen die Cluster gegen Reparatur-Enzyme ab. Darum sind diese Bereiche frei, ohne Unterlass zu mutieren, während der Rest der DNA brav repariert wird, um die Kerninformationen der Rasse zu erhalten. Schlau, was? Auf diese Weise wird jedes Yrr zu einem unbegrenzt entwicklungsfähigen Gehirn.«

»Und wie tauschen sie sich aus?«

»Wie Sue schon sagte, von Zelle zu Zelle. Durch Liganden und Rezeptoren. Die Rezeptoren empfangen die Liganden, die Sendeimpulse, von anderen Zellen und setzen eine Signalkaskade in Richtung Zellkern in Bewegung. Das Genom mutiert und gibt die Impulse an die nächstliegenden Zellen weiter. Alles geht blitzschnell. Der Haufen Gallerte da im Tank denkt in der Geschwindigkeit von Supraleitern.«

»Tatsächlich eine ganz neue Biochemie«, flüsterte Anawak.

»Oder eine ganz alte. Neu ist sie nur für uns. In Wirklichkeit existiert sie wahrscheinlich schon seit Jahrmillionen. Vielleicht seit Anbeginn des Lebens. Eine parallele Spielart der Evolution.« Johanson stieß ein kleines Lachen aus. »Eine sehr erfolgreiche Spielart.«

Anawak stützte das Kinn in die Hände.

»Aber was fangen wir jetzt damit an?«

»Gute Frage. Ich hatte selten so ein vermurkstes Gefühl wie heute. Dass mich so viel Wissen so wenig weiterbringt. Es bestätigt nur, was wir ohnehin befürchtet hatten. Dass sie in jeder Hinsicht anders sind als wir.« Er reckte die Arme und gähnte ausgiebig. »Ich weiß nur nicht, ob Crowes Kontaktversuche uns weiterbringen. Im Augenblick kommt's mir eher so vor, als ob die sich prächtig mit uns unterhalten, während sie uns zugleich den Garaus machen. Vielleicht stellt das in ihren Augen keinen Widerspruch dar. Meine Art von Konversation ist das jedenfalls nicht.«

»Uns bleibt keine Wahl. Wir müssen einen Weg der Verständigung finden.« Anawak saugte an seiner Backe. »Bei der Gelegenheit – glaubst du eigentlich, dass alle auf dem Schiff am selben Strang ziehen?«

Johanson horchte auf. »Wie kommst du jetzt darauf?«

»Weil …« Anawak verzog das Gesicht. »Okay, sei ihr nicht böse, aber Karen hat mir erzählt, was du in der Nacht vor deinem komischen Unfall gesehen hast. Oder meinst gesehen zu haben.«

Johanson maß ihn mit kritischen Blicken.

»Und wie denkt sie darüber?«

»Sie glaubt dir.«

»Den Eindruck hatte ich auch. Was ist mit dir?«

»Schwer zu sagen.« Anawak zuckte die Achseln. »Du bist Norweger. Ihr behauptet auch steif und fest, es gäbe Trolle.«

Johanson seufzte.

»Das Ganze wäre mir überhaupt nicht mehr eingefallen ohne Sue«, sagte er. »Sie hat mich drauf gebracht. In der Nacht, als wir zusammen auf der Kiste im Hangardeck saßen: Ich hätte Rubin gesehen, obwohl der angeblich mit Migräne im Bett lag. So, wie er jetzt auch wieder Migräne hat. Angeblich! – Seitdem kommen Bruchstücke zurück. Ich erinnere mich an Dinge, die ich unmöglich geträumt haben kann. Manchmal bin ich kurz davor, alles zu sehen, aber dann ... ich stehe vor einer offenen Tür, schaue in weißes Licht – ich gehe hinein, und die Erinnerung reißt ab.«

»Was macht dich so sicher, es nicht geträumt zu haben?«

»Sue.«

»Die hat aber selber nichts gesehen.«

»Und Li.«

»Wieso gerade Li?«

»Weil sie sich auf der Party ein bisschen zu auffällig für mein Erinne-rungsvermögen interessiert hat. Ich glaube, sie wollte mir auf den Zahn fühlen.« Johanson sah ihn an. »Du hast gefragt, ob alle hier am selben Strang ziehen. Ich glaube nicht. Ich hab's schon im Château nicht geglaubt. Ich habe Li von Anfang an misstraut. Mittlerweile glaube ich ebenso wenig, dass Rubin unter Migräne leidet. Ich weiß nicht, *was* ich glauben soll – aber ich habe das sichere Gefühl, dass was im Gange ist!«

»Männliche Intuition«, grinste Anawak unsicher. »Was sollte Li denn deiner Ansicht nach vorhaben?«

Johanson sah zur Decke.

»Das weiß sie besser als ich.«

KONTROLLRAUM

Zufälligerweise schaute Johanson in diesem Moment direkt in eine der versteckten Kameras. Ohne es zu wissen, sah er Vanderbilt an, der Lis Platz eingenommen hatte, und sagte:

»Das weiß sie besser als ich.«

»Du bist ja so ein schlaues Kerlchen«, summte Vanderbilt. Dann rief er Li über die abhörsichere Leitung in ihrem Quartier an. Er wusste nicht, ob sie schlief, aber es war ihm egal.

Li erschien auf dem Monitor.

»Ich sagte ja, es gibt keine Garantie, Jude«, bemerkte Vanderbilt. »Johanson steht kurz davor, sein Gedächtnis wiederzuerlangen.«

»So? Und wenn schon.«

»Sind Sie gar nicht nervös?«

Li lächelte dünn. »Rubin hat hart gearbeitet. Er war eben hier.«

»Und?«

»Es ist brillant, Jack!« Ihre Augen leuchteten. »Ich weiß, wir mögen den kleinen Scheißer nicht sonderlich, aber ich muss sagen, diesmal hat er sich selber übertroffen.«

»Schon praktisch getestet?«

»Im kleinen Maßstab. Aber der kleine ist wie der große. Es funktioniert. In wenigen Stunden werde ich den Präsidenten verständigen. Danach gehen Rubin und ich runter.«

»Sie wollen das selber machen?«, rief Vanderbilt.

»Was denn sonst? *Sie* passen ja in so ein Boot nicht rein«, sagte Li und schaltete ab.

WELLDECK

Geisterhaft summten die elektrischen Systeme in den leeren Hangars und Decks der *Independence*. Sie versetzten die Schotts in kaum merkliche Schwingungen. In dem riesigen, leeren Hospital waren sie zu hören, in der verlassenen Offiziersmesse, und wer in den Mannschaftskojen seine Fingerspitzen gegen eines der Spinde legte, konnte die leichten Vibrationen spüren, die sie erzeugten.

Bis tief hinunter in den Bauch des Schiffes drangen sie, wo Greywolf mit offenen Augen am Rand des Gestades lag und an die Stahlträgerdecke starrte.

Warum bloß ging immer alles verloren?

Er fühlte sich überwältigt von Traurigkeit und dem Gefühl, alles verkehrt gemacht zu haben. Allein schon, auf die Welt gekommen zu sein, war ein Fehler gewesen. Alles war schief gelaufen. Und jetzt hatte er nicht mal Licia retten können.

Nichts hast du geschützt, dachte er. Gar nichts. Du hast immer nur eine große Fresse gehabt und dahinter eine noch größere Angst. Ein kleiner, heulender Junge in einem Riesenkörper, der sich und anderen so gerne was bedeuten würde.

Einmal, im Krankenhaus, zusammen mit dem Kind, das er von der *Lady Wexham* gerettet hatte, da war er wirklich stolz gewesen. Auf der *Lady Wexham* hatte er einen guten Job gemacht. Er hatte vielen Menschen geholfen, und plötzlich war auch Leon wieder sein Freund geworden. Ein Fotograf hatte ein Bild geschossen und die Zeitung tags darauf den Segen der Verbindlichkeit erteilt.

Doch jetzt drehten die Wale weiter durch, die Delphine litten, die ganze Natur litt vor sich hin, und Licia war tot.

Greywolf fühlte sich leer und wertlos. Er empfand Abscheu vor sich selbst. Mit niemandem würde er darüber reden, so viel stand fest, nur seine Aufgabe erledigen, bis der ganze Alptraum überstanden war.

Und dann …

Tränen liefen aus seinen Augen. Sein Gesicht war unbewegt. Er starrte weiter an die Decke, aber dort waren nur Stahlträger. Keine Antworten.

DAS GANZE BILD

»Diese Kugel«, sagte Crowe, »ist der Planet Erde.«

Sie hatte mehrere Vergrößerungen von Ausdrucken an die Wand gehängt und ging langsam von einer zur anderen.

»Über die Natur der Linien haben wir uns lange den Kopf zerbrochen, aber wir glauben, sie geben das Erdmagnetfeld wieder. Die Aussparungen jedenfalls sind Kontinente. Im Wesentlichen haben wir die Botschaft damit entschlüsselt.«

Li kniff die Augen zusammen. »Sind Sie sicher? Diese angeblichen Kontinente da gleichen in nichts den Kontinenten, die ich kenne.«

Crowe lächelte. »Das können sie auch nicht, Jude. Es sind die Kontinente, wie sie vor 180 Millionen Jahren aussahen, zu einem vereint. Pangäa. Der Urkontinent. Wahrscheinlich entstammt auch die Anordnung der Magnetfeldlinien dieser Zeit.«

»Haben Sie das überprüft?«

»Die Anordnung des Magnetfelds lässt sich schwer rekonstruieren. Die damalige Konstellation der Landmassen hingegen ist bekannt. Wir brauchten eine Weile, um dahinter zu kommen, dass sie uns ein Modell der Erde geschickt hatten, aber dann passte alles hübsch zusammen. Im Grunde ganz einfach. Als Kerninformation wählten sie Wasser und koppelten es mit geographischen Daten.«

»Wie können die wissen, wie die Erde vor 180 Millionen Jahren ausgesehen hat?«, wunderte sich Vanderbilt.

»Indem sie sich daran erinnern«, sagte Johanson.

»Erinnern? An den Urozean? Aber das war eine Zeit, in der nur Einzeller…« Vanderbilt stockte.

»Richtig«, sagte Johanson. »Nur Einzeller. Und ein paar mehrzellige Experimente im Frühstadium. Gestern Nacht haben wir den letzten Stein im Puzzle gefunden. Die Yrr *verfügen* über eine hypermutierende

DNA. Nehmen wir an, zu Beginn des Jura, vor gut 200 Millionen Jahren, hat ihre Bewusstwerdung eingesetzt. Seitdem lernen sie ständig dazu. – Wissen Sie, in der Science-Fiction gibt es einige Sätze, beliebte Klassiker wie *Ich weiß nicht, was es ist, aber es kommt auf uns zu!* oder *Geben Sie mir den Präsidenten.* Ein weiterer dieser obligatorischen Sätze lautet: *Sie sind uns überlegen*, und fast immer bleibt der Film oder das Buch die Erklärung schuldig. In diesem Fall können wir sie nachliefern. Die Yrr *sind* uns überlegen.«

»Weil sich ihr Wissen in der DNA ablagert?«, fragte Li.

»Ja. Das ist der wesentliche Unterschied zum Menschen. Wir haben kein Rassengedächtnis. Unsere Kultur beruht auf mündlicher und schriftlicher Überlieferung oder auf Bildern. Aber unmittelbar Erlebtes können wir nicht weitergeben. Mit unserem Körper stirbt unser Geist. Wenn wir sagen, dass die Fehler der Vergangenheit nie in Vergessenheit geraten dürfen, sprechen wir einen unerfüllbaren Wunsch aus. Man kann nur vergessen, woran man sich erinnert. Aber kein Mensch kann sich an etwas erinnern, das ein Mensch vor ihm erlebt hat. Wir können Erinnerungen aufzeichnen und abrufen, aber *wir waren nicht dabei*. Jedes Menschenkind muss das ewig Gleiche immer neu erlernen, es muss die Hand auf die heiße Herdplatte legen, um zu begreifen, dass sie heiß ist. Bei den Yrr ist das anders. Eine Zelle lernt und teilt sich. Sie verdoppelt ihr Genom mitsamt aller Informationen, etwa so, als würden wir unser Hirn mitsamt aller Erinnerungen duplizieren. Neue Zellen erben kein abstraktes Wissen, sondern die unmittelbare Erfahrung, als seien sie selber dabei gewesen. Seit Anbeginn ihrer Existenz sind die Yrr befähigt zu kollektiver Erinnerung.« Johanson sah Li an. »Ist Ihnen eigentlich klar, *wer* da gegen uns steht?«

Li nickte langsam.

»Man könnte die Yrr nur dann ihres Wissens berauben, wenn man es schaffte, ganze Kollektive zu vernichten.«

»Ich fürchte, dazu müssten wir *alle* vernichten«, sagte Johanson. »und das ist aus verschiedenen Gründen unmöglich. Wir wissen nicht, wie dicht ihr Netz ist. Möglicherweise bilden sie zelluläre Ketten über Hunderte von Kilometern. Sie sind in der Überzahl. Anders als wir leben sie nicht nur in der Gegenwart. Sie brauchen keine Statistik, keine Mittelwerte, keine krückenhaften Sinnbilder. In hinreichend großen Verbänden sind sie selber die Statistik, die Summe aller Werte, ihre eigene Chronik. Sie erkennen Entwicklungen, die sich über Jahrtausende vollziehen, während wir nicht mal in der Lage sind, im Interesse unserer Kinder und Enkel zu handeln. Wir sind die Verdränger. Die

Yrr vergleichen, analysieren, erkennen, prognostizieren und handeln aufgrund einer ständig präsenten Erinnerung. Keine kreative Leistung geht verloren, alles fließt ein in die Entwicklung neuer Strategien und Konzepte! Ein niemals endendes Ausleseverfahren hin zur besseren Lösung. Zurückgreifen, modifizieren, verfeinern, aus Fehlschlägen lernen, mit Neuem abgleichen, hochrechnen – handeln.«

»Was für eine kalte, ekelhafte Angelegenheit«, sagte Vanderbilt.

»Finden Sie?« Li schüttelte den Kopf. »Ich bewundere diese Wesen. Sie erarbeiten Strategien, die uns jahrelang beschäftigen würden, in Minuten. Schon alleine zu wissen, was alles *nicht* geht! Einfach, weil man sich daran erinnert, weil man selber es war, der den Fehler gemacht hat, auch wenn man physisch noch gar nicht existierte.«

»Darum kommen die Yrr in ihrem Lebensraum wahrscheinlich besser zurecht als wir in unserem«, sagte Johanson. »Bei ihnen ist jede geistige Leistung kollektiv und in den Genen verankert. Sie leben in allen Zeiten zugleich. Menschen hingegen verkennen das Vergangene und ignorieren das Kommende. Unsere gesamte Existenz ist fixiert auf den Einzelnen und dessen Hier und Jetzt. Höhere Einsicht opfern wir persönlichen Zielen. Wir können uns nicht über den Tod hinaus erhalten, also verewigen wir uns in Manifesten, Büchern und Opern. Wir versuchen, uns der Geschichte einzuschreiben, hinterlassen Aufzeichnungen, werden weitererzählt, missverstanden, verfälscht, treten ideologische Lawinen los, lange nachdem wir tot sind. Wir sind derart versessen darauf, uns selber zu überdauern, dass unsere geistigen Ziele selten mit dem übereinstimmen, was der Menschheit als Ziel dienlich wäre. Unser Geist forciert das Ästhetische, Individuelle, Intellektuelle, Theoretische. Wir wollen kein Tier sein. Einerseits ist der Körper unser Tempel, andererseits schätzen wir ihn als bloße Funktionseinheit gering. Also haben wir uns angewöhnt, den Geist über den Körper zu stellen, und die Sachzwänge unseres Überlebens betrachten wir mit Abscheu und Selbstverachtung.«

»Und bei den Yrr existiert diese Trennung nicht«, sinnierte Li. Sie wirkte aus unerfindlichen Gründen äußerst zufrieden. »Der Körper *ist* der Geist, der Geist *ist* der Körper. Kein einzelnes Yrr wird je etwas tun, das den Interessen der Allgemeinheit zuwiderläuft. Überleben ist ein Interesse der Spezies, nicht des Individuums, und Handeln immer der Beschluss aller. Grandios! Kein Yrr wird je einen Orden für eine gute Idee bekommen. Die Mitwirkung am Resultat dient der Befriedigung. Mehr Anspruch auf Ruhm hat kein Yrr. Ich frage mich, ob die einzelnen Zellen überhaupt so etwas wie ein Individualbewusstsein haben?«

»Anders, als wir es kennen«, sagte Anawak. »Ich weiß nicht, ob man von einem Ich-Bewusstsein einer einzelnen Zelle sprechen kann. Aber jede Zelle ist individuell kreativ. Sie ist ein Messfühler, der Erfahrung in Kreativität umsetzt und diese ins Kollektiv einbringt. Wahrscheinlich wird ein Gedanke erst berücksichtigt, wenn sein Impuls stark genug ist, also wenn ihn genügend Yrr zur gleichen Zeit einbringen. Er wird gegen andere Ideen gerechnet, und die stärkere Idee überlebt.«

»Pure Evolution«, nickte Weaver. »Evolutives Denken.«

»Was für ein Gegner!« Li schien voller Bewunderung. »Keine Eitelkeiten, kein Informationsverlust. Wir Menschen sehen immer nur einen Teil des Ganzen, sie überblicken Zeit und Raum.«

»Darum zerstören wir unseren Planeten«, sagte Crowe. »Weil wir nicht erkennen, was wir zerstören. Das muss denen da unten klar geworden sein, und auch, dass wir kein Rassengedächtnis haben.«

»Ja, es ergibt alles einen Sinn. Warum sollten sie mit uns verhandeln? Mit Ihnen oder mit mir? Morgen können wir tot sein. Mit wem reden sie dann? Hätten wir ein Rassengedächtnis, würde es uns vor unseren eigenen Dummheiten schützen, aber so sind wir nicht. Mit Menschen klarkommen zu wollen ist illusorisch. Das haben sie gelernt. Das ist Teil ihres Wissens und Grundlage des Beschlusses, gegen uns vorzugehen.«

»Und kein Feind wird in der Lage sein, dieses Wissen zu eliminieren«, sagte Oliviera. »In einem Yrr-Kollektiv weiß jeder alles. Es gibt keine klugen Köpfe, keine Wissenschaftler, Generäle und Führer, die man aus dem Weg räumen könnte, um den anderen die Informationsgrundlage zu entziehen. Man kann so viele Yrr töten, wie man will – solange einige überleben, überlebt das Wissen aller.«

»Augenblick.« Li wandte ihr den Kopf zu. »Sagten Sie nicht, es müsse Königinnen geben?«

»Ja. So was in der Art. Mag sein, dass kollektives Wissen allen Yrr zu Eigen ist, aber kollektives Handeln könnte zentral initiiert sein. Ich schätze, dass es diese Königinnen gibt.«

»Ebenfalls Einzeller?«

»Sie müssen dieselbe Biochemie teilen wie die Gallerte, die wir kennen. Es ist anzunehmen, dass es Einzeller sind. Ein hoch organisierter Verbund, an den wir nur rankommen, indem wir mit ihm kommunizieren.«

»Um rätselhafte Botschaften zu erhalten«, sagte Vanderbilt. »Sie haben uns also ein Bild der prähistorischen Erde geschickt. Wozu? Was wollen sie uns damit erzählen?«

»Alles«, sagte Crowe.

»Geht's ein bisschen präziser?«

»Sie erzählen uns, dass dies ihr Planet ist. Dass sie ihn seit mindestens 180 Millionen Jahren beherrschen, womöglich länger. Dass sie über ein Rassengedächtnis verfügen, sich am Magnetfeld orientieren und überall vertreten sind, wo Wasser ist. Sie sagen, ihr seid hier und jetzt. Wir sind immer und überall. Das sind die Fakten. Das sagt uns die Botschaft, und ich finde, sie sagt verdammt viel.«

Vanderbilt kratzte seinen Bauch. »Und was antworten wir ihnen? Dass sie sich ihre Vorherrschaft in den Arsch schieben sollen?«

»Sie haben keinen, Jack.«

»Also was?«

»Nun, ich denke, ihrer Logik, uns vernichten zu wollen, können wir nicht mit unserer Logik begegnen, überleben zu wollen. Unsere einzige Chance liegt darin, ihnen zu signalisieren, dass wir ihre Vorherrschaft anerkennen ...«

»Die Vorherrschaft von Einzellern?«

»Und sie davon zu überzeugen, dass wir nicht mehr gefährlich für sie sind.«

»Aber das sind wir«, sagte Weaver.

»Stimmt«, sagte Johanson. »Gerede nützt nichts. Wir müssen ihnen ein Zeichen geben, dass wir uns aus ihrer Welt zurückziehen. Wir müssen aufhören, das Meer mit Gift und Lärm zu verschmutzen, und zwar schnell. So schnell, dass sie vielleicht auf den Gedanken kommen, auch *mit* uns leben zu können.«

»Das müssen Sie entscheiden, Jude«, sagte Crowe. »Wir können es nur empfehlen. Sie müssen es weiterempfehlen. Oder anordnen.«

Plötzlich sahen alle auf Li.

Li nickte.

»Ich bin sehr dafür, diesen Weg zu gehen«, sagte sie. »Aber wir dürfen nichts überstürzen. Wenn wir uns aus den Meeren zurückziehen, müssen wir ihnen eine Botschaft schicken, die das sehr genau und überzeugend formuliert.« Sie sah in die Runde. »Ich will, dass alle daran mitarbeiten. Und zwar, *ohne* in Hast und Panik zu verfallen. Wir dürfen nichts überstürzen. Auf ein paar Tage kommt es jetzt nicht an, sondern darauf, dass der Wortlaut stimmt. Diese Rasse ist uns in allem so fremd, wie ich es niemals vermutet hätte. Aber wenn es nur die geringste Chance gibt, mit ihr zu einer friedlichen Einigung zu gelangen, sollten wir sie nutzen. – Also geben Sie Ihr Bestes.«

»Jude«, lächelte Crowe. »Sie sehen mich entzückt vom amerikanischen Militär.«

Als Li mit Peak und Vanderbilt den Raum verließ, sagte sie leise:

»Hat Rubin genug von dem Zeug herstellen können?«

»Hat er«, sagte Vanderbilt.

»Gut. Ich will, dass er das *Deepflight* betankt. Welches, ist mir egal. In zwei bis drei Stunden sollten wir darangehen, die Sache hinter uns zu bringen.«

»Warum plötzlich so schnell?«, fragte Peak.

»Johanson. Er hat so einen Ausdruck in den Augen, als ob er kurz vor einer Eingebung steht. Ich habe keine Lust auf Diskussionen, das ist alles. Morgen kann er meinetwegen so viel Krach schlagen, wie er will.«

»Sind wir wirklich schon so weit?«

Li sah ihn an.

»Ich habe dem Präsidenten der Vereinigten Staaten versprochen, dass wir so weit sind, Sal. Und dann sind wir es auch.«

WELLDECK

»Hey.«

Anawak trat zum Delphinarium. Greywolf sah kurz auf und widmete sich wieder der kleinen Videokamera, die er auseinander geschraubt hatte. Als Anawak näher kam, steckten zwei der Tiere ihre Köpfe aus dem Wasser und begrüßten ihn mit Schnattern und Pfeifen. Sie kamen herangeschwommen, um sich Streicheleinheiten abzuholen.

»Stör ich dich?«, fragte Anawak, während er über die Umrandung langte und die Tiere tätschelte.

»Nein. Du störst nicht.«

Anawak lehnte sich neben ihn. Es war nicht das erste Mal, dass er hierher kam seit dem Angriff. Jedes Mal hatte er versucht, Greywolf in ein Gespräch zu verwickeln, und jedes Mal vergeblich. Der Halbindianer schien völlig in sich gekehrt. Er nahm nicht mehr an den Sitzungen teil, sondern versah die Videos der Delphine mit kurzen, schriftlichen Kommentaren. Viel ließ sich darauf ohnehin nicht erkennen. Die Aufnahmen der näher rückenden Gallerte enttäuschten. Blaues Licht, das sich in der Tiefe verlor. Schemenhaft einige Orcas. Danach hatten es die Delphine mit der Angst bekommen und sich unter den Rumpf des Schiffes gedrängt, und man sah nur noch Stahlplatten. Greywolf hatte dafür plädiert, die verbliebenen Tiere weiterhin als biologisches Früh-warnsystem patrouillieren zu lassen. Anawak zweifelte zunehmend am Nutzen der Staffeln, aber er sagte nichts dergleichen. Insgeheim hegte er den Verdacht, dass Greywolf einfach nur weitermachen wollte wie bisher, um nicht ins Loch der Untätigkeit zu fallen.

Sie standen eine Weile schweigend beisammen. Weiter hinten stieg eine Gruppe Soldaten und Techniker aus dem Bauch des Welldecks nach oben. Sie hatten das zerstörte Glasschott abgebaut. Einer der Techniker trat zur Steuerkonsole auf dem Kai. Die Pumpen begannen zu arbeiten.

»Machen wir, dass wir wegkommen«, sagte Greywolf.

Sie gingen das Gestade hinauf. Anawak sah zu, wie sich das Deck langsam mit Wasser füllte.

»Die fluten wieder«, stellte er fest.

»Ja. Es ist nun mal einfacher, die Delphine rauszulassen, wenn das Deck geflutet ist.«

»Du willst sie rausschicken?«

Greywolf nickte.

»Ich helfe dir«, schlug Anawak vor. »Wenn du Lust hast.«

»Gute Idee.« Greywolf öffnete die Kamera und fuhr mit einem win-zigen Schraubenzieher ins Innere.

»Jetzt sofort?«

»Nein, ich muss erst das Ding hier reparieren.«

»Willst du nicht mal Pause machen? Wir könnten was trinken gehen. Wir brauchen alle ein bisschen Ruhe zwischendurch.«

»So viel hab ich nicht zu tun, Leon. Ich wühle im Equipment rum und sorge dafür, dass es den Tieren gut geht. Ich mache die ganze Zeit über Pause.«

»Dann komm mit zu den Besprechungen.«

Greywolf warf ihm einen kurzen Blick zu und arbeitete schweigend weiter. Die Unterhaltung versiegte.

»Jack«, sagte Anawak. »Du kannst dich doch nicht permanent ver-kriechen.«

»Wer redet denn von permanent?«

»Na ja, was soll das sonst sein?«

»Ich mache meinen Job.« Greywolf zuckte die Achseln. »Ich passe auf, was die Delphine melden, werte die Videos aus, und wenn mich einer braucht, bin ich da.«

»Du bist nicht da. Du weißt noch nicht mal, was wir in den letzten 24 Stunden alles rausgefunden haben.«

»Doch. Weiß ich.«

»So?«, staunte Anawak. »Von wem denn?«

»Sue war zwischendurch hier. Selbst Peak kam mal nachsehen, ob alles okay ist. Jeder erzählt mir was, ich muss überhaupt nicht fragen.«

Anawak starrte vor sich hin. Plötzlich regte sich Zorn in ihm.

»Na, dann brauchst du mich ja nicht«, sagte er trotzig.

Greywolf gab keine Antwort.

»Also willst du hier versauern?«

»Du weißt, dass ich die Gesellschaft von Tieren vorziehe.«

Auch wenn eines davon Licia getötet hat, wollte Anawak fragen, aber er schluckte es im letzten Moment herunter.

Was sollte er bloß tun?

»Ich habe Licia genauso verloren wie du«, sagte er schließlich.

Greywolf hielt kurz inne. Dann fummelte er wieder mit dem Schraubenzieher in der Kamera herum.

»Darum geht's nicht.«

»Worum geht's dann?«

»Was willst du hier, Leon?«

»Was ich will?« Anawak überlegte. Sein Zorn wuchs. Das war nicht fair. Bei allem, was Greywolf durchlitt, war es einfach nicht fair. »Ich weiß nicht, Jack. Offen gestanden frage ich mich das auch.«

Er wandte sich ab, um zu gehen.

Als er schon fast wieder im Tunnel war, hörte er Greywolf leise sagen:

»Warte, Leon.«

ERINNERUNG

Johanson dämmerte weg.

Er war todmüde. Die letzte Nacht steckte ihm in den Knochen. Er saß vor der Konsole mit den Bildschirmen, während Oliviera im Sterillabor weitere Mengen konzentrierten Yrr-Pheromons herstellte. Sie hatten beschlossen, einiges davon in den Simulator zu geben. Von der Masse war wenig zu sehen, nur dass die Vielzahl der Einzeller das Wasser trübte. Offenbar hatte sie sich vorübergehend aufgelöst und das Leuchten eingestellt. Wenn sie Pheromonextrakt hinzufügten, konnten sie womöglich eine Verschmelzung herbeiführen und das Gebilde weiteren Tests unterziehen.

Vielleicht, dachte Johanson, sollten sie Crowes Nachrichten in den Tank schicken, um zu sehen, ob das Kollektiv antwortete.

Er hatte leichtes Kopfweh und wusste auch den Grund dafür. Weder rührte es von Überarbeitung noch von zu wenig Schlaf. Es waren verklemmte Gedanken, die schmerzten.

Festsitzende Erinnerungen.

Seit der letzten großen Besprechung wurde es stetig schlimmer. Eine Äußerung Lis hatte seinen inneren Diaschlitten wieder in Gang gesetzt. Wenige Worte nur, aber sie füllten sein ganzes Denken aus und hinderten ihn, sich auf die Arbeit zu konzentrieren. Überaus anstrengend war dieses Nachdenken, und schließlich kippte Johansons Kopf langsam nach hinten. Er fiel in einen leichten Schlaf. An der Oberfläche des Bewusstseins trieb er dahin, gefangen in der Endlosschleife, zu der sich Lis Worte verbanden.

Nichts überstürzen. Nichts überstürzen. Nichts …

Von irgendwoher drangen Geräusche an sein Ohr. War Oliviera schon fertig mit der Synthetisierung des Pheromons? Kurz tauchte er auf aus seinem nervösen Schlummer, blinzelte in die Laborbeleuchtung und schloss wieder die Augen.

Nichts überstürzen.

Dämmrig.

Das Hangardeck.

Ein metallisches Geräusch, schleifend, leise. Johanson schreckt auf. Zuerst weiß er nicht, wo er ist. Dann spürt er die Stahlwand im Kreuz. Über dem Meer hat sich der Himmel aufgehellt. Er rappelt sich hoch und sieht zu der Wand hinüber.

Ein Teil davon steht offen.

Ein Tor hat sich aufgetan, leuchtend hell. Weißes Licht dringt aus dem Innern. Johanson rutscht von der Kiste. Stunden muss er darauf verbracht haben, so sehr schmerzen seine Knochen. Alter Mann. Er geht langsam auf das helle Quadrat zu. Dort mündet ein Gang, das erkennt er jetzt, mit nackten Wänden. Neonröhren ziehen sich die Decken entlang. Nach wenigen Metern eine Wand, seitlich abknickend.

Johanson späht ins Innere und lauscht.

Stimmen und Geräusche. Er tritt einen Schritt zurück. Was ist hinter dem Knick? Soll er hineingehen?

Johanson zögert.

Nichts überstürzen. Nichts überstürzen.

Zögert.

Plötzlich bricht eine Barriere.

Er geht hinein. Zu beiden Seiten nichts als nackte Wände, dort die Biegung. Er geht nach rechts. Noch eine Biegung, diesmal zur anderen

Seite. Breit ist dieser Gang, man könnte mit einem Auto entlangfahren. Wieder Geräusche, Stimmen, näher diesmal. Die Quelle muss gleich hinter dem zweiten Knick sein. Seine Schritte führen ihn langsam auf die Biegung zu, nach links, und da ist …

Das Labor.

Nein, nicht *das* Labor. *Ein* Labor. Kleiner, mit niedrigeren Decken. Aber es muss direkt über dem umgebauten Fahrzeugdeck liegen, wo sie den Simulator aufgestellt haben. Und auch dieses Labor hat einen Simulator, ein viel kleineres Gerät, nicht größer als eine Kiste, und im Innern schwebt etwas Leuchtendes, Blaues mit ausgestreckten Tentakeln …

Ungläubig starrt er auf die Szenerie.

Der ganze Raum ist eine kleine, aber perfekte Kopie des darunter liegenden Bereichs. Mehrere Labortische reihen sich aneinander. Gerätschaften. Behälter mit flüssigem Stickstoff. Eine Konsole mit Bildschirmen. Ein Elektronenmikroskop. Im Hintergrund an einer panzerverglasten Tür das Biohazard-Symbol. Noch weiter hinten führt eine offene Tür in einen schmaleren Gang.

Und da sind Menschen.

Drei Personen stehen vor dem kleinen Simulator. Sie unterhalten sich, ohne den Eindringling zu bemerken. Zwei Männer drehen ihm den Rücken zu, eine Frau steht halb seitlich und notiert etwas auf einem Block. Ihr Blick wandert zwischen den Männern und dem Simulator hin und her, fällt in den Raum, fällt auf Johanson …

Ihr Mund öffnet sich, und die Männer drehen sich abrupt zu ihm herum. Einen davon kennt er. Gehört zu Vanderbilts Stab, keiner weiß genau, was er macht, aber was machen CIA-Agenten schon?

Den zweiten Mann kennt er erst recht!

Es ist Rubin.

Johanson ist zu perplex, um etwas anderes zu tun als dazustehen und zu schauen. Er sieht den Schrecken in Rubins Augen, die Frage, wie diese Situation zu retten sei. Eigentlich ist es erst dieser Blick, der Johansons Erstarrung löst, weil ihm plötzlich klar wird, dass hier irgendein merkwürdiges Spiel gespielt wird, in dem man ihn benutzt, ihn und die anderen, Oliviera, Anawak, Weaver, Crowe …

Oder wer von ihnen spielt in diesem Spiel sonst noch eine Rolle?

Und zu welchem Zweck?

Rubin kommt langsam auf ihn zu. Ein verkrampftes Lächeln hat sich auf seine Züge gelegt.

»Sigur, mein Gott! Auch schlaflos unterwegs?«

Johansons Blicke wandern im Raum umher, streifen die anderen. Er muss ihnen nur eine Sekunde in die Augen sehen, um zu wissen, dass er keinesfalls hier sein sollte.

»Was tut ihr da, Mick?«

»Oh, nichts, das ist nur …«

»Was soll das? Was passiert hier?«

Rubin baut sich vor ihm auf. »Ich kann Ihnen das erklären, Sigur. Wissen Sie, wir hatten eigentlich nicht vor, dieses zweite Labor zu benutzen, es ist nur für den Notfall angelegt worden, wenn das große aus irgendeinem Grund ausfällt. Wir inspizieren lediglich die Systeme, damit es einsatzbereit ist für den Fall, dass …«

Johanson zeigt auf das Wesen im Simulator.

»Ihr habt eines von den … von den Dingern da im Tank!«

»Ach, das?« Rubins Kopf dreht sich nach hinten, wieder zurück. »Das … äh … nun ja, wir müssen es eben ausprobieren, sicherstellen. Wir haben Ihnen nichts davon gesagt, es bestand ja keine Notwendigkeit, weil …«

Jedes Wort ist gelogen.

Natürlich ist Johanson nicht ganz nüchtern, aber dass Rubin sich gerade um Kopf und Kragen redet, kriegt er mit.

Er dreht sich um und stapft den Gang zurück nach draußen.

»Sigur! Dr. Johanson!«

Schritte hinter ihm. Rubin an seiner Seite. Finger zerren nervös an seinem Ärmel.

»Warten Sie doch.«

»Was – macht – ihr – da?«

»Es ist nicht so, wie Sie denken, ich …«

»Woher wollen Sie denn wissen, was ich denke, Mick?«

»Es ist eine Sicherheitsmaßnahme.«

»Was?«

»Eine Sicherheitsmaßnahme! Das Labor ist eine Sicherheitsmaßnahme!«

Johanson reißt sich los.

»Ich glaube, ich sollte mal mit Li darüber reden.«

»Nein, das …«

»Oder besser mit Oliviera. Quatsch, vielleicht sollte ich einfach mit allen darüber reden, was meinen Sie, Mick? Verarscht ihr uns hier?«

»Bestimmt nicht.«

»Dann erklären Sie mir endlich, was das soll.«

In Rubins Augen tritt nackte Panik.

»Sigur, das wäre keine sehr gute Idee. Sie dürfen jetzt nichts über-stürzen. Hören Sie? *Nichts überstürzen!*«

Johanson sieht ihn an. Er stößt ein unwilliges Schnauben aus und lässt Rubin stehen. Hört, wie ihm der andere nachkommt, spürt Rubins Angst in seinem Nacken.

Nichts überstürzen.

Weißes Licht.

Es explodiert vor seinen Augen, und ein dumpfer Schmerz breitet sich in seinem Schädel aus. Die Wände, der Gang, alles verschwimmt. Der Fußboden kommt ihm entgegen …

Johanson starrte an die Decke des Laboratoriums.

Alles war wieder präsent.

Er sprang auf. Oliviera arbeitete noch immer im Sterillabor. Schwer atmend blickte er auf den Simulator, das Kontrollpult, die Arbeits-tische.

Sah wieder zur Decke.

Da oben existierte ein zweites Labor. Direkt über ihnen. Und keiner durfte es wissen. Rubin musste ihn niedergeschlagen haben, und dann hatten sie ihm irgendwas verabreicht, um seine Erinnerung zu tilgen.

Wozu?

Was um alles in der Welt wurde hier gespielt?

Johanson ballte die Fäuste. Ohnmächtige Wut kochte in ihm hoch. Mit wenigen Schritten war er draußen und rannte die Rampe hinauf.

WELLDECK

»Was soll ich oben bei euch?«, sagte Greywolf. »Ich kann euch nicht helfen.«

Anawaks Zorn verflog. Er drehte sich um und kam langsam wieder zurück, während sich das Becken mit Wasser füllte.

»Das stimmt nicht, Jack.«

»Doch, tut es.« Es klang nüchtern, beinahe unbeteiligt, wie er es sag-te. »Bei der Navy haben sie Delphine gequält, und ich konnte nichts dagegen tun. Ich habe mich für Wale stark gemacht, aber die Wale sind Opfer einer anderen Macht geworden. Irgendwann habe ich beschlos-sen, in Tieren die besseren Menschen zu sehen, was dumm ist, aber immerhin ein Weg, sich zu arrangieren, und jetzt habe ich Licia an ein Tier verloren. Ich helfe niemandem.«

»Hör auf, dir Leid zu tun, verdammt.«

»Das sind Fakten!«

Anawak setzte sich wieder neben ihn.

»Dass du die Navy verlassen hast, war richtig und konsequent«, sagte er. »Du warst der beste Ausbilder, den sie im Delphinprogramm jemals hatten, und es war deine Entscheidung, die Zusammenarbeit zu beenden, nicht ihre. Du hattest die Fäden in der Hand.«

»Ja, aber hat sich was geändert, nachdem ich gegangen bin?«

»Für dich hat sich was geändert. Du hast Rückgrat bewiesen.«

»Und was habe ich damit erreicht?«

Anawak schwieg.

»Weißt du«, sagte Greywolf. »Das Schlimmste ist dieses Gefühl, nirgendwo hinzugehören. Du liebst einen Menschen, und du verlierst ihn. Du liebst Tiere, und sie sind es, die ihn töten. Ganz allmählich beginne ich diese Orcas zu hassen. Ist dir klar, was ich sage? Ich fange an, Wale zu hassen!«

»Wir haben alle dieses Problem, und wir ...«

»Nein! Ich habe gesehen, wie Licia im Maul eines Orcas gestorben ist, und ich konnte nichts tun, um ihr zu helfen. Das ist *mein* Problem! Wenn ich hier und jetzt tot umfalle, ist das für den Fortbestand oder Untergang der Welt ohne jede Bedeutung. Wen interessiert's? Ich habe nichts erreicht, weswegen man sagen wird, dass meine Anwesenheit auf diesem Planeten eine gute Idee war.«

»Mich interessiert es«, sagte Anawak.

Greywolf sah ihn an. Anawak erwartete einen zynischen Kommentar, aber nichts folgte außer einem leisen Geräusch, einem Glucksen in Greywolfs Kehle wie von einem stecken gebliebenen Seufzer.

»Und bevor du es vergisst«, sagte Anawak, »Licia hat es auch interessiert.«

JOHANSON

Seine Wut reichte aus, Rubin zu packen, aufs Flugdeck zu schleppen und über Bord zu werfen. Vielleicht hätte er sich dazu hinreißen lassen, wäre ihm der Biologe über den Weg gelaufen. Aber Rubin war nirgendwo zu sehen. Stattdessen traf er Weaver, die auf dem Weg nach unten war.

Vorübergehend wusste er nicht, was er tun sollte. Dann rief er sich zur Ordnung.

»Karen!« Er lächelte. »Willst du uns besuchen?«

»Um ehrlich zu sein, ich wollte ins Welldeck. Zu Leon und Jack.«

»Oh ja, Jack.« Johanson zwang sich zur Ruhe. »Es geht ihm nicht gut, was?«

»Nein. Ich glaube, da war mehr zwischen ihm und Licia, als er selber gedacht hat. Es ist schwer, an ihn ranzukommen.«

»Leon ist sein Freund. Der schafft das schon.«

Weaver nickte und sah ihn fragend an. Sie hatte schnell begriffen, dass diese Unterhaltung keine war.

»Geht's dir gut?«, fragte sie.

»Blendend.« Johanson umfasste ihren Arm. »Ich hatte gerade eine ziemlich sensationelle Idee, wie wir den Kontakt mit den Yrr forcieren könnten. Kommst du mit aufs Dach?«

»Ich wollte eigentlich …«

»Zehn Minuten. Ich will deine Meinung dazu hören. Mir geht dieses ständige Rumhängen in geschlossenen Räumen auf die Nerven.«

»Du bist dünn angezogen für einen Besuch auf dem Dach.«

Johanson sah an sich hinunter. Er trug nur Pullover und Jeans. Seine dicke Daunenjacke hing im Labor.

»Abhärtung«, sagte er.

»Gegen was?«

»Gegen Grippe. Gegen's Älterwerden. Gegen dumme Fragen! Was weiß denn ich?« Er merkte, dass er laut geworden war. *Contenance*, dachte er. »Hör zu, ich muss diese Idee wirklich loswerden, und sie hat eine Menge mit euren Simulationen zu tun. Ich habe keine Lust, das auf der Rampe zu tun. Kommst du jetzt?«

»Ja, natürlich.«

Sie stiegen zusammen die Rampe hoch und gelangten ins Innere der Insel. Johanson zwang sich, nicht ständig zur Decke zu sehen und nach versteckten Kameras und Mikrophonen zu suchen. Er hätte sie ohnehin nicht gesehen. Stattdessen sagte er in leichtem Tonfall:

»Jude hat natürlich Recht, man darf jetzt nichts überstürzen. Ich schätze, wir werden ein paar Tage brauchen, bis die Idee spruchreif ist, denn sie basiert auf …«

Und so weiter, und so fort. Er produzierte gelehrt klingenden Schwachsinn, bugsierte Weaver aus der Insel an die frische Luft und ging ihr gestikulierend voran, bis sie einen der Hubschrauberlandepunkte auf der Backbordseite erreicht hatten. Es war kühler und windiger geworden. Dunstschwaden hatten sich über die See gelegt, die Wellen an Höhe zugenommen. Wie urzeitliche Tiere wälzten sie sich tief unter ihnen dahin, grau und träge, und schickten den Geruch kalten Salzwassers nach oben. Johanson fror erbärmlich, aber seine Wut hielt ihn innerlich warm. Schließlich waren sie weit genug von der Insel entfernt.

»Offen gestanden«, sagte Weaver, »ich verstehe kein Wort.«

Johanson hielt das Gesicht in den Wind.

»Brauchst du auch nicht. Ich schätze, hier draußen können sie uns nicht hören. Sie müssten schon verdammt viel Aufwand betrieben haben, um eine Unterhaltung auf dem Flugdeck zu belauschen.«

Weaver kniff die Augen zusammen.

»Wovon redest du eigentlich?«

»Ich habe mich erinnert, Karen. Ich weiß wieder, was vorgestern Nacht geschehen ist.«

»Hast du deine Tür gefunden?«

»Nein. Aber ich weiß, dass sie da ist.«

Er erzählte ihr in knappen Worten die ganze Geschichte. Weaver hörte mit unbewegtem Gesicht zu.

»Du meinst, es gibt so etwas wie eine Fünfte Kolonne an Bord?«

»Ja.«

»Aber wozu?«

»Du hast gehört, was Jude gesagt hat. Nichts überstürzen. Ich meine, wir alle, du und Leon, Sue und ich, auch Mick natürlich, Sam und Murray, wir haben denen einen kompletten Steckbrief der Yrr geliefert. Möglicherweise machen wir uns was vor, vielleicht liegen wir fulminant daneben, aber vieles spricht für das Gegenteil: dass wir zumindest theoretisch wissen, mit welcher Art Intelligenz wir es zu tun haben und wie sie funktioniert. Wir haben auf Hochtouren daran gearbeitet, um es rauszufinden. Und plötzlich sollen wir uns Zeit lassen?«

»Weil man uns nicht mehr braucht«, sagte sie tonlos. »Weil Mick in einem anderen Labor mit anderen Leuten daran weiterarbeitet.«

»Wir sind Zulieferer«, nickte Johanson. »Wir haben unsere Schuldigkeit getan.«

»Aber warum?« Weaver schüttelte ungläubig den Kopf. »Welche Ziele könnte Mick verfolgen, die nicht mit unseren übereinstimmen? Welche Alternativen gibt es denn? Wir müssen mit den Yrr zu einer Übereinkunft gelangen! Was kann er anderes wollen?«

»Irgendeine Konkurrenzgeschichte ist da im Gange. Mick spielt ein doppeltes Spiel, aber das alles ist nicht seine Idee.«

»Wessen dann?«

»Jude steckt dahinter.«

»Du hattest sie von Anfang an auf dem Kieker, was?«

»Sie mich auch. Ich glaube, jeder von uns hat ziemlich schnell kapiert, dass er den anderen nicht für dumm verkaufen kann. Ich hatte immer schon dieses Gefühl in ihrer Gegenwart, nur dass ich mir lächerlich dabei vorkam. Mir fiel kein triftiger Grund ein, ihr zu misstrauen.«

Sie standen eine Weile schweigend beisammen.

»Und jetzt?«, fragte Weaver.

»Jetzt hatte ich Zeit, mir einen kühlen Kopf zu verschaffen«, sagte Johanson und schlang die Arme um seinen Körper. »Jude wird uns hier stehen sehen. Ich schätze, mich hat sie ganz besonders im Visier. Sie kann nicht sicher sein, was wir bereden, aber natürlich geht sie davon aus, dass ich früher oder später meine Erinnerung zurückgewinne. Sie steht unter Zeitdruck. Heute Morgen hat sie uns alle erst mal zurückgepfiffen. Wenn sie eigene Pläne verfolgt, muss sie jetzt handeln.«

»Das heißt, wir müssen ziemlich schnell dahinter kommen, was die vorhaben.« Weaver überlegte. »Warum trommeln wir nicht die anderen zusammen.«

»Zu riskant. Das würde sofort auffallen. Ich bin sicher, alle Räume des Schiffes werden abgehört. Nachher machen sie die Tür zu und schmeißen den Schlüssel weg. – Ich will Jude in die Enge treiben, wenn es irgendwie geht. Ich will wissen, was hier läuft, und dafür brauche ich dich.«

Weaver nickte. »Okay. Was soll ich tun?«

»Rubin finden und ihn ausquetschen, während ich mir Jude vorknöpfe.«

»Hast du eine Ahnung, wo ich ihn finde?«

»Vielleicht in diesem ominösen Labor. Ich weiß jetzt, wo es ist, aber ich habe absolut keine Ahnung, wie man da reinkommt. Vielleicht treibt er sich aber auch irgendwo im Schiff herum.« Johanson seufzte. »Mir ist schon klar, das klingt alles wie aus einem schlechten Film. Vielleicht bin ich es, der spinnt. Vielleicht leide ich unter Paranoia, aber dann kann ich immer noch zu Kreuze kriechen. *Jetzt* will ich wissen, was hier los ist!«

»Du leidest nicht unter Paranoia.«

Johanson sah sie an und lächelte dankbar.

»Gehen wir zurück.«

Auf dem Weg zur Insel und im Innern fachsimpelten sie wieder über verschlüsselte Botschaften und friedliche Kontaktaufnahme.

»Ich gehe dann mal runter zu Leon«, sagte Weaver. »Mal sehen, was er von deinem Vorschlag hält. Vielleicht können wir das heute Nachmittag gemeinsam einprogrammieren und durchspielen.«

»Gute Idee«, sagte Johanson. »Bis später.«

Er sah zu, wie Weaver die Rampe hinunterging. Dann stieg er über einen der Niedergänge hinunter auf LEVEL 02 und warf einen Blick ins CIC, wo Crowe und Shankar vor ihren Computern hockten.

»Und was macht ihr so?«, fragte er im Plauderton.

»Nachdenken«, erwiderte Crowe aus ihrer obligatorischen Rauchwolke heraus. »Kommt ihr mit dem Pheromon voran?«

»Sue ist gerade dabei, eine weitere Ladung zu synthetisieren. Zwei Dutzend Ampullen dürften es mittlerweile sein.«

»Da seid ihr weiter als wir. Uns kommen allmählich Zweifel, ob Mathematik der einzig selig machende Weg ist«, sagte Shankar. Sein dunkles Gesicht verzog sich zu einem säuerlichen Grinsen. »Ich glaube, die können ohnehin besser rechnen als wir.«

»Was wäre die Alternative?«

»Emotion.« Crowe blies Rauch aus ihren Nüstern. »Witzig, was? Gerade den Yrr mit Gefühlen kommen zu wollen. Aber wenn ihre Gefühle biochemischer Natur sind …«

»So wie unsere«, bemerkte Shankar.

» … könnte uns der Duft vielleicht weiterhelfen. Ja, danke, Murray. Ich weiß, auch Liebe ist Chemie.«

»Hast du eigentlich jemanden, dem du chemisch zugetan bist, Sigur?«, witzelte Shankar.

»Nein, im Augenblick wechselwirke ich mit mir selber.« Er sah sich um. »Sag mal, habt ihr Jude irgendwo gesehen?«

»Sie war vorhin im LFOC«, sagte Crowe.

»Danke.«

»Ach ja, und Mick wollte zu dir.«

»Mick?«

»Sie haben zusammen dagesessen und gequatscht. Mick wollte ins Labor, vor wenigen Minuten.«

Das war gut. Dann würde Weaver ihn aufstöbern.

»Prima«, sagte er. »Mick kann uns bei der Synthetisierung helfen. Sofern ihn nicht wieder die Migräne packt. Armer Kerl.«

»Er sollte sich das Rauchen angewöhnen«, meinte Crowe. »Rauchen ist gut gegen Kopfschmerzen.«

Johanson grinste und ging ins LFOC. Ein Großteil der elektronischen Datenerfassung war auf die dortigen Systeme umgelegt worden, damit Crowe und Shankar im CIC ungestört arbeiten konnten. Aus den Lautsprechern drang schwaches Rauschen und gelegentliches Pfeifen und Klicken. Der Schatten eines Delphins zog über einen der Bildschirme. Offenbar hatte Greywolf die Tiere wieder rausgelassen.

Weder Li noch Peak, noch Vanderbilt waren zu sehen. Johanson ging weiter ins JIC. Es stand leer, ebenso wie die übrigen Befehls- und Führungsräumlichkeiten. Er erwog, in der Offiziersmesse nachzusehen, aber dort würde er möglicherweise nur Vanderbilts Leute oder ein paar Soldaten antreffen. Li konnte ebenso gut im Trainingsraum sein oder in ihrem Quartier. Es blieb keine Zeit, das ganze Schiff abzusuchen.

Wenn Rubin auf dem Weg ins Labor war, würde ihn Weaver bald aufspüren. Er musste vorher mit Li sprechen!

Na schön, dachte er. Wenn ich dich nicht finde, findest du eben mich. Ohne Eile ging er zu seiner Kabine, trat ein und stellte sich mitten in den Raum.

»Hallo, Jude«, sagte er.

Wo mochten die Kameras, wo die Mikrophone sein? Zwecklos, danach zu suchen, aber sie waren da.

»Stellen Sie sich vor, was vorhin passiert ist. Mir ist eingefallen, dass es über dem Großlabor noch ein zweites Labor gibt, in dem Mick gerne mal verschwindet, wenn ihn seine Migräne überkommt. Ich würde gerne wissen, was er da tut, abgesehen davon, dass er Kollegen niederschlägt.«

Seine Blicke wanderten über Möbel, Lampen, über den Fernseher.

»Ich schätze, das werden Sie mir freiwillig nicht erzählen, was, Jude? Ich habe also ein paar Vorkehrungen getroffen. Sehen Sie, binnen kurzem könnte jeder aus dem Team meine Erinnerungen teilen, ohne dass Sie eine Möglichkeit haben, es zu verhindern.« Das war verdammt dick aufgetragen, aber er hoffte, dass Li es schluckte. »Wäre das in Ihrem Interesse? Oder in Ihrem, Sal? – Ach, Jack, Sie hätte ich beinahe vergessen. Wie denken Sie darüber?«

Er ging langsam im Raum auf und ab.

»Ich habe Zeit. Sie auch? Bestimmt nicht.« Er breitete die Hände aus und lächelte. »Wir können das Ganze aber auch vertraulich behandeln. Vielleicht stecken ja ehrenhafte Absichten dahinter, wenn Ihre Leute hier eine Schattenwelt errichten. Vielleicht ist ja alles im Sinne der internationalen Sicherheit. – Ich mag es nur nicht so gerne, niedergeschlagen zu werden, Jude. Das verstehen Sie doch, oder? Ich würde gerne mit Ihnen reden, aber wie es aussieht, erfasst Rubins Migräne bisweilen ganze Volksgruppen. Liegen Sie alle mit Kopfschmerzen im Bett?«

Er machte eine Pause. Und wenn es Li nun gleichgültig war? Wenn sie ihn gar nicht hörte? Dann lief er hier wie ein Idiot durch seine Kammer.

»Jude?«

Er sah sich um. Doch, sie hörten ihn. Ganz sicher hörten sie ihn.

»Jude, mir ist aufgefallen, dass Sie Mick auch so einen Tiefseesimulator spendiert haben. Ich habe zur Kenntnis genommen, dass er bedeutend kleiner ist als unserer, aber was untersucht er darin, was er nicht auch in unserem untersuchen könnte? Sie werden sich doch wohl nicht hinter unserem Rücken mit den Yrr verbündet haben? Helfen Sie mir auf die Sprünge, Jude, ich habe absolut keine Ahnung, was …«

»Dr. Johanson.«

Er fuhr herum. In der offenen Tür stand Peaks schwarze, hoch gewachsene Gestalt.

»Nein, was für eine Überraschung«, sagte Johanson leise. »Der gute, alte Sal! Soll ich Tee für uns machen?«

»Jude würde Sie gerne sprechen.«

»Ah, Jude.« Johanson verzog einen Mundwinkel zu einem halben Lächeln. »Was will sie denn von mir?«

»Kommen Sie einfach mit.«

»Nun – ich denke, das lässt sich einrichten.«

WEAVER

Im Labor kam Oliviera gerade mit einem tragbaren Metallgehäuse aus dem Hochsicherheitslabor, als Weaver eintrat.

»Hast du Mick gesehen?«

»Nein, ich sehe nur noch Pheromone.« Oliviera hielt das Gehäuse hoch. Es war zu beiden Seiten offen. Ein Probenkoffer mit Gestellen für Phiolen. Dutzende mit klarer Flüssigkeit gefüllte Röhrchen reihten sich im Innern aneinander. »Aber er hat vorhin durchgerufen und sein Erscheinen angedroht. Müsste jeden Moment aufkreuzen.«

»Yrr-Duft?«, fragte Weaver mit Blick auf die Phiolen.

»Ja. Heute Nachmittag geben wir was davon in den Tank. Mal sehen, ob wir die Zellen überreden können, zu verschmelzen. Es wäre sozusagen die Heiligsprechung unserer Theorie.« Oliviera sah sich um. »Gegenfrage: Hast du Sigur gesehen?«

»Eben auf dem Flugdeck. Er hat ein paar interessante Ideen entwickelt, wie wir Sam unter die Arme greifen könnten. – Ich schau gleich nochmal vorbei.«

»Tu das.«

Weaver überlegte. Sie konnte sich das Hangardeck ansehen. Aber wenn Johanson Recht behielt, würde das sofort auffallen. Außerdem war kaum damit zu rechnen, dass sich die verbotene Tür ein weiteres Mal öffnete, solange sie dort herumschlich.

Sie folgte dem Tunnel zum Welldeck.

Das Becken war beinahe zur Gänze wieder geflutet. Auf den Piers überwachten die verbliebenen Techniker aus Roscovitz' Team den Vorgang. Sie sah Greywolf und Anawak im Wasser.

»Habt ihr die Delphine rausgelassen?«, rief sie.

Anawak zog sich aufs Trockene.

»Ja.« Er kam zu ihr herüber. »Was hast du gemacht in der Zwischenzeit?«

»Nicht viel, um ehrlich zu sein. Ich glaube, wir müssen alle unsere Gedanken ordnen.«

»Wir können sie ja zusammen ordnen«, sagte Anawak leise.

Sie begegnete seinem Blick und dachte, wie gerne sie ihn jetzt sofort in die Arme nehmen würde. Diese ganze schreckliche Geschichte hier vergessen und einfach tun, was fällig war.

Aber die Geschichte lastete auf allem. Und da war Greywolf, der Licia verloren hatte.

Sie lächelte flüchtig.

LEVEL 03

Peak humpelte voraus. Johanson folgte ihm wortlos. Sie stiegen hinab, durchquerten einen Teil des Hospitals und schritten einen Gang entlang. Nach einer Abzweigung standen sie vor einer verschlossenen Tür.

»Was ist das für ein Bereich?«, fragte Johanson, während Peaks Finger über ein Tastenfeld glitten. Elektronisches Piepen drang an sein Ohr. Die Tür schwang auf. Auf der anderen Seite setzte sich der Gang fort.

»Über uns liegt das CIC«, sagte Peak.

Johanson versuchte sich zu orientieren. Die Dimensionen des Schiffs waren schwer abzuschätzen. Wenn das CIC über ihnen lag, befand sich das geheime Labor wahrscheinlich direkt unter ihren Füßen.

Sie erreichten eine zweite Tür. Diesmal musste sich Peak einem Netzhaut-Scan unterziehen, bevor sie eintreten konnten. Johanson erblickte einen Raum, der aussah wie das CIC, eingebettet in elektronisches Summen. Gedämpft erklangen Geräusche und Stimmen. Mindestens ein Dutzend Leute arbeitete hier. Auf einer Vielzahl von Monitoren sah er Aufnahmen von Satelliten und Unterwasserkameras, einzelne

Abschnitte der Rampe, das Innere der Brücke mit Buchanan und Anderson darin, das Flugdeck und das Hangardeck. Er sah Crowe und Shankar im CIC sitzen, Weaver mit Anawak und Greywolf im Welldeck und Oliviera im Labor. Weitere Bildschirme zeigten das Innere der Kabinen. Auch seine. Dem Winkel nach zu schließen, befand sich die Kamera direkt über der Tür. Er musste ein gutes Bild abgegeben haben, wie er da monologisierend mitten im Raum gestanden hatte.

An einem großen, beleuchteten Tisch saßen Li und Vanderbilt. Die Kommandantin erhob sich.

»Hallo, Jude«, sagte Johanson freundlich. »Nett haben Sie's hier.«

»Sigur.« Sie lächelte zurück. »Ich glaube, wir müssen uns bei Ihnen entschuldigen.«

»Kaum der Rede wert.« Johanson schaute sich staunend um. »Ich bin ziemlich beeindruckt. Alles von Wichtigkeit scheint es in doppelter Ausfertigung zu geben.«

»Ich kann Ihnen die Pläne zeigen, wenn es Sie interessiert.«

»Eine Erklärung würde mir vollauf reichen.«

»Die sollen Sie haben.« Li setzte eine betretene Miene auf. »Vorher möchte ich Ihnen sagen, wie Leid es mir tut, dass Sie auf diese Weise davon erfahren mussten. Rubin hätte niemals so weit gehen dürfen.«

»Vergessen wir, was er getan hat. Was tut er jetzt? Was macht er in diesem Labor?«

»Er sucht nach einem Giftstoff«, sagte Vanderbilt.

»Nach einem …« Johanson schluckte. »Einem Gift?«

»Mein Gott, Sigur.« Li rang die Hände. »Wir können uns nicht darauf verlassen, mit den Yrr zu einer friedlichen Lösung zu gelangen. Ich weiß, das muss alles schrecklich für Sie klingen, nach Vertrauensmissbrauch und falschem Spiel, aber … Sehen Sie, wir wollten Sie und die anderen nicht in die falsche Richtung schicken. Um etwas über die Yrr zu erfahren, war es unabdingbar notwendig, Sie an einer friedlichen Lösung arbeiten zu lassen. Sie alle haben Großartiges geleistet. Aber Sie wären niemals so weit gekommen, wenn die Aufgabe darin bestanden hätte, eine Waffe zu entwickeln.«

»Was zum Teufel reden Sie da? Was denn für eine Waffe?«

»Krieg und Frieden sind zwei verschiedene Paar Schuhe. Wer am Frieden arbeitet, darf nicht an Krieg denken. Mick erforscht die Alternative. Auf der Grundlage *Ihrer* Erkenntnisse.«

»An einem Gift, um die Yrr zu vernichten?«

»Hätten wir *Sie* damit betrauen sollen?«, sagte Vanderbilt. »Was wäre dann passiert?«

»Moment mal!« Johanson hob die Hände. »Unser Auftrag ist, einen *Kontakt* herzustellen. Denen da unten klar zu machen, dass sie *aufhören* sollen. Nicht, sie zu vernichten.«

»Sie Träumer«, sagte Vanderbilt verächtlich.

»Aber das ist zu schaffen, Jack! Verdammt, wir …« Johanson schüttelte entgeistert den Kopf. Er konnte es einfach nicht fassen.

»*Wie* wollen Sie es schaffen?«

»Wir haben innerhalb weniger Tage unglaublich viel gelernt. Es wird einen Weg geben.«

»Und wenn nicht?«

»Warum haben Sie uns nicht darüber informiert? Warum haben wir nicht einfach offen darüber gesprochen? Wir ziehen doch an einem Strang!«

»Sigur.« Li sah ihn ernst an. »Was wir hier tun, ist nicht ganz deckungsgleich mit dem Auftrag der Vereinten Nationen. Ich weiß, dass wir Kontakt aufnehmen sollen, und genau das versuchen wir ja auch. Andererseits wird niemand traurig darüber sein, wenn wir diesen Feind ganz einfach eliminieren. Sind Sie nicht auch der Meinung, dass man beide Wege in Betracht ziehen sollte?«

Johanson starrte sie an.

»Doch, das bin ich. Aber warum dieser ganze Zirkus?«

»Weil das Oberkommando *Ihnen* misstraut«, sagte Li. »Weil man befürchtet, dass Sie und die anderen sich quer stellen, wenn Sie erfahren, dass Ihre Bemühungen um einen friedlichen Kontakt den Boden für eine militärische Offensive bereiten. Man glaubt eben, dass sich Wissenschaftler so verhalten wie in den einschlägigen Filmen – sie wollen das Fremdartige schützen und studieren, anstatt es zu vernichten, auch wenn es bösartig und gefährlich ist …«

»Filme? Meinen Sie die Filme, in denen das Militär immer gleich auf alles ballern will, was es nicht versteht?«

»Eben diese Äußerung zeigt, wie Recht wir hatten«, sagte Vanderbilt und strich sich über den Bauch.

»Verstehen Sie doch, Sigur …«

»Sie haben diesen Hokuspokus inszeniert, weil Sie dachten, wir verhalten uns wie Leute aus einem *Hollywood-Film*?«

»Nein.« Li schüttelte heftig den Kopf. »Natürlich nicht. Es ging darum, Ihre ungeteilte Aufmerksamkeit auf das Thema Kontakt und Erforschung zu lenken.«

Johanson umfasste mit weit ausholender Geste die Monitore im Raum.

»Und darum schnüffeln Sie uns hinterher?«

»Was Rubin getan hat, war ein Fehler«, wiederholte Li eindringlich. »Er hatte nicht das Recht dazu. Diese Überwachung dient einzig Ihrer Sicherheit. Wir haben die Arbeit an einer militärischen Lösung im Geheimen betrieben, um Sie und die anderen nicht zu verunsichern und von Ihrer eigentlichen Aufgabe abzubringen.«

»Und worin besteht diese ... Aufgabe?« Johanson trat bis dicht an Li heran und sah ihr in die Augen. »Frieden zu schaffen oder euch wie die Trottel mit dem nötigen Wissen für eine längst beschlossene Offensive zu versorgen?«

»Wir müssen über beides nachdenken.«

»Wie weit ist Mick mit seiner militärischen Variante?«

»Er hat ein paar Ideen, die funktionieren könnten, aber noch nichts Konkretes.« Sie holte tief Luft und blickte ihm entschlossen ins Gesicht. »Ich bitte Sie im Interesse der Sicherheit darum, den anderen vorerst nichts davon zu erzählen. Geben Sie uns Zeit, es selber zu tun, damit die Arbeit nicht ins Stocken gerät, auf die Milliarden Menschen ihre Hoffnungen gründen. Sehr bald schon werden wir gemeinsam an allen Varianten arbeiten. Jetzt, wo Sie die unglaubliche Leistung vollbracht haben, dem Feind ein Gesicht zu geben, haben wir keinen Grund mehr, etwas geheim zu halten. – Und *wenn* wir gemeinsam an einer Waffe arbeiten, dann in der Hoffnung, dass wir nie gezwungen sein werden ...«

»Soll ich Ihnen mal was sagen, Jude?«, zischte Johanson. Er kam ihr so nahe, dass keine Hand mehr zwischen ihre Gesichter passte. »Ich glaube Ihnen kein Wort. Sobald Sie Ihre verdammte Waffe haben, werden Sie sie einsetzen. Was Sie dann zu verantworten haben, können Sie sich gar nicht vorstellen. Das sind *Einzeller*, Jude! *Milliarden über Milliarden Einzeller!* Sie existieren seit Anbeginn der Welt. Wir haben nicht die geringste Ahnung, welche Rolle sie für unser Ökosystem spielen. Wir wissen nicht, was mit den Ozeanen passieren wird, wenn wir sie vergiften. Wir wissen nicht, was mit uns passieren wird. Aber vor allen Dingen werden wir *nicht in der Lage sein, zu stoppen, was sie angefangen haben*! Geht das in Ihren Kopf? Wie wollen Sie den Golfstrom wieder in Gang setzen ohne die Yrr? Was wollen Sie gegen die Würmer tun ohne die Yrr?«

»Wenn wir die Yrr klein kriegen«, sagte Li, »nehmen wir es auch mit Würmern und Bakterien auf.«

»Wie bitte? Mit Bakterien wollen Sie es aufnehmen? Dieser ganze Planet *besteht* aus Bakterien! Wollen Sie die Mikroorganismen ausrotten? Wie größenwahnsinnig sind Sie eigentlich? Wenn Ihnen das gelänge, würden Sie das Leben auf der Erde zum Tode verurteilen. *Sie* wären es, die den Planeten vernichtet, nicht die Yrr. Sämtliche Tierarten in den Meeren würden sterben, und danach ...«

»Dann sterben sie eben«, schrie Vanderbilt. »Sie blöder Ignorant, Sie eierköpfiges Wissenschaftsarschloch! Wenn ein paar Fische sterben und wir dafür überleben ...«

»Wir werden nicht überleben!«, schrie Johanson zurück. »Begreifen Sie das nicht? Alles ist miteinander verflochten. Wir können die Yrr nicht bekämpfen. Sie sind uns überlegen. Wir können nichts tun gegen Mikroorganismen, wir können ja nicht mal was gegen eine normale Virusinfektion tun, aber darum geht es auch nicht. Der Mensch lebt einzig, weil die Erde von Mikroben beherrscht wird.«

»Sigur ...«, sagte Li beschwörend.

Johanson drehte sich um. »Machen Sie die Tür auf«, sagte er. »Ich habe keine Lust, dieses Gespräch länger fortzusetzen.«

»Na schön.« Li nickte mit zusammengekniffenen Lippen. »Dann gefallen Sie sich weiter in Ihrer Selbstgerechtigkeit. Sal, öffnen Sie Dr. Johanson die Tür.«

Peak zögerte.

»Sal, haben Sie nicht gehört? Dr. Johanson wünscht zu gehen.«

»Können wir Sie nicht überzeugen?«, fragte Peak. Es klang hilflos und gequält. »Davon, dass wir das Richtige tun?«

»Türe öffnen, Sal«, sagte Johanson.

Widerwillig setzte sich Peak in Bewegung und drückte auf einen Schalter in der Wand. Die Tür glitt auf.

»Die weiter hinten auch, wenn ich bitten darf.«

»Selbstverständlich.«

Johanson ging nach draußen.

»Sigur!«

Er blieb stehen. »Was wollen Sie, Jude?«

»Sie haben mir vorgeworfen, dass ich meine Verantwortung nicht einzuschätzen weiß. Vielleicht haben Sie Recht. Schätzen Sie Ihre ein. Wenn Sie jetzt zu den anderen gehen und sie aufklären, werfen Sie die Arbeit auf diesem Schiff dramatisch zurück. Das wissen Sie. Wir hatten vielleicht nicht das Recht, Sie zu belügen, aber denken Sie sehr genau darüber nach, ob Sie das Recht haben, uns bloßzustellen.«

Johanson drehte sich langsam um. Li stand im Türrahmen des Kontrollraums.

»Ich werde sehr genau darüber nachdenken«, sagte er.

»Dann lassen Sie uns einen Kompromiss finden. Geben Sie mir Zeit, einen Weg zu finden, und lassen Sie bis dahin alles sacken. Heute Abend reden wir miteinander. Bis dahin unternimmt keiner von uns etwas, das den anderen in Verlegenheit bringen könnte. – Sehen Sie sich in der Lage, diesem Vorschlag zuzustimmen?«

Johansons Kiefer mahlten.

Was würde passieren, wenn er die Bombe platzen ließ? Was würde *mit ihm* passieren, wenn er jetzt und hier ablehnte?

»In Ordnung«, sagte er.

Li lächelte. »Danke, Sigur.«

WEAVER

Am liebsten wäre sie im Welldeck geblieben. Anawak tat sein Bestes, um Greywolf aufzuheitern. Sie wollte bei dem einen bleiben, weil sie sich zu ihm hingezogen fühlte, und den anderen nicht im Stich lassen, dessen Traurigkeit mit Händen greifbar war. Sie fand es schrecklich, diesen riesigen, kraftstrotzenden Mann derart traurig zu sehen. Aber noch schrecklicher fand sie, was Johanson ihr erzählt hatte. Je mehr sie darüber nachdachte, desto ungeheuerlicher erschien ihr, was an Bord der *Independence* vorging. Etwas sagte ihr unmissverständlich, dass sie alle in großer Gefahr schwebten.

Vielleicht war Rubin inzwischen eingetroffen.

»Bis später«, sagte sie. »Bin was erledigen.«

Im selben Moment merkte sie, dass es gekünstelt klang, übertrieben gelassen. Anawak runzelte die Stirn.

»Was ist los?«, fragte er.

»Nichts Besonderes.«

Sie war einfach nicht gut in so was! Schnell ging sie die Rampe hoch und den dahinter liegenden Flur entlang. Die Tür zum Labor stand offen. Als sie eintrat, sah sie Oliviera mit Rubin im Gespräch. Sie standen an einem der Labortische. Rubin drehte sich zu ihr um.

»Hi. Du wolltest mich was fragen?«

Weaver drückte den Schalter am Innenrahmen, sodass sich das Schott hinter ihr schloss.

»Ja. Du könntest mir was erklären.«

»Im Erklären bin ich ganz groß«, grinste Rubin.

»Tatsächlich?«

Sie gesellte sich zu den beiden. Ihr Blick suchte den Labortisch ab.

Alles Mögliche lag dort herum. In einer Halterung steckten Seziermesser verschiedener Größen. Sie sagte:

»Du könntest mir erklären, wozu das Labor über uns dient, was du dort treibst und warum du Sigur vorletzte Nacht niedergeschlagen hast, nachdem er dir auf die Schliche gekommen war.«

HANGARDECK

Johanson kochte vor Wut. Vor lauter Zorn wusste er nicht, wohin er gehen sollte, also rannte er schließlich aufs Hangardeck und suchte die Wand ab. Seine Erinnerung sagte ihm sehr genau, wo die Tür sein musste, aber immer noch deutete nichts auf einen getarnten Durchlass hin. Im Grunde war es überflüssig, dass er danach suchte. Li hatte zugegeben, dass dieses Labor existierte, aber damit wollte er sich nicht zufrieden geben.

Plötzlich bemerkte er ausgedehnte Roststellen im grauen Lack der Wand. Eigentlich waren sie ihm schon die ganze Zeit über aufgefallen. Er hatte ihnen keine Bedeutung beigemessen, weil Rost und abblätternde Farbe auf Schiffen nichts Besonderes darstellten. Aber jetzt wurde ihm mit einem Mal klar, was damit nicht stimmte.

Es gab keinen Rost auf einem neuen Schiff. Und die *Independence* war ein funkelnagelneues Schiff.

Er trat einige Schritte zurück. Wenn man die Rohre zur Linken nach oben verfolgte, stießen sie an einen lang gedehnten Roststreifen. Ein Stück weiter hing ein Sicherungskasten. Auch darunter blätterte die Farbe ab.

Da war die Tür.

Sie war unglaublich gut getarnt. Hätte er nicht so verbissen danach gesucht, wäre sie ihm niemals aufgefallen. Selbst als er zusammen mit Weaver die Wand abgesucht hatte, waren sie der raffinierten Camouflage aufgesessen. Sogar jetzt erkannte er nicht wirklich die Konturen, sondern nur eine scheinbar zufällige Anordnung von Details, die insgesamt geeignet waren, eine Tür zu verbergen.

Hier war er hineingegangen.

Weaver!

Hatte sie Rubin gefunden? Was sollte er tun? Sie zurückpfeifen, getreu der Vereinbarung, die er mit Li getroffen hatte? Was war diese Vereinbarung wert? Hätte er sich überhaupt auf einen Handel mit der Kommandantin einlassen dürfen?

Schwer atmend und unschlüssig lief er auf dem großen leeren Deck hin und her. Plötzlich kam ihm das ganze Schiff wie ein Gefängnis vor. Selbst der düstere, gelb erleuchtete Hangar bekam etwas Erdrückendes.

Er musste nachdenken.

Er brauchte frische Luft.

Mit großen Schritten marschierte er Richtung Steuerbord und trat aus dem Durchlass hinaus auf die Plattform des Außenlifts. Heftiger Wind zerrte an seiner Kleidung und an seinen Haaren. Das Meer war noch unruhiger geworden. Ein Film versprühter Gischt bedeckte innerhalb von Sekunden sein Gesicht. Er ging bis an den Rand der Plattform und sah hinunter auf die zerklüftete, bewegte Mondlandschaft der Grönländischen See.

Was sollte er tun?

KONTROLLRAUM

Li stand vor den Monitoren. Sie sah zu, wie Johanson die Wand absuchte und schließlich frustriert den Hangar durchquerte.

»Was sollte diese läppische Vereinbarung?«, knurrte Vanderbilt. »Glauben Sie wirklich, der hält bis heute Abend seine Schnauze?«

»Das traue ich ihm zu«, sagte Li.

»Und wenn nicht?«

Johanson verschwand im Durchlass des Außenlifts. Li wandte sich zu Vanderbilt um. »Überflüssige Frage, Jack. Das Problem werden Sie selbstverständlich lösen. Und zwar jetzt.«

»Moment.« Peak hob die Hand. »So war das nicht vorgesehen.«

»Was heißt lösen?«, fragte Vanderbilt lauernd.

»Lösen heißt lösen«, sagte Li. »Es kommt Sturm auf. Man sollte bei Sturm nicht draußen sein. Ein Windstoß ...«

»Nein.« Peak schüttelte den Kopf. »So war das nicht vereinbart.«

»Sal, halten Sie den Mund.«

»Verdammt nochmal, Jude! Wir können ihn ein paar Stunden festsetzen, das reicht doch wohl!«

»Jack«, sagte Li zu Vanderbilt, ohne Peak eines Blickes zu würdigen. »Tun Sie Ihre Arbeit. Und machen Sie's bitte persönlich.«

Vanderbilt grinste.

»Mit Vergnügen, Schätzchen. Mit dem größten Vergnügen.«

Olivieras ohnehin schon langes Gesicht wurde noch länger. Sie starrte zuerst Weaver an und dann Rubin.

»Na?«, sagte Weaver.

Rubin erbleichte.

»Ich habe absolut keine Ahnung, wovon du sprichst.«

»Mick, hör mal.« Sie stellte sich zwischen ihn und den Tisch und legte Rubin fast freundschaftlich den Arm um die Schultern. »Ich bin keine großartige Rednerin. In Smalltalk war ich immer ganz mies. Leute wie mich lädt man zu keiner Cocktailparty ein und stellt sie nicht aufs Podium. Ich bevorzuge schnelle, knappe Gespräche. Also nochmal, und geh mir nicht mit Ausflüchten auf den Sack. Da oben gibt es ein Labor. Direkt über uns. Es führt hinaus aufs Hangardeck, gut getarnt, aber Sigur hat dich nun mal gesehen, wie du rein- und rausgegangen bist. Dafür hast du ihm eins über den Schädel gezogen. Stimmt's?«

»Also doch.« Olivieras warf Rubin einen angewiderten Blick zu. Der Biologe schüttelte den Kopf und versuchte, sich aus Weavers Klammergriff zu lösen, aber es gelang ihm nicht.

»Das ist der größte Unsinn, den ich je … Nein!«

Ihre freie Hand hatte eines der Seziermesser aus der Halterung gezogen. Sie hielt die Spitze gegen seine Halsschlagader. Rubin zuckte zurück. Weaver drückte ihm die Spitze der Klinge ein bisschen tiefer ins Fleisch und spannte die Muskeln. Der Biologe steckte in ihrer Umarmung wie in einem Schraubstock.

»Bist du verrückt geworden?«, ächzte er. »Was soll denn das?«

»Mick, ich bin nicht zimperlich. Ich habe sehr viel Kraft. Als ich klein war, habe ich mal ein Kätzchen gestreichelt und aus Versehen totgedrückt. Schrecklich, was? Ich wollt's nur streicheln, und knick knack … Überleg dir also gut, was du sagst. Dich will ich nämlich *nicht* streicheln.«

VANDERBILT

Jack Vanderbilt war weder scharf darauf, Johanson umzubringen, noch sonderlich daran interessiert, ihn am Leben zu lassen. Irgendwie mochte er den Mann sogar. Zugleich war es ihm egal. Es ging um den Auftrag, und der Auftrag war definiert. Sofern Johanson ein Sicherheitsrisiko darstellte, würde das nicht mehr lange der Fall sein.

Floyd Anderson folgte ihm. Der Erste Offizier hatte wie die meisten an Bord eine Doppelfunktion. Tatsächlich war er ausgebildeter Seemann, aber hauptsächlich arbeitete er für die CIA. Fast jeder an Bord, abgesehen von Buchanan und einigen Mitgliedern der Mannschaft, arbeitete auf irgendeine Weise für die CIA. Anderson hatte an geheimen Operationen in Pakistan und am Golf teilgenommen. Er war ein guter Mann.

Und ein Killer.

Vanderbilt dachte daran, wie sich die Dinge gedreht hatten. Bis zuletzt hatte er sich an die Vorstellung geklammert, gegen Terroristen zu kämpfen, doch nun musste er sich eingestehen, dass Johanson von Anfang an Recht gehabt hatte. An sich eine Schande, ihn zu töten, zumal in Lis Auftrag. Vanderbilt verabscheute die blauäugige Hexe. Li war paranoid und intrigant, ein krankes Hirn. Er hasste sie und konnte sich doch der perfiden Logik nicht entziehen, mit der sie über Leichen ging. Am Grunde ihres Wahnsinns hatte sie Recht. Auch diesmal.

Plötzlich fiel ihm ein, wie er Johanson vor ihr gewarnt hatte, damals in Nanaimo.

Sie ist verrückt, capisce?

Johanson hatte eindeutig nicht verstanden.

Wie auch? Niemand begriff zu Anfang, was mit Li nicht in Ordnung war. Dass sie, getrieben von Verschwörungstheorien und zwanghaftem Ehrgeiz, grundsätzlich überreagierte. Dass sie log und betrog und alles und jeden ihren Zielen opferte. Judith Li, das Hätschelkind des Präsidenten der Vereinigten Staaten. Nicht mal der merkte was. Der mächtigste Mann der Welt hatte nicht den leisesten Schimmer, wen er da hochpäppelte.

Wir werden alle aufpassen müssen, dachte Vanderbilt. Es sei denn, jemand nimmt eine Waffe in die Hand und löst das Problem.

Irgendwann.

Zügig durchquerten sie die Flure. Johanson hätte ihnen keinen größeren Gefallen tun können, als die Plattform des Außenlifts aufzusuchen. Wie hatte die Verrückte so schön gesagt? Ein Windstoß ...

KONTROLLRAUM

Vanderbilt hatte kaum den Raum verlassen, als einer der Männer an den Konsolen Li herbeirief. Er zeigte auf einen der Bildschirme.

»Irgendwas ist im Labor im Gange«, sagte er.

Li sah zu, was sich auf dem Monitor abspielte. Weaver, Oliviera und Rubin standen zusammen. Sehr dicht zusammen. Weaver hatte Rubin den Arm um die Schultern gelegt und drückte sich an ihn.

Seit wann verstanden sich die beiden so gut?

»Ton lauter«, sagte Li.

Weavers Stimme war zu hören. Leise zwar, aber deutlich genug. Sie fragte Rubin nach dem geheimen Labor aus. Bei näherem Hinsehen sah man die Angst in Rubins Augen und etwas in Weavers Hand, das blitzte und seinem Hals allzu nahe war.

Li hatte genug gesehen und gehört. »Sal! Sie und drei Leute. Gewehre mit Explosivgeschossen. Rasch. Wir gehen runter.«

»Was haben Sie vor?«, fragte Peak.

»Für Ordnung sorgen.« Sie wandte sich vom Bildschirm ab und ging zur Tür. »Ihre Frage hat uns zwei Sekunden gekostet, Sal. Vergeuden Sie nicht unsere Zeit, sonst schieße ich Sie über den Haufen. Die Männer her. In einer Minute will ich Weaver die Flausen austreiben. Die Schonzeit für Wissenschaftler ist abgelaufen.«

LABOR

»Du mieses Schwein«, sagte Oliviera. »Du hast Sigur niedergeschlagen? Was soll das alles?«

In Rubins Augen trat nackte Angst. Sein Blick suchte die Decke ab.

»Das stimmt nicht, ich …«

»Schau nicht nach Kameras, Mick«, sagte Weaver leise. »Ehe dir jemand helfen kann, bist du tot.«

Rubin begann zu zittern.

»Nochmal, Mick – was tut ihr da?«

»Wir haben ein Gift entwickelt«, sagte er stockend.

»Ein Gift?«, echote Oliviera.

»Wir haben deine Arbeit dafür benutzt, Sue. Deine und Sigurs. Nachdem ihr die Formel für das Pheromon gefunden hattet, war es einfach, selber welches in ausreichender Menge herzustellen und … Wir haben es mit einem radioaktiven Isotop gekoppelt.«

»Ihr habt was?«

»Das Pheromon ist radioaktiv verseucht, aber die Zellen erkennen es nicht. Wir haben's ausprobiert …«

»Wie bitte? Ihr habt einen Hochdrucktank?«

»Nur ein kleines Modell … Karen, bitte, nimm das Messer weg, du hast doch keine Chance! Sie hören und sehen, was hier los ist …«

»Quatsch nicht«, sagte Weaver. »Weiter, was habt ihr dann getan?«

»Wir hatten beobachtet, wie das Pheromon defekte Yrr tötet, die keinen Spezialrezeptor haben. Genau, wie Sue es erklärt hat. Nachdem klar war, dass zur Biochemie der Yrr der Programmierte Zelltod gehört, mussten wir einen Weg finden, den Zelltod auch bei gesunden Yrr einzuleiten.«

»Über das Pheromon?«

»Es ist der einzige Weg. Ins Genom können wir nicht eingreifen, solange wir es nicht vollständig entschlüsselt haben, und das würde Jahre dauern. Wir haben den Duftstoff also auf eine Weise mit dem radioaktiven Isotop gekoppelt, dass die Yrr es nicht erkennen.«

»Und was macht dieses Isotop?«

»Es setzt die schützende Wirkung des Spezialrezeptors außer Kraft. Das Pheromon wird damit für alle Yrr zur Todesfalle. Es tötet auch die gesunden Zellen.«

»Warum habt ihr uns denn nichts davon gesagt?« Oliviera schüttelte fassungslos den Kopf. »Keiner von uns liebt diese Biester. Wir hätten gemeinsam eine Lösung finden können.«

»Li hat eigene Pläne«, presste Rubin hervor.

»Aber so funktioniert das nicht!«

»Es *hat* funktioniert. Wir haben es getestet.«

»Es ist Wahnsinn, Mick! Ihr wisst nicht, was ihr da in Gang setzt. Was geschieht, wenn diese Spezies stirbt? Die Yrr beherrschen 70 Prozent unseres Planeten, sie verfügen über eine uralte, hoch entwickelte Biotechnologie. Sie stecken in anderen Organismen, möglicherweise im gesamten marinen Leben, bauen Substanzen ab, vielleicht Methan oder Kohlendioxid – wir haben keine Vorstellung davon, was mit diesem Planeten geschieht, wenn wir sie vernichten.«

»Wieso alle?«, fragte Weaver. »Vernichtet das Gift nicht nur einige Zellen? Oder ein Kollektiv?«

»Nein, es setzt eine Kettenreaktion in Gang«, keuchte Rubin. »Der Programmierte Zelltod. Sobald sie verschmelzen, vernichten sie sich selber. Wenn das Pheromon ankoppelt, ist es schon zu spät. Einmal in Gang gesetzt, ist der Prozess nicht mehr aufzuhalten. Wir codieren die Yrr um, es ist wie ein tödliches Virus, das sie aneinander weitergeben.«

Oliviera packte Rubin am Kragen.

»Ihr müsst diese Experimente stoppen«, sagte sie eindringlich. »Diesen Weg dürft ihr auf keinen Fall gehen. Verdammt nochmal, kapierst du nicht, dass diese Wesen die wahren Herrscher der Erde sind? Sie *sind* die Erde! Ein Superorganismus. Intelligente Ozeane. Ihr habt keine Ahnung, in was ihr da eingreift.«

»Und wenn wir's nicht tun?« Rubin stieß ein krächzendes Lachen aus. »Komm mir nicht mit diesem selbstgefälligen Ethos. Wir werden alle sterben. Wollt ihr auf die nächsten Tsunamis warten? Auf den Methan-GAU? Auf die Eiszeit?«

»Wir sind nicht mal eine Woche hier und haben schon einen Kontakt aufgebaut«, sagte Weaver. »Warum versuchen wir es nicht weiter mit Verständigung?«

»Zu spät«, stöhnte Rubin.

Ihre Blicke wanderten über Wände und Decken. Sie wusste nicht, wie viel Zeit ihr noch blieb, bevor Li oder Peak aufkreuzten. Vielleicht kam auch Vanderbilt. Lange konnte es nicht mehr dauern.

»Was heißt das, zu spät?«

»Es ist zu spät, du blöde Kuh!«, schrie Rubin. »In weniger als zwei Stunden bringen wir das Gift zum Einsatz.«

»Ihr müsst wahnsinnig sein«, flüsterte Oliviera.

»Mick«, sagte Weaver. »Ich will jetzt genau wissen, wie ihr es macht. Ansonsten rutscht mir die Hand aus.«

»Ich bin nicht autorisiert, dir das ...«

»Ich meine es ernst.«

Rubin zitterte noch stärker. »Im *Deepflight* 3 sind zwei Torpedorohre für das Gift vorgesehen. Wir haben es in Projektile gefüllt ...«

»Sind sie schon an Bord?«

»Nein, ich sollte das Boot gleich damit ausrüsten, um ...«

»Wer geht runter?«

»Li und ich.«

»Li geht selber da runter?«

»Es war ihre Idee. Sie überlässt nichts dem Zufall.« Rubin zwang sich ein Grinsen ab. »Ihr kommt nicht gegen sie an, Karen. Ihr könnt es nicht verhindern. *Wir* werden die Welt retten. Es werden *unsere* Namen sein, an die man sich erinnern wird ...«

»Halt die Schnauze, Mick.« Weaver begann ihn Richtung Tür zu schieben. »Wir gehen jetzt in dieses Labor. Das Boot wird nicht betankt. Gerade hat sich das Drehbuch geändert.«

WELLDECK

»Läuft da eigentlich was zwischen dir und Karen?«, fragte Greywolf, während er Ausrüstungsteile in Containern verstaute.

Anawak stutzte. »Nein. Eigentlich nicht.«

»Eigentlich?«

»Wir verstehen uns gut. Ich denke, das ist alles.«

Greywolf sah ihn an.

»Vielleicht solltest wenigstens du anfangen, ein paar Dinge richtig zu machen«, sagte er.

»Ich weiß nicht mal, ob sie interessiert ist.« Plötzlich wurde Anawak bewusst, dass er es soeben vor sich und Greywolf eingestanden hatte. »Ich weiß es wirklich nicht, Jack. Ich bin in solchen Dingen leider ein ziemlicher Trottel.«

»Ist mir klar«, sagte Greywolf höhnisch. »Dein Vater musste erst sterben, damit du überhaupt in der Welt der Lebenden ankommst.«

»Hey…«

»Reg dich ab. Du weißt, dass ich Recht habe. Warum gehst du ihr nicht hinterher? Sie wartet doch drauf.«

»Ich bin deinetwegen hergekommen, nicht wegen Karen.«

»Ich weiß es zu schätzen. Jetzt geh endlich.«

»Verdammt, Jack.« Anawak schüttelte den Kopf. »Hör auf, dich hier einzugraben. Komm mit nach oben, bevor dir Flossen wachsen.«

»Flossen würde ich im Augenblick bevorzugen.«

Anawak sah unschlüssig zum Tunnel. Natürlich wäre er Weaver gerne hinterhergegangen, aber es gab noch einen anderen Grund als seine frisch eingestandenen Gefühle. Irgendetwas hatte sie beunruhigt. Sie war seltsam gewesen, verkrampft und aufgekratzt. Er musste an das denken, was sie ihm von Johanson erzählt hatte.

»Gut, versaure hier«, sagte er zu Greywolf. »Falls du's dir anders überlegst, ich bin oben.«

Er verließ das Welldeck und passierte das Labor. Es war verschlossen. Kurz überlegte er, hineinzuschauen. Vielleicht traf er Johanson an. Es reizte ihn, mehr über die Sache zu erfahren. Dann entschied er sich anders und lief weiter die Rampe hoch zum Hangardeck, um einen Blick auf die ominöse Wand zu werfen.

Aber das tat er nicht.

Als Anawak den Hangar betrat, sah er Vanderbilt und Anderson, die gerade den Durchgang zur Außenplattform passierten.

Plötzlich hatte er ein mulmiges Gefühl.

Was machten die hier?

Und wohin war Weaver eigentlich verschwunden?

Heulender Westwind war aufgekommen. Er blies vom Eiskap her, trieb schäumende Brecher am Rumpf der *Independence* entlang und saugte den letzten Rest Wärme aus dem Meer.

Unter der heftig bewegten Oberfläche bildeten sich Strudel und Turbulenzen, doch mit zunehmender Tiefe wurde es ruhig. Vor wenigen Monaten war hier eiskaltes Wasser, schwer von Salz, in Kaskaden hinabgestürzt. Immer noch herrschte grimmige Kälte, aber nun vermischte sich die See mit dem Süßwasser rapide abschmelzender Polareismassen, denen seit geraumer Zeit Wärme zugeführt wurde. Die große, nordatlantische Pumpe, auch Lunge der Weltmeere genannt, weil mit dem erkalteten Wasser ungeheure Mengen Sauerstoff in die Tiefe gelangten, kam langsam, aber sicher zum Erliegen. Das Förderband der Meeresströmungen stand still, der Wärme spendende Strom aus den Tropen versiegte.

Noch allerdings hatte die Pumpe ihre Arbeit nicht vollständig eingestellt. Auch wenn die Kaskaden nicht mehr messbar waren, wanderten nach wie vor geringe Mengen Kaltwasser hinab. Durch lichtlose Stille fielen sie dem Abgrund des Grönländischen Beckens entgegen, Meter um Meter, Hunderte von Metern, Tausende.

In dreieinhalb Kilometer Tiefe, unmittelbar über dem schlammigen Grund, wich die Finsternis einem dunkelblauen Leuchten.

Es erstreckte sich über eine riesige Fläche: keine Wolke, sondern ein dünnwandiges, röhrenartiges Gebilde, mit unzähligen gallertigen Füßchen am Boden verhaftet. Im Innern der Röhre wogten Millionen fühlerartiger Auswüchse in regelmäßigen Wellen, eine Wiese aus synchron bewegten Gallertfäden. Große Brocken einer weißlichen Substanz wanderten darauf in Richtung eines großen Gegenstandes. Das blaue Leuchten reichte kaum aus, um seine Form erkennen zu lassen, erhellte nur schwach zwei geöffnete Kuppeln. Mehr war von dem gesunkenen *Deepflight*, das schräg im Schlick der Tiefsee lag, nicht zu sehen.

Seit geraumer Weile füllte der Organismus das Tauchboot mit den weißen, gefrorenen Brocken. Inzwischen passte nicht mehr viel hinein, und der Nachschub versiegte. Ein Teil der Röhre schnürte sich ab, sank auf das Boot herab und begann es zu umhüllen. Die transparente Substanz zog sich um den Rumpf zusammen, verdichtete sich und drückte die Kuppeln herunter. Blau schimmernde Flächen breiteten sich aus und flossen ineinander, bis das komplette Boot in einer geschlossenen Umhüllung steckte, zu der sich ein langer, dünner Schlauch wand.

Der Schlauch begann zu pulsieren. Wasser wurde durch sein Inneres gepumpt. Wasser von weit her. Die hauchdünne Gallerte saugte es aus einem gewaltigen organischen Ballon, der ein Stück über dem Tauchboot hing, angefüllt mit wärmerem Wasser, das die Gallerte dem Schlammvulkan vor Norwegens Küste entnommen hatte. Bedingt durch das warme und damit leichtere Wasser in seinem Innern hätte der Ballon zur Oberfläche emporsteigen müssen, aber sein Körpergewicht hielt ihn in perfekter Schwebe.

Wärme strömte in den Gallertsack, der das Tauchboot umhüllte.

Die weißen Brocken reagierten augenblicklich. Binnen Sekunden schmolzen die Kristallkäfige des Hydrats dahin. Explosionsartig blähte sich das komprimierte Methan zum Einhundertvierundsechzigfachen seines Volumens auf, füllte das *Deepflight* mit Gas und blies die gallertene Hülle auf, bis sie sich blähte und spannte. Der Gallertkokon trennte die Verbindung zum Schlauch und schloss sich. Kein Gas konnte mehr entweichen. Mit aller Kraft strebte es nach oben, langsam erst, dann, mit abnehmendem Druck ringsum, immer schneller, den Kokon und das darin eingeschlossene Tauchboot mit sich reißend.

LABOR

Weaver, Rubin im Klammergriff und die Klinge an seinem Hals, kam nicht mal bis nach draußen. Die Labortür glitt auf. Drei Soldaten mit schwerer Bewaffnung stürmten ins Innere und legten auf sie an. Sie hörte Oliviera einen Entsetzensschrei ausstoßen und blieb stehen, ohne Rubin loszulassen.

Li betrat das Labor, gefolgt von Peak.

»Sie werden nirgendwo hingehen, Karen.«

»Jude«, ächzte Rubin. »Das wurde verdammt nochmal Zeit! Halten Sie mir diese Verrückte vom Leib.«

»Sie sind ganz still«, herrschte ihn Peak an. »Ohne Sie hätten wir diese Probleme nicht.«

Li lächelte.

»Mal ehrlich, Karen«, sagte sie in liebenswürdigem Tonfall. »Meinen Sie nicht, dass Sie ein bisschen überreagieren?«

»Angesichts dessen, was Mick so erzählt?« Weaver schüttelte den Kopf. »Nein, ich glaube kaum.«

»Was erzählt er denn so?«

»Oh, Mick war sehr gesprächig. Nicht wahr, Mick? Hast uns alles schön verraten.«

»Sie lügt«, krächzte Rubin.

»Er hat über Kettenreaktionen gesprochen, über Gift in Torpedo-hülsen und über *Deepflight 3*. Übrigens hat er auch erwähnt, dass Sie beide einen Ausflug machen wollen. In etwa ein bis zwei Stunden.«

»Tz, tz«, machte Li. Sie trat einen Schritt vor. Weaver packte Rubin und zerrte ihn zurück an Olivieras Seite. Die Biologin stand wie erstarrt neben dem Labortisch. Sie hielt immer noch den Phiolenkoffer mit dem Pheromonextrakt in ihren Händen.

»Wissen Sie, Mick Rubin ist vielleicht einer der besten Biologen der Welt, aber er leidet unter Minderwertigkeitsgefühlen«, sagte Li. »Er wäre so gerne berühmt. Die Vorstellung, dass sein Name nicht der Nachwelt überliefert werden könnte, macht ihn wahnsinnig. Das er-klärt sein übertriebenes Mitteilungsbedürfnis, aber sehen Sie's ihm nach. Rubin würde seine Mutter verschachern für ein bisschen Ruhm.« Sie blieb stehen. »Aber das spielt jetzt keine Rolle mehr. Da Sie wissen, was wir vorhaben, werden Sie auch die Notwendigkeit dahinter erken-nen. Ich habe mein Möglichstes getan, die Sache nicht eskalieren zu lassen, aber da neuerdings alle Bescheid zu wissen scheinen, bleibt mir ja wohl keine Wahl.«

»Nehmen Sie Vernunft an, Karen«, sagte Peak beschwörend. »Las-sen Sie ihn frei.«

»Das werde ich nicht tun«, antwortete Weaver.

»Er wird gebraucht. Hinterher können wir über alles reden.«

»Nein, wir reden überhaupt nicht mehr.« Li zog ihre Waffe und rich-tete sie auf Weaver. »Freilassen, Karen. Auf der Stelle, oder ich knalle Sie ab. Das ist mein letztes Wort.«

Weaver blickte in die kleine, schwarze Öffnung der Pistole.

»So weit gehen Sie nicht«, sagte sie.

»Ach nein?«

»Es gibt keinen Grund, so etwas zu tun.«

»Sie machen einen Fehler, Jude«, sagte Oliviera heiser. »Sie dürfen dieses Gift nicht einsetzen. Ich habe Mick bereits erklärt, dass …«

Li schwenkte die Waffe, richtete sie auf Oliviera und drückte ab. Die Biologin wurde gegen den Labortisch geschleudert und rutschte daran hinunter. Der Phiolenkoffer entglitt ihren Händen. Eine Sekunde lang starrte sie mit fragendem Blick auf das faustgroße Loch in ihrer Brust, dann wurden ihre Augen glasig.

»Nein!«, schrie Peak. »Um Gottes willen, *was tun Sie denn da?*«

Die Waffe ruhte wieder auf Weaver.

»Freilassen«, sagte Li.

»Dr. Johanson!«

Johanson drehte sich um. Er sah Vanderbilt und Anderson über die Plattform näher kommen. Anderson wirkte stoisch und unbeteiligt, die schwarzen Knopfaugen auf irgendeinen Punkt geheftet, während Vanderbilt breit grinste.

»Sie müssen wütend auf uns sein«, sagte er.

Die Art, wie er sich näherte und grinste, hatte etwas behäbig Kumpelhaftes. Johanson sah den beiden stirnrunzelnd entgegen. Er stand am Ende der Plattform, wenige Meter von der Kante entfernt. Heftige Böen klatschten ihm ins Gesicht. Unter ihm hoben sich die Wellen. Eben hatte er wieder ins Innere gehen wollen.

»Was führt Sie her, Jack?«

»Nichts Bestimmtes.« Vanderbilt hob die Hände in einer Geste der Entschuldigung. »Wissen Sie, ich wollte Ihnen einfach nur sagen, dass es uns Leid tut. Es ist alles so unnötig. Dass wir uns streiten. Diese ganze dumme Geschichte, finden Sie nicht auch?«

Johanson schwieg. Vanderbilt und Anderson kamen immer näher. Er trat einen Schritt zur Seite, und die Ankömmlinge blieben stehen.

»Haben wir was zu bereden?«, fragte Johanson.

»Ich habe Sie vorhin beleidigt«, sagte Vanderbilt. »Ich wollte mich entschuldigen.«

Johanson hob die Brauen.

»Sehr nobel von Ihnen, Jack. Ich akzeptiere. Sonst noch was?«

Vanderbilt hielt das Gesicht in den Wind. Sein schütteres, blassblondes Haar flatterte wie Dünengras.

»Ist verflucht kalt hier draußen«, sagte er, während er sich langsam wieder in Bewegung setzte. Anderson folgte seinem Beispiel. Beide hatten einen gewissen Abstand zwischen sich gelegt. Es sah ganz so aus, als versuchten sie, Johanson einzukreisen. Er würde es weder zwischen ihnen hindurch noch nach rechts oder links schaffen.

Was sie vorhatten, war so offensichtlich, dass er kaum Überraschung verspürte. Nur schreckliche Angst, gegen die er nichts machen konnte. Angst, gemischt mit verzweifeltem Zorn. Unwillkürlich trat er einen Schritt zurück und erkannte im selben Moment, dass es ein Fehler gewesen war. Er war der Kante jetzt sehr nahe. Viel brauchten sie nicht mehr zu tun. Ein kräftiger Stoß würde ihn in eines der umlaufenden Netze befördern oder darüber hinweg.

»Jack«, sagte er langsam. »Sie wollen mich doch nicht etwa umbringen?«

»Mein Gott, wie kommen Sie denn darauf?« Vanderbilt riss in gespieltem Erstaunen die Augen auf. »Ich will mit Ihnen reden.«

»Was tut Anderson dabei?«

»Oh, er war gerade in der Nähe. Reiner Zufall. Wir dachten …«

Johanson stürmte auf Vanderbilt zu, duckte sich und schlug einen Haken nach rechts. Er war weg von der Kante. Anderson sprang hinzu. Einen Moment lang schien es, als hätte das improvisierte Täuschungsmanöver Erfolg gehabt, dann fühlte Johanson sich gepackt und zurückgerissen. Andersons Faust flog heran und landete in seinem Gesicht.

Er stürzte und schlitterte über die Plattform.

Der Erste Offizier kam ihm ohne besondere Eile hinterher. Seine Pranken verschwanden unter Johansons Achselhöhlen und zogen ihn hoch. Johanson versuchte, seine Finger unter Andersons Handflächen zu verkeilen und den Griff zu lösen, aber es war, als packe er in Beton. Seine Füße verloren den Bodenkontakt. Er strampelte wie wild mit den Beinen, während ihn Anderson auf die Kante zutrug, wo Vanderbilt stand und einen kritischen Blick nach unten warf.

»Ein Scheißseegang heute«, sagte der CIA-Direktor. »Ich hoffe, es macht Ihnen keine Umstände, wenn wir Sie da runterwerfen, Dr. Johanson. Sie werden ein bisschen schwimmen müssen.« Er drehte ihm den Kopf zu und fletschte die Zähne. »Aber keine Angst, nicht lange. Das Wasser hat allenfalls zwei Grad. Sie werden es sogar angenehm finden. Wie alles zur Ruhe kommt, alles gefühllos wird, wie sich der Herzschlag verlangsamt …«

Johanson begann zu schreien.

»Hilfe!«, schrie er aus Leibeskräften. »Hilfe!«

Seine Füße baumelten über dem Rand. Da war das Netz unter ihm. Knapp zwei Meter reichte es hinaus. Nicht weit genug. Anderson würde ihn mühelos darüber hinwegwerfen.

»H-i-l-f-e!«

Zu seiner Überraschung kam Hilfe.

Er hörte Anderson ächzen. Plötzlich hatte er wieder die Plattform unter sich. Der Himmel kippte in sein Blickfeld, als Anderson auf den Rücken fiel und ihn mit sich riss. Immer noch umklammerten ihn die Hände des Ersten Offiziers, dann lösten sie sich. Johanson rollte sich zur Seite, robbte von Anderson weg und sprang auf.

»Leon!«, stieß er hervor.

Seinen Augen bot sich ein groteskes Bild. Anderson versuchte fuchtelnd, auf die Beine zu kommen. Anawak hatte sich von hinten in seine Jacke verkrallt. Sie waren allesamt zu Boden gegangen. Eben versuchte Anawak, unter dem gestürzten Mann hervorzukriechen, ohne ihn loszulassen, eine schiere Unmöglichkeit.

Johanson wollte hinzuspringen.

»Stopp!«

Vanderbilt vertrat ihm den Weg. Er hielt eine Pistole in der Hand. Langsam umrundete er die Liegenden, bis er mit dem Rücken zum Durchgang stand.

»Schöner Versuch«, sagte er. »Aber jetzt reicht's. Dr. Anawak, haben Sie bitte die Freundlichkeit, unseren Mr. Anderson hier aufstehen zu lassen. Er tut nur seine Pflicht.«

Widerstrebend löste Anawak seine Finger aus Andersons Kapuzenkragen. Der Erste Offizier schnellte hoch. Er wartete nicht, bis sein Gegner von selber auf die Beine kam, sondern hievte ihn hoch wie einen Sack. Im nächsten Moment flog Anawaks Körper auf die Kante zu.

»Nein!«, schrie Johanson.

Anawak versuchte sich festzukrallen. Er schlug auf, schlitterte weiter und rutschte bis hart an den Rand der Plattform.

Andersons Kopf ruckte zu Johanson, die ausdruckslosen Augen starrten ihn an. Er streckte einen Arm aus, riss ihn zu sich heran und rammte ihm die Faust in den Magen. Johanson japste nach Luft. Wellen von Schmerz breiteten sich in seinen Eingeweiden aus. Wie ein Taschenmesser klappte er zusammen und fiel auf die Knie.

Der Schmerz war kaum zu ertragen. Er kam nicht mehr hoch.

Würgend hockte er da, während ihm der Wind das Haar um die Ohren peitschte, und wartete darauf, dass Anderson erneut zuschlug.

VIERTER TEIL

abwärts

Forschungen zufolge ist der Mensch ab einer gewissen Sub- bzw. Metastufe nicht mehr in der Lage, Intelligenz als solche zu erkennen. Als Intelligenz begreift er nur, was im Rahmen seines Verhaltens liegt. Jenseits dieses Rahmens, im Mikrokosmos etwa, würde er sie schlicht übersehen. Ebenso wird er in einer höheren Intelligenz, einem weit überlegenen Geist, bloßes Chaos erblicken, weil er dessen komplexe Sinnschlüsse nicht zu entwirren vermag. Entscheidungen einer solchen Intelligenz blieben ihm unverständlich, da ihr Parameter zugrunde liegen, die seine intellektuelle Verarbeitungskapazität übersteigen. Auch ein Hund sieht in einem Menschen nur die Macht, der er sich unterordnet, nicht den Geist. Menschliches Verhalten mutet ihm sinnlos an, weil wir auf Grundlage von Überlegungen handeln, die seine Wahrnehmung überfordern. Wiederum werden wir Gott, falls es ihn gibt, nicht als Intelligenz wahrnehmen können, weil sein Denken auf einer Gesamtheit von Überlegungen fußen dürfte, deren Komplexität sich uns bei weitem entzieht. Als Folge ist Gott chaotisch in unseren Augen und mithin kaum der Richtige, um die ortsansässige Fußballmannschaft gewinnen zu lassen oder Kriege zu vereiteln. Ein solches Wesen läge jenseits der äußerstmöglichen Grenze menschlicher Verständnisfähigkeit. Woraus sich zwingend die Frage ableitet, ob das Metawesen Gott seinerseits überhaupt in der Lage ist, uns auf unserer Substufe als Intelligenz wahrzunehmen. Vielleicht sind wir ja nur ein Experiment in einer Petrischale ...

Samantha Crowe, aus »Chroniken«

Doch Anderson schlug nicht zu.

Sekunden zuvor hatten die Delphine ein unbekanntes Objekt gemeldet und die Mannschaft der *Independence* in erhöhte Alarmbereitschaft versetzt. Gleich darauf erfassten es auch die Sonarsysteme. Etwas von unbestimmter Form und Größe, das sich rasch näherte. Es machte kein Geräusch wie ein Torpedo, und keine Quelle war aufzuspüren, von der es hätte stammen können. Was die Leute auf der Brücke und an den Kontrollinstrumenten besonders nervös machte, war der Umstand, dass sich das Ding nicht nur mit wachsender Geschwindigkeit und völlig lautlos näherte, sondern außerdem senkrecht aus der Tiefe emporstieg. Sie starrten auf die Monitore und sahen im Dunkel des Abgrunds etwas Rundes, Bläuliches erscheinen. Eine wabernde Kugel näherte sich, mehr als zehn Meter im Durchmesser, nahm Gestalt an und wurde größer.

Als Buchanan den Befehl gab, das merkwürdige Ding abzuschießen, war es bereits zu spät.

Direkt unter dem Rumpf platzte die Kugel auf.

Während der letzten Minuten hatte sich das Gas in ihrem Innern immer mehr ausgedehnt und ihren Aufstieg beschleunigt. Jetzt schoss sie mit hoher Geschwindigkeit heran, ein Ball aus dünner, zum Bersten gespannter Gallerte, der plötzlich an der Oberseite aufriss, auseinander klappte und als wehender Fetzen zurückblieb. Das frei werdende Gas wirbelte weiter der Oberfläche entgegen und riss etwas Großes, Rechteckiges mit sich.

Sich überschlagend raste das verloren gegangene *Deepflight* auf die *Independence* zu, Bug voran, und bohrte seine panzerbrechenden Torpedos in ihren Rumpf.

Der Herzschlag einer Ewigkeit verstrich.

Dann folgte die Explosion.

BRÜCKE

Das riesige Schiff erbebte.

Buchanan, der das Unheil hatte kommen sehen, hielt auf der Brücke mit knapper Not das Gleichgewicht, indem er sich an den Kartentisch klammerte. Andere fanden nichts zum Festhalten und gingen zu Boden. In den Kontrollräumen unterhalb der Insel erzitterte das Schiff so stark, dass Monitore zersplitterten und Ausrüstungsgegenstände durch die Luft flogen. Im CIC wurden Crowe und Shankar von ihren Stühlen gerissen. Überall auf der *Independence* regierte von einer Sekunde auf die andere heilloses Chaos, mischte sich der unvermittelt einsetzende, durchdringende Alarm mit Geschrei, schlugen Stiefelabsätze auf, klirrte, dröhnte und schepperte es, während sich dumpfes Grollen durch die Gänge, Räume und Levels fortpflanzte.

Wenige Sekunden nach dem Aufschlag war der größte Teil der Ölschnepfen, wie die Kessel- und Antriebstechniker im Navy-Jargon genannt wurden, tot. Wo die mittschiffs gelegenen Laderäume und der Maschinenraum mit den beiden LM-2 500-Gasturbinen aneinander grenzten, hatte die Explosion einen gewaltigen Krater gerissen. Dort klaffte die Schiffshülle auf einer Länge von über 20 Metern auseinander. Wasser drang mit der Gewalt von Vorschlaghämmern ein und erschlug jeden, den das explodierende Tauchboot nicht sofort getötet hatte. Wer es bis dahin schaffte, am Leben zu bleiben, wer gar versuchte, der Hölle zu entkommen, sah sich mit schließenden Schotts konfrontiert. Der einzige Weg, die *Independence* jetzt noch zu retten, bestand darin, die Leute in den Katakomben des Schiffes zu opfern, indem man sie zusammen mit den tosenden Wassermassen einschloss, um ein weiteres Ausbreiten der Flut zu verhindern.

AUSSENLIFT

Die Plattform erhielt einen heftigen Schlag. Sie schnellte hoch wie eine Wippe und schleuderte Floyd Anderson über Johanson. Der Erste Offizier ruderte mit den Armen, die Finger gespreizt, aber da war nichts, woran man sich hätte festhalten können. Sein Körper beschrieb einen Salto, der unter anderen Umständen als komisch gegolten hätte. Er krachte mit der Stirn auf die Plattform, drehte sich auf den Rücken und blieb reglos liegen, die Augen starr geöffnet.

Vanderbilt taumelte. Die Pistole entglitt ihm und schlitterte auf den Rand zu, wo sie wenige Zentimeter vor der Kante liegen blieb. Er sah Johanson beim Versuch, sich aufzurappeln, lief zu ihm und trat ihm in die Rippen. Der Wissenschaftler kippte mit einem erstickten Schrei zur Seite. Vanderbilt hatte nicht die geringste Ahnung, was passiert war, sah man davon ab, dass es nur das Schlimmste sein konnte, aber der Auftrag lautete, Johanson zu beseitigen, und er war fest entschlossen, diesen Auftrag auszuführen. Er bückte sich, um den stöhnenden und blutenden Mann über die Plattform zu wuchten und möglichst über das Netz hinaus zu befördern, als jemand seitlich gegen ihn prallte.

»Du Schwein!«, schrie Anawak.

Plötzlich sah er sich mit einem Paar wild gewordener Dreschflegel konfrontiert. Anawak prügelte wie besessen auf ihn ein. Vanderbilt wich zurück. Er brauchte einen Moment, um seiner Verblüffung Herr zu werden. Schützend riss er die Arme über den Kopf, wich seitlich aus und trat den Angreifer gegen die Kniescheibe.

Anawak wankte und knickte ein. Vanderbilt verlagerte sein Gleichgewicht. Die meisten Menschen, die Jack Vanderbilt kennen lernten, machten sich völlig falsche Vorstellungen von seiner Kraft und Behändigkeit. Sie sahen nur seine Leibesfülle. Tatsächlich war der CIA-Direktor durch alle Schulen des Angriffs und der Selbstverteidigung gegangen, und auch mit zwei Zentnern gelangen ihm immer noch ein paar bemerkenswerte. Sprünge. Er nahm Anlauf, katapultierte sich durch die Luft und rammte Anawak den Stiefel gegen das Brustbein. Anawak stürzte auf den Rücken. Sein Mund öffnete sich zu einem O, aber kein Laut drang heraus. Vanderbilt wusste, dass dem anderen gerade die Luft wegblieb. Er beugte sich über ihn, packte Anawak an den Haaren, riss ihn zu sich hoch und versenkte den Ellbogen in seinem Solarplexus.

Das dürfte fürs Erste reichen. Jetzt zurück zu Johanson. Ab in die See mit ihm, und Anawak gleich hinterher.

Als er sich aufrichtete, sah er Greywolf auf sich zukommen.

Vanderbilt ging in Angriffsposition. Er wirbelte um seine Achse, das rechte Bein ausgestreckt, trat zu – und prallte ab.

Was soll denn das?, dachte er verwirrt. Jeder andere wäre nach der Attacke zu Boden gegangen oder hätte sich unter Schmerzen gekrümmt. Dieser riesige Halbindianer lief einfach weiter. In seinen Augen lag ein unmissverständlicher Ausdruck. Plötzlich wurde Vanderbilt klar, dass er diesen Kampf gewinnen musste, weil er ihn sonst nicht überleben würde. Er überkreuzte die Arme, um den nächsten Schlag zu landen, langte aus und spürte, wie seine Faust einfach weggewischt wurde. Im nächsten Moment grub sich Greywolfs Linke in sein Doppelkinn. Vanderbilt trat mit den Beinen. Der Indianer schob ihn, ohne in seinem Tempo innezuhalten, dem Rand entgegen, holte aus und schlug zu.

Vanderbilts Gesichtsfeld explodierte.

Alles wurde rot. Er hörte sein Nasenbein brechen. Der nächste Schlag zertrümmerte die Knochen der linken Wange. Ein gurgelnder Schrei entrang sich seiner Kehle. Wieder kam die Faust herangesaust und bohrte sich zwischen seine Kiefer. Zähne splitterten. Vanderbilt schrie jetzt lauter, vor Schmerz und aus Wut. Er war außer sich. Er hing hilflos im Griff des Riesen und konnte nichts dagegen tun, dass sein Gesicht zu Brei geschlagen wurde.

Die Beine sackten ihm weg.

Greywolf ließ ihn los, und Vanderbilt schlug der Länge nach hin. Viel sah er nicht mehr, etwas Himmel, den grauen Asphalt der Plattform mit den aufgemalten gelben Markierungen, alles durch einen blutigen Schleier, und dort, ganz nah, die Waffe. Seine Rechte fingerte danach, bekam sie zu fassen, umspannte den Griff. Er riss den Arm hoch und schoss.

Einen Augenblick herrschte Ruhe.

Hatte er getroffen? Er drückte ein weiteres Mal ab, aber dieser Schuss ging in die Luft. Sein Arm war nach hinten gebogen worden. Kurz sah er Anawak über sich auftauchen, dann wurde ihm die Pistole aus der Hand geschlagen, und er blickte wieder in Greywolfs hasserfüllte Augen.

Schmerz durchflutete ihn.

Was war geschehen? Er lag nicht mehr auf dem Rücken, sondern stand aufrecht. Oder hing er? Er wusste tatsächlich nicht mehr, wo oben und unten war. Nein, er schwebte. Er flog rückwärts. Durch einen Nebel von Blut erkannte er die Plattform. Da war die Kante. Warum war er außerhalb der Kante? Sie zog über ihn hinweg, entfernte sich nach oben mitsamt den schützenden Netzen, und Vanderbilt begriff, dass sein Leben jetzt enden würde.

Die Kälte traf ihn wie ein Schock.

Aufspritzende Gischt. Von Schaum durchzogenes Grün, jede Menge Blasen. Unfähig, sich zu bewegen, sank Vanderbilt hinab. Das Meerwasser wusch das Blut aus seinen Augen, während sein Körper der Tiefe zustrebte. Da war kein Schiff, gar nichts, nur konturloses, dunkler werdendes Grün, aus dem sich ein Schatten näherte.

Der Schatten war schnell. Er besaß ein Maul, das unmittelbar vor ihm auseinander klaffte.

Dann war nichts mehr.

LABOR

»Um Gottes willen, *was tun Sie denn da*?«
»Freilassen.«

Die Worte hallten in Weavers Kopf wider: Peaks voller Entsetzen ausgestoßene Frage, Lis harscher Befehl, bevor das komplette Labor plötzlich einen Satz getan hatte und in Schieflage geraten war. Auf das Dröhnen der Explosion folgte unbeschreiblicher Lärm, als alles um sie herum umstürzte und zu Bruch ging. Weaver wurde von den Beinen geschleudert, und mit ihr Rubin. In einem Durcheinander umherfliegender Instrumente und Behälter landeten sie nebeneinander hinter dem Labortisch. Ein Donnergrollen fegte durch den Raum. Alles vibrierte. Irgendwo zersprang mit lautem Knallen Glas. Weaver dachte an das Hochsicherheitslabor und hoffte inständig, dass die Abschottung aus Panzerglas und hermetisch verriegelten Schleusen standhielt. Sie robbte auf dem Hintern von Rubin weg, der herumrollte und sich wild umsah.

Ihr Blick fiel auf den Phiolenkoffer. Er war direkt vor ihre Füße gerutscht. Sie sah ihn, und Rubin sah ihn ebenfalls.

Einen Moment lang schätzte jeder von ihnen seine Chancen ab. Dann schnellte Weaver nach vorne, aber Rubin war schneller. Er bekam den Koffer zu packen, sprang auf und rannte in den Raum hinein. Weaver fluchte und verließ notgedrungen ihre Deckung. Was immer gerade passiert war, was immer die Folgen wären, was Li auch vorhaben mochte – sie musste den Koffer an sich bringen.

Zwei der Soldaten lagen am Boden. Einer rührte sich nicht, der andere rappelte sich eben hoch. Der dritte Soldat war auf den Beinen geblieben und hielt seine Waffe unverändert im Anschlag. Li bückte sich, um dem reglosen Mann das Gewehr abzunehmen, ein massives, schwarzes Ding. Im nächsten Moment visierte sie Weaver an. Peak lehnte stocksteif neben der verriegelten Tür.

»Karen!«, schrie er. »Bleiben Sie stehen. Es wird Ihnen nichts passieren, bleiben Sie gottverdammt nochmal stehen!«

Seine Stimme ging unter im Geknatter der Waffe. Weaver sprang wie eine Katze hinter die benachbarte Laborinsel. Sie hatte keine Ahnung, womit Li da schoss, aber die Munition zerfetzte den Tisch, als sei er aus Pappe. Glassplitter flogen ihr um die Ohren, ein zentnerschweres Mikroskop krachte dicht neben ihr zu Boden. In das Inferno mischte sich gleichmäßig der Bordalarm. Plötzlich sah sie Rubin, der mit angstgeweiteten Augen wieder auf sie zurannte.

»Mick!«, rief Li. »Sie Idiot! Kommen Sie hierher.«

Weaver hechtete aus ihrem Versteck. Sie ließ sich gegen den Biologen fallen und entriss ihm den Phiolenkoffer. Im selben Moment erzitterte das Schiff erneut, und der Raum neigte sich. Rubin rutschte über den Boden, rasselte in ein Regal und brachte es zum Umkippen. Eine Flut aus Probengefäßen und Gläsern prasselte auf ihn herab. Er heulte auf und zappelte wie ein Käfer auf dem Rücken. Weaver sah Li aus dem Augenwinkel die Waffe schwenken und den dritten Soldaten über den zerschossenen Tisch springen. Auch er trug eines der gewaltigen schwarzen Dinger, und noch im Sprung zog er es hoch.

Es gab keinen Weg, wohin sie hätte fliehen können. Also ließ sie sich neben Rubin fallen.

»Nicht schießen!«, hörte sie Lis Stimme. »Es ist zu …«

Der Soldat feuerte. Er verfehlte sie. Die Garbe bohrte sich mit gongartigen Aufschlägen ins Panzerglas des Tiefseesimulators und durchpflügte die ovale Scheibe einmal von links nach rechts.

Plötzlich herrschte unheimliche Stille. Nur der Alarm sonderte in regelmäßigen Abständen sein unbeteiligtes, schnarrendes Geräusch ab. Alle erstarrten und hefteten ihre Blicke wie gebannt auf den Tank. Weaver hörte ein einzelnes, lautes Knacken. Sie wandte den Kopf und sah, wie sich auf der großen Glasplatte Sprünge verästelten.

Es wurden immer mehr.

»Oh Gott«, stöhnte Rubin.

»Mick!«, schrie Li. »Kommen Sie endlich!«

»Ich kann nicht«, jammerte Rubin. »Mein Bein. Ich hänge fest.«

»Auch egal«, sagte Li. »Wir brauchen ihn nicht. Raus hier.«

»Das können Sie doch nicht …«, begann Peak.

»Sal, öffnen Sie die Tür!«

Sofern Peak etwas erwiderte, war es nicht zu verstehen. Es gab einen ohrenbetäubenden Knall, als die Scheibe auseinander flog. Tonnen von Meerwasser kamen ihnen entgegengeschossen. Weaver rannte los. Hinter ihr tosten die Wassermassen durch das Labor und zerstörten, was noch nicht zu Bruch gegangen war.

»Karen!«, hörte sie Rubin. »Bitte lass mich nicht …«

Seine Stimme riss ab. Alles war voller Gischt. Sie sah Peak durch die offene Labortür humpeln. Li folgte ihm. Im Hinauslaufen schlug ihre Hand auf eine Stelle neben der Tür, und Weaver erkannte in plötzlichem Schrecken, was das zu bedeuten hatte.

Li wollte sie einschließen.

Die Flut klatschte gegen ihren Rücken und trug sie ein Stück nach vorne. Sie stürzte hart auf ihre Knie, kam wieder auf die Beine. Sie war durchnässt bis auf die Knochen, aber den Phiolenkoffer hielt sie fest umschlungen. Japsend und bemüht, vom Wasser nicht zurückgerissen zu werden, kämpfte sie sich auf die Tür zu, die sich langsam schloss, legte die letzten Meter in einem einzigen Sprung zurück, prallte gegen den Rahmen und wirbelte hinaus auf die Rampe.

Greywolf und Anawak halfen Johanson auf die Beine. Der Biologe war schwer angeschlagen, aber bei Bewusstsein.

»Wo ist Vanderbilt?«, murmelte er.

»Fischen«, sagte Greywolf.

Anawak fühlte sich, als sei er unter einen Eilzug geraten. Er war kaum in der Lage, aufrecht zu stehen, so sehr schmerzte ihn die Stelle, wo ihn Vanderbilts Ellbogen getroffen hatte.

»Jack«, wiederholte er immer wieder. »Mein Gott, Jack.« Greywolf hatte ihn gerettet. Es schien zur Tradition zu werden, dass Greywolf ihn rettete. »Wo kommst du plötzlich her?«

»Ich war vorhin ein bisschen rüde«, sagte Greywolf. »Wollte mich entschuldigen.«

»Rüde? Bist du wahnsinnig? Du hast keinen Grund, dich für irgendetwas zu entschuldigen!«

»Ich find's gut, dass er sich entschuldigen wollte«, ächzte Johanson.

Greywolf grinste gequält. Sein Gesicht unter der kupferfarbenen Haut hatte einen wächsernen Ton angenommen. Was ist los mit ihm?, dachte Anawak. Greywolfs Schultern bogen sich nach vorn, seine Augenlider flatterten ...

Plötzlich sah er, dass Greywolfs T-Shirt voller Blut war. Einen Moment lang gab er sich der Illusion hin, es stamme von Vanderbilt. Dann erkannte er, dass der Fleck größer wurde und dass all das Blut aus Greywolfs Bauch quoll. Er streckte die Arme aus, um den Riesen aufzufangen, als erneut ein Donnerschlag aus dem Bauch der *Independence* drang. Das Schiff schwankte. Johanson taumelte gegen ihn. Anawak sah Greywolf nach vorn kippen und über die Kante verschwinden.

»Jack!«

Er fiel auf die Knie und rutschte zu der Stelle, wo Greywolf verschwunden war. Der Halbindianer hing in einem der Netze und sah zu ihm hoch. Darunter wogte das Meer.

»Jack, gib mir deine Hand«

Greywolf rührte sich nicht. Er lag nur da und starrte Anawak an, die Hände auf den Bauch gepresst. Noch mehr Blut quoll zwischen seinen Fingern hervor.

Vanderbilt! Das verdammte Schwein hatte ihn getroffen.

»Jack, es wird alles gut.« Worte wie aus einem Film. »Gib mir die Hand. Ich ziehe dich hoch, wir kriegen das alles wieder hin.«

Neben ihm robbte Johanson heran. Er legte sich auf den Bauch und versuchte, nach unten ins Netz zu langen, aber es war zu tief.

»Du musst irgendwie hochkommen«, sagte Anawak hilflos. Dann fasste er einen Entschluss. »Nein, bleib da. Ich komme zu dir runter. Ich hieve dich raus, und Sigur hilft von oben.«

»Vergiss es«, sagte Greywolf gequetscht.

»Jack ...«

»Es ist besser so.«

»Red keinen Mist«, herrschte Anawak ihn an. »Komm mir bloß nicht mit dieser Kinoscheiße, von wegen, lasst mich zurück, kümmert euch nicht um mich, blabla.«

»Leon, mein Freund ...«

»Nein! Ich sage nein!«

Aus Greywolfs Mund floss ein dünner Streifen Blut.

»Leon ...«

Er lächelte. Plötzlich wirkte er sehr entspannt.

Dann richtete er sich mit einem Ruck auf, rollte sich über die Netzkante ab und stürzte in die Wellen.

LABOR

Rubin verging Hören und Sehen. Das Wasser aus dem Tank toste über ihn hinweg. Er fragte sich, was um Himmels willen passiert war in den letzten Sekunden. Alles war aus den Fugen geraten. Dann spürte er plötzlich, dass die wirbelnden Wassermassen das Regal von seinem Bein hoben, und er kam frei und tauchte prustend auf.

Gott sei Dank, dachte er. Du hast das Schlimmste überstanden.

Für eine richtige Überschwemmung würde das Wasser aus dem Simulator nicht reichen. Es war eine ganze Menge, aber sobald es sich im Raum verteilt hatte, würde es kaum höher als einen Meter stehen.

Er rieb sich die Augen.

Wo war Li?

Neben ihm trieb der Körper eines der Soldaten. Ein anderer stemmte sich weiter hinten benommen aus dem Wasser.

Li war fort.

Sie hatten ihn zurückgelassen.

Fassungslos saß Rubin im Wasser und starrte auf die verschlossene Tür. Allmählich klärten sich seine Gedanken. Er musste hier raus. Etwas in dem Schiff war in die Luft geflogen. Wahrscheinlich sanken sie schon. Wenn er nicht innerhalb der nächsten paar Minuten höhere Gefilde erreichte, drohten ihm ernsthafte Schwierigkeiten.

Er wollte aufstehen, als es um ihn herum zu leuchten begann.

Blitze zuckten.

Schlagartig wurde ihm bewusst, dass nicht nur Wasser aus dem Tank gelangt war! Er versuchte hochzukommen, glitt aus und stürzte zurück. Das Wasser spritzte auf. Rubin geriet mit dem Kopf unter die Oberfläche, paddelte mit den Händen und spürte Widerstand.

Glatt. Beweglich.

Lichtblitze erschienen vor seinen Augen, dann bekam er plötzlich keine Luft mehr, als die Gallerte begann, sein Gesicht zu überziehen. Wie irrsinnig zerrte Rubin daran, aber das Zeug war nicht zu packen. Er glitt daran ab, und wo er es in die Hände bekam, veränderte es augenblicklich seine Form oder löste sich einfach auf, und neues Gewebe kam hinterher.

Nein, dachte er. Nein, Nein!

Er öffnete den Mund und spürte, wie das Zeug hineinkroch. Das machte ihn vollends wahnsinnig. Ein dünner Ausläufer schlängelte sich seine Speiseröhre hinab, weitere drangen in seine Nasenlöcher. Er würgte, schlug wild um sich, bäumte sich auf, und plötzlich begannen seine Ohren zu schmerzen. Grauenhaft war dieser Schmerz, als bohre ein unbarmherziger Folterknecht mit Messern darin herum, und ein letzter, glasklarer Gedanke sagte ihm, dass die Gallerte auf dem Weg in seinen Schädel war.

Ob es pure Neugierde oder ein gezieltes Vorhaben des Organismus war, menschliche Hirne zu untersuchen, ob er gewohnheitsmäßig seit Jahrmillionen in alles kroch, was sich seiner Ansicht nach zu untersuchen lohnte, darüber hatte sich Rubin seit dem Unfall im Welldeck pausenlos Gedanken gemacht.

Jetzt machte er sich über gar nichts mehr Gedanken.

GREYWOLF

So friedlich. So ruhig.

Vanderbilt hatte das wahrscheinlich anders empfunden. Er hatte Angst gehabt. Sein Tod war grausam gewesen, und genau so hatte er sein sollen. Aber ohne Angst war es etwas völlig anderes.

Greywolf sank in die Tiefe.

Er hielt die Luft an. Trotz der schrecklichen Schmerzen in seinem Bauch wollte er so lange wie möglich die Luft anhalten. Nicht weil er glaubte, dass es sein Leben verlängern würde. Es war ein letzter Akt des Willens, ein Akt der Kontrolle. Er würde bestimmen, wann das Wasser in seine Lungen drang.

Licia war da unten. Alles, was er je gewollt hatte, was ihm wichtig gewesen war, befand sich unter Wasser. Eigentlich nur konsequent, dass er endlich diesen Weg ging. Es war überfällig.

Wenn du zu Lebzeiten ein guter Mensch gewesen bist, wirst du dereinst als Orca wiedergeboren werden.

Er sah einen schwarzen Schatten über sich hinwegziehen. Ein weiterer folgte. Die Tiere beachteten ihn nicht. Genau, dachte Greywolf, ich bin euer Freund. Ihr lasst mich in Ruhe. Natürlich wusste er, dass die Erklärung viel profaner war, dass ihn die Tiere schlicht übersahen. Diese Orcas waren niemandes Freund. Sie waren schon längst nicht mehr sie selbst, sondern wurden missbraucht von einer Rasse, die nicht weniger skrupellos vorging als der Mensch.

Aber auch das würde wieder in Ordnung kommen. Irgendwann. Und der Graue Wolf würde ein Orca werden.

Konnte es einen schöneren letzten Gedanken geben?

Er atmete aus.

PEAK

»Sind Sie eigentlich vollkommen wahnsinnig geworden?«
Peaks Stimme hallte an den Wänden der Rampe wider. Li eilte ihm voraus. Er versuchte, den pochenden Schmerz in seinem Fußgelenk zu ignorieren und mit ihr Schritt zu halten. Sie hatte das Maschinengewehr weggeworfen und hielt stattdessen ihre Pistole in der Hand.

»Gehen Sie mir nicht auf die Nerven, Sal.« Li steuerte den nächsten Niedergang an. Nacheinander kletterten sie ins nächsthöhere Level. Hier mündete der Gang zum geheimen Bereich. Aus dem Bauch des Schiffes drang enervierendes Wimmern und Dröhnen. Dann folgte eine neuerliche Explosion. Der Boden wankte heftig und neigte sich, sodass sie einen Moment innehalten mussten. Vermutlich hatten einige Schotts dem Wasserdruck nicht mehr standgehalten. Die *Independence* wies mittlerweile eine deutliche Schieflage auf, und sie mussten den Gang aufwärts laufen. Aus dem Kontrollraum kamen ihnen Männer und Frauen entgegengerannt. Sie starrten auf Li in Erwartung von Befehlen, aber die Kommandantin stapfte einfach weiter.

»Nicht auf die Nerven?« Peak verstellte ihr den Weg. Er fühlte, wie sein Entsetzen blanker Wut wich. »Sie knallen wahllos Leute ab. Andere lassen Sie umbringen. Was soll das, verdammt? Das ist *unverhält-nismäßig*! Das war nie geplant und nie besprochen!«

Li sah ihn an. Ihr Gesicht war vollkommen ruhig, aber die blauen Augen flackerten. Nie zuvor hatte Peak dieses Flattern darin gesehen. Plötzlich wurde ihm klar, dass diese hoch gebildete, vielfach ausgezeichnete Soldatin einen ausgemachten Dachschaden hatte.

»Mit Vanderbilt *war* es besprochen«, sagte Li.

»Mit der CIA?«

»Mit *Vanderbilt* von der CIA.«

»Sie haben sich mit diesem Drecksack auf einen derartigen Irrsinn eingelassen?« Peak kräuselte angewidert die Lippen. »Ich könnte kotzen, Jude. Wir sollten helfen, das Schiff zu evakuieren.«

»Außerdem ist es abgesprochen mit dem Präsidenten der Vereinigten Staaten«, fügte Li hinzu.

»Niemals!«

»Mehr oder weniger.«

»Nicht so! Das glaube ich Ihnen nicht!«

»Er *würde* es billigen.« Sie drängte sich an ihm vorbei. »Jetzt gehen Sie mir endlich aus dem Weg. Wir verlieren Zeit.«

Peak hastete ihr hinterher. »Diese Menschen haben Ihnen nichts getan. Sie haben ihr Leben riskiert. Die ziehen doch am gleichen Strang wie wir! Warum konnten wir sie nicht einfach festsetzen?«

»Wer nicht für mich ist, ist gegen mich. Haben Sie das noch nicht gemerkt, Sal?«

»Johanson war nicht gegen Sie.«

»Doch, von Anfang an.« Sie wirbelte herum und sah zu ihm hoch. »Sind Sie eigentlich blind oder verblödet, oder was? Sehen Sie nicht, was passieren würde, wenn Amerika diese Schlacht nicht für sich entscheidet? Jeder andere, der sie gewinnen würde, hätte uns im selben Moment eine Niederlage zugefügt.«

»Es geht aber nicht um Amerika! Es geht um die ganze Welt.«

»Die Welt *ist* Amerika!«

Peak starrte sie an.

»Sie sind verrückt«, flüsterte er.

»Nein, ich bin Realist, Sie schwarzer Esel. Und *Sie* tun, was *ich* sage. Sie stehen unter *meinem* Kommando!« Li setzte sich wieder in Bewegung. »Los jetzt. Wir haben einen Auftrag zu erfüllen. Ich muss mit dem Tauchboot runter, bevor uns das ganze Schiff um die Ohren fliegt. Helfen Sie mir, die beiden Torpedos mit Rubins Gift zu finden, danach können Sie sich meinetwegen absetzen.«

Weaver schwankte eine Sekunde, wohin sie sich wenden sollte, als sie vom oberen Ende der Rampe Stimmen hörte. Li und Peak waren verschwunden. Wahrscheinlich auf dem Weg in Rubins Geheimlabor, um den Giftstoff zu holen. Sie lief zum Knick und sah Anawak und Johanson aufeinander gestützt die Rampe herunterkommen.

»Leon«, rief sie. »Sigur!«

Sie rannte auf die beiden zu und umarmte sie. Sie musste ihre Arme sehr weit ausstrecken, aber sie hatte das dringende Bedürfnis, die Männer an sich zu drücken. Ganz besonders einen von ihnen. Offenbar schoss sie dabei übers Ziel hinaus, denn Johanson stöhnte auf.

Sie zuckte zurück. »Entschuldige ...«

»Sind nur die Knochen.« Er wischte sich das Blut aus dem Bart. »Der Geist ist willig, und so weiter. Was ist passiert?«

»Was ist euch passiert?«

Der Boden rumpelte unter ihren Füßen. Ein lang gezogenes Quietschen drang aus dem Rumpf der *Independence*. Ganz leicht neigte sich der Boden ein Stück weiter bugwärts.

Sie berichteten einander in hastigen Worten. Anawak war sichtlich mitgenommen von Greywolfs Tod.

»Hat einer von euch eine Ahnung, was mit dem Schiff geschehen ist?«, fragte er.

»Nein, aber ich fürchte, darüber können wie uns jetzt nicht den Kopf zerbrechen.« Weaver sah sich gehetzt um. »Ich schätze, wir müssen zwei Dinge gleichzeitig erledigen. Lis Tauchgang verhindern und uns irgendwie in Sicherheit bringen.«

»Du meinst, sie wird ihren Plan ausführen?«

»Klar wird sie das«, knurrte Johanson. Er legte den Kopf in den Nacken. Vom Flugdeck drang Lärm zu ihnen herunter. Sie hörten das Knattern von Rotoren. »Merkt ihr was? Die Ratten verlassen das Schiff.«

»Was ist los mit Li?« Anawak schüttelte fassungslos den Kopf. »Warum hat sie Sue erschossen?«

»Sie wollte auch mich umbringen. Li wird jeden töten, der ihr im Wege steht. Sie war nie interessiert an einer friedlichen Lösung.«

»Aber mit welchem Ziel?«

»Egal«, sagte Johanson. »Ihr Zeitplan dürfte sich stark verknappt haben. Jemand muss sie aufhalten. Sie darf dieses Zeug nicht nach unten bringen.«

»Richtig«, sagte Weaver. »Dafür bringen wir *das* nach unten.«

Erst jetzt schien Johanson den Kasten in Weavers Händen zu bemerken. Er riss die Augen auf.

»Sind das die Pheromon-Extrakte?«

»Ja. Sues Vermächtnis.«

»Gut, aber wie hilft uns das im Augenblick weiter?«

»Na ja, ich habe eine Idee.« Sie zögerte. »Keine Ahnung, ob sie funktioniert. Ich hatte sie schon gestern, aber sie schien mir nicht wirklich durchführbar zu sein. – Inzwischen hat sich einiges geändert.«

Sie erklärte es ihnen.

»Klingt gut«, beschied Anawak. »Aber das erfordert äußerste Schnelligkeit. Im Grunde bleiben uns nur Minuten. Sobald der Kahn absäuft, sollten wir irgendwo auf dem Trockenen sein.«

»Ich weiß vor allen Dingen nicht, wie genau wir es bewerkstelligen können«, gab Weaver zu.

»Aber ich.« Anawak zeigte zur Rampe. »Wir brauchen ein Dutzend subkutaner Spritzen. Darum kümmere ich mich. Ihr geht runter und macht das Tauchboot klar.« Er überlegte. »Und wir brauchen … Warte mal! Meinst du, im Labor findest du jemanden …?«

»Ja. Finde ich. Wo willst du die Spritzen auftreiben?«

»Im Hospital.«

Über ihnen verstärkte sich der Lärm. Sie sahen einen Helikopter im Durchgang zum Backbordlift auftauchen und dicht über die Wellen hinwegziehen. Der Stahl des Hangardecks ächzte. Das ganze Schiff begann sich zu verformen.

»Beeil dich«, sagte Weaver.

Anawak sah ihr in die Augen. Einen Moment lang hingen sie aneinander fest. Verdammt, dachte Weaver, warum erst jetzt?

»Verlass dich drauf«, sagte er.

EVAKUIERUNG

Im Gegensatz zu den meisten Menschen auf der *Independence* wusste Crowe ziemlich genau, was geschehen war. Die Rumpfkameras hatten den Aufstieg der leuchtenden Kugel auf die Monitore übertragen. Der Ball hatte aus Gallerte bestanden, so viel stand fest, und als er geplatzt war, hatte sich Gas aus seinem Innern ausgedehnt. Methangas möglicherweise. Inmitten der wild trudelnden Blasen hatte sie einen Umriss zu erkennen geglaubt, der ihr bekannt vorkam: Es war ein Tauchboot gewesen, das da auf die *Independence* zugerast kam.

Ein *Deepflight*, bestückt mit Torpedos.

Unmittelbar nach der Explosion war die Hölle ausgebrochen. Shankar war mit dem Schädel gegen die Konsole geprallt und blutete heftig. Crowe hatte ihm aufgeholfen, dann waren Soldaten und Techniker ins CIC gestürmt und hatten sie nach draußen bugsiert. Der heisere Intervallton des Alarms trieb sie vorwärts. In den Niedergängen drängten sich die Menschen, aber noch schien die Mannschaft der *Independence* die Situation unter Kontrolle zu haben. Ein Offizier nahm sie in Empfang und lief mit ihnen zu einer heckwärts gelegenen Treppe, die nach oben führte.

»Durch die Insel raus aufs Flugdeck«, sagte er. »Nicht stehen bleiben. Anweisungen abwarten.«

Crowe schob den benommenen Shankar die Treppe hinauf. Sie war klein und zierlich und Shankar groß und schwer, aber sie nahm all ihre Kraft zusammen.

»Beweg dich, Murray!«, keuchte sie.

Shankars Hände umfassten zitternd die Sprossen. Er zog sich unter Mühen nach oben. »Ich hatte mir eine Kontaktaufnahme immer anders vorgestellt«, hustete er.

»Du hast eben die falschen Filme gesehen.«

Eine Zigarette fehlte ihr jetzt zur Beruhigung. Bekümmert dachte sie an die eine, die sie erst Sekunden vor der Explosion angesteckt hatte. Sie lag qualmend im CIC. So eine Schande. Was hätte sie für eine Zigarette gegeben! Noch einmal eine rauchen, bevor hier alle den Löffel abgaben. Irgendetwas sagte ihr, dass ihre Überlebenschancen nicht besonders hoch waren.

Nein, fuhr es ihr durch den Kopf. Blödsinn! Wir sind ja gar nicht auf Rettungsboote angewiesen.

Wir haben die Helikopter!

Erleichterung durchflutete sie. Shankar hatte das obere Ende des Niedergangs erreicht. Hände streckten sich ihm entgegen. Crowe folgte ihm und fragte sich, ob sie nicht soeben genau die Art von Kontakt erlebten, in der die menschliche Rasse so bewandert war – aggressiv, unbarmherzig, tödlich.

Soldaten zogen sie ins Innere der Insel.

Hey, Miss Alien, dachte sie. Immer noch fasziniert von der Möglichkeit intelligenten Lebens im All?

»Haben Sie eine Zigarette?«, fragte sie einen der Soldaten.

Der Mann starrte sie an.

»Sind Sie noch bei Trost? Machen Sie, dass Sie nach draußen kommen!«

Auf der Brücke stand Buchanan mit dem Zweiten Offizier und dem Steuermann zusammen, ließ sich fortwährend auf den neuesten Stand bringen und gab Anweisungen. Er blieb ruhig und besonnen. Wie es aussah, hatte die Explosion einen Teil der Laderäume und des Maschinenraums zerstört. Mit den Laderäumen hätten sie leben können, aber im Maschinenraum war es offenbar zu einer Kettenreaktion in den Kraftstoff- und Flüssigkeitssystemen gekommen. Weitere Explosionen waren die Folge. Nacheinander fielen sämtliche Systeme aus. Der Elektrizitätsbedarf des Schiffes wurde durch eine ganze Serie motorgetriebener Stromaggregate abgedeckt. Neben den beiden LM-2 500-Gasturbinen versorgten sechs Dieselelektronik-Generatoren die *Independence* mit Energie, die sich gerade der Reihe nach verabschiedeten. Tief in den Katakomben unter den Fahrzeug- und Frachtdecks herrschte vermutlich kein Leben mehr. Buchanan hatte die Maschinenraumcrew im Moment, da er die Anweisung zum Schließen der Schotts gegeben hatte, dem Tode preisgegeben, aber er konnte sich jetzt nicht den Luxus leisten, darüber nachzudenken. Sie mussten das Schiff evakuieren. Er wagte keine Aussage zu treffen, wie lange es da unten noch einigermaßen stabil blieb. Der Aufschlag war mittschiffs erfolgt. Dennoch hatten sie nicht verhindern können, dass ein Teil der bugwärts gelegenen Frachträume überflutet wurde, sodass die *Independence* nun nach vorn wegsackte.

Es war zu viel Wasser im Rumpf. Unter enormem Druck würde es sich seinen Weg in die Bugspitze bahnen und die Schotts zum nächsthöheren Level aufbrechen. Wenn dann noch die achterlichen Schotts nachgaben, drohte das gesamte Schiff voll zu laufen.

Buchanan gab sich keinen Illusionen darüber hin, dass es geschehen würde. Es stellte sich lediglich die Frage nach dem Wann. Die Meisterung dieser Krise hing einzig an ihm und seiner Fähigkeit, die Lage richtig zu bewerten. Augenblicklich schätzte er, dass als Nächstes das Fahrzeugfrachtdeck unter dem Labor dran war und ein Teil der angrenzenden Unterkünfte. Das Einzige, was ihn an der ganzen Sache überhaupt tröstete, war der Umstand, dass keine Marines an Bord waren. Im Kriegsfall hätte er rund 3 000 Mann von Bord bekommen müssen. Jetzt waren es eben mal 180, und sie hielten sich in den oberen Levels auf.

Einige der Monitore, die das *Big Picture* aus dem CIC auf die Brücke übertrugen, waren ausgefallen. Direkt über Buchanans Kopf leuchtete das verplombte rote Telefon, das ihn in Ausnahmesituationen direkt mit dem Pentagon verband. Sein Blick wanderte über die praktisch und logisch angeordneten Kommunikationsgeräte, Navigationsinstrumente und Kartentische. Nichts davon half ihnen jetzt noch weiter.

Nutzloser Kram.

Auf dem Dach entwickelte das Landungspersonal hektische Betriebsamkeit. Menschen wurden aus der Insel aufs Flugdeck geführt und in bereitstehende Helikopter gelotst, die mit laufenden Rotoren warteten, alles im Laufschritt. Buchanan sprach kurz mit der Flugleitzentrale und sah wieder durch die grünen Scheiben der Brücke nach draußen. Ein Helikopter hatte bereits abgehoben und entfernte sich schnell vom Schiff. Es konnte nicht schnell genug gehen. Wenn sich der Bug weiter neigte, verwandelte sich das Flugdeck in eine Rutschbahn. Die Fluggeräte waren gut gesichert, aber irgendwann würde es kritisch werden.

LEVEL 03

Anawak begegnete nicht vielen Menschen. Er fürchtete, Li und Peak in die Arme zu laufen, aber die beiden waren offenbar in entgegengesetzte Richtung unterwegs. Atemlos und mit schmerzendem Brustkorb hetzte er den Gang zur Krankenstation entlang.

Das Hospital lag verlassen da. Keine Spur von Angeli und seinem Personal. Er gelangte in verschiedene Räume voller Betten, bevor er endlich einen Raum für medizinisches Equipment fand. Dort sah es aus wie nach einem Erdbeben. Schränke standen offen, der Boden war bedeckt mit Scherben, die unter seinen Schritten knirschten. Nacheinander zog er alle Schubladen auf und kramte in den trümmerübersäten Regalböden, ohne eine einzige Spritze zu finden.

Wo waren die verdammten Spritzen?

Wo waren sie normalerweise, wenn man zum Arzt ging? Immer in irgendwelchen Schubladen. Das wusste er genau. In kleinen, weiß lackierten Schränkchen mit vielen Schubladen.

Tief unter ihm rumorte es. Hohles Stöhnen drang zu ihm herauf. Stahl verbog sich.

Anawak hastete in den gegenüberliegenden Raum. Auch dort war alles Mögliche zu Bruch gegangen, doch einige der lackierten Schränkchen schienen fest installiert. Er zog sie auf, sah überall hinein, warf achtlos den Inhalt hinter sich und fand im letzten endlich, wonach er suchte. Hastig griff er ein Dutzend der steril verpackten Spritzen und verstaute sie in seiner Jacke. Jetzt nichts wie zurück.

Was für eine aberwitzige Idee.

Entweder hatte Karen Recht, dann war es ein genialer Plan, oder sie machten sich völlig falsche Vorstellungen von der Realität. Einerseits plausibel, mutete ihr Vorschlag zugleich undurchführbar und naiv an, zumal vor dem Hintergrund der ausgeklügelten Botschaften, die Crowe in die Tiefe geschickt hatte. Andererseits ...

Crowe? Wo war sie eigentlich?

Samantha Crowe, die ihm im Traum erschienen war vor langer Zeit und ihm den Weg gewiesen hatte nach Nunavut.

Ein mächtiges Klonk drang an seine Ohren, als sei eine Glocke zersprungen. Der Boden neigte sich weiter. Aus den Tiefen des Schiffs drang dumpfes Rauschen an sein Ohr.

Wasser!

Anawak fragte sich, ob ihm überhaupt noch Zeit blieb, hier wieder rauszukommen. Dann fragte er sich gar nichts mehr und rannte los.

LABOR

Weaver wusste nicht, was sie erwartete. Ihr war mulmig beim Gedanken, die Tür zum Labor wieder zu öffnen. Aber wenn sie den Plan in die Tat umsetzen wollten, bot das Labor die einzige Chance.

Der Boden bebte. Unmittelbar unter ihren Füßen rauschte und gurgelte es. Johanson lehnte schwer atmend neben ihr.

»Mach schon«, sagte er.

Weaver sah das rote *Emergency*-Symbol über dem Tastenfeld blinken. Li hatte es tatsächlich geschafft, noch im Herauslaufen die Notverriegelung zu betätigen und das Labor hermetisch abzuriegeln. Sie drückte die Zahlenkombination, und die Tür glitt auf. Wasser schwappte ihnen entgegen und umfloss ihre Beine. Es schoss aus dem hell erleuchteten Raum, aber anstatt die Rampe herunterzufließen, sammelte es sich um ihre Knöchel und stieg. Plötzlich wusste Weaver auch, warum. Die *Independence* hing so schief, dass es nicht über die Rampe zum Welldeck abfließen konnte. Wahrscheinlich hatte sich dieser Teil der Rampe infolge der Neigung schon in ebenen Boden verwandelt.

Sie wich zurück.

»Wir müssen aufpassen«, sagte sie. »Das Zeug könnte nach draußen gelangt sein.«

Johanson warf einen Blick ins Innere. In unmittelbarer Nähe des zerborstenen Tanks sah er zwei leblose Körper treiben. Mit vorsichtigen

Schritten watete er durch den Sog des ausströmenden Wassers in die große Halle. Weaver folgte ihm. Ihr erster Blick galt den Containern des Hochsicherheitslaboratoriums, aber sie waren augenscheinlich unversehrt. Sie verspürte Erleichterung. Eine Verseuchung mit *Pfiesterien* war das Letzte, was sie jetzt gebrauchen konnten.

Zum Heck hin stieg der Boden sanft aus dem Wasser. Dafür stand es zur anderen Seite umso höher.

»Sie sind alle tot«, flüsterte Weaver.

Johanson kniff die Augen zusammen. »Da!«

Ein Stück neben den Soldaten trieb ein weiterer Körper.

Es war Rubin.

Weaver schluckte ihren Abscheu und ihre Angst herunter. »Einen davon brauchen wir«, sagte sie. »Welchen, ist egal.«

»Dafür müssen wir tiefer rein.«

»Ja. Nicht zu ändern.«

Sie setzte sich in Bewegung.

»Karen, pass auf!«

Das war Johanson. Sie wollte sich umdrehen, als etwas von hinten gegen sie prallte. Ihre Füße rutschten weg. Mit einem Aufschrei landete sie im Wasser, kam prustend hoch und drehte sich auf den Rücken.

Einer der Soldaten stand dort und hielt sie und Johanson mit einem massigen, schwarzen Gewehr in Schach.

»Oh nein«, sagte er gedehnt. »Oooh, nein.«

Sein Blick spiegelte eine Mischung aus Todesangst und einsetzendem Wahnsinn. Weaver richtete sich langsam auf und hob die Hände, sodass er ihre Handflächen sehen konnte.

»Oh nein«, wiederholte der Mann.

Er war sehr jung. Weaver schätzte ihn auf neunzehn. Das Gewehr in seinen Händen zitterte. Er wich einen Schritt zurück und ließ seine Blicke zwischen ihr und Johanson hin- und herwandern.

»Hey«, sagte Johanson. »Wir wollen Ihnen helfen.«

»Ihr habt uns eingeschlossen«, sagte der Soldat. Es klang weinerlich, als sei er kurz davor loszuschreien.

»Das waren nicht wir«, sagte Weaver.

»Ihr habt uns mit … mit diesem … Ihr habt uns damit allein gelassen.«

Das fehlte noch. Die *Independence* sank, sie mussten Li aufhalten, irgendwie an einen der Toten kommen, um den Plan durchzuführen, und jetzt bekamen sie es auch noch mit diesem in Panik geratenen Jungen zu tun.

»Wie heißen Sie?«, fragte Johanson unvermittelt.

»Was?« Die Augen des Soldaten flackerten. Dann riss er das Gewehr hoch und richtete es auf Johanson.

»Nein!«, schrie Weaver.

Johanson hob die Hand zum Zeichen, dass alles in Ordnung sei. Er sah in die Mündung der Waffe und senkte seine Stimme.

»Bitte sagen Sie uns Ihren Namen.«

Der Soldat zögerte.

»Es ist wichtig, dass wir Ihren Namen kennen«, wiederholte Johanson im Tonfall des freundlichen Herrn Pfarrers.

»MacMillan. Ich bin ... ich heiße MacMillan.«

Allmählich begriff Weaver, was Johanson vorhatte. Der erste Weg, jemanden in die Normalität zurückzuholen, bestand darin, ihm ins Gedächtnis zu rufen, wer er war.

»Gut, MacMillan, sehr gut. Hören Sie, wir brauchen Ihre Hilfe. Dieses Schiff sinkt. Wir müssen ein Experiment durchführen, das uns alle retten könnte ...«

»Uns alle?«

»Haben Sie Familie, MacMillan?«

»Warum wollen Sie das wissen?«

»Wo lebt Ihre Familie?«

»Boston.« Die Gesichtszüge des Jungen verzogen sich. Er begann zu weinen. »Aber Boston ist ...«

»Ich weiß«, sagte Johanson eindringlich. »Hören Sie, wir können noch etwas tun, um alles wieder in Ordnung zu bringen. Auch in Boston. Aber dafür brauchen wir Ihre Hilfe. Wir brauchen sie jetzt! Jede Sekunde, die wir verlieren, kostet Ihre Familie vielleicht die letzte Chance.«

»Bitte«, sagte Weaver. »Helfen Sie uns.«

Der Soldat ließ seine Blicke weiter zwischen ihr und Johanson hin- und herwandern. Er schniefte laut. Dann ließ er das Gewehr sinken.

»Sie bringen uns hier raus?«, fragte er.

»Ja.« Weaver nickte. »Versprochen.«

Mein Gott, was redest du, dachte sie. Gar nichts kannst du versprechen. Überhaupt nichts.

LI

Das geheime Labor war erstaunlich intakt. Es lag höher als das reguläre. Der Boden war übersät mit Scherben, aber ansonsten schien alles an seinem Platz.

Einige Monitore flackerten vor sich hin.

»Wo hat er bloß die Röhren«, überlegte Li.

Sie steckte ihre Waffe zurück ins Halfter und sah sich um. Der Raum war verlassen. In dem kleinen Hochdrucktank erwartete sie blaues Schimmern zu sehen, aber dann fiel ihr ein, dass Rubin erwähnt hatte, er hätte das Gift erfolgreich getestet. Sie spähte durch eines der Bullaugen. Nichts. Kein Organismus, kein Leuchten.

Peak wanderte zwischen den Labortischen und Schränken umher.

»Hier«, rief er.

Li eilte zu ihm. Ein Gestell war umgefallen. Mehrere schlanke, torpedoförmige Röhren lagen kreuz und quer übereinander, jede knapp einen Meter lang. Sie hoben die Röhren nacheinander auf. Zwei waren deutlich schwerer als die anderen, und plötzlich sah Li auch die Kennzeichnungen. Rubin hatte sie mit einem wasserfesten Marker auf die Seiten geschrieben.

»Sal«, sagte sie fasziniert. »Wir halten die neue Weltordnung in Händen.«

»Schön.« Peak sah sich nervös um. Ein Reagenzglas rollte von einem Tisch und zerbrach mit leisem Klirren. Immer noch dröhnte der Alarm durch das Schiff. »Dann lassen Sie uns die neue Weltordnung schleunigst hier rausbringen.«

Li lachte laut auf. Sie reichte Peak eine der Röhren, nahm die andere und lief aus dem Labor auf den Gang hinaus.

»In fünf Minuten werde ich diese Anmaßung der Schöpfung in den Orkus schicken, Sal, darauf können Sie sich verlassen!«

»Mit wem wollen Sie runtergehen? Glauben Sie, dass Mick noch lebt?«

»Mir ist scheißegal, ob er lebt.«

»Ich könnte Sie begleiten.«

»Danke, Sal, zu großzügig. Was wollen Sie tun? Mir da unten die Ohren voll heulen, weil ich mir erlauben könnte, blauen Schleim zu töten?«

»Das ist was anderes, und das wissen Sie genau! Es ist ein verdammter Unterschied, ob ...«

Sie erreichten den Niedergang. Von der anderen Seite näherte sich jemand. Er rannte ihnen entgegen, den Kopf gesenkt.

»Leon!«

Anawak schaute auf, erkannte sie und blieb abrupt stehen. Sie waren einander sehr nahe, nur der Niedergang lag zwischen ihnen.

»Jude. Sal.« Anawak starrte sie an. »Na so was.«

Na so was? Lächerlich! Der Mann war miserabel darin, sich zu verstellen. Beim ersten Blick in seine Augen hatte Li erkannt, dass Anawak über alles Bescheid wusste.

»Wo kommen Sie her?«, fragte sie.

»Ich ... ich wollte die anderen suchen und ...«

Egal, wie viel er wusste. Sie hatten keine Zeit zu verlieren. Vielleicht suchte er wirklich nur seine Freunde, vielleicht hatte er einen Plan. Es spielte keine Rolle. Anawak stand im Weg.

Li zog ihre Waffe.

FLUGDECK

Crowe war dicht hinter Shankar gewesen, als sie aufs Dach hinausliefen, aber dann hatte man sie aufgehalten.

»Warten Sie«, sagte jemand in Uniform.

»Aber ich muss ...«

»Sie sind in der nächsten Gruppe.«

Inzwischen hatten bereits zwei der großen *Super Stallions* das Dach verlassen. Zwei weitere warteten gegenüber der Insel. Sie parkten unmittelbar hintereinander. Shankar drehte sich zu ihr um, während er zusammen mit Soldaten und Zivilisten auf einen der Helikopter zurannte. Das riesige Flugfeld neigte sich immer mehr. So groß war es, dass der Eindruck entstand, nicht das Schiff, sondern die aufgewühlte, schaumbedeckte See habe sich schräg gestellt.

»Wir sehen uns später!«, rief Shankar. »Du kommst mit dem nächsten Vogel raus.«

Crowe sah ihm hinterher, wie er die Rampe hinauflief, die unter dem Schwanz des *Super Stallion* ins Innere führte. Eisiger Wind peitschte ihr ins Gesicht. Wie es aussah, verlief die Evakuierung einigermaßen geordnet. Auch gut. Sie musste sich eben noch gedulden.

Ihr Blick wanderte umher. Wo waren überhaupt die anderen? Leon, Sigur, Karen ...

Waren sie schon von Bord?

Ein beruhigender Gedanke. Hinter Shankar schloss sich die Klappe. Die Rotoren begannen sich schneller zu drehen.

RUMPF

Knapp 30 Meter unterhalb des Flugdecks drückte das eingedrungene Meerwasser gegen die Schotts der bugwärts gelegenen Frachträume und der unteren Mannschaftsquartiere.

Die Schotts hielten.

Ein einzelner Torpedo trieb im Wasser. Bei der Explosion des Tauchboots war er abgesprengt worden, ohne zu detonieren. Solche Fälle ereigneten sich selten, aber es kam vor. Der Torpedo war in einem der überfluteten Laderäume auf ein Laufgitter hinabgesunken, das sich – halb aus seiner Verankerung gerissen – durch die Dunkelheit wand. Sacht rollte er darauf hin und her. Dabei rutschte er zentimeterweise nach vorn, der Neigung des Schiffes folgend.

Die Schotts hielten, aber das Laufgitter quietschte und ächzte unter dem Druck. Wo es noch festhing, bogen sich die Streben unter Hochspannung. Dünne Risse bildeten sich im Stahl der Wand. Eine der dicken Befestigungsschrauben löste sich langsam aus ihrer Verankerung und zog das Gewinde mit heraus …

Mit einem Knall war sie draußen.

Die Spannung entlud sich. Das Gitter schoss hoch, weitere Schrauben flogen heraus, die Wand brach ein. Der Torpedo erhielt einen Schlag, der ihn hoch katapultierte und direkt auf eine Stelle leitete, wo alles Mögliche aneinander grenzte, bugwärts gelegene Laderäume, darüber die riesigen Gemeinschaftsräume der Marines zur einen und zur anderen Seite das stillgelegte Fahrzeugdeck gleich unter dem Labor.

Es war eine der empfindlichsten Nahtstellen des Schiffs.

Die Sprengladung tat das Ihre.

LEVEL 03

»Nein«, sagte Peak.

Er ließ die Torpedohülle fallen und richtete seine Pistole auf Li. »Das werden Sie nicht tun.«

Li stand unbewegt. Ihre Waffe zielte auf Anawak.

»Sal, es reicht mir allmählich mit Ihrer Renitenz«, zischte sie. »Benehmen Sie sich gefälligst nicht wie ein Idiot.«

»Waffe runter.«

»Verdammt, Sal! Ich bringe Sie vor ein Kriegsgericht, ich …«

»Bei drei erschieße ich Sie, Jude. Das schwöre ich. Sie werden nicht noch jemanden umbringen. Nehmen Sie Ihre Waffe runter. Eins … zwei …«

Li atmete heftig aus und senkte den Arm mit der Waffe.

»Ist ja gut, Sal. Ist ja gut.«

»Fallen lassen.«

»Warum reden wir nicht darüber und …«

»*Fallen lassen!*«

Ein Ausdruck unbeschreiblichen Hasses trat in Lis Augen. Die Waffe polterte zu Boden.

Anawak sah kurz zu Peak hinüber.

»Danke«, sagte er. Mit einem einzigen Satz erreichte er den Niedergang und verschwand darin. Li hörte ihn unten weiterlaufen. Die Schritte entfernten sich. Sie fluchte.

»General Commander Judith Li«, sagte Peak förmlich. »Ich enthebe Sie wegen Unzurechnungsfähigkeit Ihres Kommandos. Ab sofort stehen Sie unter meinem Befehl. Sie können ...«

Es tat einen fürchterlichen Schlag. Entsetzliche Geräusche drangen aus der Tiefe. Das Schiff sackte wie ein abstürzender Fahrstuhl nach vorn, und Peak wurde von den Beinen gehebelt. Er schlug hart auf, rollte herum und kam wieder auf die Füße.

Wo war seine Waffe? Wo war Li?

»Sal!«

Er drehte sich um. Li kniete vor ihm. Sie hielt die Waffe auf ihn gerichtet.

Peak erstarrte.

»Jude.« Er schüttelte den Kopf. »Verstehen Sie doch ...«

»Idiot«, sagte Li und drückte ab.

FLUGDECK

Crowe schwankte. Das Deck neigte sich noch stärker. Der *Super Stallion* rutschte mit laufenden Rotoren auf den davor geparkten Helikopter zu. Aufheulend hob er ab, versuchte Höhe zu gewinnen und von dem anderen Hubschrauber wegzukommen.

Crowes Atem stockte.

Nein, dachte sie. Das ist unmöglich. Das kann doch nicht sein. Nicht so kurz vor der Rettung.

Sie hörte Schreie um sich herum. Leute stürzten, andere liefen weg. Sie wurde mitgezerrt und fiel zu Boden. Im Liegen sah sie, wie der *Super Stallion* über den geparkten Helikopter hinwegstieg, wie eine der seitlichen Türkanonen das Leitwerk des anderen streifte und daran hängen blieb, wie sich der fliegende Koloss zu drehen begann.

Der *Stallion* geriet außer Kontrolle.

Sie sprang auf. In Panik begann sie zu rennen.

Buchanan glaubte seinen Augen nicht zu trauen.

Er war unvermittelt gegen seinen Stuhl geschleudert worden, gegen diesen wunderbaren Captain's Chair mit den bequemen Armlehnen und der Fußstütze, um den ihn alle beneideten, eine Mischung aus Barhocker, Schreibtischsessel und Captain Kirks Kommandostuhl, der jetzt zu nichts anderem mehr gut war, als dass er sich den Schädel daran blutig schlug. Auf der Brücke flog alles durcheinander. Buchanan hangelte sich hoch und stürzte zu den Seitenfenstern, gerade rechtzeitig, um zu sehen, wie sich der *Super Stallion* drehte und langsam auf die Seite legte.

Das Ding hing fest!

»Raus hier!«, schrie er.

Die Maschine drehte sich weiter. Um ihn herum trat das Brückenpersonal die Flucht an, unternahm hilflose Versuche, sich in Sicherheit zu bringen, während Buchanan nicht anders konnte, als weiter hinzuschauen, wie der festhängende Hubschrauber immer mehr auf die Seite kippte.

Plötzlich löste er sich und stieg empor.

Buchanan schnappte nach Luft. Einen Moment lang sah es so aus, als habe der Pilot die Kontrolle wiedererlangt. Dann erkannte er, dass die Schieflage zu stark war. Der Schwanz des 30 Meter langen Helikopters stieg steil in die Höhe, die Triebwerke heulten noch lauter, dann kam der *Super Stallion* herangesaust, mit den Rotoren voran.

Buchanan hielt die Hände vors Gesicht und wich zurück.

Es war lächerlich. Ebenso gut hätte er die Arme ausbreiten und sein Ende willkommen heißen können.

Über 33 Tonnen Gefechtsgewicht, betankt mit 9 000 Litern Treibstoff, krachten in die Brücke und verwandelte den vorderen Teil der Insel augenblicklich in eine lodernde Hölle. Alle Fenster zersplitterten. Eine Feuerwalze schoss fauchend durch den Aufbau, verschmorte die Inneneinrichtung und brachte die Bildschirme zum Explodieren, sprengte Schotts aus ihren Verankerungen, erwischte die Fliehenden auf den Niedergängen, verbrannte sie zu Asche und setzte sich durch die Gänge im Inselinnern fort.

Crowe lief um ihr Leben.

Neben ihr schlugen brennende Trümmerteile auf. Sie rannte auf das Heck der *Independence* zu. Inzwischen war das Schiff so weit abgesackt, dass sie bergauf laufen musste, was ihr heftiges Keuchen entlockte: In den letzten Jahren war ihrer Lunge mehr Nikotin als Frischluft zugeführt worden.

Eigentlich hatte sie immer angenommen, irgendwann an Lungenkrebs zu sterben.

Sie stolperte und schlitterte über den Asphalt. Im Hochkommen sah sie den kompletten vorderen Teil der Insel in lodernen Flammen stehen. Auch der zweite Hubschrauber brannte. Menschen liefen als lebendige Fackeln über das Deck, bevor sie zusammenbrachen. Der Anblick war grauenhaft, und die damit verbundene Gewissheit, dass sie nun kaum noch eine Chance hatte, den Untergang der *Independence* zu überleben, war noch grauenhafter.

Heftige Detonationen ließen Glutbälle über der Insel aufsteigen. Das Feuer brüllte und tobte. Mitten hinein mischte sich ein lauter Knall, und dicht vor Crowes Füßen ging ein Funkenregen nieder.

Shankar war in dem Inferno ums Leben gekommen.

So wollte sie nicht sterben.

Sie sprang auf, lief weiter dem Heck zu, ohne die geringste Vorstellung, wie es dort weitergehen sollte.

LEVEL 03

Li fluchte.

Den ersten Torpedo hatte sie unter den Arm geklemmt, aber der zweite war irgendwo hingerollt. Entweder war er in den Niedergang gefallen oder weiter den Gang Richtung Bug gerollt.

Peak, das verdammte Arschloch!

Sie stieg über seinen Leichnam hinweg, während sie überlegte, ob ein Torpedo voller Gift reichen würde. Aber dann blieb ihr nur eine Chance. Vielleicht versagte der eine, vielleicht öffnete er sich nicht, um das Gift ins Wasser zu entlassen. Zwei waren auf alle Fälle besser.

Angestrengt spähte sie in den Gang.

Plötzlich hörte sie über sich ein gewaltiges Dröhnen. Diesmal erzitterte das Schiff noch stärker. Sie stürzte und rutschte auf dem Rücken den Flur hinunter. Was passierte jetzt wieder? Das Schiff flog in die

Luft! Sie musste raus hier. Es ging nicht mehr alleine um den Auftrag, das *Deepflight* würde auch ihr Leben retten müssen.

Der Torpedo entglitt ihr.

»Scheiße!«

Sie griff danach, aber er rumpelte an ihr vorbei. Wären die Dinger mit Sprengstoff gefüllt gewesen, hätte es spätestens jetzt geknallt. Aber es war nur Flüssigkeit darin. Kein Sprengstoff, sondern Flüssigkeit, genug, um eine intelligente Rasse auszulöschen.

Sie spreizte Arme und Beine ab und versuchte, sich irgendwo zu verkeilen. Nach einigen Sekunden kam sie zur Ruhe. Ihr ganzer Körper schmerzte, als habe jemand mit Eisenstangen darauf eingeprügelt. Vielleicht sah man ihr nicht an, dass sie auf die fünfzig zuging, aber gerade fühlte sie sich wie hundert. Sie schob sich die Wand hoch und schaute sich um.

Auch der zweite Torpedo war verschwunden.

Sie hätte schreien können.

Die Geräusche aus dem Untergrund, die das eindringende Wasser verursachte, erklangen beunruhigend nahe. Lange würde es nicht mehr dauern. Von oben drang brodelnder Lärm.

Und Hitze.

Sie stutzte. Tatsächlich. Es war wärmer geworden.

Sie musste die Torpedos wieder finden.

Wild entschlossen stieß sie sich von der Wand ab und begab sich auf die Suche.

LABOR

MacMillan, der Soldat, war dicht hinter ihnen gegangen, das Gewehr im Anschlag, als der Schlag das Labor erbeben ließ. Sie stürzten allesamt ins Wasser. Als Weaver wieder hochkam, krachte es über ihnen fürchterlich, als sei etwas Großes in die Luft geflogen.

Dann fiel das Licht aus.

Von einer Sekunde auf die andere starrte Weaver in tintige Schwärze.

»Sigur?«, rief sie.

Keine Antwort.

»MacMillan?«

»Ich bin hier.«

Sie spürte Grund unter den Füßen. Das Wasser stand ihr bis zur Brust. Verflucht, auch das noch! Sie waren fast schon bei einem der toten Soldaten gewesen.

Etwas stieß sacht gegen ihre Schulter. Sie griff danach. Ein Stiefel. Sie hielt einen Stiefel in der Hand, und in dem Schaft steckte ein Bein.

»Karen?«

Johansons Stimme, ganz nah. Allmählich gewöhnten sich ihre Augen an die Dunkelheit. Im nächsten Moment flammte rote Notbeleuchtung auf und verlieh dem Labor die Atmosphäre einer dämmrigen Vorhölle. Gleich neben sich sah sie schattenhaft Johansons Kopf und Schultern aus dem Wasser ragen.

»Komm rüber«, rief sie. »Hilf mir.«

Das dumpfe Dröhnen und Tosen drang jetzt nicht mehr nur von unten, sondern auch aus der Höhe herab. Was war da los? Plötzlich hatte sie das Gefühl, dass es wärmer wurde im Labor. Johanson erschien an ihrer Seite.

»Wer ist es?«

»Egal. Pack mit an.«

»Wir müssen hier raus«, keuchte MacMillan. »Schnell.«

»Ja, sofort, wir…«

»Schnell!«

Weavers Blick fiel auf eine Stelle weiter hinten im Wasser.

Schwaches, blaues Leuchten.

Ein Lichtblitz.

Sie packte den Fuß des Toten fester und kämpfte sich durch das Wasser in Richtung Tür. Johanson hatte den Arm des Mannes umfasst. Oder war es eine Frau? Hatten sie am Ende Oliviera erwischt? Weaver hoffte inständig, dass es nicht die arme Sue war, die sie da mit sich schleppten. Sie drängte vorwärts, trat auf etwas, das zur Seite wegrutschte, und geriet mit dem Kopf unter Wasser.

Mit offenen Augen starrte sie in die Schwärze.

Etwas schlängelte sich auf sie zu.

Es kam sehr schnell näher und sah aus wie ein langer, leuchtender Aal. Nein, kein Aal. Eher ein riesiger, kopfloser Wurm. Und da waren noch mehr von den Dingern.

Sie tauchte auf.

»Weg hier.«

Johanson zerrte an der anderen Seite. Unter der Wasseroberfläche waren die leuchtenden, ausschwärmenden Tentakel zu sehen, jetzt mindestens ein Dutzend. MacMillan hob das Gewehr. Weaver spürte, wie etwas ihren Knöchel entlangglitt und plötzlich daran zerrte.

Im nächsten Moment umschlangen sie mehrere der Dinger und krochen an ihr hoch. Sie versuchte das Zeug abzureißen. Johanson sprang hinzu und grub seine Finger zwischen die Tentakel und ihren Körper, aber es war, als stecke sie im Klammergriff einer Anaconda.

Das Wesen zog an ihr.

Das Wesen? Sie kämpfte gegen Milliarden von Wesen. Abermilliarden von Einzellern.

»Ich krieg's nicht los«, keuchte Johanson.

Die Gallerte kroch über ihre Brust und ihren Hals entlang. Weaver geriet erneut unter Wasser, das jetzt immer stärker leuchtete. Hinter den Tentakeln schob sich etwas Größeres heran. Die Hauptmasse des Organismus.

Mit aller Kraft kämpfte sie sich an die Oberfläche.

»MacMillan«, gurgelte sie.

Der Soldat hob das Gewehr.

»Damit richten Sie nichts aus«, schrie Johanson.

MacMillan schien plötzlich ganz ruhig geworden zu sein. Er legte an und zielte auf die große, näher rückende Masse.

»*Damit* richte ich was aus«, sagte er.

Ein trockenes Stakkato ertönte, als MacMillan feuerte.

»Explosivgeschosse richten *immer* was aus!«

Die Salve drang in den Organismus. Wasser spritzte auf. MacMillan schickte eine zweite Garbe hinterher, und das Ding flog in Fetzen auseinander. Brocken von Gallerte klatschten ihnen um die Ohren. Weaver rang nach Luft. Mit einem Mal war sie frei. Johanson packte zu. Wie verrückt zogen sie an dem Leichnam. Der Wasserspiegel sank, und sie kamen schneller voran. Nachdem sich das Schiff weiter nach vorn geneigt hatte, sammelte sich der Hauptteil des Wassers jetzt im bugwärtigen Teil des Labors, und die Tür lag beinahe im Trockenen. Es war schwierig, auf dem abschüssigen Boden nicht auszurutschen, aber plötzlich wateten sie nur noch durch knöchelhohes Wasser.

Sie wuchteten den Toten hinaus auf die Rampe. Auch dort war das Wasser zurückgegangen. Plötzlich glaubte Weaver einen erstickten Schrei zu hören.

»MacMillan?«

Sie spähte ins Labor. »MacMillan, wo sind Sie?«

Der leuchtende Organismus strebte wieder zusammen. Die Fetzen verschmolzen miteinander. Von den Tentakeln war nichts zu sehen. Das Wesen hatte eine flache Form angenommen.

»Schließ die Tür«, rief Johanson. »Es kann immer noch raus. Da ist immer noch genügend Wasser.«

»MacMillan?«

Weaver klammerte sich am Türrahmen fest und starrte weiter in den rot erleuchteten Raum, aber der Soldat blieb verschwunden.

MacMillan hatte es nicht geschafft.

Ein dünner, leuchtender Faden näherte sich. Sie sprang zurück und ließ das Schott zufahren. Der Faden beschleunigte sein Tempo, aber diesmal reichte es nicht. Die Tür schloss sich.

EXPERIMENTE

Anawak war auf dem Niedergang von der Explosion überrascht und heftig durchgeschüttelt worden. Das Atmen fiel ihm schwer, und sein Knie schmerzte. Er fluchte. Ausgerechnet das Knie, das ihm seit dem Absturz der *Beaver* genug Schwierigkeiten bereitete, hatte sich Vanderbilt ausgesucht, um dagegen zu treten.

Er fand verschiedene Niedergänge blockiert. Das Schiff lag jetzt sehr schräg. Der einzige Weg führte über die Rampe des Hangardecks, also lief er zurück und nahm eine andere Route nach oben, bis er hoch genug war, um auf die Rampe zu gelangen. Je höher er kam, desto heißer wurde es. Was war da oben los? Der Lärm verhieß nichts Gutes. Er stolperte aufs Hangardeck hinaus und sah dichten, schwarzen Rauch durch die offenen Tore ziehen.

Plötzlich glaubte er, jemanden um Hilfe rufen zu hören.

Er ging ein paar Schritte in den Hangar hinein.

»Ist da jemand?«, schrie er.

Die Sicht war schlecht. Gegen die schwarzen Schlieren konnte sich die fahlgelbe Deckenbeleuchtung kaum behaupten. Dafür war der Hilferuf jetzt deutlich zu hören.

Crowes Stimme!

»Sam?« Anawak rannte ein Stück in die Rußschwaden hinein.

Er horchte, aber der Hilferuf wiederholte sich nicht.

»Sam? Wo bist du?«

Nichts.

Er wartete noch einen Moment, dann drehte er um und rannte auf die Rampe. Zu spät merkte er, dass sie jetzt die Steilheit einer Sprungschanze hatte. Seine Beine knickten ein. Sich überschlagend, rasselte er abwärts und betete, dass wenigstens einige der Spritzen heil blieben. Ob seine Knochen heil bleiben würden, war zu bezweifeln. Aber nirgendwo knackte oder brach etwas. Als er endlich unten ankam, platschte er in Wasser, das seinen Aufprall dämpfte. Er schüttelte sich, kroch auf allen vieren hinaus und sah ein Stück weiter Weaver und Johanson, die einen Körper in Richtung Welldeck schleppten.

Ein dünner Wasserfilm bedeckte den Boden.

Das künstliche Hafenbecken! Es lief in den Gang hinein. Wenn sich die *Independence* noch weiter neigte, würde es diesen Bereich vollständig überfluten.

Sie mussten sich beeilen.

»Ich habe die Spritzen«, schrie er.

Johanson sah auf. »Wurde auch Zeit.«

»Wer ist das? Wen habt ihr da?« Anawak rappelte sich hoch, lief zu den beiden hinüber und warf einen Blick auf die Leiche.

Es war Rubin.

FLUGDECK

Am Ende des Dachs hockte Crowe und sah fassungslos zu, wie die Insel abbrannte.

Neben ihr lag ein zitternder, pakistanisch aussehender Mann. Er trug die Montur eines Kochs. Außer ihnen beiden war entweder niemand auf die Idee gekommen, sich hierher zu flüchten, oder niemandem war es gelungen. Der Mann keuchte und richtete sich auf.

»Wissen Sie was?«, sagte Crowe. »Das ist das Resultat der Auseinandersetzung intelligenter Rassen.«

Der Koch starrte sie an, als seien ihr Hörner gewachsen.

Crowe seufzte.

Sie war zu der Stelle gelaufen, unterhalb derer die Plattform des Steuerbordlifts lag. Dort gähnte der Durchlass ins Hangardeck. Ein paar Mal hatte sie hineingerufen, aber niemand hatte geantwortet.

Sie würden mit dem brennenden Schiff absaufen.

Wenn es irgendwo Rettungsboote gab, nützten sie wahrscheinlich wenig. Auf einem Helikopterträger ging man zuallererst davon aus, dass Menschen mit Fluggerät in Sicherheit gebracht wurden. Sollte es Rettungsboote geben, brauchte es wiederum jemanden, um sie aus ihren Verankerungen zu lösen und zu Wasser zu lassen. Aber alle diese Jemands waren in der Gluthölle verschwunden.

Schwarzer Qualm trieb zu ihnen herüber. Widerlicher, teeriger Qualm. Sie wollte in ihrer letzten Stunde nicht ein solches Zeug einatmen.

»Haben Sie eine Zigarette?«, fragte sie den Koch.

Sie erwartete, dass er sie nun für vollkommen verrückt erklären würde, aber stattdessen kramte er ein Päckchen Marlboro und ein Feuerzeug hervor.

»*Lights*«, sagte er.

»Oh? Wegen der Gesundheit?« Crowe lächelte und paffte, während der Koch ihr Feuer gab. »Sehr vernünftig.«

PHEROMON

»Wir spritzen ihm das Zeug unter die Zunge, in die Nase, in Augen und Ohren«, sagte Weaver.

»Warum gerade dahin?«, fragte Anawak.

»Weil es da am besten wieder austreten kann, dachte ich.«

»Dann spritz es ihm auch gleich unter die Fingernägel. Und nimm die Fußnägel dazu. Am besten überallhin. Je mehr, desto besser.«

Das Welldeck war verlassen, das technische Personal offenbar geflohen. Sie hatten Rubin bis auf die Unterhose ausgezogen, alles in fliegender Hast, während Johanson Anawaks Spritzen mit dem extrahierten Pheromon füllte. Bis auf eine waren alle ganz geblieben. Rubin lag oberhalb des künstlichen Gestades. Das Wasser dort stand nur wenige Zentimeter hoch, aber es stieg. Vorsichtshalber hatten sie die Gallertfetzen, unter denen ein Teil seines Kopfes verschwunden war, aufs höher gelegene Trockene geworfen. Etwas davon hing noch in seinen Ohren. Anawak pulte es heraus.

»Ihr könnt es ihm auch in den Arsch spritzen«, sagte Johanson. »Wir haben genug davon.«

»Glaubst du, es funktioniert?«, fragte Weaver zweifelnd.

»Das bisschen, was er von den Yrr noch in sich hat, dürfte kaum in der Lage sein, annähernd so viel Pheromon zu produzieren, wie wir ihm verabreichen. *Wenn* sie überhaupt auf den Trick reinfallen, werden sie denken, es stammt von ihm.« Johanson ging in die Hocke. Er hielt ihnen eine Hand voll gefüllter Spritzen hin. »Wer will?«

Weaver spürte Abscheu in sich aufsteigen.

»Nicht alle so laut *Hier* schreien«, sagte Johanson. »Leon?«

Schließlich machten sie es gemeinsam. So schnell es ging, pumpten sie Rubin voll mit Pheromonlösung, bis er fast zwei Liter davon in sich hatte. Wahrscheinlich lief die Hälfte schon wieder heraus.

»Das Wasser ist gestiegen«, bemerkte Anawak.

Weaver horchte. Unvermindert quietschte und jaulte es überall im Schiff.

»Wärmer geworden ist es auch.«

»Ja, weil das Deck abfackelt.«

»Los.« Weaver griff Rubin unter die Achseln und zog ihn hoch. »Bringen wir's hinter uns, bevor Li hier aufkreuzt.«

»Li? Ich dachte, die hat Peak außer Gefecht gesetzt«, sagte Johanson.

Anawak warf ihm einen Blick zu, während sie Rubins Leichnam ins Welldeck schleppten. »Glaubst du dran? Du kennst sie doch. Die setzt man so leicht nicht außer Gefecht.«

LEVEL 03

Li tobte.

Immer wieder rannte sie in den Gang hinein, schaute in offene Türen. Irgendwo musste dieser verdammte Torpedo doch sein! Sie sah nur nicht richtig hin. Mit Sicherheit lag er direkt vor ihrer Nase.

»Such, du blöde Kuh«, schalt sie sich. »Zu blöde, um eine Röhre zu finden. Blöde Kuh. Verblödete Schlampe!«

Unvermittelt gab der Boden wieder unter ihr nach. Sie taumelte und hielt sich fest. Da waren weitere Schotts gebrochen. Der Gang neigte sich noch mehr ab. Die *Independence* lag jetzt so schräg, dass wahrscheinlich bald die ersten Wellen über die bugwärtige Kante des Flugdecks lecken würden.

Lange konnte es nicht mehr dauern.

Plötzlich sah sie den Torpedo.

Er war hinter einem offenen Durchgang hervorgekollert. Li stieß ein Triumphgeheul aus. Sie sprang hinzu, packte die Röhre und rannte den Flur hinauf zum Niedergang. Peaks Leiche hing halb darin. Sie zerrte den schweren Körper heraus und kletterte die Stiege hinab, sprang die letzten zwei Meter und hielt sich am Geländer fest, um nicht der Länge nach hinzuschlagen.

Dort lag der zweite Torpedo.

Jetzt geriet sie in Hochstimmung. Der Rest würde ein Kinderspiel sein. Sie lief weiter und stellte fest, dass es so kinderleicht nicht war, weil einige der Niedergänge durch Gegenstände blockiert waren. Sie frei zu räumen, würde zu lange dauern.

Wie kam sie hier heraus?

Sie musste zurück. Wieder nach oben und raus aufs Hangardeck, um den Weg über die Rampe zu nehmen.

Rasch, die beiden Torpedos an sich gedrückt wie ihren kostbarsten Besitz, machte sie sich an den Aufstieg.

Rubin war ein schwerer Brocken. Nachdem sie in ihre Neoprenanzüge geschlüpft waren – Johanson unter Ächzen und Stöhnen –,
schleppten sie ihn mit vereinten Kräften den Steuerbordpier hoch. Das
Deck bot einen absurden Anblick. Zu beiden Seiten ragten die Piers wie
Sprungschanzen in die Höhe. Der Plankenboden wurde sichtbar, wo er
gegen das Heckschott stieß. Inzwischen hatte ein großer Teil des Be-
ckenwassers die vier vertäuten Zodiacs hoch gedrückt und war in den
Gang zum Laboratorium geflossen. Anawak lauschte dem Ächzen des
Stahls und fragte sich, wie lange die Konstruktion der Belastung noch
standhalten mochte.

Schräg hingen die drei Tauchboote von der Decke. *Deepflight 2* war
an die Stelle des verloren gegangenen *Deepflight 1* gerückt, die beiden
anderen Boote hatten aufgeschlossen.

»Mit welchem will Li runter?«, fragte Anawak.

»*Deepflight 3*«, sagte Weaver.

Sie nahmen die Funktionen des Kontrollpults in Augenschein und
probierten nacheinander verschiedene Schalter. Nichts tat sich.

»Es muss funktionieren.« Anawaks Blick wanderte über die Konsole.
»Roscovitz hat gesagt, das Welldeck verfüge über einen eigenen, unabhängigen Stromkreis.« Er beugte sich tiefer über das Pult und las die
Aufschriften genauer. »Da ist es. Das ist die Funktion, um sie runterzulassen. Gut, ich will *Deepflight 3*. Dann kann Li nichts mehr damit anrichten, wenn sie hier noch erscheint.«

Weaver setzte den Hebezug in Gang, aber statt des mittleren Tauchboots senkte sich das vordere ab.

»Kannst du nicht *Deepflight 3* ...?«

»Doch, es gibt wahrscheinlich einen Trick, aber ich kenne ihn nicht.
Bei mir kommen sie nacheinander runter.«

»Spielt keine Rolle«, sagte Johanson nervös. »Wir haben keine Zeit
zu verlieren. Nimm *Deepflight 2*.«

Sie warteten, bis das Boot auf Pierhöhe schwebte. Weaver sprang
hinüber und öffnete die Hauben der beiden Liegeröhren. Rubins Körper schien unglaublich schwer geworden zu sein, als sie ihn auf das
Boot zerrten, durchzogen von Nässe und dem Zeug, das sie hinein-
gespritzt hatten. Sein Kopf baumelte hin und her, die Augen starrten
milchig ins Nichts. Gemeinsam zerrten und schoben sie die Leiche, bis
Rubin in die Röhre des Copiloten plumpste.

Jetzt also war es so weit.

Sein Traum vom Eisberg. Er hatte gewusst, dass es ihn irgendwann nach unten ziehen würde. Der Eisberg würde schmelzen, und er würde hinabsinken zum Grund des unbekannten Ozeans ...

Um wen zu treffen?

WEAVER

»Du fährst nicht, Leon.«

Anawak hob überrascht den Kopf. »Wie meinst du das?«

»So, wie ich's sage.« Einer von Rubins Füßen schaute noch raus. Weaver trat dagegen. Sie fand es schrecklich, so rüde mit dem Toten umzugehen, auch wenn Rubin ein Verräter gewesen war. Aber Pietät konnten sie sich im Augenblick nicht leisten. »Ich werde runtergehen.«

»Was? Wieso auf einmal?«

»Weil es richtiger ist.«

»Nein, auf keinen Fall.« Er fasste sie bei den Schultern. »Karen, das kann tödlich ausgehen, das ist ...«

»Ich weiß, wie es ausgehen kann«, sagte sie leise. »Wir haben alle keine sonderlich große Chance, aber eure ist größer. Ihr nehmt die Boote und wünscht mir Glück, okay?«

»Karen! Warum?«

»Du willst unbedingt Gründe hören, was?«

Anawak starrte sie an.

»Darf ich kurz anmerken, dass wir Zeit verlieren«, drängte Johanson. »Warum bleibt ihr nicht beide oben, und ich gehe?«

»Nein.« Weaver sah Anawak unverwandt an. »Leon weiß, dass ich Recht habe. Ein *Deepflight* steuere ich mit links, darin bin ich euch beiden überlegen. Ich war mit der *Alvin* am Atlantischen Rücken, Tausende von Metern tief. Ich kenne mich besser mit Tauchbooten aus als jeder andere hier, und ...«

»Unsinn«, rief Anawak. »Ich kann das Ding ebenso gut fliegen.«

»... außerdem ist das da unten *meine* Welt. Die tiefe blaue See, Leon. Seit ich klein war. – Seit meinem zehnten Lebensjahr.«

Er öffnete den Mund, um etwas zu erwidern. Weaver legte ihm den Zeigefinger auf die Lippen und schüttelte den Kopf.

»*Ich* fliege.«

»Du fliegst«, flüsterte er.

»Okay.« Sie schaute sich um. »Ihr öffnet die Schleuse und lasst mich runter. Keine Ahnung, was passiert, wenn der Durchlass einmal offen ist. Vielleicht werden uns die Yrr direkt angreifen, vielleicht passiert gar nichts. Denken wir positiv. Nachdem ich mich ausgeklinkt habe, wartet ihr eine Minute, sofern die Lage es erlaubt, und flieht mit dem zweiten Boot. Kommt mir nicht nach. Bleibt einfach dicht unter den Wellen und seht zu, dass ihr Abstand zum Schiff gewinnt. Ich werde vielleicht sehr tief tauchen müssen. Später dann ...« Sie machte eine Pause. »Na ja, irgendjemand wird uns schon auffischen, oder? Die Dinger haben Satellitensender an Bord.«

»Mit zwölf Knoten brauchst du zwei Tage und zwei Nächte bis Grönland oder Svalbard«, sagte Johanson. »Dafür reicht nicht mal der Sprit.«

»Wird schon schief gehen.«

Sie fühlte ihr Herz schwer werden. Schnell drückte sie Johanson an sich. Sie dachte daran, wie sie gemeinsam dem Tsunami auf den Shetlands entgangen waren.

Sie würden sich wieder sehen!

»Tapferes Mädchen«, sagte Johanson.

Dann nahm sie Anawaks Gesicht in beide Hände und gab ihm einen langen, festen Kuss auf den Mund. Am liebsten hätte sie ihn nie wieder losgelassen. Sie hatten so wenig miteinander gesprochen, so wenig von dem getan, was das Beste für sie beide war ...

Jetzt bloß nicht sentimental werden.

»Mach's gut«, sagte Anawak leise. »Spätestens in ein paar Tagen sind wir wieder zusammen.«

Mit einem Sprung war sie in der Pilotenröhre. Das *Deepflight* schwankte leicht. Sie legte sich auf den Bauch, kroch in die richtige Position und betätigte die Verriegelung. Langsam sanken die beiden Kuppeln herab und schlossen sich. Sie überflog die Instrumente. Alles sah intakt aus.

Weaver reckte den Daumen.

DIE WELT DER LEBENDEN

Johanson trat ans Kontrollpult, öffnete die Schleuse und setzte das Boot in Bewegung. Sie sahen zu, wie das *Deepflight* absank und die Stahlschotts auseinander fuhren. Dunkle See erschien. Nichts bahnte sich seinen Weg ins Innere. Weaver entriegelte von innen die Arretierung, um das Boot freizugeben. Es klatschte auf und versank. Eingeschlossene Luft schimmerte in den Glaskuppeln. Nacheinander verblassten die Farben, begannen die Umrisse zu verschwimmen, bis das Boot nur noch ein Schatten war.

Dann verschwand es.

Anawak fühlte einen Stich.

Die Heldenrollen in dieser Geschichte sind bereits verteilt, und es sind Rollen für Tote. Du gehörst in die Welt der Lebenden.

Greywolf!

Vielleicht brauchst du einen Mittler, der dir verrät, was der Vogelgeist sieht.

Greywolf war der Mittler gewesen, von dem Akesuk gesprochen hatte. Greywolf hatte ihm seinen Traum erklärt, und er hatte ihn richtig gedeutet. Der Eisberg war geschmolzen, aber Anawaks Weg führte nicht in die Tiefe, sondern ans Licht.

Er führte in die Welt der Lebenden.

Zu Crowe.

Anawak schrak zusammen. Natürlich! Wie hatte er so beschäftigt sein können mit seiner heldenhaften Aufopferung, dass ihm entgangen war, welche Aufgabe an Bord der *Independence* auf ihn wartete?

»Und jetzt?«, fragte Johanson.

»Plan B.«

»Soll heißen?«

»Ich muss nochmal nach oben.«

»Bist du verrückt? Wozu?«

»Ich will Sam finden. Und Murray.«

»Da ist niemand mehr«, sagte Johanson. »Das Schiff dürfte vollständig evakuiert sein. Sie waren beide im CIC, als ich sie das letzte Mal gesehen habe. Wahrscheinlich sind sie gleich als Erste rausgeflogen worden.«

»Nein.« Anawak schüttelte den Kopf. »Zumindest nicht Sam. Ich habe sie um Hilfe rufen hören.«

»Was? Wann?«

»Bevor ich zu euch runterkam. – Sigur, ich will dir nicht mit meinen Problemen auf die Nerven gehen, aber ich habe ein paar Mal zu oft weggesehen im Leben. Es hat sich einiges geändert. So bin ich nicht mehr. Verstehst du? Ich kann das nicht ignorieren.«

Johanson lächelte.

»Nein. Das kannst du nicht.«

»Pass auf! Ich unternehme einen einzigen Versuch. In der Zeit lässt du *Deepflight 3* herunter und machst es startklar. Sofern ich Sam nicht innerhalb der nächsten paar Minuten finde, komme ich zurück, und wir hauen hier ab.«

»Und *falls* du sie findest?«

»Haben wir immer noch *Deepflight 4*, um uns alle rauszubringen.«

»In Ordnung.«

»Wirklich in Ordnung?«

»Natürlich.« Johanson breitet die Hände aus. »Worauf wartest du noch?«

Anawak zögerte. Er biss sich auf die Lippen. »Und wenn ich in fünf Minuten nicht hier bin, verschwindest du ohne mich. Klar?«

»Ich werde warten.«

»Nein. Du wartest fünf Minuten. Maximal.«

Sie umarmten sich. Anawak lief den Pier hinab. Wo der Tunnel zum Labortrakt begann, war alles überflutet, aber noch schien sich die *Independence* in einigermaßen stabiler Lage zu halten. Das Schiff hatte sich während der letzten Minuten nicht weiter nach vorn geneigt.

Wie lange noch, dachte Anawak.

Wasser schwappte gegen seine Knöchel. Er ging tiefer hinein, kraulte ein Stück, bekam Boden unter die Füße und watete ein paar Meter, bevor es wieder abschüssig wurde. Näher zur Hangarrampe neigte sich die Decke dem Wasserspiegel zu, aber es blieben immer noch einige Meter Luft. Anawak schwamm an der verschlossenen Labortür vorbei bis zum Knick und spähte hinauf. Während Teile der Rampe inzwischen ebenen Boden bildeten, waren andere sehr steil geworden. Der Abschnitt zum Hangardeck ragte düster empor. Hoch oben hing eine dunkle Rauchglocke. Er würde auf allen vieren hinaufkriechen müssen. Ihm war kalt, trotz des Neoprenanzugs. Selbst wenn sie es schafften, mit dem Tauchboot wegzukommen, war das noch keine Garantie dafür, die Sache zu überleben.

Doch. Er musste überleben! Er musste Karen Weaver wiedersehen.

Entschlossen machte er sich an den Aufstieg.

Es ging einfacher, als er befürchtet hatte. Der Stahl der Rampe war geriffelt, um den Fahrzeugen und den marschierenden Marines, für die sie gedacht war, Halt zu bieten. Anawaks Finger klammerten sich ins Relief. Stück für Stück zog er sich hoch, verkeilte die Stiefel in den Streben, packte zu. Nach oben hin erhöhte sich die Temperatur, und er fror weniger. Dafür legte sich klebriger Rauch auf seine Lungen und saugte das letzte bisschen Atemluft heraus. Je höher er kam, desto undurchdringlicher wurden die Rauchschwaden. Vom Flugdeck drang wieder das brüllende Geräusch an seine Ohren.

Crowe hatte um Hilfe gerufen, als es bereits brannte. Wenn sie den Ausbruch des Feuers überlebt hatte, lebte sie vielleicht immer noch.

Keuchend zog er sich die letzten paar Meter hoch und stellte zu seiner Überraschung fest, dass die Sicht im Hangar besser war als auf der

Rampe. Im Tunnel sammelte sich der Rauch, hier sorgten die Durchgänge der Außenlifts für Zirkulation. Sie brachten den Qualm ins Innere und ließen ihn zugleich wieder entweichen. Es war heiß und stickig wie in einem Backofen. Anawak presste den Jackenärmel vor Mund und Nase und rannte ins Hangardeck hinein.

»Sam!«, schrie er.

Keine Antwort. Was hatte er erwartet? Dass sie mit ausgestreckten Armen auf ihn zugelaufen kam?

»Sam Crowe! Samantha Crowe!«

Er musste wahnsinnig sein.

Aber besser wahnsinnig als zu Lebzeiten tot. Greywolf hatte Recht gehabt. Er war wie ein lebender Toter durch die Welt gegangen. Diese Art Wahnsinn hier hatte tausendmal mehr zu bieten.

»Sam!«

WELLDECK

Johanson war allein.

Er zweifelte nicht daran, dass Floyd Anderson ihm ein paar Rippen gebrochen hatte. Zumindest fühlte es sich ganz so an. Jede Bewegung schmerzte höllisch. Als sie Rubins Leiche geborgen und ins Tauchboot verfrachtet hatten, hätte er mehrfach laut schreien können, aber er hatte die Zähne zusammengebissen, um nicht zum Problem zu werden.

Allmählich fühlte er seine Kräfte nachlassen.

Er dachte an den Bordeaux in seiner Kabine. Was für eine Schande! Gerade jetzt hätte ihm ein Glas davon geschmeckt. Es hätte zwar nicht die Rippenbrüche geheilt, aber der ganzen leidigen Angelegenheit eine erträglichere Note verliehen. Eben recht, um mit sich selber anzustoßen, denn außer ihm schien kein Genießer mehr am Leben zu sein. Überhaupt hatte von den vielen wunderbaren und widerwärtigen Menschen, die er in den letzten Wochen kennen gelernt hatte, kaum einer seinen ausgeprägten Sinn für das Schöne geteilt.

Wahrscheinlich war er doch ein Dinosaurier.

Ein Saurus Exquisitus, dachte er, während er das *Deepflight 3* auf Pierhöhe absenkte.

Das gefiel ihm. Saurus Exquisitus. Genau das war er. Ein Fossil, das es genoss, Fossil zu sein. Fasziniert von Zukunft und Vergangenheit, die sich allzu oft mischten, sodass man oft gar nicht mehr wusste, in welchem Zeitalter man gerade lebte, weil Vergangenes und Zukünftiges gleichermaßen die Phantasie beflügelte.

Bohrmann ...

Der Deutsche hätte einen guten Bordeaux zu schätzen gewusst. Sonst niemand. Sue Oliviera hatte Spaß daran gefunden, aber ebenso gut hätte er ihr etwas halbwegs Trinkbares aus dem Supermarkt vorsetzen können. Wer aus dem Château-Disaster-Team war schon kultiviert genug, einen trinkreifen Pomerol zu schätzen, außer vielleicht ...

Judith Li.

Er versuchte, ein letztes Mal den Schmerz in seinen Rippen zu ignorieren, sprang auf das *Deepflight*, stöhnte und blieb mit zitternden Knien in der Aufrechten. Dann hockte er sich hin, öffnete die Klappe mit der Verschlussmechanik und entriegelte die Hauben.

Langsam fuhren sie hoch und stellten sich senkrecht. Die beiden Röhren lagen offen vor ihm.

»Alles einsteigen«, trompetete er.

Bizarr! Einsam balancierte er im schräg stehenden Welldeck auf einem Tauchboot. An was für Gestade einen das Leben doch verschlug. Judith Li?

Eher hätte er die Flaschen in die Grönländische See entleert. Man konnte dem Schönen auch gerecht werden, indem man es bestimmten Menschen vorenthielt.

LI

Außer Atem erreichte sie das Hangardeck.

Alles war verdunkelt von schwarzem Rauch. Sie versuchte etwas in den Schwaden zu erkennen und meinte, weit hinten eine Gestalt zu erblicken, die dort auf- und ablief.

Dann hörte sie es:

»Sam! Sam Crowe!«

War das Anawak, der schrie?

Einen Moment lang zögerte sie. Aber was brachte es jetzt noch, Anawak auszuschalten? Jeden Augenblick konnten die letzten Schotts im Bug nachgeben. Das Schiff konnte auseinander brechen. Wenn es einmal so weit war, würde die *Independence* sinken wie ein Stein.

Sie lief zur Rampe und sah in ein rauchverhangenes Loch. Ihr Magen krampfte sich zusammen. Li war weder ängstlich, noch fühlte sie sich von dem Abstieg überfordert, aber sie fragte sich, wie sie mit den beiden Torpedos da runterkommen sollte. Wenn sie die Dinger noch einmal verlor, würden sie irgendwo im dunklen Wasser landen.

Sie stellte die Füße quer und begann, Schritt für Schritt die Rampe hinunterzusteigen. Es war dunkel und bedrückend. Das Schlimmste war der Rauch, in dem sie zu ersticken glaubte. Mit hohlem Klonk trafen ihre Stiefelsohlen auf den geriffelten Stahl.

Plötzlich verlor sie das Gleichgewicht, fiel auf den Hintern und streckte die Beine aus. In rasender Fahrt ging es abwärts. Krampfhaft umklammerte sie die beiden Torpedos, spürte schmerzhaft die raue Oberfläche der Rampe und die Streben, die ihr ins Kreuz hämmerten, überschlug sich und sah schwarzes Wasser auf sich zustürzen.

Es spritzte nach allen Seiten. Der Untergrund wich zurück. Li wurde herumgewirbelt, tauchte auf und schnappte nach Luft.

Sie hatte die Röhren nicht losgelassen!

Dumpfes Jammern erscholl aus den Tunnelwänden. Sie stieß sich ab und schwamm geräuschlos in den Trakt hinein, um die Biegung herum und auf das Welldeck zu. Das Wasser war temperiert, es musste aus dem Becken stammen. Im Tunnel war das Licht ausgefallen, aber das Welldeck verfügte über ein eigenes Versorgungssystem. Weiter vorne wurde es heller. Im Näherkommen erkannte sie die schräg aufsteigenden Piers, die Heckverschlussklappe, die jetzt drohend über dem künstlichen Hafenbecken hing, die zwei Tauchboote, von denen eines auf Pierhöhe schwebte.

Zwei Boote?

Deepflight 2 war verschwunden.

Und auf *Deepflight 3* turnte, bekleidet mit einem Neoprenanzug, Johanson herum.

FLUGDECK

Crowe hielt es nicht mehr aus.

Der pakistanische Koch hatte zwar Zigaretten, aber darüber hinaus war er keine große Hilfe. Er saß jammernd und zusammengekauert an der Heckkante und war nicht in der Lage, Pläne zu machen. Genau genommen sah sich Crowe ebenso wenig dazu imstande, weil sie schlicht nicht wusste, wie es weitergehen sollte. Ratlos starrte sie auf die tosenden Flammen. Aber den Gedanken aufzugeben, hasste sie aus tiefstem Herzen. Für jemanden, der Jahre und Jahrzehnte ins Weltall gehorcht hatte in der Hoffnung, Signale einer fremden Intelligenz zu empfangen, nahm sich der Gedanke an Aufgeben absurd aus. Er gehörte einfach nicht ins Repertoire.

Plötzlich gab es einen donnernden Knall. Über der Insel breitete sich eine riesige Glutwolke aus, in der es blitzte und knatterte wie von einem

Feuerwerk. Eine Welle heftiger Vibrationen erfasste das Deck, dann rasten aus dem Inferno Flammenfontänen auf sie zu.

Der Koch stieß einen Schrei aus. Er sprang auf, machte einen Satz zurück, taumelte und kippte über die Kante. Crowe versuchte, seine ausgestreckten Hände zu fassen. Eine Sekunde hielt der Mann das Gleichgewicht, das Gesicht von Todesangst verzerrt, wankte und stürzte schreiend in die Tiefe. Sein Körper schlug auf die schräg stehende Heckklappe, dann wurde er darüber hinweggetragen und entzog sich Crowes Blicken. Das Schreien brach ab. Sie hörte ein Aufklatschen, wich entsetzt von der Kante zurück und wandte den Kopf.

Sie stand inmitten von Flammen. Um sie herum brannte der Asphalt. Es war unerträglich heiß. Einzig die Steuerbordseite war von dem feurigen Regen verschont geblieben. Jetzt fühlte sie erstmals wahre Verzweiflung und Hoffnungslosigkeit in sich aufsteigen. Die Situation war aussichtslos. Sie konnte es hinauszögern, aber ändern konnte sie es nicht.

Die Hitze zwang sie zum Zurückweichen. Sie lief zur Steuerbordseite und daran entlang.

Dort war die Anschlussstelle für den Außenlift.

Was sollte sie bloß tun?

»Sam!«

Jetzt suchten sie schon Halluzinationen heim! Hatte da jemand ihren Namen gerufen? Unmöglich.

»Sam Crowe!«

Nein, sie halluzinierte nicht. Jemand *rief* ihren Namen.

»Hier!«, schrie sie. »Ich bin hier!«

Mit aufgerissenen Augen sah sie sich um. Wo war die Stimme hergekommen? Sie sah niemanden auf dem Flugdeck.

Dann begriff sie.

Vorsichtig, um nicht herunterzufallen, beugte sie sich über die Kante. Die Luft hing voller Ruß, aber dennoch sah sie deutlich die schräg stehende Plattform des Außenlifts unter sich.

»Sam?«

»Hier! Hier oben!«

Sie schrie sich die Seele aus dem Leib. Plötzlich kam jemand auf die Plattform hinausgelaufen und legte den Kopf in den Nacken.

Es war Anawak.

»Leon!«, rief sie. »Ich bin hier!«

»Mein Gott, Sam.« Er starrte zu ihr hinauf. »Warte. Bleib da, ich komme dich holen.«

»Wie denn, Junge?«

»Ich komme rauf.«

»Es gibt kein Raufkommen mehr«, rief Crowe. »Hier brennt alles lichterloh. Die Insel, das Flugdeck. Wir haben hier ein flammendes Inferno, dass die Hollywood-Version ein müder Scheiß dagegen ist.«

Anawak lief aufgeregt hin und her.

»Wo ist Murray?«

»Tot.«

»Wir müssen weg, Sam.«

»Danke, dass du mich drauf aufmerksam machst.«

»Bist du sportlich?«

»Was?«

»Kannst du springen?«

Crowe starrte hinab. Sportlich! Du liebe Güte. Das war sie mal gewesen. Irgendwann in einem Leben, bevor die Zigaretten erfunden wurden. Und das da waren mindestens acht Meter, vielleicht zehn. Zu allem Überfluss hatte die Neigung aus der Plattform eine Rutschbahn gemacht.

»Ich weiß nicht.«

»Ich auch nicht. Hast du eine bessere Idee, die innerhalb der nächsten zehn Sekunden funktionieren könnte?«

»Nein.«

»Ich kann uns mit dem Tauchboot rausbringen.« Anawak breitete die Arme aus. »Spring endlich! Ich fange dich auf.«

»Vergiss es, Leon. Am besten gehst du zur Seite.«

»Halt keine Volksreden. Spring!«

Crowe warf einen letzten Blick über ihre Schulter. Die Flammen rückten näher. Sie griffen nach ihr, züngelten hungrig heran.

Kurz schloss sie die Augen und öffnete sie wieder.

»Ich komme, Leon!«

WELLDECK

Wo zum Teufel blieb Anawak?

Johanson hockte auf dem sacht hin und her schaukelnden Tauchboot und sah hinab. Im dunklen Wasser der Schleuse war bis jetzt nichts aufgetaucht, was auf die unmittelbare Anwesenheit von Yrr schließen ließ. Wozu auch? Warum hätten sie noch angreifen sollen? Sie mussten nur abwarten, bis das Schiff gesunken war. Am Ende hatten die Yrr sogar die *Independence* kleingekriegt.

Die fünf Minuten waren um.

Im Grunde konnte er sich davonmachen. Es blieb immer noch ein Tauchboot zurück, um Anawak und Crowe herauszubringen.

Und Shankar?

Dann wären sie zu viert. Er konnte nicht weg. Wenn Anawak mit Crowe und Shankar kam, würden sie beide Boote brauchen.

Leise begann er Mahlers Erste Symphonie zu summen.

»Sigur!«

Johanson fuhr herum. Stechender Schmerz peitschte durch seinen Oberkörper und schnürte ihm die Luft ab. Direkt hinter dem Boot stand Li auf dem Pier und hielt eine Pistole auf ihn gerichtet. Neben ihr lagen zwei schlanke Röhren.

»Kommen Sie da runter, Sigur. Zwingen Sie mich nicht, Sie zu erschießen.«

Johanson packte den Seilzug, an dem das *Deepflight* aufgehängt war.

»Wieso zwingen? Ich dachte, Sie haben Spaß an so was.«

»Runter da.«

»Wollen Sie mir drohen, Jude?« Er lachte trocken, während seine Gedanken rasten. Er musste sie irgendwie hinhalten. Improvisieren. Bluffen, so gut es eben ging, bis Anawak kam. »Ich würde an Ihrer Stelle nicht abdrücken, sonst hat sich Ihre kleine Tauchfahrt erledigt.«

»Was meinen Sie damit?«

»Das werden Sie dann schon sehen.«

»Reden Sie.«

»Reden ist langweilig. Kommen Sie, General Commander Li. Nicht so zimperlich. Erschießen Sie mich und finden Sie's raus.«

Li zögerte.

»Was haben Sie mit dem Boot angestellt, Sie verdammter Idiot?«

»Wissen Sie was? Ich sag's Ihnen.« Johanson zog sich unter Mühen hoch. »Ich helfe Ihnen sogar, es wieder in Ordnung zu bringen, aber vorher werden *Sie mir* was erklären.«

»Dafür ist keine Zeit.«

»Tja. Wie dumm.«

Li funkelte ihn wutentbrannt an. Sie ließ die Waffe sinken.

»Fragen Sie.«

»Sie kennen die Frage schon. – Warum?«

»Das fragen Sie ernsthaft?« Li schnaubte. »Strengen Sie doch mal Ihr hoch entwickeltes Hirn an. Was glauben Sie denn, wo die Welt ohne die

Vereinigten Staaten von Amerika stünde? Wir sind der einzige verbliebene Stabilitätsfaktor. Es gibt nur ein einziges nachhaltiges Modell für den nationalen und internationalen Erfolg, das für jede Person in jeder Gesellschaft wahr und uneingeschränkt gültig ist, nämlich das amerikanische.

Wir können der Welt nicht gestatten, das Problem der Yrr zu lösen. Wir können es den Vereinten Nationen nicht gestatten. Die Yrr haben der Menschheit großen Schaden zugefügt, aber sie halten auch ein ungeheures Potenzial an Wissen und Erkenntnissen bereit. In wessen Händen wollen Sie dieses Wissen sehen, Sigur?«

»In den Händen desjenigen, der am besten damit umgehen kann.«

»Ganz richtig.«

»Aber daran haben wir alle gearbeitet, Jude! Stehen wir nicht auf derselben Seite? Wir können zu einer Einigung mit den Yrr kommen. Wir können …«

»Begreifen Sie denn immer noch nicht? Die Möglichkeit einer Einigung ist uns verwehrt. Sie widerspricht den Interessen meines Landes. Wir, die Vereinigten Staaten, müssen an dieses Wissen gelangen, und zugleich müssen wir alles daransetzen, dass es niemand anderer erlangt. Es gibt keine Alternative, als die Welt von den Yrr zu befreien. Schon eine Koexistenz wäre das Eingeständnis unserer Niederlage, einer Niederlage der Menschheit, des Glaubens an Gott, des Vertrauens in unsere Vorherrschaft. Aber das Schlimmste an einer Koexistenz wäre, dass sie eine neue Weltordnung nach sich zöge. Vor den Yrr wären wir alle gleich. Jedes hoch technisierte Land könnte mit ihnen kommunizieren. Alle würden darauf spekulieren, Bündnisse mit ihnen zu schließen, in den Besitz ihrer Kenntnisse zu gelangen, sie am Ende vielleicht doch noch zu bezwingen. – Wem das gelänge, der würde fortan den Planeten beherrschen.« Sie trat einen Schritt auf ihn zu. »Ist Ihnen klar, was das bedeutet? Diese Rasse da unten verfügt über eine Biotechnologie, von der wir bis heute nicht einmal zu träumen wagten. Man kann nur auf biologischem Weg mit ihnen in Verbindung treten, also würde überall auf der Welt vollkommen legitim mit Mikroben herumexperimentiert. Dies können wir nicht zulassen. Es gibt keine Alternative, als die Yrr zu vernichten, und keine Alternative zu Amerika! Niemandem sonst dürfen wir das überlassen, nicht einmal den Waschlappen von der UNO, in der jeder Lump einen Platz und eine Stimme hat.«

»Sie sind doch nicht bei Trost«, sagte Johanson. Er musste husten. »Was sind Sie überhaupt für ein Mensch, Li?«

»Ich bin ein Mensch, der Gott liebt …«

»Sie lieben Ihre Karriere! Sie sind komplett größenwahnsinnig!«

»Und mein Land!«, schrie Li. »Woran glauben Sie denn? Ich kenne meinen Glauben. Nur den Vereinigten Staaten von Amerika kommt es zu, die Menschheit zu retten …«

»Um ein für alle Mal klarzustellen, wie die Rollen verteilt sind, was?«

»Na und? Immer will alle Welt, dass die USA den Drecksjob machen, und jetzt machen wir ihn eben! Und genau so ist es richtig! Wir dürfen nicht zulassen, dass die Welt das Wissen der Yrr untereinander aufteilt, also *müssen* wir sie vernichten und dieses Wissen bewahren. Danach werden wir endgültig die Geschicke des Planeten lenken, und kein Diktator und kein Regime, das uns nicht freundlich gesonnen ist, wird diese Vorherrschaft je noch einmal in Frage stellen können.«

»Was Sie vorhaben, *ist* die Vernichtung der Menschheit!«

Li fletschte die Zähne.

»Oh, diese Argumente kommen euch Wissenschaftlern ja so gut von den Lippen. Ihr habt nie daran geglaubt, dass man diesen Feind bezwingen kann, noch, dass seine Vernichtung unser Problem löst. Ihr bibbert und jammert nur rum, dass die Ausrottung der Yrr die Ökosysteme des Planeten zerstören könnte. Aber die Yrr *zerstören* ihn ja bereits! *Sie rotten uns aus!* Sollten wir also nicht lieber ein bisschen Schaden an der Umwelt in Kauf nehmen, wenn wir dadurch langfristig wieder zur vorherrschenden Rasse werden?«

»Sie sind die Einzige, die hier vorherrschen will, Sie arme Irre. Wie wollen Sie der Würmer Herr werden und verhindern, dass …«

»Wir vergiften erst die einen, dann die anderen. Sobald uns die Yrr nicht mehr im Wege stehen, haben wir unten freie Hand.«

»Sie vergiften die *Menschheit*!«

»Wissen Sie was, Sigur? In der Dezimierung der Menschheit liegt auch eine Chance. Eigentlich tut es dem Planeten doch ganz gut, wenn er insgesamt ein bisschen luftiger wird.« Lis Augen verengten sich. »Und jetzt gehen Sie mir aus dem Weg.«

Johanson rührte sich nicht. Er hielt sich am Seilzug fest und schüttelte langsam den Kopf.

»Das Boot ist nicht benutzbar«, sagte er.

»Ich glaube Ihnen kein Wort.«

»Dann müssen Sie's wohl drauf ankommen lassen.«

Li nickte. »Das tue ich.«

Sie riss den Arm mit der Pistole hoch und schoss. Johanson versuchte auszuweichen. Er fühlte, wie die Kugel sein Brustbein durchschlug und ihn eine Welle aus Kälte und Schmerz überflutete.

Das Miststück hatte abgedrückt.

Sie hatte ihn erschossen.

Seine Finger lösten sich einer nach dem anderen vom Seilzug. Er wankte, versuchte etwas zu sagen, drehte sich und kippte bäuchlings in die Pilotenröhre.

AUSSENLIFT

Im Moment, als er Crowe springen sah, bezweifelte Anawak plötzlich, ob es gut gehen würde. Sie zappelte in der Luft und sprang viel zu weit links. Er hechtete zur Seite und rückwärts, breitete die Arme aus und hoffte, dass sie der Aufprall nicht beide ins Meer schleudern würde.

Für jemanden, der so zierlich war, traf sie ihn mit der Wucht eines heransausenden Omnibusses.

Anawak fiel auf den Rücken. Crowe lag auf ihm. Gemeinsam schlitterten sie die Schräge hinab. Er hörte sie schreien und sein eigenes Schreien dazu, versuchte mit aller Kraft, die Absätze gegen den Boden zu stemmen, während sein Hinterkopf über den Asphalt rumpelte. Es war das zweite Mal, dass er an diesem Tag unerfreuliche Bekanntschaft mit dem Außenlift machte, und er hoffte inständig, dass es das letzte Mal sein möge – so oder so.

Knapp vor der Kante kamen sie zum Stillstand.

Crowe starrte ihn an.

»Geht's dir gut?«, fragte sie heiser.

»Mir ging's nie besser.«

Sie rollte sich von ihm herunter, versuchte aufzustehen, verzog das Gesicht und fiel zurück.

»Geht nicht«, sagte sie.

Anawak sprang auf. »Was ist los?«

»Mein Fuß. Der rechte Fuß.«

Er kniete neben ihr nieder und betastete das Fußgelenk.

Crowe stöhnte auf. »Ich glaube, er ist gebrochen.«

Anawak hielt inne. Täuschte er sich, oder hatte sich das Schiff soeben wieder ein Stück vorgeneigt?

Die Plattform quietschte in ihren Laufschienen.

»Leg deinen Arm um meinen Nacken.«

Er half Crowe, sich aufzurichten. Wenigstens konnte sie auf einem Bein neben ihm herhüpfen. Umständlich gelangten sie ins Innere des Hangars. Man sah kaum die Hand vor Augen. Dafür war es noch abschüssiger geworden.

Wie sollen wir bloß über die Rampe kommen, dachte Anawak. Sie muss sich in den reinsten Steilhang verwandelt haben.

Plötzlich fühlte er Wut in sich aufsteigen.

Das hier war die Grönländische See. Der Hohe Norden. Er kam aus dem Hohen Norden. Ein Inuk. Hundert Prozent ein Inuk! Er war in der Arktis geboren worden und gehörte hierher. Aber er würde ganz gewiss nicht hier sterben, und Crowe auch nicht.

»Los«, sagte er. »Weiter.«

DEEPFLIGHT 3

Li lief zum Kontrollpult. Viel zu viel Zeit verloren, dachte sie. Ich hätte mich nicht mit Johanson auf diesen unsinnigen Disput einlassen dürfen.

Sie ließ das *Deepflight* ein Stück hoch fahren und über den Pier schwenken, bis es dicht über ihr hing. Sofort sah sie die beiden freien Schächte. Die Panzerbrecher steckten in ihren Halterungen, die zwei kleineren Torpedos waren entfernt worden, um Platz für die giftgefüllten Röhren zu schaffen. Ausgezeichnet! Damit verfügte das *Deepflight* immer noch über eine stattliche Bewaffnung.

Schnell schob sie die Röhren in die Schächte und arretierte sie. Das System war perfekt durchgeplant. Sobald sie abgeschossen wurden, etwa in die blaue Wolke, sorgte eine kleine Sprengkapsel dafür, dass der Giftstoff unter Hochdruck herausgespritzt wurde. Die Verteilung übernahm das Wasser, den Rest besorgten – unfreiwillig – die Yrr selber. Das war das Beste an dem Plan: Rubins Programmierter Zelltod. Einmal infiziert, würde das Kollektiv sich in einer wunderbaren Kettenreaktion selbst vernichten.

Rubin hatte gut gearbeitet.

Sie überprüfte ein letztes Mal die Arretierung, manövrierte das *Deepflight* zurück über die Schleuse und senkte es ab, bis es auf der Wasseroberfläche dümpelte. Keine Zeit mehr, Neoprenkleidung anzulegen. Sie musste eben aufpassen. Über die Steigleiter hastete sie nach unten, lief zum Boot und kletterte hinauf. Das *Deepflight* schaukelte. Ihr Blick fiel in die offene Pilotenröhre, und sie sah Johanson darin liegen, bewegungslos, mit dem Gesicht nach unten.

Dieser renitente Idiot. Warum hatte er nicht zur Seite kippen und in die Schleuse fallen können? Jetzt musste sie zu allem Überfluss seine Leiche loswerden.

Plötzlich fühlte sie ein gewisses Bedauern. Auf eine Weise hatte sie den Mann gemocht und bewundert.

Unter anderen Umständen vielleicht …

Ein Rumpeln ging durch das Schiff.

Nein, es war zu spät, ihn zu entsorgen. Und eigentlich spielte es auch keine Rolle. Das Boot ließ sich ebenso gut vom Platz des Copiloten aus steuern. Die Funktionen waren übertragbar. Unter Wasser konnte sie Johanson immer noch loswerden.

Irgendwo barst geräuschvoll Stahl.

Li kroch hastig in die Röhre und schloss die Hauben. Simultan senkten sie sich herab und rasteten ein. Ihre Finger glitten über die Armaturen. Leises Summen erfüllte den Innenraum, Reihen von Lichtern und zwei kleine Monitore flammten auf. Alle Systeme waren in Bereitschaft. Ruhig lag das *Deepflight* über dem schwarzgrünen Wasser der Grönländischen See, bereit, durch den drei Meter dicken Schacht in die Tiefe zu sinken, und Li fühlte sich von Euphorie durchdrungen.

Sie hatte es doch noch geschafft!

REFUGIUM

Johanson saß am See.

Still lag er vor ihm, voller Sterne. Wie sehr hatte er sich gewünscht, noch einmal dorthin zurückzukehren. Er blickte auf die Landschaft seiner Seele und war durchdrungen von Ehrfurcht und Glück. Seltsam körperlos fühlte er sich, ohne eine Empfindung von Kälte oder Wärme. Etwas war anders als sonst. Ihm schien, als sei er selber der See, das kleine, dahinter liegende Haus, der verschwiegene, schwarze Wald ringsum, die Geräusche im Unterholz, der gescheckte Mond, alles. Er war all das, und alles war in ihm.

Tina Lund.

Wie jammerschade. Wie bedauerlich, dass sie nicht hier war. Er hätte ihr diese Ruhe gegönnt, den tiefen Frieden. Aber sie war tot. Gestorben in einer gewaltigen Auflehnung der Natur gegen den schimmelartigen Befall von Zivilisation, der sich die Küsten entlangzog. Einfach hinweggewischt, so wie alles hinweggewischt worden war, nur nicht dieses Bild auf seiner Netzhaut. Der See war ewig. Diese Nacht würde kein Ende finden. Und dem Alleinsein würde sich wohl tuendes Nichts anschließen, der finale Genuss des Egoisten.

Wollte er das? Wollte er wirklich allein sein?

Einerseits, warum nicht? Das Alleinsein hatte eine Reihe unschätzbarer Vorzüge. Man teilte die wertvolle Zeit mit sich selber. Man lauschte in sich hinein und bekam erstaunliche Dinge zu hören.

Andererseits, wo verlief die Grenze zur Einsamkeit?

Plötzlich verspürte er Furcht.

Die Furcht schmerzte. Sie fraß sich in seine Brust, raubte ihm den Atem. Mit einem Mal war ihm kalt. Er begann zu schlottern. Die Sterne im See blähten sich zu roten und grünen Lichtern und gaben ein elektronisches Summen ab. Das ganze Bild verschwamm zu etwas Glänzendem, Eckigem, und er saß nicht mehr am See, war nicht mehr der See, sondern lag eingeengt in einem Tunnel, einem Rohr, einer Röhre.

Schlagartig kehrte sein Bewusstsein zurück.

Du bist tot, dachte er.

Nein, ganz tot war er nicht. Aber er spürte, dass ihm nur noch wenige Sekunden blieben. Er lag im Innern des Tauchboots, das den Giftstoff in die Tiefe bringen sollte, um dem Verbrechen der Yrr, falls es eines war, mit einem noch größeren Verbrechen zu begegnen – einem Verbrechen an den Yrr *und* an der Menschheit.

Vor ihm blinkten keine Sterne, sondern die Armaturen des *Deepflight*. Sie waren in Betrieb. Er hob den Blick, schaute durch die gläserne Kuppel und sah, wie die Kante des Welldecks nach oben verschwand.

Sie waren in der Schleuse.

Mit unglaublicher Willensanstrengung schaffte er es, den Kopf zu drehen. In der Nachbarröhre erkannte er Lis schönes Profil.

Li.

Judith Li hatte ihn erschossen.

Fast erschossen.

Das Boot sank tiefer. Vernietete Stahlplatten zogen vorbei. Gleich würden sie draußen sein. Nichts und niemand konnte Li dann noch hindern, ihre tödliche Fracht ins Meer zu entlassen.

Es durfte nicht sein.

Der Schweiß brach ihm aus, als er seine Hände unter seinem Oberkörper hervorschob und die Finger streckte. Fast verlor er darüber die Besinnung. Dort waren die Konsolen. Er lag in der Röhre des Piloten. Li hatte die Kontrollen zu sich hinübergeschaltet. Sie steuerte das Boot vom Platz des Copiloten aus, aber das ließ sich ändern.

Ein Tastendruck, und die Kontrolle lag wieder bei ihm.

Wo war die Umschaltfunktion?

Roscovitz' Cheftechnikerin, Kate Ann Browning, hatte ihn geschult. Sie war sehr gründlich vorgegangen, und er hatte gut aufgepasst. Solche Dinge interessierten ihn. Das *Deepflight* verhieß den Beginn einer neuen Ära in der Tieftauchtechnik, und die Zukunft hatte Johanson seit eh und je interessiert. Er *wusste*, wo diese Funktion war! Er *wusste* auch, wozu die anderen Instrumente dienten, und was man tun musste, um den gewünschten Effekt zu erzielen. Er musste sich lediglich erinnern.

Erinnere dich.

Wie sterbende Spinnen krochen seine Finger über die Tastatur, verschmiert von Blut. Seinem Blut.

Erinnere dich!

Dort. Die Funktion. Und daneben ...

Viel konnte er nicht mehr tun. Das Leben strömte aus ihm heraus, aber ein letzter Rest Kraft verblieb ihm noch. Es würde reichen.

Fahr zur Hölle, Li!

LI

Judith Li starrte aus der Kuppel. Wenige Meter vor ihr erstreckte sich die Stahlwand der Schleuse. Das Boot sank gemächlich der offenen See entgegen. Einen Meter noch, vielleicht weniger, und sie würde die Propeller starten. Dann steil nach unten seitlich wegziehen. Falls die *Independence* innerhalb der nächsten paar Minuten sank, wollte sie möglichst weit entfernt sein.

Wann würde sie auf die ersten Yrr-Kollektive stoßen? Ein größeres Kollektiv konnte Probleme machen, das wusste sie, und sie hatte keine Vorstellung davon, *wie* groß sie wurden. Vielleicht griffen auch Orcas an. In beiden Fällen würde ihr die Bewaffnung den Weg frei schießen. Kein Grund zur Sorge.

Sie musste auf die blaue Wolke warten. Der richtige Moment, das Gift abzuschießen, lag unmittelbar vor der Verschmelzung.

Diese verfluchten Einzeller würden sich wundern.

Spaßiger Gedanke. Konnten sich Einzeller wundern?

Plötzlich wunderte sie sich selber. Etwas an den Armaturen hatte sich gerade verändert. Eines der Kontrolllämpchen war erloschen, das ihr anzeigte, dass die Steuerung auf ihrer Seite ...

Die Steuerung!

Sie hatte die Kontrolle über die Steuerung verloren! Alle Funktionen waren zum Piloten zurückgeschaltet worden. Stattdessen blinkte ein Display auf, das in grafischer Anordnung vier Torpedos zeigte, zwei schmale und zwei größere, die Panzerbrecher.

Einer der Panzerbrecher leuchtete.

Li stöhnte entsetzt auf. Mit dem Handballen schlug sie auf die Konsole, um die Kontrolle wieder auf ihren Platz zurückzulegen, aber der Befehl zum Abschuss ließ sich nicht rückgängig machen. Im Wasserblau ihrer Augen leuchtete die Anzeige weiter und zählte unerbittlich rückwärts:

00.03 ... 00.02 ... 00.01 ...

»Nein!«

00.00.

Ihr Gesicht versteinerte.

TORPEDO

Der Panzerbrecher, den Johanson abgeschossen hatte, raste aus seiner Röhre. Knapp drei Meter bahnte er sich seinen Weg durchs Wasser, dann prallte er gegen die Stahlwand der Schleuse und explodierte.

Eine ungeheure Druckwelle erfasste das *Deepflight*. Es krachte gegen die rückwärtige Wand. Aus der Schleuse schoss eine riesige Wasserfontäne. Noch während sich das Tauchboot überschlug, ging der zweite Torpedo hoch. Mit ohrenbetäubendem Krachen flog das halbe Welldeck in die Luft. Ein Feuerball blähte sich, in dem das *Deepflight*, seine beiden Insassen und die giftige Fracht so vollständig vergingen, als habe es sie nie gegeben. Trümmerteile bohrten sich in Decke und Wände und zerfetzten die achterlichen Ballasttanks, die augenblicklich voll liefen, während durch den Krater, der einmal der Boden eines künstlichen Hafenbeckens gewesen war, Tausende Tonnen Meerwasser einströmten.

Das Heck der *Independence* sackte ab.

Sie begann in rasender Geschwindigkeit zu sinken.

FLUCHT

Anawak und Crowe hatten es bis an den Rand der Rampe geschafft, als die Schockwelle der Explosion das Schiff durchlief.

Die Erschütterung warf sie von den Beinen. Anawak wurde durch die Luft gewirbelt, sah die rauchverhangenen Wände des Rampentunnels um sich kreisen, bevor er Kopf voran in den schwarzen Schlund stürzte. Neben ihm drehte sich Crowe im freien Fall, verschwand aus seinem Sichtfeld. Der geriffelte Stahl drosch ihm gegen Schultern, Rücken, Brust und Becken und schürfte ihm die Haut von den Knochen. Er kam auf, schlug einen Salto, wurde von einer Druckwelle erfasst und herumgeschleudert, sodass er für die Dauer eines Augenblicks den Eindruck hatte, wieder zurückgeschossen zu werden nach oben. Unbeschreiblicher Lärm drang an sein Ohr, als ob das ganze Schiff in Fetzen ginge. Unaufhaltsam fiel er weiter, flog in hohem Bogen auf schäumendes Wasser zu und tauchte unter.

Sofort erfasste ihn ein unerbittlicher Sog. In seinen Ohren brodelte es. Er strampelte mit Armen und Beinen, um dem Sog entgegenzuarbeiten, ohne jede Ahnung, wo oben und unten war. Hatte es nicht so ausgesehen, als werde die *Independence* Bug voran versinken? Wieso lief plötzlich das Heck voll?

Das Welldeck. Es war explodiert.

Johanson!

Etwas schlug in sein Gesicht. Ein Arm. Er griff danach, hielt ihn fest umklammert, stieß sich mit den Füßen ab, ohne ein Gefühl des Vorwärtskommens, wurde auf die Seite geworfen und sofort wieder zurückgezerrt, in alle Richtungen gleichzeitig. Seine Lungen schmerzten, als atme er flüssiges Feuer. Er musste husten und fühlte, wie ihm schlecht wurde auf seiner Achterbahnfahrt unter Wasser.

Plötzlich stieß sein Kopf über die Oberfläche.

Dämmrig.

Crowe tauchte neben ihm auf. Er hielt immer noch ihren Arm umklammert. Sie würgte und spuckte mit geschlossenen Augen, geriet wieder unter Wasser. Anawak zog sie zurück. Um ihn herum schäumte und strudelte es. Er legte den Kopf in den Nacken und sah, dass sie am Grund des Rampentunnels waren. Wo die Biegung zum Labor und zum Welldeck gelegen hatte, tobten die Fluten.

Das Wasser stieg, und es war bitterkalt. Eisiges Wasser direkt aus der See. In seinem Neoprenanzug war er eine Weile vor der Auskühlung geschützt, aber Crowe trug nichts dergleichen am Leib.

Wir werden ertrinken, dachte er. Oder erfrieren. So oder so, das ist das Ende. Wir sind eingeschlossen im Bauch dieses schrecklichen Schiffes, und es läuft voll. Wir werden mit der *Independence* untergehen.

Wir werden sterben.

Ich werde sterben.

Namenlose Angst überkam ihn. Er wollte nicht sterben. Er wollte nicht, dass es vorbeiging. Er liebte das Leben, so sehr liebte er es, so viel hatte er nachzuholen. Er konnte jetzt nicht sterben. Keine Zeit. Ein andermal gern, aber gerade passte es überhaupt nicht.

Die Angst war unerträglich.

Wieder geriet er unter Wasser. Etwas hatte seinen Kopf gestreift. Nicht sonderlich hart, aber es drückte ihn nach unten. Anawak schlug mit den Beinen und kam frei. Er tauchte nach Luft schnappend auf und sah, was ihn da getroffen hatte, und sein Herz vollführte einen Sprung.

Eines der Zodiacs war aus dem Welldeck gespült worden. Die Druckwelle der Explosion musste es losgerissen haben. Es trieb, sich drehend, auf dem schäumenden Wasser, das im Rampentunnel höher stieg. Ein intaktes Schlauchboot mit Außenborder und Regenkabine. Gedacht für acht Personen, allemal groß genug für zwei und voll gepackt mit Notausrüstung.

»Sam!«, schrie er.

Er sah sie nicht. Nur schwarzes, gurgelndes Wasser.

Nein, dachte er, so läuft das nicht. Eben ist sie doch noch neben mir gewesen.

»Sam!«

Das Wasser stieg weiter. Über die Hälfte des Tunnels war überflutet. Er reckte die Arme, zog sich an der Gummiwulst des Zodiacs hoch und sah sich um. Crowe war verschwunden.

»Nein«, heulte er. »Nein, verdammt, nein!«

Er stemmte sich ins Boot. Es schaukelte heftig. Auf allen vieren kroch er zur anderen Seite und schaute hinab ins Wasser.

Da war sie!

Sie trieb mit halb geschlossenen Augen neben dem Boot. Die Wellen überspülten ihr Gesicht. Das Boot hatte ihm den Blick auf sie versperrt. Ihre Hände vollführten schwache, hilflose Bewegungen. Anawak beugte sich hinab, bekam ihre Handgelenke zu fassen und zog daran.

»Sam!«, schrie er ihr ins Gesicht.

Crowes Augenlider zuckten. Dann hustete sie und gab einen Wasserschwall von sich. Anawak stemmte sich mit den Füßen gegen die Wulst und zerrte an ihr. Seine Arme schmerzten so heftig, dass er glaubte, es nicht zu schaffen, aber sein Wille diktierte ihm als einzig akzeptablen Weg, Samantha Crowe zu retten.

Komm mir bloß nicht ohne sie nach Hause, schien er zu sagen, sonst kannst du dich gleich wieder ins Wasser stürzen.

Er stöhnte und wimmerte, heulte und fluchte, zog und zerrte, und dann war sie plötzlich im Boot.

Anawak fiel auf den Hintern.

Er hatte keine Kraft mehr.

Nicht schlappmachen, sagte die innere Stimme. Dass du im Zodiac sitzt, nützt dir noch gar nichts. Du musst aus dem Schiff gelangen, bevor es dich mit in die Tiefe reißt.

Das Zodiac drehte sich immer schneller. Es tanzte auf der steigenden Wassersäule dem Hangardeck entgegen. Nur noch ein kurzes Stück, und sie würden in die riesige Halle gespült werden. Anawak richtete sich auf und fiel sofort wieder hin. Auch gut, dachte er, dann kriechen wir eben. Auf Händen und Knien robbte er zur Fahrerkabine und zog sich an den Verstrebungen hoch. Sein Blick fiel auf die Instrumente. Um das kleine Lenkrad herum waren sie in ähnlicher Weise angeordnet wie bei der *Blue Shark*. Ein bekanntes Bild. Damit konnte er klarkommen.

Er schaute auf. Sie schossen dem oberen Ende der Rampe entgegen. Er klammerte sich fest und wartete auf den richtigen Augenblick.

Plötzlich waren sie raus aus dem Tunnel. Eine Flutwelle spuckte sie aus und spülte sie in den Hangar, der nun ebenfalls voll zu laufen begann.

Anawak startete den Außenborder.

Nichts.

Komm schon, dachte er. Mach dich nicht wichtig, du Scheißteil! Spring endlich an.

Wieder nichts.

Spring an! Scheißteil! Scheißteil!!!

Unvermittelt röhrte der Motor los, und das Zodiac schoss davon. Anawak kippte hintenüber. Er bekam eine der Verstrebungen des Fahrerhauses zu fassen und zog sich zurück in die Kabine. Seine Hände umschlossen das Lenkrad. Er jagte durch den Hangar, fuhr eine rasante Kurve und hielt mit voller Geschwindigkeit auf den Durchlass zur Steuerbordplattform zu.

Vor seinen Augen schrumpfte er.

Der Durchlass verlor an Höhe, je näher er ihm kam. Es war unglaublich, wie schnell sich das Deck füllte. Das Wasser strömte von unten und durch die Seiten herein, in grauen, zerklüfteten Wellen. Aus den acht Metern Deckhöhe des Hangars waren innerhalb von Sekunden vier geworden.

Weniger als vier.

Drei.

Der Außenborder heulte gepeinigt auf.

Weniger als drei.

Jetzt!

Wie eine Kanonenkugel schossen sie ins Freie. Das Kabinendach schrammte hart an der Oberkante des Durchlasses entlang, dann flog das Zodiac über einen Wellenkamm, hing einen Moment in der Luft und klatschte hart auf.

Die See war stürmisch. Graue Ungetüme wälzten sich heran. Anawak klammerte sich ans Lenkrad, dass seine Knöchel weiß hervortraten. Er raste den nächsten Wellenberg hinauf und fiel in den dahinter liegenden Abgrund, stieg wieder empor, stürzte hinab. Dann drosselte er die Geschwindigkeit. Langsamer war besser. Jetzt sah er, dass die Wellen zwar hoch waren, aber nicht sehr steil. Er wendete das Zodiac um einhundertachtzig Grad, ließ sich von dem nächsten Berg, der heranrollte, hochheben, fuhr ganz langsam und sah hinaus.

Der Anblick war gespenstisch.

Aus der schieferfarbenen See ragte die in Flammen stehende Insel der *Independence* in einen düsteren Wolkenhimmel. Es sah aus, als sei mitten im Meer ein Vulkan ausgebrochen. Auch das Flugdeck lag inzwischen unter Wasser, nur die brennende Ruine behauptete sich noch trotzig gegen das unabwendbare Schicksal. Er hatte ein ordentliches Stück zwischen sich und das versinkende Schiff gebracht, aber das Donnern der Flammen drang bis zu ihnen hinüber.

Atemlos sah er hinaus.

»Intelligente Lebensformen.« Crowe tauchte neben ihm auf, leichenblass, mit blauen Lippen und heftig zitternd. Sie krallte sich in seine Jacke, das verletzte Bein angewinkelt. »Man hat nichts als Ärger mit ihnen.«

Anawak schwieg.

Gemeinsam sahen sie zu, wie die *Independence* unterging.

FÜNFTER TEIL

KONTaKt

Die Suche nach fremder Intelligenz ist immer die
Suche nach der eigenen.
Carl Sagan

Wach auf!

Ich bin wach.

Wie kannst du das wissen? Um dich herum herrscht völlige Dunkelheit. Du näherst dich dem Urgrund der Welt. Was siehst du?

Nichts.

Was siehst du?

Ich sehe die grünen und roten Lichter der Instrumente vor mir. Anzeigen, die mich über Innen- und Außendruck in Kenntnis setzen, über den Sauerstoffvorrat des *Deepflight*, über den Neigungswinkel, mit dem ich abwärts gleite, die Treibstoffreserven, die Geschwindigkeit. Das Boot misst die chemische Zusammensetzung des Wassers und zeigt sie mir in Daten und Tabellen an. Die Sensoren erfassen die Außentemperatur und liefern mir eine Zahl.

Was siehst du noch?

Ich sehe wirbelnde Partikel. Schneefall im Scheinwerferlicht. Organische Substanzen, die niedersinken. Das Wasser ist gesättigt mit organischen Verbindungen. Etwas trübe. Nein, sehr trübe.

Du siehst noch zu viel. Willst du nicht alles sehen?

Alles?

Weaver hat knapp eintausend Meter Abstand zwischen sich und die Wasseroberfläche gebracht, ohne angegriffen worden zu sein. Weder ist sie Orcas noch Yrr begegnet. Das *Deepflight* arbeitet einwandfrei. In einer großen, ellipsoiden Spirale schraubt es sich nach unten. Hin und wieder geraten ein paar kleine Fische ins Licht und huschen gleich wieder davon. Detritus trudelt umher. Krill, winzige Krebschen, keines mehr als ein weißer Punkt im Kegel der Scheinwerfer. Der Partikelreichtum schickt alles Licht zurück an den Absender.

Seit zehn Minuten starrt sie nun angestrengt in den schmutzig grauen, durchwirbelten Kokon, den die Scheinwerfer dem *Deepflight* vorausschicken. Künstlich beleuchtete Dunkelheit. Licht, das nichts erhellt. Zehn Minuten, in denen ihr jedes Gefühl für oben und unten abhanden gekommen ist. Alle paar Sekunden kontrolliert sie die Instrumente, die ihr sagen, was der Blick nach draußen nicht verrät – wie schnell sie ist, wie steil sie fliegt, wie viel Zeit vergeht.

Die Verlässlichkeit des Computers.

Natürlich weiß sie, dass es ihre Stimme ist, mit der sie unmerklich in einen Dialog gerät. Es ist die Quintessenz gemachter Erfahrungen, angelernten und erlebten Lebens, dämmernder Einsichten. Zugleich spricht etwas aus ihr und mit ihr, dessen Existenz ihr bislang verborgen war. Das Ding in ihrem Kopf stellt Fragen, unterbreitet Vorschläge, verwirrt sie.

Was siehst du?

Wenig.

Wenig ist noch übertrieben. Nur Menschen kommen auf die absurde Idee, sich einem Wahrnehmungsapparat dort anzuvertrauen, wo er nachweislich versagt. Deine Instrumente in allen Ehren, aber um zu verstehen, wohin deine Reise geht, ist ein Lichtkegel denkbar ungeeignet, Karen. Dieses Licht dort ist ein enger Raum. Ein Gefängnis. Befreie deinen Verstand. Willst du alles sehen?

Ja.

Dann mach die Scheinwerfer aus.

Weaver zögert. Sie hatte es ohnehin vor. Es ist notwendig, um das blaue Leuchten in der Dunkelheit zu sehen, wenn es so weit ist. Aber wann ist es so weit? Überrascht stellt sie fest, wie sehr sie sich an diesen lächerlichen Lichtkegel geklammert hat. Viel zu lange. Wie an eine Taschenlampe unter der Bettdecke. Der Reihe nach löscht sie die starken Spots, bis nur noch die Lämpchen der Instrumente übrig bleiben. Der Partikelregen ist verschwunden.

Perfekte Schwärze umgibt sie.

Polare Gewässer sind blau. Es gibt wenig chlorophyllhaltiges Leben im Nordpazifik, ebenso wie in bestimmten Gebieten rund um den antarktischen Kontinent. Dieses Blau wenige Meter unter der Oberfläche hat etwas von einem Himmel. So wie ein Astronaut in einem Raumschiff das vertraute Blau immer dunkler werden sieht, je weiter er sich von der Erdoberfläche entfernt, bis ihn schließlich die Schwärze des Weltraums umgibt, so sinkt das Tauchboot in umgekehrter Richtung einem lichtlosen Weltraum voller Rätsel entgegen, einem *inner space*. Im Grunde spielt es keine Rolle, ob man auf- oder absteigt. In beiden Fällen weichen mit den vertrauten Bildern die vertrauten Empfindungen oder das, was menschliche Sensorik in Gefühle umsetzt, allem voran das Sehen, gefolgt von der Schwerkraft. Im Gegensatz zum Weltraum wird das Meer beherrscht von den Gesetzen der Gravitation, aber wer in eintausend Meter Tiefe und völliger Finsternis unterwegs ist, muss der Digitalanzeige Glauben schenken, die ihm sagt, ob er sich nach oben oder unten bewegt. Weder das Innenohr noch der Blick nach draußen lassen derartige Aussagen zu.

Weaver ist auf maximale Sinkgeschwindigkeit gegangen. Kurz hat das *Deepflight* diesen polaren, auf den Kopf gestellten Himmel durchflogen, und sehr schnell ist es dunkler geworden. Als der Tiefenmesser 60 Meter anzeigte, maß er zugleich noch vier Prozent des Lichts, das an der Oberfläche herrschte, aber da hatte sie schon die Scheinwerfer eingeschaltet – eine Astronautin im Bemühen, den Weltraum mit einer Lampe zu erhellen.

Wach auf, Karen.

Ich bin wach.

Ja, sicher, du bist wach und hoch konzentriert, aber du träumst den falschen Traum. Die ganze Menschheit ist in einem Wachtraum gefangen von einer Welt, die es nicht gibt. Wir erträumen uns einen Kosmos der taxonomischen Tabellen und statistischen Mittelwerte, außerstande, die objektive Natur wahrzunehmen. Das unserem Blick entzogene Ineinander und Miteinander, das untrennbar Verflochtene, versuchen wir zu entflechten, indem wir es zu einem Nacheinander und Übereinander ordnen, an dessen Spitze wir uns selber setzen. Wir verständigen uns über Idole und Ausschnitte, erklären sie zur Wirklichkeit, schaffen Abfolgen und Hierarchien, verzerren Raum und Zeit. Immer müssen wir etwas sehen, um es zu verstehen, aber im Moment, da wir es sichtbar machen, entziehen wir es unserem Verständnis. Der sehende Mensch ist blind, Karen. Schau in die Dunkelheit. Der Urgrund allen Lebens ist dunkel.

Das Dunkle ist bedrohlich.

Keineswegs! Es entzieht uns die Koordinaten unserer sichtbaren Existenz. Ist das so schlimm? Die Natur ist objektiv und voller Vielfalt! Erst durch die Brille der Voreingenommenheit verarmt sie, weil wir nach Gefallen oder Missfallen urteilen. Immerzu erblicken wir uns selbst im grellen Flimmern. Zeigen all diese Darstellungen auf unseren Computer- und Fernsehbildschirmen die wirkliche Welt? Ergibt die Aufsummierung aller Eindrücke Vielfalt, solange wir uns über Prototypen verständigen müssen wie »die Katze« und »die Farbe Gelb«? Es ist zweifellos etwas Wunderbares, wie das menschliche Hirn dem Variantenreichtum solche Mittelwerte abtrotzt, ein prächtiger Trick, um die Verständigung über das Unmögliche möglich zu machen, aber der Preis ist die Abstraktion. Am Ende steht eine idealisierte Welt, in der Millionen Frauen versuchen, wie zehn Supermodels auszusehen, Familien eins Komma zwei Kinder haben und ein Chinese im Schnitt 63 Jahre alt und 1 Meter 70 groß wird. Vor lauter Versessenheit auf Normen übersehen wir, dass die Normalität im Abnormalen liegt, in der Abweichung. Die Geschichte der Statistik ist eine Geschichte der Missverständnisse. Sie hat uns geholfen, Überblick zu gewinnen, aber sie leugnet die Variation. Sie hat uns der Welt entfremdet.

Und einander dafür näher gebracht.

Meinst du wirklich?

Haben wir nicht versucht, mit den Yrr einen Weg der Verständigung zu finden? Ist es nicht sogar gelungen? Wir haben die Mathematik als Basis entdeckt.

Vorsicht! Das ist etwas völlig anderes. Es gibt keinen Variantenspielraum in der Berechnung des pythagoreischen Quadrats. Die Lichtgeschwindigkeit bleibt immer die Lichtgeschwindigkeit. Mathematische Formeln sind unverrückbar, solange sie denselben physikalischen Raum beschreiben. Mathematik lässt keinerlei Wertung zu. Die mathematische Formel ist nichts, das in einer Höhle oder auf einem Baum lebt, das man streicheln kann oder das die Zähne fletscht, wenn man ihm zu nahe kommt. Es gibt kein durchschnittliches Gravitationsgesetz unter vielen ähnlichen, sondern nur das eine. Sicher, über die Mathematik haben wir einen Austausch zuwege gebracht, aber verstehen wir einander deswegen? Hat die Mathematik die Menschen einander näher gebracht? Die Etikettierung der Welt folgt den Besonderheiten der jeweiligen Kulturgeschichte, und jeder Kulturkreis sieht die Welt ganz anders. Die Inuit kennen kein einziges Wort für Schnee, aber Hunderte für Schneearten. Das Volk der Dani auf Neuguinea kennt keine Bezeichnungen für Farben.

Was siehst du?

Weaver starrt in die Dunkelheit. Das Tauchboot zieht ruhig seine Bahn, immer noch um 60 Grad geneigt, 12 Knoten schnell. Eintausendfünfhundert Meter hat sie schon zurückgelegt. Nicht mal ein Ächzen oder Knacken ist von der Verschalung des *Deepflight* zu hören. In der Nachbarröhre liegt Mick Rubin. Sie versucht, möglichst wenig an ihn zu denken. Es ist merkwürdig, mit einem Toten durch die Nacht zu fliegen.

Ein toter Botschafter, auf dem alle Hoffnungen ruhen.

Plötzlich ein Aufblitzen.

Die Yrr?

Nein, etwas anderes. Tintenfische. In einen ganzen Schwarm ist sie geraten. Plötzlich schwebt sie mitten durch ein unterseeisches Las Vegas. In der immer während Nacht der Tiefsee können weder bunte Kleider noch Tänze mögliche Partnerinnen beeindrucken. Wenn die Junggesellen auf der Suche nach einer Begleiterin sind, protzen sie durch Beleuchtung. Ganze Organreihen blinken mit lumineszierenden Bakterien in Photophoren, kleinen durchsichtigen Taschen, die sich verschließen und wieder öffnen lassen, ein Blinkgewitter, codiertes Tiefseegeschrei. In diesem Fall scheint es weniger darum zu gehen, Weavers Tauchboot den Hof zu machen. Die Blitze dienen der Abschreckung. Verschwinde, sagen sie, und als Weaver nicht verschwindet, öffnen die Tiere ihre Photophoren ganz und umschwärmen sie, angetan mit einem gleichmäßig schimmernden Kleid aus Licht. Dazwischen kleinere Organismen, hell mit rotem oder blauem Kern: Medusen.

Dann gesellt sich etwas hinzu, das Weaver nicht sehen kann, aber ihr Sonar erfasst es. Eine große, kompakte Masse. Einen Moment lang denkt sie an ein Kollektiv der Yŕr, aber die Kollektive leuchten, und dieses Ding hier ist so schwarz wie das umgebende Meer. Es hat eine längliche Form, wuchtig zur einen und schlank zulaufend zur anderen Seite. Weaver fliegt geradewegs darauf zu. Sie zieht das *Deepflight* ein Stück hoch und gleitet über das Wesen hinweg, und im selben Moment wird ihr klar, was sie da möglicherweise überflogen hat.

Wale müssen trinken. Eine absurde Vorstellung angesichts eines Lebens unter Wasser, aber die Gefahr, im Ozean zu verdursten, ist für einen Wal ebenso groß wie für einen Schiffbrüchigen. Quallen bestehen fast vollständig aus Wasser, Süßwasser nämlich, ebenso wie Tintenfische, die viel lebenswichtige Flüssigkeit liefern, und darum taucht der Pottwal nach Tintenfischen und Medusen. Senkrecht stößt er hinab, in eintausend, zweitausend, mitunter bis zu dreitausend Meter Tiefe, bleibt dort länger als eine Stunde, bis er wieder für zehn Minuten an die Wasseroberfläche zurückkehrt, um zu atmen, und wieder taucht er ab.

Weaver ist einem Pottwal begegnet. Einem regungslosen Räuber mit guten Augen. Sie durchquert das Reich der Finsternis und der guten Augen. Alle hier unten sehen gut.

Was siehst du? Was siehst du nicht?

Du gehst eine Straße entlang. In einiger Entfernung erkennst du einen Mann, der dir entgegenkommt. Noch ein Stück weiter führt eine Frau einen Hund spazieren. Klick, Momentaufnahme! Beschreibe, wie viele Lebewesen auf der Straße unterwegs sind und ihre Entfernung zueinander.

Wir sind vier.

Nein, wir sind mehr. In den Bäumen sehe ich drei Vögel, also sind wir sieben. Der Mann ist achtzehn Meter weit entfernt, die Frau fünfzehn. Der Hund dreizehneinhalb, er zieht ihr voraus, liegt in seinem Halsband. Die Vögel befinden sich in zehn Meter Höhe und sitzen je einen halben Meter auseinander. – Nein! In Wahrheit tummeln sich auf dieser Straße Milliarden Lebewesen. Nur drei davon sind Menschen. Eines ist ein Hund. Außer den drei Vögeln sitzen noch 57 weitere Vögel in den Bäumen, die ich nicht sehe. Die Bäume selber sind Lebewesen, in deren Blattwerk und Borke Myriaden von Insekten wohnen. Das Gefieder der Vögel besiedeln Milben, ebenso wie die Poren unserer Haut. Der Hund vereint auf seinem Fell eine halbe Hundertschaft Flöhe, vierzehn Zecken, zwei Mücken und in Darm und Magen Tausende winziger Würmer. Sein Speichel ist gesättigt mit Bakterien. Ähnlich besiedelt sind wir, und die Entfernung all dieser Lebensformen zueinander beträgt praktisch null. Sporen, Bakterien und Viren schweben in der Luft, bilden organische Ketten, deren Teil wir sind, verflechten uns alle zu einem einzigen Superorganismus, und ebenso verhält es sich im Meer.

Was bist du, Karen Weaver?

Ich bin in weitem Umkreis die einzige menschliche Lebensform – sieht man von Rubin ab, der keine Lebensform mehr ist, weil tot.

Du bist ein Partikel.

Ein Partikel in der Vielfalt. Keinem anderen Menschen gleichst du vollständig, wie keine Zelle einer anderen in jedem Detail gleicht. Irgendetwas ist immer anders. So musst du die Welt betrachten. Als Spannbreite von Ähnlichkeiten. Ist es nicht tröstlich, dich als Partikel begreifen zu dürfen, wenn dir dafür Einzigartigkeit zugestanden wird?

Du bist ein Partikel in Raum und Zeit.

Der Tiefenmesser blinkt auf.

Zweitausend Meter.

Siebzehn Minuten. Seit siebzehn Minuten bin ich unterwegs.

Das sagt dir diese Uhr?

Ja.

Um die Welt zu begreifen, musst du eine andere Zeit entdecken. Du müsstest dich erinnern, aber das kannst du nicht. Der Mensch ist seit zwei Millionen Jahren kurzsichtig. Homo sapiens hat die größte Zeitspanne im Verlauf seiner Evolution mit Jagen und Sammeln verbracht.

Das hat sein Gehirn geformt, wie es heute ist. Die Zukunft unserer Vorfahren war immer nur das unmittelbar Folgende, alles darüber Hinausgehende so verschwommen wie lange Zurückliegendes. Wir lebten im Augenblick, primär interessiert an Fortpflanzung. Schlimme Katastrophen gerieten in Vergessenheit oder hielten Einzug in die Mythologie. Die Verdrängung war ein Geschenk der Evolution, aber heute ist sie zu unserem Fluch geworden. Immer noch überschaut unser Geist keinen Zeithorizont, der mehr als ein paar Jahre in die Vergangenheit und in die Zukunft reicht. Wenige Generationen, und wir verdrängen, ignorieren, vergessen. Außerstande, uns Vergangenes zu merken und daraus zu lernen, sind wir unfähig, die Zukunft zu betrachten. Menschen sind nicht geschaffen, das Ganze zu sehen und ihren Platz darin. Wir teilen nicht die Erinnerung der Welt.

Blödsinn! Die Welt erinnert sich nicht. Menschen erinnern sich, aber nicht die Welt. Das mit der Welterinnerung ist esoterischer Quatsch.

Meinst du? Die Yrr erinnern sich an alles. Sie *sind* die Erinnerung.

Weaver fühlt sich schwummrig.

Sie überprüft die Sauerstoffzufuhr. Allmählich schlagen ihre Gedanken Purzelbäume. Diese Tauchfahrt scheint zu einem halluzinogenen Trip zu werden. Ihre Gedanken verteilen sich im Dunkel der Grönländischen See in alle Richtungen.

Wo bleiben die Yrr?

Sie sind hier.

Wo?

Du wirst sie sehen.

Du bist ein Partikel in der Zeit.

Durch stille Dunkelheit sinkst du hinab mit unzähligen deinesgleichen, ein kalter, salziger Wasserpartikel, müde und schwer geworden nach der wärmezehrenden Reise von den Tropen hinauf in diese unwirtliche Region, bis ihr euch im Grönländischen und Norwegischen Tiefseebecken gesammelt habt, in einem großen Pool eiskalten, schweren Wassers. Von dort schwappst du über den untermeerischen Gebirgszug zwischen Grönland, Island und Schottland ins Atlantische Becken. Endlos geht es über Lavahaufen und Sedimentablagerungen in den Abgrund. Ihr seid ein mächtiger Strom, du und die anderen, und bei Neufundland werdet ihr zudem verstärkt durch Wassermassen aus der Labradorsee, die weniger dicht und kalt sind. In Höhe der Bermudas nähern sich kreisrunde Ufos quer über den Ozean aus dem Mittelmeer, warme, extrem salzige Wasserwirbel, die aus der Straße von

Gibraltar rübergeflogen kommen und zu euch stoßen. Mittelmeer, Labrador, Grönland, all diese Wasser vermischen sich, und ihr strebt weiter nach Süden, tief unten im Meer.

Du wirst Zeuge, wie sich die Erde selbst erschafft.

Dein Weg führt dich entlang des Atlantischen Rückens, einer jener gewaltigen Höhenrücken, die sämtliche Ozeane längs durchziehen. Zusammen so groß wie alle Kontinente, aneinander gereiht 60 000 Kilometer lang, gekrönt von Reihen um Reihen aktiver und erloschener Vulkane. Mehr als 3 000 Meter ragen die Rücken über dem Meeresboden auf, immer noch fast ebenso viel Wasser haben sie über sich, und spalten die Erde. Wo ihre Achse sich spreizt, dringt Magma aus unterirdischen Kammern an die Oberfläche, aber anstatt explosionsartig zu verdampfen, quillt das flüssige Gestein unter dem Druck der kalten Tiefsee in trägen Kissen hervor. Es drängt sich zwischen die Flanken der ozeanischen Rücken und schiebt sie auseinander mit der Beharrlichkeit impertinenter, dicker Kinder – neu geborener Meeresboden, der erst noch seine Form finden muss. Unendlich langsam driften die Hänge auseinander. Heiß ist der Boden, wo die Lava das Schwarz der Tiefsee leuchtend rot mäandert. Erdbeben schütteln die Schlucht, aus der sie quillt, und die Kammregion zu beiden Seiten. Weiter außen kühlen die Hänge ab. Älteres Gestein formt dort die Topographie, mit wachsendem Abstand zum Rücken immer älter, kälter und dichter werdend, bis der alte, kalte, schwere Boden zu den endlosen Abyssalen abfällt, den Tiefseeebenen, die sich, gespickt mit Bergen und überzogen mit Schichten aus lockerem Sediment, dahinwälzen, Förderbänder vergangener Zeitalter, nach Westen Amerika zustrebend und ostwärts gen Europa und Afrika, bis sie sich eines Tages unter die Landmassen schieben werden, um tief in den Erdmantel hinabzutauchen und aufzuschmelzen im Brennofen der Asthenosphäre, die sie Jahrmillionen später zurückschicken wird in die Schluchten der ozeanischen Rücken, als rot glühende Magma.

Welch ein Kreislauf! Rund um den Erdball wandert der Meeresboden unermüdlich dahin, gespalten vom Druck des Erdinnern und gezogen vom Gewicht seiner abtauchenden Bodenplatten. Ein beständiges Pressen, Ziehen und Zerren, geolithische Geburtswehen und Bestattungszeremonielle, die das Gesicht der Erde formen. Afrika wird sich mit Europa vereinen. Wieder vereinen! Die Kontinente verschieben sich. Aber sie bewegen sich nicht wie Eisbrecher durch spröde Erdkruste, sondern werden passiv auf ihr mitgeschleppt, seit Rodinia, der erste aller Urkontinente, im Präkambrium auseinander gerissen wurde. Nichts anderes geschieht, als dass seine Bruchstücke immer wieder zueinander streben, sich zu Gondwana und zuletzt Pangäa fanden und erneut getrennt wurden, eine versprengte Familie mit einer 165 Millionen Jahre alten Erinnerung an die letzte zusammenhängende Landmasse mit einem einzigen Ozean drum herum, gebunden an die Fließgeschwindigkeit zähflüssigen Mantelgesteins, dazu verdammt, einander auf einer Kugel zu suchen.

Du bist ein Partikel.

Du erlebst nur einen Atemzug von alledem. Während sich der atlantische Meeresboden fünf Zentimeter weitergeschoben hat, bist du bereits ein Jahr gewandert. Auf dieser Reise siehst du Leben ohne Sonne. Die Lava erkaltet schnell und bildet Verwerfungen und Risse. Meerwasser dringt in den neuen, porösen Boden. Kilometertief fließt es hinab bis unmittelbar über die heißen Magmakammern im Erdinnern, kehrt zurück nach oben, gesättigt von Leben spendender Wärme und Mineralien, pechschwarz gefärbt von Sulfiden, und schießt aus haushohen, schornsteinähnlichen Gebilden, kochend heiß, ohne zu kochen. In solcher Tiefe kocht 350 Grad heißes Wasser nicht, es strömt nur und verteilt seinen Reichtum an Nährstoffen in die unmittelbare Umgebung, ein hundertmal größeres Angebot als in den umliegenden Gewässern. Auf deiner Reise in das unbekannte Universum hast du den ersten Außenposten fremdartiger Lebensgemeinschaften erreicht, die kein Sonnenlicht brauchen. Um die Schwarzen Raucher siedeln meterlange Würmer in dichten Bündeln, armlange Muscheln, Heerscharen blinder weißer Krabben und Fische, vor allem aber – Bakterien. Sie sind Selbstversorger, ebenso wie grüne Pflanzen, die sich gewissermaßen von Sonnenlicht ernähren und von denen man alles Leben abhängig glaubte. Doch diese Bakterien brauchen keine Sonne. Sie oxidieren Schwefelwasserstoff. Ihre Lebensquelle ist das Erdinnere. In ausgedehnten Rasen bedecken sie den Boden der Lebensgemeinschaften an den Schwarzen Rauchern und leben in Symbiose mit den Würmern und den Muscheln und manchen Krebsen, und andere Krebse wiederum und Fische leben von den Muscheln und Würmern, ohne dass ein einziger Sonnenstrahl erforderlich wäre.

Vielleicht sind die ältesten Lebensformen des Planeten nicht an der Oberfläche entstanden, Karen, sondern hier, in der lichtlosen Tiefsee, und du erblickst den wahren Garten Eden auf deiner Reise durch die atlantische Tiefsee. Ganz sicher sind die Yrr die ältere der zwei intelligenten Rassen, deren eine den festen Grund geerbt und ihre Wiege dafür verloren hat.

Stell dir vor, die Yrr sind die gewollte Rasse.

Die göttliche.

Systemcheck.

Weaver ruft ihre partikelgewordenen Gedanken zurück, die soeben Afrika passiert haben. Sie muss sich dazu zwingen, sich auf den Moment zu konzentrieren. Ebenso gut könnte sie schon hundert Jahre unterwegs sein. Draußen zieht in einiger Entfernung geisterhaftes Leuchten vorbei, aber es sind nicht die Yrr, sondern Schwärme winziger Leuchtgarnelen. So genau lässt sich das nicht erkennen. Vielleicht sind es auch kleine Tintenfische oder etwas völlig anderes.

Zweieinhalbtausend Meter.

Noch etwa tausend Meter bis zum Grund. Um sie herum sollte nichts als freies Wasser sein, aber plötzlich beginnt das Sonar hektisch zu klicken. Es sagt ihr, dass sie sich etwas Massivem nähert. Es muss von gewaltiger Größe sein, und genau genommen nähert es sich ihr. Eine undurchdringliche Fläche, die von oben herabsinkt, geradewegs auf sie zu. Weaver fühlt ihre latente Angst in Panik umkippen. Sie fliegt eine 180-Grad-Kurve, während das Riesending näher kommt. Die Außenmikrophone leiten hohlen, unirdischen Krach ins Innere des *Deepflight*, der immer lauter wird, ein gespenstisches Heulen und Stöhnen. Weaver ist versucht, die Flucht zu ergreifen, doch dann siegt die Neugier. Sie hat genug Abstand zwischen sich und das unbekannte Etwas gelegt, und es sieht nicht so aus, als sei das Wesen hinter ihr her.

Falls es überhaupt ein Wesen ist.

Nach einer weiteren Kurve gleitet sie mit verminderter Geschwindigkeit wieder darauf zu. Es ist jetzt auf ihrer Höhe, dicht vor ihr. Das *Deepflight* zittert in Turbulenzen.

Turbulenzen?

Was kann so groß werden? Ein Wal? Aber das hier hat die Ausmaße von zehn Walen. Oder von hundert. Oder noch mehr.

Sie schaltet die Scheinwerfer ein.

Im selben Moment erkennt sie, dass sie dem Ding näher gekommen ist als beabsichtigt. Am Rand des Lichtkegels wird es sichtbar. Einen Moment lang ist Weaver vollkommen verwirrt, außerstande, Art und Herkunft der glatten Fläche zu bestimmen, die da an ihr vorbeizieht, bis plötzlich etwas Helles in den Scheinwerfern aufleuchtet. Es sind meterlange geschwungene und gerade Linien, auf schreckliche Weise vertraut, und sie ergeben:

USS Inde...

Der Schock lässt sie aufschreien.

Völlig ohne Nachhall verklingt der Schrei und bringt ihr ins Bewusstsein, wie abgekapselt sie in ihrer Röhre ist. Und wie einsam. Noch einsamer jetzt, nachdem sie das Schiff an sich vorbeisinken sieht, und ihre Gedanken rasen zu Anawak, Johanson, Crowe, Shankar, den anderen.

Leon!

Fassungslos starrt und starrt sie.

Die Kante des Flugdecks taucht kurz auf und verschwindet wieder. Der Rest bleibt im Dunkel verborgen. Nur wild tanzende Blasen von entweichender Luft sind noch zu sehen.

Dann folgt der Sog und reißt das *Deepflight* mit hinab.

Nein!

Fieberhaft versucht sie, das Boot zu stabilisieren. Verdammte Neugier! Warum hat sie nicht in gebührendem Abstand warten können? Die Systeme zeigen an, dass alles Mögliche nicht in Ordnung ist. Weaver steuert gegen und zieht bei maximaler Schubkraft nach oben. Das Boot kämpft und taumelt, folgt der *Independence* in ihr Grab, dann endlich stellt die Konstruktion ihre ganze Genialität unter Beweis, und sie entkommt dem Sog und schnellt nach oben.

Von einer Sekunde auf die andere ist alles wieder so, als sei nichts gewesen.

Weaver kann ihr Herz klopfen hören. Es dröhnt in ihren Ohren. Wie ein Kolben schießt das Blut in ihren Kopf. Sie schaltet die Scheinwerfer aus, senkt das *Deepflight* behutsam ab und setzt ihren Anflug auf die Tiefe des Grönländischen Beckens fort.

Nach einer Weile, es können Minuten oder nur Sekunden sein, weint sie. Alles bricht sich Bahn. Sie heult wie ein Schlosshund. Was hat das zu bedeuten? Sie wusste, dass die *Independence* sinken wird, alle wussten es, aber so schnell?

Doch, auch das haben wir gewusst.

Aber sie weiß nicht, ob Leon noch lebt. Und was mit Sigur ist.

Sie fühlt sich schrecklich allein.

Ich will zurück.

Ich will zurück!

»Ich will zurück!«

Tränenüberströmt, mit bebenden Lippen, beginnt sie am Sinn ihrer Mission zu zweifeln. Sie hat die Yrr nicht zu Gesicht bekommen, obwohl sie dem Meeresboden immer näher kommt. Sie checkt die Instrumente. Der Computer beruhigt sie. Er sagt, sie sei nun beinahe eine halbe Stunde unterwegs und 2 700 Meter tief.

Eine halbe Stunde. Wie lange soll sie hier unten noch ausharren?

Willst du alles sehen?

Was?

Willst du alles sehen, kleiner Partikel?

Weaver zieht die Nase hoch. Ein lautes und vernehmliches Schniefen, sehr irdisch im schwarzen Wunderland der Gedanken.

»Papa?«, wimmert sie.

Ruhig. Beruhige dich.

Ein Partikel fragt nicht danach, wie lange etwas dauert. Er bewegt sich einfach nur oder steht still. Er vollzieht den Rhythmus der Schöpfung, ein folgsamer Diener des Ganzen. Dieses ständige Fragen nach Dauer ist nur dem Menschen eigentümlich, dieses Ankämpfen gegen die eigene Natur, das Einteilen von Lebenszeit. Die Yrr interessieren sich nicht für Zeit. Sie tragen die Zeit in ihrem Genom, den Anbeginn des zellulären Lebens, als ozeanische Gesteinsblöcke vor 200 Millionen Jahren mit der Kontinentalmasse verwachsen, die das heutige Nordamerika bildet, als Grönland vor 65 Millionen Jahren von Europa wegzudriften begann, als sich vor 36 Millionen Jahren die topographischen Merkmale des Atlantiks ausformten, als Spanien noch weit von Afrika entfernt lag, als die untermeerischen Schwellen so weit absanken, dass vor 20 Millionen Jahren endlich der Wasseraustausch zwischen dem Arktischen und dem Atlantischen Ozean in Fluss kam, dem du deine Reise verdankst, Partikel, die hier im Grönländischen Becken begonnen hat und dich weiterführen wird, an Afrika vorbei dem Süden zu, zur Antarktis.

Du bist unterwegs zum zirkumpolaren Strom, dem Rangierbahnhof der Meeresströmungen, zum ewigen Kreislauf.

Von der Kälte in die Kälte.

Zwar nur ein Partikel, bist du Teil einer Gesamtheit, die der Wassermenge dutzender Riesenflüsse entspricht. Ihr fließt über den Meeresboden, passiert den Äquator und gelangt ins südatlantische Meeresbecken bis zur untersten Spitze Südamerikas. Bis hierhin verlief euer Fluss gleichmäßig und ruhig. Doch jenseits von Kap Horn gelangt ihr in stürmische Turbulenzen. Taumelnd und hüpfend wirst du hineingerissen in etwas, das dem Hauptverkehr rund um den *Arc de Triomphe* zur Mittagszeit gleicht, nur unendlich viel gewaltiger. Der Antarktische

Zirkumpolarstrom bewegt sich von Westen nach Osten um den weißen Kontinent, ein Rangierbetrieb, in den alle Meere ein- und aus dem sie hervorgehen. Der kreisrunde Strom kommt nie zum Stillstand, prallt niemals gegen Land. Endlos jagt er sich selber. Er führt das Wasser hunderter und tausender Flüsse in sich, saugt alle Weltgewässer in sich hinein, zerreißt und mischt sie, löscht ihre Herkunft und Identität aus. Unmittelbar vor der Antarktis schwemmt es dich hoch in bibbernden Frost. Du treibst mit schäumenden Brechern über die Oberfläche und sinkst langsam wieder hinab, um Teil des großen, zirkumpolaren Karussells zu werden.

Es trägt dich ein Stück mit und speit dich wieder aus.

Erneut wanderst du nach Norden, in 800 Meter Tiefe. Alle Meere speisen sich aus dem kreisrunden, antarktischen Strom. Einiges Wasser gelangt zurück ins Zwischengeschoss des Atlantiks, anderes in den Indischen Ozean und das meiste in den Pazifik, auch du. Geschmiegt an Südamerikas Westflanke strömst du bis zum Äquator, wo die Passatwinde die Wasser teilen und tropische Hitze dich erwärmt. Du steigst zur Oberfläche und wirst nach Westen gezogen, mitten hinein ins Durcheinander Indonesiens: Inseln und Inselchen, Strömungen, Strudel, Untiefen und Wirbel, ein Durchkommen scheint unmöglich. Südlich treibt es dich an den Philippinen vorbei und durch die Makassarstraße zwischen Borneo und Sulawesi. Du könntest dich durch die Lombokstraße quetschen, aber da gibt es diese Umgehungsstraße östlich um Timor herum, eine bessere Route, über die du endlich den offenen Indischen Ozean erreichst.

Jetzt auf Afrika zu.

Die warmen Untiefen des Arabischen Meeres sättigen dich mit Salz. Entlang Mosambik reist du nach Süden, Agulhasstrom heißt eure Reisegesellschaft jetzt. Du fließt immer schneller in Vorfreude auf den Ozean deiner Herkunft, stürzt dich in das große Abenteuer, das so viele Seeleute das Leben gekostet hat, das Kap der Guten Hoffnung – und wirst zurückgeworfen. Zu viele Strömungen prallen hier aufeinander. Der antarktische *Place de l'Etoile* mit seinem Freitagnachmittagsverkehr ist allzu nahe. Sosehr du dich mühst, du kommst nicht recht voran. Schließlich löst du dich mit anderen in einem Wirbel von der Hauptströmung, und endlich treibst du in den Südatlantik. Mit der Äquatorströmung driften du und deinesgleichen nach Westen, in riesigen Wirbeln dreht ihr euch vorbei an Brasilien und Venezuela bis nach Florida und werdet auseinander gerissen.

Du hast die Karibik erreicht, das Geburtsbecken des Golfstroms.

Aufgeladen mit tropischer Sonne beginnst du deinen Zug hinauf nach Neufundland und weiter in Richtung Island, treibst stolz an der Oberfläche und verteilst generös deine Wärme an Europa, als hättest du endlos davon. Unmerklich wird dir kälter, und das verdunstende Wasser des Nordatlantiks hinterlässt dir eine Bürde aus Salz, die immer schwerer wiegt, und plötzlich findest du dich über dem Grönländischen Becken wieder, dem Ausgangspunkt deiner Reise.

Du warst eintausend Jahre unterwegs.

Seit der Isthmus von Panama den Pazifik vom Atlantik trennte, nehmen Wasserpartikel diesen Weg, seit mehr als drei Millionen Jahren. Seitdem gilt, dass nur eine Verschiebung der Kontinente den Verlauf der thermohalinen Zirkulation verändern könnte. Galt! Der Mensch hat das Klima aus dem Gleichgewicht gebracht. Und während sich die Klimakontrahenten noch darüber verbreiten, ob diese Erwärmung zu einem Abschmelzen der Polkappen und damit zu einem Stopp des Golfstroms führen könnte oder nicht, stoppt er bereits, weil die Yrr ihn stoppen. Sie stoppen die Reise der Partikel, sie stoppen die Wärme für Europa, sie stoppen die Zukunft der selbst ernannten Rasse Gottes. Denn sie wissen sehr genau, was geschehen wird, wenn die Zirkulation zum Erliegen kommt, ganz im Gegensatz zu ihren Feinden, die niemals wissen, welche Folgen ihr Handeln nach sich zieht, die sich nicht an die Zukunft erinnern, weil ihnen das genetische Gedächtnis fehlt, die Erkenntnis, wie aus Anfang Ende und aus Ende Anfang wird im Sinnschluss der Schöpfung.

Tausend Jahre, kleiner Partikel. Mehr als zehn Menschengenerationen, und du hast die Welt einmal umrundet.

Tausend solcher Reisen, und der Meeresboden hat sich einmal vollständig erneuert.

Hunderte solcher Erneuerungen, und Meere sind verschwunden, Kontinente auseinander gerissen worden, während andere zusammenwuchsen, neue Ozeane sind entstanden, das Gesicht der Welt hat sich gewandelt.

Eine Sekunde deiner Reise, kleiner Partikel, und einfachstes Leben entsteht und vergeht. Nanosekunden, und Elementarteilchen wechseln ihre Plätze. In noch kürzerer Zeit vollziehen sich chemische Reaktionen.

Irgendwo dazwischen der Mensch.

Über allem die Yrr.

Der sich seiner selbst bewusst gewordene Ozean.

Du hast die Welt durchreist, wie sie war und wie sie ist, als Teil des großen Kreislaufs, der keinen Anfang und kein Ende kennt, nur Variation und Wiederkehr. Seit dieser Planet geboren wurde, verändert er sich. Alle Lebewesen bilden ein einziges Gewebe, das die Erde überzieht, untrennbar in ihren Ernährungsbeziehungen miteinander verbunden. Einfaches wechselt mit Komplexem, viel Leben ist auf ewig verschwunden, anderes entwickelt sich neu, manches war immer da und wird die Erde besiedeln, bis sie in die Sonne stürzt.

Irgendwo dazwischen der Mensch.

Irgendwo in allem die Yrr.

Was siehst du?

Was siehst du?

Weaver fühlt sich unglaublich müde, als sei sie Jahre unterwegs gewesen. Ein müder kleiner Partikel, traurig und einsam.

»Mama? Papa?«

Sie muss sich zwingen, ihren Blick auf die Kontrollen zu lenken.

Innendruck, okay. Sauerstoff, okay.

Neigung: null.

Null?

Das *Deepflight* liegt waagerecht. Sie stutzt. Plötzlich ist sie wieder hellwach. Auch die Kontrolle für die Sinkgeschwindigkeit zeigt null an.

Tiefe: 3 466 Meter.

Schwärze ringsum.

Das Boot sinkt nicht mehr. Es liegt auf Grund. Sie hat den Boden des Grönländischen Beckens erreicht.

Kaum traut sie sich, auf die Uhr zu sehen, weil sie Angst hat, etwas Schreckliches darauf zu erblicken – dass sie schon Stunden unten ist, dass sie nicht mehr genug Sauerstoff haben wird, um zur Oberfläche zurückzukehren, irgendetwas in dieser Art. Aber die Digitalanzeige verkündet in ruhigem Leuchten, ihr Sinkflug habe vor 35 Minuten begonnen. Sie war nicht wirklich weggetreten. Nur an die Landung kann sie sich nicht erinnern, aber offenbar hat sie alles richtig gemacht. Die Propeller sind gestoppt, die Systeme aktiv. Sie könnte sofort wieder aufsteigen.

Und plötzlich beginnt es.

Zuerst glaubt Weaver an eine Sinnestäuschung. Ein blauer Schimmer, schwach und in einiger Entfernung. Als habe jemand tiefdunkelblauen Staub von einer überdimensionalen Handfläche geblasen, wirbelt die Erscheinung auf und verlöscht wieder.

Ein neues Aufleuchten, diesmal näher und großflächiger. Es bleibt und zieht sich in einem Bogen über das Boot hinweg, sodass Weaver nach oben schauen muss. Was sie erblickt, erinnert sie an eine kosmische Wolke. Es ist unmöglich zu sagen, wie weit entfernt und wie groß die Wolke ist, aber sie vermittelt ihr das Gefühl, nicht den Grund des Meeres, sondern den Rand einer fernen Galaxis erreicht zu haben.

Dann verschwimmt das Blau. Einen Moment lang glaubt sie, es werde schwächer, um gleich darauf zu erkennen, dass sie einer Sinnestäuschung aufsitzt, denn tatsächlich geht diese Wolke in einer größeren auf, die sich langsam auf das Boot herniedersenkt.

Plötzlich wird ihr klar, dass es keine gute Idee ist, auf dem Meeresboden zu liegen, wenn sie Rubin loswerden will.

Und dafür ist jetzt der Moment. Jetzt oder nie.

Sie kippt die Seitenflügel und startet die Propeller. Das *Deepflight* schürft ein kurzes Stück über den Boden, wirbelt Sediment auf und hebt ab. Blitze zucken über unermessliche, nachtschwarze Horizonte, und Weaver erkennt, dass die Verschmelzung eingesetzt hat.

Das Kollektiv ist riesig.

Von allen Seiten rast das blauweiße Leuchten heran. Das *Deepflight* hängt inmitten der verschmelzenden Wolke. Weaver weiß, dass die Gallerte zu einem äußerst zähen Gewebe kontrahieren kann – sie will lieber nicht darüber nachdenken, was mit ihrem Tauchboot passiert, wenn sich der Muskel aus Einzellern um sie schließt. Kurz hat sie das Bild einer Faust vor Augen, die ein rohes Ei zerdrückt.

Sie ist etwas mehr als zehn Meter über dem Boden.

Das muss reichen.

Jetzt.

Ein Fingerdruck, der alles entscheidet. Einmal nicht richtig hingeschaut, vor Nervosität oder Angst zittrig geworden, und sie öffnet die falsche Abdeckung und wird augenblicklich sterben. In dreieinhalbtausend Meter Tiefe herrscht ein Druck von 385 Atmosphären. Man verliert nicht unbedingt seine äußere Gestalt, aber definitiv sein Leben.

Doch Weaver öffnet die richtige Haube.

Neben ihr stellt sich die Abdeckung der Copilotenröhre senkrecht. Explosionsartig schießt Luft heraus und reißt Rubins Körper hoch und ein Stück nach draußen. Weaver beschleunigt ihr Unterwasserflugzeug, das mit geöffneter Röhre kaum noch steuerbar ist, und lässt es unvermittelt abstürzen, wodurch Rubin endgültig hinauskatapultiert wird. Vor dem blauweißen, näher rückenden Gewitter schwebt er als schwarze Silhouette. Der fremde Lebensraum zerquetscht sein Gewebe und seine Organe, zerdrückt seinen Schädel, bricht ihm unter dem Druck seiner eigenen Muskulatur die Knochen und presst seine Körperflüssigkeiten nach draußen.

Alles ist erleuchtet.

Rubins sich drehender Körper wird erfasst von Gallerte und gegen das fliehende Tauchboot gedrückt. Auch von der anderen Seite kommt der Organismus, von allen Seiten zugleich, von oben und unten. Er schmiegt sich um das Boot und Rubin, verfestigt sich, und Weaver schreit in Todesangst auf ...

Das Boot ist frei.

Fast ebenso schnell, wie die Yrr herangerast sind, haben sie sich wieder vom Boot zurückgezogen. Weit zurückgezogen. Wenn es überhaupt irgendeine Begrifflichkeit gibt, die das Verhalten des Kollektivs in diesem Moment beschreiben könnte, würde man wohl sagen: zutiefst entsetzt.

Weaver hört sich wimmern.

Das Meer um sie herum ist immer noch blau. Verschwommene Lichter jagen einander in der gewaltigen Gallertmasse, die das Boot umgibt wie ein geschlossener, endlos hinaufreichender Wall. Sie wendet den Kopf und erblickt Rubins zerstörtes Gesicht, schwach beleuchtet von den Instrumenten der Konsole. Es ist von dem kontraktierenden Gewebe seitlich gegen die Sichtkuppel ihrer Röhre gedrückt worden und starrt aus dunklen Höhlen ins Innere. Seine Augäpfel haben sich unter dem hydrostatischen Druck aufgelöst. Schwarze Flüssigkeit sickert an ihrer statt hervor, dann löst sich der Körper des Toten langsam und fällt zurück in die Nacht. Wieder ist er nur ein Schatten vor dem erleuchteten Hintergrund, mit seltsam trudelnden Bewegungen, als vollführe er zu Ehren heidnischer Gottheiten einen unbeholfenen, unendlich langsamen Tanz.

Weaver hyperventiliert, zwingt sich zur Ruhe. Unter anderen Umständen wäre ihr längst schlecht geworden, aber für Befindlichkeiten hat sie jetzt keine Zeit.

Der Ring zieht sich weiter zurück und wölbt sich an den Rändern hoch. Von unten wächst Schwärze nach. Wellen durchlaufen den Saum des Organismus. Nach allen Seiten kräuselt er sich höher und höher, und die Leiche des Biologen verschmilzt mit der Dunkelheit. Gleichzeitig senken sich schlanke, spitz zulaufende Tentakel aus der Höhe herab, lang wie Urwaldlianen. Sie bewegen sich koordiniert und zielstrebig, finden Rubin und beginnen ihn abzutasten. Weaver kann seinen Körper nicht sehen, aber das Sonar zeigt ihn an, und die tastenden, vorsichtigen Bewegungen der Fühler lassen auf menschliche Umrisse schließen.

Dünnere, feinere Fühler entwachsen den Spitzen und beschäftigen sich ausgiebig mit einzelnen Körperpartien, bevor sie weiterwandern. Mitunter halten sie still oder verzweigen sich. Manchmal gleiten sie übereinander, als fänden sie sich zu einer lautlosen Beratung. Im Gegensatz zu allem, was sie bisher von den Yrr gesehen hat, leuchten diese Fühler in changierendem Weiß. Das Ganze mutet choreographisch an, ein stummes Ballett, und plötzlich hört Weaver von fern die Musik ihrer Kindheit: Debussys *La plus que lente*, den mehr als langsamen Walzer, das Lieblingsstück ihres Vaters. Sie ist verblüfft und entzückt, und alle Angst fällt von ihr ab. Natürlich spielt niemand hier unten *La plus que lente,* aber es würde passen, denn dieses erkundende Spiel ist von lähmender Schönheit, und nichts anderes kann sie in diesem Moment erkennen als ...

Schönheit.

Sie hat ihre Eltern wieder gefunden inmitten von Schönheit.

Weaver legt den Kopf in den Nacken.

Über ihr wölbt sich eine blau schimmernde Glocke von gigantischen Dimensionen, hoch wie eine Himmelskuppel.

Weaver verehrt keinen Gott, aber sie muss es sich ins Gedächtnis rufen, um nicht in murmelndes Beten zu verfallen. Sie erinnert sich an Crowes Worte, die von den allzu irdischen Außerirdischen gesprochen hat, von menschlicher Nabelschau in der Darstellung des Andersartigen, anstatt kühneren Visionen Raum zu geben. Vielleicht würde Crowe eben diese Reinheit des Lichts bemängeln und sich eine weniger symbolträchtige Beleuchtung wünschen als ausgerechnet heiliges Weiß. Aber das hier ist mit nichts vergleichbar. Weiß ist es einzig darum, weil Biolumineszenz oft weißes Licht erzeugt, ebenso wie blaues, grünes oder rotes. Kein Gott offenbart sich hier, sondern lediglich der angeregte Zustand leuchtfähiger Einzeller. Und ganz davon abgesehen – welcher dem Menschen nahe stehende Gott würde sich in Tentakeln manifestieren?

Was Weaver beinahe die Sinne raubt, ist die Erkenntnis, dass es kein Zurück mehr gibt. Der Streit, ob Einzeller Intelligenz entwickeln können. Die Frage, ob aus der Selbstorganisation all dieser Zellen auf bewusstes Leben zu schließen sei oder vielleicht doch nur auf eine unvermutet hoch entwickelte Form von Mimikri. Die Yrr hatten sogar noch einen draufgelegt, um sich einen Platz im Schauerkabinett der Geschichte zu sichern, als sie tentakelschwingend in den Rumpf der *Independence* eindrangen, gallertige Monster, gegen die sich Wells' Marsianer wie Trottel ausnahmen. Das alles verliert jede Bedeutung angesichts des phantastischen, fremdartigen Schauspiels. Was Weaver erblickt, bedarf keines weiteren Beweises für die Existenz ausgeprägter, definitiv nichtmenschlicher Intelligenz.

Ihr Blick verliert sich in dem blauen Gewölbe, bis sie den Scheitelpunkt erreicht, aus dem sich langsam etwas herabsenkt – ein Gebilde, dessen Unterseite die Tentakel entspringen. Es ist von annähernd runder Form und groß wie ein Mond. Unter der weißen Oberfläche huschen graue Schatten dahin. Komplizierte Muster entstehen für Sekundenbruchteile, Nuancen von Weiß in Weiß, symmetrisches Aufflammen, blinkende Reihen von Punkten und Linien, kryptische Codes, ein Fest für jeden Semiotiker. Auf Weaver macht das Wesen den Eindruck eines lebenden Computers, in und auf dem sich Vorgänge von ungeheurer Komplexität vollziehen. Sie sieht dem Ding beim Denken zu, und dann begreift sie, dass es für das ganze Drumherum mitdenkt, für die ganze gewaltige Masse, das blaue Firmament, und endlich wird ihr bewusst, was sie da sieht.

Sie hat die Königin gefunden.

Die Königin nimmt Kontakt auf.

Weaver wagt kaum zu atmen. Der tonnenschwere Druck hat die Flüssigkeiten in Rubin komprimiert, aber zugleich bewirkt er, dass sie den zerstörten Körper verlassen und sich im Wasser verteilen. Überall dort, wo sie ihm die Lösung gespritzt haben, wird konzentriertes Pheromon hinausgeschwemmt, auf das die Yrr instinktiv reagiert haben. Kurz hat die Verschmelzung stattgefunden, umso jäher endete sie. Immer noch ist Weaver unsicher, ob ihr Plan aufgehen wird. Aber wenn sie Recht behält, muss die Erfahrung das Kollektiv in babylonische Verwirrung gestürzt haben – mit dem Unterschied, dass man in Babylon einander zwar erkannte, jedoch nicht mehr verstand, während das Kollektiv versteht, ohne zu erkennen. Die pheromonische Botschaft wurde nie zuvor von etwas anderem verbreitet und verstanden als von Yrr. Das

Kollektiv kann Rubin nicht erkennen. Eindeutig ist er der Feind, dessen Ausrottung man beschlossen hat, doch der Feind sagt: verschmelzen.

Rubin sagt: Ich bin Yrr.

Was mag in der Königin vorgehen? Durchschaut sie den Trick? Erkennt sie, dass Rubin natürlich kein Yrr-Kollektiv ist, dass seine Zellen fest zusammengewachsen sind, dass ihm die Rezeptoren fehlen? Er wird bei weitem nicht der erste Mensch sein, den die Yrr eingehend untersuchen. Alles, was sie finden, klassifiziert Rubin als Feind. Nach Yrr'scher Logik ist jemand, der nicht Yrr ist, entweder zu ignorieren oder zu bekämpfen, aber haben Yrr jemals Yrr bekämpft?

Können sie sicher sein?

Wenigstens in diesem Punkt hegt Weaver keinen Zweifel, und sie weiß, dass Johanson, Anawak und alle anderen es ebenso gesehen hätten. Die Yrr töten einander nicht. Sie stoßen kranke und defekte Zellen ab, und das Pheromon besorgt den Zelltod, aber das ist nicht viel anders, als wenn ein Körper abgestorbene Hautschuppen abstößt. Man würde nicht von einem Kampf der Körperzellen gegeneinander sprechen, weil sie zusammen ein einziges Wesen ergeben, und so ist es gewissermaßen auch mit den Yrr. Sie sind unzählige Milliarden und doch eines. Selbst verschiedene Kollektive mit verschiedenen Königinnen sind zuletzt ein einziges Wesen mit einem einzigen Gedächtnis, ein weltumspannendes Gehirn, das falsche Entscheidungen treffen mag, jedoch keinerlei moralische Schuld kennt, das Raum für individuelle Ideen schafft, ohne dass eine einzelne Zelle je Anspruch auf Bevorzugung geltend machen könnte, innerhalb dessen keine Strafen verkündet und keine Kriege geführt werden. Es gibt nur intakte und defekte Yrr, und was defekt ist, stirbt.

Doch niemals wird von einem toten Yrr ein pheromonischer Kontakt ausgehen wie von diesem Stück Fleisch in Menschengestalt, das ein Feind ist, das offenbar tot ist und doch beides nicht ist.

Karen, lass die Spinne in Ruhe.

Karen ist klein und hat ein Buch zur Hand genommen, um eine Spinne totzuschlagen, die ebenfalls klein ist, aber den unverzeihlichen Fehler begangen hat, als Spinne auf die Welt zu kommen.

Warum?

Die Spinne ist hässlich.

Das liegt im Auge des Betrachters. Wieso findest du die Spinne hässlich?

Blöde Frage. Warum ist eine Spinne hässlich? Weil sie es nun mal ist.

Nichts schaut einen da mit kullerrunden Babyaugen an, nichts daran ist süß und zum Liebhaben, man kann sie nicht streicheln, sie sieht fremdartig aus und böse und so, dass sie weggehört.

Das Buch saust hinunter, und die Spinne ist Matsch.

Später, sehr bald schon, wird Karen diese Tat bitterlich bereuen, als sie vor dem Fernseher sitzt und eine weitere Folge von *Biene Maja* guckt. Dass Bienen okay sind, hat sie gelernt. In dieser Folge kommt auch eine Spinne vor, die mit ihren acht Beinen und dem starren Blick den sofortigen Gebrauch des Buches rechtfertigen würde. Aber plötzlich öffnet die Spinne einen schmalen, lippenlosen Mund und spricht mit einer quiekigen, entzückenden Kinderstimme. Sie stößt keine wilden Drohungen aus, wie es kleine Mädchen von Spinnen erwarten würden, sondern entpuppt sich als das personifizierte Gute, liebreizend und süß.

Plötzlich kann sie sich nicht mehr vorstellen, eine Spinne zu erschlagen. Schlimmer noch, die eine wird ihr im Traum erscheinen und sie mit dieser Kinderstimme anklagen, und es wird ganz und gar schrecklich werden, und Karen fängt an zu heulen.

Damals hat sie Respekt gelernt.

Sie hat gelernt, was Jahre später an Bord der *Independence* zu einer Idee reift. Wie man es anstellen könnte, dass eine hochintelligente Spezies eine andere unter völliger Umgehung des Intellekts überlistet, um einen Aufschub zu erwirken, vielleicht sogar etwas wie gegenseitiges Verstehen. Und dass der Mensch – gewohnt, Noten für Höherentwicklung nach dem Grad der Menschenähnlichkeit zu verteilen – sich so weit aufgibt, dass er versucht, Yrr-ähnlich zu werden.

Welch eine Zumutung für die Krone der Schöpfung!

Je nachdem, wen man darunter versteht.

Über ihr schwebt der weiße, denkende Mond.

Und sinkt tiefer.

Die Tentakel rollen Rubin ein, bis er wieder sichtbar wird als von Gallerte mumifizierter Torso, ziehen ihn ins Innere. Machtvoll schwebt die Königin auf das *Deepflight* hernieder, um ein Vielfaches größer als das Tauchboot. Plötzlich ist die ozeanische Schwärze verschwunden. Der Leib der Königin beginnt das Gefährt zu umschließen. Alles ist erleuchtet. Um Weaver herum pulsiert weißes Licht. Die Königin nimmt das Tauchboot in sich auf und einverleibt es ihren Gedanken.

Weaver fühlt die Angst zurückkehren. Die Luft bleibt ihr weg. Sie widersteht dem Impuls, die Propeller zu starten, obwohl sie nichts sehnlicher will, als hier rauszukommen. Der Zauber ist verflogen und weicht realer Bedrohung, aber sie weiß, dass die Propeller in dieser festen, flexiblen Gallerte kaum mehr bewirken werden, als das Wesen zu verärgern. Vielleicht werden sie es auch amüsieren oder gleichgültig lassen, aber auf alle Fälle ist es besser, gar nicht erst an Flucht zu denken.

Sie spürt, wie das Boot angehoben wird.

Kann das Wesen sie *sehen*?

Weaver hat keine Vorstellung davon, wie das gehen soll. Das Kollektiv hat keine Augen, aber ist es auszuschließen?

Sie hätten so viel mehr Zeit gebraucht an Bord der *Independence*.

Inständig hofft sie, dass das Wesen sie irgendwie sehen oder auf andere Weise durch die Glaskuppel wahrnehmen kann. Und dass die Königin nicht der Verlockung erliegt, die Röhre zu öffnen, um Weaver zu betasten. Es wäre ein vielleicht gut gemeinter, aber ziemlich finaler Versuch der Kontaktaufnahme.

Das wird sie nicht tun. Sie ist intelligent.

Sie?

Wie schnell man doch in menschliche Denkweisen verfällt.

Plötzlich muss Weaver lachen. Als hätte sie damit ein Signal gegeben, wird das weiße Licht um sie herum durchlässiger. Es scheint sich auf eigentümliche Weise nach allen Seiten zu entfernen, bis sie plötzlich begreift, dass sich das Wesen, das sie Königin nennt, auflöst. Es zerfließt, dehnt sich aus und umgibt sie für die Dauer eines wunderbaren Augenblicks wie der Sternenstaub des jungen Universums. Direkt vor der Kuppel tanzen winzige weiße Punkte. Wenn es Einzeller sind, besitzen sie eine beachtliche Größe, fast wie kleine Erbsen.

Dann ist das *Deepflight* draußen, und der Mond verschmilzt erneut und schwebt nun unter ihr, getragen von einer endlos ausgreifenden Scheibe aus dunklem Blau. Die Königin muss das Boot ein beträchtliches Stück angehoben haben. Auf der Oberfläche der Scheibe vollzieht sich etwas, für das Weaver nur einen Begriff finden kann: Verkehrsgewimmel. Myriaden leuchtender Wesen schweben über die blaue Sphäre hinweg. Chimärenartige Fische, deren Körper in komplexen Mustern erstrahlen, schießen aus dem Innern der Gallerte, treffen zusammen und sinken wieder in die Masse hinein. Von fern funkelt es wie Feuerwerk, dann erglühen Kaskaden roter Punkte unmittelbar vor dem Tauchboot, die sich zu immer neuen Anordnungen formen, schneller, als das Auge zu folgen vermag. Während sie herabsinken und sich dem weißen Zentrum nähern, nehmen sie langsam Gestalt an, doch erst unmittelbar über der Königin offenbaren sie ihre wahre Natur, und Weaver wird schwindelig. Es ist kein Schwarm kleiner Fische, wie sie gedacht hat, sondern ein einziges, riesiges Wesen mit zehn Armen und einem langen, schlanken Körper.

Ein Kalmar. Groß wie ein Autobus.

Die Königin schickt einen hellen Faden aus und berührt die Mitte des Kalmars, und das Wechselspiel der roten Flecken kommt zur Ruhe.

Was geschieht da?

Weaver kann den Blick nicht abwenden. Vor ihren Augen glühen Planktonschwärme auf wie Schnee, von unten nach oben fallend. Ein Geschwader neongrüner Tiefseetintenfische zieht vorbei, mit Augen auf Stielen. Blitze zucken über das unendliche Blau, die sich verlieren, wo ihr Licht nicht mehr zu Weaver vordringen kann.

Sie schaut und schaut.

Bis mit einem Mal alles zu viel wird.

Plötzlich erträgt sie es nicht mehr. Sie merkt, dass ihr Boot wieder zu sinken beginnt, dem leuchtenden Mond entgegen, dass sie dieser schrecklich schönen, schrecklich fremden Welt ein weiteres Mal zu nahe kommen könnte, diesmal ohne eine Chance, sie wieder zu verlassen.

Nein. Nein!

Rasch schließt sie die immer noch offen stehende Röhre und pumpt Druckluft hinein. Das Sonar zeigt hundert Meter über Grund, abnehmend. Weaver überprüft Innendruck, Sauerstoff, Treibstoff. Keine Fehlermeldungen. Alle Systeme arbeiten. Sie kippt die Seitenflügel und startet die Propeller. Ihr Unterwasserflugzeug beginnt zu steigen, langsam erst, dann immer schneller, entkommt der fremden Welt am Boden des Grönländischen Beckens und strebt dem heimatlichen Himmel zu.

Rücksturz zur Erde.

Nie zuvor in ihrem Leben hat Weaver in so kurzer Zeit so viele Gefühlszustände durchgemacht. Plötzlich schießen ihr tausend Fragen durch den Kopf. Wo sind die Städte der Yrr? Wo entsteht ihre Biotechnologie? Wie erzeugen sie *Scratch*? Was hat sie überhaupt gesehen von der fremden Zivilisation? Was hat man sie sehen *lassen*? Alles? Oder nichts von allem? War das eine schwimmende Stadt?

Oder nur ein Wachtposten?

Was siehst du? Was hast du gesehen?

Ich weiß es nicht.

974

Rauf, runter. Auf, ab.

Langweilig.

Die Wellen heben das *Deepflight* hoch und lassen es wegsacken. Rauf und runter. Auf und ab. Es treibt an der Oberfläche, eine ganze Weile, nachdem Weaver vom Grund des Beckens gestartet ist. Ein bisschen fühlt sie sich wie in einem schizophrenen Fahrstuhl. Auf, ab. Auf, ab. Es sind hohe, aber gleichmäßige Wellen. Selten ein Kamm, der sich bricht, eher eintöniges, in stete Bewegung geratenes, graues Schiefergebirge.

Die Kuppel zu öffnen, wäre zu gefährlich. Das *Deepflight* würde augenblicklich voll laufen. Also bleibt sie einfach liegen und starrt hinaus in der Hoffnung, dass sich die See irgendwann beruhigt. Sie hat noch einiges an Treibstoff. Nicht genug, um es bis nach Grönland oder Svalbard zu schaffen, aber wenigstens in die Nähe davon. Solange es stürmt, wird sie die Reserven schonen – es wäre sinnlos, gegen die Wogen anzufahren, und abtauchen möchte sie nicht mehr. Sobald es ruhiger wird, kann sie sich auf Kreuzfahrt begeben. Wohin auch immer.

Sie weiß nicht wirklich, was sie erlebt hat. Aber wenn das Wesen dort unten zu dem Schluss gekommen ist, dass Menschen etwas mit Yrr gemeinsam haben, und sei es nur den Duft, mag das Gefühl die Logik besiegt haben. Dann wurde der Menschheit Zeit geschenkt. Ein Kredit, zurückzahlbar in gutem Willen, Einsicht und Taten. Eines Tages werden die Yrr zu einem neuen Konsens gelangen, weil ihre Herkunft und Entwicklung, ihr ganzer Fortbestand auf Konsens gründet, und dann wird die Menschheit entschieden haben, wie dieser Konsens ausfällt.

An mehr mag Weaver nicht denken. Nicht an Sigur Johanson, nicht an Sam Crowe und Murray Shankar, nicht an die Toten, an Sue Oliviera, Alicia Delaware, Jack Greywolf. Nicht an Salomon Peak, Jack Vanderbilt, Luther Roscovitz, an niemanden, nicht mal an Judith Li.

Nicht an Leon, weil Denken Angst bedeutet.

Aber dann denkt sie doch.

Einer nach dem anderen stellen sie sich ein, als kämen sie zu einer Party, nehmen Platz in ihrem Kopf und machen sich breit.

»Die Gastgeberin ist voller Liebreiz«, sagt Johanson. »Aber es würde ihr anstehen, einen vernünftigen Wein an Bord zu haben.«

»Was erwartest du von einem Tauchboot?«, kontert Oliviera trocken. »Einen Weinkeller?«

»Es gibt Dinge, die man verlangen kann.«

»Mensch, Sigur.« Anawak schüttelt lachend den Kopf. »Du solltest ihr gratulieren. Gerade hat sie die Welt gerettet.«

»Sehr löblich.«

»Hat sie das?«, fragt Crowe. »Die Welt?«

Ratloses Schweigen.

»Also, die Welt, mal ehrlich.« Delaware schiebt ihren Kaugummi von einer Backe in die andere. »Der Welt ist das doch so was von egal. Ob sie nun mit oder ohne uns durchs Universum eiert. Retten oder zerstören können wir nur *unsere* Welt.«

»Hugh!« Greywolf neigt sein Haupt.

Anawak stimmt zu: »Der Atmosphäre geht es am Arsch vorbei, ob sie für unsereinen atembar ist oder nicht. Wenn der Mensch aufhört zu existieren, entfällt auch dieses unselige menschliche Wertesystem, und dann ist ein Tümpel blubbernden Schwefels genauso schön oder unschön wie Tofino im Sonnenschein.«

»Sehr treffend, Leon«, verkündet Johanson. »Trinken wir den Wein der Einsicht. Die Menschheit ist sowieso auf dem absteigenden Ast, ich meine, Kopernikus hat die Erde aus dem Zentrum der Welt verbannt, Darwin hat uns die Krone der Schöpfung vom Kopf gerissen, Freud hat gezeigt, dass der menschliche Verstand am Unbewussten scheitert. Bis zuletzt waren wir wenigstens noch die einzigen organisierten Klugscheißer auf diesem Planeten, und jetzt kommen ältere Mieter und werfen uns raus.«

»Gott hat uns verlassen«, polemisiert Oliviera.

»Na ja, nicht ganz«, sagt Anawak. »Karen hat uns immerhin eine Verlängerung rausgeschunden.«

»Aber um welchen Preis!« Johanson zieht ein langes Gesicht. »Einige von uns mussten sterben.«

»Das bisschen Schwund«, frotzelt Delaware.

»Tu bloß nicht so, als hätt es dir nichts ausgemacht.«

»Was willst du? Ich fand mich sehr tapfer. Wenn du derlei Geschichten im Kino siehst, müssen immer die Alten sterben, während die Jungen überleben.«

»Das ist, weil wir Affen sind«, sagt Oliviera trocken. »Die alten Gene weichen den jüngeren, gesünderen, die eine optimale Fortpflanzung garantieren. Andersrum funktioniert die Sache nicht.«

»Nicht mal im Kino«, nickt Crowe. »Wenn die Alten überleben und die Jungen sterben, gibt's Geschrei. In den Augen der meisten Menschen ist das kein Happy End. Nicht zu fassen, was? Selbst diese zutiefst romantische Sache mit dem Happy End resultiert aus biologischen Sachzwängen. Von wegen freier Wille. Hat jemand eine Zigarette?«

»Kein Wein, keine Zigaretten«, sagt Johanson maliziös.

»Ihr müsst das positiv sehen«, mischt sich Shankar mit seiner sanften Stimme ein. »Die Yrr sind ein Wunder, und das Wunder hat uns überdauert. Ich meine, King Kong, der Weiße Hai, immer muss das mythische Ungeheuer sterben. Der Mensch, der ihm auf die Spur kommt, bestaunt und bewundert es, lässt sich von seiner Fremdartigkeit verzaubern und bringt es dann um. Wollen wir das wirklich? Wir haben uns von *Scratch* verzaubern lassen, vom Fremdartigen, Ungewissen – wozu? Um es aus der Welt zu schaffen? Warum sollten wir dem Wunder schon wieder den Garaus machen?«

»Damit sich Held und Heldin in die Arme sinken und einen Haufen langweiliger Nachkommen zeugen können«, knurrt Greywolf.

»Jawohl!« Johanson schlägt sich gegen die Brust. »Und auch der weise, alte Wissenschaftler muss sterben zugunsten hirnloser Spießer, deren einziges Verdienst darin besteht, jung zu sein.«

»Danke«, sagt Delaware.

»Dich meine ich nicht.«

»Ruhig, Kinder.« Oliviera hebt die Hände. »Einzeller, Affen, Ungeheuer, Menschen, Wunder, alles dasselbe. Alles Biomasse. Kein Grund zur Aufregung. Unsere Spezies stellt sich sofort anders dar, wenn man sie unterm Mikroskop betrachtet oder in biologischen Begrifflichkeiten umschreibt. Aus Mann und Frau werden Männchen und Weibchen, der vordringliche Lebenszweck des Einzelnen ist Nahrungserwerb, aus Essen wird Fressen ...«

»Aus Sex Paarung«, ruft Delaware gut gelaunt.

»Ganz richtig. Krieg benennen wir um in Dezimierung der Art und schlimmstenfalls Gefährdung des Bestands, und wir müssen uns nicht weiter für unsere Blödheit verantworten, weil wir alles den Genen und Trieben in die Schuhe schieben können.«

»Triebe?« Greywolf legt einen Arm um Delaware. »Nichts dagegen.«

Ein leises Lachen kommt auf, wird konspirativ weitergereicht und sorgsam wieder verstaut.

Anawak zögert.

»Also, um nochmal auf die Sache mit dem Happy End zurückzukommen ...«

Alle schauen ihn an.

»Ich weiß, man könnte sich die Frage stellen, ob die Menschheit es verdient weiterzubestehen. Aber es gibt keine Menschheit. Es gibt nur

Menschen. Einzelne Menschen, von denen viele einen Haufen guter Gründe anführen könnten, warum sie auf alle Fälle weiterleben sollten.«

»Und warum willst *du* weiterleben, Leon?«, fragt Crowe.

»Weil ...« Anawak zuckt die Achseln. »Ganz einfach. Weil es jemanden gibt, *für* den ich weiterleben möchte.«

»Happy End«, seufzt Johanson. »Ich wusste es.«

Crowe lächelt Anawak an.

»Solltest du am Ende verliebt sein, Leon?«

»Am Ende?« Anawak überlegt. »Ja. Ich schätze, am Ende bin ich wohl verliebt.«

Sie unterhalten sich weiter, und die Stimmen verhallen in Weavers Kopf, bis sie sich mit dem Rauschen der Wellen vermischt haben.

Traumtänzerin, denkt sie. Du elende Traumtänzerin.

Sie ist wieder allein.

Weaver weint.

Nach etwa einer Stunde wird es ruhiger. Nach einer weiteren Stunde hat der Wind so weit nachgelassen, dass die Wogen zu ausgedehnten Hügeln verflacht sind.

Drei Stunden später wagt sie es, die Kuppel zu öffnen.

Mit einem Klicken löst sich die Arretierung. Summend fährt die Abdeckung hoch. Eisige Kälte umgibt sie. Sie starrt hinaus und sieht in der Ferne einen Buckel auftauchen und wieder verschwinden. Es ist kein Orca, der sich nähert, sondern etwas Größeres. Beim zweiten Auf- und Abtauchen, nun wesentlich näher, stößt die gewaltige Fluke aus dem Wasser.

Ein Buckelwal.

Kurz überlegt sie, die Röhre wieder zu schließen. Aber was hat sie dem Tonnengewicht eines Buckelwals entgegenzusetzen? Ob sie nun in der Röhre liegt oder aufrecht darin sitzt. Wenn der Wal nicht will, dass sie die nächsten paar Minuten überlebt, dann überlebt sie nicht.

Der Buckel hebt sich ein weiteres Mal aus dem gekräuselten Grau. Das Tier ist riesig. Es bleibt an der Wasseroberfläche, dicht neben dem Boot. So nah zieht es vorbei, dass Weaver nur die Hand ausstrecken müsste, um den schartigen, seepockenbewachsenen Kopf zu berühren. Der Wal dreht sich auf die Seite, und sein linkes Auge mustert die kleine Frau in der Maschine einige Sekunden.

Weaver erwidert den Blick.

Knallend entlädt sich der Blas des Wals. Dann taucht er langsam ab, ohne eine einzige Welle zu verursachen, verschwindet im grauen Wasser und ist nur noch eine Erinnerung.

Weaver klammert sich an den Rand der Röhre.

Er hat nicht angegriffen.

Der Wal hat ihr nichts getan.

Sie kann es kaum glauben. Ihr ganzer Schädel dröhnt. Es schwirrt in ihren Ohren. Während sie noch ins Wasser starrt, hört sie das Schwirren und Dröhnen näher kommen, und es ist nicht in ihrem Schädel. Es dringt aus der Luft zu ihr herab, wird zu einem Wummern, ganz nah jetzt, ohrenbetäubend, und Weaver wendet den Kopf.

Der Helikopter steht tief über dem Wasser.

Menschen drängen sich in der geöffneten Seitentür. Soldaten und jemand in Zivil, der ihr zuwinkt, mit beiden Armen. Jemand, dessen Mund weit offen steht, weil er den aussichtslosen Versuch unternimmt, das Knattern der Rotoren zu übertönen.

Am Ende wird er es besiegen, doch im Augenblick siegt die Maschine.

Weaver weint und lacht zugleich.

Es ist Leon Anawak.

EPILOG

aus den chroniken
von samantha crowe

15. August

Nichts ist mehr, wie es war.

Heute vor einem Jahr sank die *Independence*. Ich habe beschlossen, Tagebuch zu führen. Ein Jahr danach. Offenbar brauchen Menschen immer irgendein symbolisches Datum, um Dinge zu beginnen oder zu beenden. Nicht, dass es an Aufzeichnungen über die Ereignisse der letzten Monate mangeln würde. Aber es sind nicht meine Gedanken, die da niedergeschrieben werden, und ich möchte mich eines Tages gerne der Gültigkeit meiner Erinnerungen versichern.

In den Morgenstunden habe ich Leon angerufen. Er war damals die Alternative Verbrennen, Ertrinken oder Erfrieren. Genau genommen verdanke ich ihm gleich zweimal mein Leben. Nachdem das Schiff gesunken war, hätte ich immer noch sterben können, bis auf die Knochen nass vom Eiswasser, mit einem gebrochenen Fußgelenk und ohne jede Hoffnung, dass uns jemand auffischt. Das Zodiac hatte eine Überlebensausrüstung an Bord, aber ich bezweifle, ob ich alleine damit klargekommen wäre. Unmittelbar nach dem Untergang der *Independence* muss ich zu allem Überfluss in Ohnmacht gefallen sein. Bis heute weigert sich mein Hirn, diese letzte Sequenz abzuspielen. Ich erinnere mich, dass wir die Rampe hinunterstürzten, mein allerletzter Eindruck ist Wasser. Aufgewacht bin ich in einem Krankenhaus. Mit Unterkühlungen, einer Lungenentzündung, einer Gehirnerschütterung und dem dringenden Verlangen nach Nikotin.

Leon geht es gut. Karen und er sind derzeit in London. Wir haben über die Toten gesprochen. Über Sigur Johanson, der sein Haus im norwegischen Hinterland nicht mehr sehen konnte, über Sue Oliviera, Murray Shankar, Alicia Delaware und Greywolf. Leon vermisst seine Freunde, ganz besonders an einem Tag wie diesem. So sind wir Menschen. Auch um der Toten zu gedenken, brauchen wir Ankerpunkte der Trauer, damit wir den Schmerz hinterher in eine Kiste stecken und ein weiteres Jahr zwischenlagern können, und wenn wir ihn das nächste Mal auspacken, stellen wir fest: Wir hatten ihn größer in Erinnerung. Dem Tod die Toten. Sehr schnell gingen wir zu den Lebenden über. Kürzlich habe ich Gerhard Bohrmann kennen gelernt. Ein angenehmer Zeitgenosse, ausgeglichen und entspannt. Ich weiß nicht, ob ich an seiner Stelle je wieder einen Fuß ins Wasser setzen würde, aber er vertritt die Auffassung, schlimmer als vor La Palma könne es nicht kommen. Also taucht er weiter, um sich ein Bild vom Zustand der Kontinentalabhänge zu verschaffen, und mittlerweile kann man ja auch wieder tauchen. Tatsächlich hörten die Angriffe unmittelbar nach dem Untergang der *Independence* auf. Kurz zuvor hatten die SOSUS-Messstationen *Scratch*-Signale registriert, die quer durch den Ozean zu hören waren. Als Stunden später der Rettungstrupp am Vulkankegel eintraf, um Bohrmann aus seiner Felsspalte zu befreien, fand man keine Haie mehr vor. Die Wale kehrten über Nacht zu ihren natürlichen Verhaltensweisen zurück. Die Würmer verschwanden ebenso wie die Quallenheere und die giftigen Tiere, keine Krabben überrannten mehr die Küsten, und allmählich beginnt auch die große Pumpe wieder zu arbeiten, ohne die uns eine neue Eiszeit ins Haus stünde. Sogar die Hydrate, sagt Bohrmann, gewinnen ihre Festigkeit zurück. Bis heute weiß Karen nicht genau, was sie eigentlich gesehen hat am Grund des Grönländischen Beckens, aber ihr Plan muss aufgegangen sein. Die *Scratch*-Signale decken sich zeitlich mit dem Moment, als sie Kontakt zur Königin hatte – das wissen wir vom Bordsystem des *Deepflight*. Der Computer hat festgehalten, wann Karen die Abdeckung öffnete, um Rubins Leichnam in die Tiefsee zu entlassen, und wenig später stoppte der Terror.

Oder sollten wir besser sagen, er wurde ausgesetzt?

Nutzen wir unsere Chance?

Ich weiß es nicht. Langsam erholt sich Europa von den Folgen des Tsunamis. Die Seuchen im Osten Amerikas wüten immer noch, wenngleich sich ihre Wirkung abschwächt und eine Reihe neuer Immunstoffe beginnt, Wirkung zu zeigen. Das sind die guten Nachrichten. Demgegenüber befindet sich die Welt im Taumel der Irritation. Wie sollen wir an uns selbst gesunden angesichts des Scherbenhaufens, der von unserem Selbstverständnis geblieben ist? Die etablierten Religionen bleiben die Antwort schuldig, exemplarisch das Christentum: Adam und Eva, die Archetypen unseres Geschlechts, räumten schon vor langer Zeit das Feld für Bausteine der Biochemie. Die Kirche akzeptierte notgedrungen, dass Gott mit Proteinen und Aminosäuren begonnen hat. Damit ließ sich leben. Entscheidend war, dass Er *wollte*, was Er tat! *Wie* genau der Mensch entstand, war nicht von Relevanz, nur *dass* er entstand, so wie es Gott gefiel. Gott würfelt nicht, hat Einstein gesagt. Er setzt Pläne in die Tat um, deren Gelingen außer Frage steht. Unfehlbarkeit gilt immer *a priori*!

Auch mit der Vorstellung anderer Intelligenzen auf anderen Planeten vermochte das Christentum Schritt zu halten. Warum sollte Gott seine Schöpfung nicht wiederholen, sooft es Ihm gefiel? Selbst, dass solche Wesen anders aussehen, kann von Gott gewollt sein. Im Rahmen hiesiger Bedingungen, die Er kraft seines Willens festgelegt hat, ist das Modell Mensch den Bedingungen optimal angepasst. Auf anderen Planeten hat Gott andere Rahmenbedingungen geschaffen und ergo andere Lebensformen. So oder so schuf Er alles Leben nach Seinem Bilde, weil der Begriff des Ebenbildes metaphorisch zu verstehen ist: Die Schöpfung entspricht nicht Gottes Spiegelbild, sondern dem Bild, das Er im Sinn hatte, als Er daranging, sie zu verwirklichen.

Das Problem war anderer Natur: Wenn es zutraf, dass der Kosmos bevölkert war von fremden Intelligenzen, allesamt von Gott geschaffen – musste sich dann nicht auch die Geschichte von Gottes Sohn auf jedem Planeten ähnlich abgespielt haben? Mussten die Bewohner nicht überall sündigen, um durch das göttliche Opfer erlöst zu werden?

Man kann dem entgegenhalten, dass eine von Gott geschaffene Rasse nicht zwangsläufig sündig werden muss. Die Entwicklung konnte sich anders vollzogen haben. Auf einem fernen Planeten folgten die Bewohner Gottes Gesetz, sodass ein Erlöser nicht vonnöten war. Nur barg die Sache einen gewaltigen Haken: Wenn diese andere Rasse immerzu nach Gottes Wort gelebt hatte – war sie dann im Sinne Gottes die bessere Rasse? Sie hatte sich Seiner würdiger erwiesen als der Mensch, also musste Gott ihr eigentlich den Vorzug geben. Damit aber geriet die Menschheit zur Schöpfung zweiter Klasse, ohnehin vorbestraft, da schon einmal wegen fortgesetzter moralischer Unzulänglichkeit hinweggespült. Man kann es sogar noch drastischer formulieren: Gott hat mit der Menschheit nicht gerade Sein Meisterstück abgeliefert. Er hat gepatzt. Er hat nicht verhindern können, dass die Menschen sündig wurden, also sah Er sich gezwungen, Seinen Sohn zu opfern, um die Schuld zu tilgen. Eine Art Kredit in Blut. Welcher Vater tut so etwas leichten Herzens? Gott selber musste zu dem Schluss gelangt sein, dass Ihm die Menschheit misslungen war.

Nun postuliert die Wissenschaft Tausende und Abertausende fremder Zivilisationen im All. Die Galaxien ausschließlich von Musterknaben bevölkert zu finden, mutet denn doch ein bisschen unwahrscheinlich an, also dürfen wir glauben, dass wenigstens einige der anderen Rassen schuldig wurden, was wiederum einen Erlöser erforderlich macht. In der Religion geht es in solchen Fällen nicht um Nuancierungen, sondern um Dogmen und Prinzipien, das heißt, es spielt keine Rolle, *wie viel* Schuld jemand auf sich lädt, sondern *dass* er es tut. Anders gesagt – Gott lässt nicht mit sich feilschen. Vertrauensbruch ist Vertrauensbruch. Bestrafung ist Bestrafung und Erlösung ist Erlösung.

Die Erlösergeschichte hätte sich demzufolge mehrfach zugetragen. Aber konnte man sicher sein, ob Gott nicht anderswo andere Wege gefunden hatte, die Verfehlungen Seiner Schöpfung zu sühnen? Ohne Seinen Sohn sterben zu lassen! Schon tat sich ein neues Problem auf: Christi Tod war schmerzlich gewesen, aber unumgänglich, weil der göttliche und damit einzige Weg. Im Angesicht von Alternativen jedoch: War es dann immer noch der einzig richtige Weg? Wie stellte sich Gottes Unfehlbarkeit dar, wenn Er zur Reinwaschung Seiner Schöpfung hier Seinen Sohn sterben ließ, dort aber nicht? War es ein Fehler gewesen, ihn zu opfern, den Er auf anderen Welten keinesfalls wiederholen wollte? Und welchen Sinn sollte es haben, zu einem Gott zu beten, der die Dinge nicht verlässlich im Griff hatte?

Streng genommen konnte das Christentum also nur Intelligenzen akzeptieren, die eine Passionsgeschichte vorzuweisen hatten. Andernfalls schnitt entweder die Menschheit schlecht ab oder Gott. Aber selbst die Hüter der christlichen Doktrin konnten kein Universum voller Passionsgeschichten voraussetzen, also was blieb?

Unsere Einzigartigkeit auf Erden.

Für uns hat Gott diese Welt bestimmt. Wir sind die göttliche Rasse mit dem Auftrag, uns die Erde untertan zu machen. Daran ändern Bewohner anderer Welten nichts, selbst wenn sie uns besuchen kämen. Dieser Planet ist unser Platz, und die anderen haben ihren. Auf seiner Welt ist jeder Gottes gewollte Rasse.

Doch die Bastion ist gefallen. Die Yrr haben den letzten fundamentalen Anspruch des Christentums zunichte gemacht. Nicht nur die menschliche Vorherrschaft ist in Frage gestellt, sondern auch Gottes Plan. Schlimmer noch: Selbst wenn man sich damit abfände, dass Gott zwei gleichwertige Rassen auf Erden schuf, müssten die Yrr entweder eine Passionsgeschichte aufzubieten haben oder streng nach Seinen Geboten leben. Andernfalls hätten sie sich versündigt, aber dann wiederum stellt sich die Frage, warum Gott sie in Seinem Zorn nicht längst gestraft hat.

Und die Yrr leben nicht nach Seinen Geboten. Allein, das fünfte Gebot zu befolgen, schließt ihre Biochemie aus. Was nur heißen kann, dass Gott a) nicht existiert, b) nicht die Kontrolle hat oder c) das Tun der Yrr gutheißt. Dann hätten wir uns einem Irrtum hingegeben, der so alt ist wie die Menschheit. Wir sind gar nicht gemeint gewesen!

In solchen und ähnlichen Krämpfen winden sich die großen Religionen, verzehren sich Christentum, Islam und Judentum. Während sie noch definieren, analysieren und deuten, sind ihre Strukturen weitestgehend in sich zusammengebrochen, und mit ihnen die ohnehin maroden Börsen, die von Gottes finanzgewaltigem Wort abhängiger waren, als wir alle glaubten. Buddhismus und Hinduismus hingegen, die andere Lebensformen akzeptieren, erhalten beispiellosen Zulauf. Esoterische Zirkel haben Hochkonjunktur, neue Bewegungen entstehen, archaische Naturreligionen erleben ihre Renaissance. Von den alten Sekten schlagen sich die Mormonen noch am wackersten, deren Gott sagt: Ich habe unzählige Welten erschaffen! Aber warum Er im selben Spielzimmer zwei Kinder großgezogen hat, können auch die Mormonen nicht beantworten.

Das Letzte, was ich hörte, war, dass ein katholischer Bischof mit einer Delegation aus Rom die Ozeane rauf- und runterfährt, Weihwasser in die Wellen sprenkelt und dem Teufel befiehlt, sich davonzumachen. Bemerkenswert. Als Spezies, die es gewohnt war, Gottes Grundsätze zu verhöhnen und seine Schöpfung zu schänden, entsenden wir nun einen seiner angeblichen Vertreter, um den Feind zur Räson zu bringen. Wir haben die Stirn, uns als Anwalt eines Schöpfers zu gebärden, dessen Auftrag wir verspielt haben. Es ist, als wollten wir Gott das Evangelium predigen, um ihn davon abzubringen, uns zu strafen.

Die Welt verfällt.

Inzwischen hat die UNO den Vereinigten Staaten von Amerika das Führungsmandat entzogen. Ein weiterer Akt der Hilflosigkeit. In vielen Staaten ist die öffentliche Ordnung zusammengebrochen. Wohin man schaut, durchstreifen marodierende Horden das Land. Allerorts kommt es zu bewaffneten Konflikten. Der Schwache überfällt den Schwächeren, weil Menschen nun mal ihrem Wesen nach nicht hilfsbereit, sondern dem animalischen Erbe verhaftet sind. Wer am Boden liegt, wird zur Beute, und zu plündern gibt es reichlich. Die Yrr haben nicht nur unsere Städte zerstört, sie haben uns auch innerlich verwüstet. Glaubenslos irren wir umher, verstoßene, grausame Kinder, die sich rapide zurückentwickeln auf der Suche nach einem neuen Anfang.

Aber es gibt auch Hoffnung, erste Anzeichen für ein Umdenken, welche Rolle wir auf unserem Planeten spielen. Viele versuchen in diesen Tagen, die biologische Vielfalt zu verstehen, um die wahren vereinheitlichenden Prinzipien zu begreifen und das, was uns letztlich verbindet, fernab jeder Hierarchie. Denn es ist das Verbindende, das unser Überleben sichert. Hat der Mensch sich je gefragt, wie es sich auf das Leben seiner Nachkommen auswirkt, wenn er ihnen einen verarmten Planeten hinterlässt? Wer wollte die Bedeutung einer Tierart für den menschlichen Geist wirklich bewerten? Wir sehnen uns nach Wäldern, Korallenriffen und fischreichen Meeren, nach sauberer Luft und reinen Gewässern. Doch weiterhin schädigen wir die Erde. Mit der Vielfalt der Lebensformen zerstören wir eine Komplexität, die wir nicht verstehen, und schon gar nicht können wir sie neu erschaffen. Was wir auseinander reißen, bleibt zerrissen. Wer will entscheiden, auf welchen Teil der Natur im großen Geflecht wir verzichten können? Das Geheimnis der Vernetzung offenbart sich nur intakt. Einmal sind wir zu weit gegangen, und das Netz hat beschlossen, sich unserer zu entledigen. Einstweilen herrscht Waffenruhe. Zu welchen Schlüssen die Yrr auch gelangen mögen, wir täten gut daran, ihnen die Entscheidung so leicht wie möglich zu machen. Denn ein zweites Mal wird Karens Trick nicht ziehen.

Heute, am Jahrestag des Untergangs, schlage ich eine Zeitung auf und lese: Die Yrr haben die Welt für alle Zeiten verändert.

Haben sie das?

Maßgeblichen Einfluss haben sie auf unser Schicksal genommen, und doch wissen wir so gut wie nichts über sie. Wir glauben, ihre Biochemie zu kennen, aber ist das Wissen? Seit damals haben wir sie nicht mehr zu Gesicht bekommen. Nur ihre Signale hallen durchs Meer, unverständlich, weil nicht für uns gedacht. Wie erzeugt ein Gallertklumpen Geräusche? Wie nimmt er sie auf? Zwei von Millionen Fragen, die zu stellen müßig ist. Die Antworten liegen bei uns. Nur bei uns.

Vielleicht ist eine weitere Menschheitsrevolution fällig, um unser archaisches Erbe endlich mit der Entwicklung unserer Intelligenz unter einen Hut zu bringen. Wenn wir uns des Geschenks, das die Erde immer noch ist, als würdig erweisen wollen, sollten wir nicht die Yrr erforschen, sondern endlich uns selber. Erst die Kenntnis unserer Herkunft, die wir zwischen Wolkenkratzern und Computern zu leugnen gelernt haben, wird uns den Weg in eine bessere Zukunft weisen.

Nein, die Yrr haben die Welt nicht verändert. Sie haben uns die Welt gezeigt, wie sie ist.

Nichts ist mehr, wie es war. – Doch, eines: Ich rauche noch.

Was wären wir ohne Konstanten?

Dank

Auf fast 1 000 Seiten – prallvoll mit Wissen und Wissenschaft – sollte man die Einflüsse vieler kluger Leute erwarten, und so ist es auch. Im einzelnen danke ich:

Prof. Dr. Uwe A. O. Heinlein, Miltenyi Biotec, für Yrrlehren, denkende Gene und Weisheit am Grunde gut gefüllter Gläser.

Dr. Manfred Reitz, Institut für molekulare Biotechnologie Jena, für Einblicke ins Außerirdische und viel inspirierenden Yrrsinn.

Hans-Jürgen Wischnewski, Staatsminister a.D., für ein halbes Jahrhundert in drei Stunden, Mohnkuchen und Gemütlichkeit.

Clive Roberts, Managing Director, Seaboard Shipping Co. Vancouver, für fachlichen und schwiegerväterlichen Rat – *and simply for being himself!*

Bruce Webster, Seaboard, für Zeit, Geduld und 26 ausführliche Antworten auf ausschweifende Fragen.

Prof. Dr. Gerhard Bohrmann, Geomar Forschungszentrum Kiel und Universität Bremen, für das spezielle Knistern im Hydrat und eine Hauptrolle nicht nur in der Wissenschaft.

Dr. Heiko Sahling, Universität Bremen, für fixierte, autopsierte und sonstwie pürierte Würmer und fürs Mitspielen.

Prof. Dr. Erwin Suess, Geomar, für eine sonnenbeschienene Mittagspause in der Tiefsee und für literarische Präsenz.

Prof. Dr. Christopher Bridges, Universität Düsseldorf, für diverse erhellende Momente in lichtloser Tiefe.

Prof. Dr. Wolfgang Fricke, Technische Universität Hamburg Harburg, für zwei äußerst konstruktive Tage zu destruktiven Zwecken.

Prof. Dr. Stefan Krüger, Technische Universität Hamburg Harburg, für unermüdliches Umschiffen von Fehlern beim Schiffeversenken.

Dr. Bernhard Richter, Germanischer Lloyd, für telefonischen Beistand während des kreativen Katastrophengipfels mit Dr. Fricke.

Prof. Dr. Giselher Gust, Technische Universität Hamburg Harburg, für kritisches Gedankengut und einen wahren Zirkumpolarstrom an Ideen.

Tobias Haack, Technische Universität Hamburg Harburg, für Kopfarbeit im Schiffsbauch.

Stefan Endres für Whale Watching, richtige Indianer und große Tiere, die über kleine Flugzeuge springen.

Torsten Fischer, Alfred-Wegener-Institut Bremerhaven, für die Chance, kurzfristig ein Forschungsschiff auszuforschen.

Holger Fallei für eine Polarstern-Expedition im Trockendock, die wirklich alles war – nur nicht trocken.

Dr. Dieter Fiege, Forschungsinstitut Senckenberg Frankfurt, für einen Tag, in dem der Wurm war – im besten Sinne!

Björn Weyer, dem Schutz der Flotte verpflichtet, für seine Bereitschaft, mit dem Feind zu kollaborieren – natürlich nur mit dem literarischen.

Peter Nasse für wertvolle Kontakte, immerwährende Hilfsbereitschaft und das Vergnügen, ihn eines Tages auf der Leinwand zu sehen.

Ingo Haberkorn, Bundeskriminalamt Berlin, für profundes Krisenmanagement bei nichtmenschlichen Ausschreitungen und Delikten.

Uwe Steen, Öffentlichkeitsarbeit der Kölner Polizei, für seinen Beitrag zur Frage, wer wann wo wie reagiert in yrren Zeiten.

Dieter Pittermann für Verkehrswege zu Bohrinseln, Trondheims wissenschaftliche Seite und für »Håper det er til hjelp«.

Tina Pittermann für den Kontakt zu Papa, für Omas Bücher und sehr geduldiges Warten auf Omas Bücher.

Tinas Oma für besagte Bücher.

Paul Schmitz für Fotos, Barthaartransplantate, zwei Jahre Musikverzicht und die unumstößliche Gewissheit: *Never get old!*

Jürgen Muthmann für Einblicke ins peruanische Fischereiwesen, Geduld mit schreibenden Flugmuffeln und innere Nähe trotz großer Ferne.

Olaf Petersenn, Lektor meines Vertrauens bei Kiepenheuer & Witsch, für die längst fällige Bereicherung meines Vokabulars um das Wort »Streichen«.

Helge Malchow, Verleger und Herausgeber, Kiepenheuer & Witsch, für Vertrauensvorschuss und das dickste Buch in der Verlagsgeschichte.

Yvonne Eiserfey, die sichtbar ein Auge auf das Buch geworfen hat, für kLeiNe und GroßE Buchstaben.

Jürgen Milz, meinem Freund und Partner, für sein Verständnis und die Kunst, ein kleines Schiff trotz heftiger Stürme über Wasser zu halten.

Dank an die Teams bei Kiepenheuer & Witsch und Fischer Taschenbuch Verlag, und ein großes Dankeschön an den Außendienst.

Von Herzen danke ich auch Kölns langjährigem Oberbürgermeister Norbert Burger für die Vermittlung des Kontakts zu Hans-Jürgen Wischnewski, Hans-Peter Buschheuer für seinen Brief an Ben Wisch, Claudia Dambowy für medizinischen Beistand, Jürgen Streich für den Lesestoff über Greenpeace, Hejo Emons für spannende und hochinformative Tiefseevideos, Jochen Cerhak für ebensolche Videos, und ganz besonders Wahida Hammond für die vielen, vielen Freundschaftsdienste, weil das einfach mal fällig war!

Ein ganz besonderer Dank gebührt Brigitte und Rolf Schätzing, meinen Eltern, denen ich das Beste verdanke, die immer für mich da sind, die mit mir schon durch so viele freundliche und raue Gewässer gesteuert sind und auch im größten Nebel immer noch wussten, wie man Kurs hält.

Im großen Kreislauf der Natur ist Ende gleich Anfang. Dieser schönen Logik zufolge beginnt eine Danksagung eigentlich erst so richtig mit dem Ende. So, wie auch alle meine Tage beginnen und enden und wieder beginnen mit dem Schönsten, das man sich wünschen kann, nämlich mit der großen Liebe. Manche sagen, Sabina sei meine geheime Lektorin, andere nennen sie schlicht meinen Glücksfall. Beide haben Recht. Für Dich, süßester Schatz, habe ich dieses Buch geschrieben, eingedenk dessen, was auf einem kleinen Stück Bierdeckel in Deinem Portemonnaie steht: Alles! … und Meer.

Mark T. Sullivan
LIMIT
Reich – Gewissenlos – Tot
Thriller
Aus dem Amerikanischen von Irmengard Gabler
Band 66098

Wie gewissenlos muss man sein, um ein Milliarden-Vermögen anzuhäufen?

Im exklusiven Jefferson Club in Montana machen die sieben reichsten Männer der Welt an Silvester die Erfahrung, dass man mit Geld nicht alles kaufen kann. Denn die »Dritte Front«, eine militante Organisation, will Gerechtigkeit für Alle. Sie haben den Club überfallen und sämtliche Gäste als Geiseln genommen. Die Reichen sollen büßen für ihre Habgier.

Für Mickey Hennessy, den Sicherheitschef des Clubs, beginnt ein Wettlauf mit dem Tod, denn seine drei Kinder befinden sich ebenfalls in der Gewalt der brutalen Killer.

Fischer Taschenbuch Verlag

Jean-Christophe Rufin
Hundert Stunden
Roman
Aus dem Französischen von
Brigitte Große und Claudia Steinitz
560 Seiten. Gebunden

Eine fanatische Umweltorganisation verfolgt einen gefährlichen Plan, der die Existenz der Menschheit bedroht. Von Osteuropa zu den Kapverdischen Inseln, von Colorado nach Rio de Janeiro – es bleiben nur hundert Stunden, um die Welt zu retten. Ein spannender, hochintelligenter und polemischer Thriller des Goncourt-Preisträgers Jean-Christophe Rufin darüber, wie die Sehnsucht nach dem verlorenen Paradies und einem Leben in Einklang mit der Natur zu mörderischem Fanatismus führt.

»Rufin schickt Michael Crichton in die Ära
der Dinosaurier zurück.«
Le Figaro

S. Fischer

fi 1-068509 / 1

Frank Schätzing. Nachrichten aus einem unbekannten
Universum. Eine Zeitreise durch die Meere. KiWi 980

Wollen Sie noch tiefer eintauchen?

Mit Sachverstand und Ironie spannt Frank Schätzing den
Bogen vom Urknall bis in die kommenden 100.000 Jahre,
nimmt uns mit in das unbekannte Universum unter Wasser,
versetzt uns in Erstaunen, Entzücken und Entsetzen.
Danach sieht man die Ozeane mit anderen Augen.